ШАХМАТНЫЙ
ИНФОРМАТОР

Šahovski informator

CHESS
INFORMANT

70

SCHACH-
INFORMATOR

VI–IX 1997

INFORMATEUR
D'ECHECS

INFORMADOR
AJEDRECISTICO

INFORMATORE
SCACCHISTICO

SCHACK-
INFORMATOR

チェス新報

دليـــل الشـطرنج

Game #89, p. 71 Anand's amazing combination against Lautier at Biel !

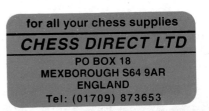

Autori sistema Šahovskog informatora • Авторы система Шахматного информатора • The Inventors of the Chess Informant systems • Die Autoren des Systems des Schach-informators • Auteurs des systèmes de l'Informateur d'échecs • Autores del sistema de Informador ajedrecistico • Autori dei sistemi del Informatore scacchistico • Författarna till Schackinformationssystemet • واضعو أنظمة دليل الشطرنج • チェス新報システム開発

ALEKSANDAR MATANOVIĆ, BRASLAV RABAR, MILIVOJE MOLEROVIĆ, ALEKSANDAR BOŽIĆ, BORISLAV MILIĆ

Odgovorni urednik • Главный редактор • Editor-in-chief • Chefredakteur • Rédacteur en chef • Redactor en jefe • Redattore Capo • Chefredaktör • رئيس التحرير • 編集長

ALEKSANDAR MATANOVIĆ

Zamenik odgovornog urednika • Заместитель главного редактора • Assistant to the Editor-in--chief • Assistent des Chefredakteurs • Assistant du Rédacteur en chef • Asistente del redactor en jefe • Vice Redattore • Vice Chefredaktör • 編集次長 • مساعد رئيس التحرير

ZDENKO KRNIĆ

Redakcija • Редакционная коллегия • Editorial board • Redaktion • Collège de rédaction • Colegio de redacción • Collegio Redazionale • Redaktion • 編集委員 • هيئة التحرير

MILAN BJELAJAC, SRĐAN CVETKOVIĆ, MILUTIN KOSTIĆ, ZDENKO KRNIĆ, MIROSLAV LUKIĆ, ALEKSANDAR MATANOVIĆ, DRAGAN PAUNOVIĆ, TOMISLAV PAUNOVIĆ, DRAGAN UGRINOVIĆ, SAŠA VELIČKOVIĆ, NENAD VUKMIROVIĆ

Direktor • Директор • Director • Direktor • Directeur • Director • Direttore • Direktor • 社長 • المدير

MILUTIN KOSTIĆ

ISBN 86 7297 036 5
YU ISSN 0351 1375

Izdavač • Издатель • Publisher • Herausgeber • Editeur • Editorial • Editore • Utgivare • 出版社 • الناشر

Šahovski informator
11001 Beograd, Francuska 31, PO Box 739, Yugoslavia
Phone: (381 11) 186-498, 630-109; Fax: (381 11) 626-583;.
E-mail: info@sahovski.co.yu; Internet: http://www.sahovski.co.yu

SADRŽAJ • СОДЕРЖАНИЕ • CONTENTS • INHALT • SOMMAIRE • SUMARIO • INDICE • INNEHÅL • 目次 • المحتويات

SARADNICI • СОТРУДНИКИ • CONTRIBUTORS • MITARBEITER • COLLABORATEURS • COLABORADORES • COLLABORATORI • MEDARBETARE • 協力者 • المعـاونـون

Argentina

C. CRANBOURNE   f
G. SOPPE   m

Armenia

A. NADANIAN
V. MIRUMIAN   m
N. SEFERJAN

Australia

I. ROGERS   g
J. WALLACE

Azerbaijan

I. BAJARANY   m
R. GADJILU
V. VERDIHANOV   m

Belarus'

IL. BOTVINNIK
V. DYDYŠKO   g
A. FEDOROV   g
B. GEL'FAND   g
A. KAPENGUT   m
V. KUPREJČIK   g
R. LAVRETCKIJ
E. MOČALOV   m
JU. ŠUL'MAN   g

Belgique

M. GUREVICH   g

B"lgarija

A. DELČEV   m
KI. GEORGIEV   g
D. KOSTAKIEV
N. NINOV   m

Bosna i Hercegovina

I. SOKOLOV   g

Brasil

L. R. DA COSTA
   JÚNIOR
C. M. DE
J. M. DE TOLEDO   m
H. MELÃO
G. MILOS   g
G. VESCOVI   m

Česko

V. BABULA   g
J. DUFEK
P. HÁBA   g
Z. HRÁČEK   g
D. KOTEK

Cuba

JOSÉ ALVAREZ   m
J. BECERRA RIVERO   m
G. CAMACHO
   MARTÍNEZ
G. CAMACHO
   PEÑATE
L. DOMÍNGUEZ
E. FERREIRO
AN. HERNÁNDEZ
ROM. HERNÁNDEZ   g
I. HERRERA   m
J. IBARRA PADRÓN
H. LEYVA   m
C. LÓPEZ   f
E. MERCANTETE
ALE. MORENO   f
J. NOGUEIRAS   g
Y. PÉREZ   f
AM. RODRÍGUEZ   g
N. RODRÍGUEZ
E. RODRÍGUEZ
   ABREU
R. VERA   g
J. VILELA   m

Danmark

ST. PEDERSEN   m

Deutschland

R. DAUTOV   g
R. HÜBNER   g
CH. LUTZ   g
A. YUSUPOV   g

Eesti

J. EHLVEST   g
L. OLL   g
M. RYTSHAGOV   g

England

MI. ADAMS   g
M. CHANDLER   g
A. MILES   g
J. PLASKETT   g
N. SHORT   g
J. SPEELMAN   g

España

M. ILLESCAS
   CÓRDOBA   g
A. SHIROV   g

France

J. LAUTIER   g
E. PRIÉ   g

Georgia

K. ARAKHAMIA-
   GRANT   g
G. GIORGADZE   g
E. GUFELD   g

Greece

A. CHILOV
V. KOTRONIAS   g
S. SKEMBRIS
AND.
   TZERMIADIANOS   m

Hrvatska

B. LALIĆ   g

India

V. ANAND   g

Iran

P. SHAFIEI

Ireland

A. BABURIN   g
C. DALY

Ísland

J. HJARTARSON   g
H. GRÉTARSSON   g

Israel

Y. AFEK   m
B. ALTERMAN   g
L. GOFSHTEIN   g
A. GREENFELD   g
I. KHENKIN   g
V. MIKHALEVSKI   g
G. MITTELMAN   m
L. PSAKHIS   g
I. SMIRIN   g
E. SUTOVSKIJ   g
L. YUDASIN   g

Italia

G. GRASSO
C. ROSSI   f

Jugoslavija

B. ABRAMOVIĆ   g
D. ANTIĆ   m
Z. ARSOVIĆ   m
G. ČABRILO   g
B. ĆERTIĆ   m
M. DRAŠKO   g
Z. ILINČIĆ   m
S. JOKSIĆ   m
M. JOVIČIĆ   m
N. KARAKLAJIĆ   m
D. KOSIĆ
SLAVO.
   MARJANOVIĆ   g

4

M. MATULOVIĆ g
V. MILANOVIĆ m
S. MIRKOVIĆ m
D. NESTOROVIĆ m
J. PETRONIĆ m
A. SAVANOVIĆ f
A. SIMONOVIĆ f
G. M. TODOROVIĆ g
G. VOJINOVIĆ m
V. VUJOŠEVIĆ m
M. ZAFIROVSKI f

Kyrgyzstan
B. KANTSLER m

Latvija
V. BAGIROV g
R. BERZINSH m
A. GIPSLIS g
Z. LANKA g

Lietuva
A. BANDZA m
V. GEFENAS
V. NOVIKOV
E. ROZENTALIS g
Š. ŠULSKIS g

Magyarország
I. ALMÁSI m
Z. ALMÁSI g
I. FARAGÓ g
GY. FEHÉR m
G. KÁLLAI g
P. LÉKÓ g
J. PÁLKÖVI m
J. POLGÁR g
Z. RIBLI g

Moldova
V. BOLOGAN g
D. ROGOZENKO g

Nederland
P. BOERSMA m
PENG ZHAOQIN g
JE. PIKET g
J. TIMMAN g
J. VAN DER WIEL g
L. VAN WELY g

Polska
J. FILIPEK
M. KAMIŃSKI g
J. KONIKOWSKI f
M. KRASENKOW g
B. MACIEJA m
Z. SĘK f

România
A. ARDELEANU m
CO. IONESCU m
V. IORDACHESCU m
A. ISTRĂŢESCU m
M. MARIN g
V. NEVEDNICHY g
L.-D. NISIPEANU g
C. PEPTAN g
V. STOICA m
R. SZUHANEK f
D. VĂSIEŞIU m

Rossija
B. ARHANGEL'SKIJ m
K. ASEEV g
O. AVERKIN m
E. BAREEV g
M. CEJTLIN g
V. CEŠKOVSKIJ g
M. ČETVERIK
JU. CIMMERMAN m
A. ČUMAČENKO
S. DANIL'UK m
S. DOLMATOV g
R. DUBINSKIJ
V. ĖMELIN g
A. GALKIN g
E. GLEJZEROV g
I. GLEK g
A. HAIT m
A. HALIFMAN g
A. HARITONOV g
R. HASANGATIN m
R. HOLMOV g
SE. IVANOV g
VL. I. IVANOV m
JU. JAKOVIČ g
AN. KARPOV g
G. KASPAROV g
M. KOBALIJA g
O. KORNEEV g
V. KRAMNIK g

A. KUZ'MIN g
A. LUKIN m
A. LYSENKO m
I. MOIZHESS m
G. NESIS
A. POLULJAHOV g
S. PRUDNIKOVA g
JU. RAZUVAEV g
S. RUBLEVSKIJ g
A. RUSTEMOV m
K. SAKAEV g
VA. SALOV g
A. ŠARIJAZDANOV m
R. ŠČERBAKOV g
S. ŠIPOV g
V. SMYSLOV g
AN. SOKOLOV g
A. SUĖTIN g
P. SVIDLER g
S. TIVJAKOV g
P. TREGUBOV g
G. TUNIK m
M. ULYBIN g
I. UMANSKAJA g
V. UMANSKIJ f
V. VARAVIN g
S. VOLKOV m
A. VOLŽIN g
A. VUL' m
A. VYŽMANAVIN g
I. ZAHAREVIČ m
V. ZVJAGINCEV g

Schweiz
V. GAVRIKOV g
V. KORTCHNOI g
V. MILOV g
Y. PELLETIER m

Slovenija
A. BELJAVSKIJ g
I. KRAGELJ f
A. MIHAL'ČIŠIN g

Slovensko
Ľ. FTÁČNIK g
I. ŠTOHL g

Sverige
P. CRAMLING g
F. HELLERS g
R. WINSNES m

Ukrajina
M. FEJGIN m
M. GOLUBEV g
VL. GUREVIČ m
V. IVANČUK g
D. KOMAROV g
JU. KRUPPA g
N. LËGKIJ g
A. MAKSIMENKO g
V. MALAHATKO m
V. MALANJUK g
V. OHOTNIK m
S. PERUN
A. PIČUGIN
M. PODGAEC m
R. POGORELOV m
S. SAVČENKO g
A. SULYPA m
G. TIMOŠENKO g
V. TUKMAKOV g

USA
JOEL BENJAMIN g
A. BETANELI
W. BROWNE g
R. BYRNE g
L. CHRISTIANSEN g
M. DONLAN
J. FANG f
B. GULKO g
D. GUREVICH g
CH. HERTAN
ALEXA. IVANOV g
E. MEDNIS g
G. ORLOV m
Y. SEIRAWAN g
G. SERPER g
D. VIGORITO
A. YERMOLINSKY g

Uzbekistan
S. NADYRHANOV m
R. ZIATDINOV m

DESET NAJBOLJIH PARTIJA PRETHODNOG TOMA • ДЕСЯТЬ ЛУЧШИХ ПАРТИЙ ПРЕДЫДУЩЕГО ТОМА • THE BEST TEN GAMES OF THE PRECEDING VOLUME • DIE ZEHN BESTEN SCHACHPARTIEN AUS DEM VORIGEN BAND • LES DIX MEILLEURES PARTIES DU VOLUME PRÉCÉDENT • LAS DIEZ MEJORES PARTIDAS DEL TOMO PRECEDENTE • LE DIECI MIGLIORI PARTITE DEL VOLUME PRECEDENTE • DE TIO BÄSTA PARTIERNA I FÖREGÅENDE VOLYM • 前巻のベスト十局 •

الأشواط العشرة الأهم الواردة في العدد السابق

PREDLOG REDAKCIJE / ПРЕДЛОЖЕНИЕ РЕДАКЦИИ / EDITORIAL SELECTION / VORSCHLAG DER REDAKTION / PROPOSITION DE LA RÉDACTION / PROPOSICION DE LA REDACCIÓN / PROPOSTA DELLA REDAZIONE / REDAKTIONENS FÖRSLAG / 編集部推薦局 / مقترح هيئة التحرير		EVGENIJ BAREEV	MURRAY CHANDLER	LARRY CHRISTIANSEN	MIKHAIL GUREVICH	VIKTOR KORTCHNOI	JEROEN PIKET	ZOLTÁN RIBLI	ALEXEI SHIROV	JONATHAN SPEELMAN	
1. **IVANČUK** – G. KASPAROV	511	9	9	7	8	–	8	6	9	10	**66**
2. TOPALOV – **KRAMNIK**	452	10	10	10	10	–	10	2	–	–	**52**
3. **KORTCHNOI** – SVIDLER	537	1	7	3	9	–	9	–	8	–	**37**
4. **DVOJRIS** – HALIFMAN	192	8	8	–	7	–	7	4	–	–	**34**
5. ASEEV – SE. IVANOV	394	–	3	9	–	–	2	10	–	9	**33**
6. Z. ALMÁSI – **HALIFMAN**	332	6	–	–	6	5	–	9	6	–	**32**
7. **SAKAEV** – HARLOV	362	–	–	–	4	8	1	5	5	6	**29**
8. **BAREEV** – ROZENTALIS	14	–	–	5	–	9	–	8	–	3	**25**
9. **LAUTIER** – LÉKÓ	218	7	–	6	–	6	4	–	–	2	**25**
10. **G. KASPAROV** – P. NIKOLIĆ	299	5	–	–	5	–	3	–	7	5	**25**
11. **SHIROV** – YUSUPOV	297	–	6	4	2	–	–	–	10	–	**22**
12. LAUTIER – **AN. KARPOV**	107	–	–	2	–	–	7	–	–	8	**17**
13. **MI. ADAMS** – B. KNEŽEVIĆ	140	–	–	–	10	–	–	–	4	–	**14**
14. **HALIFMAN** – V. AKOPIAN	231	–	5	–	–	–	6	1	–	–	**12**
15. TOPALOV – **G. KASPAROV**	372	–	4	–	–	–	5	3	–	–	**12**
16. JE. PIKET – **J. POLGÁR**	439	–	–	–	–	7	–	–	3	–	**10**
17. **KRAMNIK** – AN. KARPOV	480	4	1	–	–	–	–	–	1	4	**10**
18. A. BELJAVSKIJ – **KORTCHNOI**	357	–	–	8	–	–	–	–	–	–	**8**
19. WYDROWSKI – **MARCINKIEWICZ**	91	–	–	–	–	1	–	–	–	7	**8**
20. **STURUA** – B. LALIĆ	499	2	–	–	1	2	–	–	–	–	**5**
21. **GLEK** – LANKA	501	–	–	–	–	4	–	–	–	–	**4**
22. **BLEHM** – J. NOVIKOV	224	–	–	1	3	–	–	–	–	–	**4**
23. **SAVČENKO** – NAUMKIN	83	–	–	–	–	3	–	–	–	–	**3**
24. **G. KASPAROV** – J. POLGÁR	173	3	–	–	–	–	–	–	–	–	**3**
25. **R. PONOMARJOV** – GARCÍA ILUNDÁIN	85	–	–	–	–	–	–	–	2	1	**3**
26. V. MIKHALEVSKI – ROZENTALIS	449	–	2	–	–	–	–	–	–	–	**2**
27. TIMMAN – **B. ALTERMAN**	37	–	–	–	–	–	–	–	–	–	**0**
28. **MELTS** – A. GOLDBERG	214	–	–	–	–	–	–	–	–	–	**0**
29. **LAUTIER** – KORTCHNOI	326	–	–	–	–	–	–	–	–	–	**0**
30. **R. ŠČERBAKOV** – MOTYLEV	550	–	–	–	–	–	–	–	–	–	**0**

69/511.   E 81

IVANČUK 2740 —
G. KASPAROV 2795

Linares 1997

1. d4 ♘f6 2. c4 g6 3. ♘c3 ♗g7 4. e4 d6 5. f3 0–0 6. ♗g5 a6 7. ♕d2 c5 8. d5 b5 9. cb5 ♘bd7 10. a4 ♕a5 11. ♘ge2 ♘b6 12. ♘c1 ab5 13. ♗b5 ♗a6 14. ♘1a2 ♗b5 15. ab5 ♘h5 N [15... ♘fd7 16. 0–0 (16. ♗e7 ♖fe8 17. ♗d6?? ♘c4–+) ♗d4 17. ♔h1 ♗c3 18. ♕c3 ♕b5 19. ♗h6; 15... ♖fe8 16. 0–0 ♘fd7 (16... e6 — 66/500) 17. b3 ♗d4 18. ♗e3 ♗c3 19. ♘c3 ♕a1 20. ♖a1 ♖a1 21. ♔f2 ♖ea8∞] **16. ♖b1** [16. ♖d1 ♘c4 17. ♕e2 ♘b2 18. ♕b2 ♕a2∓; 16. g4 ♗c3; 16. 0–0 ♗d4 17. ♔h1 ♗c3 18. ♕c3 ♕b5 △ ♖a2] **♗d4 17. ♗h6** [17. b3 f5 18. ♗e7 (18. ♗e3 fe4 19. ♗d4 cd4 20. ♕d4 ef3∓) fe4 *a)* 19. fe4 ♖f2 20. ♕f2 ♗f2 21. ♔f2 c4 △ ♕a7; *b)* 19. ♗f8 e3 20. ♕c2 *b1)* 20... ♖f8? 21. g3! ♘d5 (21... ♖f3 22. ♖f1) 22. b4!± cb4 23. ♕b3 bc3 24. ♕d5 ♖f7 25. ♔e2! (25. ♕d4 c2 26. ♖b4 ♕a2 27. 0–0 c1♕) c2 26. ♖b4 ♗c5 27. ♖b2; *b2)* 20... ♔f8!; *c)* 19. b4!?] **♖fe8** [17... f5!? 18. ♗f8 ♖f8 *a)* 19. b3 fe4 20. fe4 (20. ♘e4 ♕b5 21. ♘ac3 ♕a6 22. ♘e2 ♘d5 23. ♘d4 cd4 24. ♕d4 ♘hf4 25. ♕c4 ♕a2–+) ♖f2 21. ♕f2 ♗f2 22. ♔f2 c4; *b)* 19. e5 de5 △ ♘f4∞↑; *c)* 19. b4 ♕a3 20. ♕c1∞; 17... ♖fb8!? 18. b3 ♘d7 (18... ♘c8 19. ♗e3 ♗e3 20. ♕e3 ♖b5 21. b4 ♕a3) 19. ♗e2 ♖b5 20. ♘b5 ♕b5 21. ♔d1 ♘e5∞; 19. ♔d1 △ ♖e1; 17... ♖fd8 18. b3 e6 19. de6 fe6 20. ♗e3 e5 (20... ♗e3 21. ♕e3 d5 22. ed5 ed5 23. 0–0 d4 24. ♕e6 ♔h8 25. ♘e4

♘d5∞) 21. 0–0 d5] **18. b3 e6 19. de6 ♖e6?** [19... d5 20. ed5 fe6 21. d6 ♘d5∞; 19... fe6 20. ♗e3 e5 21. 0–0 d5 (21... ♘f4 22. ♔h1 ♘e6⚌) 22. ed5 ♘d5 23. ♗d4 ed4 24. b4 ♕d8 25. ♘d5 ♕d5 26. ♘c3 ♕e5 27. ♘e4 c4∞] **20. ♗e3 ♗e3 21. ♕e3 d5 22. b4□** [22. ♕c5 ♘f4 23. 0–0 d4 24. ♕d4 ♕a2] **♕a3** [22... cb4 23. ♘b4 de4 24. 0–0 ef3 25. ♕f3 ♖f6 26. ♕e4±] **23. bc5 ♘c4 24. ♕d4 ♘f4 25. 0–0!** [25. b6 ♕a2 26. ♘a2 ♖a2→; 25. g3 ♗g2 26. ♔f1 ♕a2 27. ♘a2 ♖a2] **♕a2**

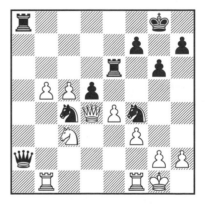

26. ♖f2! ♕a3 [26... ♕a5 *a)* 27. ♘d5 ♘d5 28. ed5 ♖e1 29. ♖e1 ♕e1 30. ♖f1 ♕e2; *b)* 27. ed5 ♖e3 28. ♕c4 (28. b6 ♕c3 29. ♕f4 ♘d2 30. b7 ♖ae8) ♕c3 29. ♕f4 ♕c5 30. ♕b4 ♕b4 31. ♖b4 ♖a1 32. ♖f1 ♖a2⇆; *c)* 27. b6+–] **27. ♘d5** [27. ed5 ♖e3 28. ♕c4 ♕c3‖] **♕d3+ 28. ♕d3 ♘d3 29. ♖c2 ♘a3 30. ♖a2 ♘c5 31. ♖ba1 f5** [31... ♖b8 32. ♖a3 ♖b5 33. ♘c7] **32. ♘c7 ♖e5 33. ♘a8 ♘b5 34. ef5 gf5 35. ♘b6 ♘c3 36. ♖c2⊕**

1 : 0   *Ivančuk*

DESET NAJVAŽNIJIH TEORIJSKIH NOVOSTI PRETHODNOG TOMA • ДЕСЯТЬ ВАЖНЕЙШИХ ТЕОРЕТИЧЕСКИХ ПАРТИЙ ПРЕДЫДУЩЕГО ТОМА • THE TEN MOST IMPORTANT THEORETICAL NOVELTIES OF THE PRECEDING VOLUME • DIE ZEHN WICHTIGSTEN THEORETISCHEN NEUERUNGEN AUS DEM VORIGEN BAND • LES DIX NOUVEAUTÉS THÉORIQUES LES PLUS IMPORTANTES DU VOLUME PRÉCÉDENT • LAS DIEZ NOVEDADES TEÓRICAS MÁS IMPORTANTES DEL TOMO PRECEDENTE • LE DIECI IMPORTANTISSIME NOVITÁ TEORICHE DEL VOLUME PRECEDENTE • DE TIO MEST BETYDELSEFULLA TEORETISKA NYHETERNA I FÖREGÅENDE VOLYM •

前巻のベスト新手十局 • المبتكرات النظرية العشرة الأهم الواردة في العدد السابق

PREDLOG REDAKCIJE
ПРЕДЛОЖЕНИЕ РЕДАКЦИИ
EDITORIAL SELECTION
VORSCHLAG DER REDAKTION
PROPOSITION DE LA RÉDACTION
PROPOSICION DE LA REDACCIÓN
PROPOSTA DELLA REDAZIONE
REDAKTIONENS FÖRSLAG
編集部推薦局
مقترح هيئة التحرير

		VISWANATHAN ANAND	JOEL BENJAMIN	SERGEJ DOLMATOV	JOHANN HJARTARSON	MIGUEL ILLESCAS	CHRISTOPHER LUTZ	VALERIJ SALOV	IVAN SOKOLOV	JAN TIMMAN	
1. Z. ALMÁSI – **HALIFMAN**	332	6	7	10	8	4	4	6	8	6	**59**
2. **TIMMAN** – LAUTIER	364	–	10	–	–	9	10	10	9	7	**55**
3. **SHIROV** – VAN WELY	(221)	8	4	3	–	6	7	7	4	10	**49**
4. **AN. KARPOV** – ANAND	358	3	9	8	5	1	9	5	–	5	**45**
5. TOPALOV – **KRAMNIK**	452	5	1	9	4	3	–	1	10	8	**41**
6. **A. FEDOROV** – LANKA	242	–	–	4	2	5	8	–	7	4	**30**
7. SHIROV – **KRAMNIK**	199	–	5	–	10	–	–	8	6	–	**29**
8. ANAND – **GEL'FAND**	252	4	8	–	3	10	2	–	–	1	**28**
9. **JE. PIKET** – G. KASPAROV	553	7	–	6	9	–	–	–	–	3	**25**
10. **KRAMNIK** – J. POLGÁR	545	10	–	–	6	–	5	–	–	–	**21**
11. **SHORT** – ANAND	196	9	–	–	7	–	3	–	–	–	**19**
12. **DREEV** – A. GALKIN	437	–	–	7	–	2	–	–	–	9	**18**
13. A. DELČEV – **ML. ZELIĆ**	79	–	–	–	–	8	–	–	5	–	**13**
14. MI. ADAMS – **DREEV**	205	–	–	–	–	7	–	–	3	–	**10**
15. MI. ADAMS – **N. McDONALD**	275	–	–	–	–	–	9	–	–	–	**9**
16. **SHIROV** – YUSUPOV	297	–	6	1	–	–	2	–	–	–	**9**
17. TIMMAN – **B. ALTERMAN**	37	1	–	–	–	–	6	–	–	–	**7**
18. **SAKAEV** – HALIFMAN	359	–	–	5	–	–	–	–	–	–	**5**
19. BECERRA RIVERO – **LÉKÓ**	216	–	2	–	–	–	–	–	–	–	**5**
20. LAUTIER – **GEL'FAND**	493	–	3	2	–	–	–	–	–	–	**5**
21. **EHLVEST** – HENLEY	210	–	–	–	–	–	–	4	–	–	**4**
22. **M. GUREVICH** – BERELOVIČ	371	2	–	–	–	–	–	–	1	–	**3**
23. **V. AKOPIAN** – Z. ALMÁSI	9	–	–	–	–	–	–	–	2	–	**2**
24. WYDROWSKI – **MARCINKIEWICZ**	91	–	–	–	–	–	–	2	–	–	**2**
25. **KORTCHNOI** – Z. ALMÁSI	15	–	–	–	–	–	1	–	–	–	**1**
26. **V. MIKHALEVSKI** – ROZENTALIS	449	–	–	–	1	–	–	–	–	–	**1**
27. REILLY – **SERMEK**	59	–	–	–	–	–	–	–	–	–	**0**
28. **SAVČENKO** – NAUMKIN	83	–	–	–	–	–	–	–	–	–	**0**
29. **MI. ADAMS** – B. KNEŽEVIĆ	140	–	–	–	–	–	–	–	–	–	**0**
30. R. PONOMARJOV – **DANIL'UK**	304	–	–	–	–	–	–	–	–	–	**0**

Z. ALMÁSI 2595 −
HALIFMAN 2650

Úbeda 1997

1. e4 e5 2. ♘f3 ♘c6 3. ♗b5 a6 4. ♗a4 ♘f6 5. 0−0 ♗e7 6. ♖e1 b5 7. ♗b3 0−0 8. c3 d5 9. ed5 ♘d5 10. ♘e5 ♘e5 11. ♖e5 c6 12. d3 ♗d6 13. ♖e1 ♕h4 14. g3 ♕h3 15. ♖e4 ♕d7 16. ♘d2 ♗b7 17. ♕f1 c5 18. ♖e1 ♔h8 19. a4 [19. ♗d1 f5 20. ♘f3 (20. a4 b4∞) f4∞; 19. ♘e4 ♗e7 20. a4 f5∞]

19... ♘f4! N [19... f5 − 67/442; 19... b4 20. ♘e4 bc3 (20... f5 21. ♗d5 ♗d5 22. ♘d6 ♕d6 23. ♗f4±) 21. bc3 ♕c6!∞] 20. ♘e4 [20. f3 c4 (20... ♘d3 21. ♕d3 c4 22. ♗c4 bc4 23. ♕c4 ♖ac8 24. ♕f1 ♗c5∞; 23... f5!?; 20... ♘g6!?∞) 21. gf4 (21. dc4 ♗c5 22. ♔h1 ♘d3 23. ♖e2 ♖ae8∞) cb3 22. ♘b3 (22. ab5 ♗f4∞) ba4∞] ♘h3 21. ♔h1 c4 [21... ♘f2! 22. ♕f2 f5 23. ♕g2 (23. ♕e2 c4 24. dc4 ♗e4 25. ♔g1 ♗b7∓) c4! 24. ♗c2 cd3 (24... ♖ae8 25. d4 fe4 26. ♗e3∞) 25. ♗d3 fe4 (25... ♗c5 26. ♗c2 ♖ae8 27. ♗f4∞) 26. ♗e4 ♖ae8 27. ♗d2 ♖e4 28. ♖e4 ♗c5 29. ♗f4 ♕d3 30. ♖ae1 ba4∓] 22. dc4?! [22. ♗c2 cd3 23. ♗d3

♘f2 24. ♕f2 f5 25. ♕d4? fe4 26. ♗e4 ♖ae8−+; 25. ♕g2∓; 22. ♗d1! ♘f2 (22... cd3 23. ♗f3 ♕f5 24. ♔g2∞) 23. ♕f2 f5 24. ♗f3 fe4 25. de4 ♖ae8 26. ♕e2 ♗g3 27. hg3 ♕h3 28. ♕h2=] ♘f2 23. ♕f2 f5 24. ♕d4?! [24. cb5? fe4 25. ♕e3 ♖f3 26. ♕d4 e3∓; 24. ♗f4 fe4 25. ♕e3 a) 25... ♗c5 a1) 26. ♕c5? e3 27. ♔g1 (27. ♕d5 bc4!−+) ♕d2 28. ♕d5 ♗d5 29. cd5 ♕b2 30. ♖ab1 ♕f2 31. ♔h1 e2−+; a2) 26. ♖ad1 ♕d3 27. ♖d3 ed3 28. ♔g1 ♗e3 29. ♖e3∞; b) 25... ♖f4 26. gf4 ♗f4 27. ♖ad1 (27. ♕f4 e3 28. ♔g1 ♕c6−+) ♕d1 28. ♗d1 ♗e3 29. ♖e3 bc4∓; 24. ♗e3! ♕e6 (24... ♗e4 25. ♔g1 ♗b7 26. cb5 ab5 27. ♖ad1±) 25. ♗c2 fe4 26. ♕e2 bc4∓] fe4 25. ♗e3

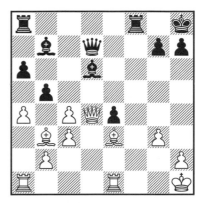

25... ♕h3! 26. ♕d6 [26. ♔g1 ♗g3! 27. ♖e2 ♖f3 28. ♖g2 ♖e3!−+; 26. ♕d2 ♗g3 27. ♕g2 ♕g2 28. ♔g2 ♗e1 29. ♖e1 bc4 30. ♗c4 ♖ac8 31. b3 ♖c6!−+] ♖f2! 27. ♗f2 e3 28. ♕d5 ♗d5 29. cd5 ef2 30. ♖f1 ♖f8−+ 31. ab5 ♕g4 [31... h5!] 32. ♔g2 ♕f3 [32... ♕e4 33. ♔h3 △ 33... ♖f6?? 34. ♖a6=] 33. ♔h3 ♖f5 34. ♖a4 ♕h5 35. ♖h4 ♕h4 36. ♔h4 ♕e2　　　**0 : 1**

Halifman, Nesis

SISTEM ZNAKOVA • СИСТЕМА ЗНАКОВ • CODE SYSTEM • ZEICHENERKLÄRUNG • SYSTÈME DE SYMBOLES • SISTEMA DE SIGNOS • SPIEGAZIONE DEI SEGNI • TECKENFÖRKLARING • 解説記号 • نظام الرموز

⩲ beli stoji malo bolje • у белых несколько лучше • white stands slightly better • Weiss steht etwas besser • les blancs sont un peu mieux • el blanco está algo mejor • il bianco sta un po' meglio • vit står något bättre • 白や、優勢 • وضع الابيض افضل نوعا ما

⩱ crni stoji malo bolje • у черных несколько лучше • black stands slightly better • Schwarz steht etwas besser • les noirs sont un peu mieux • el negro está algo mejor • il nero sta un po' meglio • svart står något bättre • 黒や、優勢 • وضع الاسود افضل نوعا ما

± beli stoji bolje • у белых лучше • white has the upper hand • Weiss steht besser • les blancs sont mieux • el blanco está mejor • il bianco sta meglio • vit står bättre • 白 優勢 • الابيض في وضع مسيطر

∓ crni stoji bolje • у черных лучше • black has the upper hand • Schwarz steht besser • les noirs sont mieux • el negro está mejor • il nero sta meglio • svart står bättre • 黒 優勢 • الاسود في وضع مسيطر

+− beli ima odlučujuću prednost • у белых решающее преимущество • white has a decisive advantage • Weiss hat entscheidenden Vorteil • les blancs ont un avantage décisif • el blanco tiene una ventaja decisiva • il bianco é in vantaggio decisivo • vit har avgörande fördel • 白 勝勢 • الابيض يتمتع بافضلية حاسمة

−+ crni ima odlučujuću prednost • у черных решающее преимущество • black has a decisive advantage • Schwarz hat entscheidenden Vorteil • les noirs ont un avantage décisif • el negro tiene una ventaja decisiva • il nero é in vantaggio decisivo • svart har avgörande fördel • 黒勝勢 • الابيض يتمتع بافضلية حاسمة

= jednako • равно • even • ausgeglichen • égalité • igual • equivalente • lika • 形勢互角 • تكافؤ

∞ neizvesno • неизвестно • unclear • unklar • incertain • incierto • incerto • oklar • 形勢不明 • غير واضح

⯯ kompenzacija za materijal • компенсация за материал • with compensation for the material • mit Kompensation für den materiellen Nachteil • avec compensation pour le matériel • con compensación por el material • con compenso per il vantaggio materiale avversario • med kompensation för materialet • 駒損不利なし • مع تعويض خسارة القطعة

⟳ razvojna prednost • преимущество в развитии • development advantage • Entwicklungsvorsprung • avantage de développement • ventaja de desarrollo • vantaggio di sviluppo • utvecklingsförsprång • 展開よし • افضلية للتطور

○ prostorna prednost • преимущество в пространстве • greater board room • beherrscht mehr Raum • avantage d'espace • ventaja de espacio • maggior vantaggio spaziale • terrängfördel • 模 様 大 • افضلية مكانية على الرقعة

→ sa napadom • с атакой • with attack • mit Angriff • avec attaque • con ataque • con attacco • med angrepp • 攻 勢 • مع الهجوم

↑ sa inicijativom • с инициативой • with initiative • mit Initiative • avec initiative • con iniciative • con iniziativa • med initiativ • 主導権あり • مع المبادرة

⇆ sa protivigrom • с контригрой • with counter-play • mit Gegenspiel • avec contre-jeu • con contrajuego • con controgioco • med motspel • 反 撃 • مع لعب مضاد

⊙ iznudica • цугцванг • zugzwang • Zugzwang • zugzwang • zugzwang • zugzwang • dragtvång • ツーク、ツワンク • زوغزوانغ

mat • мат • mate • matt • mat • mate • matto • matt • メイト • امامة الشاه

10

! — vrlo dobar potez • очень хороший ход • a very good move • ein sehr guter Zug • très bon coup • muy buena jugada • buona mossa • ett bra drag • 好手 • نقلة جيدة جدا

!! — odličan potez • отличный ход • an excellent move • ein ausgezeichneter Zug • excellent coup • excelente jugada • mossa ottima • ett utmärkt drag • 妙手 • نقلة ممتازة

? — slab potez • слабый ход • a mistake • ein schwacher Zug • coup faible • mala jugada • mossa debole • ett dåligt drag • 疑問手 • نقلة خطأ

?? — gruba greška • грубая ошибка • a blunder • ein grober Fehler • erreur grave • grave error • grave errore • ett grovt fel • 悪手 • نقلة سيئة جدا

!? — potez zaslužuje pažnju • ход заслуживающий внимания • a move deserving attention • ein beachtenswerter Zug • coup qui mérite l'attention • jugada que merece atención • mossa degna di considerazione • ett drag som förtjänar uppmärksamhet • 注目手 • نقلة تستحق الانتباه

?! — sumnjiv potez • сомнительный ход • a dubious move • ein Zug von zweifelhaftem Wert • coup de valeur douteuse • jugada de dudoso valor • mossa dubbia • ett tvivelaktigt drag • 鬼手 • نقلة مشكوك في نتيجتها

△ — sa idejom • с идеей • with the idea • mit der Idee • avec l'idée • con idea • con l'idea • med idén • 狙いは…… • بِتَصوُّر

□ — jedini potez • единственный ход • only move • der einzig spielbare Zug • le seul coup • unica jugada • unica mossa • enda draget • 絶対手 • النقلة الوحيدة

⌓ — bolje je • лучше • better is • besser ist • meilleur est • es mejor • è meglio • bättre är • 正着は • الأفضل هو

⇔ — linija • линия • file • Linie • colonne • linea • linea • linje • 横列 • الرتل

⫽ — dijagonala • диагональ • diagonal • Diagonale • diagonale • diagonal • diagonal • diagonal • 斜筋 • القطر

⊞ — centar • центр • centre • Zentrum • centre • centro • centro • centrum • 中央 • المركز

» — kraljevo krilo • королевский фланг • king's side • Königsflügel • aile-roi • flanco de rey • lato di R • kungsflygeln • キング側 • جناح الملك

« — damino krilo • ферзевый фланг • queen's side • Damenflügel • aile-dame • flanco de dama • lato di D • damflygeln • クイン側 • جناح الملكة

✕ — slaba tačka • слабый пункт • weak point • schwacher Punkt • point faible • punto débil • punto debole • svaghet • 弱点 • نقطة ضعف

⊥ — završnica • эндшпиль • ending • Endspiel • finale • final • finale • slutspel • 収局 • المرحلة النهائية

⊡ — lovački par • два слона • pair of bishops • Läuferpaar • paire de fous • pareja de alfiles • la coppia degli alfieri • löparpar • 双ビショップ • الفيلان

⊟ — raznobojni lovci • разноцветные слоны • bishops of opposite color • ungleichfarbige Läufer • fous de couleurs opposées • alfiles de distinto color • alfieri di colore diverso • löpare med olika färg • 異色ビショップ • فيلان من لونين مختلفين

⬛ — istobojni lovci • одноцветные слоны • bishops of the same color • gleichfarbige Läufer • fous de même couleur • alfiles del mismo color • alfieri di colore uguale • löpare med samma färg • 同色ビショップ • فيلان من نفس اللون

∞ — vezani pešaci • связанные пешки • united pawns • verbundene Bauern • pions liés • peones unidos • pedoni uniti • garderade bönder • 連ボーン • بيادق مرتبطة

o··o — razdvojeni pešaci • изолированные пешки • separated pawns • isolierte Bauern • pions isolés • peones aislados • pedoni isolati • isolerade bönder • 離ボーン • بيادق منفصلة

8 — udvojeni pešaci • сдвоенные пешки • double pawns • Doppelbauern • pions doublés • peones dobles • pedoni doppi • dubbel bönder • 重ボーン • بيادق مزدوجة

11

⚐ slobodan pešak • проходная пешка • passed pawn • Freibauer • pion passé • peón pasado • pedone libero • fribonde • 連ポーン • بيدق حر

> prednost u broju pešaka • преимущество в числе пешек • advantage in number of pawns • im Bauernmehrbesitz • avantage quantitatif en pions • ventaja en el número de peones • vantaggio quantitativo dei pedoni • fördel i antal bönder • ポーン数での優勢 • الأفضلية بعدد البيادق

⊕ vreme • время • time • Zeit • temps • tiempo • tempo • tid • 時間切迫 • الوقت

67/196 Šahovski informator • Шахматный информатор • Chess Informant • Schach-informator • Informateur d'échecs • Informador ajedrecistico • Informatore scacchistico • Schack-informator • チェス新報巻/局 • دليل الشطرنج

E 12 Enciklopedija šahovskih otvaranja • Энциклопедия шахматных дебютов • Encyclopaedia of Chess Openings • Enzyklopädie der Schacheröffnungen • Encyclopédie des ouvertures d'échecs • Enciclopedia de aperturas de ajedrez • Enciclopedia delle aperture negli scacchi • Encyklopedi över spelöppningar i schack • 布局大成 • موسوعة افتتاحيات الشطرنج

♖ 3/b Enciklopedija šahovskih završnica • Энциклопедия шахматных окончаний • Encyclopaedia of Chess Endings • Enzyklopädie der Schachendspiele • Encyclopédie des finales d'échecs • Enciclopedia de finales de ajedrez • Enciclopedia dei finali negli scacchi • Encyklopedi över slutspel i schack • 布局大成 • موسوعة نهائيات الشطرنج

N novost • новинка • a novelty • eine Neuerung • nouveauté • novedad • un'innovazione • nyhet • 新手 • حديد مبتكر

(ch) šampionat • чемпионат • championship • Meisterschaft • championnat • campeonato • campionato • mästerskap • 世界チャンピオン戦 • البطولة

(izt) međuzonski turnir • межзональный турнир • interzonal tournament • Interzonenturnier • tournoi inter-zonal • torneo interzonal • torneo interzonale • interzonturnering • インター・ゾーン • دورة مباريات للمناطق

(ct) turnir kandidata • турнир претендентов • candidates' tournament • Kandidatenturnier • tournoi des candidats • torneo de candidatos • torneo dei candidati • kandidatturnering • 挑戦者決定戦 • دورة مباريات للمرشحين

(m) meč • матч • match • Wettkampf • match • encuentro • match • match • マッチ • مباراة

(ol) olimpijada • олимпиада • olympiad • Olympiade • olympiade • olimpiada • olimpiade • olympiad • オリンピック • الأولمبياد

corr. dopisna partija • партия по переписке • correspondence game • Fernpartie • partie par correspondance • partida por correspondencia • partita per corrispondenza • korrespondensparti • 通信戦 • لعبة أو مباراة بالمراسلة

RR primedba redakcije • примечание редакции • editorial comment • Anmerkung der Redaktion • remarque de la rédaction • nota de la redacción • nota redazionale • redaktionens anmärkning • 編集部評 • تعليق هيئة التحرير

R razni potezi • разные ходы • various moves • verschiedene Züge • différents coups • diferentes movidas • mosse varie • olika drag • 変化手 • نقلات متنوعة

└ sa • c • with • mit • avec • con • con • med • 以下の手順となるもの • مع

┘ bez • без • without • ohne • sans • sin • senza • utan • 以下の手順とならないもの • بدون

‖ itd. • и.т.д. • etc • usw. • etc. • etc • ecc • o.s.v. • 等々 • الخ

— vidi • смотри • see • siehe • voir • ved • vedi • se • 参照 • انظر

PARTIJE • ПАРТИИ • GAMES • PARTIEN • PARTIES • PARTIDAS • PARTITE • PARTIER • 棋譜 • الاشواط

KLASIFIKACIJA OTVARANJA • КЛАССИФИКАЦИЯ ДЕБЮТОВ • CLASSIFICATION OF OPENINGS • KLASSIFIZIERUNG DER ERÖFFNUNGEN • CLASSIFICATION DES OUVERTURES • CLASIFICACIÓN DE LAS APERTURAS • CLASSIFICAZIONE DELLE APERTURE • KLASSIFIKATION AV ÖPPNINGAR • 布局大分類 • تصنيـــف الافتتاحيـــات

A — R ⌐ 1. d4, 1. e4
— 1. d4 R ⌐ 1... d5, 1... ♘f6
— 1. d4 ♘f6 R ⌐ 2. c4
— 1. d4 ♘f6 2. c4 R ⌐ 2... e6, 2... g6

B — 1. e4 R ⌐ 1... c5, 1... e6, 1... e5
— 1. e4 c5

C — 1. e4 e6
— 1. e4 e5

D — 1. d4 d5
— 1. d4 ♘f6 2. c4 g6 ⌐ 3... d5

E — 1. d4 ♘f6 2. c4 e6
— 1. d4 ♘f6 2. c4 g6 ⌐ 3... d5

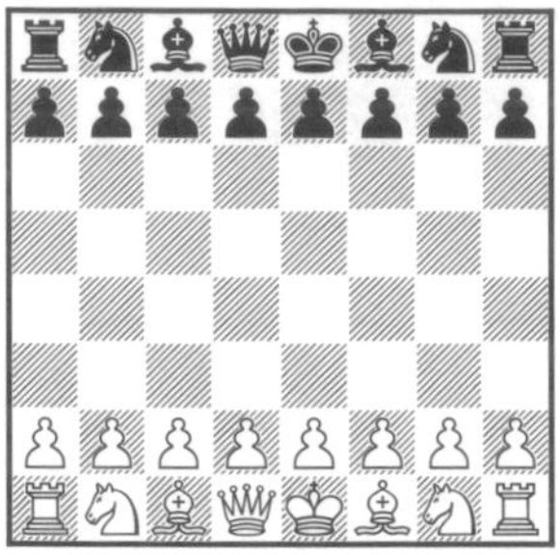

A0

— R ⌐ 1. c4, 1. d4, 1. e4

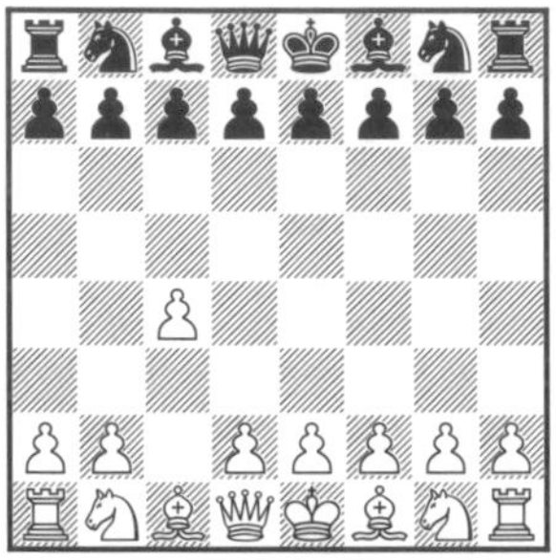

A1

1. c4
— R ⌐ 1... e5, 1... c5

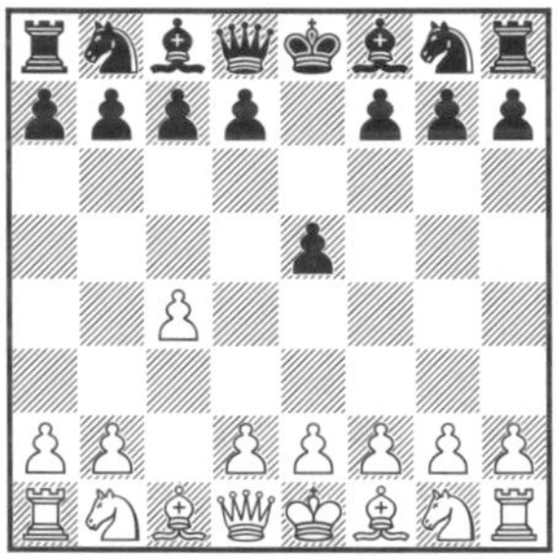

A2

1. c4 e5

A3

1. c4 c5

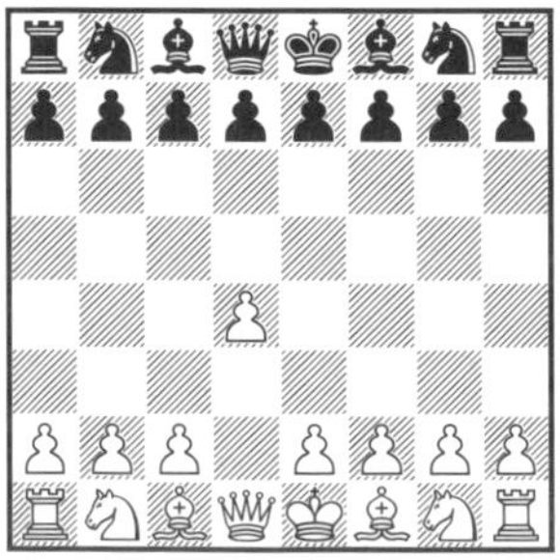

A4

1. d4
— R ⌐ 1... ♘f6, 1... f5, 1... d5
— 1... ♘f6 R ⌐ 2. c4

A5

1. d4 ♘f6 2. c4
— R ⌐ 2... c5, 2... e6, 2... g6
— 2... c5 R ⌐ 3. d5
— 3. d5 R ⌐ 3... e6

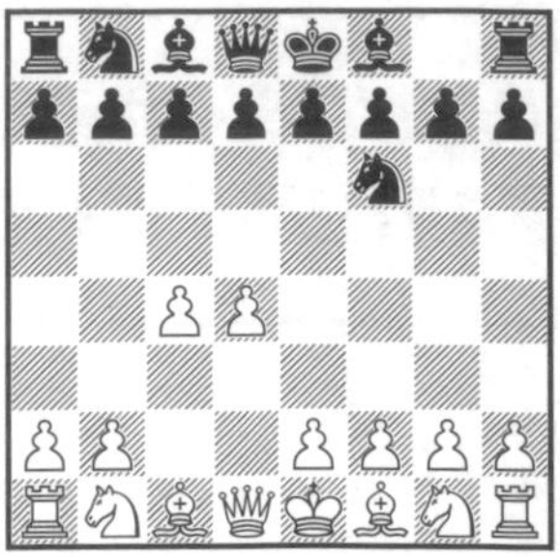

A6

1. d4 ♘f6 2. c4 c5
3. d5 e6
— R ⌐ 4. ♘c3
— 4. ♘c3 R ⌐ 4... ed5
— 4... ed5 R ⌐ 5. cd5
— 5. cd5 R ⌐ 5... d6
— 5... d6 R ⌐ 6. e4
— 6. e4 R ⌐ 6... g6
— 6... g6 R ⌐ 7. ♘f3

A7

1. d4 ♘f6 2. c4 c5
3. d5 e6 4. ♘c3 ed5
5. cd5 d6 6. e4 g6
7. ♘f3

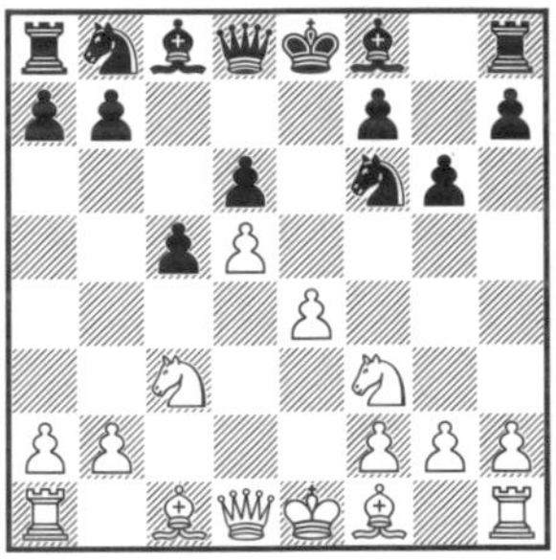

A8

1. d4 f5
— R ⌐ 2. c4
— 2. c4 R ⌐ 2... ♘f6
— 2... ♘f6 R ⌐ 3. g3
— 3. g3 R ⌐ 3... e6

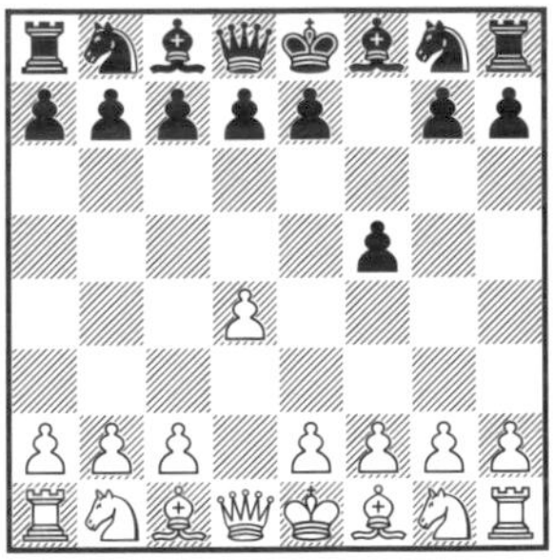

A9

1. d4 f5 2. c4 ♘f6
3. g3 e6

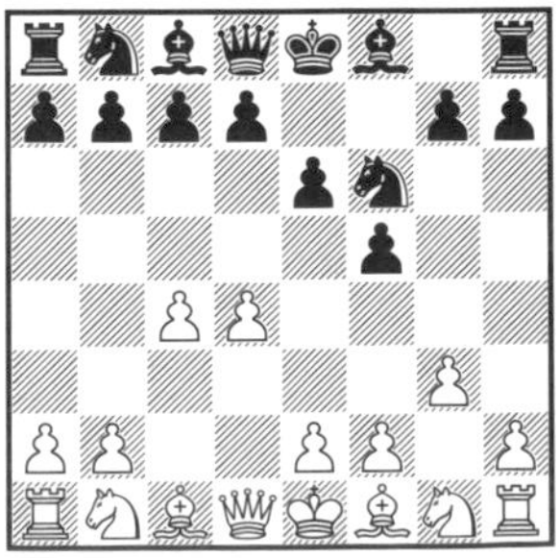

14

B0

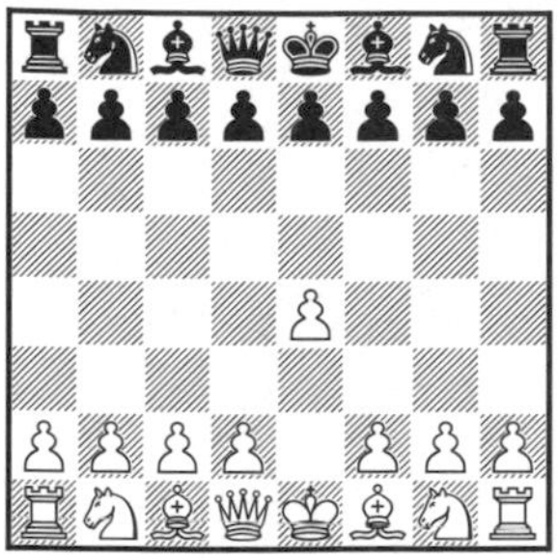

1. e4
— R ⌋ 1... c6, 1... c5, 1... e6, 1... e5

B1

1. e4 c6

B2

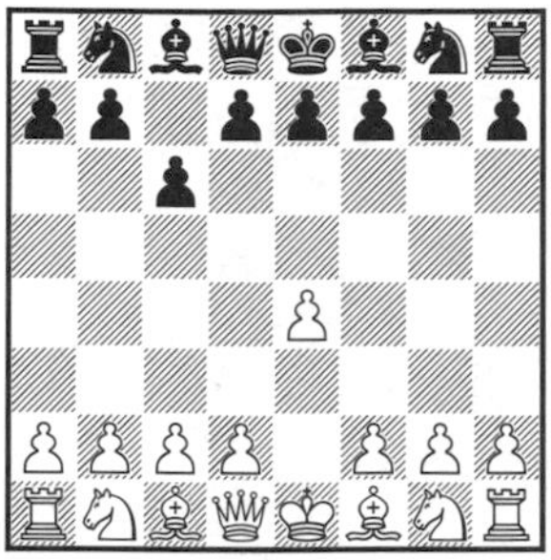

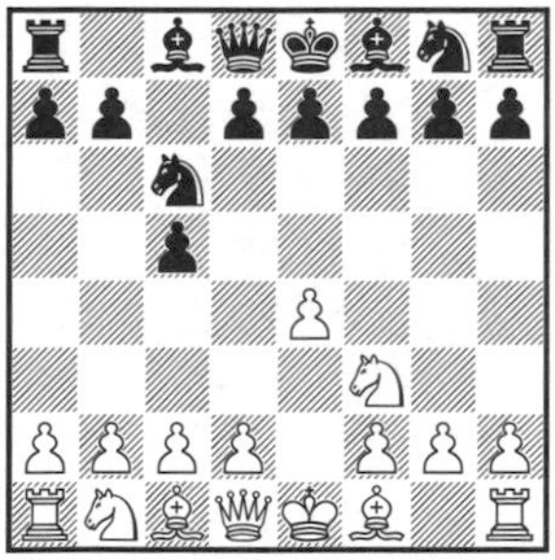

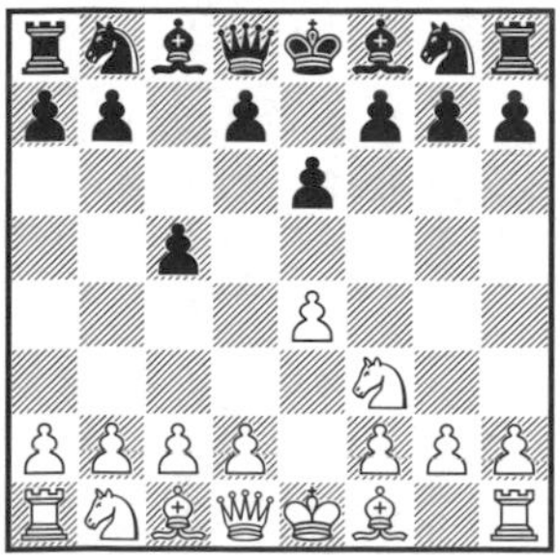

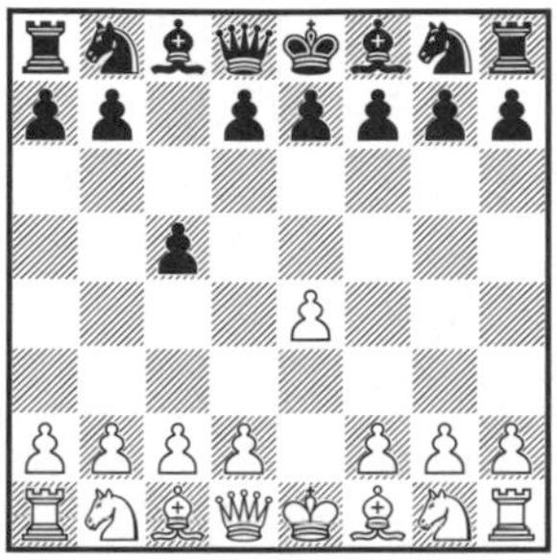

1. e4 c5
— R ⌋ 2. ♘f3
— **2. ♘f3** R ⌋ 2... ♘c6, 2... e6, 2... d6

B3

1. e4 c5 2. ♘f3 ♘c6

B4

1. e4 c5 2. ♘f3 e6

B5

1. e4 c5 2. ♘f3 d6
— R ⌋ 3. d4
— **3. d4** R ⌋ 3... cd4
— **3... cd4** R ⌋ 4. ♘d4
— **4. ♘d4** R ⌋ 4... ♘f6
— **4... ♘f6** R ⌋ 5. ♘c3
— **5. ♘c3** R ⌋ 5... ♘c6, 5... g6, 5... e6, 5... a6
— **5... ♘c6** R ⌋ 6. ♗g5

B6

1. e4 c5 2. ♘f3 d6 3. d4 cd4 4. ♘d4 ♘f6 5. ♘c3 ♘c6 6. ♗g5

B7

1. e4 c5 2. ♘f3 d6 3. d4 cd4 4. ♘d4 ♘f6 5. ♘c3 g6

B8

1. e4 c5 2. ♘f3 d6 3. d4 cd4 4. ♘d4 ♘f6 5. ♘c3 e6

B9

1. e4 c5 2. ♘f3 d6 3. d4 cd4 4. ♘d4 ♘f6 5. ♘c3 a6

C0

1. e4 e6
− R ⌐ 2. d4
− **2. d4** R ⌐ 2... d5
− **2... d5** R ⌐ 3. ♘c3

C1

1. e4 e6 2. d4 d5
3. ♘c3

C2

1. e4 e5
− R ⌐ 2. f4, 2. ♘f3

C3

1. e4 e5 2. f4

C4

1. e4 e5 2. ♘f3
− R ⌐ 2... ♘c6
− **2... ♘c6** R ⌐
3. ♗c4, 3. ♗b5

C5

1. e4 e5 2. ♘f3 ♘c6
3. ♗c4

C6

1. e4 e5 2. ♘f3 ♘c6
3. ♗b5
− R ⌐ 3... a6
− **3... a6** R ⌐ 4. ♗a4

C7

1. e4 e5 2. ♘f3 ♘c6
3. ♗b5 a6 4. ♗a4
− R ⌐ 4... ♘f6
− **4... ♘f6** R ⌐ 5. 0−0
− **5. 0−0** R ⌐ 5... ♘e4,
5... ♗e7

C8

1. e4 e5 2. ♘f3 ♘c6
3. ♗b5 a6 4. ♗a4 ♘f6
5. 0−0
− 5... ♘e4
− **5... ♗e7** R ⌐ 6. ♖e1
− **6. ♖e1** R ⌐ 6... b5
− **6... b5** 7. ♗b3 R ⌐
7... d6

C9

1. e4 e5 2. ♘f3 ♘c6
3. ♗b5 a6 4. ♗a4 ♘f6
5. 0−0 ♗e7 6. ♖e1 b5
7. ♗b3 d6

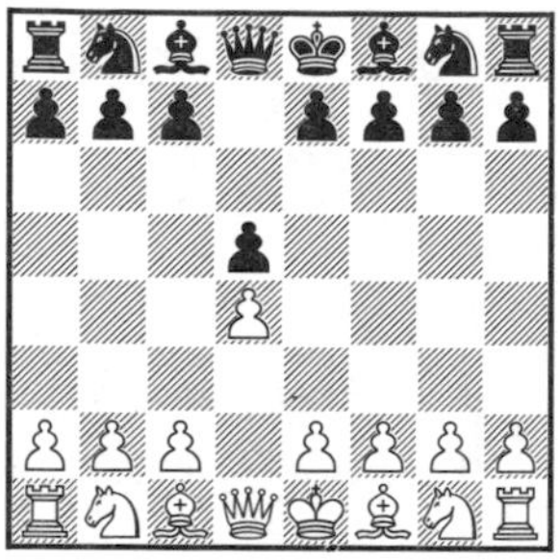

D0

1. d4 d5
– R ⌋ 2. c4
– **2. c4** R ⌋ 2... c6, 2... dc4, 2... e6

D1

1. d4 d5 2. c4 c6

D2

1. d4 d5 2. c4 dc4

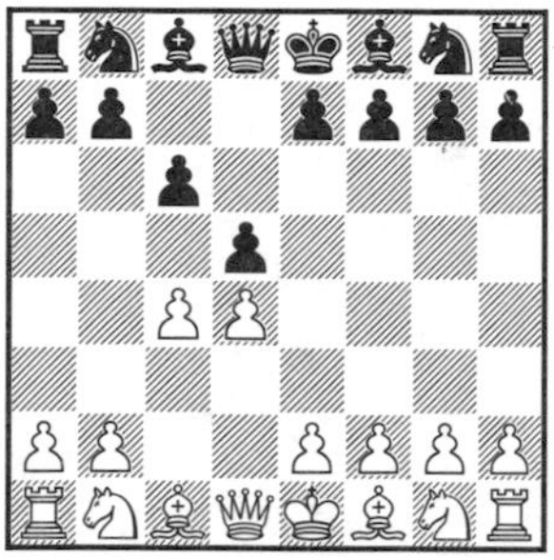

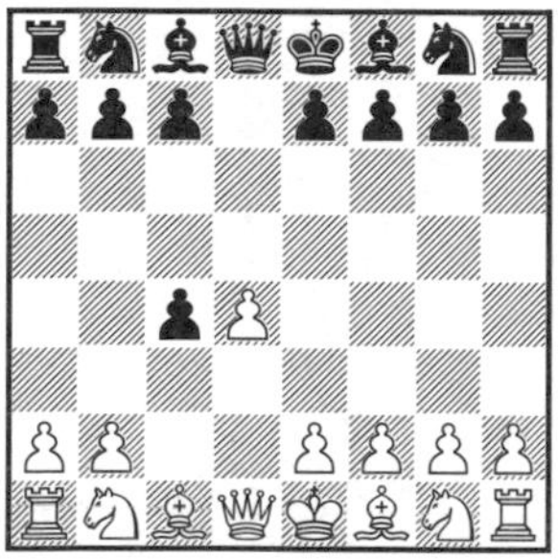

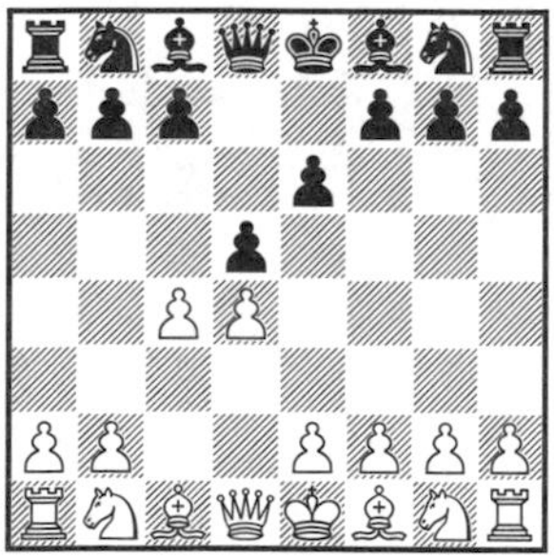

D3

1. d4 d5 2. c4 e6
– R ⌋ 3. ♘c3
– **3. ♘c3** R ⌋ 3... ♘f6
– **3... ♘f6** R ⌋ 4. ♘f3, 4. ♗g5
– **4. ♘f3** R ⌋ 4... c5, 4... c6

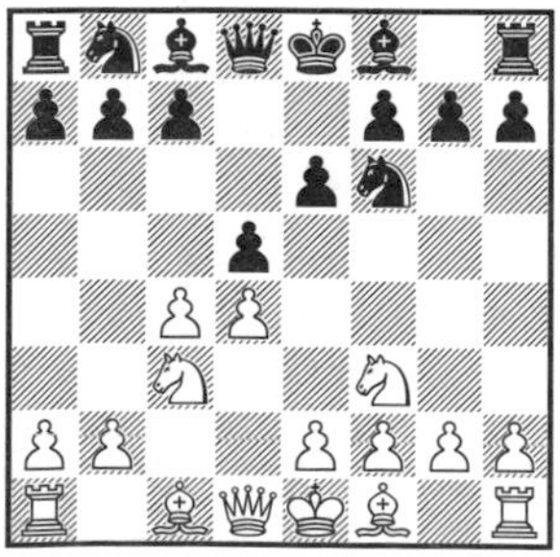

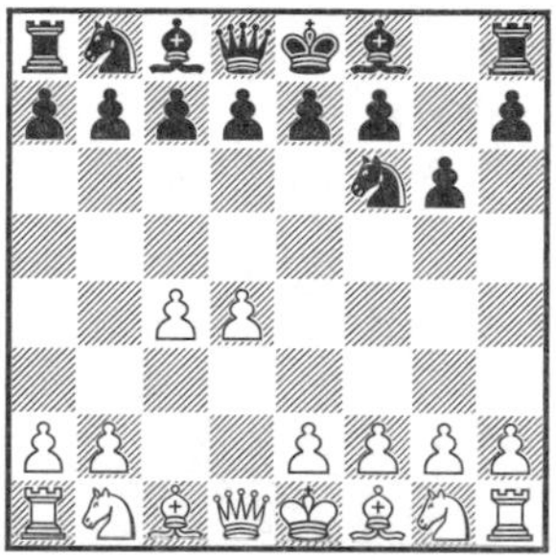

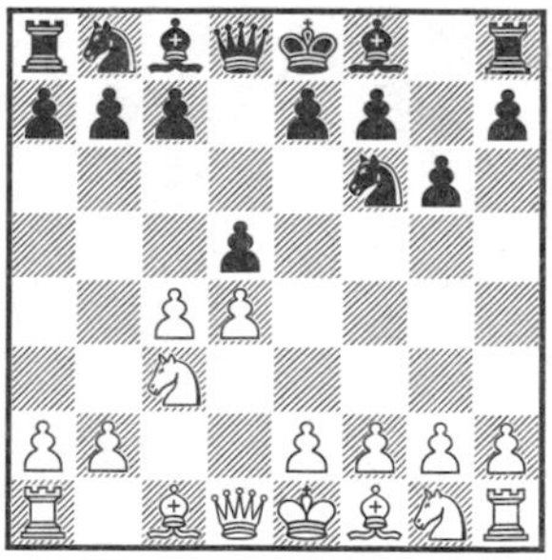

D4

1. d4 d5 2. c4 e6 3. ♘c3 ♘f6 4. ♘f3
– **4... c5**
– **4... c6**

D5

1. d4 d5 2. c4 e6 3. ♘c3 ♘f6 4. ♗g5
– R ⌋ 4... ♗e7
– **4... ♗e7** R ⌋ 5. e3
– **5. e3** R ⌋ 5... 0–0
– **5... 0–0** R ⌋ 6. ♘f3
– **6. ♘f3** R ⌋ 6... ♘bd7

D6

1. d4 d5 2. c4 e6 3. ♘c3 ♘f6 4. ♗g5 ♗e7 5. e3 0–0 6. ♘f3 ♘bd7

D7

1. d4 ♘f6 2. c4 g6 (⌊ 3... d5)
– R ⌋ 3. ♘c3

D8

1. d4 ♘f6 2. c4 g6 3. ♘c3 d5
– R ⌋ 4. ♘f3

D9

1. d4 ♘f6 2. c4 g6 3. ♘c3 d5 4. ♘f3

2 Šahovski informator 70

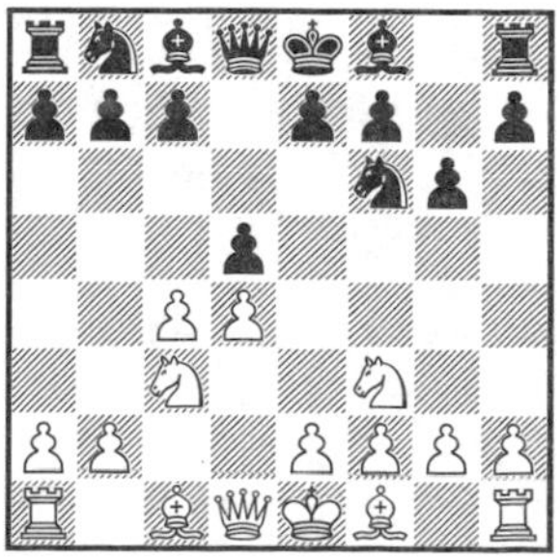

E0

1. d4 ♘f6 2. c4 e6
— R ⌐ 3. ♘f3, 3. ♘c3

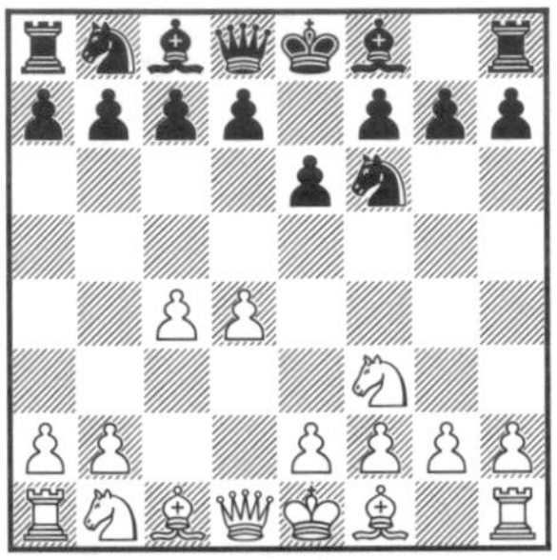

E1

1. d4 ♘f6 2. c4 e6
3. ♘f3

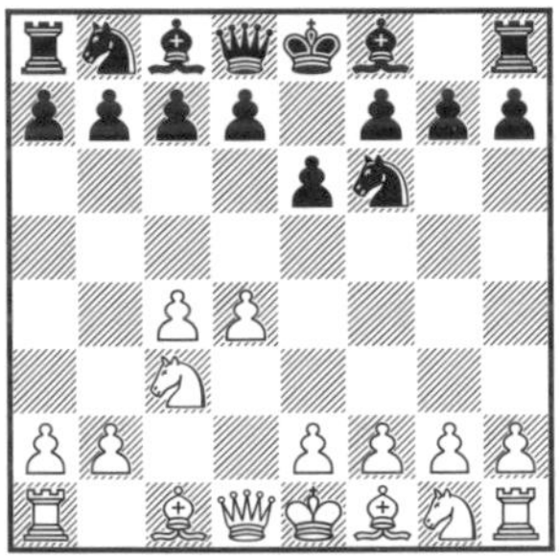

E2

1. d4 ♘f6 2. c4 e6
3. ♘c3
— R ⌐ 3... c5, 3... d5,
  3... ♗b4
— 3... ♗b4 R ⌐
  4. ♗g5, 4. ♕c2,
  4. e3

E3

1. d4 ♘f6 2. c4 e6
3. ♘c3 ♗b4
— 4. ♗g5
— 4. ♕c2

E4

1. d4 ♘f6 2. c4 e6
3. ♘c3 ♗b4 4. e3
— R ⌐ 4... 0—0
— 4... 0—0 R ⌐ 5. ♘f3

E5

1. d4 ♘f6 2. c4 e6
3. ♘c3 ♗b4 4. e3
0—0 5. ♘f3

E6

1. d4 ♘f6 2. c4 g6
(⌐ 3... d5)
— R ⌐ 3. ♘c3
— 3. ♘c3 R ⌐ 3... d5,
  3... ♗g7
— 3... ♗g7 R ⌐ 4. e4

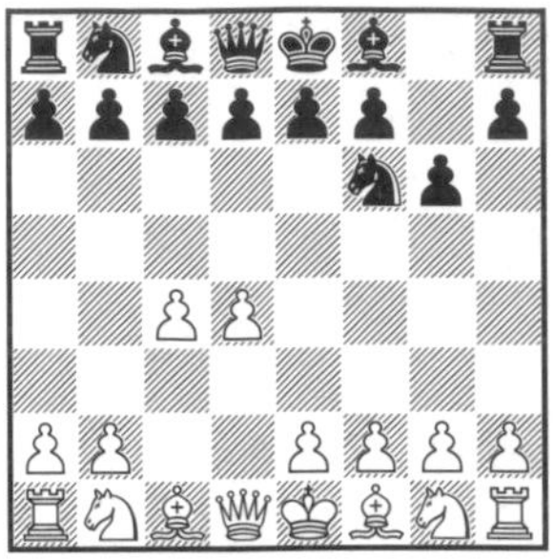

E7

1. d4 ♘f6 2. c4 g6
3. ♘c3 ♗g7 4. e4
— R ⌐ 4... d6
— 4... d6 R ⌐ 5. f3,
  5. ♘f3

E8

1. d4 ♘f6 2. c4 g6
3. ♘c3 ♗g7 4. e4 d6
5. f3

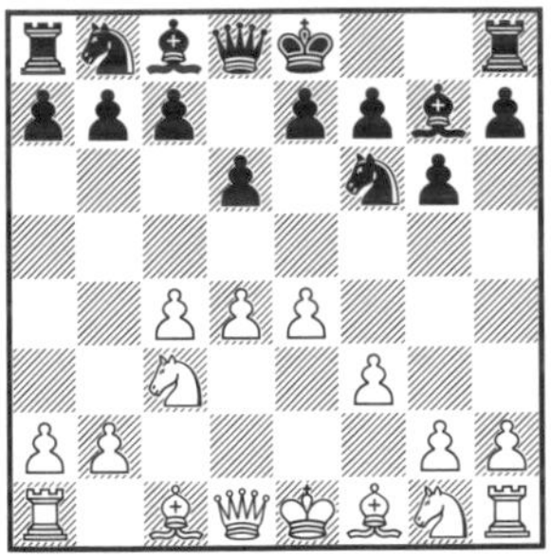

E9

1. d4 ♘f6 2. c4 g6
3. ♘c3 ♗g7 4. e4 d6
5. ♘f3

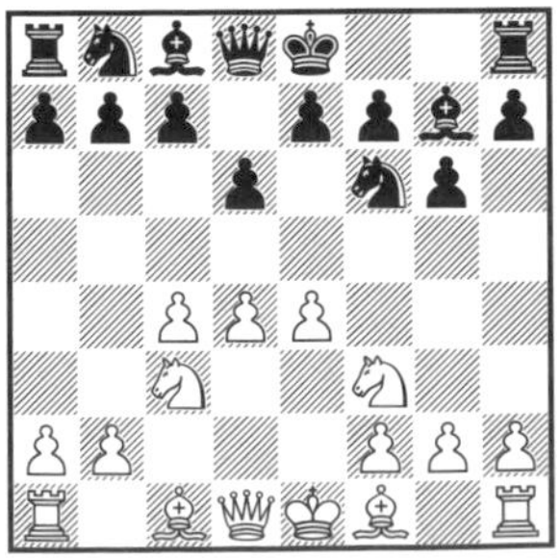

A

A. ROTŠTEJN 2455
— GREENFELD 2540

Montecatini Terme 1997

**1. ♘f3 c5 2. g3 b6 3. e4 ♗b7 4. ♘c3 ♘f6
5. e5 N** [5. d3 d6 — 39/1; 5... g6!?] **♘g4 6.
♗h3 ♘e5!** [6... h5 7. 0—0 ♗f3 (7... d6 8.
ed6 ♕d6 9. ♖e1± ✕♔e8; 8. e6!?) 8. ♕f3
♘c6 9. e6! fe6 10. ♗g4 hg4 11. ♕g4±] **7.
♘e5 ♗h1 8. f3 e6! 9. ♔f2** [9. ♘g4 h5 (9...
♕g5!?) 10. ♘f2 h4 11. g4 ♕c7 12. ♘h1
♕h2 13. ♘f2 d5∓] **♕f6 10. ♘g4?!** [10.
♕h1 ♕e5 11. f4 ♕d4 12. ♔e1 ♘c6 13.
♘b5 ♕a4 (13... ♕c4!? 14. ♗f1 ♕c2 15.
♘c7 ♔d8 16. ♘a8 ♔c8) 14. ♘c7 ♔d8 15.
♘a8∞] **♕f5!?** [10... ♕f3 11. ♕f3 ♗f3 12.
♔f3 ♘c6∓] **11. ♕h1** [11. ♘e4? ♕f3 12.
♕f3 ♗f3 13. ♔f3 f5] **h5 12. ♔g1?!** [12.
♘e3? ♕h3 13. ♘e2 e5; 12. f4! *a)* 12...
hg4? 13. ♕a8 ♖h3 14. ♕b8 ♔e7 15. ♔g1;
b) 12... d5 13. ♘d5! (13. ♘e5 ♕h3 14.
♘d5 ed5 15. ♕d5 ♕h2∓) ed5 (13... ♕d5?
14. ♗g2) 14. ♘f6! ♕f6 15. ♕d5 ♕d4
(15... ♕c6 16. ♕e5 △ ♗g2) 16. ♕d4 cd4
17. ♗g2 d3! 18. ♗a8 ♗c5 19. ♔f3 dc2 20.
♗e4 ♔e7 21. ♗c2 ♘c6∞; *c)* 12... ♘c6!?
13. ♘e5!? (13. ♗g2 hg4 14. ♗c6 0-0-0 15.
♗e4 ♕h5 △ d5∓) ♕h3 14. ♘c6 h4 15.
g4∞] **♘c6!□** [12... hg4? 13. fg4 ♕h7 (13...
♕e5 14. ♕a8 ♖h3 15. d4!+−) 14. ♕a8
♗d6 15. ♗g2 ♕h2 16. ♔f1±] **13. ♘f2** [13.
♘e3 ♕h3 14. ♘e4 ♘d4! 15. ♘g5 ♘e2 16.
♔f2 ♘g3∓] **♕c2∓** [✕≪, ♕h1] **14. f4 ♖c8**
[14... ♗e7?? 15. ♗g2 d5 (15... ♖c8 16.
♗e4) 16. ♘d5] **15. f5** [15. ♗g2 d5; ⌓ 15.
♗f1 ♕g6 16. ♗a6 ♖b8 17. b3] **c4! 16. fe6
fe6 17. ♕e4 ♕e4 18. ♘fe4 ♘d4!** [18...

♗e7?! 19. ♘b5⇆] **19. b3!□ cb3** [19... h4
20. ♔g2 (20. ♗g4 hg3 21. hg3 d5! 22.
♘d5 ed5 23. ♗c8 de4 △ ♘f3−+) ♘c2 21.
♖b1 ♘e1 22. ♔f2 ♘d3∓] **20. ♗b2 ba2 21.
♖a2 a5 22. ♘a4 ♘f3?!** [22... ♖c2 23. ♗f1
(23. ♘b6 ♘f3) d5! (23... ♘f3 24. ♔g2
♘d2? 25. ♗d3) 24. ♗d3 ♖b2−+] **23. ♔g2**
[⌓ 23. ♔f2 ♘h2∓] **♘d2! 24. ♗g7!** [24.
♘d2 ♖c2] **♘e4! 25. ♗h8 b5 26. ♘b6** [26.
♘b2 ♖c2; 26. ♖e2 ♘g5 (26... ♘g3∓) 27.
♘c3 b4] **♖c6 27. ♘a8⊕** [⌓ 27. ♗d4 ♗c5
28. ♗c5 ♖c5 29. ♘d7 ♔d7 30. ♖a5 ♖b6
31. g4] **♗d6!?⊕** [27... a4−+] **28. ♖a5 ♖c2
29. ♔f3** [29. ♔f1 ♘d2! 30. ♗e2 (30. ♔e1
♘f3 31. ♔d1 ♖d2 32. ♔c1 ♖h2) ♘b3 31.
♔d3 ♖h2 32. ♖b5 ♘c1−+; 29. ♔h1 ♘f2
30. ♔g2 ♘g4 31. ♔f3 ♗b4! 32. ♖b5 ♖f2
33. ♔e4 d5 △ ♖d2#] **♘g5 30. ♔e3 ♘h3
31. ♖b5 ♖c5** [31... ♖h2 32. ♖h5 ♗g3] **32.
♖b7 ♘g5 33. ♘b6?! ♖b5 34. ♘c4 ♗c5
0 : 1**   *Greenfeld*

M. MARIN 2545 —
VL. GEORGIEV 2515

Andorra 1997

1. ♘f3 ♘f6 2. g3 g6 [RR 2... b5 3. ♘a3?!
a6 4. c4 e5! N (4... c6 — 29/5) 5. b3 (5.
♘e5 ♗b7 6. ♘f3 ♗a3 7. ba3 bc4∓; 5. cb5
e4 6. ♘d4 ♗c5∓) e4 6. ♘h4 ♗c5 (6...
c6∓; 6... d5!?) 7. ♘c2 d5 *a)* 8. d4?! ed3!
(8... ♗e7 9. c5∓) 9. ♕d3 ♘c6! 10. cb5 (10.
cd5? ♘e5 11. ♕c3? ♗f2−+ Va. Loginov
2525 — Sakaev 2560, Rossija 1996) ♘e5
11. ♕d1 ♘eg4! 12. e3 ♘e4 13. f3 ♘gf2
14. ♕c2 ♗g4! 15. fg4 ♘h1 16. ♗b2 0—0
17. ♘f5 f6∓; *b)* 8. cd5 ♕d5∓→ Sakaev] **3.**

b4 ♗g7 4. ♗b2 d6 5. ♗g2 0–0 6. 0–0 e5
7. d3 c6 [7... ♘bd7 — 6/15] 8. ♘bd2 ♖e8
9. e4!? N [9. c4 — A 15] a5 10. a3 ab4 11.
ab4 ♖a1 12. ♕a1 ♘a6 13. ♕a3 ♕c7 14.
♖e1 d5 15. c4 de4 [15... d4 16. c5; 15...
dc4 16. ♘c4] 16. ♘e4 [16. de4 c5 17. b5
♘b4] ♘e4 17. ♖e4 c5 [17... f6 18. d4 f5
(18... ♗f5 19. ♖e1 e4 20. ♘h4±) 19. ♖e1
e4 20. ♘e5 △ g4, f3, ✕♘a6] 18. bc5 [18.
b5 ♘b4 19. b6 ♕b6 20. ♘e5 f6 21. ♕a4
♖d8] ♘c5 19. ♖e3± ♗d7□ [19... ♗f5 20.
d4 ♘d3 21. ♖d3 ♗d3 22. ♕d3 e4 23.
♕e2+−] 20. ♘g5 [20. ♕a1!? f6 21. d4 ed4
22. ♖e8 ♗e8 23. ♘d4±] h6 [20... ♖h6 21.
h4 f6 22. ♗d5 ♔g7 23. d4] 21. ♘e4 ♘e4
22. ♗e4 ♗f8 23. ♕b3 ♗c5 24. ♖e1 b6 25.
♗d5 ♔g7 [25... ♗h3? 26. ♕c3 ♗d4 27.
♕d4 ed4 28. ♖e8 ♔g7 29. ♗d4 f6 30. ♖g8
♔h7 31. ♗f6] 26. ♕d1 f6 27. ♔g2 ♗c6
28. d4 ed4 29. ♖e8 ♗e8 30. ♗d4 ♗d4 31.
♕d4 ♗f7 32. ♗f7   1/2 : 1/2
                                    M. Marin

3. !N   A 10

KRASENKOW 2645
– KVEINYS 2555

Krynica 1997

1. ♘f3 e6 2. c4 f5 3. g3 ♘f6 4. ♗g2 c6 5.
0–0 d5 6. d3 ♗e7 7. b3 0–0 8. ♗b2 a5 9.
♘c3! N [9. a3; 9. ♘bd2] ♘a6 10. a3 ♘c5
[10... ♗d7!? △ ♗e8-h5] 11. b4 ab4?! [11...
♘cd7] 12. ab4 ♖a1 13. ♕a1 ♘a6 14. b5±
♘c5 [14... cb5 15. ♘b5 dc4 16. dc4 △ ♖d1]
15. ♕a7 cb5 16. ♘b5?! [16. ♗a3! ♘cd7 17.
♗e7 ♕e7 18. cd5 b4 (18... ♘d5 19. ♘b5±)
19. de6 bc3 20. ed7 ♗d7 21. ♕b7 ♖c8 22.
♘d4±] dc4 17. dc4 ♘fe4 18. ♘e5 ♘d2
[18... ♗f6 19. f3 ♘d7□ 20. ♖d1±; 18...
♕d2 19. ♗a3 (△ ♗e4) ♕g5□ 20. f4±] 19.
♖e1 f4?! [19... ♘db3!±] 20. ♗d4 ♘db3
21. e3!± fg3 22. hg3 ♗d7 23. ♗c5! ♗c5
[23... ♘c5 24. ♖d1 ♕c8 25. ♗b7! ♘b7 26.
♖d7+−] 24. ♕b7 ♗b5 [24... ♗c8 25. ♕c6
♕d2 26. ♖f1 ♗e3 27. ♘f3+−] 25. cb5
♕d6 [25... ♕d2 26. ♖f1] 26. ♘c4 ♕d8
[26... ♕d3 27. ♕e4+−] 27. ♕c6 ♕f6 28.
♖f1 ♗b4 29. b6 ♘d2 30. ♘d2 ♗d2 31. b7
♕e5 32. ♗h3 ♔h8 33. ♕e6 ♕b8 34. ♕c8
♕d6 35. ♖d1   1 : 0   *Krasenkow*

4.**   A 13

KRAMNIK 2770 –
AN. KARPOV 2745

Dortmund 1997

1. ♘f3 ♘f6 2. c4 b6 3. g3 ♗b7 4. ♗g2 e6
5. 0–0 ♗e7 6. ♘c3 0–0 7. ♖e1 d5 8. cd5
♘d5 9. e4 ♘c3 10. bc3 ♘c6 [10... c5 —
68/29, A 30] 11. d4 ♘a5 12. h4!? N [12.
♘e5 ♗d6 13. f4 ♕e8!?∞ Kramnik 2740 –
An. Karpov 2760, Monaco (rapid) 1997;
12. ♗f4 ♗d6 13. ♘e5 ♕e7 14. ♕g4 f6 15.
♘f3 ♗a3 16. ♗c1± Kramnik 2740 – Ivan-
čuk 2740, Monaco (blindfold) 1997] ♖e8
[12... c5? 13. d5 ed5 14. ed5 ♗d5 15. ♖e7
♕e7 16. ♕d5 ♖ad8 17. ♗g5±] 13. h5 [13.
♘g5!? h6 14. ♘h3; 13. ♘e5 ♗d6 14. ♗f4
f6] h6 [13... c5?! 14. h6 g6 15. ♗f4±] 14.
♘e5 ♗d6 15. ♗f4 [15. ♘g4 f5!? 16. ef5
♗g2 17. ♔g2 ef5; 15. ♕g4 ♗e5 16. de5
♔h8] ♕e7 [15... f6 16. ♘g6] 16. ♕g4 ♔h8
17. ♘d3 [17. ♖ad1 ♖ad8] ♖ad8 18. ♖ad1
♗c6!? [18... ♗f4?! 19. gf4 △ f5, △ ♖e3-
g3; 18... c5 19. ♗d6 (19. d5 e5) ♕d6 (19...
♖d6 20. dc5 bc5 21. ♘e5± △ 21... ♖ed8?
22. ♖d6 ♖d6 23. ♕f4 ♔g8 24. ♘f7) 20.
♘e5; 20. dc5!?] 19. e5 ♗a3 20. ♗c6 ♘c6
21. ♖e4!? [21. ♕f3 ♘a5 22. g4 c5⇆] ♕d7?!
[21... ♘a5!= △ c5] 22. ♕f3 ♗f8 [◯ 22...
♘a5] 23. ♗e3! [23. g4 ♘e7 24. g5 ♘f5]
♘a5 [23... ♔g8!? 24. ♖g4 ♔h8] 24. g4!±→
♘c4 25. g5 ♘e3 26. fe3!? [26. ♕e3±] hg5
27. ♖g4 [27. ♖f1 ♕c6!] ♕e7 [27... ♗e7
28. ♕f7 ♖f8 29. ♕g6+−] 28. ♖f1 ♖d7 29.
♕g3 [29. ♘f2? f5] f6 [29... ♕a3 30. ♖g5
♕c3 31. ♘f4+−] 30. e4 [30. ef6 gf6 31.
♘f4 ♔h7 32. ♘g6 ♕d8∞; 30. h6!? gh6
(30... c5 31. hg7 ♗g7 32. ♘f4!?) 31. ef6
♕h7 32. ♘e5 ♖d5 33. e4 ♖a5]

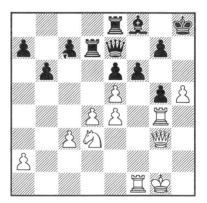

30... ♕a3 [30... ♕d8 31. h6! (31. ef6 gf6
32. e5 f5 33. ♖g5 ♕g5 34. ♕g5 ♖g7) gh6
(31... c5 32. hg7 ♗g7 33. ef6 ♗f6 34. e5
♗g7 35. ♖g5→ △ 35... cd4 36. ♖h5 ♔g8
37. ♕g6+−) 32. ef6±; 30... c5!? 31. h6
(31. ef6 gf6 32. ♘f4 ♔h7 33. ♘g6 ♕d8;
31. ♔h2!? cd4 32. ef6 gf6 33. e5→) cd4
(31... gh6 32. ef6 ♕h7 33. ♘e5+−) 32.
hg7 ♗g7 a) 33. ef6 ♗f6 34. e5 (34. ♘e5
♗e5 35. ♕e5 ♕g7 36. ♖f6 dc3) ♗g7 35.
♖g5 (35. cd4 ♖f8) ♗h6 36. ♖g6 (36. ♖h5
♕g7) ♕h7; b) 33. ♔g2 dc3 34. ef6 ♗f6
35. e5 b1) 35... ♖d3 36. ♕d3 ♕b7 (36...
♗e5 37. ♕g6 ♕b7 38. ♖e4) 37. ♖f3; b2)
35... ♗g7 36. ♖g5 ♔g8 37. ♖h5 ♖f8 38.
♖fh1 ♖f5; c) 33. ♖f2 dc3 34. ef6 ♗f6 35.
e5 ♗g7 36. ♖g5 ♔g8 37. ♖h5 ♖f8; d) 33.
♘f4! gf4 (33... ♕f7 34. ♕h3 ♔g8 35.
♘h5) 34. ♕h4 ♔g8 (34... ♗h6 35. ♕h6
♕h7 36. ♕f6 ♖g7 37. ♔f2+−) 35. ef6 d1)
35... ♕f8 36. fg7 ♖g7 37. ♖f4+−; d2) 35...
♕c5 36. ♔h1 ♖f8 (36... ♖ee7 37. fe7 ♖e7
38. cd4) d21) 37. fg7 ♖g7 38. ♖g7 ♕g7
39. ♕g4 (39. ♖g1 ♕f7 40. ♕f4 ♔e8 41.
♕b8 ♔e7=) ♔h8! (39... ♔f7 40. ♕f4 ♔e8
41. ♕b8; 39... ♔h6 40. ♕e6 ♔h7 41.
♖f2+−) 40. ♖g1 ♕c7 41. ♖g2 f3 42. ♖h2
♕h2 43. ♔h2 f2=; d22) 37. ♖ff4! dc3
(37... ♕c3 38. fg7 ♕c1 39. ♖g1 ♕g1 40.
♔g1 ♖g7 41. ♖g4+−; 37... ♖ff7 38. fg7
♖g7 39. ♖g7 ♖g7 40. ♕d8 ♔h7 41. ♖h4
♔g6 42. ♕e8 ♔f6 43. ♖h6 ♔e5 44. ♕e6
♔f4 45. ♕f6 ♔e4 46. ♕g7+−; 37... ♖f6
38. ♕f6 ♕h5 39. ♔g2+−) 38. ♖g7 ♖g7
39. fg7 ♔g7 40. ♕g3 ♔h6 41. ♖h4+−;
d3) 35... ♕d8 36. ♕h6 ♖ee7 (36... ♕c7 37.
♔h1) 37. ♔h1 (37. ♖ff4 dc3 38. fg7 ♖g7
39. ♕e6 ♔h7; 37. cd4 ♖f7 38. fg7 ♖g7 39.
♕e6 ♖f7 40. ♖g7 ♔g7 41. ♕e5 ♔g8 42.
♖f2±) ♖f7 (37... dc3 38. ♖fg1 ♕f8 39.
♖h4+−) 38. fg7 ♖g7 39. ♖fg1 ♕f8 d31)
40. ♕e6 ♔h8 41. ♕e5!? ♖e7 (41... ♔g8
42. cd4; 41... dc3 42. ♖h4 ♔g8 43. ♕e6
♖f7 44. ♖g7 ♕g7 45. ♖g4) 42. ♖h4 ♔g8
43. ♖g7 ♕g7 (43... ♖g7 44. ♕d5 ♖f7 45.
♕h5+−) 44. ♕b8 ♔f7 45. ♕d8 ♕g5; d32)
40. cd4 ♖e7 41. ♖g7 ♖g7 42. ♕e6±] **31.
ef6 ♕c3?⊕** [31... gf6 32. e5 (32. ♘f4 ♔h7
33. ♘h3→) f5 (32... ♕c3 33. ef6±) 33.
♖g5 a) 33... ♖g7 34. ♘f4 (34. ♖g7 ♗g7
35. ♘f4 ♖g8) ♖g5 35. ♕g5± (△ 36. ♘g6
♔h7 37. ♘f8 ♖f8 38. ♕g6 ♔h8 39. ♕h6

♔g8 40. ♕e6 ♖f7) ♕c3 36. ♔h1!+−; b)
33... ♗h6 34. ♖g6 ♖h7 35. ♖f2 b1) 35...
♕c3 36. ♖g2 ♕a1 (36... ♕d4 37. ♔f1
♕d8 38. ♖h6) 37. ♔h2 ♗g7 38. ♘f4 ♖e7
39. ♖f6 ♔g8 40. ♕f3+−; b2) 35... ♕f8 36.
♖g2!?±] **32. f7 ♖c8** [32... ♖ed8 33. ♘e5
(33. d5!?) ♕g3 34. ♖g3 ♖d4 35. ♘c6+−;
32... ♖ee7 33. ♘e5+−] **33. d5! ed5 34.
e5+− c5 35. ♖f3⊕** [35. ♖g5! c4 36. h6 g6
37. ♖g6 ♕d3 38. ♖g8 ♔h7 39. ♖h8! ♔h8
40. ♕g8♯] **c4 36. ♘f2 ♕e1** [36... ♕c1 37.
♔g2 c3 (37... ♗e7 38. e6 ♖d6 39. ♕e5 △
h6) 38. ♖g5 c2 39. h6 ♔g5 40. ♕g5 c1♕
41. hg7 ♗g7 42. ♖h3] **37. ♔g2 ♗e7** [37...
c3 38. ♖g5 c2 39. h6 c1♕ 40. hg7 ♗g7 41.
♕h3] **38. ♖g5! ♗g5 39. f8♕** [39... ♖f8 40.
♖f8 ♔h7 41. ♕g5] **1 : 0** *Kramnik*

5.*   A 13

M. MARIN 2530 − S. IONOV 2525
Benasque 1997

**1. ♘f3 ♘f6 2. c4 e6 3. g3 a6 4. ♗g2 b5 5.
b3 c5 6. ♘c3 ♕b6 7. 0−0 ♗b7 8. ♗b2 N**
[8. e3 − 54/9] **♗e7** [8... bc4 9. bc4 ♕b2 10.
♖b1 ♕a3 11. ♖b7±] **9. d4!?** [9. e3 0−0 10.
♕e2∞] **cd4 10. ♕d4 ♕d4** [10... ♗c5 11.
♕h4±] **11. ♘d4 ♗g2 12. ♔g2 ♘c6!** [12...
bc4 13. bc4 d6 14. ♘a4± U. Andersson
2640 − Keņgis 2560, Yerevan (ol) 1996]
13. ♖fd1 [△ cb5; 13. ♘c6 dc6=] **♖b8**
[13... bc4?! 14. ♘c6 dc6 15. bc4 ♖b8 16.
♘a4±; 13... ♘d4 14. ♖d4 bc4 (14... ♗c5
15. ♖d3 bc4 16. bc4 ♔e7 17. ♘a4±) 15.
♖c4 d5 (15... 0−0 16. ♖c1 d5 17. ♖c7±)
a) 16. ♖c6 ♔d7 17. ♖b6 ♖hb8∓; b) 16.
♖a4 0−0 17. e4=; c) 16. ♖c7!± △ 16...
♗d6?! 17. ♖b7 0−0 18. ♖c1 ♖fc8 19.
♘a4±] **14. ♘c6□** [14. ♖ab1?! 0−0= △ 15.
e3?! ♖fc8∓] **dc6 15. cb5 cb5** [15... ab5!?
Şubă] **16. e3! 0−0 17. ♘e2 ♖fc8!** [17...
♖fd8 18. ♖d8 ♖d8 19. ♘d4 ♖c8 20. a4 ba4
(20... ♖b8 21. ab5 ab5 22. ♘c6; 20... b4
21. ♖c1±) 21. ♖a4 ♖a8 22. b4 ♘d5 23. b5
a5 24. ♘c6±] **18. ♖ac1 ♖c1?!** [△ 18...
♘d5 19. e4 ♘b4 (19... ♖c1 20. ♘c1! ×a2,
d3) 20. ♖d7] **19. ♖c1 ♘d5 20. ♘f4!±** [20.
e4 ♘b4⇄] **♘f4** [20... ♖d8 21. ♘d5 ♖d5
(21... ed5 22. ♖c6 ♖d6 23. ♖c7 ♗f6 24.
♗e5! ♖d8 25. ♗f6 gf6 26. ♖c6+−) 22.
♖c8 ♖d8 23. ♖c6 ♖d6 (23... ♖a8 24.

♔f3±) 24. ♖c7 ♗f6 25. ♗e5!±; 20... ♗f6
21. ♘d5! (21. ♗f6 ♘f6±) ♗b2 22. ♘e7
♔f8 23. ♖c7 ♗a3 (23... ♖b6 24. ♘c8! ♖b8
25. ♘d6± △ 25... f6 26. ♘b7; 23... g6 24.
♘c6! ♖a8 25. e4) 24. ♘c6 ♖a8 25. e4±]
**21. ef4 [♖ 9/k] ♖d8 22. ♖c6 ♖d6 23. ♖c7
♗f6 24. ♗e5! ♖d2** [24... ♗e5?? 25. ♖c8!
25. ♖c6 h5?! [×h5; 25... ♔f8 26. ♖a6!
♗e5 27. fe5 ♖d5?! 28. ♖a5± △ 28... ♖e5?!
29. a4+−; 25... h6!? 26. ♖a6 ♗e5 27. fe5
h5±] **26. ♗f6 gf6 27. ♖a6+− [×h5] ♔g7
28. ♖a5 ♔g6** [28... ♖d5 29. a4 ba4 30.
♖d5 ed5 31. ba4; 28... b4 29. ♖h5 ♖a2 30.
♖b5] **29. a3 ♖a2** [29... b4 30. ab4 ♖d3 31.
♖a3! ♖d4 32. ♖a1! ♖b4 33. ♖b1 ♔f5 34.
♔f3] **30. b4 f5 31. ♖b5 ♖a3 32. ♖b8 h4**
[32... ♖b3 33. b5 ♔g7 34. b6 ♔g6 35. b7
♔g7 36. ♔h3 ♖b2 37. ♔h4 ♖b3 38. ♔h5
♖b2 39. ♔h4 ♖b3 40. ♔h3 ♖b2 41. ♔g2
♖b3 42. h4] **33. gh4 ♖b3 34. b5 f6 35. b6
♔g7 36. b7 e5 37. h5 ef4 38. h6 ♔h7 39.
f3 ♖b2 40. ♔f1 ♖b4 41. ♔e2** 1 : 0

M. Marin

6. A 13

SCHWARTZMAN 2510
− SERPER 2550

Los Angeles 1997

**1. c4 e6 2. g3 d5 3. ♘f3 dc4 4. ♕a4 ♘d7
5. ♕c4 a6 6. ♕b3 b5 7. ♗g2 ♗b7 8. 0−0
♘gf6 9. d3 ♗e7** [9... c5 10. a4±] **10. ♘c3
0−0 11. a4 ♘c5! 12. ♕d1!? N** [12. ♕c2
b4! 13. ♘b1 (13. ♘d1 ♗d5∞) e5! △ 14.
♘e5? ♗g2 15. ♔g2 ♕d5 16. ♘f3 ♘b3 17.
e4 ♘a1−+] **b4! 13. ♘b1 e5! 14. ♘bd2**
[14. ♘e5? ♗g2 15. ♔g2 ♕d5 16. ♘f3
♘b3 17. e4 ♘e4!−+] **e4 15. de4 ♘fe4 16.
♘e4 ♕d1 17. ♖d1 ♗e4 18. ♗e3!□ ♖ad8**
[18... ♘b3? 19. ♘d4! ♗g2 (19... ♘a1??
20. ♗e4+−) 20. ♘b3± △ ♗c5] **19. ♖d8**
[19. ♘d4!?] **♖d8 20. ♘d4 ♗f6 21. ♗e4
♗d4** [21... ♘e4? 22. ♘c6 ♖d6 23. ♘b4
♗b2 24. ♖b1+−] **22. ♖d1 ♘e4 23. ♖d4
♖d4 24. ♗d4 c5 25. f3!** [25. ♗e3 c4∓] **cd4**
[25... ♘g3? 26. ♗c5 ♘e2 27. ♔f1 ♘f4 28.
♗b4±] **26. fe4 [♗ 3/d3] ♔f8??** [26... f6?
27. ♔f2 ♔f7 28. e3 de3 29. ♔e3 ♔e6 30.
♔d4±; 26... g5! 27. ♔f2 ♔g7 28. e3 d3!
29. ♔e1 (29. e5? f5! 30. ef6 ♔f6 31. e4
♔e5 32. ♔e3 d2 33. ♔d2 ♔e4 34. ♔e2

g4−+) ♔f6 30. ♔d2 ♔e5 31. ♔d3 h5!?
32. ♔c4! ♔e4 33. ♔b4 ♔e3 34. ♔c5 f5
35. b4 f4 36. gf4 gf4 37. b5 ab5 38. ab5 f3
39. b6 f2 40. b7 f1♕ 41. b8♕ ♕f5 42.
♔c6 ♕e6 43. ♔c5=] **27. ♔f2 ♔e7 28. e3
d3 29. ♔e1 ♔e6 30. ♔d2 ♔e5 31. ♔d3 a5**
[31... g5 32. g4!+−] **32. ♔c4 ♔e4 33. ♔b5
f5 34. ♔a5 g5 35. ♔b4 ♔e3 36. a5 f4 37.
a6 f3 38. a7 f2 39. a8♕ f1♕ 40. ♕a7+−
♔d2 41. ♕d4! ♔e1 42. ♕e3 ♔d1 43. ♕g5
♕e1 44. ♔a3 ♕e4 45. ♕f4 ♕d3 46. ♔b4
♕d7 47. ♔c3! ♕c8 48. ♕c4 ♕h3 49. ♕d3
♔e1 50. g4 ♕h6 51. ♕g3 ♔e2 52. ♕e5
♔f3 53. ♕f5 ♔e2 54. ♕c2 ♔e1 55. ♕e4
♔f1 56. ♕f3 ♔e1 57. g5 ♕g7 58. ♔c2
♕g8 59. h4 ♕e8 60. b3 ♕e7 61. h5 ♕e8
62. ♕g3 ♔f1 63. ♕d3 ♔f2 64. g6 hg6 65.
hg6** 1 : 0

Serper

7. A 16

M. GUREVICH 2620
− NIJBOER 2605

Antwerpen (open) 1997

**1. c4 ♘f6 2. ♘c3 g6 3. g3 ♗g7 4. ♗g2 0−0
5. d3 d6 6. ♖b1** [6. ♗g5 h6 7. ♗d2 c6 8.
e4 d5!? (8... ♘bd7 − 66/8) 9. cd5 cd5 10.
ed5 ♘a6!?⊼] **c6** [6... e5 − 12/50] **7. e4!?** N
[7. ♘f3 d5=] **d5!?** [7... e5] **8. ed5 cd5 9.
cd5** [9. ♘d5 ♘d5 10. cd5 (10. ♗d5 ♘c6⊼)
♕a5 11. ♗d2 ♕a2∞] **♘a6!?** [△ 10... ♘b4,
10... ♘c7] **10. ♘ge2 ♗g4!?** [10... ♘b4 11.
♘f4 g5 12. a3!? gf4 13. ab4 fg3 14. hg3
♗f5 15. ♗h6±] **11. h3** [11. 0−0 ♘b4 12.
♕b3 ♗e2 13. ♘e2 ♘bd5∞ △ 14. ♕b7?!
♕a5!↑] **♗e2 12. ♕e2!?** [12. ♕e2 ♘b4 13.
0−0 ♘fd5 14. ♘d5 ♘d5∞ △ 15. ♗g5
♕d7] **♘c7** [12... ♕d7!? 13. ♖e1 ♖fd8 14.
♔f1 ♘b4⇄] **13. ♕b3 b5!** [△ b4⇄; 13... e6
14. ♗g5!? ♘cd5 15. ♘d5 ed5 16. ♖he1!
h6 17. ♗f6 ♕f6 18. ♔f1±; 13... ♖b8 14.
♗e3±] **14. ♗e3!?** [×d4, △ d6; 14. ♗f4 *a*)
14... e5 15. ♗g5! (15. de6 ♘e6 16. ♗e3
♖b8↑; 15. ♗e5 ♖e8 16. d4 b4 17. ♕b4
♘cd5 18. ♘d5 ♘d5↑) h6 16. ♗f6 ♕f6 17.
♘e4 ♕b6 18. ♖hc1±; *b*) 14... b4 15. ♗c7
♕c7 16. ♕b4 (16. d6 ♕d6 17. ♗a8 bc3⊼;
16. ♘e4 ♖ac8⊼) ♖ab8 17. ♕c4 ♕e5 18.
♔f1 ♖fc8↑; 14. d6 ♘e6 15. ♗e3 ♖b8 16.
♗a7 (16. de7 ♕e7 17. ♔f1 ♖fd8 18. ♖d1
h5!↑) ♕d7 17. ♗e3 ♕d6⊼] **b4!** [14... a5?!

15. d6 ♕d6 16. ♗a8±; 14... ♖b8 15. ♗a7 ♖b7 16. ♗d4±] **15. d6!** [15. ♕b4 ♘cd5 16. ♘d5 ♘d5 *a*) 17. ♕b7 ♘e3 18. ♕a8 (18. fe3 ♕d6!↑) ♕a5 19. ♕e4 ♘g2 20. ♕g2 ♗b2! 21. ♖hd1 ♕a2 22. ♔f1 ♗d4∓; *b*) 17. ♗d5 ♕d5 18. ♕c4 ♕d7!∞ △ ♖fc8⇋] **♕d6 16. ♗a8** [16. ♘e4?! ♘e4 17. de4 ♕a6!↑] **bc3 17. ♗b7!** [×a6; 17. ♗g2 ♘fd5 18. d4 ♕a6! 19. ♔f3 (19. ♔e1 ♘e3 20. fe3 ♕d3 21. ♔f2 ♕d2 22. ♔f3 ♘e6∓) ♕f6 20. ♔e2 ♕a6=] **♘fd5 18. d4 cb2 19. ♗d5** [19. ♕b2 e5! 20. de5 ♗e5 21. ♗d4 ♘f4! 22. gf4 ♗d4→; 19. ♖b2 ♖b8!? 20. ♖c1 ♘e3 21. fe3 ♕g3↑] **♘d5 20. ♖b2 ♘e3!** [20... e5 21. de5 ♕e5 22. ♖d2 ♘c3 (22... ♘e3 23. ♕e3 ♕b5 24. ♕d3 ♖e8 25. ♔f3! ♕c6 26. ♕d5±) 23. ♔f1 ♖b8 (23... ♕e4 24. ♔g1±) 24. ♕c4±] **21. fe3 ♕g3** [21... e5! 22. ♖d1 (22. d5? e4→; 22. ♔f3?! ed4∞ △ 23. ed4? ♕c6! 24. d5 ♕f6-+; 22. de5 ♕e5 23. ♖d2 ♕g3 24. ♕d5 ♖e8↑; 22. ♕b4 ♕d5 23. ♕b7 ♕c4! 24. ♔f3 ed4↑) ed4 23. ed4 ♖e8 (23... ♗d4 24. ♖bd2 ♖e8 25. ♔f1 ♕c6=) 24. ♔f1 ♗d4 (24... ♕c6?! 25. d5 ♕a6 26. ♕b5 ♕c8 27. ♖g2±) 25. ♖bd2 (25. ♕a4 ♖e4 26. ♖bd2 ♕g3! 27. ♖d4 ♕f3 28. ♔g1 ♖e2 29. ♖d8 ♔g7 30. ♕d4 ♔h6 31. ♕h4 ♔g7 32. ♕d4=) ♕c6! 26. ♖d4 ♕h1 27. ♔f2 ♕h2 28. ♔f1=] **22. ♕d5 e5 23. de5 ♗e5 24. ♖b7↑ ♗c7 25. ♖f1!** [25. ♕f3 ♕d6 *a*) 26. ♖d1 ♕a6 27. ♔f2 (27. ♔e1 ♗g3!-+) ♕a2∓; *b*) 26. ♖a7 ♖d8!↑] **♕h3!** [25... ♗b6? 26. ♖ff7 ♕e3 27. ♔d1+-] **26. ♖a7!** [26. ♖c7? ♕h2-+] **♕g4 27. ♔d3! ♖d8?⊕** [27... ♕c8 *a*) 28. ♕c6? ♖d8 29. ♔c2 (29. ♔e2 ♕g4 30. ♕f3 ♕c4-+) ♗b6-+; *b*) 28. ♕c4! ♗b6 (28... ♕h3 29. ♔c2! ♕g2 30. ♔b3 ♖b8 31. ♔a4+-) 29. ♕c8 ♖c8 30. ♖af7 (30. ♖b7!?) ♖d8 31. ♔e2 ♖a8 32. ♖b7 ♖a2 33. ♔f3 ♗c5 34. ♖d1±; 27... ♕g3!? 28. a4 ♔g7 (△ ♖d8; 28... h5!?) 29. ♖a8 ♗b8 30. a5 ♕c7 31. a6 ♖c8 (31... ♖d8 32. ♖f7 ♕f7 33. ♕d8 ♕f1 34. ♔c3±) 32. ♖f7 ♕f7 33. ♕f7 ♔f7 34. a7 ♖d8 35. ♔e2 ♗a7 36. ♖d8±] **28. ♖a8 ♖a8 29. ♕a8 ♔g7 30. ♕e8!+-** [30. ♕d5 f6±] **♗f4?** [30... ♕e6 31. ♕e6 fe6 32. a4 h5 33. ♖c1 ♗a5 34. ♖c5; 30... ♕g3 31. ♖f7 ♔h6 32. ♕f8 ♔h5 (32... ♔g5 33. ♕e7) 33. ♖h7 ♔g4 34. ♕c8] **31. ef4**
1 : 0   *M. Gurevich*

RIBLI 2570 — MACIEJA 2470
Koszalin 1997

1. c4 ♘f6 2. ♘c3 d5 3. cd5 ♘d5 4. g3 g6 5. ♗g2 ♘c3 [RR 5... ♘b6 6. d3 ♗g7 7. ♗e3 ♘c6 8. ♗c6 bc6 9. ♕c1 c5!? N (9... h6 — 34/(15)) 10. ♗h6 ♗h6 11. ♕h6 ♗b7 12. f3 ♕d4 13. ♘h3 c4 14. 0-0-0 0-0-0 15. dc4 ♕c4 16. ♕f4 f6 17. ♘f2 1/2 : 1/2 Lautier 2660 — J. Polgár 2670, Tilburg 1997] **6. bc3 ♗g7 7. ♖b1 ♘d7 8. ♘f3 0-0 9. 0-0 ♘b6 10. ♘g5 ♖b8 11. ♕b3!? N** [11. ♕c2 — 30/(19)] **h6 12. ♘e4 ♗e6 13. ♕a3** [13. ♕c2 ♗d5 14. d3 ♗c6 15. c4±] **♗g4! 14. ♖e1?** [14. f3□ ♗d7 (14... ♗e6 15. ♘c5 ♗d5 16. ♖d1! △ e4±) 15. ♕a7? ♗e6!; 15. ♘f2! △ e4±]

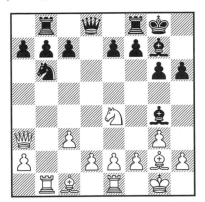

14... ♗e2!! 15. ♘c5□ [15. ♖e2 ♕d3 16. ♖b6 ♕e2 17. ♖b4 ♕e1 18. ♗f1 a5 19. ♖c4 b5-+; 15. ♖b6 ab6 16. ♖e2 f5∓] ♗d3 16. ♘d3 ♕d3 17. ♗e4 ♕d7 18. ♗g2 [18. ♕a7 ♕e6] ♕d3 19. ♗e4 ♕d6! 20. ♕a7 ♕e6! 21. ♗b2 ♘c4 22. ♗d3 [22. ♗b7 ♕d7 (22... ♕d6 23. d4 c6 24. ♕a6 ♘d2 25. ♕c6 ♘b1 26. ♖b1 ♕c6 27. ♗c6 ♖fc8 28. ♗e4∞) 23. ♕a6 (23. d4 c6 24. ♕a6 ♘d2 25. ♗c6 ♕f5 26. ♕e2 ♘b1 27. ♗e4 ♕b5 28. ♕b5 ♖b5 29. ♖b1 ♖fb8-+) ♕d2 24. ♕c4 ♖b7∓] ♕d5 23. ♗c4 ♕c4 24. ♗a1!□ [24. ♖e7 ♕d3∓] e6 25. ♖b7 ♖b7 [25... ♖a8 26. ♖c7 ♖a7 27. ♖c4 ♖a2 28. ♖b4 ♖d2 29. c4=] 26. ♕b7 ♕a2 27. d4 ♕c4∓ 28. ♗b2 h5?! [28... ♖d8 29. ♖a1 ♗f8 30. ♖a7 ♔g7! 31. ♔g2 (31. ♕c7?? ♕c7 32. ♖c7 ♖b8-+) ♗d6∓] 29. h4 ♖d8 30. ♖a1 ♗f8 31. ♖a7 ♔g7 32. ♔g2 [32.

♕c7?? ♕c7 33. ♖c7 ♖b8−+] ♗d6 33.
♗a3! ♕c3 34. ♗d6 ♖d6 35. ♕c7 ♕c7 36.
♖c7 ♖d4 37. ♖a7 ♖d3 38. ♖a6 ♖d7 39.
♔f3 ♖b7 40. ♔g2 ♔f6 41. ♔f3 ♔f5 42.
♖a5 e5 43. ♖c5 f6 44. ♖a5 ♖b3 45. ♔g2
♖d3 46. ♖b5 ♔e6 47. ♖b6 ♖d6 48. ♖b4
♖d5 49. ♖a4 ♔f5 50. ♔f3 ♖d3 51. ♔g2
e4 52. ♖a5 ♔e6 53. ♖a6 ♔e5 54. ♖a5
♖d5 55. ♖a2 ♔f5 56. ♖b2 g5 57. hg5 ♔g5
58. ♖b8 ♖d2 59. ♖e8 ♔f5 60. ♖e7 h4 61.
gh4 ♔f4 62. ♖e6 f5 63. h5 ♔g5 64. h6
♖d7 65. ♔g3 ♖h7 66. f4 ef3 67. ♔f3
1/2 : 1/2   *Macieja*

9.**   A 16

**TUKMAKOV 2575
− TSEITLIN 2530**

Biel (open) 1997

1. ♘f3 ♘f6 2. c4 g6 3. ♘c3 d5 4. cd5 ♘d5
5. ♕a4 ♗d7 6. ♕h4 ♘c3 [RR 6... ♗c6 *a)*
7. e4!? N ♘b4 8. ♖b1 (8. ♕d1?! ♗g7 9.
♗c4 ♘8a6! 10. a3 ♘d3 11. ♔e2 ♘ac5!∓
1/2 : 1/2 M. Marin 2530 − V. Stoica 2460,
România 1997) ♘d3 (8... ♗g7 9. ♗c4 ♘d5
10. ♔e2 ♘c1 11. ♖hc1 ♘d7∞) 9. ♗d3
♕d3 10. ♘e5 ♕d6 11. d4! ♗g7! (11...
♕d4 12. ♕f4 f6 13. ♘c6 ♘c6 14. ♕c7±)
12. ♕f4 0−0 13. ♗e3 f5 14. ♘c6 ♘c6 15.
e5 ♕b4 16. 0−0 ♖ad8 17. ♖fd1∞; *b)* 7.
♘e5 ♗g7 8. ♘c6 ♘c6 9. e3 (9. ♕e4
14/36) 0−0 10. ♗e2 ♘cb4!? N (10... e6 △
11. ♕e4 ♘ce7) 11. 0−0 c5 12. a3 (12. ♕e4
e6 13. a3 ♘c6 14. ♖b1 ♖c8 15. ♖d1 ♕d7
16. ♕c2 ♖fd8= Nisipeanu 2600 − M.-V.
Ghindă 2455, România (ch) 1997) ♘c6
(12... ♘c3 13. dc3±) 13. ♕c4! ♘c3 14. bc3
♖c8 (14... ♕d6 15. d4±; 14... ♘a5 15.
♕a4±) 15. ♕b5 b6 16. d4 ♘a5 17. ♖d1
♕c7 18. a4± V. Stoica] 7. dc3 ♘c6 8. e4
e5 9. ♗g5 ♗e7 10. ♗c4 h6 11. ♗e7 ♕e7
12. ♕g3 0-0-0 13. 0−0 g5 14. ♖fd1 f6 15.
♘d2 ♗e6 16. b3 ♖d7 N [16... h5 − 69/10]
17. ♗e6 ♕e6 18. ♘f1! [△ 19. ♘e3, 19.
♘g3] ♖hd8 19. ♕f3 g4 20. ♕e2 ♘e7?!
[20... ♖d1 21. ♖d1 ♖d1 22. ♕d1 ♘e7 23.
♘e3 h5 24. g3± △ h3] 21. ♖d7 ♖d7 22.
♕e3! b6 [22... ♕c6 23. ♕h6! (23. ♕a7
♖d3!∞) ♕c3 (23... b6 − 22... b6) 24. ♖c1
♕b2 25. ♖e1±] 23. ♕h6 ♕c6 [23... ♖d3
24. ♘e3! ♖c3 25. ♕g7±] 24. ♘e3! [24.

♖c1 ♕e4 25. ♕f6 ♘d5 △ ♘f4∞; 24. ♕e3
♘g6 (△ ♘f4) 25. g3 ♘f8! △ ♘e6-g5∞]
♕e4? [24... ♕c3 25. ♖f1!±] 25. ♕f6 ♘d5
[25... ♖b7 26. ♕e6] 26. ♕c6!+− ♖d6 27.
♕a8 ♔d7 28. ♘c4 ♖f6 29. ♖d1 c6 30.
♕a7 ♔e6 31. ♕b7! ♕e2 32. ♕c6 ♔e7 33.
♕b7 ♔f8 34. ♖f1 ♘c3 35. ♘b6!   1 : 0
                                        Tukmakov

10.*   A 16

**S. SAVČENKO 2565 −
V. MIKHALEVSKI 2535**

Berlin 1997

1. ♘f3 ♘f6 2. c4 g6 3. ♘c3 d5 4. cd5 ♘d5
5. ♕a4 ♗d7 6. ♕h4 ♘c3 7. dc3 ♘c6 8. e4
e5 9. ♗g5 ♗e7 10. ♗c4 h6 11. ♗e7 ♕e7
12. ♕g3 0-0-0 13. 0−0 ♖h7!? N 14. ♗d5
♖e8 15. ♖fe1 ♖g7 16. a4! [16. ♖ad1 f5 17.
ef5 gf5 18. ♕h4 ♕f8∞ Šer 2425 − V.
Mikhalevski 2535, Ålborg 1997] f5 17.
♘d2 f4 18. ♕d3 g5 19. a5 ♘d8 [19... g4!?
△ 20. b4 g3] 20. b4 ♖g6 21. b5 g4?! [21...
♔b8 22. b6!? cb6□ (22... ab6 23. a6) 23. ab6
ab6 (23... ♖b6 24. ♘c4↑) 24. ♖eb1] 22. b6!
a6 23. bc7 ♔c7 24. ♖ab1± ♕c5?! [24... g3
25. hg3 fg3 26. fg3±] 25. ♘b3 ♕b5 26.
♕b5 ♖b5 27. ♘c5 b6? [27... ♗c6 28.
♖b4!± ×b7, ♔d8] 28. c4!+− bc5 29. cb5
ab5 30. ♖b5 ♖a6 31. ♖c1 [31. ♖c5 ♔d6
32. ♖ec1] ♘e6 32. ♖b7 ♔d6 33. ♖cb1
♘c7⊕ [33... ♘d4 34. ♖h7 ♖a5 35. ♖b6
♘c6 36. ♖c6#] 34. ♗c4! ♖a5 35. ♖1b6
♔d7 36. ♗b5 ♖b5 37. ♖b5 ♖a8 38. ♔f1
♔c8 39. ♖b1 ♖a4 40. ♖7b6 h5 41. ♖c6
♖c4 42. ♖b5 ♔d7 43. ♖bc5 ♖c5 44. ♖c5
♔d6 45. ♖a5 ♔e6 46. ♔e2 ♘e8 47. ♖a6
♔f7 48. f3 ♘f6 49. ♔d3 h4 50. h3 gf3 51.
gf3 ♘h7 52. ♖a7 ♔g6 53. ♖h7 [53... ♔h7
54. ♔c4]   1 : 0   *S. Savčenko*

11.   A 17

**YERMOLINSKY 2650
− ROZENTALIS 2645**

Krynica 1997

1. c4 e6 2. ♘c3 ♗b4 3. ♕b3 ♘c6 4. ♘f3
[4. a3 ♘d4 5. ♕d1 ♗c3 6. bc3 ♘f5∞]
♘f6 5. a3 ♗c5?! [5... ♗c3 6. ♕c3 a5 7. b3
0−0 8. ♗b2 d6 (8... ♖e8 9. d4) 9. g3 e5

10. ♗g2±] **6. e3!? N** [6. d3 — 69/13] **e5 7.
♕c2** [7. ♘e5 ♘e5 8. d4 ♗d6 9. de5
♗e5=] **a5 8. b3 0–0 9. ♗b2 ♖e8 10.
♗d3! d6 11. ♘d5!** [11. ♘g5 h6 12. ♘ge4
♘e4 13. ♗e4 (13. ♘e4 ♗b6) ♗e6 △ 14.
♘d5? ♕d7 △ f5] **h6 12. ♘f6 ♕f6 13. ♗h7
♔h8 14. ♗e4** [△ 0–0, d4] **♘e7 15. d4!
ed4 16. ed4** [16. ♘d4 ♗d4□ 17. ♗d4
♕g5= △ ♗f5] **♗f5! 17. 0–0 ♗b6** [⌂
17... ♗e4 18. ♕e4 ♘c6 (18... ♗b6 19.
♖fe1±) 19. ♕d3 ♗b6 20. ♗c3 ♕g6 21.
♕d2±] **18. ♖ae1 ♗e4 19. ♖e4** [19. ♕e4±]
d5□ [19... ♕g6 20. ♕e2; 19... ♘g6 20. d5
♕d8 21. ♖g4± △ 21... ♕d7 22. h3 △
♕c3] **20. ♖e5!** [20. ♖e3 ♘f5 21. ♖e5
♘d4!] **♕c6 21. ♕d2?** [21. ♖fe1?! ♘g6!
22. ♖d5 ♖e1 23. ♘e1 ♖e8→ △ 24. ♘d3
♘f4; 21. c5 (B. Alterman, A. Gol'din) ♗a7
(21... ♘g6 22. ♖e8 ♖e8 23. ♕d2 ♗a7 24.
♕a5±) 22. ♖fe1 ♘g6 23. ♖5e2± △ h4-h5
✕e5] **a4!** [21... f6 22. ♖h5 dc4? 23. d5
♕d7 24. ♖h6! gh6 25. ♕h6 ♔g8 26.
♗f6+–] **22. ♖fe1** [22. b4 f6 23. ♖h5 ♕c4
24. ♖h6 gh6 25. ♕h6 ♔g8 26. ♕f6 ♕c2∓]
♘g6 23. cd5 ♕b5 [23... ♕d7! 24. b4!?
♘e5 *a)* 25. de5? ♖ad8 26. e6 ♖e6 27. ♘e5
(27. ♖e6 fe6 28. ♕h6 ♔g8 29. ♕g6
♕f7–+) ♕e7 28. ♘f7 ♔g8–+; *b)* 25. ♘e5
♕f5 (25... ♕c8 26. ♖c1 ♕f5 27. g4) 26. g4
♕f6 27. ♖e3 ♔g8 28. ♖f3 ♕d6 29. ♖f7
♖e7∓] **24. ba4 ♕a4 25. ♖e8 ♖e8 26. ♘e5**
[⌂ 26. h4 ♖e1 27. ♕e1 ♕c2 28. h5 (28.
♗c1 ♕f5) ♕b2 (28... ♘f4 29. ♕e8 ♔h7
30. ♕f7 ♘e2 31. ♔h2 ♕b2=) 29. hg6
fg6=] **♔g8 27. ♕d3** [27. g3 ♕b5 28. ♘g6
♖e1 29. ♕e1 fg6] **♕a5 28. ♖d1 ♕d5** [29.
♘g6 fg6 30. ♕g6 ♖e2 31. ♗a1 ♕f7=]
1/2 : 1/2 *Yermolinsky*

12. A 17

FTÁČNIK 2585 – ĖMELIN 2480
Pardubice 1997

**1. c4 ♘f6 2. ♘f3 e6 3. ♘c3 ♗b4 4. g3 0–0
5. ♗g2 d5 6. a3 ♗e7 7. d4 ♘bd7 8. cd5!?**
[8. ♕d3 — 47/(20)] **ed5 9. 0–0 ♘b6!? N**
[9... c6; 9... a5] **10. ♘e5** [10. ♕c2 ♗e6
(10... g6 11. ♘e5 ♗f5 12. ♕b3 c6 13. a4
a5 14. ♗g5±) 11. ♘e5 ♘fd7 (11... c6!?)
12. f4 ♘e5 13. de5 f5 14. ♖d1 c5 15. a4

d4 16. ♗b7 ♖b8 17. ♗g2 ♘d5∞] **♗f5 11.
h3 ♘e4 12. g4 ♘c3 13. bc3 ♗e6 14. ♘d3**
[14. f4 f6 15. ♘d3 f5 (15... ♖e8 16. f5 ♗f7
△ 17. ♘f4 ♗d6∓) 16. g5 ♗d6∓] **f5 15.
♘f4 ♕d7 16. ♘e6** [16. gf5 ♗f5 17. ♕b3
c6 18. e4 ♗e6 19. ♘e6 (19. e5 ♗f5) ♕e6
20. e5 ♗h4 21. f4 ♖f7∓] **♕e6 17. gf5 ♖f5
18. e4! de4 19. ♕g4 ♖f6 20. ♗e4** [20. ♖e1
♖g6 (20... c6 21. ♖e4 ♕g4 22. hg4 ♗d6
23. g5 ♖ff8 24. a4±) 21. ♕e4 (21. ♕e6
♖e6 22. ♗e4 ♔f7 23. ♗d2 c6 24. ♗h7
♖e1 25. ♖e1 ♗a3=) ♕e4 (21... ♕h3??
22. ♕g6)·22. ♖e4 ♗d6 23. ♖g4 ♖g4 24.
hg4 ♖e8=] **c6 21. ♗g5** [21. ♖e1!? ♖g6
22. ♔f1! (22. ♔h1?? ♖g4 23. ♗h7 ♔f7
24. ♖e6 ♔e6 25. hg4 ♖h8–+) ♕c4 23.
♕e2 ♕c3 24. ♗g6 hg6 (24... ♕a1?? 25.
♗f7+–) 25. ♕e6 ♔h7∞] **♕g4 22. hg4
♖f7 23. ♗c1** [23. ♗e3 ♘d5 (23... ♘c4?!
24. ♗c2±; 23... ♖e8!?; 23... g6!?) 24. ♗d2
♗d6 25. ♗f5 ♖e8 26. c4 ♘f4 27. ♗e3
g6∽; 23. ♗e7 ♖e7 24. f3 ♖ae8=] **♗d6
24. ♖e1 g6 25. ♗c2 ♔g7 26. ♗b3 ♖f3 27.
♖e3** [27. ♗e3 ♘d5 28. ♔g2 ♖f7= △ 29.
c4 ♘e3 30. fe3 c5] **♖af8 28. ♖f3 ♖f3 29.
♗e3 ♘d5 30. ♗d5?!⊕** [30. ♔g2 ♖f7 31.
♗d2 ♗f4 32. ♗e1 ♗g5 33. ♖b1 ♖d7=]
cd5 [♖ 9/k] **31. ♖b1 ♖f7 32. ♖b5 ♖d7 33.
a4 ♔f7** [33... a6!? 34. ♖b1 ♗c7 35. ♖c1
♗a5 36. c4 dc4 37. ♖c4 ♖c7 38. ♖c7 ♗c7
39. d5 ♔f6 40. f4 h5 41. ♗d4 ♔e7 42.
gh5 gh5 43. f5 b5 44. ab5 ab5 45. ♔g2=]
34. ♔g2 ♗e6 35. a5 ♗c7 [35... a6 36. ♖b6
♔f7 37. ♗g5=; 35... ♗e7!? 36. ♗f4 a6
37. ♖b1 ♗d8 38. ♖e1 ♔f7 39. ♖a1 h5 40.
♔h3 ♔e8∓] **36. ♖b7 ♗a5 37. ♖b3 h5 38.
gh5 gh5 39. ♔h3=♔f5?! 40. c4 ♗d8 41.
c5 ♗f6** [41... a5? 42. ♖b8 ♔e4 (42... ♗f6
43. ♖a8) 43. ♖c8! ♗f6 44. ♖e8! (44. c6
♖d8; 44. ♖f8 ♗d8 45. ♔g2 a4 46. ♔f1
♔d3 47. c6+–) ♔f5 45. ♖a8 ♗d8 46.
f3+–] **42. f3 ♖e7!** [42... a5? 43. ♖b5 ♖a7
(43... ♖e7 44. c6+–; 43... a4 44. c6 ♖a7
45. ♖d5 ♔g6 46. ♖c5+–) 44. c6 ♔e6 45.
♗f4 ♖a8 46. c7 ♖c8 47. ♖b6 ♔e7 48.
♖d6 a4 (48... ♗d4? 49. ♖d8!) 49. ♖d5 a3
50. ♖a5 ♗d4 51. ♖a3+–] **43. ♖a3** [43. c6
♖c7 44. ♖c3 ♗e7 45. ♗f2 ♗d6 46. ♗h4
♖c8=; ⌂ 43. ♖c3 ♖c7! 44. ♖a3 ♖e7 45.
♔g2 a5 46. ♗f2 ♖a7 (46... ♖e2 47. ♔f1
♖d2 48. ♗e3 ♖c2 49. ♖a5 h4 50. c6±) 47.

25

c6 ♗d8 48. ♗g3 a4 49. ♗b8 ♖g7! 50. ♔h3 ♗c7=] **a5= 44. c6 a4 45. ♗f2 ♖c7** [45... ♖a7? 46. ♗g3 ♗d8 (46... ♔e6 47. ♖e3+−) 47. ♗b8+−] **46. ♖a4 ♖c6 47. ♖a5 ♔e6 48. ♖a2 ♖c4 49. ♖a6 ♔f7**
1/2 : 1/2   *Ėmelin*

13.*   A 17
HRÁČEK 2605 − DAUTOV 2595
Bad Homburg 1997

1. ♘f3 ♘f6 2. c4 e6 3. ♘c3 ♗b4 4. ♕c2 0−0 5. a3 ♗c3 6. ♕c3 b6 7. g3 ♗b7 8. ♗g2 d5 9. d4 [9. b4!? N d4! 10. ♕b2 e5 11. 0−0 ♘bd7 12. d3 ♖e8 (12... ♕c8!?) 13. e4 (13. ♗g5?! h6 14. ♗f6 ♘f6∓; 13. ♖e1 ♕c8) de3 14. ♗e3 ♕c8! 15. ♗g5 (15. d4 ed4 16. ♗d4 ♗e4 17. ♖fe1 c5 18. bc5 bc5 19. ♗f6 ♘f6=) e4 16. de4 ♗e4 17. ♖fe1 ♕b7 (17... h6 18. ♗f6 ♘f6 19. ♘e5 ♕f5 20. f4=) 18. ♕c3 h6 (Ch. Gabriel 2570 − Dautov 2590, Bad Wörishofen 1997) 19. ♗c1! a5 20. ♗b2 ab4 21. ab4=] **dc4 10. ♕c4 ♗d5 11. ♕d3 N** [11. ♕c3 − 22/28] **♗e4 12. ♕c3 ♘bd7 13. b4?!** [13. ♗g5 ♖c8 14. b4 (14. 0−0 c5 15. dc5 ♖c5=) c5 15. dc5 bc5 16. 0−0 h6 17. ♗f6 ♕f6 18. ♕f6 ♘f6=; 13. 0−0 c5 14. dc5 ♘c5=] **a5 14. b5** [14. 0−0 ab4 15. ♕b4 (15. ab4? ♘d5∓) ♖a5∓ △ ♕a8; 14. ba5 ♖a5 15. 0−0 ♘d5∓] **c6 15. bc6 ♖c8∓ 16. 0−0 ♖c6 17. ♕b3 ♕a8! 18. ♗g5 ♗d5?** [18... ♖c2! 19. ♖fe1 (19. ♕e3 ♕a6 20. ♖fe1 ♖fc8∓) ♖fc8! *a)* 20. ♗f6? ♘f6 21. ♘h4 (21. ♖a2? a4 22. ♕b1 ♖e2−+; 21. ♕b6 ♘d5 22. ♕d6 ♘c3 23. ♔f1 ♖e2! 24. ♖e2 ♗f3 25. ♗f3 ♕f3−+) ♕a6 22. e3 ♖8c3 23. ♕b1 ♗g2 24. ♘g2 ♘e4∓; *b)* 20. ♖ac1 ♕d5 21. ♕d5 ♘d5∓] **19. ♕d3 ♖fc8 20. ♖fc1 ♘e4 21. ♗f4 ♖c1** [21... ♖c3!?] **22. ♖c1 ♖c1 23. ♗c1 ♕c6 24. ♗b2 b5 25. ♘e1?!** [25. ♘e5! ♘e5 26. de5 h6 (26... ♕c4 27. ♗e4 ♕e4 28. ♕e4 ♗e4 29. ♗c3=) 27. ♗e4 ♗e4 28. ♕c3! (28. ♕d8? ♔h7 29. ♕a5? ♕c2∓) ♕b6 29. ♕d4=] **f5?!** [25... ♘d6! 26. ♗d5 (26. f3 f5∓) ♕d5∓; 26... ed5∓] **26. f3?** [26. ♗e4! fe4 (26... ♗e4 27. ♕c3=) 27. ♕d2 ♕a6 28. ♘c2 ♘b6 29. ♘e3=] **♘d6 27. ♔f2?!** [27. ♗c3?! ♕a8! 28. ♘c2 ♘b6∓ △ ♘bc4; 27. ♕c3! ♘c4 28. ♘d3 ♘db6 29.

♘c5 e5 (29... ♘b2 30. ♕b2 ♘c4 31. ♕c3 e5∓) 30. ♗c1 ♗f7∓] **♘b6 28. ♗c3 ♘bc4∓ 29. h3 h6 30. ♘c2?** [30. e3 ♕b7! (△ b4; 30... ♘a3? 31. ♗a5 ♘ac4 32. ♗b4 ♕a8 33. ♕e2± △ ♘d3; 30... b4?! 31. ab4 a4 32. ♗a1 a3 33. ♕e2∞ △ ♘d3) 31. ♘c2 ♕f7! (△ ♘e4; 31... ♘a3?! 32. ♘a3 b4 33. ♗b2 ba3 34. ♗a3 ♘c4 35. ♗c1 △ e4) 32. ♔g1 g5! (△ g4 ×e4) 33. ♕e2 ♕g6 34. ♘e1 g4! 35. fg4 fg4 36. ♕g4 ♕g4 37. hg4 ♗g2 38. ♘g2 ♔f7∓]

30... ♘e4!!−+ 31. fe4 [31. ♔g1 ♘a3 (31... ♘g3) 32. ♗a5 ♘c2 33. fe4 ♗e4 34. ♗e4 fe4 35. ♕d2 ♕c4] **fe4 32. ♕d1 e3 33. ♔e1** [33. ♘e3 ♘e3 34. ♔e3 ♕c3 35. ♔f2 ♗g2 (35... ♗b3 36. ♕d3 ♕d3 37. ed3 ♗d5) 36. ♔g2 ♕a3 37. ♕c2 ♕d6 38. ♕c8 ♔f7 ♕b7 ♔f6 40. ♕b5 ♕d5] ♗g2 **34. d5 ♕d6 35. ♕d4 ♕g3 36. ♔d1 ed5 37. ♕a7 ♗e4 38. ♘e1 ♔h7 39. h4 b4⊕**   **0 : 1**
                                              Dautov

14.   A 18
VAN WELY 2655 − OLL 2645
Beijing (open) 1997

1. c4 e6 2. ♘c3 ♘f6 3. e4 d5 4. e5 d4 5. ef6 dc3 6. bc3 ♕f6 7. ♘f3 e5 8. ♗d3 ♘a6 9. 0−0 ♗d6 10. ♖e1!? N [10. ♗a3 − 51/(18)] **0−0** [10... ♗g4 11. ♗e4 ♘c5 12. h3 ♗h5 13. d4 ♘e4 14. de5!] **11. ♘e5!? ♘c5?!** [11... ♗e5!? 12. ♕h5 ♖e8 13. ♗h7 ♔f8 14. ♗a3 c5 (14... ♗d6? 15. ♖e8 ♔e8 16. ♖e1 ♔f8 17. c5↑) 15. d4 ♗d6 16. ♖e8 ♔e8 17. ♖e1 ♔f8 18. dc5 ♗e7 19. ♗e4 (19. c6 ♗a3 20. ♗g6 ♗e6 21. ♕h8 ♔e7

22. ♕a8∞) ♕h6 20. ♕h6 gh6 21. c6 ♗a3
22. cb7 ♖b8 23. bc8♕ ♖c8 24. ♗b7 ♖c4
25. ♗a6 ♖c3±] **12. ♗c2 ♗e5 13. ♕h5**
♗h2 14. ♔h2 [14. ♕h2 ♗f5 15. ♗f5 ♕f5
16. ♖e5 ♖fe8! △ 17. ♖f5?? ♖e1#] **♕d6**
[14... ♘d3?! 15. ♗d3 ♕d6 16. ♕e5 ♕d3
17. ♗a3] **15. ♕e5 ♕e5 16. ♖e5±⌂ ♘e6**
17. d4 ♗d7 18. c5 [△ 18. f4 △ f5, ♗f4]
♖fe8 19. ♖b1 [19. ♗e3 f6; 19. a4!] **b6?**
[19... b5! 20. ♗e4 c6 21. ♗f3 △ a4±] **20.**
♗e4 ♖ad8 [20... c6 21. cb6 ab6 22. ♖b6
♖a2 23. ♗c6+−] **21. c6± ♗c8 22. ♗c2**
♗a6 23. ♗b3 ♗d3 24. ♖b2 [△ 24. ♖a1]
g6 25. ♗h6 ♘g7 26. ♗f4 ♖e5 27. ♗e5
♘e8 28. d5 b5 29. ♖d2 ♗c4 30. ♗c4 bc4
31. g4 f6 32. ♗g3 ♔f7 33. ♔g2 h6 34.
♔f3 f5 35. gf5 gf5 36. ♗e5 ♘f6 37. ♗f6
[37. ♗c7 ♖d5 38. ♗f4 ♘e6! 39. c7 ♔d7
40. ♖b2 ♘e8] **♔f6 38. ♔f4 h5** [38... ♖d6
39. ♔e3 ♔e5 40. f4 △ ♔d4] **39. d6! cd6**
40. c7 ♖c8 41. ♖d6 ♔e7 42. ♖h6 ♔d7 43.
♖h7 ♔c6 44. ♔f5 ♔b7 45. f4 ♖e8 46.
♔g5 ♖e3 47. f5 ♖c3 48. f6 ♖g3 49. ♔h6
h4 50. f7 ♖f3 51. ♖h8 ♔c7 52. f8♕ ♖f8
53. ♖f8 ♔d6 54. ♔g5 ♔e5 55. ♔h4
1 : 0   *Van Wely*

15.*   A 20

KORTCHNOI 2610
− BACROT 2545
Albert (m/4) 1997

1. c4 e5 2. g3 c6 3. d4 e4 [RR 3... ♗b4 4.
♗d2 ♗d2 5. ♕d2 d6 6. ♘c3 ♘f6 7. ♗g2
0−0 8. e4?! ♘bd7 9. ♘ge2 a6 10. 0−0 b5
11. cb5 ab5 12. a3 ♘b6!? N (12... ♕b6 −
42/16) 13. b3 ♕e7 14. h3 ♗b7 15. ♕e3 (15.
d5 ♖a6 16. ♖fd1 cd5 17. ed5 ♖fa8 18. ♘b5
♗d5 19. ♗d5 ♘bd5∞) ♘bd7 (15... ♖a6 16.
♘a2 ♖a3 17. de5±) 16. ♖fd1 ♖fd8?! 17. d5
♖a6 18. dc6 ♗c6 19. ♘d5 ♗d5 20. ed5 (△
♘d4) ♕e8! 21. ♘c3 ♗c5 22. ♗f1 ♖b8
23. a4 ♘b3 24. ♖ab1 ♘d4 25. ♗b5 ♘b5
26. ab5 (Kortchnoi 2610 − Bacrot 2545,
Albert (m/6) 1997) ♖a3!∞; △ 16... ♖a6
△ ♖fa8; △ 8. e3 △ ♘ge2 Dorfman] **4.**
♘c3 d5 [4... f5 − 38/25] **5. cd5 cd5 6.**
♕b3 ♘e7 [6... ♘f6 7. ♗g5 ♘c6 (7...
♘bd7 8. ♕b5! a6 9. ♗f6±) 8. ♗f6 ♕f6 9.
e3±; 6... ♘c6!? 7. ♕d5 ♕d5 8. ♘d5 ♘d4

9. ♘c7 (9. ♗g5!? Borik) ♔d8 10. ♘a8
♘c2 11. ♔d1 ♘a1 12. ♗f4±] **7. ♗f4** [△
♘b5] **a6 8. f3!? N** [8. ♗b8 ♖b8 9. e3 ♗e6
10. ♖c1 ♘c6=] **ef3** [8... f5 9. ♗b8 ♖b8
10. ♘h3 ♗e6 11. fe4 fe4 12. ♘f4 ♗f7 13.
♗h3 ♕d6 14. 0−0±] **9. ♘f3** [9. e4!? ♘bc6!
(9... de4? 10. ♗c4 ♕a5 11. ♗f7 ♔d8 12.
♔f2±; 9... ♗e6?! 10. ♕b7 ♘bc6 11. ed5
♖a7 12. dc6 ♖b7 13. cb7±) a) 10. ♘d5
♘d5 11. ed5 ♘d4! 12. ♕a4 ♘b5 13. ♗b5
ab5 14. ♕b5 (14. ♕a8? ♗b4 15. ♔f2 ♗c5
16. ♗e3 ♗e3 17. ♔e3 ♕b6 18. ♔f3 ♕f6
19. ♔e3 0−0∓→) ♗d7 15. ♕c4 ♕b6 16.
♕e4 ♔d8 17. ♘f3 ♗b4∓; b) 10. ed5 ♘a5
11. ♕a4! (11. ♕c2 ♘d5∓) b5 (11... ♗d7
12. ♕c2±) 12. ♗b5 ab5 13. ♕b5 ♘d5□
14. ♘c7 ♔e7 15. ♘a8 ♘f4 16. gf4 ♗b7
17. ♘f3 (17. 0-0-0 ♕c8! 18. ♔b1 ♗e4 19.
♘a1 ♕a8∞) ♕a8 18. 0−0 ♗f3 19. ♕a3
♔d7 20. ♕f3 ♕f3 21. ♖f3 ♗d6±] **♘bc6**
[9... f5? 10. ♘e5 ♘bc6 11. ♗g2 ♘a5 (11...
♘d4 12. ♕a4 ♘dc6 13. ♘c6 bc6 14. ♘d5±)
12. ♗d5±] **10. e4 ♗e6** [10... ♗g4 11. ♘d5
♘d5 (11... ♗f3 12. ♘c7 ♕c7 13. ♗c7
♗h1 14. d5±) 12. ed5 ♗f3 13. ♕f3 ♘d4
14. ♕e4 ♕e7 15. ♕e7 ♗e7 16. 0-0-0±] **11.**
♖d1 de4 [11... ♘a5?! 12. ♕a4 b5 13. ♗b5
ab5 14. ♘b5 ♘ec6 (14... ♘g6? 15. ♘c7
♔e7 16. ♕b4 ♔d7 17. ♕b5 ♔e7 18. ♘e6
♔e6 19. ed5+−) 15. ♘c7 ♔e7 16. ed5
♗d5 17. 0−0 f6 18. ♘g5! ♔d7 19. ♘d5
fg5 20. ♗c7 ♕e8 21. ♗e5±→; 11... ♕d7
12. ♘g5 (△ ♘e6±) ♗g4 (12... ♘a5? 13.
♘e6 ♘b3 14. ♘c7 ♔d8 15. ♘a8±) 13.
♘d5 (13. ed5!?) ♘d5 (13... ♗d1 14. ♘c7
♔d8 15. ♕b7+−) 14. ed5 ♘b4 (14... ♗d1?
15. dc6+±) 15. ♗g2 h6! (15... ♗d1 16.
♔d1∞ △ 16... h6 17. ♖e1 ♔d8 18. ♗h3±)
16. ♘f3 ♕d5±; 11... h6!? △ g5, ♗g7; 11...
b5!?] **12. d5 ♘d5** [12... ♘a5? 13. de6 ♘b3
14. ef7 ♔f7 15. ♘g5 ♔g6 16. ♖d8 ♖d8 17.
ab3±] **13. ♖d5** [13. ♘d5? ♕a5∓] **♗d5 14.**
♘d5 ♗d6□ [14... ef3? 15. ♘c7 ♔d7 16.
♗h3+−; 14... ♖c8? 15. ♘g5 ♗c5 16. ♘f7!
♔f7 17. ♘c7 ♔g6 18. ♕e6 ♕f6 19. ♕g4
♔f7 20. ♗c4+−] **15. ♕b7 0−0** [15... ♘a5?
16. ♘c7 ♗c7 17. ♕e4 ♔d7 18. ♗h3+−]
16. ♗d6 ♕d6 [16... ♖e8 17. ♗c6 ef3 18.
♔f2 ♖c8 19. ♗c7 ♖c7 (19... ♕g5 20. ♗a6
♕d2 21. ♔f3±) 20. ♘c7 ♕d5 21. ♕c3±]
17. ♕c6 ♕c6 18. ♘e7 ♔h8 19. ♘c6 ef3±

27

20. ♔f2 ♖ac8 **21.** ♘b4! ♖c1 [21... ♖fd8?
22. ♗a6±] **22.** ♘d3 [22. ♗g2?? ♖c4] ♖a1
23. ♗g2 ♖a2 **24.** ♗f3 ♖d8 **25.** ♖c1 g6 **26.**
♔e3 ♔g7 [26... ♖a5!?] **27.** ♖c7?! [27.
♖c5! △ ♗d5] ♖a5 **28.** ♖a7?! [△ 28. ♖c6]
♖d6 **29.** g4 ♖b5 **30.** b4 h5 **31.** gh5 gh5 **32.**
♗b7 ♖bb6 **33.** ♗c8 ♔f6? [33... ♖bc6=]
34. ♘c5! ♔g6 **35.** ♖a6+− f5 **36.** h4 f4 **37.**
♔f3 ♖f6 **38.** ♖b6 ♖b6 **39.** ♘d3 ♖c6 **40.**
♗b7 ♖c3 **41.** ♔f4 ♔f6 **42.** ♗e4 ♖b3 **43.**
♔e3 ♖b1 **44.** ♔d4 ♖g1 **45.** b5 ♔e6 **46.** b6
1 : 0   *Kortchnoi*

16.**   A 21

R. VERA 2530 −
JU. HODGSON 2590

Winnipeg 1997

1. d4 d6 **2.** c4 e5 **3.** ♘c3 [RR 3. ♘f3 e4 4.
♘g5 f5 5. ♘c3 c6 *a)* 6. ♕b3 ♗e7 7. ♘h3
♘f6 N (7... ♘a6 − 52/27)) 8. ♗g5 ♘a6 9.
e3 ♘c7 10. ♘f4 ♖b8 (10... 0−0!?) 11. ♗e2
♘e6 (11... 0−0!?) 12. h4! ♕a5 (12... ♘g5?
13. hg5 ♗g4 14. ♘g6+−; 12... ♘f4 13.
♗f4 ♗e6 14. d5 ♗f7 15. ♕a3 cd5 16.
♘b5±; 12... 0−0±) 13. ♔f1 (Fang 2330 −
Zaichik 2540, Philadelphia 1997) ♘f4 14.
♗f4 ♗e6 15. d5 cd5 16. cd5± Fang; *b)* 6.
g3 ♗e7 7. ♘h3 ♘f6 8. d5 ♘bd7 9. ♗g2
♘e5 10. b3 0−0 11. 0−0 ♖e8 N (11... ♔h8
− 59/(24)) 12. f3 ef3 13. ef3 ♗f8 14. ♖e1
♗d7 15. ♗e3 c5 16. ♘f4 ♘f7 17. ♕c2 g6
18. ♗d2 ♕c8 19. a4± P. Nikolić 2655 −
Van der Wiel 2555, Nederland (ch) 1997]
ed4 4. ♕d4 ♘c6 5. ♕d2 ♘f6 6. b3 ♗e6 7.
e4 g6 [7... d5 − 58/(20)] 8. ♗b2 ♗g7 9.
♗d3 N [9. g3; 9. ♘ge2] 0−0 10. ♘ge2
♘g4! 11. h3 [11. 0−0 ♕h4 12. h3 *a)* 12...
♘ce5 13. f4! (13. hg4? ♘g4 14. ♕f4
♗e5−+) ♘d3 14. ♕d3 ♘f6 15. f5±; *b)*
12... ♘ge5! 13. f4 ♘d3 14. ♕d3 f5∓]
♘ge5 12. 0-0-0!? ♘b4 [12... ♘d3!? 13.
♕d3 ♕g5 14. f4 ♕g2 15. ♖dg1 ♕f2 16.
f5∞] 13. ♗b1

(diagram)

13... ♗c4! **14.** bc4 ♘c4 **15.** ♕f4 [15. ♕e1
♕g5 16. f4 ♕g2∓] ♗e5 **16.** ♕h6 [16. ♕g4?
h5 17. ♕f3 ♕g5−+] **c6** [16... ♗g7=] **17.**
♖d4! ♗d4 **18.** ♘d4 ♘b2 [18... ♕b6?? 19.
♘a4 ♕a5 20. ♕g7! ♔g7 21. ♘f5 ♔g8 22.

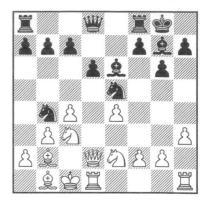

♘h6#; 18... ♕f6!?] **19.** ♔b2 ♖e8 **20.** ♖d1
♕f6 **21.** f4?! [21. ♕d2∞] ♘a6! **22.** ♘f5
♘c5 **23.** e5 [23. ♘d4 b5−+] de5 **24.** ♖d6
♖e6 **25.** ♖e6 fe6?! [25... ♘e6! △ 26. fe5
♕e5 27. ♘e7 ♔h8 28. ♗g6 ♘f8!−+] **26.**
fe5 ♕f8! [26... ♕e5? 27. ♘e7 ♔f7 28.
♕h7 ♔e8 29. ♗g6 ♔d8 30. ♘c6 bc6 31.
♕g8 ♔c7 32. ♕a8 ♘a4 33. ♔b3 ♕c3 34.
♔a4 ♕c4=] **27.** ♕f8 ♖f8 **28.** ♘e3 [28.
♘h6 ♔g7 29. ♘g4 ♖f4 30. ♗c2 h5 31. ♘e3
♖f2∓] ♘d7 [28... ♖f2 29. ♔c1 ♔g7∓] **29.**
♘e4! ♘e5 **30.** ♗c2 ♖d8 **31.** ♔c3 b6 **32.**
♘g5/♖d6⊕ [32... c5 33. ♘e6 ♖d6 34.
♘c7∓] **33.** ♘e4 ♖d8 **34.** ♘g5 ♖d6 **35.** ♘e4
♖d8/**36.** ♘g5   **1/2 : 1/2**   *R. Vera*

17.   A 25

VAN WELY 2655 −
G. KASPAROV 2820

Tilburg 1997

1. c4 e5 **2.** ♘c3 ♘c6 **3.** e3 ♘f6 **4.** a3 g6 **5.**
b4 ♗g7 **6.** ♗b2 0−0 **7.** d3 ♖e8!? N [7...
d5 8. cd5 ♘d5 9. ♘d5 ♕d5 10. ♘e2∞] **8.**
♕c2 [8. ♘f3 d5 (8... e4 9. de4 ♘e4 10.
♕c2 ♘c3 11. ♗c3 d6=) 9. cd5 ♘d5 10.
♘d5 ♕d5 11. ♗e2 a5 12. e4 ♕b5 13. d4
♕b6 14. d5 ♘d4 15. ♕a4 ♗g4∓] d5 **9.**
cd5 ♘d5 **10.** ♘d5 ♕d5 **11.** ♗e2 [11. ♘f3
a5 12. e4 ♕b5 13. d4 ♕b6 14. d5 ♘d4∓]
f5 [11... ♗g4 12. ♘c3 ♘d4 13. ed4 ed4
14. ♘e4 f5 15. f3 fe4 16. de4 d3 17. ♗d3
♗b2 18. ♖b1! (18. ♗c4? ♕c4 19. ♕c4
♗e6+) ♕d4 19. ♖b2 ♕e3 20. ♗e2 ♗e6
21. ♖b1 ♖ad8 22. ♕c1±; 11... a5 12. ♘c3
♕d7 13. b5 ♘d4 14. ed4 ed4 15. ♘e4 (15.
♘e2 ♕b5↑) f5 16. ♗e2 (16. 0-0-0 fe4 17.

de4 ♕d6 18. ♗c4 ♗e6 19. ♔b1 c5∓) fe4
17. de4∞] **12. ♘c3 ♕f7 13. ♘a4?** [13.
♗e2 ♗e6 14. 0−0 ♖ad8∓] **♗e6 14. ♘c5
♗d5 15. b5 ♘d4 16. ed4 ed4 17. ♗e2** [17.
♔d1 b6] **♗g2 18. 0−0−0 ♗h1 19. ♖h1 ♕d5
20. ♖e1 ♖e5 21. ♕b3?!** [21. f4 ♗h6; 21.
♘b3!? ♖ae8 (21... ♖e7!?) a) 22. ♘d4 ♖5e7
23. ♘f3 ♗b2 24. ♕b2 (24. ♔b2 ♕b5 25.
♔a1 ♕d5 26. d4 ♔f8 27. ♕d3 ♖e4−+)
♕c5 25. ♔d1 (25. ♔b1 ♕f2 26. ♕b3 ♔f8
27. ♕b4 a5 28. ba6 c5 29. ♕c3 ♖e2 30.
♖e2 ♕e2 31. ab7 ♕d1−+) ♕f2 26. ♕b3
♔g7 27. ♕b2 ♕h6 28. ♕d2 ♖e3 29. ♔c2
g5 30. ♗d1 (30. ♘d4 ♖h3−+) ♕d2 31.
♔d2 ♖e1 32. ♘e1 g4−+; b) 22. ♗d4 ♖e2
23. ♖e2 ♖e2 24. ♕e2 ♕b3 25. ♗g7 ♔g7
26. ♕e7 ♕f7 27. ♕e5 ♔h6 (27... ♔g8∓)
28. ♕e3 f4 29. ♕a7 ♕d5∓] **♕b3 22. ♘b3
♖ae8 23. ♔d1** [23. ♘d4 ♖5e7 24. ♔d2
♖d7−+] **♖b5 24. ♗f3 ♖e1** [24... ♖e4!? 25.
♖e4 fe4 26. ♗e4 c6 27. ♔c2 ♖h5 28. ♔d1
♖h2 29. ♔e2 ♖h5 30. a4 ♔f7∓] **25. ♔e1
c6 26. ♗d1 a5 27. ♗d4 a4 28. ♗g7 ♔g7**
[♖ 8/b5] **29. ♘d2 ♖e5 30. ♗e2 b5 31.
♔d1** [31. d4 ♖d5 32. ♘f3 b4 33. ab4 a3
34. ♗c4 ♖b5−+] **♖d5 32. ♔c2 g5 33. ♗f3
♖d6 34. h3 ♔g6** [34... c5!? 35. ♘b1
b4−+] **35. ♘b1! h5 36. ♘c3 g4 37. ♗g2
♔f6** [△ 37... ♔g5 38. hg4 hg4 (38... ♔g4)
39. d4 ♖d4 40. ♗c6 ♖f4−+] **38. hg4 hg4
39. d4! ♔g5 40. ♔d3 ♖h6 41. ♔e2** [41. d5
cd5 42. ♗d5 ♖h2−+] **f4 42. ♗e4 ♖h3 43.
♔d2 ♖h2 44. ♔e1 g3 45. fg3 fg3 46. ♔f1
♖f2 47. ♔g1 b4! 48. ab4 a3 49. d5 ♔f4!
50. ♗g6** [50. dc6 a2 51. ♘a2 ♔e4 52. ♘c3
♔f3 53. c7 ♖c2−+; 50. ♗h7 a2 51. ♘a2
♖a2 52. dc6 ♔f3−+; 50. ♗b1 ♖b2−+] **cd5
51. ♘d5 ♔g5**   **0 : 1**   *G. Kasparov*

18.* !N   A 26

M. GUREVICH 2620
− P. NIKOLIĆ 2630

Antwerpen (open) 1997

**1. c4 e5 2. ♘c3 ♘c6 3. g3 g6 4. ♗g2 ♗g7
5. ♖b1** [RR 5. d3 d6 6. e4 h5 7. h3 (7.
h4?! − 61/20) h4 8. g4 ♗e6 (△ ♕d7; 8...
♗h6 9. ♗e3 ♗e6 10. ♘ge2 ♗e3 11. fe3
♕g5 12. ♘d5±) 9. ♘f3 (9. ♘ge2?! ♕d7
10. ♘d5 f5↑) ♕d7 10. ♘d5! N (10. ♘g5?!
♘d4! 11. ♗e3 ♗h6! 12. ♘e6 fe6 13. ♕d2

♕f7!∞; 10. ♗e3; 10. ♗g5 f6 11. ♗h4 0−0−0
12. ♘d5 ♖f8 13. ♗g3 f5∞↑) f5 11. ef5 gf5
12. ♗g5 0−0−0 13. ♕a4! (13. gf5 ♗f5 14.
♘e3! ♘d4! 15. ♘f5 ♕f5 16. ♗e4 ♕d7 17.
♗e3 ♘f6∞) fg4 14. ♘e6 ♕e6 (Vinje −
Z. Sęk, corr. 1995/97) 15. ♗e3 e4 (15...
g3?! 16. fg3 hg3 17. h4! ♔b8 18. ♘c7!
♔c7 19. ♗c6 bc6 20. ♕a7 ♔c8 21. ♕g7±)
16. 0−0−0! ed3 17. ♖d3±↑ Z. Sęk] **a5 6. d3
d6 7. e3 f5 8. ♘ge2 ♘f6 9. b3 0−0 10.
♗b2 ♗e6!? N** [△ d5⇆; 10... ♗d7 − 51/29]
11. ♘d5 ♗f7!? [△ ♘d5; 11... ♗d5 12. cd5
♘b4 (12... ♘e7 13. ♘c3 c6 14. dc6 bc6 15.
d4±) 13. ♘c3 c6 14. dc6±] **12. ♘ec3** [12.
0−0!? ♘d5 13. cd5 ♘e7 (13... ♘b4 14.
♘c3 c6 15. dc6 ♘c6 16. ♘d5±) 14. e4 c6
15. dc6 bc6 16. ef5 gf5 17. d4±] **♘d5 13.
♘d5** [13. cd5 ♘e7 14. 0−0 (14. e4 f4!?⇆)
c6 15. dc6 bc6∞] **♘b8!** [△ c6, ♘d7] **14.
♘c3 c6= 15. 0−0 ♘d7** [15... d5?! 16. cd5
cd5 17. ♗a3 ♖e8 18. ♘b5↑] **16. ♕d2** [16.
d4 e4∞ △ 17. d5?! c5 18. ♘b5 ♗b2 19.
♖b2 ♘e5⇆] **♘f6 17. ♖be1 ♖e8 18. e4** [18.
f4 ♕b6⇆ △ 19. d4?! ed4 20. ed4 d5∓ △
♘e4] **f4! 19. ♗h3!** [△ ♔h1, ♖g1⇆; 19.
gf4? ♗h6 20. ♘e2 ♘h5→] **♘h5 20. ♕d1**
[20. g4? ♕h4∓] **♕f6 21. ♔h1 ♗h6!** [△
♗g7-e6-d4] **22. ♘e2! ♗e6** [22... ♘g7?! 23.
gf4 ♗f4 24. ♘f4 ♕f4 25. ♗c1 ♕h4 (25...
♕f6 26. f4±) 26. ♕g4 ♕g4 27. ♗g4 △ f4;
22... b5?! 23. cb5 cb5 24. ♘c3 b4 25.
♘d5±] **23. ♗e6 ♕e6 24. ♘g1!** [△ d4↑; 24.
d4?! fg3 25. fg3 ♕h3↑] **c5!=**   **1/2 : 1/2**
M. Gurevich

19.*   A 28

KORTCHNOI 2610
− R. HÜBNER 2580

Schweiz 1997

**1. c4 e5 2. ♘c3 ♘f6 3. ♘f3 ♘c6 4. a3 g6
5. d4** [RR 5. e3 ♗g7 6. d3 0−0 7. ♗e2 d5
(7... d6 − 59/36) 8. cd5 ♘d5 9. ♕c2 a5!?
N (9... b6) 10. ♗d2 ♘b6 11. ♖c1 ♔h8 12.
♘b5 f5 13. e4 ♗e6 14. b3 ♘c8 15. 0−0
♘d6 16. a4 ♗g8 17. ♗c3 ♕d7 18. ♖fe1
♖ae8∞ Lobron 2570 − Oll 2625, New
York 1997] **ed4 6. ♘d4 ♗g7 7. ♗g5 h6 8.
♗h4 0−0 9. e3 ♘d4 N** [9... ♖e8 − 69/24]
10. ♕d4 [10. ed4 d5 (10... ♖e8 11. ♗e2 g5
12. ♗g3 ♘e4 13. ♘e4 ♖e4 14. 0−0∞↑

⫽d3-h7) 11. ♘d5 (11. cd5 g5 12. ♗g3
♘d5=) g5 12. ♘f6 (12. ♗g3 ♘d5 13. cd5
♕d5∓) ♕f6 13. ♗g3 ♖e8 (13... ♕d4 14.
♕d4 ♗d4 15. 0-0-0 c5=) 14. ♗e2 ♕d4∓]
d6?! [△ 10... d5 △ 11. ♖d1 g5 12. ♗g3
♗g4 13. f3 ♗e6∓ 14. ♗e5 dc4 Kortchnoi]
11. ♗e2 g5 [11... ♖e8 12. ♕d2±] 12. ♗g3
♗f5 13. ♕d2 ♘e4 14. ♘e4 ♗e4 15. 0-0
[15. f3 ♗g6 △ 16. 0-0-0? a5 △ ♖a6-b6∓]
a5 [✕b2; 15... ♕f6 16. ♗d3 ♗d3 17. ♕d3
♕b2 18. ♖ab1±] 16. ♗d3 ♕e7 [16... ♗d3
17. ♕d3 a4 18. f4↑ ✕f5] 17. ♖ad1 [17.
♗e4 ♕e4 18. c5 dc5 19. ♗c7 a4 20. ♖fd1
(20. ♖ac1 ♕c6) ♖fc8∓] a4 18. ♕c2 ♗d3
[18... ♖fe8 19. f3 ♗d3 20. ♖d3 f5 21. ♖e1
△ e4±] 19. ♖d3 b6 20. ♖d5 [△ ♖b5; 20.
f3 f5 21. ♖e1 ♕d7 △ ♖ae8] ♖fe8 [✕e4]
21. ♖fd1 ♕e4 22. ♖1d3 [△ f3, e4] ♕g6
23. h4 [23. f3? ♖e3; 23. h3!?] gh4?! [23...
♖e4!?] 24. ♗h4 ♖e5 25. ♖e5 ♗e5 26. e4!
♔h7 27. f3?! [27. ♖h3 ♖g8 28. ♗g3 △
f4±] ♖g8 28. ♗e1□ [△ ♗c3] ♕h5 29.
g4□ ♕g5 [29... ♕h3 30. ♗c3 h5 (30...
♗c3 31. ♕c3 h5 32. ♕f6=) 31. ♗e5 de5
32. ♕h2 hg4 33. ♕h3 gh3 34. ♔h2 ♖g2
35. ♔h3 ♖b2 36. ♖d7 ♔g7 37. ♖c7 ♖b3
38. ♔g4 ♖a3 39. ♖a7 (△ ♖a6) ♖a1 40.
♔f5=] 30. ♗c3 h5 31. ♗e5 ♕e5 [31... de5
32. ♖d7 ♕f4 33. ♕h2 (33. ♕g2? ♖g6 34.
♕h3 ♔g7−+) ♕c1 34. ♔g2 ♕b2 35. ♔g3
♕h2 36. ♔h2 hg4 37. ♖c7=] 32. ♖d5
♕g3 33. ♕g2 ♕e1 [33... ♕g2 34. ♔g2
hg4 35. f4=] 34. ♔h2 ♕h4 35. ♕h3 ♕h3
36. ♔h3 hg4 37. fg4 ♖e8 38. ♖d4 ♔g6 39.
♔g3 ♔f6 [39... ♖e5 40. ♔f4 (40. c5 ♖c5
41. ♖a4 ♖c2 42. ♖b4 ♔f6∓) ♖c5 41. ♔e3
♔g5 (41... b5 42. cb5 ♖b5 43. ♖a4 ♖b2
44. ♖a7=) 42. ♔f3 b5 43. ♖d5 ♖d5 44.
cd5=] 40. ♔f4 ♖h8 41. c5= bc5 42. ♖a4
♖h2 43. b4 cb4 44. ab4 ♔e6 45. ♖a8 ♖b2
46. ♖e8 ♔d7 47. ♖f8 ♔e7   1/2 : 1/2
                                   R. Hübner

33/38] ♗c5 8. ♗e3 d6 9. ♘a4 N [9. h3]
0-0 10. ♘c5 dc5 11. ♗f3?! [11. ♘c2!?
♕e7 12. ♗g2] ♘f3 12. ef3 b6 13. ♗g2
♗b7 14. 0-0 ♕d6! 15. ♖ad1 ♕c6= 16.
♕d3 ♖fe8 17. ♖fe1 h6 18. h3 ♘h7! [△
19... ♘g5, 19... ♘f8] 19. b3 ♘f8 20. ♔h2
♘g6 21. ♕c3 ♖ad8 [21... ♘e5 22. ♗h6!?
♕f6 (22... ♕f3? 23. ♗f3 ♘f3 24. ♔g2 ♘e1
25. ♔f1+−) 23. ♖e3 (23. ♗d2 ♘f3=) gh6
24. ♖de1 ♘g4 (24... ♘f3 25. ♖f3±) 25. fg4
♕c3 26. ♖c3 ♖e1 27. ♗b7 ♖ae8 28.
♗d5=] 22. ♖d8 ♖d8 23. ♗c1 f6 24. ♗h1
[24. ♕c2 ♘e5 25. ♖e3 ♖d4 26. ♗b2 ♕d7
27. ♗d4 cd4⊠] ♕d6 [24... ♕d7? 25.
♗h6! gh6 26. ♕f6 ♔h7 27. ♖e6 ♖g8 28.
f4! ♗h1 29. f5+− Gel'fand; 24... ♘e5 25.
f4 ♘f3=] 25. f4 ♗h1 26. ♔h1 ♘e7 27.
♕f3 ♕c6 28. ♔g2 ♔f8 [28... ♕f3 29. ♔f3
♔f7 30. g4!] 29. ♕c6 ♘c6 30. f5 ♘b4 31.
♖e2 ♖e8 32. ♖d2?! [32. ♗e3= △ 32...
♖e7 33. ♔f3 ♔e8 34. ♔g4⇆] ♖e1 33.
♗a3 ♘c6 34. ♖d7 ♖e7 35. ♖e7??⊕ [35.
♖d2□] ♔e7−+⊕

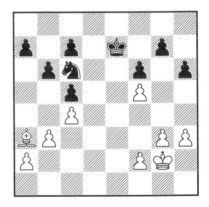

[36. ♔f3 ♘b4! 37. ♗b4 cb4 (△ ♔d6-c5,
a6, b5−+) 38. ♔g4! a6! (38... ♔d6 39.
♔h5!) 39. f4 c5 40. ♔f3 b5 41. ♔e4 ♔d6
(41... bc4? 42. bc4 a5 43. ♔d3 a4 44.
a3!=) 42. ♔d3 ♔c6 43. ♔c2 a5 44. ♔b2
a4 45. ♔c2 bc4 46. bc4 a3 47. ♔c1 ♔b6
48. ♔c2 ♔a6!⊙ 49. ♔b3 ♔a5 50. g4
♔b6! 51. ♔c2 ♔a6!⊙ 52. ♔b1 ♔a5 53.
♔c1 ♔a4 54. ♔c2 b3! 55. ab3 ♔b4 △
a2−+; 36. ♗b2 ♘b4 37. a3 ♘c6 (△ ♘a5)
38. ♗c3 ♘d4 39. ♗d4 cd4 40. ♔f3 ♔d6
41. ♔e4 c5 (△ ♔c6, b5−+) 42. b4 a6 △
b5−+]   1/2 : 1/2   Krasenkow

20.   A 28

KRASENKOW 2645
− GEL'FAND 2695

Polanica Zdrój 1997

1. c4 e5 2. ♘c3 ♘f6 3. ♘f3 ♘c6 4. d4 ed4
5. ♘d4 ♗b4 6. g3 ♘e5 7. ♕b3 [7. f4 −

21.   A 28

ZVJAGINCEV 2635
— A. CHERNIN 2640

Portorož 1997

1. c4 ♘f6 2. ♘c3 e5 3. ♘f3 ♘c6 4. d4 ed4 5. ♘d4 ♗b4 6. ♗g5 h6 7. ♗h4 0–0 8. ♖c1 ♖e8 9. e3 ♘d4 10. ♕d4 c5 11. ♕d1 g5 12. ♗g3 d5 13. cd5 ♕d5 14. ♕d5 ♘d5 15. ♗b5 ♖d8 16. h4 [16. ♔e2 ♘c3 17. bc3 ♗a3 18. ♖b1 ♗e6 19. ♗d3 b6 20. h4 g4=] ♔g7 N [16... ♘c3?! 17. bc3 ♗a3 18. ♖d1 (18. ♖b1? ♗f5∓) ♖d1 (18... ♗e6 19. hg5±) 19. ♔d1 g4 20. ♔c2±; 16... ♗g4 17. ♗e2 (17. f3 — 68/21) ♗e6 18. hg5 hg5 19. e4 (19. a3 ♗a5=) ♘f4! (19... ♘c3 20. bc3 ♗a3 21. ♖b1±) 20. ♗f4 gf4 21. a3 ♗a5 22. ♖h4 ♗c7 23. ♘b5 ♗a5=; 16... g4!? 17. ♔e2 ♘c3 18. bc3 ♗a3 19. ♖b1 ♗e6∞] 17. hg5 hg5 18. e4! ♘c3 19. ♗e5 f6 20. ♗c3 ♗c3 [20... ♖d4?! 21. ♗b4 ♖e4 22. ♔d2 ♖b4 23. ♖c5 ♖b2 24. ♔e3 (24. ♔c3?! ♖f2 25. ♖c7 ♔g6 26. ♖h8 ♖g2∓) ♗e6 25. ♖c7 ♗f7 26. ♗d3! (26. ♗c4 ♖f8=) ♔g8 (26... ♖f8? 27. ♖h7 ♔g8 28. ♖hf7 ♖f7 29. ♗c4+−; 26... ♖e8 27. ♔f3 ♔g8 28. ♖h7 ♗d5 29. ♔g4→ △ ♔f5-g6) 27. ♗h7 ♔g7 (27... ♔f8 28. ♗g6→) 28. ♗e4±] 21. ♖c3 ♗e6 [21... ♖d4? 22. ♖c5! (22. f3 b6=) ♖e4 23. ♔d2 ♖e7 24. ♗d3±; 21... b6 22. ♗c6 ♖b8 23. ♗d5±] 22. ♖c5 ♖ac8 23. ♖c8 ♖c8 24. ♔d2 a6 [24... ♗a2 25. ♖a1±] 25. ♗d3 ♗a2 26. e5!± ♖d8! 27. ♔e3 ♗f7! [27... ♖e8? 28. ♖h7 ♔g8 29. ♖b7 ♖e5 30. ♔d4 ♖d5 31. ♔c3±] 28. ef6 ♔f6 29. ♖h6 ♔e5 30. ♖b6! [30. ♗e4 ♗d5 31. ♗d5 ♖d5 32. ♖b6 ♖d7 33. g4 ♖g7=] ♗d5 31. ♖g6 ♖g8 32. ♖g5! ♖g5 33. f4 ♔e6 [33... ♔f6? 34. fg5 ♔g5 35. ♗e4+−] 34. fg5 ♗g2 [♘♗ 7/j] 35. ♔f4 ♔f7□ 36. b4! ♔g7 37. ♔e5 ♗h1?!⊕ [37... ♗f3 38. ♔d6 b6! 39. ♗a6 ♔g6 40. ♔c7 ♔g5 41. ♔b6 ♔f6 42. ♗f1 ♗h5! (42... ♔e7? 43. ♔c7+−) 43. ♔c7 ♗e8 44. ♔d6 ♗a4=] 38. ♔d6 ♗f3 39. ♔c7 ♗g2 40. ♔b6 ♗h3 41. ♗f5 ♔f7 42. ♗c8 ♔g6 43. ♗b7 ♗d1 [43... ♗g4!? △ 44. ♗a6 ♔g5 45. ♔c7 ♗d1!!=] 44. ♗a6 ♔g5 [♘♗ 7/a3] 45. ♔a5 ♔f6?? [45... ♗e2□ 46. ♗a6 ♗f3 47. ♗f1 (47. b5 ♔f6 48. b6 ♔e7 49. ♗f1

♗b7=) ♗c6! (47... ♔f6? 48. b5 ♔e7 49. ♔a6+−) 48. ♔b6 ♗e8 49. ♔c7 ♔f6 50. ♔d6 ♗a4 51. ♗c4 ♗e8 52. ♗d5 ♗b5 53. ♔c5 ♗e8 54. ♗c6 ♗h5 55. b5 ♔e7=] 46. b5 ♔e7 47. b6 ♗e2 48. ♗c6!+− ♔d6 [48... ♔d8 49. ♗b5 ♗b5 50. ♔b5] 49. ♗b5 ♗f3 50. ♔a6 ♔c5 51. ♗f1   1 : 0

Zvjagincev

22.   A 28

ILLESCAS CÓRDOBA 2585
— AN. KARPOV 2745

Villarrobledo (rapid) 1997

1. c4 ♘f6 2. ♘c3 e5 3. ♘f3 ♘c6 4. e3 g6 5. d4 d6 6. de5 ♘e5 7. ♘e5!? de5 8. ♕d8 ♔d8 9. b3!? N [9. ♗e2 ♗g7 — 31/50] ♗e6 10. ♗b2 c6 11. 0-0-0± ♔e8 [11... ♔c7? 12. ♘b5+−] 12. ♗e2 ♗e7 13. h3 [13. ♘b1! ♘d7 14. ♘d2±] ♖d8 14. g4?! [14. ♗f3!?] ♖f8!= 15. f4?! [15. ♖d8 ♔d8 16. ♖d1 (16. f4 ef4 17. ef4 h5 18. g5 ♘d7=) ♔c7=; 15. g5 ♖d1 16. ♖d1 (16. ♗d1 ♘d7 17. h4 f6∓) ♘d7 17. h4 f6∞] ♖d1 16. ♖d1 ef4 17. ef4 h5! 18. g5 [18. f5!? gf5 19. g5 ♘g4!? (19... ♘e4? 20. ♘e4 fe4 21. h4 ♗g4 22. ♗g4 hg4 23. ♖e1±; 19... ♘d7 20. h4 ♘e5 21. ♘d5 cd5 22. ♗e5 dc4 23. bc4±) 20. hg4 ♗g5 21. ♔c2 fg4∞] ♘d7 19. h4 ♗f5 20. ♗d3 ♗d3 21. ♖d3 f6∓ 22. ♘e4 fg5 23. fg5 ♖f1 [23... ♖f4!? 24. ♘d6 ♔d8!? (24... ♗d6 25. ♖d6 ♘f8 26. ♗a3! ♖h4 27. ♖f6=) 25. ♗a3! (25. ♘b7 ♔c7∓) c5 26. ♘b7 ♔c7 27. ♖d5! ♖f5! 28. ♘a5 ♖f1 29. ♔c2 ♖f2 30. ♔b1 ♖h2 31. ♘b7! ♔c6 32. ♘a5 ♔c7=] 24. ♔c2 ♘c5! 25. ♘c5 ♗c5 [♖ 9/k; 25... ♖f2! 26. ♔b1 (26. ♖d2 ♗c5–+) ♗c5∓ 27. ♗f6!? △ 27... ♖h2 28. ♖d8 ♔f7 29. ♖d7 ♔e6 30. ♖b7 ♖h4 31. ♖c7⇆] 26. ♗f6! ♖f2 27. ♔c3!? ♖a2 [27... ♗b6 28. ♖d6 ♖a2 29. ♖e6⊼] 28. ♖d8 ♔f7 29. ♖d7 ♔e6 30. ♖b7⇆ a5 [△ 30... ♗f2] 31. ♖c7 ♗b4 32. ♔d3 ♖h2 [△ 32... c5 33. ♖c6 ♔f5 34. ♗c3=] 33. ♖c6 ♔f5 34. c5 ♖h3 [34... ♖h4 35. ♗d4±] 35. ♔c4 ♖h4 36. ♗d4!? [36. ♔b5∞] ♗d2? [36... ♔g5? 37. ♖e6! ♖h1 (37... ♖f4 38. c6 ♖f8 39. c7 ♖c8 40. ♗e5 ♔f5 41. ♔d5+−) a) 38. ♔d5 ♗d2! 39. c6 (39. ♖e5 ♔g4 40. c6 ♖f1!⇆)

♗f4!⇆; *b)* 38. c6! ♖c1 39. ♔d5 ♖c2 40. ♔e4!! h4 (40... ♔h6 41. ♗e5! h4 42. c7+−) 41. ♗e3 ♔h5 42. ♖e5 ♔g4 43. ♖g5 ♔h3 44. ♖g6 ♗e1 45. ♗b6 ♖e2 46. ♔d5 ♖d2 47. ♔c4 ♖c2 48. ♔b5 ♖c3 49. c7 ♖b3 (49... ♗g3 50. ♖g3+−) 50. ♔c6 ♖c3 51. ♗c5 ♗f2 52. ♖g5+−; 36... ♖h1 37. ♖f6 (37. ♗e3 ♖e1 38. ♔d3 ♖d1=) ♔g5 38. c6 ♖c1 39. ♔d5 h4 (39... ♖c2? 40. ♖f2) 40. ♖f7 (40. ♗e3? ♔f6 41. ♗c1 h3 42. ♗f4 ♔e7 43. ♗g5 ♔f7 44. ♗f4 ♔e8 45. ♔e6 ♔d8−+) ♔g4 41. ♖g7 ♔f5 42. ♖f7 ♔g4=; 36... ♖h2 37. ♖f6!? ♔g5 38. c6 ♖c2 39. ♔d5 (39. ♔d3 ♖c1 40. ♖e6 h4!) ♗e1□ (39... h4? 40. ♖f2) 40. ♖f1 (40. ♖f7 ♗g3 41. ♗b6 h4=) ♗g3 41. ♖g1 ♔h4 (41... h4∞) 42. ♖g3 ♔g3 43. c7 ♖c7 44. ♗e5 ♔f3 45. ♗c7 g5 46. ♗a5 g4 47. b4 g3 48. b5 h4 49. ♗c7 h3 50. b6 h2 51. b7 h1♕ 52. b8♕=] **37. ♖f6! ♔g5** [37... ♔e4 38. ♖g6+−] **38. c6 ♗f4** [38... ♗e3 39. ♖d6 ♗d4 40. ♖d4 ♖h1 41. ♔b5! ♖c1 42. ♖c4+−; 38... ♖h1 39. ♔d3! ♗f4 40. ♖f4 ♔f4 41. c7+−] **39. ♔d5! ♗c7** [39... ♗h2 40. ♖f2+−; 39... ♖h1 40. ♖f4 ♔f4 41. c7 ♖c1 42. ♗c5+−] **40. ♖f7+− ♗d8 41. c7 ♗c7 42. ♗f6 ♔g4 43. ♗h4 ♗f4 44. ♗d8 g5 45. ♗a5 h4 46. ♗c7 ♗g3 47. b4 h3 48. ♗g3 ♔g3 49. b5 g4 50. b6   1 : 0**

Illescas Córdoba

Fierce attack w Queens of !

23. !N   A 28

MILES 2550 ✓
AM. RODRÍGUEZ 2555

Yopal 1997

1. c4 ♘f6 2. ♘c3 e5 3. ♘f3 ♘c6 4. e3 ♗b4 5. ♕c2 0−0 6. ♘d5 ♖e8 7. ♕f5 d6 8. ♘f6 ♕f6 9. ♕f6 gf6 10. a3 ♗c5 11. b4 ♗b6 12. ♗b2 a5 13. b5 ♘e7 14. d4! N [14. a4 − 58/39] **♗g4?! 15. c5! ♗a7** [15... dc5 16. de5±] **16. b6! ♗f3 17. gf3 ♗b8 18. ♖g1 ♔f8** [×f7] **19. ♖d1!!±** [×d7; 19. cd6 cd6 △ 20... ♘d5, 20... ♘c8⇆; 19. de5 fe5] **c6** [19... ed4 20. cd6 cd6 21. ♗d4+−; 19... cb6 20. de5 de5 21. cb6 ♘c8 22. ♗b5+−] **20. de5 fe5 21. cd6 ♘d5 22. e4! ♘b6 23. f4!+−** [23. ♗c1 ♖e6] **f6 24. fe5 ♘d7** [24... fe5 25. ♖d3] **25. ♗c4   1 : 0**   *Miles*

24.   A 29

R. VAGANIAN 2640 −
M. GUREVICH 2620

Antwerpen (open) 1997

1. c4 e5 2. g3 ♘f6 3. ♗g2 d5 4. cd5 ♘d5 5. ♘f3 ♘c6 6. 0−0 ♘b6 7. d3 ♗e7 8. a3 ♗e6 9. ♘c3 0−0 10. b4 f6 11. ♗b2 ♕d7 12. ♘e4 ♖fd8 13. ♕c2 ♗d5 N [13... a5!? 14. b5 ♘a7 15. a4 c6 16. d4 cb5 17. de5 ♖ac8 18. ♕b1 f5∞; 13... ♗f8 − 36/38] **14. ♖ac1 ♗f8!?** [△ ♕f7] **15. e3** [△ d4; 15. b5?! ♘a5 16. ♕c7 ♕b5∓; 15. ♘c5!? ♗c5 16. bc5 (16. ♕c5 ♘a4 17. ♕c2 ♘b2 18. ♕b2 ♘d4 19. ♘d4 ♗g2=) ♘c8 (△ ♘8e7, b5⇆≪) 17. e4! ♗e6 18. d4! (18. ♖fd1 ♕f7⇆) ed4 19. ♘d4 ♘d4 20. ♗d4 ♘e7 (20... ♕d4? 21. ♖fd1+−) 21. ♖fd1±] **a5?!** [15... ♗e4!? 16. de4 ♕d3 17. ♕d3 (17. ♗h3 a6 18. ♗e6 ♔h8 19. ♕d3 ♖d3 20. ♖fd1 ♖ad8 21. ♖d3 ♖d3⇆ 22. ♔f1? ♘a4∓) ♖d3 18. b5 ♘a5 19. ♖c7 (19. ♗h3 ♘a4 20. ♗e6 ♔h8⇆) ♖b3⇆] **16. ♘c5 ♕c8** [△ 16... ♗c5 17. bc5 ♘c8 18. d4 ed4 (18... e4 19. ♘d2 f5 20. f3±) 19. e4 ♗f7 20. ♘d4 ♘d4 21. ♗d4 ♘e7±] **17. b5 ♘a7 18. d4!** [18. a4 ♗c5 19. ♕c5 ♘a4∓] **ed4□** [18... ♗c5 19. dc5 ♘c4 20. ♘g5! ♘b2 (20... fg5 21. ♗d5 ♖d5 22. ♕c4 ♕e6 23. e4+−) 21. ♕h7 ♔f8 22. ♗d5+−; 18... ♘b5 19. de5 ♗c4 20. ef6→ △ 20... ♗c5 21. ♘g5! g6 22. f7! ♗f7 23. ♘f7 ♔f7 24. ♕c5+−] **19. ♘d4 c6?!** [19... ♗c5 20. ♕c5 ♗g2 21. ♔g2 ♖d7±] **20. ♘a4** [20. bc6!? ♘c6 (20... bc6 21. ♗d5 cd5 22. ♘de6±) 21. ♗d5 ♘d5 (21... ♖d5 22. ♕b3+−) 22. ♘de6±] **♘a4 21. ♕a4 ♗g2** [21... ♕b5? 22. ♕b5 ♗g2 (22... cb5 23. ♗d5 ♖d5 24. ♖c8+−) 23. ♔g2 cb5 24. ♕b3+−] **22. ♔g2 ♕d7!?** [22... c5 23. ♕c4 ♔h8 24.

♘e6±] **23. bc6 ♕d5 24. ♔g1** [24. e4 ♕e4
25. f3 ♕d5 26. c7 ♖e8±] **♘c6 25. ♘c6 bc6
26. ♕c6 ♖ab8 27. ♕d5 ♖d5 28. ♖c2±
♖db5?!⊕** [28... a4!? 29. ♗d4 ♔f7 30. ♖a1
♖b3 31. ♖c4 ♖a5⇆] **29. ♗c1 ♖b3 30. ♖d1
♗a3 31. ♗a3 ♖a3** [♖ 9/q] **32. ♖c7 ♔h8 33.
♖dd7± ♖g8 34. ♖a7 h6** [34... h5? 35.
♖d5+−] **35. ♔g2?** [35. h4! ♔h7 36. h5±]
♔h7 36. g4? [36. h4 h5 37. ♖d5 ♔g6 38.
♖da5 ♖a5 39. ♖a5 ♖b8±] **h5!= 37. gh5**
[37. g5 fg5 38. ♖d5 ♔h6=] **♔h6 38. ♖d5
a4 39. ♔f3 ♖a1 40. ♖da5 ♖b8 41. ♖a4
♖a4 42. ♖a4 ♔h5 43. ♖a5 g5 44. ♔g3
♔g6 45. e4 ♖e8!= 46. f3 ♖e7 47. ♖a6
♖e8 48. ♔f2 ♖h8 49. ♔g3 ♖e8 50. h3 ♖e7
51. ♔f2 ♖h7 52. e5 ♔f5 53. ef6 ♖f7!** [53...
♖h3 54. f7 ♖h8 55. ♔g3 ♖f8 56. ♖a7±]
54. ♔e3 ♖f6 **1/2 : 1/2** *M. Gurevich*

25.* A 29

GULKO 2580 −
JOEL BENJAMIN 2580
USA (ch) 1997

1. c4 e5 2. ♘c3 ♘f6 3. ♘f3 ♘c6 4. g3 d5
[RR 4... ♗c5 5. d3 d6 6. ♗g2 a6 7. 0−0
h6 8. a3 0−0 9. b4 ♗a7 10. ♗b2 ♗e6 11.
h3 (11. ♘d2 − 51/36; 11. ♖c1 ♕d7 12. e3
♗h3=) ♘d4!? N (11... ♘e7 △ c6∞) a) 12.
♔h2?! ♘f3 13. ♗f3 c6 14. ♗g2 (Hardicsay
2355 − I. Almási 2415, Österreich 1997)
♕e7= △ ♖ae8, ♘d7, f5; b) 12. ♘d4 ♗d4
(12... ed4!? △ 13. ♘d5 ♗d5 14. cd5 ♕d7)
13. e3 ♗a7 14. ♕b3 (14. ♗b7 ♗h3 15.
♗g2 ♗g2 16. ♔g2 c6=) c6 15. ♖ad1 ♕d7
16. ♔h2 ♖ae8= △ 17. d4 ed4 18. ed4 d5;
c) 12. e3 ♘f3 13. ♕f3 c6 14. ♖ad1 ♕d7
15. ♔h2 (15. g4?! ♘h7⇉) ♘g4!? 16. ♔g1
♘f6=; d) ⌂ 12. ♘d2 c6 13. e3 ♘f5⇆ △
♕d7, ♖ae8 I. Almási] **5. cd5 ♘d5 6. ♗g2
♘b6 7. 0−0 ♗e7 8. ♖b1 g5 9. b4!?** N [9.
d4 − 61/28] **g4 10. ♘e1 ♘b4 11. ♘c2 ♘c6**
[RR 11... ♘c2?! 12. ♕c2 c6 13. a4↑ Gulko]
12. ♗c6 bc6 13. d4 f6! [RR 13... ed4 14.
♘d4 c5 (14... ♗c5 15. ♘c6 ♕f6 16. ♗g5!!
♕g5 17. ♘e4+−; 14... ♗d7 15. ♕d3±) 15.
♘c6 ♕d1 16. ♖d1 ♗d6 17. ♗f4± Gulko]
14. de5 [14. ♕d3!? ♗e6 15. f4] **♕d1 15.
♖d1 fe5 16. ♘b4 ♗f5! 17. e4 ♗b4** [17...
♗d7!?] **18. ♖b4 ♗e6 19. ♗g5 ♖f8 20.**

♖b2 ♖f3 **21. ♘b1 ♖c8 22. ♖c1?!** [22. ♖c2
♘c4 23. ♘d2 ♖d3 24. ♖dc1 ♘d2 25. ♗d2
c5 26. ♗c3 c4 27. ♗e5=; 22. ♔g2!?] **♘c4
23. ♖b7 ♘d6 24. ♖a7 ♘e4 25. ♗e3 ♗d5
26. ♘d2??** [26. ♘c3 ♘c3 27. ♖c3 ♖b8 28.
♖c1 ♔d7∓] **♖e3 27. fe3 ♘d2 28. a4 ♔d7
29. ♖b7 ♖a8 30. ♖b4 ♘e4 31. ♖d1 ♔e6
32. ♖b7 ♖a4 33. ♖c7 ♘g5** **0 : 1**
Joel Benjamin

26.* A 29

TOPALOV 2725 − GEL'FAND 2700
Novgorod 1997

**1. c4 ♘f6 2. ♘c3 e5 3. ♘f3 ♘c6 4. g3
♗b4 5. ♗g2 0−0 6. 0−0 e4 7. ♘g5 ♗c3 8.
bc3 ♖e8 9. f3 e3 10. de3** [RR 10. d3 d5 11.
♕b3 ♘a5 12. ♕a3 c6 13. cd5 cd5 14. f4
♘c6 15. ♖b1 h6?! N (15... ♕c7 − 44/22)
16. ♘f3 ♕c7 17. ♗b2 (△ c4) ♖d8 18. ♕c5!
(×e3; 18. c4 d4∞) ♘g4 (D. Komarov 2615
− Tseitlin 2505, Sankt-Peterburg 1997) 19.
c4! b6 (19... dc4 20. ♕c4 ♗e6 21. ♕c3
♘f6 22. ♘e5±) 20. ♕a3 d4 (20... dc4 21.
♕c3±; 20... ♗e6 21. cd5 ♗d5 22. ♖fc1±)
21. ♘d4 ♖d4 22. ♗c6 (22. ♗d4 ♘d4 23.
♗a8 ♘e2 24. ♔g2 ♗b7 25. ♗b7 ♕b7 26.
♔h3∞) ♕c6 23. ♗d4 ♗b7 24. ♖f3 ♕d7
25. ♕b2 ♗f3 26. ef3 ♘f2 27. ♗e3 ♘d3 28.
♕c3± D. Komarov] **b6** [10... h6 − 69/30]
11. e4 h6

12. ♘f7!? N [12. ♘h3 ♔f7 13. f4 ♔g8 14.
e5 ♘h7 15. ♗a3?** [15. f5☐ a) 15... ♗b7
16. f6 ♖e5 17. ♗d5 ♘h8 18. fg7 ♔g7 19.
♖f7 ♔h8 20. ♗h6+−; b) 15... ♔h8 16. f6
gf6 (16... ♘e5 17. fg7 ♔g7 18. ♗a8 c6 19.

♗f4+−) 17. ef6→; *c)* 15... ♗a6 16. e6; *d)*
15... ♕e7 16. f6 gf6 (16... ♕c5!? 17. ♘h1
♔h8 Huzman) 17. ♗d5 ♔g7 (17... ♔h8
18. ef6 ♘f6 19. ♗c6 dc6 20. ♕d4) 18.
♕d2 ♕e5 19. ♕h6 ♔h8] ♗b7∓ 16. ♗e4
[16. ♕d3 ♔h8∓; 16. ♗d5 ♔h8 17. ♗f7 *a)*
17... ♘e5 18. ♗e8 (18. fe5 ♖e5) ♘c4; *b)*
17... ♘a5∓ ♔h8 17. ♗c2 ♘e5! [17... d6
18. ♕d3 ♘f8 19. ed6 cd6 20. ♗d6 ♘a5 21.
♗f8 ♕d3 22. ♗g7 ♔g7 23. ed3∞] 18. fe5
♖e5 [18... ♘g5 19. e4∓] 19. ♗h7 ♔h7 20.
c5 ♕e8 [20... bc5 21. ♗c5∓] 21. ♕d3
♗e4−+ 22. ♕d2 [22. ♕d4!?] ♕e6 23. ♖f2
[23. cb6 ab6 24. ♗b2 ♕h3 25. ♖f2 ♖f8 26.
♖af1 ♖ef5 27. ♕e3 ♕g2!] bc5 24. ♖af1
♖e8 25. c4 ♕h3 26. ♗b2 ♖g5 27. ♕c3
♖e6 28. ♕e3 ♖g4 29. ♖c1 h5   0 : 1
Gel'fand

27.   A 30

MALAHOV 2540 − GLEK 2505
Porto San Giorgio 1997

1. e4 c5 2. ♘f3 e6 3. c4 ♘c6 4. ♘c3 e5!?
N [4... ♘f6 − 69/(40)] 5. d3 d6 6. ♗e2 ♗e7
7. 0−0 f5!? 8. ef5 ♗f5 9. ♘e1 ♘f6 10.
♗f3 ♕d7 11. ♘c2 0−0 12. ♘e3 ♗e6 13.
♘ed5 [13. ♗d5=] ♔h8 14. ♗e3 ♘d4! 15.
♗d4 cd4 16. ♘f6 gf6! 17. ♘d5 ♖g8 18. a4
♖g7 19. ♖e1?! [19. a5 ♖ag8 20. g3∞] ♖ag8
20. ♔f1?! [20. g3 ♗d8 △ f5-f4] ♗d8∓ 21.
a5 f5 22. ♕e2 ♗f7 23. b4 f4! 24. ♖a2

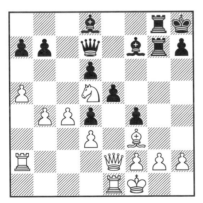

24... ♕h3? [24... ♗h4! 25. ♕d1 ♗h5!! 26.
♗h5 ♖g2 27. ♕f3 ♖h2 △ ♕g7−+] 25.
♕e5!!± ♕h2 [25... ♕g2 26. ♗g2 de5 27.
♗f3±] 26. ♕d4 ♕h1 27. ♔e2 ♖e8 28. ♗e4

♕g2 29. ♔d2 f3 [29... ♕g5 30. ♖h1±] 30.
♖aa1 ♗h4 31. ♖f1 ♗d5 [31... ♔g8 32.
♔c3 △ ♔b3±] 32. ♗d5!□ ♕g5 [32... ♖e2
33. ♔c3 ♗f2 34. ♕f6±] 33. ♔c2 ♖e2
[33... ♕f6!? *a)* 34. ♕a7 ♖e2 35. ♔b3 ♖b2!
(35... b5? 36. ab6!+−) 36. ♔a4 ♖b4!=; *b)*
34. ♕f6 ♗f6 35. ♖ae1 ♖e2 36. ♖e2 fe2
37. ♖e1±] 34. ♔b3 ♕d8 [34... ♕f6 35.
♕f6 ♗f6 36. ♗f3±] 35. ♕a7! ♗f6 36.
♖a2 ♕e8⊕ [36... ♗c3!? 37. ♕b6±] 37.
♖e2 fe2 38. ♖e1+− ♖e7 39. ♗e4 ♖e4? 40.
de4 ♕e4 41. ♕e3 ♕g6 42. ♕e2 ♗e5 43.
f4 ♕g3 44. ♕e3   1 : 0   *Glek*

28.* !N   A 30

M. MARIN 2530 −
POGORELOV 2440
Benasque 1997

1. ♘f3 c5 2. c4 ♘c6 [RR 2... ♘f6 3. g3 d5
4. ♗g2 ♘c6 5. 0−0 g6 6. d4 dc4 7. dc5
♕a5 8. ♘d4 ♗d7 9. ♘c6! N (9. ♘a3 −
41/30) ♗c6 10. ♗c6 bc6 11. ♕d4 ♗g7 12.
♗d2 ♕a6 13. ♘a3 ♖b8 14. ♕c4 ♕c4 15.
♘c4 ♘d7 16. ♗e3 ♖b4 17. ♖ac1 ♘e5 18.
♘e5 ♗e5 19. b3± M. Vukić 2480 − A.
Grosar 2455, Ljubljana 1997] 3. d4 cd4 4.
♘d4 f5!? 5. g3 [5. ♘c3?! g6 6. g3 ♗g7 7.
♘c2 ♗c3!? 8. bc3 ♕a5∓] g6 6. ♗g2 ♗g7
7. ♘c2! N [7. ♘b3 − 67/39] ♘f6 [7... ♕b6
8. ♘c3 ♗c3 9. bc3 ♕a5 10. ♕d2 d6 11.
♘b4 ♗d7 12. ♘d5±] 8. ♘c3 0−0 9. 0−0
d6 10. b3!? [10. ♖b1?! ♗d7 11. b3 a6 12.
♗b2 b5 13. ♕d2 ♕a5∓; 10. ♕d2!? ♗d7
11. b3 ♘e4 (11... a6 12. ♗b2 ♖b8 13.
♘e3±) 12. ♗e4 fe4 13. ♘e3±] ♘e4!? 11.
♘e4 ♗a1 12. ♘a1 fe4 13. ♘c2! [13. ♗e4
♗h3 14. ♖e1 ♕b6 15. ♗e3 (15. e3 ♘e5)
♕a5 16. ♗h6 ♖f6 ×♖e1] ♗f5 [13... ♕a5
14. a3 ♗c3 15. ♘e3↑] 14. ♘e3 ♕d7 15.
♗b2 ♖f7 [15... ♗h3? 16. ♕d5 ♗e6□ (16...
♕e6 17. ♗h3+−; 16... e6 17. ♗h3+−; 16...
♖f7 17. ♕e4 ♗g2 18. ♔g2 △ ♘g4-h6)
17. ♕e4±; 15... ♔f7!?] 16. ♕c2 h5 [16...
♕e6 17. ♘d5! ♖c8 (17... e3 18. ♕c3 ef2
19. ♖f2 ♕e5 20. ♕d2 ♕e6 21. ♘c7+−)
18. ♘f4 ♕d7 19. ♗e4±; 16... ♖af8 17.
♗e4 ♗h3? 18. ♗g6!±] 17. ♗e4 ♗e4 [17...
♔h7!?] 18. ♕e4 ♔h7 19. f4 [△ f5] ♖af8
[19... e6 20. ♖d1] 20. ♖d1! ♕h3?! [20...

♘d8 21. ♖d5 ♔h6 22. c5 ♕e6 23. ♕e6
♘e6 24. cd6 ed6 25. ♖d6 ♖e8 26. ♘c4
♘c5 27. ♘e5±; 20... e6 21. ♗a3] 21. ♖d5
♖g8 [21... ♘d8 22. ♖g5 ♖g8 23. f5 gf5 24.
♖f5→] 22. ♘g2 ♘d8 [22... ♖f5 23. ♘h4!
♖d5 24. cd5 ♘d8 25. ♕e7 ♔h6 26. ♗f6+−]
23. ♘h4 [△ ♖g5; 23. ♖g5 e5!?] ♔h6 [23...
e5 24. ♘f3 ♘e6 25. ♖d6+−] 24. ♗c1 [24.
♖g5 ♕e6!] ♔g7□ [24... ♘e6? 25. ♕e6
♕e6 26. f5+−; 24... ♕g4 25. ♖g5 ♕e6 26.
♖g6! ♖g6 27. f5+−; 24... ♖gg7 25. ♖g5
♖f6 (25... ♕e6 26. ♖g6!) 26. ♘g6! ♖gg6
27. ♖g6 ♖g6 28. f5 ♖g5 29. ♕e7 ♕f5 30.
♕d8 ♕c5 31. ♔g2 ♕c6 32. ♔h3+−] 25.
♕g6 [25. ♘g6 ♕e6! 26. ♕f3? ♕g6 27.
♖g5 ♕g5 28. fg5 ♖f3−+; 25. f5!? ♔f8 26.
♖d6!? (Pogorelov) ♔e8□] ♔f8 26. ♕h5
♔e8 [26... ♕e6 27. f5 ♕f6 28. ♘g6 ♔e8
29. ♗g5 ♕a1 30. ♔f2 (△ ♘e7) ♔d7 31.
♘e5+−] 27. ♘f3+− ♕h5 28. ♖h5 ♘e6⊕
29. ♔f2 a6 30. e4 ♘d7 31. ♗e3 ♘c7 32.
a4 ♘e6 33. ♖d5 ♖ff8 34. e5 ♔c6 35. ed6
ed6 36. h4 ♘c7 37. ♖h5 ♖f7 38. ♖h6 ♔d7
39. c5 ♘e6   1 : 0   *M. Marin*

29.   A 30

KRAMNIK 2770 − LÉKÓ 2635

Tilburg 1997

1. ♘f3 ♘f6 2. c4 c5 3. ♘c3 e6 4. g3 b6 5.
♗g2 ♗b7 6. 0−0 ♗e7 7. ♖e1 d6 8. e4 a6
9. d4 cd4 10. ♘d4 ♕c7 11. f4!? 0−0 [11...
♘bd7? 12. e5] 12. ♗e3 ♘c6 [12... ♘bd7
− 57/43] 13. ♖c1 ♘d4 14. ♗d4 ♖ac8 N
[14... ♘d7] 15. b3± ♖fe8 [15... ♘d7] 16.
a4 ♘d7 17. ♖c2 ♗f8 18. ♖d2 ♘b8?! [18...
♘c5] 19. ♗f2 [19. g4!? e5 20. ♗e3] ♗c6!
[19... ♘c6 20. g4±] 20. g4 ♕b7 21. ♗f1!
[21. g5 b5 22. ab5 ab5 23. ♖e3 (23. cb5
♗b5⇆) bc4 24. bc4 ♕b4 25. ♕h5∞] ♘d7
22. g5 ♘c5 23. ♗g2 b5! [23... ♕b8 24.
♖e3 △ ♖h3, ♕h5±] 24. ab5 ab5 25. b4
♘a6 [25... ♘a4? 26. ♘a4 ba4 27. b5; 25...
♘d7? 26. ♗f1! bc4 27. b5] 26. cb5 ♗b5
27. ♘b5 ♕b5 28. ♗f1 ♕b7 29. b5 ♘c5
30. ♕f3!± [30. ♕c2 d5! 31. ed5 ed5 32.
♖e8 ♖e8 33. ♗c5 ♖c8] ♖ed8 [30... ♖a8!?
31. ♖b2±] 31. f5? [31. ♖c2 d5 32. ed5 ed5
33. ♖ec1±; 31. h4!? d5 32. ed5 ed5 (32...
♖d5!?) 33. ♕d1!± ♘e6 34. f5] d5 32. ed5

30.*   A 30

SAKAEV 2590 −
CO. IONESCU 2490

Pardubice 1997

1. ♘f3 c5 2. c4 ♘f6 3. ♘c3 e6 4. g3 b6 5.
♗g2 ♗b7 6. 0−0 a6 7. ♖e1 ♗e7 8. e4 d6
9. d4 cd4 10. ♘d4 ♕c7 11. ♗e3 ♘bd7
[RR 11... 0−0 12. ♖c1 ♘bd7 13. f4 h5!?
N (13... ♖fe8 − 67/(42)) 14. h3 ♖fc8 15.
g4 hg4 16. hg4 ♘c5 17. ♗f2 a) 17... e5?!
(×d5, f5) 18. fe5 de5 19. ♘f5 a1) 19...
g6?! 20. ♘e7 ♕e7 21. ♗h4 ♘e6 22. ♘d5
♗d5 23. ed5 ♘f4 24. d6 ♕e6 25. ♗a8 ♖a8
26. ♕f3! ♖e8 (26... ♕g4 27. ♕g4 ♘g4 28.
c5 bc5 29. ♖c5) 27. ♕f4 ef4 28. ♖e6 ♖e6
29. ♗f6 ♖f6 30. ♖d1+−; a2) 19... ♗f8 20.
b4! ♘cd7 21. ♘d5 a21) 21... ♕b8?! 22. c5!
bc5 23. bc5± δc; a22) 21... ♕d8 22. ♗h4!?
♗d5 23. cd5 g6 (23... ♗b4 24. ♖f1→≫) 24.
♘e3 ♗g7 25. ♖c6±; a23) 21... ♘d5 22.
cd5 ♕d8 23. ♕d2!± Močalov 2440 − Tus-
tanowski 2245, Polanica Zdrój (open) 1997;
b) 17... g5!? △ 18. fg5 ♘h7 19. b4 ♘d7 20.

g6 ②g5! 21. gf7 ♔f7∞ 22. ②e6!? (22.
②d5; 22. ②f5) ②e6 23. ②d5 Močalov] 12.
♖c1 ♖c8 13. f4 ♕b8 14. ♕e2 ②c5 N [14...
♕a8 15. ♗f2 0–0 — 67/42; 15... g6∞] 15.
♗f2 ♕a8 16. g4 h6 [16... g6 17. b4!? (17.
♗g3 0–0 18. f5 gf5 19. gf5 e5 20. ②c2 b5
21. cb5 ab5 22. ②b4 ♔h8 23. ②cd5 ②d5
24. ed5 ♗g5 25. ♖c3 ♖g8∞) ②cd7 18.
②d5 ♗d8 19. g5 ②h5 20. ♕g4! ②g7 21.
♕h3! ♔f8 22. ♕h6→] 17. h3!± g6 [17...
g5!? 18. f5 e5 19. ②c2 h5 20. ②b4 hg4
21. hg4 ♔f8 22. ②bd5 ②d5 23. ed5 ♔g7
24. ♗c5!? (24. b4±) bc5 25. f6 ♗f6 26.
②e4→] 18. ♗g3 ♔f8 19. ♖cd1 ♖c7 [19...
♔g7 20. b4 ②cd7 21. e5 de5 22. fe5+–]
20. ♔h2 ②cd7? [20... ♔g7 21. e5! de5
22. ♕e5!+–; 20... h5!? 21. g5 h4 22.
♗f2 ②h5 23. ♕g4! e5 24. fe5 de5 25. ②f3
♗c8 26. ♕h4 a) 26... ♔g7 27. ②d5 ②f4
28. ②c7 ♕b7 (28... ♕c6 29. ②e5+–) 29.
②e8 a1) 29... ♖e8 30. ②e5 ②ce6 31. ♗d4
②g2 (31... ②d4 32. ♕f4+–; 31... ♗g5 32.
②f3 ②d4 33. ②g5+–) 32. ♕h6 ♔g8 33.
②g6+–; a2) 29... ♔g8 30. ②f6 ♗f6 31.
gf6 ♖h4 32. ♖d8 ♔h7 33. ②g5 ♔h6 34.
♖h8 ♔g5 35. ♗h4♯; b) 26... ♔g8 27. ②d5
(27. ②e5 ②e6⇆ △ 28. ②d5 ♗d6) ②f4 28.
②e7! (28. ②c7 ♕b7 29. ♕h8 ♔h8 30.
②d5 ②cd3⇆) ♔g7 29. ♕h8! (29. ♕f4 ef4
30. ♗d4 ♔h7 31. ②d5 ♖c6∞) ♔h8 30.
♖d8 ♔h7 (30... ♔g7 31. ②d5 ②d5 32. ed5
②d3 33. ♗g3+–) 31. ②d5 (31. ②g8 ②h5
32. ♗c5 bc5 33. ②f6 ②f6 34. gf6 ♕c6 35.
②g5 ♔h6 36. ♖h8 ♔g5 37. ♖f1 ♗h3 38.
♖h3 ♖d7 39. ♖g3 ♔h6 40. ♖h3=) ②d5
32. ed5 ②d3 33. ♗g3 ②e1 34. ♗e5 ②f3
35. ♗f3 f6 36. ♗c7 ♕b7 37. ♗d6+–] 21.
e5 de5 22. fe5 ②h7 23. ♖f1 ♔g7 24. ②d5
ed5 25. e6 ♕d8 26. ♖f7 ♔g8 27. ♖e7 ♕e7
28. ♗c7 ②df6 29. ♗e5 dc4 30. ♗b7 ♕b7
31. ♕c4   1 : 0   Sakaev

31.** !N   A 30

YERMOLINSKY 2630
– BROWNE 2540

Chicago 1997

1. ②f3 c5 2. c4 ②f6 3. ②c3 e6 4. g3 b6 5.
♗g2 ♗b7 6. 0–0 ♗e7 7. d4 cd4 8. ♕d4
d6 9. b3 [RR 9. ♗g5 a6 10. ♖fd1 ②bd7

11. ♕d2 ♖c8 12. b3! N (12. ♗f4 — 53/49)
♕c7 13. ♗f4 e5 14. ♗g5 b5 15. ②h4
♗g2 16. ♗f6 ②f6 17. ②g2 bc4 18. ②e3
cb3 19. ②cd5 ②d5 20. ②d5 ♕b7 21. ab3
♗d8 22. b4 0–0 23. ♕d3 ♖c6 24. ♖dc1
♖c1 25. ♖c1± ⤬d5, a6, d6 E. Dizdarević
2540 – Mantovani 2365, Pula 1997] ②bd7
10. ②b5 ②c5 11. ♖d1 d5 12. cd5 ed5 13.
♗b2 [13. ♗e3!? N 0–0 14. ♕b2 ♖e8 15.
♖ac1 ♕d7 16. a4 a6 17. ②c3 ♖ac8 18.
♕b1 ♗f8 19. ♗d4 ②ce4± Yermolinsky
2610 – Browne 2510, Los Angeles 1996;
13. ♗h3 — 45/(32)] 0–0 14. ♕f4 a6 N
[14... ②ce4] 15. ②bd4 ♗d6 [15... ♖e8 16.
②f5 ♗f8 17. ②h6] 16. ♕h4! ②ce4 17.
②f5 ♗c5 18. e3▢ [18. ②g5 ②f2 19. ♗f6
②e4; 18. ②g7 ②f2 19. ②f5 ②6g4] h6
[18... ♖e8 19. ②g7 ♔g7 20. ②g5+–] 19.
②e5! [△ 20. ♗e4, 20. ②g4] ②h7 20. ♕g4!
[20. ♗e4 ♕h4 21. gh4 de4 22. ②d7] ♕g5
21. h4! ♕g4 22. ②g4+– d4⊕ [22... f6 23.
♗e4 de4 24. ♖d7 ♗c8 25. ♖g7 ♔h8 26.
②gh6] 23. ed4 ♗b4 24. a3 [24. d5 ♗c3 25.
♗c3 ②c3 26. ♖d3 ②b5] ♗d2 [24... ♗c3
25. ♗c3 ②c3 26. ♗b7; 24... ②c3 25. ♗b7
②d1 26. ♖d1] 25. ♖d2 ②d2 26. ♗b7 ♖a7
27. d5 f6 28. ♗c6 h5 29. ②ge3 ②b3 30.
♖d1 ②a5 31. ♗d4 ♖b8 32. ♖b1 ②c6 33.
dc6 g6 34. ②d6   1 : 0   *Yermolinsky*

32.* !N   A 30

ANAND 2765 – V. MILOV 2635

Biel 1997

1. ②f3 ②f6 2. c4 c5 3. g3 b6 4. ♗g2 ♗b7
5. 0–0 g6 6. ②c3 ♗g7 7. d4 cd4 8. ♕d4
d6 9. ♖d1 ②bd7 10. b3 [RR 10. ♗e3 ♖c8
11. ♖ac1 0–0 12. ♕h4 a6 13. b3 ♖e8 (13...
h5?! — 45/(35)) 14. ♗h3 (14. ♗h6!?) ♖b8
(14... b5?! 15. cb5 ab5 16. ②b5±; 14...
♗f3?! 15. ef3±; 14... ♖c7 15. ♗h6 ♖c5
16. ♗g7 ♔g7 17. ♕d4 ♔g8 18. b4 ♖c7
19. ②d5±; 14... ♗a8!?) a) 15. ♗h6 ♗f3
(15... b5!?) 16. ef3 b5⇆; b) 15. ②d4 ♖c8
(15... ②e5!?) 16. g4 ②e4 17. ②e4 ♗e4 18.
g5 ♗a8± c) 15. ②d5! N c1) 15... b5 16.
②f6 ♗f6 (16... ②f6 17. c5±) 17. ②g5±;
c2) 15... e6 16. ②f6 ②f6 17. ♗f4 ♗f3 18.
ef3 e5 19. ♗g5±⟱; c3) 15... ②d5 16. cd5
②f6 17. ②g5 ♖f8▢ (17... ♗d5? 18. ♖d5

♘d5 19. ♕h7 ♔f8 20. ♘e6!! fe6 21. ♗e6+−; 17... h6? 18. ♘f7 ♔f7 19. ♗e6 ♔f8 20. ♕h6!!) 18. ♗g2 h6 19. ♘e4 ♘e4 20. ♗e4±; *c4)* 15... h5 16. ♘g5 (16. ♗g5 ♘c5 17. b4 ♘ce4 18. ♘f6 ef6! 19. ♗e3 ♕e7⇄; 16. ♗d4 e5! 17. ♗d7 ♘d7 18. ♕d8 ♖ed8 19. ♗b2 b5⇄) *c41)* 16... b5?! 17. ♘f4! (△ ♘f7) e5 (17... ♘f8 18. c5±) 18. ♘g6! fg6 19. ♖d6 ♕c7 20. ♖cd1 ♘f8 21. ♗e6 ♘e6 22. ♘e6 ♖e6 23. ♖e6±; *c42)* 16... ♗a8!? 17. ♗d4 b5 18. e4±○ A. Delčev 2515 − Kutuzović 2395, Nova Gorica 1997; 17. b4!? A. Delčev] ♖c8 11. ♗b2 0−0 12. ♕e3 [12. ♖ac1 a6 13. ♘e1!? ♗g2 14. ♘g2 ♖c5?! 15. ♘d5± − 61/(34); 14... ♘e5!?] **a6 13. ♘d4 N** [13. ♖ac1 − 68/32] ♗g2 14. ♔g2 ♖c5 [14... ♖e8!?] **15. f3 ♖e8 16. ♕d2** [16. ♗a3!?±] **♕b8** [△ b5] **17. ♗a3 ♖cc8 18. ♖ac1 ♕b7 19. e4 h5!** [✕♔g2] **20. ♗b2 ♘e5 21. ♕e2** [21. ♕f2 e6 △ g5-g4↑] **e6⇄ 22. ♗a3** [22. ♘c2 ♖cd8 23. ♘e3 g5!↑] **♖cd8** [22... d5!? 23. ♗d6 (23. cd5 ed5 24. ♘d5? ♘d5 25. ♖c8 ♕c8 26. ed5 ♘g4) ♘c6 24. ♘c6 ♖c6 25. e5 ♘d7∓ (✕e5) △ 26. f4 dc4] **23. ♖c2**

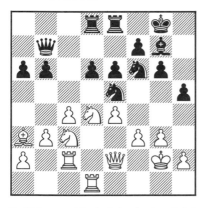

23... d5 [23... g5!? △ 24. ♗c1 g4 25. ♗g5 ♖c8] **24. f4?** [24. cd5 ed5 25. f4 ♘ed7 (25... ♘eg4 26. e5 ♘e4 27. ♘e4 de4 28. h3 e3 29. ♘c6∞) 26. e5 ♘c5 △ 27. b4 ♘ce4∓] **♘eg4 25. cd5** [25. h3 ♘e4! 26. hg4 ♘c3 27. ♖c3 dc4−+] **♘e4!∓** [25... ed5?! 26. e5 − 24. cd5] **26. ♘e4** [26. ♕e4 ed5 △ ♘e3, ♗d4] **ed5 27. ♘c6 ♖e4 28. ♕e4 de4 29. ♖d8** [29. ♘d8? ♘e3 30. ♔g1 ♕a8−+] **♔h7 30. ♗c1 e3 31. ♔f3 ♘h2 32. ♔e2** [32. ♔e3 ♗f6−+] **♗f6!−+ 33. ♖d5** [33. ♖d6 ♗e7 △ ♗c5] **♕c8 34. f5□**

[34. ♗e3 ♕g4 35. ♔d3 ♘f1−+→] **gf5** [34... ♕e8!? 35. fg6 ♔g6 36. ♘d4 (36. ♖c4 b5; 36. ♔d3 e2) ♕e4 37. ♖d6 ♘g4 △ ♕g2−+] **35. ♘d4** [35. ♗e3 ♕e8] **♕a8** [35... ♕g8 36. ♔d3□ ♕g4 37. ♖h2 ♕e4 38. ♗c4 e2 39. ♗d2 (39. ♖e2 b5 40. ♔c5 ♗d4) ♗d4 40. ♖h5 ♔g6 41. ♖g5 ♔f6 42. ♖d6 ♔e7 43. ♖d4 ♕c2 44. ♔d5 ♕c5#] **36. ♖f5** [36. ♘c6 ♕g8] **♗d4** [36... ♘g4?! 37. ♘f3 ♕e4 (37... ♔g6 38. ♖f4) 38. ♖h5 ♔g6 39. ♖c4] **37. ♖h5 ♔g6 38. ♖h2 ♕e4 39. ♖c4□** [39. ♔d1 ♕d3−+; 39. ♔e1 ♗e5−+; 39. ♔f1 ♕f3−+] **b5** [39... ♕g4 40. ♔d3 ♕d1 41. ♗d2 ♗c5 42. ♖c1 (42. ♖c5 bc5 43. ♔e3 ♕c2−+) ♕f3 43. ♗e1 (43. ♗c3 e2 44. ♔d2 ♗f2) e2 44. ♔d2 ♗a3−+] **40. ♖d4 ♕d4 41. ♗e3 ♕b2 42. ♗d2 ♕a2** [42... a5?! 43. ♖h6 ♔g7 44. ♖a6 a4!; 44. ♖h5! Anand] **43. b4 ♕c4** [43... a5?! 44. ba5 b4 45. ♖h6 ♔f5 46. ♖b6 b3 47. a6=] **44. ♔f2 ♕d4?!** [44... ♕d3! 45. ♗e1 a5 46. ba5 b4−+ Anand] **45. ♔e2 ♕c4 46. ♔f2 ♕d4 47. ♔e2 ♕g1 48. ♖h6 ♔f5** [48... ♔g7 49. ♖a6 ♕g3−+] **49. ♖h5** [49. ♗e1 ♕g2 50. ♔e3 ♕e4 51. ♔f2 ♕c2 52. ♔f1 (52. ♔e3 ♕c1 53. ♗d2 ♕g1 54. ♔f3 ♕d1 55. ♔e3 ♔g4−+) ♔g4−+] **♔f6??** [49... ♔g4 50. ♖g5 ♔h3 51. ♖f5 ♕g2 52. ♔e3 ♕c6−+] **50. ♗f4??** [50. ♗e1 ♕g2 51. ♔e3 ♕g1 52. ♔d2 △ ♖h4 Anand] **♕g2 51. ♔e3 ♕a2−+** [✕b4] **52. ♖h4** [52. ♖h6 ♔f5 53. ♖h5 ♔e6 54. ♖e5 ♔f6 55. ♖e4 ♔f5 56. ♖e5 ♔g4 57. ♖g5 ♔h3−+] **♔f5 53. ♗h6** [53. ♗c7 ♕b3 54. ♔d2 a5!? 55. ba5 b4; 53. ♖h5 ♔e6 − 52. ♖h6] **♕g2! 54. g4 ♔e6 55. ♗f4 ♔d5 56. ♖h5 ♔c4 57. ♖h6 ♕g4 58. ♖a6 ♔b4 59. ♖d6 ♕f5 60. ♖d4 ♔c3 61. ♖e4 ♕d5 0 : 1** *V. Milov*

33. !N   A 30

SUMMERSCALE 2420 − MI. ADAMS 2680

Great Britain (ch) 1997

1. ♘f3 ♘f6 2. c4 b6 3. g3 c5 4. ♗g2 ♗b7 5. 0−0 g6 6. ♘c3 ♗g7 7. ♖e1 ♘e4 8. ♘e4 ♗e4 9. d4 [9. d3 ♗b7 10. e4 ♘c6=] **0−0! N** [9... ♘c6 10. d5 ♘b4 11. ♘h4; 9... cd4 − 68/(32)] **10. d5** [10. ♗e3 d6]

After 32,... Kd7,
W. Kf2, Ns b5, b3, Ps: a3 b4 e4 f3 g2 h2
B Kd7, Nb8, Bd8, Ps: b6 e5 e6 f7 g7 h7

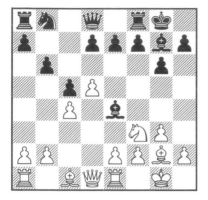

10... b5! [10... d6±] **11. cb5** [11. ♘d2 ♗g2 12. ♔g2 d6∞] **a6 12. ba6** [12. d6 ab5 13. ♗g5 f6 14. de7 ♕e7 15. ♗f4 d5∞; 12... e6] **♖a6 13. ♘d2 ♗g2 14. ♔g2 d6 15. ♘c4 ♘d7 16. e4** [16. ♗g5 ♘b6] **♕a8 17. a3 ♖a4** [17... ♘b6 18. ♘e3 ♖b8 19. ♖a2∞] **18. ♕c2 ♕a6 19. ♘e3 ♘e5 20. ♖d1 ♖d4! 21. ♖a2** [21. ♗d2 ♕e2∓] **♖b8** [21... f5! 22. ef5 gf5 23. f4 ♘d3 24. b3 ♘c1 25. ♕c1 ♖e4 △ ♗d4, ♕b7] **22. b4!= ♖d1 23. ♘d1 ♖c8 24. bc5 ♖c5 25. ♕b1 ♘d3 26. ♗e3 ♖c8** [26... ♘e1 27. ♔g1 ♘f3=] **27. f3 h5** [27... ♘e1] **28. a4!** [△ ♕b5] **♘b2?** [28... ♕c4∞] **29. ♖b2!** [29. ♘b2 ♕e2 30. ♗f2 ♖c2 31. ♕f1 ♗d4−+] **♗b2** [30. ♕b2 ♕d3 31. ♕d4! (31. ♕a1 ♖c2 32. ♗f2 ♖d2 33. ♘c3 ♕c2−+) ♕c2 32. ♘f2+−; △ 30... ♕a4±] **1/2 : 1/2** *Mi. Adams*

34. proceeds v logically to   A 31

LÉKÓ 2600 − A. ZAPATA 2515

Yopal 1997

1. e4 c5 2. ♘f3 e6 3. c4 a6 4. ♘c3 ♕c7 5. ♗e2 d6 6. 0−0 ♘f6 7. d4 cd4 8. ♘d4 b6 9. ♗e3 [9. f4!? ♗b7 10. e5!? de5 11. fe5 ♕e5 (11... ♘fd7!?) 12. ♗f4 ♕d4 13. ♕d4 ♗c5 14. ♕c5 bc5 15. ♗d6 ♘bd7 16. a3! △ b4∞] **♗b7 10. f3 ♗e7 11. ♖c1 0−0** [11... ♘bd7 − 43/(34)] **12. b4 ♘bd7 13. ♘b3 ♖ac8 14. a3** [14. ♕d2?! d5!?] **♕b8 15. ♕d2 ♗d8!?** [15... ♖fe8] **16. ♖fd1 ♗c7 17. ♗f4! ♘e5 18. ♗e5! de5 19. ♔h1 ♖fd8** [19... h6 20. ♕e3 ♗d8 21. c5!±] **20. ♕e3 ♖d1 21. ♖d1 ♖d8 22. ♖d8!** [22. c5 ♖d1 23. ♗d1 ♘d7!⇆] **♕d8 23. c5 ♘d7** [23... b5 24. ♕d3!±] **24. c6!± ♗c6 25. ♗a6**

♘b8 [25... ♕a8 26. ♗b5!] **26. ♗e2 ♗d6 27. ♕d2! ♔f8 28. ♗b5 ♗b5** [28... ♗b7 29. ♘a4!±] **29. ♘b5 ♗e7 30. ♕d8** [30. ♔g1 ♕c8] **♗d8 31. ♔g1 ♗e7 32. ♔f2 ♔d7 33. ♘c3!** [33. ♔e3 ♔c6 34. ♘c3 b5=] **♗e7 34. ♔e3 ♔c6 35. b5 ♔c7 36. a4 ♘d7 37. ♔d3 ♘c5** [37... g6 38. ♘b1 f5 39. ♘1d2±] **38. ♘c5 ♗c5** [♘♗ 5/d] **39. ♔c4 ♗f2 40. ♘a2 ♗e1 41. ♘b4 f6?!** [41... ♔d6! 42. ♘d3 ♗d2] **42. ♘c2! ♗d2 43. ♔d3 ♗a5 44. ♘e3 ♗b4 45. ♘c4± ♗e1 46. ♔c2 ♗b4 47. ♔b2! g6 48. ♔c2 h6 49. ♔b2 h5 50. ♔c2 h4?** [50... ♗e1 51. ♔b3 ♗f2 52. a5 ba5 53. ♔a4±] **51. ♔b2 ♗e1 52. ♔b3 ♗f2 53. a5 ba5 54. ♔a4 ♗e1 55. ♘a5 ♔b6 56. ♘c4** [56. ♘c6!?] **♔c5 57. ♘b2 ♗d2 58. ♘d3 ♔b6** [58... ♔c4? 59. b6 ♗e3 60. ♘b2+−] **59. ♘f2! ♗c3 60. ♘g4 f5 61. ♘f2 ♔c5 62. ♘d3 ♔d6 63. ♘b3 ♗a5 64. ♔c4 ♗d2 65. ♘c5 ♗e3 66. ♘b7 ♔c7 67. ♘a5 ♗f2 68. ♔b4! ♗e1 69. ♔a4 ♗c3 70. ♘c4 ♔b7 71. ♔b3 ♗d4 72. ♔b4 ♔a7 73. ♘a5 ♔b6 74. ♘c6 fe4 75. fe4 ♔c7 76. ♔a5 g5 77. h3 ♔d7 78. ♔a6 ♔c7 79. ♘a5 ♗c5 80. ♘c4 ♗d4 81. b6 ♗b6 82. ♘b6 ♔c6 83. ♘a4 1 : 0** *Lékó*

35. ** !N   A 31

SEIRAWAN 2630 − KUDRIN 2535

USA (ch) 1997

1. ♘f3 c5 2. c4 b6 [RR 2... ♘f6 3. ♘c3 ♘c6 4. d4 cd4 5. ♘d4 e6 6. g3 d5 7. cd5 ♘d5 8. ♘c6 bc6 9. ♗g2 ♗e7 10. 0−0 0−0 11. ♗d2 ♗a6! (11... ♗b7 − 18/69) 12. ♖c1 N (12. ♗f3) ♖b8 13. ♘a4 ♗b5! 14. ♗f3!? (14. ♘c5 ♗c5 15. ♖c5 ♕b6 16. ♖c2 ♕a6∓; 14. ♗c3 ♕c8! △ ♕a6 Macieja) ♗a4 15. ♕a4 ♖b2 16. ♖fd1∞ ♕a8! 17. ♖c6 ♖a2 18. ♕a2 ♕c6 19. ♕a7= Macieja 2470 − Vaulin 2530, Koszalin 1997] **3. d4 cd4 4. ♘d4 ♗b7 5. ♘c3** [5. ♗g5!? △ 5... ♘f6 6. ♗f6 gf6 7. ♘c3 e6 8. e3! ♘c6!? 9. ♕h5!±] **♘f6 6. f3 d6 7. e4 e6 8. ♗e3 ♗e7 9. ♗e2 a6 10. 0−0 0−0 11. ♕d2 ♘bd7 12. ♖fd1** [RR 12. a4 ♖c8! N (12... ♖e8 − 61/36) 13. a5 ♘e5 14. ab6 ♘c4 15. ♗c4 ♖c4 16. ♘b3 ♖b4 17. ♘a5 ♗a8 18. ♘a4 ♖b5 19. ♘c3 ♖b4 20. ♘a4 ♖b5 21. ♘c3 1/2 : 1/2 Mi. Adams 2680 − Van

Wely 2655, Tilburg 1997] ♕c7 13. ♖ac1
♖ac8 14. a3 ♕b8 15. b4 ♖fe8 16. ♗f1?!
[16. ♘b3! (△ a4-a5) ♗d8?! (16... ♗c6?! 17.
♗f1 b5? 18. cb5 ab5 19. ♘a5) 17. ♗f4!]
♗d8! [16... ♗f8 — 31/(75)] 17. ♖c2 N [17.
♔h1; 17. ♘b3] ♘e5! 18. ♘a4 d5! 19. ed5
ed5 20. c5 b5! 21. ♘b6 ♗b6 22. cb6 ♖c2
23. ♘c2 ♘c4 24. ♗c4 dc4 25. ♕d6 ♕d6?!
[25... ♕a8!! △ ♘d5, ♖e6] 26. ♖d6 ♖e6
27. ♖d8! [27. ♖e6? fe6 △ e5, ♗f7-e6] ♖e8
28. ♖e8! ♘e8 29. ♗c5 [♔b, ✕♔g8] f6!
[29... f5?? 30. ♘d4 g6? 31. ♘e6+−; 29...
♘f6 30. ♔f2 ♘d5 31. a4! ba4 32. ♘a3 c3
33. ♔e1 ♘f4 34. ♔d1 ♘g2 35. ♔c2 △
♘c4-d6] 30. ♘d4 ♔f7 31. ♔f2 [31. g4 g6
32. f4 ♘g7 33. f5 gf5 34. gf5 c3!] g6 32.
g4 ♘g7 33. f4 h5? [33... ♘e6! 34. ♘e2 f5!
35. gf5 gf5 36. ♔e3 (△ ♘c3, a4) ♔f6 △
♗c6, ♘d8! ✕b7] 34. gh5 ♘h5 [34... gh5
35. f5! ✕♔f7] 35. f5! ♘f4 36. fg6 [△ ♘f5-
d6] ♔g6 37. ♔e3 ♘d5 38. ♔d2 [△ ♘e6-
d8] ♘f4 39. ♗d6 ♘d5 40. ♗c5⊕ ♘f4

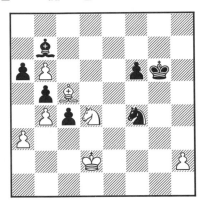

41. h4 [41. ♗d6! ♘d5 42. ♗c7 ♔f7 43.
♘f5?! ♔e6 44. ♘d6 ♗c6 △ ♘b6; 43.
h4!+−] ♗a8! 42. ♗e7? [42. h5!? ♔h5 43.
♘f5 ♔g4 44. ♘d6 f5 45. b7 ♗b7 46. ♘b7
Kudrin] f5? [42... ♔f7 43. ♗d8 ♔e8!⇆]
43. ♗d8+− ♔f7 44. ♘f5 ♔e6 45. ♘g3
♔d7 46. ♗c7 ♘d5 47. h5 ♘f6 48. h6 ♗d5
49. ♗e5 ♘h7 50. ♔e3 ♔c6 51. ♔d4 ♗f7
52. ♘e4 ♗g6 53. ♗c5 ♗b7 54. ♔d4 ♗h5
55. ♘d6 ♗b8 56. ♘e4 ♗b7 57. ♔d5 ♗f7
58. ♔e5 ♗h5 59. ♘f6? [59. ♔f5+−] ♗g6
60. ♘h7 ♗h7 61. ♗d4?! c3 62. ♔f6 c2 63.
♗e3 ♗d3 64. ♔g7 c1♕ 65. ♗c1 ♔b6 66.
h7 ♗h7 67. ♔h7 ♔c6 68. ♔g6 a5 69. ♔f7
♔d5 70. ♔e7   1 : 0   *Seirawan*

36.**   A 33

EHLVEST 2610 —
RYTSHAGOV 2525
Jyväskylä 1997

1. ♘f3 ♘f6 2. c4 c5 3. d4 cd4 4. ♘d4 ♘c6
5. ♘c3 e6 6. g3 ♕b6 7. ♘db5 ♘e5 [RR
7... ♗c5 8. ♗g2 a6 (8... ♗f2 — 25/(74)) 9.
♘d6 ♔e7 10. ♘de4 ♘e4 11. ♘e4 ♗b4 12.
♗d2 ♗d2 13. ♕d2 ♕b4 14. c5 N (14.
♖d1) ♖b8 15. ♖c1 ♕d2 16. ♔d2 b6 17.
♗c6 dc6 18. cb6 ♖b6 19. ♘c4 ♖b5 20. f4
♗b7 21. ♔f2 c5 22. ♖hd1 ♗d5 23. b3
♗c4 24. ♖c4 ♖d8 25. ♖d8 ♔d8= Cifuen-
tes Parada 2555 — Izeta Txabarri 2525,
Ampuriabrava 1997] 8. ♗g2 [8. ♗f4 ♘fg4
9. e3 a6 10. h3!? (10. ♘c7 — 65/38) ab5
11. hg4 ♘c4 (11... ♕c6!? 12. ♗e5 ♕h1
13. ♘b5 ♗b4 14. ♔e2! 0-0 15. a3 ♗e7
16. ♗d6 ♗d6 17. ♘d6⊞ b5!? 18. cb5
♗b7∞) 12. ♕b3 d5 13. ♗c4□ (13. ♕b5?
♕b5 14. ♘b5 ♗b4∓) dc4 14. ♕b5 ♕b5
15. ♘b5 ♗b4 16. ♔e2 0-0 N (16... ♔e7!?
17. ♖hd1 ♗d7 18. ♗d6 ♗d6 19. ♘d6
e5=; 16... ♖a5) 17. ♗d6 ♗d6 18. ♘d6 e5
19. g5 ♗e6 (19... ♗g4!? 20. f3 ♗e6) 20.
♖h4 (1/2 : 1/2 B. Lalić 2585 — Emms
2535, London 1997) b5!□ 21. ♖ah1 h6
(21... ♖a2?? 22. ♖h7 ♖b2 23. ♔f3+−) 22.
a3 b4!≪ B. Lalić] a6 9. ♕a4 ♖b8 10.
♗e3 ♗c5 11. ♗c5 ♕c5 12. ♕a3 b6 13.
♘d6 ♔e7 14. ♕c5 bc5 15. ♘c8 ♖hc8 16.
b3 d5 17. cd5 c4 18. b4 ♖b4 19. de6 N
[19. h3 — 69/37] fe6 20. h3 ♖d8?! [20...
♘ed7] 21. ♖d1!± ♘ed7 22. ♖d2! ♘b6 [22...
♘c5 23. ♖d8 ♔d8 24. ♔d2 ♘a4 25. ♖b1±]
23. ♖d8 ♔d8 24. ♔d2 ♘fd5 25. ♖b1 a5 26.
♗e4! h6 27. ♗c2 ♔e7?⊕ [27... ♔c7!±]
28. ♘d5! ♘d5 [28... ed5 29. ♔c3±] 29. e4

♘b6 30. ♖a1!!± g5? [30... ♔d6] 31. a3
♖b5 32. ♔c3 e5 33. ♖h1! ♔d6 34. h4 g4
35. h5+− ♘d7?⊕ [36. ♖d1 ♔e6 37. ♖d7]
1 : 0   *Ehlvest*

37.* !N   **A 34**

KRAMNIK 2770 −
MI. ADAMS 2680
Tilburg 1997

1. ♘f3 [RR 1. c4 g6 2. ♘f3 ♗g7 3. ♘c3
c5 4. d4 cd4 5. ♘d4 ♘c6 6. ♘c2 ♗c3 7.
bc3 ♕a5 8. ♗d2 ♘f6 9. f3 d6 10. e4 ♗e6!
N (10... ♕a4 − 58/58) 11. ♘e3 (11.
♖b1!?) ♖c8 12. ♖b1 b6 *a)* 13. ♘d5?!
(×c4) ♘d7 14. h4!? (14. ♗e2) ♘c5 15.
♕c2 ♕a4 16. ♕a4 ♘a4 17. h5 ♖g8! 18.
hg6 hg6 19. ♗g5 ♘c5! (19... ♔d7?! 20.
c5! ♘c5 21. ♗b5↑) 20. ♔d2 ♔d7 21. ♗e2
♖h8∓ Smirin 2575 − Vigorito 2330, Phila-
delphia 1997; *b)* 13. ♕c2!? △ ♗e2, 0−0
Vigorito] ♘f6 2. c4 b6 3. ♘c3 c5 4. e4 d6
5. d4 cd4 6. ♘d4 ♗b7 7. ♕e2 ♘c6 8. ♘c6
♗c6 9. ♗g5! ♘d7 [9... h6 10. ♗f6 (10.
♗h4!? ♘d7) gf6 11. 0-0-0 e6 12. ♔b1 ♗e7
(12... ♕c7 13. ♘d5) 13. f4 ♕c7 14. g3 0-0-0
15. f5± ♔b8 16. fe6 fe6 17. ♗h3 ♗d7 18.
♘b5!?] 10. 0-0-0 h6 N [10... ♕c8 − 29/89]
11. ♗e3 [11. ♗h4 g5!? 12. ♗g3 ♗g7] e6
12. ♗d4 [12. f4 ♗e7] e5 13. ♗e3 ♗e7 14.
♔b1 0−0 15. f3 [15. h4 a6? 16. g4→; 15...
♘c5□] a6 [15... ♘c5!?] 16. ♘d5 ♗d5 17.
♖d5± [17. cd5 ♗g5! (17... b5 18. g3±) 18.
♗f2 (18. g3 ♗e3 19. ♕e3 a5 20. ♗b5
♘c5±) h5 19. h4 ♗h6±] ♕c7 18. g3 [18.
♕d1!?] ♘f6 19. ♖d2 [19. ♖d1±] b5!□
[19... ♖fc8 20. ♗h3] 20. ♗h3?! [20. cb5
ab5 21. ♕d1± ♖a5] bc4 [20... ♕c4 21.
♕c4 bc4 22. ♖c1 ♖fd8 (22... d5 23. ed5
♖fd8 24. d6±) 23. ♗b6 (23. ♖c4 d5) ♖db5

24. ♗c7±] 21. ♖c1 d5! 22. ed5 ♖fd8 23.
d6 [23. ♖c4 ♕a5; 23. ♕c4!? ♕c4 24. ♖c4
♘d5 25. ♗c5 ♗c5 26. ♖c5 ♘c3 27. ♔c2
♖d2 28. ♔d2 ♘a2 29. ♖e5±] ♖d6 24. ♕c4
[24. ♖d6 ♕d6 25. ♕c4 ♖d8⇆ 26. ♗f5
♘d5] ♕c4 25. ♖c4 ♘d5! 26. ♗f2 [26.
♗c5 ♘b6!□ (26... ♘c3 27. bc3 ♖d2 28.
♗e7 ♖h2 29. ♖c8 ♖c8 30. ♗c8+−) 27.
♖d6 ♘c4 28. ♖d5 ♗c5 29. ♖c5 ♘d2 30.
♔c2 ♘f3 31. ♗g2 (31. ♖c8 ♖c8 32. ♗c8
a5!∞; 31. b4 ♖a7∞) e4 32. ♗f3 ef3 33.
♖f5=] ♘c3 [26... ♖ad8 27. ♖d3±] 27.
♔c2 ♖d2 28. ♔d2 ♘a2 29. ♖c8 ♖c8 30.
♗c8± ♘b4 [30... a5] 31. ♔c3 a5 32. ♗b7!
[△ ♗b6; 32. ♔c4 ♘c2=] ♖d8□ 33. ♗e4
[33. ♔c4 f5] g6 34. g4 ♔f8! [34... ♔g7?!
35. ♔c4 ♔f6 36. ♗h4 g5 37. ♗f2± ×h6]
35. ♔c4 [35. ♗c5 ♔e8? 36. ♗d6; 35...
♗e7? 36. ♗b6; 35... ♔g7□ △ ♗f6-e6]
♔e8 [35... ♔e7? 36. ♗h4 ♔e8 (36... g5 37.
♗f2±) 37. ♗d8 ♔d8 38. ♔b5±] 36. h4
[36. ♔b5 ♔d7 37. ♗b6? ♗b6 38. ♔b6
♔d6 39. ♔a5 ♔c5; 36. ♗e3 h5 37. g5
♔d7 38. h4; 37... h4! ×g5] ♔d7 37. h5
gh5 38. ♗f5 [38. gh5!? ♔e6 39. ♗e3 f5
40. ♗b1 (40. ♗b7 f4 41. ♗c5 ♔f5) f4 41.
♗c5± ♔f6 (41... ♘c6!? 42. ♗e4 ♘d4 43.
♗f8 ♗g5) 42. ♗d6 ♘c6!? 43. ♔d5] ♔c7
[38... ♔e7! 39. gh5 ♔f6 40. ♗g4 (40. ♗e4
♔g5) ♔g7=] 39. gh5 ♗g5 40. ♗b5 ♘c6
41. ♗b6 [41. ♗e4 ♘d4 42. ♔a5 f5=] ♔d6
42. ♗c5 ♔c7 43. ♗b6 ♔d6 44. ♗e4 ♘d4
45. ♔a5 f5 46. ♗a8 ♗e3! 47. ♗a4 [47. b4
♘b3 48. ♔a4 ♗b6 49. ♔b3 e4=] e4! 48.
fe4 [48... f4= 49. b4 ♘c6]   1/2 : 1/2
                                  Kramnik

38.** !N   **A 34**

KRAMNIK 2770 −
J. POLGÁR 2670
Tilburg 1997

1. ♘f3 ♘f6 2. c4 c5 3. ♘c3 ♘c6 4. g3 d5
5. d4 cd4 6. ♘d4 dc4 7. ♘c6 ♕d1 8. ♘d1
bc6 9. ♗g2 ♘d5 10. ♘e3 e6 11. ♘c4 ♗a6
12. b3 ♗b4 13. ♗d2 ♔e7 14. ♖c1 ♖hc8
[RR 14... ♖ac8 15. ♗b4 ♘b4 16. a3 ♘d5
17. ♘a5 c5 18. ♖c2 N (18. 0−0 − 65/39)
♖c7 19. 0−0 ♖hc8 20. ♖fc1 ♘b6 21. ♗f1
f5 22. e3 ♗f1 23. ♔f1 g5 24. ♔e2 ♔f6 25.
h3 h5 26. ♘c4 ♖b8 27. ♘a5 ♖bc8 28.

♘c4 ♖b8 29. ♘d2 ♖bc8 30. e4 g4 31. hg4 hg4 32. ♔e3 ♖g5 33. ♘c4 ♖b8 34. ♘d2 ♖bc8= Ķeņģis 2585 − Cu. Hansen 2605, Århus 1997] **15. ♗b4 ♘b4 16. a3 ♘d5 17. ♘a5! N** [17. e4 ♗c4 (17... ♘b6 18. ♘a5 c5 19. f4±) 18. ♖c4 ♘b6 19. ♖c5 ♘d7 20. ♖c3 a5 21. ♔d2 ♖a6 22. ♗f3?! N (22. f4 − 65/(39)) ♘b6 23. ♗d1 c5! 24. ♗c2 ♖d6 25. ♔e3 ♖d4 26. ♖c1 e5 27. ♗d3 ♔d6 28. h4 *a)* 28... f6!? 29. h5 h6 30. ♗b5 (30. f4?! ♖e8!) ♘b6 31. f4 ♖c7 − 28... h6; *b)* 28... h6 29. ♗b5 ♘b6 30. f4 f6 *b1)* 31. fe5 fe5 32. ♖f1 c4 33. ♖f7 cb3 34. ♖b3 a4 (34... ♘c4 35. ♗c4 ♖cc4 36. ♖g7 ♖e4 37. ♔f3 ♖e1) 35. ♖d3 ♖c5 36. ♗a6 ♖a5 37. ♗b7 ♘c4 38. ♔e2 ♖d3 39. ♔d3 ♘a3 40. ♖g7 ♖a7 41. ♖g6 ♔c5 42. ♗d5 ♘b5 43. ♖h6 ♖g7 B. Alterman; *b2)* 31. h5 ♖c7 32. fe5 fe5 33. ♖f1 a4 34. ba4 1/2 : 1/2 Bareev 2665 − B. Alterman 2595, Pula 1997] **c5 18. e4 ♘f6 19. e5 ♘d5 20. ♔d2** [20. f4 ♖ab8] **♖ab8 21. b4! f6?** [21... c4 22. ♗d5 ed5 23. ♔c3± d4 24. ♔d4 ♖d8 25. ♔e4; 21... ♖b6 22. ♗d5 ed5 23. ♖c5 ♖c5 24. bc5 ♖b2 25. ♔c3↑] **22. ♗d5?!** [22. ♖he1! fe5 23. ♖e5 ♔f6 24. ♖ce1 ♖b6 25. ♗h3 ♘c7□ 26. ♖c5 ♖d6 27. ♔c1+−] **ed5 23. ♖c5 ♖c5 24. bc5 ♖b2** [24... ♖b5 25. ♘c6+− ♔d7 26. ♘b4] **25. ♔c3 ♖b5□** [25... ♖f2 26. ♘c6 ♔e6 27. ♘d4!+− ♔e5 28. ♖e1] **26. ef6 ♔f6 27. ♘b3 d4 28. ♘d4 ♖c5 29. ♔b2 ♖d5 30. ♘b3± ♗b5** [30... ♗c4 31. ♖c1 ♗b3 32. ♔b3 ♖b5!? △ 33. ♔c3 ♖c5 34. ♔d2 ♖c1 35. ♔c1 ♔e5 36. ♔d2 ♔d4; 32. ♖c6!±] **31. ♖c1 g5! 32. ♖c8!** [32. ♖c7 ♖f5↺; 32. ♖c5 ♖c5 33. ♘c5 ♔f5] **h5** [32... ♖f5? 33. ♖f8 ♔g6 34. ♖f5 ♔f5 35. ♘d4] **33. ♘c5?** [33. ♔c3 ♖d1!±] **♔f5! 34. ♖f8** [34. f3 ♗e2! (34... ♖d2 35. ♔c3 ♖h2 36. ♘e4±) 35. ♖f8 ♔g6 36. ♘e4 ♔g7] **♔g4 35. ♘e4 ♔h3 36. ♖h8 ♔h2** [36... g4!? 37. ♘f6 ♖f5 38. ♖h5 ♖h5 39. ♘h5 ♔h2 40. ♘f6 ♗e2 41. ♔c3 ♔g2 42. ♘e4 ♔f3 43. ♔d4 a5! 44. ♔e5 ♗d3 45. ♘g5 ♔f2 46. ♔f4 a4 47. ♔g4 ♔e3=; 37. ♔c3!? △ 37... ♔h2 38. ♘f6 ♖f5 39. ♘g4 ♔g1 40. ♘e3 ♖f2 41. ♖h5 ♖f3 42. ♔d4] **37. ♖h5 ♔g2 38. ♘c3** [38. f4! ♗d3 (38... ♗c6? 39. ♖g5 ♖g5 40. ♘g5 ♔g3 41. f5 ♔f4 42. f6+−) 39. ♘f6 ♖f5 40. fg5 ♔g3 41. ♔c3±] **♖f5! 39. g4** [39. f4 ♔g3

40. ♖g5 ♖g5 41. fg5 ♗d3=] **♖f2 40. ♔b3 ♗d7 41. ♖g5 ♗e6 42. ♔b4 ♖f4 43. ♔a5 ♖g4 44. ♖g4 ♗g4 45. ♔a6 ♔f3 46. a4** [46. ♔a7 ♔e3 47. ♔b6 ♔d3 48. ♘b5 ♗d1=] **♔e3 47. ♘b5** [47. ♔a7 ♔d4] **♗d1! 48. a5 ♗e2 1/2 : 1/2** *Kramnik*

39.*** A 34

PUŠKOV 2525 − PSAKHIS 2610
New York 1997

1. ♘f3 c5 2. c4 ♘c6 [RR 2... ♘f6 3. ♘c3 d5 4. cd5 ♘d5 5. e4 ♘b4 6. ♗b5 *a)* 6... ♘4c6!? 7. d4 cd4 8. ♕d4! (8. ♘d4 ♗d7 9. 0−0 e6 10. ♗e3 ♗e7 11. ♘b3 ♘a6=) ♕d4 (8... ♗d7!?) 9. ♘d4 ♗d7 N (9... a6 10. ♘c6 ♘c6 11. ♗c6 bc6 12. ♗e3 △ 0-0-0±; 9... e5) 10. ♘b3! e6 11. 0−0 ♗b4 12. ♖d1 a6 (12... ♗c3 13. bc3 ♘e5 14. ♗e2 0−0 15. f4 ♘g6 16. c4±) 13. ♗e2 ♘a5 14. ♗e3 ♘b3 15. ab3 ♘c6 16. ♘a4 ♔e7 (16... ♘a5? 17. ♗c5!± Mihal'čišin) 17. ♖ac1 ♖ac8 18. ♘c5± Mihal'čišin 2515 − Ceškovskij 2500, Jugoslavija 1997; *b)* 6... ♘8c6 7. d4 cd4 8. a3 dc3 9. ♕d8 ♔d8 10. ab4 cb2 11. ♗b2 e6 12. 0−0 ♗d7 N (12... f6 − 55/51) 13. ♗c6 ♗c6 14. ♘e5 ♔e8 15. ♘c6 bc6 16. ♖a4 f6 17. ♖fa1 ♔f7 18. ♖a7 ♖a7 19. ♖a7 ♗e7 20. ♖c7? (1/2 : 1/2 Lautier 2660 − G. Kasparov 2820, Tilburg 1997) c5!!∓; 20. ♔f1=] **3. ♘c3 ♘f6 4. g3 d5 5. cd5 ♘d5 6. ♗g2 ♘c7 7. 0−0 e5 8. d3** [RR 8. b3 ♗g4 9. ♗b2 N (9. ♘e1 − 50/49) ♕d7 10. ♖c1 f6 11. ♘e4 ♘a6 12. ♘e1 ♗e7= 13. f4?! ♘d4! 14. ♗d4 ed4 15. ♘f2 ♗e6 16. e3 de3 17. de3 ♕d1 18. ♖d1 ♘b4 19. a3 ♘c6 20. ♗d5 ♗d5 21. ♖d5 ♖d8 22. ♖d8 ♔d8 23. ♘ed3 ♔c7 24. ♖c1 b6∓ V. Akopian 2655 − Kortchnoi 2635, Úbeda 1997] **♗e7 9. ♗e3 ♗d7 10. ♘d2 0−0 11. ♘c4 b6 N** [11... f6!? 12. a4 (12. f4 − 56/(47)) ♔h8 13. f4 ef4 14. ♗f4 ♗e6 15. ♗c7 ♕c7 16. ♘d5 ♕d7=] **12. ♗c6** [12. a4 ♖b8 (12... ♖c8!?) 13. f4 ef4 14. ♗f4 ♖c8] **♗c6 13. ♘e5 ♗b7∞ 14. ♕a4!? ♗f6! 15. ♘f3** [15. ♘d7 ♗c3 16. ♘f8 (16. bc3 b5 17. ♕g4 f5−+) ♗b2 (16... b5 17. ♕g4; 16... ♗d4 17. ♗d4 ♕d4 18. ♕d4 cd4 19. ♘d7 ♖e8 20. ♖ac1 ♘d5 21. ♖c4) 17. ♖ab1 ♗d4 (17... ♕d5 18. ♕e4 ♕e4 19. de4 ♗c3 20.

♘d7 ♗e4 21. ♖bc1) 18. ♗d4 ♕d4 19.
♕d4 cd4 20. ♘d7 ♖e8 21. ♖bc1 ♘d5∞;
15. ♘g4 ♗d4 (15... ♗c3 16. bc3 ♖e8) 16.
♗d4 cd4 17. ♘d1 ♖e8↑; 15. f4!? ♖e8 16.
♕b3] ♗f3 16. ef3 ♕d3 [16... ♗c3?! 17.
bc3 ♕d3 18. c4±] 17. ♖fd1 ♕f5 18.
♕e4!= ♕c8!? [18... ♕e4 19. fe4 ♗c3 20.
bc3 ♘b5 21. ♖ac1 ♖ad8 22. ♖d5] 19. ♖d2
♖e8 20. ♕c2 [20. ♕c6 ♖e6 (20... ♘e6 21.
♕c8 ♖ac8 22. ♘e4 ♗e5 23. f4) 21. ♕d7
♖e7] ♘e6 21. ♘e4 ♗e7 22. ♖ad1 ♕c6 23.
f4 ♖ad8 24. f5 ♘c7 25. ♘g5?! ♖d2 26.
♕d2 ♖d8 [26... ♗g5 27. ♗g5 ♕f3 28.
♕d7; 26... h6 27. ♕d7!] 27. ♕c2 [27. ♕d8
♗d8 28. ♖d8 ♘e8∓] ♖d1 28. ♕d1 ♘d5∓
29. ♕f3 [29. ♕h5 ♗g5 30. ♕g5 ♕e8] ♗f6
30. b3 ♗g5 [30... b5 31. ♘e4] 31. ♗g5 f6
[31... b5 32. f6!] 32. ♗d2 c4 [32... b5!?]
33. bc4 ♕c4 34. ♕a3 ♕c2! 35. ♕d6! ♕b1
[35... ♕d2 36. ♕e6? ♔f8 37. ♕c8 ♔e7 38.
♕e6 ♔d8 39. ♕d6 ♔c8 40. ♕c6 ♔b8 41.
♕d6 ♔b7 42. ♕d7 ♔a6 43. ♕a4 ♕a5−+;
36. ♕d8; 35... ♕f5 36. ♕b8 ♔f7 37. ♕a7]
36. ♔g2 ♕e4 37. ♔g1 h5!? 38. ♕b8 ♔h7
39. ♕a7 h4 40. ♕a6!= [40. ♕f7 ♕f5∓]
h3 41. ♕f1 ♕f5 42. f3 ♔g8 43. ♕e2 ♕b1
44. ♔f2 ♕a2 45. ♕e8 ♔h7   1/2 : 1/2
Psakhis

40.*** !N   A 35

GREENFELD 2540 − YUDASIN 2610
Jerusalem 1997

1. ♘f3 [RR 1. e4 c5 2. ♘f3 e6 3. c4 ♘c6 4.
♘c3 ♘d4?! N (4... ♘f6 − 67/50, A 34) 5.
♘d4 cd4 6. ♘e2 ♕b6 7. ♘g3 g6 8. ♗e2
♗g7 9. 0−0 ♘e7 10. d3 0−0 11. ♗g5 f6
12. ♗d2 a5 (12... ♕b2?! 13. ♖b1 ♕a2 14.
♗b4!±) 13. ♕c1 d6 14. ♖b1 ♗d7 15.
♗h6 ♖fc8 16. ♗g7 ♔g7 17. f4±↑ d5?! 18.
e5! f5 (18... dc4 19. ef6 ♔f6 20. f5! ef5 21.
♕h6±→) 19. b3 ♕c5 20. ♗f3 ♗c6 21.
♘e2± ×d4 Rublevskij 2645 − P. Tregu-
bov 2525, Krasnodar 1997; 1. d4 ♘f6 2.
c4 c5 3. e3 g6 4. ♘c3 ♗g7 5. ♘f3 0−0 6.
♗e2 cd4 7. ♘d4 ♘c6 8. 0−0 d6 9. b3
♗d7 10. ♗b2 ♘d4! N (10... a6 − 19/11)
11. ♕d4 (11. ed4 a6 △ ♖b8, b5⇆) ♗c6
12. ♕d2 (12. ♘d5?! ♗d5! 13. cd5 ♘e8
14. ♕d2 ♗b2 15. ♕b2 ♕b6 16. ♖ac1 ♘f6
17. ♗f3 ♖fc8 △ a5∓) ♕a5 a) 13. ♖fd1

♕g5!? (13... ♘e4 14. ♘e4 ♕d2 15. ♖d2
♗b2 16. ♖b2 ♗e4=) a1) 14. f3 ♗h6 15.
♔f2 ♖fd8 16. ♘d5 ♗d5 17. cd5 (17. ♗f6
ef6! 18. cd5 ♕h4 19. ♔g1 ♖e8 20. f4
f5∓⇩↑) ♘d5!! (17... ♕h4 18. ♔g1 ♘d5
19. g3! ♗e3 20. ♕e3! ♘e3 21. gh4 ♘d1
22. ♖d1 ♖ac8 23. ♗d3∞) 18. ♕d5 (18. f4
♘f4! 19. ef4 ♕h4 20. ♔g1 ♗f4 21. g3!□
♗d2 22. gh4 ♗e3 23. ♔g2 h5! △ ♖ac8∓)
♕h4 19. ♔g1□ ♗e3 20. ♔h1 ♗f4 21.
h3□ ♕g3 22. ♔g1 ♕h2 (22... ♗e3 23.
♔h1) 23. ♔f2 ♗g3 24. ♔e3 ♕g2∓↑; a2)
14. ♗f1 ♖fd8 △ d5∓; b) 13. ♘e4!? ♕d2 14.
♘d2 ♖fd8 15. ♖fd1 a5 16. ♗f3 ♘d7 17.
♗g7 ♔g7 18. ♔f1 (18. ♗c6 bc6 △ ♖db8,
♘c5, a4↑≪ A. Simonović) f5! 19. ♘b1 ♘c5
20. ♘c3 g5 21. h3 ♔g6! 22. ♔e2 h5↑↑≫ S.
Mirković 2390 − A. Simonović 2420, Ju-
goslavija 1997] c5 2. c4 ♘c6 3. ♘c3 ♘d4
[RR 3... g6 4. e3 d6 5. d4 ♗g4 6. d5 (6.
♗e2 − 19/57) ♘e5 7. ♗e2 ♘f3 8. ♗f3 N
(8. gf3) ♗f3 9. ♕f3 ♗g7 10. e4 ♘f6 11.
0−0 0−0 12. ♗g5 ♘d7 13. ♖ac1 a6 14.
♕e2 ♖e8 a) 15. f4? ♕a5 16. ♖f3 (16. a4
♕b4! △ ♘b6↑) b5! 17. ♘d1 (17. cb5 ab5
18. ♘b5 ♖eb8 19. ♖a3 ♕b6 20. ♖a8 ♖a8
21. ♘c3 c4 22. ♔h1 ♘c5 23. ♗e7? ♘d3
24. ♖c2 ♗c3!−+) bc4 18. ♖a3 ♕c7 19.
♖c4 e6!∓ Kušč 2405 − Malahatko 2405,
Ukrajina (ch) 1997; b) 15. ♗d2! △ ♘d1,
♗c3= Malahatko] 4. ♘e5 ♕c7 [4... g6 −
50/(50)] 5. f4 [5. ♘d3 f6?! N [5... ♘c6] 6.
♘g4! [△ e3, d4⊞; 6. ♘d3 e6 7. e3 ♘f5□]
♕f4?! [⌐ 6... e6] 7. e3 ♘c2 8. ♕c2 ♕g4
9. d4! cd4 [9... e6 10. ♗e2±⟳] 10. ed4
[10. ♗e2 d3!] ♕d4 11. ♘d5 ♔f7 [11...
e6?! 12. ♘c7 ♔d8 13. ♘a8 ♗b4 14. ♗d2
♕h4 15. g3 ♗d2 16. ♔d1!+−; 11... ♕e5
12. ♗e2 △ ♗f4] 12. ♗e3 ♕e5 13. 0-0-0
g6!□ [△ ♗h6] 14. ♗d4 [14. ♔b1!? d6 15.
♗d3 ♗f5 16. ♖hf1 ♗d3 17. ♕d3↑] ♕b8
[14... ♕g5 15. ♔b1 △ h4 ×♕g5] 15.
♗d3↑≫⟳ d6 [15... ♗h6 16. ♔b1 e6 17.
♘f6! ♘f6 18. ♕c3] 16. h4!→ e5 17. h5!
♗h6 [17... ed4? 18. hg6 ♔g7 19. ♖h7 ♖h7
20. gh7 ♘h6 21. ♕f2 ♘g4 22. h8♕! ♔h8
23. ♖h1+−; 17... g5 18. ♗h7+−] 18. ♗e3
♗g4?! [18... f5 19. g4→; 18... ♗e3 19. ♘e3
g5 20. c5!?→] 19. ♗g6! [19. hg6 hg6 20.
♗g6 ♔g7] ♔g7 20. ♖df1 ♗e3 21. ♘e3
♗e6 22. h6!+− ♔f8 [22... ♘h6 23. ♖h6

♔h6 24. ♖f6] **23. ♗h7 ♔e7 24. ♕g6?!⊕**
[◻ 24. ♗f5 ♘h6 25. ♗e6 ♔e6 26. ♕g6
♕f8 27. ♘d5] **♕f8 25. ♕g7 ♕g7 26. hg7**
♖h7 **27. ♖h7 ♖c8 28. ♔d2 ♔f7 29. b3**
♔g6 **30. ♖hh1 ♖d8** [◻ 30... f5] **31. g4**
♔g7 **32. ♔c3 d5?! 33. cd5 ♗d5 34. ♘f5**
♔g6 **35. ♖h8 ♖c8 36. ♔b2 ♗g5? 37. ♖h7**
♔g4 **38. ♘e3**   **1 : 0**   *Greenfeld*

K. SPRAGGETT 2580 –
BECERRA RIVERO 2510

Cienfuegos 1997

**1. ♘f3 ♘f6 2. g3 g6 3. b3 ♗g7 4. ♗b2 c5
5. c4 0–0 6. ♗g2 ♘c6 7. 0–0 d6 8. d3 e5
9. ♘c3 ♘e8 10. e3 N** [10. ♘d2 — 30/96]
**♘c7 11. ♘e1 ♗e6 12. ♘d5 ♗d5 13. cd5
♘e7 14. e4 ♘b5 15. ♘c2 ♕d7 16. ♘e3
♘d4 17. a4 ♖ab8 18. ♘c4 ♘c8 19. ♖a2
♘b6 20. ♗d4 cd4 21. ♕d2 ♖fc8 22. h4
♘c4 23. bc4 ♖c5 24. ♔h2 ♕c7 25. ♗h3
♖a5 26. h5 b6 27. ♖b1 ♗f6 28. ♖b5 ♖b5?**
[28... a6 29. ♖b1 (29. ♖a5 ba5 30. ♖b2
♖b2 31. ♕b2 ♗g5=) ♕d8=] **29. cb5!**
[29. ab5 ♕e7=] **♕e7 30. ♖c2 ♗g5** [30...
gh5? 31. ♕h6] **31. ♕e2 ♖f8 32. ♔g2 ♔g7
33. ♖c6 ♕h6◻ 34. hg6** [34. ♕c2 gh5 35.
♖c7 ♕f6 36. ♖a7 h4⇆] **hg6 35. ♕e1** [35.
♕c2 ♕f6 36. ♖c7 ♖a8 37. ♕c6 ♖h8 38.
♖a7 ♔g7 39. ♗e6 ♖h2 40. ♔h2 ♕f2=]
**♕g7 36. ♕b4 ♖d8 37. ♕c4 ♕f6 38. ♖c7
♖h8 39. ♕c2**

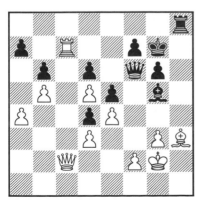

39... ♖h3!! 40. ♔h3 ♕f3 41. ♔h2 [41.
♕b1!? *a)* 41... ♕f2? 42. ♕d1! (42. ♖a7
♗f4–+; 42. ♖c2 ♕f3∓) ♗f4 43. gf4 ef4

44. ♕g4 ♕e3 (44... ♕f1 45. ♕g2 ♕d3 46.
♔g4+–) 45. ♔g2 (45. ♔h4 f3! 46. ♖f7
♔f7 47. ♕d7 ♔g8 48. ♕d6 f2 49. ♕g6
♔h8 50. ♕f6 ♔h7 51. d6 ♕e1=) ♕d2 46.
♔f1 ♕d3 47. ♕e2 ♕h3 48. ♔e1! (48.
♕g2 ♕d3 49. ♔e1 f3 50. ♕c2 ♕e3 51.
♔f1 g5⊕) g5 49. ♔d2 g4 50. ♕f2 f3 51.
♕d4 ♔g6 52. ♖c8+–; *b)* 41... ♗e3!! *b1)*
42. ♕g1? ♗f2 43. ♕h2 ♕h5 44. ♔g2 ♕e2
45. ♔h3=; 43... ♗e3∓; *b2)* 42. fe3 ♕h5
43. ♔g2 ♕e2=] **♗e3!! 42. fe3 de3 43.
♕g2 ♕h5**   **1/2 : 1/2**
Becerra Rivero, Ale. Moreno

GEL'FAND 2700 – SHORT 2690

Novgorod 1997

**1. d4 e6 2. c4 b6 3. e4 ♗b7 4. ♗d3 ♘c6 5.
♘e2 ♗b4 6. ♘bc3 ♘d3 7. ♕d3 d6 8. 0–0
♘e7 N** [8... ♘f6 — 58/64] **9. d5!± ♕d7 10.
f4 g6 11. ♘d4?!** [11. ♗e3 ♗g7 12. ♗d4±]
0-0-0! 12. b4?! [12. de6 fe6 13. ♕h3 ♗g7
14. ♘e6 ♗c3 15. bc3 ♖de8 (15... ♗e4!?
16. ♘d8 ♕h3 17. gh3 ♔d8) 16. ♖e1 ♘g8!
17. f5 ♘f6∓; ◻ 12. a4 c5!? 13. dc6
♘c6∞] **♗g7 13. b5?** [13. ♗e3] **♗d4! 14.
♕d4 f5∓ 15. ♖e1** [15. ♗b2 ♖he8 16.
♖ae1] **♖he8 16. ♗b2 fe4 17. ♘e4** [◻ 17.
♖e4 ed5 18. cd5 ♘f5 19. ♕d3] **♘g8! 18.
♘c3 ♕f7 19. ♖e3** [◻ 19. ♖ad1] **ed5 20.
♘d5** [20. ♖e8 ♖e8 21. cd5 ♘e7 22. ♖d1
♘f5∓] **♖e3 21. ♕e3** [21. ♘e3 ♖e8 22.
♘d5 ♘e7 23. ♘f6 ♘f5 24. ♕d2 ♖e6 25.
♘d5 ♘e7∓] **♗d5 22. cd5 ♕d5∓ 23. a4
♔b8 24. a5⊕** [24. ♗c3; 24. h3] **♕b5–+
25. ab6 ab6 26. ♗d4 ♕c6 27. ♖c1 ♕b7
28. f5 gf5 29. ♕g5 ♖e8 30. ♕h5** [30. ♕f5
♕e4] **♕e4 31. ♗f2 ♘f6 32. ♕f7 ♕e7 33.
♕a2 ♘g4 34. ♖a1 ♕e4 35. ♕a7 ♔c8 36.
♖c1 ♕b7 37. ♕a4** [37. ♕b6 ♖e1!] **♖e7
38. ♕b3**   **0 : 1**   *Short*

V. BABULA 2545 – MOKRÝ 2500

Olomouc 1997

1. d4 d6 2. ♘f3 ♗g4 3. c4 g6 4. g3 N [4.
e3 — 60/56] **♗g7** [4... ♗f3!?] **5. ♗g2 ♕c8**
[△ ♗h3; 5... e5? 6. de5 de5 7. ♕d8 ♔d8

8. ♘g5; 5... ♘c6 6. d5 (6. 0–0?! ♗f3?! 7. ♗f3 ♘d4 8. ♗b7 ♖b8 9. ♗g2±; 6... e5=) ♗f3 7. ♗f3 ♘e5 8. ♗g2±] **6. 0–0** [6. h3!? ♗d7 7. ♘c3 △ 0-0-0] **♗h3 7. e4 ♗g2 8. ♔g2 e5** [8... c5 9. d5 ♘f6 10. ♘c3 0–0±; 8... ♘f6 9. e5↑] **9. de5?!** [△ 9. c5!? *a*) 9... dc5?! 10. de5 *a1*) 10... ♘d7? 11. ♗f4 *a11*) 11... h6 12. h4 g5?! 13. hg5 hg5 14. ♘g5 ♘e5 (14... ♗e5 15. ♕d5+−) 15. ♗e5 ♗e5 16. ♕d5+−; *a12*) 11... ♘e7 12. ♘c3 0–0 (12... c6 13. ♕d6; 12... ♘c6 13. ♕d5) 13. ♘d5 ♘c6 (13... ♖e8?! 14. e6+−) 14. ♕c1 ♔h8 (14... ♖e8?! 15. e6+−; 14... ♕d8?! 15. e6+− fe6 16. ♘c7 ♖f4 17. ♘e6) 15. ♗h6 ♖e8 16. ♗g7 ♔g7 17. ♕c3+; *a2*) 10... ♘c6 11. ♕d5 ♕e6 12. ♕c5 ♘e5 *a21*) 13. ♕c7?! ♘f3 14. ♕b7 (14. ♔f3 ♘f6) ♘h4 15. ♔h1 ♖d8∞; *a22*) 13. ♘e5 ♕e5 (13... ♗e5? 14. ♕b5) 14. ♕b4 0-0-0 15. ♘c3±; *b*) 9... ed4 10. cd6 c5 11. b4↑ △ 11... cb4 12. e5!? ♘c6 13. ♖e1] **de5 10. b3** [△ ♗a3 ×♔e8] **f6!** [△ ♘h6-f7; 10... ♘c6? 11. ♘c3! *a*) 11... ♘ge7 12. ♗a3 ♘d4 (12... 0–0 13. ♘d5 ♖e8 14. ♖c1±) 13. ♘d4 ed4 14. ♘d5 c5 15. b4±; *b*) 11... ♘d4 12. ♘b5! a6 (12... ♘e7?! 13. ♘fd4 ed4 14. ♗f4+−; 12... ♘f3 13. ♕f3 a6 14. ♘c3±; 12... ♘b5 13. cb5±) 13. ♘bd4 ed4 14. ♗b2 c5 15. b4±; 10... ♘f6? *a*) 11. ♗a3? ♘e4 12. ♖e1 *a1*) 12... f5? 13. ♘bd2 ♘d6 (13... ♘d2?! 14. ♘e5 ♘e4 15. ♕d5+−; 13... ♘c3?! 14. ♕c2 e4 15. ♘e4! fe4 16. ♖e4+−) 14. ♘e5 0–0 15. ♘df3±; *a2*) 12... ♘d6 13. ♘e5 (13. ♗d6?! cd6 14. ♕d6 ♕d7!= 15. ♖e5?! ♔d8!) 0–0 14. ♘c3 ♖e8±; *b*) 11. ♘c3 0–0 12. ♗a3±; 10... ♘e7? 11. ♗a3 ♕e6 (11... c5 12. ♕d6; 11... c6 12. ♕d6) 12. ♘c3 c6 13. ♕e2± △ ♖ad1; 10... c5? 11. ♗a3 b6 12. ♘c3 ♘e7 (12... ♘c6 13. ♘b5±) 13. ♕d6±; 10... ♕d7?! 11. ♘c3 (11. ♕e2?! ♘c6!∞) ♕d1 (11... c6? 12. ♕e2±) 12. ♖d1 c6±] **11. ♘c3** [11. ♗a3 ♗f8!] **♘h6** [11... ♗f8? 12. ♘h4± △ f4] **12. ♗a3 ♘f7?!** [△ 12... ♗f8!∞ 13. ♗f8 (13. ♕c1 ♘f7 14. ♘d5 ♘d7) ♔f8 14. ♘h4 ♔g7] **13. ♘h4±** [△ f4] **c6** [13... ♘c6? 14. ♘d5!±; 13... ♕d7? 14. ♕d7 ♘d7 (14... ♔d7 15. ♖ad1±) 15. ♘b5 ♔d8□ 16. ♖ad1 a6 (16... c6 17. ♖d3) 17. ♘c3±; 13... ♘g5?! 14. f4 ef4 15. ♖f4; 13... ♗f8 14. ♗f8 ♔f8 15. f4±] **14. f4 ♘d7** [14... ef4?

15. gf4± △ e5; 14... ♘a6± 15. fe5 *a*) 15... ♘e5? *a1*) 16. ♕d6? ♕d7 17. ♖f6 ♕d6 (17... ♗f6? 18. ♕f6 ♕d2 19. ♔f1 ♕d3 20. ♔g1+−) 18. ♖d6 ♗f8! (18... ♘c4? 19. ♖e6 ♔d8 20. bc4 ♗c3 21. ♖d1 ♔c8 22. ♖e7±) 19. ♖e6 ♔f7 20. ♖e5 ♗a3⨱ ×♖e5; *a2*) 16. ♘f5! gf5 17. ♕h5 ♘f7 (17... ♘g6?! 18. ef5 ♔f7 19. ♘e4 ♔g8 20. fg6 hg6 21. ♘f6 ♗f6 22. ♕g6 ♗g7 23. ♕f7 ♔h7 24. ♖f4+−; 17... ♔d8?! 18. ♖ad1 ♔c7 19. ♗d6 ♔b6 20. ♘a4 ♔a5 21. ♕e2+−) 18. ef5 c5 19. ♖ae1 ♔f8 20. ♘d5 ♕d7 (20... ♘e5?! 21. ♖e5 fe5 22. f6+−) 21. ♖e6±; *b*) 15... fe5] **15. ♕g4** [15. f5?! g5□ 16. ♘g6 hg6 17. fg6 *a*) 17... ♘h6? 18. ♕d6 ♘g8 (18... ♗f8 19. g7!; 18... c5 19. ♘d5) 19. ♕e6 ♔d8 20. ♕f7+−; *b*) 17... ♘f8 18. gf7 ♔f7 19. ♖f5 ♘e6∞] **♘f8?** [△ 15... ♘b6□ 16. ♕e2 ♕c7± 17. ♖ad1 ♖d8 18. ♕g4 ♕c8] **16. ♘f5! ♖g8** [16... ♗h6 17. ♘h6 ♘h6 18. ♕h4 ♘g4 19. fe5+−; 16... gf5 17. ♕g7+−; 16... ♘e6 17. fe5! *a*) 17... ♘e5 18. ♘d6!?+− (18. ♘g7 ♘g7 19. ♕c8 ♖c8 20. ♖f6+−) ♔d8 (18... ♔d7 19. ♕d1) 19. ♕h3 ♕d7 20. ♖ad1; *b*) 17... fe5 18. ♕h4! ♕d8 (18... ♕c7 19. ♘g7 ♘g7 20. ♕f6 ♖g8 21. ♖ad1+−) 19. ♗e7! ♕d2 (19... ♕c7 20. ♘g7 ♘g7 21. ♖f7! ♔f7 22. ♕f6 ♔g8 23. ♖f1 h5 24. ♕f7 ♔h7 25. ♖f6+−) 20. ♖f2 ♕c3 21. ♘g7 ♘g7 22. ♕f6 ♘f5 (22... ♕a1 23. ♕f7+−) 23. ef5 ♕a1 24. fg6+−; *c*) 17... gf5 18. ef5 h5 (18... ♘eg5 19. ef6 ♗f6 20. ♖fe1 ♘e5 21. ♖e5 ♗e5 22. ♕g5+−) 19. ♕d1 ♘ed8 (19... ♘eg5 20. h4+−) 20. ef6 ♗f6 21. ♖e1 ♗e5 (21... ♘e5 22. ♘e4+−) 22. ♖e5 ♘e5 23. ♕d6+−]

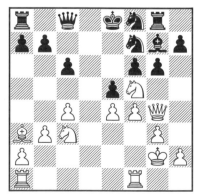

17. fe5!! [17. Ng7?! Rg7 18. Qh4!? (18. Qc8 Rc8 19. fe5 fe5 20. Rf6+ △ 20... Rd8 21. Raf1 Rd2 22. Kg1 Rc2 23. Na4 Ra2 24. Bf8 Kf8 25. Nc5) a) 18... Qe6?! 19. f5+−; b) 18... Qd8?! 19. Rad1 Qa5 (19... Nd7 20. Qh3+−) 20. Qf6 Qa3 21. Qg7 Qb2 22. Rf2 Qc3 23. fe5+−; c) 18... Nd7?! 19. fe5 Nfe5 (19... g5 20. ef6+−) 20. Rf6+−; d) 18... g5 19. fg5 fg5 20. Qh5± △ 20... Ne6?! 21. Rf6 Nd4 22. Raf1 Qd7 (22... Qc7 23. Bd6+−) 23. Qh6!+−] gf5 [17... Ne5 18. Nd6+−; 17... fe5 18. Qh4 Qe6 (18... g5 19. Qh5+−; 18... Qc7 19. Ng7 Rg7 20. Qf6 Rg8 21. Rad1+−; 18... Qd8 19. Be7! Qd2 20. Rf2 Qc3 21. Ng7 Rg7 22. Qf6 Qa1 23. Qg7 Ke7 24. Qf7 Kd6 25. b4+−) 19. Nd5! cd5 20. ed5 Qd7 (20... Qf6 21. Ng7+−; 20... g5 21. de6 gh4 22. ef7 Kf7 23. Nh6+−) 21. Ng7 Rg7 22. Qf6 Rg8 23. Rae1 (△ Re5, Qf8) Qc7 24. Bd6! Nd6 25. Re5 Kd7 26. Re7 Kc8 27. Rc7 Kc7 28. c5 Nf5 29. Qe5 Kd8 (29... Kd7 30. g4+−) 30. g4?! Nd7; 30. c6!+−] 18. ef5 fe5 [18... Ne5 19. Qh5 Kd8 20. Rad1 Nfd7 (20... Ned7 21. Qf7+−; 20... Kc7 21. Bd6 Kb6 22. Be5 fe5 23. Qf7+−) 21. Bd6 Re8 (21... Bf8 22. Be5 fe5 23. Qf7 Rh8 24. Qf6+−; 21... c5 22. Be5 Qc6 23. Kg1 fe5 24. Qf7 Kc7 25. Nb5+−) 22. Rfe1 Bf8 (22... c5 23. Nd5 Qc6 24. Bc7! Qc7 25. Qe8!+−) 23. Ne4 c5 24. Nf6 Qc6 25. Kh3 Nf6 (25... Bd6 26. Qe8 Kc7 27. Qa8 Nf6 28. Re5+−) 26. Be5 Nd7 (26... Kc8 27. Bf6 Re1 28. Re1+−) 27. Bf6! Kc7 (27... Re7 28. Re6+−) 28. Re8+−] 19. Rad1!+− [19. Ne4? (△ Qh5, Nd6) c5□ 20. Bc5 Qc6∞ △ 21. f6 h5] c5 [19... b6 20. Ne4 (△ Qg7, Nf6) c5 21. Rd5 △ Qh5, Nd6; 19... h5 20. Qh4 Qc7 (20... c5 21. Nd5 − 19... c5) 21. Ne4 a) 21... b6 22. Qh5 Rh8 (22... Rd8 23. Rd8 Kd8 24. Rd1 Kc8 25. Qf7) 23. f6!! Rh5 24. fg7 Rh8 25. gh8Q Nh8 26. Rf8#; b) 21... Rd8 22. Rd8 Qd8 (22... Nd8 23. Nd6 Kd7 24. Rd1) 23. Qh5 Rh8 24. f6! Bf6 25. Qf5; c) 21... Rh8 22. Qf6!! Rh7 23. Qg7; d) 21... Nh7 22. Qh5 Nf6 23. Qg6!] 20. Nd5 [△ f6] b6⊙ [20... h5 21. Qh4 Qd8 (21... Qd7 22. Bc5) 22. Bc5!] 21. f6!

Ng6 [21... Qg4 22. Nc7#; 21... Ne6 22. Qe6] 22. Nc7! [22. Qe6?! Kf8□] Qc7 [22... Kf8 23. Ne6 Ke8 24. Qg7] 23. Qe6 Ne7 [23... Kf8 24. Rd7 Qd7 (24... Nf4 25. Rf4 Qd7 26. Qd7!) 25. fg7 Rg7 26. Qd7] 24. fe7 Nh6 [24... Qe7 25. Qc6] 25. Rd8!   1 : 0   *V. Babula*

44.* !N   A 42

BROWNE 2540 −
WOJTKIEWICZ 2565
Chicago 1997

1. d4 g6 2. e4 Bg7 3. c4 d6 4. Nc3 e5 5. d5 [RR 5. Be3 Nc6 6. d5 Nce7 7. c5 f5 8. Bb5 Bd7! N (8... Kf7?! 9. f4!±; 8... Kf8 − 33/(89)) 9. cd6 cd6 10. Bd7 Qd7 11. Nf3 Bh6! (11... Nh6? 12. Ng5±) 12. Bh6 (12. 0−0?! f4!? 13. Bc1 g5∞) Nh6 13. Ng5 Nf7 14. Ne6 Nd8 15. ef5 Nf5 16. Ne4 Ke7 17. g4!? (17. Nd8 Rhd8! 18. 0−0 Kf7 19. g4 Nd4 20. f4 Kg7 21. f5 gf5 22. gf5 Kh8!∓ Krivošeja 2425 − Cimmerman 2410, Prerov 1997) Nh4 18. Qd3 (18. Nd8 Rad8! 19. 0−0 h5⇆) Ne6 19. de6 Qc6∞ Cimmerman] f5 [5... Nh6?! 6. h4 a5 7. Bd3 Na6 8. Nge2±] 6. ef5 gf5 [6... Bf5 7. Bd3 (7. g4?! Bd7 8. Bd3 Ne7 9. h3 h5!?) Bd3 8. Qd3 Nf6 9. Nf3 0−0 10. Ng5 Nbd7 11. Ne6 Nc5 12. Nc5 dc5 13. Bg5±] 7. Qh5 Kf8 8. Nh3! N [8. Bd3!? Qe8 9. Qd1 Nf6 10. Nh3 Na6 11. 0−0; 8. f3; 8. Nf3] Nf6 9. Qh4 Na6 10. Bd2 [10. Be2 Nb4! 11. 0−0 Nc2 12. Rb1 Nd4 13. Bd1 c5∞] Bd7 [10... c6!? 11. dc6?! bc6 12. 0-0-0 Be6 13. f4 e4 14. Be3? Ng4; 11. 0-0-0 △ 11... cd5 12. Nd5 Be6 13. Nf6 Bf6 14. Bg5! Bg5 15. Ng5 Bg8 16. Qh6+−] 11. f3! [11. 0-0-0? Ne4! 12. Qd8 Rd8 13. Ne4 fe4 14. Ng5 Bf5∓] c6 12. dc6 bc6 [12... Bc6] 13. 0-0-0 h6 [13... Qe7!? (Wojtkiewicz) 14. Bh6 Rg8 15. Ng5 a) 15... Bh6? 16. Qh6 Rg7 (16... Qg7? 17. Qf6!+−) 17. h4!±; b) 15... Nc5 16. f4! e4 17. Be2±] 14. Be3 Qe7 [14... Be6? 15. c5! Qa5 16. Rd6+−; 14... Ne8? 15. Qd8 Rd8 16. Ba7±] 15. Bd3! [15. c5!? Nc5 16. Bc5 dc5 17. Bc4 Nd5! (17... Be6?! 18. Be6 Qe6 19. Rhe1 Qf7 20.

g4!±) 18. ♕e7 ♔e7 19. ♘d5 cd5 20. ♖d5?
♗e6! 21. ♖c5 ♖hc8!∓] ♗b4 [15... f4!? 16.
♘f4 ef4 17. ♗f4 ♘e8! 18. ♕e7 (18. ♕g3?
♗c3 19. bc3 ♕f6!∓) ♔e7 19. ♖he1 ♔f8
20. ♘e4⯎] **16. ♗b1 c5 17. ♖he1 ♘c6 18.
♘b5! ♘d4** [18... ♘e8? 19. ♕e7 ♔e7 20.
♘d6! ♖d6 21. ♗c5 ♘d4 22. ♖d4+−] **19.
♗d4** [19. ♘d4 cd4 20. ♗d4 ♖c8 21. ♗c3
♕f7] **cd4 20. ♘d4 ♘d5!□ 21. ♕h5 ♖c8**
[21... ♘f6 22. ♕g6 ♗e8 23. ♕f5+−] **22.
♗f5 ♖c4 23. ♔b1 ♗e8 24. ♕g4!** [24.
♗g6? ♘f6 25. ♕f5 ♗d7−+] ♗f7! **25.
♗g6!** [25. ♗e6? ♖d4 26. ♖d4 ♗e6] ♖d4
[25... ♘f6 26. ♕f5+−; 25... ♕b7 26. ♘e6!
♔e7 27. ♕c4 ♗g6 (27... ♗e6 28. ♗e4+−)
28. ♔a1 ♔e6 29. ♘f4+−] **26. ♖d4 ♗e6
27. ♕e4 ♘b6** [27... ♘f6 28. ♕a8] **28. ♖d2
d5 29. ♕c2 ♘c4 30. ♖de2 ♕f6?!** [30...
♕b7! 31. ♕b3 ♕c7 32. ♕b4 ♔g8±] **31.
♗d3 ♘a3 32. ba3⊕ e4 33. ♕b2⊕** [33...
♕b2 34. ♖b2 ♗b2 35. ♔b2 (35. ♘f4!?
♗c3! 36. ♖c1 ♗d2! 37. ♘e6 ♔f7 38. ♖c2?
♖b8 39. ♔a1 ♗e3; 38. ♖c7 △ fe4) ♗h3
36. gh3 ed3 37. ♖e5!±] **1 : 0**
Browne

45.* A 43

KOSIĆ 2515 −
A. KOVAČEVIĆ 2485

Jugoslavija (ch) 1997

1. d4 c5 [RR 1... e6 2. e4 c5 3. d5 ed5 4.
ed5 d6 5. ♘f3 ♘f6 (5... g6!? △ ♗g7, ♘e7)
6. c4 (6. ♘c3 − 48/72) ♗e7 7. ♘c3 0−0 8.
h3 N (8. ♗e2) ♖e8 (8... ♗f5!?) 9. ♗d3
♘bd7 10. 0−0 ♘f8 11. ♕c2! ♘g6 12.
♗d2±○ ♗d7 13. ♘g5! (△ f4) *a)* 13...
♘h5 14. f4 ♗f6 (14... ♘hf4 15. ♘f7!) 15.
♘ce4 ♗d4 16. ♔h1 ♗f5 (16... f5 17.
♕d1!+−) 17. ♘f7! ♔f7 (17... ♕h4 18.
♗e1) 18. ♘g5 ♔g8 19. ♗f5 ♘g3 20. ♔h2
♘f1 21. ♖f1 ♕f6 22. ♗e6 ♔h8 23. ♘f7
♔g8 24. f5! ♗e6 25. de6 (△ ♗g5+−) h6 26.
♕e4 ♖e8 27. ♗h6! ♗e5 (27... gh6 28.
♘h6 ♔h8 29. ♘g4 ♕f8 30. f6 ♔h7 31.
♖f5+−) 28. ♔h1 ♖e6 29. ♕d3!+− Bandza
2395 − Rastenis 2305, Radviliškis 1997; *b)*
13... ♘d5 14. ♘f7 ♘b4 15. ♘d8 ♘c2 16.
♗c2± Bandza] **2. dc5 e6 3. ♘d2 ♗c5 4.**

♘e4 ♗b4 5. c3 d5 6. cb4 N [6. ♕a4 −
30/100] de4 7. ♕d8 ♔d8 8. ♗d2 b6?! [⟳
8... ♘e7] **9. e3 ♘e7 10. ♘h3! h6** [10...
♗b7 11. ♗c3 ♖g8 (11... f6 12. ♘f4) 12.
♘g5] **11. ♘f4 ♘d7 12. ♗c3 ♖g8** [12... e5
13. ♘h5 g6 14. ♘g3±] **13. ♗c4 g5 14.
♘h5 ♗b7 15. 0-0-0± ♗d5** [15... ♘d5 16.
♗b5 ♖g6 17. ♗d4] **16. ♗b5 ♖g6 17. ♔b1**
[17. f3] **f5 18. h4 ♖c8 19. hg5 hg5 20.
♘g7! ♗c7** [20... ♖c3 21. ♖h8 ♔c7 22.
♘e8+−] **21. ♖h7 ♖d8 22. ♘h5 ♔d6⊕ 23.
f3! ♘c6** [23... ef3 24. gf3 △ e4+−] **24. fe4
fe4 25. ♗e1 ♔c7 26. ♗g3 ♗b7 27. a3 a6
28. ♗e2 b5 29. ♗g4** [△ ♖d5] **♔c8 30.
♗d6 ♘ce5 31. ♖c1 ♗c6?** [31... ♗c6±] **32.
♖e7** [32. ♖d7!+−] **♘c4 33. b3 e5 34.
♗e6!+− ♖e6 35. ♗e6 ♖e8 36. ♗d7** [36...
♔d7 37. ♘f6 ♔d6 38. ♘e8] **1 : 0**
Kosić

46. A 43

SOLOŽENKIN 2485 −
A. SIMONOVIĆ 2420

Jugoslavija 1997

**1. d4 ♘f6 2. ♘f3 c5 3. d5 g6 4. ♘c3 ♗g7
5. e4 d6 6. ♗e2 0−0 7. 0−0 a6 8. a4 e6 9.
de6 ♗e6 10. ♗e3 N** [10. ♘g5 − 17/188]
♘c6 11. ♕d2 d5!? 12. ed5 [12. ♗c5 ♘e4
13. ♘e4 (13. ♕e3? ♘c5 14. ♕c5 ♖c8!∓♔♖
⫽a1-h8) de4 14. ♕d8 (14. ♗f8? ef3 15.
♕d8□ ♖d8 16. ♗g7 fe2 17. ♖fe1 ♔g7 18.
♖e2 ♘d4∓) ♖fd8 15. ♘g5 ♖d2 *a)* 16. ♘e6
♖e2 17. ♘g7 ♖c2 (17... ♔g7!? 18. ♖ac1
♖d8∓) 18. ♘e6!? (18. ♘h5 gh5 19. ♗a3
♖d8∓) fe6 19. ♗a3 ♖d8∓; *b)* 16. ♗d1!
♗c4! 17. ♘e4 ♖d7! 18. ♖e1 ♗b2 19. ♖b1
♗e5=] **♘d5 13. ♘d5 ♕d5 14. c3** [14.
♕d5 ♗d5 15. ♗c5 ♖fe8 16. ♗d3 ♗b2 17.
♖ab1 ♗g7 18. ♖b7! ♘e5 19. ♖b6! *a)* 19...
♘d7 20. ♖d6 ♘c5 21. ♖d5 ♘a4 22. ♖a5±;
b) 19... ♘f3 20. gf3 ♗f3 (20... a5 21.
♔g2±) 21. ♖a6 ♖a6 22. ♗a6 ♖a8! 23.
♗b5 (23. ♗d3!? ♖a4 24. ♖e1 ♖g4 25.
♔f1) ♖c8 24. ♗e3 ♖c2 25. ♖c1! ♖c1□
26. ♗c1 ♗c3 27. ♗e3 ♗a5 28. h3±⊥; *c)*
19... ♘d3!? 20. cd3 ♖ed8⯎] **♖fe8 15.
♖fd1 ♕f5 16. ♗d3 ♕d5 17. ♘g5! ♗f5 18.
♗f5 ♕f5 19. ♕d7 ♕d7 20. ♖d7 f6!□ 21.
♘f3 ♘a5 22. ♖ad1 ♗f8 23. ♖1d5 ♘c4 24.**

♗c5 [24. ♖b7!? ♘e3 25. fe3 ♖e3 26. ♖dd7 ♖e2 △ 27. ♖h7 ♖d8⇆] ♗c5 25. ♖c5 ♖ad8!□=⊕ 26. ♖cc7 ♖d7 27. ♖d7 ♘b2 28. a5 [♖ 9/h] ♘a4 [28... ♖b8!?∞] 29. ♖b7 ♖d8 30. h4 ♖d5 31. ♖b3! ♗c5 [31... ♖a5?? 32. ♖a3 △ c4, ♘d4-b3+−] 32. c4 ♖c4 33. ♖b8 ♔g7 34. ♖a8 ♖c6 35. ♖a7 ♔g8 [35... ♔h6? 36. g4!±→] 36. h5!? gh5 37. ♘d4 ♖c1 38. ♔h2 ♘c5 39. ♖c7?! [39. ♘f5 ♖a1 40. ♖g7 ♔f8 41. ♖h7 ♖a5 42. ♘d6 (42. ♖h5 ♘d3∓) ♘d3 43. ♖f7 ♔g8 44. ♖f6∞] ♘b3!⊕ 40. ♖c1 ♘c1 41. ♔g3 ♘d3∓ 42. ♘b3 ♔f7 43. ♔f3 ♔e6 44. ♔e3 ♘b4 45. ♔d4 ♔d6 46. ♔e4 ♘c6 47. ♔f5 ♔e7 48. ♘c5 ♘a5 49. ♘a6 ♘c4 50. ♘c5 ♘d6 51. ♔f4 ♔f7 52. ♘d7!= ♔g7 53. ♘c5 ♔f7 54. ♘d7 ♘c8 55. ♔g3 ♘e7 56. ♔h4 ♔g6 57. ♘f8 ♔h6 58. ♔g3 ♘f5 59. ♔f4 ♘h4 60. ♔g3 ♘g6 61. ♘e6 f5 62. ♔h3   1/2 : 1/2   *A. Simonović*

47. ✓   A 43

R. HÜBNER 2580
− IVANČUK 2725
Dortmund 1997

1. d4 ♘f6 2. ♘f3 c5 3. d5 g6 4. ♘c3 d6 5. e4 ♗g7 6. ♗e2 ♘a6 7. 0−0 ♘c7 8. ♗f4 0−0 9. a4 b6 10. ♕d2 ♖e8 11. h3 N [11. ♖fe1 − 46/(73)] ♗b7 12. ♖fe1 e6 13. ♗c4 ed5 14. ed5 ♕d7 [14... ♖e1 15. ♖e1 ♕d7 (15... a6 16. ♘g5 ♕d7 17. ♘ge4 ♖e8 18. ♘d6 ♖e1 19. ♕e1 ♗d5 20. ♘d5±) 16. ♘b5 (16. ♗h6 ♗h8 17. ♘g5 ♖e8 18. ♖e8 ♘fe8∓; 16. ♗b5 ♘b5 17. ab5 a6∓) ♘b5 17. ab5 a6 18. ♕d3 a5 19. c3 ♖e8=] 15. ♖e8 [15. ♕d3!? ♖e1 16. ♖e1 ♖e8 17. ♖d1 ♘h5 18. ♗h2=] ♖fe8 [15... ♖e8!? 16. ♗b5 ♘b5 17. ab5 ♖a8 18. ♕d3 ♘e8 19. ♘d2 ♘c7 20. ♘de4 ♕f5 21. ♘d6 (21. ♗d6 ♘d5∓) ♕d3 22. cd3 ♗d5∓] 16. ♗h6 ♗h8 [16... ♗c3!? 17. ♕c3 (17. bc3 ♘f6) ♘d5 18. ♕d2 (18. ♗d5 ♗d5 19. ♖e1 f6 20. ♕e3 ♘g7∓) ♘df6 19. ♘g5 d5 20. ♗b5 ♗c6∓] 17. ♕d3 a6 [17... ♗c3!?] 18. ♖b1 ♖b8 [18... ♗c3 19. bc3 b5 20. ab5 ab5 21. ♗b5 ♘b5 22. ♕b5 ♕b5 23. ♖b5 ♗d5=] 19. b4 [19. ♘d2 ♗a8 (19... b5 20. ab5 ab5 21. ♘b5 ♘d5 22. ♗d5 ♗d5 23. ♕d5 ♖b5 24. ♘c4 ♘c7 25. ♖a1!±] 20.

♗a6 ♘a6 21. ♕a6 ♗c3 22. bc3 ♗d5 23. ♖b6 ♖b6 24. ♕b6 ♕a4 25. ♕d8 ♕a8 26. ♕e7 ♘g7=] cb4 20. ♖b4 ♗c3 21. ♕c3 ♘d5 22. ♗d5 ♗d5 23. ♘d4⟂ [23. ♕d3 ♕c6∓ ♕e7 24. ♖b1 ♕f6?! [24... ♕e4 25. f3 ♕h4 26. ♕d2 ♕d8 27. c4 ♗a8 28. ♖e1⟂; 24... f6!? 25. ♖e1 ♕d7 26. ♕e3 ♘g7 27. ♕e7 ♕e7 28. ♖e7 ♖b7!∓; 24... ♕d7!?] 25. ♕d2 ♘c7 26. ♗g5 ♕g7 27. c4 [27. ♗h6 ♕f6=] ♗e4 28. ♖d1 [28. ♖b4 ♕e5 29. ♗f4 ♕f6 30. ♗g5 ♕e5=] ♖e8 29. ♗e3 ♕e5 [29... ♕f6 30. ♘e2 ♗c6 (30... d5 31. ♘g3 dc4 32. ♕d7) 31. ♕d6 (31. ♗b6 ♗a4 32. ♗c7? ♗d1 33. ♕d1 ♕e7−+; 32. ♕d6=) ♕d6 32. ♖d6 ♗a4 33. ♖b6=] 30. ♘e2 ♘e6 31. ♕d6 ♕a5 32. ♗b6 ♕a4 33. c5?! [33. ♖c1 ♕c6 34. ♕c6 ♗c6=]

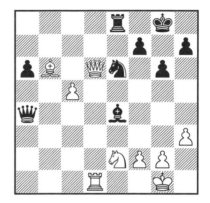

33... ♗g2! 34. ♔g2 ♕e4 35. ♔f1? [35. ♔h2! ♕e2 36. c6 *a)* 36... ♖c8 37. c7 ♕f3 (37... ♘c7 38. ♖c1!; 37... ♖c7 38. ♖d2!) 38. ♕d7 ♖c7 39. ♗c7 ♕f2∓; 38. ♖d3∞↑; *b)* 36... ♘g5 37. c7 ♘f3 38. ♔g3 ♘g5 39. ♔h2=; *c)* 36... ♕f3 37. ♖d3 (37. ♗e3 ♖c8 38. ♖c1 h6 39. c7 ♕f5∓ 40. ♗b6 ♘f4!) ♕f5 (37... ♕e4 38. c7 ♘f4 39. ♖g3⟂) 38. ♖c3 *c1)* 38... ♖c8 39. c7 ♕f4 (39... h5 40. ♕d7) 40. ♕f4 ♘f4 41. ♖c1 ♘e6 42. ♖d1 ♔g7 43. ♖d8 ♖c7±; *c2)* 38... ♘g5 39. c7 ♘f3 40. ♔g3 ♘g5 41. ♔h2=; *c3)* 38... ♖d8 39. ♕d8 (39. ♗d8 ♕f2 40. ♔h1 ♕e1 41. ♔g2 ♕c3−+; 39. ♕g3 ♖c8 40. c7 h5∓) ♘d8 40. c7 ♘c6 41. ♖c6 ♕e5 42. ♔g1 ♕g5=] ♘f4!! 36. ♕f4 [36. ♘f4 ♕h1⌗] ♕e2 37. ♔g2 ♕d1 38. ♕c4 ♕e2 39. ♕a4 ♕e4 40. ♕e4 ♖e4 41. c6 ♖c4 42. c7 ♔f8 0 : 1   *Ivančuk, Sulypa*

48.   A 43

FEDOROWICZ 2510
– GULKO 2595
Chicago 1997

**1. e4 d6 2. d4 ♘f6 3. ♘c3 g6 4. ♘f3 ♗g7
5. ♗e2 0–0 6. 0–0 c5 7. d5 ♘a6 8. h3
♘c7 9. a4 b6 10. ♗f4 ♗b7 11. ♗c4 a6 12.
♖e1 ♕d7 13. e5 ♘h5 14. ♗h2 N** [14. ♗g5
– 32/(170)] **b5 15. ♗a2 f5 16. ed6** [16.
♘g5 c4! 17. ♘e6 ♘e6 18. de6 ♕c6!∓] **ed6
17. ♖e6** [17. ♘g5 ♗c3! 18. bc3 c4∓] **f4 18.
♘e4 ♘e6** [18... c4!? 19. ♖d6 ♕e7 20.
♘fg5 ♗e5 21. ♖b6 ♗d5∓] **19. de6 ♕e7
20. ♕d6 ♖ae8 21. ♕e7 ♖e7 22. ♘c5 ♗f3
23. gf3 ♗b2 24. ♖b1 ♗a3 25. ♘d3!** [25.
♘a6 ba4 26. ♘c7 ♖c7! 27. e7 ♔g7 28.
ef8♕ ♗f8∓; 25. ♘d7 ♖f5∓] **ba4 26. ♖b6
a5 27. ♖c6 ♔g7?!** [27... g5! 28. ♖c4 ♗d6
29. ♖a4 ♗c7 30. ♖c4 ♘g7!–+] **28. ♖c4
♗d6 29. ♖a4 ♗c7 30. ♗b3 g5 31. ♖c4
♖f5 32. ♖c6 ♘f6 33. ♘c5** [33. h4!? h6 34.
♔g2∓] **♖e5 34. ♘d3 ♖b5 35. ♗c4 ♖f5 36.
♘c5 ♘e8 37. ♘e4 ♖e5 38. ♔g2 h6 39.
♘c3?!** [39. ♘c5 ♘d6 40. ♗b3 (40. ♗d3
♘f5 41. ♗f5 ♖f5 42. ♘d7 ♗d8 43. ♖c8
♖e6 44. ♖d8 ♖d6–+) ♘f5 41. ♘d7
♖e1!–+] **♘f6 40. ♘b5 ♗b8 41. ♖c8** [41.
♖b6 ♖c5–+] **♗a7 42. ♖a8 ♗b6 43. ♖a6
♖c5–+ 44. ♗d3 ♘d5 45. ♘d4 ♖a7** [45...
♔f6? 46. c4] **46. ♘f5 ♔f6 47. e7 ♔f7 48.
c4! ♖a6** [48... ♘e3 49. fe3 ♖a6 50. ef4∞]
49. cd5 ♖a8 50. d6 ♔e6! [50... ♖f5? 51.
♗f5 ♗c5 52. ♗e4! ♖b8 53. ♗d5=] **51.
♘g7 ♔d6 52. e8♖ ♖e8 53. ♘e8 ♔e5 54.
h4 a4   0 : 1**   *Gulko*

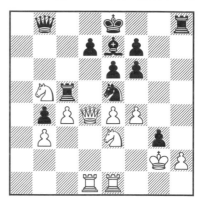

49.*   A 45

SKEMBRIS 2450 – C. ROSSI 2320
Bolzano 1997

1. d4 ♘f6 2. ♗g5 c5 [RR 2... e6 3. e4 h6 4.
♗f6 ♕f6 5. ♘c3 ♗b4 6. ♘e2 d6 N (6... c5
– 32/(104)) 7. a3 ♗a5 8. b4 ♗b6 9. ♕d3
0–0 10. ♖d1? c6 11. g3 e5 12. ♗g2 ♘d7
13. f4 (13. 0–0? ed4 14. ♘d4 ♘e5 15.
♕d2 ♘c4 16. ♕d3 ♘b2–+) a5!∓ 14. ♖f1
ed4 15. ♘d4 ab4 16. ab4 d5 17. e5 ♕e7
18. ♖b1 ♗d4! (18... f6?! 19. ♘f5 ♕e8 20.
♘d5!⇆ cd5 21. ♗d5 ♔h8 22. ♘h4) 19.

**♕d4 f6 20. e6 f5! 21. ♔f2 ♘f6 22. ♔g1
♗e6–+** J. Parker 2495 – B. Lalić 2585,
England 1997; 10. g3 B. Lalić] **3. ♗f6 gf6
4. dc5 ♕a5 5. c3** [5. ♘d2 – 66/41] **♕c5 6.
♘f3 b6 N** [6... ♘c6; 6... d5] **7. ♘bd2 ♗b7
8. g3 ♘c6 9. ♗g2 ♘e5 10. 0–0 ♕c7 11.
♕b3 e6 12. ♖ad1 ♘g6 13. ♘d4 ♗g2 14.
♔g2 ♕b7 15. f3 ♗e7 16. e4 ♖c8 17. ♖fe1
♖c5 18. ♘c4 b5 19. ♘e3 h5 20. a4 a6 21.
ab5 ab5 22. c4 b4 23. ♘b5 ♕b8 24. ♕d3**
[24. ♕b4?! ♘h4 25. ♔f2 ♘f3 26. ♘d6
♗d6 27. ♕b8 ♗b8 28. ♔f3 h4∓] **♘e5 25.
♕d4 h4 26. b3** [26. f4 ♘c4 27. ♕d7 (27.
♘c4 ♕b5∓) ♔f8 28. ♘c4 ♕b5∞] **hg3 27.
f4** [27. hg3? ♖h2 28. ♔f1 (28. ♔h2 ♘f3–+)
♖b5! 29. cb5 ♕b5 30. ♘c4 ♗c5!–+]

27... ♘d3! [27... ♖h2?! 28. ♔g3 ♘d3 29.
♖f1 ♘f4 30. ♖f4 ♖g5 31. ♘g4 (31. ♔f3
♕f4!!–+) ♖h4 32. ♔h4 ♕f4–+; 32.
♘d6!∞] **28. ♖d3** [28. ♕d3 ♖h2 29. ♔g1
(29. ♔g3 ♖g5 30. ♘g4 ♖h4! 31. ♔h4 ♕f4
32. ♕g3 ♖h5!–+) ♕f4 30. ♖e2 (30. ♖f1
♕h6!–+) ♕f3 31. ♘g2 ♖ch5!–+] **♖h2
29. ♔g3** [29. ♔g1 ♖ch5!–+] **♖g5! 30. ♔f3**
[30. ♘g4 ♖h4!! 31. ♔h4 (31. ♘d6 ♕d6 32.
♕d6 ♖gg4 33. ♔f3 ♗d6 34. ♖d6 ♖f4–+⊥)
♕f4 32. ♕d7 ♔f8 33. ♖g3 ♖h5!–+]
♕f4!!   0 : 1   *Joksić, C. Rossi*

50.*   A 45

SPEELMAN 2630 –
WANG YAOYAO 2430
Beijing (open) 1997

1. d4 ♘f6 2. ♗g5 ♘e4 3. ♗f4 [RR 3. ♗h4
c5 4. f3 g5 5. fe4 gh4 6. e3 ♘h6 7. ♕d3

♘c6 8. c3 cd4 9. ed4 ♕b6 10. b3 e5 11. d5 ♘e7 *a)* 12. ♘d2 N d6 *a1)* 13. ♕b5 ♗d7!? (13... ♕b5 14. ♗b5 ♘d8 15. ♘gf3 f5∞) 14. ♕b6 ab6 15. ♘gf3 h3 16. g3 0–0 17. ♘g1 (17. ♘c4?! ♘c8 18. ♗d3 f5∓ Dumitrescu 2440 – Rowson 2490, Tallinn 1997) f5 18. ♗h3 b5!?∞⇆; *a2)* 13. ♘c4 ♕c7 14. ♕f3?! ♖g8 15. a4 ♗g4 16. ♕f2 f5! 17. ♗d3 (17. h3?! ♗f4!∓; 17. ♕h4 ♗g5 18. ♕h7 0-0-0↑) ♘g6!∓; △ 14. ♘e5=; *a3)* 13. ♘gf3 f5!? (13... h3!?) 14. ♘c4 ♕c5 15. b4 ♕c7 16. ♘h4 (16. ♘fe5?! ♗g7!∓) fe4 17. ♕e4∞ △ 17... b5 18. ♘d6 ♕d6 19. ♗b5 ♔d8 20. 0–0!? ♕b6 21. ♔h1 ♕b5 22. d6 ♘c6 23. ♖f7 ♗e6 24. ♖h7 ♖h7 25. ♕h7 ♗f8 26. ♘g6⊠; *b)* 12. ♘a3 d6 (12... f5?! 13. ♘f3±) 13. ♕b5 (13. ♘c4) ♗d7 14. ♕b6 ab6 15. ♘b5 ♗b5 16. ♗b5 ♔d8=
Nisipeanu, V. Stoica] **d5 4. e3 c5 5. ♗d3 ♘c6 N** [5... ♕b6 — 68/(43)] **6. ♗e4!? de4 7. d5 ♘b4** [7... e5 8. ♗g3 ♘e7 (8... ♘b4 9. ♘c3 ♗g4?! 10. ♕g4 ♘c2 11. ♔d2 ♘a1 12. ♘ge2 ♕b6 13. ♔c1±) 9. c4 f6 10. ♘c3 ♗f5 11. f3!? ef3 12. ♘f3↑] **8. ♘c3 e6 9. d6!?** [9. de6 ♗e6 10. a3 ♕d1 11. ♔d1 (11. ♖d1? ♘c2 12. ♔d2 ♗b3 13. ♔c1 ♘a1 14. ♖e1 ♗e6) 0-0-0 12. ♔c1 ♘d5 13. ♘e4 ♘f4 14. ef4⊠C] **♘c6** [9... ♕a5!?] **10. ♘e4** [10. ♘ge2?! e5 11. ♘b5 ef4 12. ♘c7 ♔d7 13. ♘f4 ♗d6 14. ♘a8 ♔e7; 10. b4 e5 11. ♘b5 ♗e6! (11... ef4? 12. ♘c7 ♔d7 13. ♕g4 ♔d6 14. ♕f4 ♔e7 15. ♖d1) 12. ♘c7 ♔d7 13. ♘a8 ♕a8 14. b5 ef4 15. bc6 ♔c6∓] **f5?!** [10... e5 11. ♗g5 ♕b6 12. ♕d5 ♕b2 (12... ♗e6? 13. ♘c5!!+–; 12... f6 13. 0-0-0 ♗d7 14. ♘f6 gf6 15. ♗f6 ♖d8 16. ♘f3+–) 13. ♖d1↑] **11. ♗g5!** [11. ♘c3? e5 12. ♕d5 ♕d6!] **♕b6** [11... ♕a5 12. ♘c3; 11... ♕d7 12. ♕h5 (12. ♘c5 ♕d6 13. ♘b3 ♕d1 14. ♖d1 h6 15. ♗h4 g5 16. ♗g3 e5 17. f4!∞) ♕f7 13. ♕f7 ♔f7 14. 0-0-0 *a)* 14... fe4 15. d7? b6 (15... b5!? 16. dc8♕ ♖c8 17. ♘e2 h6 18. ♗h4 g5 19. ♗g3 b4!?) 16. dc8♕ ♖c8 17. ♘e2 ×e4; *b)* 14... b6! 15. d7 ♗b7 (15... ♗a6 16. ♘d6 ♗d6 17. ♖d6±) 16. ♘g3 ♗e7 (16... h6 17. d8♕ ♘d8 18. ♗d8 ♗g2 19. ♗c7) 17. ♘f3 ♗g5 18. ♘g5 ♔e7 *b1)* 19. e4 f4 20. ♘h5!? (20. ♘e2 h6 21. ♘f3 g5) h6 21. ♘f4 hg5 22. ♘g6 ♔f7 23. ♘h8 ♖h8; *b2)* 19. f4 ♖ad8 20. e4 h6 21. ♘f3 fe4 22. ♘e4±] **12. ♘f6!**

[12. d7!? ♗d7 13. ♘d6 ♗d6 14. ♕d6] ♔f7 **13. ♘h7 ♖h7** [13... ♕b2 14. ♘f8±; 13... ♗d6 14. ♕d6 ♕b2 (14... ♕b4 15. ♔f1) 15. ♖d1 ♖h7 (15... ♕c3 16. ♔f1 ♕c4 17. ♘e2 ♖h7 18. h4) 16. ♘f3 ♕c3 17. ♔f1 ♕c2 18. h4 b6 19. ♔g1±] **14. d7 ♗e7?** [14... ♕b2 15. ♖b1 ♕c3 16. ♔f1 ♕c4 17. ♘e2 ♕d5 18. ♕d5 ed5 19. dc8♕ ♖c8 20. ♖b7±; 14... ♕b4! 15. c3 (15. ♔f1!?) ♕b2 16. ♖b1 ♕c3 17. ♔f1 ♕c4 18. ♘e2 ♕d5 19. ♕d5 ed5 20. dc8♕ ♖c8 21. ♖b7] **15. ♘f3! ♕b2** [15... ♗d7 16. ♕d7 ♕b2 (16... ♖d8? 17. ♘e5!+–) *a)* 17. ♗e7? ♕a1 18. ♔e2 *a1)* 18... ♕h1? 19. ♘g5 ♔g6 (19... ♔g8 20. ♕e6 ♔h8 21. ♘f7 ♔g8 22. ♘h6 ♔h8 23. ♕g8 ♖g8 24. ♘f7#) 20. ♕e6 ♔h5 21. ♕f7 ♔h6 22. ♕f5+–; *a2)* 18... ♕a2!; *b)* 17. 0–0 ♖d8 18. ♕c7 ♕b6 19. ♕b6 (19. ♕g3!?) ab6 20. ♖ab1± △ 20... ♘b4 21. c3] **16. 0–0 ♕b6?** [16... ♗d7 17. ♖b1 (17. ♕d7 ♖d8 18. ♕c7 ♕b6 19. ♕b6 ab6 20. ♖ab1) ♕b1 18. ♕b1±] **17. dc8♕! ♖c8 18. ♖b1 ♕a5** [18... ♕c7 19. ♗f4 ♕a5 (19... e5 20. ♕d5 ♔f6 21. ♘e5 ♘e5 22. ♖b7 ♕d6 23. ♗e5 ♕e5 24. ♕e5 ♔e5 25. ♖e7+–) 20. ♖b7] **19. ♖b7 ♖c7 20. ♕b1! ♗d6?!** [20... ♖h8 21. ♗e7 ♖e7! 22. ♖e7 ♘e7 23. ♕b2 (23. ♘g5 ♔f6 24. ♕b2 ♔g5 25. ♕g7 ♘g6 26. f4 ♔h5 27. g4 fg4 28. f5 ef5? 29. ♖f5 ♔h4 30. ♕f6 ♔h3 31. ♕h8 ♘h8 32. ♖h5#; 28... ♖h6!; 23. ♘e5 ♔f6 24. ♕b2 ♕b4 25. ♕a1; 24... ♕c7) ♕a6 24. ♕e5 ♖h5 25. ♖d1+–] **21. ♖d1 ♗e5** [21... ♘b4 22. ♖d6 ♖b7 23. ♘e5 ♔e8 24. ♖e6 ♔f8 25. c3±; 22. ♗d8!] **22. ♘e5 ♘e5 23. ♗f4**
1 : 0
Speelman

51.*   **A 46**

STEFANOVA 2450 – M. GUREVICH 2620

Antwerpen (open) 1997

1. d4 ♘f6 2. ♘f3 e6 3. ♗g5 [RR 3. g3 b5 4. ♗g2 ♗b7 5. 0–0 ♗e7 6. ♗g5 0–0 7. ♕d3 ♗e4!? N (7... a6 — 58/82) *a)* 8. ♕d1 d6 9. ♘bd2 ♗b7 10. c4! bc4 11. ♘c4 ♗d5! 12. ♗f6!? ♗f6 13. ♕c2 ♘d7□ (13... ♘c6?! 14. e4!±) 14. e4 ♗c4 15. ♕c4 ♖b8 16. ♕e2 ♖b6 17. ♖ac1 ♕b8 18. b3 c5 19. dc5 dc5 20. ♖fe1 (20. ♖fd1!? △ 20... ♖d6

21. ♖e1) g6!= I. Cosma 2470 — Nisipeanu 2600, Bucureşti 1997; *b)* 8. ♕b5 ♘c6 9. ♘bd2 ♖b8 10. ♕c4 ♖b4 11. ♕c3 ♘d5 12. ♗e7 ♕e7 13. ♕a3 ♘d4 14. ♘e4!? (14. ♘d4 ♗g2 15. ♔g2 ♖d4 16. ♕e7 ♘e7=) ♘c2 (14... ♘e2?! 15. ♔h1 ♖e4 16. ♕e7 ♘e7 17. ♘g1!±) 15. ♕d3 ♘a1∞ Nisipeanu, V. Stoica] **h6 4. ♗f6 ♕f6 5. e4 d6 6. ♘c3 ♘d7 7. ♗d3 ♕d8!?** N [7... e5 8. ♘d5 ♕d8 9. 0–0 ♗e7 10. c3 0–0 11. ♘d2 ♗f6∞; 7... g5 8. ♘b5 ♕d8 9. 0–0 ♗g7 10. c3 0–0 11. ♗c2 a6 12. ♘a3 b5 13. ♕d3 ♗b7⇄; 7... g6 — 32/(107)] **8. ♕d2 a6 9. 0-0-0 ♗e7** [9... b5!? 10. e5 d5 11. ♘d5?! ed5 12. e6 *a)* 12... fe6 13. ♗g6 ♔e7 14. ♖he1 ♖b8 (14... ♘f6 15. ♘e5±) 15. ♖e6! ♔e6 16. ♕f4 ♕f6 17. ♖e1 ♘e5 18. ♖e5 ♔d7 19. ♖f5∞; *b)* 12... ♘f6!? 13. ef7 ♔f7 14. ♘e5 ♔g8 15. ♗g6 (15. ♘g6 ♗e6 16. ♘h8 ♔h8 17. ♖he1 ♕d7∓) ♗e6∓] **10. h4 b5 11. g4 c5!?⇄ 12. d5** [12. dc5 ♘c5 13. g5 ♗b7⇄] **e5 13. ♖dg1 c4 14. ♗f1 ♕a5** [14... b4!? 15. ♘b1 c3 16. bc3 bc3 17. ♘c3 ♕a5⇄] **15. g5 h5** [15... b4 16. ♘b1 c3 17. bc3 ♕a2 18. cb4±] **16. ♕e1** [16. g6!? f6∞ 17. ♗h3?! b4 18. ♘b1 ♖b8→] ♗d8!? [△ ♗b6-d4; 16... b4 17. ♘d1 c3 18. ♔b1 cb2 19. ♘d2∞] **17. ♘d2 ♗b6 18. ♔b1 ♗d4** [18... ♗a7!? △ ♕c7↑≪] **19. ♖g3 g6 20. ♘d1 ♕c7 21. ♗e2** [21. c3!? ♗a7 22. ♗h3 (△ ♖f1, f4) ♖b8⇄] **♗b7!?** [△ 0-0-0; 21... ♘b6 22. c3 ♗c5 23. f4 ef4 24. ♖f3∞] **22. ♖f1 0-0-0 23. c3 ♗c5** [⌐ 23... ♗a7] **24. ♘e3! ♖he8** [△ ♖e7] **25. b3?!** [⌐ 25. ♘c2] **cb3 26. ab3 ♔b8∓ 27. ♘c2 ♖c8 28. ♔b2 ♖e7 29. ♘b1** [29. b4 ♗a7 30. ♘b3 ♘b6∓] **♗a7 30. ♕d1 ♘c5 31. ♘d2 ♕b6** [△ ♖ec7↑≪] **32. f4 ef4 33. ♖f4 ♘d7!** [△ ♘e5, ♖ec7 ✕f7; 33... a5 34. ♘d4 b4 35. ♘b5∞] **34. ♗f1 ♘e5 35. ♗h3** [35. ♘f3 ♕f2! 36. ♖g2 ♕c5 37. ♕e1 ♘f3 38. ♖f3 ♗d5∓] **♖cc7 36. ♖f6** [36. ♘f3 ♕f2 37. ♖g2 ♕c5-+] **a5!** [△ b4→] **37. ♕f1 b4 38. cb4 cb4** [38. c4 a4 39. ba4 ♗a6→ 40. ♖b3 ♘c4 41. ♘c4 ♗c4 42. ♖b4 ♕b4 43. ♘b4 ♗f1-+] **ab4 39. ♕a1 ♕c5** [39... ♕d4!? 40. ♘d4 ♗d4 41. ♔b1 ♗a1 42. ♔a1 ♖c2∓] **40. ♕b1 ♗a6 41. ♗f1 ♘d3! 42. ♖d3** [42. ♗d3 ♕c3 43. ♔c1 ♗d3 44. ♖d6 ♕c2 45. ♕c2 ♖c2 46. ♔d1 ♖c3-+] **♗d3 43. ♘c4** [43. ♗d3 ♕c3 44. ♔c1 ♗e3-+] **♗e4 44.**

♖d6 ♕d6! [45. ♘d6 ♖c2 46. ♕c2 ♗c2 47. ♔c2 ♖d7 48. ♘e4 ♖d5 49. ♗c4 ♖d7]
0 : 1   *M. Gurevich*

52.   A 48

RIBLI 2570 — WŁ. SCHMIDT 2440
Koszalin 1997

1. ♘f3 ♘f6 2. d4 g6 3. ♗f4 ♗g7 4. e3 0–0 5. ♗e2 d6 6. h3 c5!? 7. c3 cd4 8. ed4 ♘d5 N [8... ♗e6 — 61/(69)] **9. ♗g3 ♗h6?!** [9... ♘c6!?] **10. 0–0 ♘f4 11. ♖e1 ♕c7** [11... ♘e2 12. ♕e2± ⇔e] **12. ♘a3! ♘c6 13. ♗f1 ♗d7** [13... e5 14. ♘b5 ♕b8 15. de5 de5 16. ♕d6±] **14. d5 ♘e5 15. ♖e4! ♘f3 16. ♕f3 ♘d5?** [16... e5 17. de6 ♗e6 (17... fe6? 18. ♖f4 ♗f4 19. ♗f4 g5 20. ♕g3 ♖f4 21. ♕g5+−) 18. ♕d1 ♖fd8±] **17. ♖h4! ♗g5 18. ♕d5 ♗h4 19. ♗h4 ♗c6 20. ♕d2!** [✕h6] **d5 21. ♖e1 ♖fe8** [⌐ 21... f6 △ e5] **22. ♘c2!** [△ ♘e3-g4] **f6 23. ♕h6! ♕d6 24. ♗d3!** [△ ♗g6] **f5 25. ♗f5! gf5 26. ♖e6 ♕d7 27. ♘d4**   **1 : 0**   *Ribli*

53.** !N   A 52

A. BELJAVSKIJ 2710
— G. MOHR 2480
Portorož 1997

1. d4 ♘f6 2. c4 e5 3. de5 ♘g4 4. ♘f3 [4. ♗f4 ♘c6 5. ♘f3 ♗b4 6. ♘bd2 ♕e7 7. e3 ♘ge5 8. ♘e5 ♘e5 9. ♗e2 0–0 10. 0–0 a5 11. ♘b3 a4 12. a3! ♗a5 13. ♘d4 ♗b6 14. ♘b5! d6 15. ♘c3± An. Karpov; RR 4. e3 ♘e5 5. ♘h3 ♘g6 N (5... ♗b4) 6. g3 ♗b4 (6... ♘c6 7. ♗g2 ♘ce5!?) 7. ♗d2 ♘c6 (7... ♕e7; 7... a5) 8. ♗g2 0–0 9. ♗b4! ♘b4 10. ♘c3 d6 11. 0–0 ♗e6 12. b3 ♕c8 13. ♘g5 ♗g4 14. f3 h6 15. ♘ge4 ♗h3 16. ♕d2 ♗g2 17. ♔g2 ♖e8 18. ♖ad1 ♘c6 19. ♘f2 (Draško 2520 — F. Marchand 2310, Montecatini Terme 1997) ♕d7 △ ♖ad8↑ Draško] **♗c5** [4... ♘c6 5. ♘c3 ♘ge5 6. ♘e5 ♘e5 7. ♕d4 d6 8. c5!? ♗e7 9. cd6 ♕d6 10. ♕d6 ♗d6 11. e4 ♘g6 12. ♗c4 c6 13. 0–0 0–0 14. f4±] **5. e3 ♘c6 6. ♘c3 0–0 7. ♗e2 ♖e8 8. 0–0 ♘ge5 9. ♘e5 ♘e5 10. ♔h1! N** [10. f4 ♘g6 (10... ♘c6 54/(57)) 11. f5 ♘e5 12. f6 g6 13. ♕e1!↑

d6 [10... a5!?] **11. ♘a4** [11. f4 ♘c6 12. e4±] **b6** [11... ♕h4 12. ♘c5 dc5 13. b3 b6 14. ♗b2 ♗b7 15. ♗e5! ♖e5 16. ♗f3 ♗f3 17. ♕f3 ♕e4 18. ♖fd1± Xia Yu 2345 — Gamsa, Beijing (open) 1996] **12. ♗d2 a5 13. ♘c5** [13. a3 ♗d7 14. b4? ♗a4 15. ♕a4 ab4−+] **bc5 14. f4 ♘d7 15. ♗f3 ♖b8 16. ♕c2 a4 17. ♖ae1** [17. ♖ab1 ♘f6 18. ♕a4 ♗f5] **♘f6 18. ♗c3** [18. e4 ♗g4⇆] **♘g4 19. e4 ♕h4 20. h3 a3 21. b3 ♘h6 22. f5?** [22. ♔h2 ♘g4 23. ♔g1±] **f6 23. ♔h2 ♘f7 24. g3 ♕h6 25. ♗d2 g5 26. h4 ♕g7 27. ♗c1 ♗b7 28. ♗a3 ♘e5 29. ♗h5 ♖e7 30. ♗c1** [30. ♗b2 ♕h6 31. ♕d1±] **g4 31. ♗f4 ♔h8** [31... ♘f3 32. ♖f3 gf3 33. ♗f3 (33. g4 f2 34. ♕f2 ♗e4 35. ♕e3 ♔h8 36. ♗h6 ♕g8 37. g5→) ♖be8 34. g4±] **32. ♕d2 ♖d7 33. ♕c3** [33. ♕e2!?] **♖e7 34. a3** [34. ♗e5 de5 (34... ♖e5 35. ♖f4 ♕e7 36. ♖g4 ♗e4 37. ♖ee4! ♗e4 38. ♖e4 ♕e4 39. ♕f6+−) 35. ♕e3±] **♖g8 35. b4** [35. ♖f2±] **cb4 36. ab4 ♖a8 37. ♖f2 ♕g8 38. c5 ♖a2 39. ♖ee2 ♖e2 40. ♖e2 ♗e4! 41. ♖e4** [41. ♗e5 ♖e5 42. cd6 cd6 43. b5 ♗f5 44. ♖b2 ♗c8 45. b6 ♗b7 46. ♕d4∞] **♘f3 42. ♔h1** [42. ♕f3 gf3 43. ♖e7 ♕a2 44. ♔h3 ♕g2 (44... f2 45. ♔g2±) 45. ♔g4 f2 46. ♗h6 ♕a8 (46... ♕f3 47. ♔f3 f1♕ 48. ♔g4 ♕d1 49. ♘h3 ♕h5? 50. ♗g7 ♔g8 51. g4) 47. ♗g7 ♔g8 48. ♗f7 ♔g7 49. ♗d5 ♔h6 50. ♗a8 f1♕ 51. cd6 cd6 52. ♖e6∞] **♖e4 43. ♕f6 ♕g7 44. ♕d8 ♕g8 45. ♕g8?** [45. ♕f6=] **♔g8 46. f6!** [46. ♗g4 ♘e5 47. cd6 cd6 48. ♗h5 ♖b4 49. ♔g2=] **♖e2** [46... ♘e5 47. cd6 cd6 48. b5 ♖b4 49. ♗e8 ♔f8∓] **47. f7 ♔g7 48. ♗h6 ♔h6 49. f8♕ ♔h5 50. ♕f5 ♔h6** 1/2 : 1/2

A. Beljavskij

54. !N   A 55

IORDACHESCU 2485 — BELIKOV 2500

Enakievo 1997

1. c4 e5 2. ♘c3 d6 3. ♘f3 ♘f6 4. g3 c6 5. ♗g2 ♗e7 6. 0−0 0−0 7. d4 ♘bd7 8. e4 ♖e8 9. h3 a6 10. ♗e3 b5 [10... ♗f8 — 38/(80); 10... ed4] **11. c5 ♕c7?!** [11... ♗b7 12. de5 ♘e5 (12... de5 13. b4±) 13. ♘e5 de5 14. ♕c2±] **12. cd6** [12. de5 ♘e5 13. ♘e5 de5 14. b4 a5 15. a3 ♗e6=] **♗d6 13.**

♖c1 ♕b8 [13... ♗b7 14. ♘d5 ♘d5 (14... ♕d8 15. de5 ♘e5 16. ♗b6) 15. ed5 ed4 16. dc6 de3 17. cb7+−] **14. ♗g5! N** [14. de5 ♘e5 15. ♘e5 (15. ♗d4) ♗e5 16. ♗d4! ♗e6 17. b4±] **b4 15. ♘a4** [15. de5 bc3 (15... ♘e5 16. ♘e5 ♗e5 17. ♘a4±) 16. ed6 cb2∞] **♘e4 16. de5 ♘g5** [16... ♘e5 17. ♘e5 ♖e5 18. ♗f4±] **17. ed6 ♘f3 18. ♗f3 ♗b7** [18... ♘e5 19. ♗g2 ♖e6 (19... ♖d8 20. ♕e2 ♕d6 21. ♖cd1 ♘d3 22. ♗e4 ♗h3 23. ♖fe1+−) 20. ♖e1 ♖d6 21. ♕h5 ♖e6□ 22. ♘c5 ♖e7 (22... ♖e8 23. f4+−) 23. ♖cd1+−] **19. ♗g4** [19. ♗c6!? ♘e5 20. ♗b7 ♕b7 21. ♖c7] **♕d8 20. ♖e1 ♘f8** [20... ♘f6 21. d7 h5 22. ♗f5 g6 23. ♕d4 ♔g7 (23... ♘d5 24. ♗g6! fg6 25. ♘b6+−) 24. ♗e6! fe6 25. ♖e6 ♖f8 26. ♘c5+−] **21. d7 h5 22. ♗h5 ♖d7 23. ♕b3 ♖d5 24. ♖e7 g6 25. ♗f3 ♖f5 26. ♗g4 ♖f6⊕ 27. ♕b4+− ♗c8 28. ♕d4** [28. ♕b8 ♖b8 29. ♖e8 ♖b4 30. ♖c8 ♖a4 31. a3+−] **♕d6 29. ♕d6 ♖d6 30. ♘b6 ♗g4 31. ♘a8 ♗h3 32. ♘c7 a5 33. ♖e8 ♔g7 34. ♖e5⊕ ♖d2 35. ♖a5 ♖b2 36. ♖a1 ♘d7 37. a4 ♗f5 38. ♘e8 ♔f8 39. ♘d6 ♗e6 40. ♘e4 ♗d5 41. ♘c3 ♗f3 42. ♖a8 ♔g7 43. ♖e8!+− g5 44. a5 c5** [44... ♘f6 45. ♖e3 g4 46. a6 ♖b8 47. a7 ♖a8; 45. ♖d8 △ 45... ♘g4 46. ♖d3] **45. g4!?** [45. a6 ♖b6 (45... ♘f6 46. ♖e3 ♗a8 47. ♖b1! ♖d2 48. ♖b8+−) 46. ♖e3] **♗g4 46. a6 ♗f3 47. a7 ♘b6 48. ♘a4 ♖b4 49. ♖e3 ♖g4 50. ♔h2 ♖g2 51. ♔h1 ♗c6 52. f3** 1 : 0

Iordachescu

55.   A 55

VOLŽIN 2485 — KREMENECKIJ 2385

Moskva (open) 1996

1. ♘f3 ♘f6 2. c4 d6 3. d4 ♘bd7 4. ♘c3 e5 5. e4 ♗e7 6. ♗e2 0−0 7. 0−0 c6 8. d5 ♘c5 9. ♘d2 a5 10. b3 [△ ♖b1, a3, b4] **♗d7 N** [10... cd5] **11. ♖e1** [11. ♖b1 cd5 12. cd5 b5!⇡] **♕b8!** **12. ♗f1 ♖d8!⇆** [△ ♗b6, ♕a7, ♘g4 ×f2; 12... cd5 13. cd5 b5 14. a4! b4 (14... ba4 15. ba4 △ ♖b1, ♗b5±) 15. ♘b5±] **13. h3 h6** [13... ♗b6 14. ♘f3 ♕a7 15. ♗g5] **14. ♖b1 ♗b6 15. a3** [15. ♘f3 ♕a7 16. ♗e3=] **♕a7 16. ♕f3**

[△ b4; 16. b4? ab4 17. ab4 ♘a4 18. ♘a4
♗f2−+; 16. ♕e2? ♘d3−+] ♘h7 [△ f5
✕f2] **17. b4 ab4** [17... ♘a6 18. c5! dc5 19.
b5! cb5 (19... ♘c7 20. ♘c4±) 20. ♗b5±]
18. ab4 ♘a6 [18... ♘a4 19. ♘a4 ♕a4 20.
c5 dc5 21. ♘c4±] **19. ♖a1!?** [△ 20. b5, △
20. dc6 bc6 21. c5+−; 19. c5!? dc5 20. b5
♘b4 (20... cb5 21. ♗b5±) 21. ♘c4⯒] **f5□**
20. c5!□ dc5 21. b5! cb5? [21... c4! 22.
ba6 (22. ♘c4?! fe4 23. ♘b6 ef3 24. ♘d7
♕d4!; 24. ♗e3∞; 23... ♖f3!∓) fe4 23.
♕e4 ♗f2 24. ♔h1∞] **22. ♗b5± fe4** [22...
♗b5 23. ♘b5 ♕b8 24. ef5±; 22... c4 23.
♕e2! ♗d4 24. ♗d7 ♗c3 25. ♖a3 ♗b4
(25... ♗d2 26. ♗d2 fe4 27. ♗e3 ♕b8 28.
♕c4±) 26. ♗e6 ♔h8 27. ♘c4! ♗e1 (27...
♗a3 28. ♗a3 ♘c5 29. ♗c5 ♕c5 30. ♘e5±)
28. ♕e1±→ ✕e5, g6] **23. ♕g3! ♗f5 24.**
♘de4 ♔h8 25. ♗h6!+− gh6 26. ♕e5 ♔g8
27. d6 [✕♕a7, ♗b6, ♘a6] **♗g6 28. ♗c4**
♗f7 29. ♘f6 ♖f6 30. ♕f6 [30... ♗c4 31.
♕g6 ♔h8 32. ♕h6 ♔g8 33. ♕g6 ♔h8 34.
♖e5] **1 : 0** *Volzin*

56. A 55

V. BABULA 2535
− FREISLER 2365

Česko (ch) 1997

1. d4 ♘f6 2. c4 d6 3. ♘c3 ♘bd7 4. e4 e5
5. ♘f3 ♗e7 6. ♗e2 0−0 7. 0−0 c6 8. ♕c2
a6 9. ♖d1 ♕c7 10. ♗g5 b5 N [10... ♖e8 −
62/(63); 10... h6] **11. cb5!?** [11. ♖ac1?!
b4!? 12. ♘a4 c5] **cb5 12. ♖ac1** [△ ♘d5
⇔c] **♕b8!?** [12... ♗b7? 13. ♘d5 ♕d8
(13... ♘d5 14. ♕c7 ♘c7 15. ♗e7+−) 14.
♘e7 ♕e7 15. ♕c7! ♗e4 16. de5+−; 12...
♖e8? 13. ♘d5 ♕c2 (13... ♘d5?! 14. ♕c7
♘c7 15. ♗e7+−) 14. ♘e7 ♖e7 15. ♖c2±
♗b7?! 16. ♖c7 ♗e4 17. de5+−; 12...
♔h8? 13. de5 (13. ♘d5?! ♕c2 14. ♖c2
♘d5 15. ed5↑ △ 15... ♗g5 16. ♘g5 ed4
17. ♖c7) de5 (13... ♘e5 14. ♕d2±) 14.
♘d5 ♕c2 15. ♖c2 ♘d5 16. ♖d5±] **13.**
♘d5!? [13. de5 de5 (13... ♘e5? 14. ♘d4±)
14. ♘d5 ♘d5 15. ♖d5 ♗g5 16. ♘g5± ♘f6
17. ♖c5 ♗b7 18. ♗d3] **♘d5** [13... ♗d8!?
14. ♘b4±] **14. ed5 f6?** [14... ♘f6? 15. de5
de5 16. d6! ♗d6 17. ♗f6 gf6 18. ♗d3±;
14... ♗g5 15. ♘g5 ♘f6 16. de5 de5 17.

d6±; 14... ♖e8 15. ♗e7! ♖e7 16. ♕c7!±]
15. ♗e3± [△ ♗d3] **♖d8** [15... ♗b7?! 16.
♗d3+− g6 17. ♗g6 hg6 18. ♕g6 ♔h8 19.
♕h5! ♔g8 20. ♗h6; ◯ 15... ♖e8±] **16.**
de5 de5?! [16... ♘e5 17. ♘d4±; ◯ 16...
fe5 17. ♗d3 ♗f8 (17... ♘f6?! 18. ♘g5 h6
19. ♗h7 ♔f8 20. ♘e6 ♗e6 21. de6 ♘h7
22. ♕g6! ♔g8 23. ♕f7 ♔h8 24. ♕e7+−)
18. ♘g5±] **17. d6!+− ♗d6** [17... ♗f8 18.
♗d3] **18. ♕c6! ♘f8** [18... ♗f8 19. ♘h4 △
♗f3] **19. ♗c5! ♗b7□ 20. ♗d6 ♗c6 21.**
♗b8 ♖d1 22. ♗d1 ♗f3 23. ♗b3! [23...
♔h8 24. ♖c8] **1 : 0** *V. Babula*

57. A 56

V. MILOV 2635 −
F. GHEORGHIU 2485

Schweiz 1997

1. d4 ♘f6 2. c4 c5 3. d5 e5 4. ♘c3 d6 5. e4
♗e7 6. g3 ♘bd7 7. ♗g2 0−0 8. ♘f3 ♘e8
9. 0−0 g6 10. ♘e1 N [10. ♗h6 − 8/80]
♗g5 [10... ♘g7 11. ♘d3±] **11. f4 ef4 12.**
gf4± ♗f6 13. ♗d2 [13. ♘d3 ♗d4 14. ♔h1
f5 15. ef5 (15. ♕e1 fe4 16. ♘e4 ♘df6 17.
♘g5 ♘g7∞) gf5=; 13. ♕d3!?] **♗g7** [13...
b5 14. cb5 a6 15. a4±] **14. ♘f3** [14. ♘d3
f5=] **♘b6?!** [14... a6!? 15. a4 ♘b6 16.
♕b3 (16. ♕e2 ♗g4 17. e5 ♘c7 18. a5
♘d7∞; 16. b3) ♗g4 17. ♗e1!?±] **15. b3**
♗g4 16. ♕e1 ♘d7 17. ♕g3 ♗f3 18. ♗f3
a6 [18... ♗d4 19. ♔h1 ♘g7 20. ♖ae1 f5
(20... a6 21. ♘e2 ♗f6 22. ♕h3±) 21.
♘b5±] **19. a4?!** [19. ♖ae1± △ 19... b5 20.
e5] **♘c7?!** [19... ♗d4 20. ♔h1 ♘g7 21.
♖ae1 f5 22. ♘e2 (22. e5? de5 23. fe5 f4)
♗f6 23. ♕h3±] **20. ♖ae1 ♖e8 21. ♗g4!±**
[△ 22. e5 de5 23. ♗d7] **♘f6 22. ♗d1** [22.
♗h3!? ♘h5 23. ♕f3 ♗d4 24. ♔h1 ♕h4
25. ♖e2±] **♘d7 23. e5! de5 24. f5 ♖f8 25.**
♘e4 ♘e8 26. ♕h3 [26. ♗g5 ♘ef6 (26... f6
27. ♗d2 g5 28. h4 h6 29. ♗h5±) 27. ♕h4
h6 28. fg6 hg5 (28... fg6 29. ♗g4) 29. ♘g5
fg6 30. ♗g4 ♘h5∞] **♘ef6 27. fg6 fg6 28.**
♕e6 ♔h8 29. ♘d6+− b5⊕ 30. ♘f7 ♖f7
31. ♕f7 bc4 32. bc4 ♕b6 33. ♗c3? [33.
♖f2! ♖e8 34. ♖ef1+−] **♖e8!** [△ ♕d6, ♗f8
✕♕f7] **34. ♗g4□ ♕b3?** [◯ 34... ♖f8 35.
♕e6 (35. ♕e7 ♖e8 36. ♕e8 ♘e8 37. ♗d7
♕d8 ✕♔g1) ♕b3 36. ♗e5 ♘e5 37. ♕e5

♕c4 38. ♗e6±] **35. ♗d7 ♖f8 36. ♕f8!**
♗f8 37. ♗e5 ♗g7 38. ♖f6 ♗f6 39. ♗f6
♔g8 40. ♗e6 ♔f8 41. d6 **1 : 0**
V. Milov

58. **A 57**

M. MARIN 2545 —
SIÓN CASTRO 2440

Andorra 1997

1. ♘f3 c5 2. c4 g6 3. d4 ♘f6 4. d5 b5 5.
♘bd2 ♗g7 6. e4 0—0 [6... bc4 7. ♗c4 d6
8. 0—0 0—0 9. ♖b1 ♘bd7 (9... e6 10. de6
♗e6 11. ♗e6 fe6 12. e5±) 10. b3 ♘b6 11.
♗b2±] **7. cb5 a6** [7... e6 8. de6 fe6 9. e5
♘g4 10. ♘c4 a6 (10... ♗b7 11. ♗e2) 11.
h3! (11. ba6 ♘c6) ab5 12. hg4 bc4 13.
♗c4±] **8. ♕c2 N** [8. ba6 e6!; 8. b6] **♕a5**
9. a4 d6 [9... ab5 10. ♗b5 ♘a6 11. 0—0
d6 12. ♘c4±] **10. ♖a3 ♕b4 11. ♗e2** [11.
♗d3!? △ 11... ♗d7 12. 0—0 ab5 13. ab5
♖a5 14. ♘c4! ♖a3 (14... ♖b5 15. ♗d2+—)
15. ba3 ♕b5 16. ♘d6+—] **♗d7!?** [11...
♘bd7 12. 0—0 △ ♘c4, ♗d2+—] **12. 0—0**
ab5 13. ab5 ♖a5 14. ♖a5 [14. ♘c4 ♖a3
15. ba3 ♕b5 16. ♘d6 ♕a4!⇆] **♕a5 15.**
♘c4 ♕a7 [15... ♕b5 16. ♘d6 ♕a4 17.
b3!+—] **16. ♘a3 ♖c8?** [16... ♗g4 17. ♗d2
♘bd7 18. h3 ♗f3 19. ♗f3 ♘b6 20. ♗c3±]
17. ♘d2± c4!? 18. ♘dc4 ♕d4 19. ♗d3
♘g4 20. ♕e2 f5☐ 21. ♗e3! ♘e3 [21...
♕f6 22. ♗d2±] **22. fe3 ♕c5** [22... ♕f6 23.
ef5 gf5 24. ♘b6 ♖d8 25. ♘d7 ♕d7 26.
♗f5+—] **23. ef5 gf5 24. ♗f5 ♗f5 25. ♖f5**
♘d7 [25... e6 26. ♖h5 ed5 27. ♕d3+—]
26. ♕g4! [△ ♖g5] **♘f6 27. ♖f6!+— ef6 28.**
♕e6 ♔h8 29. b4 ♕c7 30. b6 ♕b8 31.
♘d6 ♖c1 32. ♔f2 ♗f8 33. ♕f6 ♗g7 [33...
♔g8 34. ♕g5 (34. ♕f7 ♔h8 35. ♘e8)

♗g7 (34... ♔h8 35. ♘f7#) 35. ♘f5+—]
34. ♕d8! ♕d8 35. ♘f7 ♔g8 36. ♘d8
1 : 0 *M. Marin*

59.* ** **A 57**

KANTSLER 2495 — GERSHON 2420

Tel Aviv 1997

1. d4 ♘f6 2. c4 c5 3. d5 b5 4. ♘f3 [RR 4.
♘d2 bc4 5. e4 g6 6. ♗c4 d6 7. b3 ♗g7 8.
♗b2 0—0 9. ♘gf3 ♘bd7 10. 0—0 ♘b6 11.
♖e1 ♘fd7 N (11... ♗g4 — 69/57) 12. ♗g7
♔g7 13. ♕c2 f6 14. ♘f1 ♘c4 15. bc4 ♖b8
16. ♘3d2 g5 17. ♖ab1 ♖b1 18. ♖b1 ♘e5
19. ♖b3 ♗d7 20. ♕b2 ♕a5= Ehlvest 2610
— Bareev 2670, Polanica Zdrój 1997] **♗b7**
[RR 4... b4 5. a3 g6 *a)* 6. ♗e3?! ♕c7 (6...
ba3 — 64/58) 7. ab4 cb4 8. ♗d4 ♗g7 (8...
♕c4? 9. e4 ♕c7 10. d6⊙) 9. e4 0—0 10.
♗d3 d6 11. h3 e5∓; *b)* 6. e4!? N ♘e4 (6...
ba3?! 7. e5 ab2 8. ♗b2 ♘g4 9. ♗c3⊙↑) 7.
ab4 cb4 (7... d6 8. ♗d3 ♘f6 9. bc5 dc5 10.
0—0 ♗g7 11. ♘c3±) 8. ♕d4 ♘f6 9. ♖a7
♖a7 10. ♕a7 ♘a6 11. ♗e2 ♗g7 12. 0—0
0—0 *b1)* 13. ♘bd2 d6 14. ♘b3 ♘e4 15.
♘fd4 ♕d7 16. ♕d7 ♗d7∓; *b2)* 13. ♗e3
d6 14. ♘bd2 ♕d7 (14... ♘d7? 15. ♗d4±)
15. ♖a1 (15. ♕b6 ♕b7=) ♕a7 16. ♗a7
♘d7 17. ♗d4 ♘dc5= A. Kuz'min 2525 —
Vaïsser 2575, Benasque 1997; *b3)* 13. ♘d4
♘e4 (13... ♕a5 14. ♘d2 ♕c5 15. ♕c5
♘c5 16. ♘2b3 ♘a4!?∞) 14. ♘d2 ♘ec5 15.
♘2b3 ♘b3 16. ♘b3 d6 17. c5 ♘c5 18.
♘c5 dc5 19. ♕c5 ♕d6 20. ♕d6 ed6 21. b3
♗d4∞⊥ A. Kuz'min] **5. ♘bd2!? bc4 6. e4**
e6!? 7. de6 [7. ♗c4 — 54/(64)] **de6 N** [7...
fe6] **8. e5 ♘d5!?** [8... c3?! 9. bc3 ♘d5 10.
♘e4 ♘c6 11. ♗b5 a6 12. ♗a4 ♘b6 13.
♖b1 ♘a4 14. ♕a4 ♕a5 15. ♕c2± Avrukh
2520 — Gershon 2420, Tel Aviv 1997] **9.**
♗c4 ♗e7 10. 0—0 0—0 11. ♘e4 ♕c7 [11...
♘b6!? 12. ♗d3 c4 13. ♗c2 ♕d1 14. ♖d1
♘a6∞] **12. ♕c2 ♘d7 13. ♘eg5 g6** [13...
♗g5?! 14. ♘g5 g6 15. f4±] **14. ♖e1 ♖fd8**
[△ ♗f8-g7 ✕e5; 14... h6? 15. ♘e6+—;
14... ♗g5 15. ♗g5 ♘b4 16. ♕e2 ♗f3 17.
gf3±; 14... ♖fe8!? ✕e6] **15. ♗d2 ♕c6**
[15... ♘b4? 16. ♗b4 cb4 17. ♘e6+—; 15...
♗f8? 16. ♘f7! ♔f7 17. ♘g5 ♔e7 18.
♘h7→; 15... ♘7b6 16. ♗d3 c4 17. ♗e4 △

h4-h5↑] **16. a3 ♗f8 17. ♖ad1! ♕c7?** [17...
♗g7? 18. ♗d5 ed5 (18... ♕d5? 19. ♗a5+−)
19. e6 fe6 20. ♖e6 ♕c7 21. ♘h7 ♔h7 22.
♕g6 ♔h8 23. ♖e7+−; △ 17... ♘7b6 18.
♗d3 c4 19. ♗e4±] **18. ♘f7! ♔f7 19. ♘g5
♔e7□ 20. ♘h7! ♘e5 21. ♗g5 ♔d7** [21...
♔f7 22. ♗d8 ♖d8 (22... ♕d8? 23. ♖e5+−)
23. ♘g5 ♔f6 24. ♘e6! ♔e6 25. ♕g6 ♔e7
(25... ♔d7 26. ♕f5+−) 26. f4+− △ 26...
♘f4 27. ♕f7#; 21... ♔e8 22. ♗d8 ♖d8
23. ♗b5 ♔f7 (23... ♗c6 24. ♗c6 ♘c6 25.
♕g6+−) 24. ♘g5 ♔f6 25. ♘e6 ♔e6 26.
♕g6 ♔e7 (26... ♘f6 27. ♗c4 ♗d5 28.
♗d5 ♖d5 29. ♖d5 ♔d5 30. ♕f6+−) 27.
f4+− △ 27... ♘f4 28. ♕h7+−; 21... ♔d6
22. ♕e4 ♗g7 23. ♘f6+−] **22. ♗b5 ♗c6**
[22... ♔d6 23. ♕e4 ♗g7 24. ♘f6+−; 22...
♔c8 23. ♗d8 ♕h7 24. ♖e5 ♗d6 (24...
♔d8 25. ♖e6 ♗c7 26. ♕a4+−) 25. ♗f6!
♔c7 26. f4 ♘f6 27. ♖c5+−] **23. ♗c6 ♘c6**
[23... ♔c6 24. ♕a4 ♔b6 (24... ♔b7 25.
♕b5 ♔c8 26. ♗d8+−) 25. ♗d8 ♖d8 26.
♘g5+−] **24. ♕g6 ♕d6** [24... ♘d4 25.
♖d4+−; 24... ♖e8 25. ♖d5 ed5 26. ♘f6+−;
24... ♘e5 25. ♘f8 (25. ♕e4+−) ♖f8 26.
♕g7 ♘f7 (26... ♖f7 27. ♕e5+−) 27. ♖d5!
ed5 28. ♖e7 ♔c6 29. ♖c7 ♔c7 30. ♗e7
♖ae8 31. ♕f8+−] **25. ♗d8 ♖d8** [25...
♔d8 26. ♖e6+−; 25... ♘d8 26. ♖d5 ed5
(26... ♕d5 27. ♘f6+−) 27. ♕e8 ♔c8 28.
♘f8+−] **26. ♕f7 ♗e7** [26... ♕e7 27. ♖d5
ed5 28. ♘f8 ♖f8 29. ♖e7+−] **27. ♖e6!** [27.
♘f6 ♔c8 28. ♖e6+−] **♕e6 28. ♖d5 ♕d5
29. ♘f6** [29. ♕d5 ♔c7 30. ♕f3+−] **♕d6
30. ♘d5** [30. ♕d5?? ♔c7∞] **♖f8 31. ♕h5
1 : 0**

Back bank !

Kantsler

60. A 57

VAÏSSER 2575 −
ROGOZENKO 2490

Cairo 1997

**1. d4 ♘f6 2. c4 c5 3. d5 b5 4. ♘f3 ♗b7 5.
a4 b4 6. ♘bd2 d6 7. e4 e5 8. g3 g6 9. ♗g2
♗g7 10. 0−0 0−0 11. ♘e1 ♘bd7 12. f4
ef4 13. gf4 ♘h5 14. ♘d3 ♗d4 N** [14... f5
− 48/95] **15. ♔h1 ♕h4 16. ♕e1** [16. ♖f3
♕e7∞] **♕e7?!** [16... ♕e1 17. ♖e1 ♗a6∞
×c4] **17. ♘b3** [△ 17. ♘f3 ♗g7 18. e5
♖ae8 19. ♗e3↑] **♗g7 18. ♘a5 ♗a6 19.**

♗d2 ♘b8! 20. ♘b4!? [20. ♖c1 ♕c7 21.
♘b3 ♘d7 △ ♖ae8∞] **cb4 21. ♗b4** [△
e5] **♗h6 22. e5 ♘f4 23. ♗d6** [23. ♖f4!?
♗f4 24. ♗d6 ♕e8∞] **♘g2** [23... ♕g5? 24.
♖f4 ♕f4 25. ♗f8 △ d6±] **24. ♔g2** [24.
♔e7 ♘e1 25. ♗f8 ♗f8 26. ♖ae1 ♗b4∞]
♕g5 25. ♔h1 ♘d7!∞ 26. e6? [26. ♗f8
♖f8 (26... ♗f8 27. e6↑ △ 27... ♗c4? 28.
ef7 ♔g7 29. ♕c3+−) 27. e6∞] **♗c4! 27.
♘c4 ♕d5 28. ♔g1 fe6!∓ 29. ♗f8 ♗f8 30.
♘e3 ♗c5 31. ♕g3?⊕** [31. ♕f2□ ♕e4 32.
♖ae1 ♘e5 33. ♕f4 ♕f4 34. ♖f4 ♘d3 35.
♖c4∓] **♘e5 32. ♕f4** [32. b4 ♗d4] **♘g4!
33. ♖ae1 ♕f5!−+ 34. ♕c7** [34. ♕c4 ♗e3
(34... ♘e3? 35. ♖f5 ♘c4 36. ♖c5+−) 35.
♗e3 ♘e3−+] **♕g5 35. ♔h1 ♘e3 36. ♕c6
♕d5 37. ♕d5 ed5 38. ♖f3 d4 39. ♖e2
♖f8⊕** [39... ♖d8] **40. ♖f8 ♔f8 41. ♖d2
♘f5 42. ♔g2 ♔e7 43. ♔f3 ♔e6 44. ♖d3
♔d5 45. ♖b3 ♔c4 46. ♖b7 d3 47. ♖d7 a5
48. h3 h5 49. ♔e4 ♘d6 50. ♔f3 ♔b3 51.
♖c7 ♗b4   0 : 1**   **Rogozenko**

61.** !N A 57

S. VOLKOV 2480 −
I. IBRAGIMOV 2555

Novgorod 1997

**1. d4 ♘f6 2. c4 c5 3. d5 b5 4. cb5 a6 5. f3
e6 6. e4 ed5 7. ed5** [RR 7. e5 ♕e7 8. ♕e2
♘g8 9. ♘c3 ♗b7 10. ♘h3 c4 11. ♗e3 ab5
a) 12. ♘f4 ♕e5 13. 0-0-0 ♘e7 14. ♕d2 b4
15. ♘cd5 ♘d5 16. ♗d5 c3 17. bc3 b3! N
(17... ♗d5 − 61/76) 18. ♗g5 (18. ♗c4
♖a2 19. ♕d4 ♗a3 20. ♔b1 ♕d4 21. ♗d4
0−0−+; 18. ab3 ♗d5−+) ♗d5! 19. ♖e1
♗e6 20. ♗c4 (20. ♖e5 ba2−+) ba2 21.
♔b2 (21. ♗a2 ♕a5−+ Rogozenko) ♗a2
22. ♔a1 ♕d6−+ M. Kubala 2265 − Ro-
gozenko 2490, Pardubice 1997; b) 12. 0-0-0
♕b4 13. ♘f4 ♘e7 14. ♕f2 ♕a5! N (14...
♘a6 − 69/61) 15. ♗b6 (1/2 : 1/2 A. Mak-
simenko 2515 − Soloženkin 2485, Jugo-
slavija 1997; 15. ♖d5 ♘d5 16. ♘fd5 ♗d5
17. ♗b6 ♕a2! 18. ♘a2 ♖a2∓) ♕a6 16.
♖d5 (16. ♗c5 ♕h6 17. ♕d2 ♗c6∞)
♗c6!∞ A. Maksimenko] **♗d6 8. ♕e2 ♔f8
9. ♘c3!? ab5 10. ♘b5** [10. ♗e3 − 65/60]
♗a6 11. ♕d2! ♕e7□ 12. ♔d1 N [12.
♔f2? ♗e5 △ ♗b5, ♗d4; 12... h6] **♕e5 13.**

♘h3☐ ♗b5 [13... ♘d5? 14. f4] **14. ♗b5 ♕d5** [14... ♘d5? 15. ☖e1] **15. ♕d5 ♘d5 16. ♘g5±⊡ ♘c6?!** [16... f5!? 17. ♗c4 ♘b6 18. ♗d3 (18. ♗b3?! c4 19. ♗c2 ☖a5! △ ☖d5) h6 19. ♘h3 g6 20. ♘f4 ♔g7 21. ♗d2±] **17. ♗c4 ♘b6** [17... ♘cb4 18. a3; 17... ♘ce7 18. ♘e4] **18. ♗f7 ♗e7!** [18... h6?! 19. ♘e4 ♗h2 20. ☖h2 ♔f7 21. ♘c5+−] **19. ♗b3☐ ♘d4 20. ♗c2 h6 21. ♘e4 d5 22. ♘g3 ♔f7 23. ☖e1** [△ ♗g6] **♗f6 24. ♘f5 ♗c2 25. ♘d6! ♔g6 26. ♔c2 ☖hd8 27. ☖e6 ☖a6?** [27... ♘a4! 28. b3 (28. ♗f4 c4 △ ♘c5) ♔h7!! 29. ☖f6☐ (29. ♘f7 ♗a1 30. ♘d8 ☖d8 31. ba4 c4∓ ♔d, c) gf6 30. ♘f7 ☖d7 31. ♘h6 ♘b6 32. ♔g4 ♔g7 33. a4!∞] **28. ♘b5** [×☖a6] **d4 29. ♗f4! d3** [◻ 29... ♘d5 30. ☖a6 ♘b4 31. ♔d2 ♘a6 32. ☖c1±] **30. ♔d1! ♔f5 31. ♘c7 ♘c4?⊕** [31... ♗b2? 32. ♗e3+− △ g4♯; 31... ☖c8☐ 32. ☖f6 gf6 33. ♘a6 ♔f4 34. ♔d2±] **32. ☖a6+− ♘b2 33. ♔c1 d2 34. ♗d2 ♘d3 35. ♔b1 c4 36. ☖f6**   **1 : 0**

S. Volkov

62. !N   A 57

S. MIRKOVIĆ 2390 – Ž. ĐUKIĆ 2380

Jugoslavija 1997

1. d4 ♘f6 2. ♘f3 g6 3. c4 c5 4. d5 b5 5. cb5 a6 6. e4! N [6. ♘c3] **♘e4 7. ♕c2 f5** [7... ♘d6 8. ♕c5; 7... ♕a5 8. ♘bd2 f5 9. ♗d3 ab5 10. 0−0↑] **8. ♘bd2 ♘f6** [8... ♘d2 9. ♗d2±] **9. ♕c5 d6** [9... e6 10. ♕d4±; 9... ♗b7 10. d6! ed6 11. ♕e3±] **10. ♕d4 ♗b7 11. ♗c4** [11. ba6!? ♗d5 (11... ♘a6 12. ♗b5±; 11... ♗a6 12. ♗a6 ♘a6 13. 0−0±) 12. ♗b5 ♘bd7 13. 0−0±] **ab5 12. ♗b5 ♘bd7 13. 0−0 ♗d5 14. ♘c4! ♗f3** [14... ♗g7 15. ♘b6 ♗f3 16. ♘d7+−] **15. gf3 ☖b8** [15... ♔f7 16. ♗d7 ♕d7 17. ♘b6 ♕a7 18. ♕c4+−; 15... ♗g7 16. ♘d6! ed6 17. ☖e1 ♔f7 18. ♗c4 d5 19. ♗d5 ♘d5 20. ♕d5 ♔f8 21. ♗f4+−] **16. ☖e1** [16. a4!?] **♗g7** [16... ☖b5?? 17. ♘d6♯; 16... ♔f7!? 17. a4±] **17. ♘d6!** [17. ♗d7 ♕d7 (17... ♔d7 18. ♕a7 ♔e8 19. ☖e7!+−) 18. ♕d6+−] **♔f8 18. ♗f4 ♘e8** [18... ♘e4 19. ♕d5! ♘d6☐ 20. ♗d6 ☖b5! 21. ♗e7 ♕e7 22. ♕b5 ♘e5 (22... ♕g5 23. ♔f1 ♘f6

24. ☖ac1) 23. ♔f1 f4 24. ☖e4+−] **19. ♕d3?** [19. ♗h6 ♘df6!; 19. ♕d5! ♘d6☐+− 18... ♘e4] **♘c5! 20. ♕d5 ♘d6**

21. ☖e7! ♔e7 [21... ♕e7 22. ♗d6+−] **22. ☖e1 ♘ce4 23. fe4 ♘b5** [23... ♘e4 24. ☖e4! fe4 25. ♕c5 (25. ♗g5? ♗f6 26. ♕e5 ♔f7) ♔f7 26. ♗c4 ♔e8 27. ♕c6 ♕d7 28. ♗f7! ♔e7 29. ♗g5 ♔f7 30. ♕d7 ♔g8 31. ♕e6 ♔f8 32. ♗e7+−] **24. ef5 ♔f8 25. ♕c5= ♔f7 26. ♕c4 ♔f8 27. ♕c5⊕ ♔f7 28. ♕c4 ♔f8 29. ♗b8 ♕b8 30. ♕b4 ♔f7?⊕** [30... ♕d6! 31. ♕b5 ♗f6 32. ☖e8 ♔g7 (32... ♔f7 33. fg6 hg6 34. ☖h8 ♗h8) 33. ☖h8 ♔h8 (33... ♕d1=) 34. fg6 hg6 35. ♔g2=] **31. ☖e7** [31. ♕e7! ♔g8 32. ♕e6 ♔f8 33. f6 ♗f6 34. ♕f6 ♔g8 35. ☖e7+−] **♔f6☐ 32. ☖e6 ♔f5** [32... ♔f7 33. ♕e7 ♔g8 34. f6 ♗f8 35. f7 ♔g7 36. ♕f6 ♔h6 37. ☖e4 △ ☖h4♯; 32... ♔g5 33. ♕e7] **33. ♕e4 ♔g5 34. h4 ♔h5 35. ♕f3 ♔h4 36. ☖e4 ♔g5 37. ☖g4 ♔h5 38. ♕h3♯**   **1 : 0**

S. Mirković

63.*   A 57

GREENFELD 2540 – HALIFMAN 2655

Jerusalem 1997

1. d4 ♘f6 2. c4 c5 3. d5 b5 4. ♘f3 g6 5. cb5 a6 6. b6 d6 [RR 6... a5 7. ♘c3 ♗a6 8. b7!? N (8. ♗g5 − 60/(68)) ♗b7 9. e4 ♗g7 (9... d6) 10. e5 ♘g4 11. ♗f4 ♕b6 12. ♕d2 (12. ♗b5) h5 13. ♗b5 (13. h3 ♘h6 14. 0-0-0 ♘f5 15. ♗b5±) ♘a6 (13... f6 14. e6) 14. 0−0± Aleksieva 2285 − Epišin 2600, Cappelle la Grande 1997; 12... f6!?

Kostakiev] **7. ♘c3 ♛b6 8. e4 ♗g4 9. ♛a4 N** [9. ♗e2] **♗d7 10. ♛b3** [10. ♛c2 ♗g7 11. ♗e2 0–0 12. 0–0 ♗b5∞] **♛b4** [10... ♛b3 11. ab3±] **11. ♗d3** [11. e5!? a) 11... de5 12. ♘e5 ♗g7 13. ♘d3 ♛a5 (13... ♛b3 14. ab3 e6 15. de6 ♗e6 16. ♘c5±) 14. ♗d2! (14. ♛b7 ♘e4 15. ♛a8 0–0 16. ♗d2 ♘d2 17. ♔d2 c4⊠) ♛c7 15. ♗f4 ♛c8 16. ♛a3±; b) 11... ♘g4! 12. e6 (12. ed6 ed6∞) fe6 13. de6 ♗c6 14. ♗c4± ♗g7 **12. 0–0 0–0 13. ♗d2?!** [13. ♖e1 ♗g4∞] a5 14. ♛c2 c4! 15. ♗e2 ♘a6 16. a3 [16. ♘d1 ♛a4 17. ♛a4 ♗a4 18. ♘c3 ♘c5∓] ♛b3 17. ♛b3 cb3∓ **18. ♗e3** [18. e5 ♘g4 19. ed6 ed6 20. h3 ♘e5∓] **♖fc8 19. ♘d2** [19. ♘d4 ♘c5 20. f3 ♘a4 21. ♘db5 ♘c3 22. ♘c3 ♘e8∓] **♘c5!?** [19... a4 20. ♘c4±; 19... ♘g4 20. ♘g4 ♗g4 21. ♘b3 ♖ab8⊠] **20. f3** [20. ♗c5 ♖c5 21. ♘b3 ♖cc8⊠] **♘a4! 21. ♘a4 ♗a4 22. ♘c4 ♘d7 23. ♖fc1 ♗b5** [23... ♖c7!? 24. ♔f2 ♖ac8∓] **24. a4 ♗a6 25. ♔f2 ♖c7 26. ♘d2!** [26. ♖ab1 ♖ac8∓] ♖c2 27. ♗a6 ♗b2 28. ♖c2 bc2 29. ♖f1?⊕ [29. ♗b5 ♘c5! (29... ♗a1 30. ♘b3±) 30. ♗c5 dc5 (30... ♗a1? 31. ♗a3+–) 31. ♖e1 c1♛ 32. ♖c1 ♗c1 33. ♘c4 ♗f4 a) 34. e5 f6 35. e6 (35. d6 ed6 36. ed6 ♖d8 37. d7 ♗c7∓) ♖d8 36. ♗c6 ♗c7∓; b) 34. g3 ♗c7 35. e5 ♖d8 36. ♗c6 g5∓; 29. ♘b3! ♖a6 (29... ♗a1 30. ♗b5±) 30. ♖a2 ♘e5 31. ♔e2 ♘c4 32. ♗g1! (32. ♗c1 ♖b6 33. ♗b2 ♖b3 34. ♗c1 ♖c3∓; 32. ♗f2 ♖a8 33. ♔d3 c1♛ 34. ♘c1 ♘e5 35. ♔c2 ♗c1 36. ♔c1 ♘d3 37. ♔d1 ♘f2 38. ♖f2 ♖b8∓) ♖a8 33. ♔d3=] **c1♛ 30. ♖c1 ♗c1 31. ♗b5 ♘e5** [31... ♘c5! 32. ♔e2 ♗a3 33. ♘c4 ♗b4–+] **32. h3 ♖c8 33. ♔e2 ♖c7 34. ♔d1 ♗a3 35. f4 ♘d7 36. ♘c4 ♗c5** [36... ♗b4! 37. e5 ♘c5–+] **37. ♗d2 ♗b4 38. ♗b4** [38. ♘a5 ♗d2 39. ♔d2 ♘c5 40. ♘c6 (40. ♔e3 ♘a4! 41. ♗a4 ♖c3 42. ♔d4 ♖a3–+; 40. e5 ♘a4! 41. ♗a4 ♖a7 42. ♘c6 ♖a4 43. ♘e7 ♔f8 44. ed6 ♖f4 45. ♘c6 ♔e8–+) ♘e4 41. ♔e3 ♘c5 (41... ♘c3 42. ♔d4 ♘b5 43. ab5 ♔f8 44. ♔c4 ♖b7 45. ♔b4 ♔e8 46. ♔a5!∞) 42. a5 ♔f8 (42... ♖b7 43. ♗c4) 43. a6 ♖c8 44. a7 ♖a8∓] **ab4 39. a5 ♘c5 40. e5 b3! 41. ♔c1** [41. ♔d2 ♖b7 42. ♘b6 ♖a7 43. ♘c4 ♘b7 44. a6 ♘c5–+] **♘d3 42. ♔b1** [42. ♘d2 b2–+] **♘f4 43. ed6 ed6 44. ♔b2** [44. ♗c6

♘d3 45. ♘d2 (45. ♘d6 ♖e7–+) ♖a7 46. ♘b3 ♘c5–+] **♘d5 45. ♘d6** [45. ♔b3 ♔f8 46. a6 ♔e7 47. ♘a5 ♖c5 48. ♘c6 ♔d7 49. ♘d4 ♔c7 50. ♗c4 ♔b6–+] **♔f8 46. ♔b3 ♔e7** [47. ♘e4 f5 48. ♘g5 ♔d6; 47. ♘c4 ♖b7 48. ♘a3 ♔d6 49. ♔c4 (49. a6 ♖b8 50. ♔a4 ♔c5 51. ♔a5 ♘c7) ♘e3 50. ♔b4 (50. ♔d4 ♘c2 51. ♘c2 ♖b5) ♖b8] **0 : 1**
Halifman, Nesis

64.** **A 57**

VOLŽIN 2505 – SKYTTE 2195
Århus (open) 1997

1. d4 ♘f6 2. c4 c5 3. d5 b5 4. cb5 a6 5. b6 e6 6. ♘c3 ♘d5 [RR 6... ♛b6 7. e4 ♗b7 8. ♘f3 g6 9. ♗e2 N (9. ♗c4 – 64/(58)) a) 9... ♗g7 10. 0–0 0–0 (10... ed5? 11. e5 △ ♘d5±) 11. ♗e3 ed5! (11... d6? 12. de6 fe6 13. e5±; 11... ♘g4 12. ♘a4! ♘e3 13. ♘b6 ♘d1 14. ♘a8 ♘b2⊠; 14. ♖ad1 △ 14... ♖a7 15. b3± ×♘b8, ♗b7) 12. ♘a4 (12. ed5 d6; 12. e5 ♘g4 13. ♘a4 ♘e3 14. ♘b6 ♘d1 15. ♖fd1 ♖a7 16. ♘d5 ♘c6∞; 12... ♘e4) ♛c7 a1) 13. e5 ♘e4 14. ♘c5 (14. ♖c1 ♘c6!) ♘c5 15. ♖c1 ♘c6! (15... ♗e5? 16. ♖c5± Šipov 2575 – Salmensuu 2380, Ålborg 1997; 15... d6 16. ed6 ♛a5 17. ♗c5 ♗b2 18. ♖c2 ♗a3 19. ♗a3 ♛a3 20. ♛b1±) 16. ♖c5 (16. ♗c5 ♖fe8 17. ♗d6 ♛b6 18. ♗c5 ♛c7= ×e5) ♛b8 17. ♖d5 ♘e5=; a2) 13. ♗c5 d6 (13... de4? 14. ♗d6! ♛a5 15. ♗f8 ef3 16. ♗f3+–) 14. ♗b6 ♛e7 15. ed5 ♘d5∞; b) △ 9... ed5! 10. ed5 (10. e5!? ♘e4 11. ♘d5 ♛a5 12. ♔f1 ♗g7∞) ♗g7 △ 0–0 Šipov] **7. ♘d5 ed5 8. ♛d5 ♘c6 9. ♘f3 ♗b7** [RR 9... ♖b8 10. e4 ♗e7 11. ♗c4 0–0 12. 0–0 ♖b6 13. ♛h5 d6 14. ♖d1 ♗e6 15. ♗e6 fe6 16. ♛g4 ♛c8 17. ♗g5 N (17. ♗d2 – 56/(78)) ♗g5 18. ♛g5 ♖f3 19. gf3 ♘d4 20. ♔g2 ♛f8 21. ♛g4 e5 22. h4 1/2 : 1/2 G. Giorgadze 2625 – Mellado 2430, Ampuriabrava 1997] **10. ♘e5 ♛e7 11. ♗f4 g5 12. ♘c6 ♗c6 13. ♛g5 ♛g5 14. ♗g5 ♗g7 N** [14... ♖b8] **15. 0-0-0 ♖b8 16. e3** [16. ♗e3 ♖b6 17. b3 ♖b5! △ d5⊠] **♖b6 17. b3 a5** [17... d5 18. e4! (18. ♗c4? f6) d4 19. f3 △ ♗c4±] **18. f3** [18. ♗c4 ♗g2 19. ♖hg1 ♗f3□ (19... ♗h3 20. ♗d8 ♖g6 21. ♗a5±) 20. ♗f7 ♔f7 21. ♖d7 ♔f8! 22. ♖g7? ♔g7 23. ♗d8

♖g6−+; 22. ♖d8=] **a4 19. ♗c4 ab3 20. ab3 ♗b5!? 21. ♔d2!!±** [21. ♔c2 0−0 22. ♗b5 ♖b5 23. ♖d7? c4; 21. ♖d5 0−0 22. ♖hd1 ♖a8 23. ♗b5 ♖b5 24. ♖d7 ♖a1 25. ♔d2 ♖a2 26. ♔e1 h6!∞ △ 27... ♖g2, 27... ♖b3] **♗c4** [21... d5 22. ♗d5 ♖g6 23. f4+−; 21... 0−0 22. ♔e2±] **22. bc4 ♖g6** [22... ♖b2 23. ♔d3 ♖g2 24. ♖hg1 ♖g1 (24... ♖h2? 25. ♗f4+−) 25. ♖g1± △ ♔e4-f5] **23. h4 h6 24. ♗f4 ♖g2 25. ♔d3 ♖a2** [25... ♔e7 26. ♔e4! (26. ♖hg1 ♖g1 27. ♖g1 ♗f6 28. h5 ♔e6±) ♖g6 27. ♖d5!+−] **26. ♔e4+− ♔e7 27. ♖d5 ♖e8 28. ♔f5 ♔f8 29. ♖d7 ♖c2 30. ♖b1   1 : 0   Volžin**

MONOGRAPH
A 58-59
Karpov

65.**   **A 58**

G. GRIGORE 2485 − D. VĂSIEȘIU 2385

România (ch) 1997

1. d4 ♘f6 2. c4 c5 3. d5 b5 4. cb5 a6 5. ba6 g6 6. g3 d6 7. ♘c3 ♗a6 8. ♗g2 ♗g7 9. ♘f3 ♘bd7 10. 0−0 0−0 [RR 10... ♘b6 11. ♖e1 0−0 12. h3 *a)* 12... ♘fd7 13. ♕c2 ♘c4 14. ♘d2 ♕a5 15. ♘db1 ♘cb6 N (15... ♗b7) 16. ♖d1 ♖fb8 17. ♔h2 ♖a7⊼ Je. Piket 2630 − Van Wely 2655, Monaco (m/1) 1997; 15. ♘c4!? △ ♗d2 Je. Piket; *b)* 12... ♖a7 13. e4 ♘fd7 14. ♕c2 ♘c4 15. ♘d2 N (15. ♗f1 ♘de5 16. ♘e5 ♘e5 17. ♔g2 ♗f1 18. ♖f1 ♕a8⊤ △ 19. f4 ♘d7; 15... ♕a5⊤; 15. ♗f4) ♘de5! 16. b3 ♘d2 17. ♗d2 ♘d3 *b1)* 18. ♖e3 ♘b4 19. ♕d1 ♗d4 (Baburin 2545 − Daly 2295, Rathmines 1996) 20. ♖e1 ♘d3 (20... ♗d3!?) 21. ♖f1 ♘b2? 22. ♕c2 ♗f1 23. ♖f1±; 21... c4!⊤↑; *b2)* 18. ♖eb1 ♗d4 19. ♗e3 (19. ♗e1 ♘e1 20. ♖e1 ♕a5 21. ♖ec1 ♖b8⊤; 21... ♕a3) ♗e3 20. fe3 ♘b4 21. ♕d2 ♗d3 22. ♖b2 ♖a3⊤ Daly] **11. ♕c2 ♘b6 12. ♖d1 ♗b7!? 13. e4 ♖a5!** [△ ♕e8, e6] **14.**

h3 N [14. b3!? ♘e4?! 15. ♘e4 ♗a1 16. ♗d2 ♖a7 17. ♖a1 ♗d5 18. ♗h6↑; 14. ♗f4 ♕a8 15. ♘d2 (15. b3) ♘g4∞] **♕a8** [△ e6, ×e4, ∥a8-h1] **15. ♗f4! ♘a4** [15... ♘fd7!? 16. ♘d2 c4⊼] **16. ♘d2** [16. ♘a4 ♖a4 17. e5? ♘d5 18. ed6 ♗f4 19. de7 ♘g2! (19... ♖e8 20. ♖d8 ♖d8 21. ed8♕ ♕d8 22. ♕a4 ♘g2 23. ♔g2±) 20. ef8♕ ♗f8−+] **♘d7 17. ♗c4 ♘c3 18. bc3** [18. ♘a5 ♘d1 19. ♘b7 ♘b2⊤] **♖a4 19. ♗f1 f5!** [19... ♕a7?! (△ ♖a8) 20. ♗g5! ♖e8 21. ♖ab1 ♗c8 22. a3±] **20. ♗g5!□** [20. f3 fe4 21. fe4 g5 22. ♗g5 ♖f1 23. ♖f1 ♖c4⊤] **♖f7 21. ef5 gf5 22. ♗f4!** [22. ♘e3 ♘e5! 23. ♗g2 h6 24. ♗f4 ♗c8 (△ ♘g6; 24... ♘g6 25. ♘f5 ♘f4 26. gf4 ♖f4 27. ♘g7 ♖g7⊼) 25. ♘f1 ♖a3⊼] **♖a7 23. ♘e3** [×f5] **♘e5!!** [23... ♖a3 24. ♘f5 ♖c3 (24... ♗d5 25. ♘g7±) 25. ♕e4 ♘f6 26. ♕e6 ♗f8 27. ♗g2 ♗c8 28. ♕e1±] **24. ♗e5** [24. ♘f5 ♘f3 25. ♔h1 ♗d5−+] **♗e5 25. ♘f5** [25. f4 ♗h8 26. ♘f5 ♕f8 *a)* 27. ♘e3 ♖a3 28. ♖d3 ♗a6 29. ♕b2 ♕g7! 30. ♔h2 (30. ♕a3 ♕g3 31. ♘g2 ♗d3 32. ♗d3 ♕d3−+) ♖a4 31. ♖dd3 ♕c3⊤; *b)* 27. ♗d3 ♗c8 28. g4 ♖a3↑] **♕f8!** **26. g4 ♗c8 27. ♗d3** [27. ♘e3 ♖a3 28. ♖d3 ♗a6 29. ♕b2 ♗d3 30. ♕a3 ♖f2−+; 27. ♘g3 ♖f3 28. ♖d3 ♖a3↑ ×c3, a2, ♔g1] **♖a3 28. ♕c1 ♗f5 29. ♗f5** [29. ♕a3!? ♗d3 (29... ♕h6 30. ♗f5 ♕h3=) 30. ♖d3 ♖f2 (△ ♕f4) 31. ♕c1 c4 32. ♕g5 (32. ♖d2?? ♗h2 33. ♔h1 ♕f3#) ♗h8 33. ♖e3 ♗h2 34. ♔h1 ♖f1 35. ♖f1 ♕f1 36. ♔h2 ♕f2=] **♖c3 30. ♕g5 ♖g7 31. ♗e6 ♔h8 32. ♕f5 ♕f5 33. ♗f5 ♖h3 34. ♖ab1 ♖a3 35. ♖b8 ♖g8 36. ♖b7 ♗f6 37. ♔g2 h6⊤ 38. f4!? ♖a2 39. ♔f3 ♖ga8 40. ♖db1 ♔g7 41. ♖b8 ♖8a3 42. ♖1b3 c4 43. ♖a3 ♖a3 44. ♔e4 c3 45. ♖c8 ♖a2 46. ♗c7 ♖e2 47. ♔f3 ♖d2 48. ♗e4 ♘f8 49. ♖c4 ♔f7 50. ♔e3 ♖d1 51. ♔e2 ♖d2 52. ♔e3 ♔g7 53. ♔f3 ♗d4 54. ♗f5**   **1/2 : 1/2**
D. Văsieșiu

66.   **A 59**

D. KOMLJENOVIĆ 2460 − D. GUREVICH 2580

Ischia 1997

1. d4 ♘f6 2. c4 c5 3. d5 b5 4. cb5 a6 5. ba6 g6 6. ♘c3 ♗a6 7. e4 ♗f1 8. ♔f1 d6 9.

♘f3 ♗g7 10. g3 0–0 11. ♔g2 ♘bd7 12.
h3 ♕a5 13. ♖e1 ♖fb8 14. e5 de5 15. ♘e5
♘e5 16. ♖e5 ♖a7 17. ♕e2 ♔f8 N [17...
♖bb7!? — 49/89] 18. ♗f4 ♖ab7 19. ♕e3
[19. ♖b1!?] ♘e8 20. ♖e1 ♗e5 21. ♗e5
♖d8 22. ♘e4 ♔g8!□ 23. ♘c5 ♖a7 24.
♗d4 ♘f6 25. a4 ♘d5 26. ♕e5 ♘f6

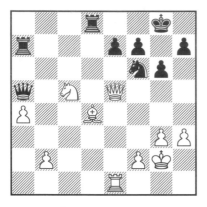

27. ♘e6! fe6? [27... ♕e5 28. ♖e5 ♖d4 (28...
♖a4? 29. ♘d8 ♖d4 30. ♘c6) 29. ♘d4 ♖a4
30. ♘c6 e6 31. b4 ♘d5=] 28. ♕e6 ♔g7
[28... ♔f8 29. ♗b6! ♖d6 30. ♕c8] 29.
♗b6! ♖d6 30. ♕e7 ♖e7 31. ♖e7 ♔f8 32.
♗a5 ♔e7 33. ♗b4 ♔e6 34. ♗d6 ♔d6
[♘♗ 0/h] 35. ♔f3 g5?! 36. ♔e3 ♔e5?
[36... ♔c5!? 37. b3 h5 38. a5 ♔b5 39. b4
h4 40. gh4 gh4 41. ♔f4 ♘d5 42. ♔g4 ♘b4
43. ♔h4 ♘d3! 44. f3 ♘a5 45. ♔g5 ♘b6 46.
h4 ♔c7 47. ♔f6! ♘f4 48. ♔f5 ♘d5 49. h5
♘e7 50. ♔f6 ♔d6 51. h6+−] 37. a5+−
♘d5 38. ♔f3 ♘b4 [38... h5 39. a6] 39.
♔g4 ♘f6 40. ♔h5! ♔f5 41. f3   1 : 0
D. Gurevich

67.*   A 63

DAUTOV 2595 — CEBALO 2485

Porto San Giorgio 1997

1. d4 ♘f6 2. ♘f3 g6 3. c4 ♗g7 4. g3 c5 5.
d5 d6 6. ♘c3 0–0 7. ♗g2 e6 8. 0–0 ed5 9.
cd5 a6 10. a4 ♘bd7 11. ♗f4 ♕e7 12. h3
♘h5 [RR 12... ♖b8 13. ♖b1 ♘h5 14. ♗g5
f6 15. ♗d2 f5 16. ♕c2 ♘hf6 17. b4 cb4
18. ♖b4 ♘c5 19. ♘d4 ♗d7 20. ♕b1
♖bc8!? N (20... ♘fe4 21. ♘e4 ♘e4 22.
♗e4 fe4 23. ♘e6 ♗e6 24. ♕e4 ♗e5 25.
de6 ♕e6±) 21. a5 (21. ♘b3 b5 22. ab5

ab5 23. ♘d4 ♘a6! 24. ♖b3 b4 25. ♘a2
♘e4∓ Draško) ♖c7 22. ♖d1∞ 1/2 : 1/2
Draško 2520 — Petronić 2490, Jugoslavija
1997] 13. ♗g5 f6 14. ♗d2 f5 15. ♕c1
♘df6 N [15... ♘e5 — 64/62] 16. ♗h6 [16.
♗g5! (Glejzerov) ♖b8!? (16... h6 17. ♘e6
♗e6 18. de6 ♕e6 19. ♗h6! d5 20. ♗g7
♔g7 21. e3±) a) 17. e4?! ♘e4 18. ♘ce4
(18. ♘ge4 fe4 19. ♘e4 ♗h3∓) fe4 19. ♖e1
♗d4 20. ♗e3 ♗e3 21. ♕e3 ♘f6 22. ♘e4
♘e4 23. ♕e4 ♕f6=; b) 17. ♖e1! h6 (17...
b5 18. ab5 ab5 19. e4 ♘e4 20. ♘ce4 fe4
21. ♘e4↑) 18. ♘e6 ♗e6 19. de6 ♔h7 20.
e4 ♕e6 21. ef5 ♕f5 22. ♗e3↑ △ g4] ♗d7
17. a5 ♖ae8 18. ♗g7 ♔g7 19. ♖a3! [△
♖b3, ♘d2-c4] ♗c8 [19... ♘e4 20. ♘e4
(20. ♖b3 ♗c8 21. ♘d2?! ♘d2 22. ♕d2 f4!
23. g4 ♘f6↑) fe4 21. ♘d2 ♘f6 22. ♖e3
♘d5 23. ♖e4 ♗e6 24. ♘c4 ♘f6 25. ♖e3
d5 26. ♘b6±] 20. ♖e1 [△ 20. ♘d2±] ♕d8
[20... ♘e4!? 21. e3 (21. ♘d2? ♘f2!; 21.
♘e4? fe4 22. ♘d2 ♕f6 23. ♖f1 e3∓) ♘hf6
22. ♘d2 ♘d2 23. ♕d2±] 21. ♘d2 ♘d7 22.
♘c4 [22. e3 ♘e5 23. ♕c2 g5 24. f4 ♘g6
25. ♘e2∞] ♘e5 23. ♘e5 ♖e5 24. f4 ♖ee8
25. ♘b1!± [25. ♔h2 ♘f6 26. e4 fe4 27.
♘e4 ♘e4 28. ♖e4 ♖e4 29. ♗e4 ♖e8 30.
♗g2 ♕f6⇆] ♘f6 [25... g5? 26. fg5 f4 27.
g4 ♘g3 28. e4! ♖e5 (28... ♕g5?? 29. ♖g3)
29. ♘d2 ♖g5 30. ♘f3 ♖g6 31. ♕c3 ♔g8
32. e5±] 26. ♘d2 ♗d7 [26... b5 27. ab6
♕b6 28. ♘c4 ♕c7 29. ♕c3 ♔g8 30. ♕a5
♕a5 31. ♖a5 ♖d8 32. b4 cb4 33. ♖b1±]
27. ♕c3 ♔g8 28. b4 cb4 29. ♕b4 ♗b5 30.
e3 ♖f7 31. ♖c1 ♖c7 32. ♖c7 [32. ♖ac3!?
♖c3 33. ♕c3 a) 33... b6 34. ab6 ♘h5 35.
♔h2 (35. ♔f2 ♕b6 36. ♗f3 ♘g7 37. ♘b3
♗d7 38. ♘a5 ♖c8 39. ♘c6±) ♕b6 36.
♖e1!± △ 37. e4, 37. ♗f3; b) 33... ♕e7 34.
♖e1±] ♕c7 33. ♖c3 ♕d8 34. ♔h2 [34.
♘b3 ♘e4 35. ♗e4 ♖e4 36. ♘d4 ♗e8⇆]
h5 35. ♘f3 [35. e4 fe4 36. ♘e4 ♘e4 37.
♗e4 ♕f6⇆; 35. ♗f3±] ♘e4 [35... ♘d5??
36. ♕b3 ♗c6 37. ♘d4+−] 36. ♖c1 [36.
♖c2 ♘c5! (36... b6 37. ab6 ♕b6 38. ♘d4
♘c5 39. ♘e6! ♘e6 40. de6 ♕e3 41.
♕d6±) 37. ♘e5 ♘d3! 38. ♘d3 ♗d3 39.
♖c3 ♗b5±] b6 [36... ♘c5 37. ♘e5! ♖e5
(37... h4 38. ♖c5 dc5 39. ♕c5 hg3 40. ♔g3
♕f6 41. d6±; 37... de5 38. ♕c5±) 38. fe5
♘d3 39. ♕h4! g5 40. ♖c8! ♕c8 41. ♕g5

♔f8 42. ♕h5→] **37. ab6 ♕b6 38. ♘d4⊕ ♘c5 39. ♖c3** [△ ♘e6; 39. ♘e6? ♘e6 40. de6 ♕e3 41. ♖c7 h4 42. gh4 ♖e6∓; 39. ♕c3 (△ ♘e6) ♗d7 (39... ♘a4 40. ♕a1± △ ♘e6) 40. ♘c6 ♘e4⇆] ♔h7! **40. ♗f1?** [40. ♗f3 (△ g4) ♕b8 41. g4 hg4 42. hg4 ♗d7=; 41. ♘c6±] ♖b8= **41. ♗b5** [41. ♗g2 ♗d7=] **ab5 42. ♘e6** [42. ♖a3 ♕b7! 43. ♘e6 (43. ♘c6 ♖a8=) ♕d5 44. ♖a7 ♘h6 45. ♘g5 ♘b7! (45... ♖b7 46. ♖a8→) 46. ♕d6! ♕c4! 47. ♕d2 b4 48. ♕g2 b3 49. ♖b7 ♖b7 50. ♕b7 ♕e2 51. ♔h1 ♕f1=] ♘e6 **43. de6 ♖e8 44. ♕b3 d5** [44... b4] **45. ♕d5 ♕e6 46. ♖c7 ♔h6 47. g4?** [47. ♕e6 ♖e6 48. ♖b7=] **hg4 48. ♕e6** [48. ♕d4 g3!∓] **♖e6 49. hg4 fg4 50. ♖b7 ♖e3 51. ♖b5 ♖f3 52. ♔g2 ♖f4 53. ♔g3 ♖f5 54. ♖b4 ♔h5 55. ♖b8 ♖f3 56. ♔g2 ♖c3 57. ♖a8 ♔g5 58. ♖b8 ♖e3** 1/2 : 1/2 *Dautov*

68.   A 63

D. GUREVICH 2580 − PSAKHIS 2610
Toronto 1997

1. d4 e6 2. c4 ♘f6 3. g3 c5 4. d5 ed5 5. cd5 d6 6. ♘c3 g6 7. ♗g2 ♗g7 8. ♘f3 0−0 9. 0−0 a6 10. a4 ♘bd7 11. ♗f4 ♕e7 12. h3 h6 13. ♖b1 N [13. e4 g5 14. ♗d2 *a)* 14... ♖b8 15. ♖b1 b5 (15... ♖e8 — 60/75) 16. ab5 ab5 17. b4 ♘e4!?; *b)* 14... ♘e4!? 15. ♘e4 ♕e4 16. ♘g5 ♕g6∞] **♘h5 14. ♗d2 f5 15. ♕c2 g5 16. a5** [16. b4 cb4 17. ♖b4 ♘c5 18. a5 ♗d7] **♖b8 17. e3 b5** [17... ♘e5 18. b4 cb4 19. ♖b4] **18. ab6 ♖b6 19. ♘a4 ♖b5 20. b4 ♗b7 21. bc5 ♘c5 22. ♘b6!?** [22. ♘d4 ♗d4 23. ed4 ♘e4] **♕d8 23. ♖b5 ab5 24. ♗a5 ♘a4 25. ♖b1 ♘b6 26. ♖b5 ♕a8⊕ 27. ♗b6 ♗d5 28. ♖d5 ♕d5 29. ♘g5 ♕b5 30. ♕a2** [30. ♘e6 ♕b6 31. ♘f8 ♔f8!] **♔h8 31. ♘f7** [31. ♘e6!? *a)* 31... ♘g3 32. fg3 (32. ♘g7 ♘e2 33. ♔h2 ♕b6? 34. ♘e6 ♖e8 35. ♕a1!; 33... ♔g7∓) ♕b6 33. ♘f8 ♕e3 34. ♔h2 ♗f8 35. ♕f7 ♕e7 36. ♕f5=; *b)* 31... ♖b8! 32. ♘g7 ♘g7 33. ♗d4 ♕b1 34. ♕b1 ♖b1 35. ♗f1 ♔h7 36. ♔g2 ♖d1 37. ♗e2 ♖d2] **♔h7 32. ♕e6 ♘f6!** [32... ♕b6? 33. ♕f5 ♔g8 34. ♘h6!+− ♗h6 35. ♕g6 ♘g7 36. ♗d5 ♖f7 37. ♕f7 ♔h7 38. ♗e4] **33. ♗d4 ♕d7 34.**

♗d5 [34. ♕d7 ♘d7 35. ♘d6 ♗d4 36. ed4 ♔g6=] ♕e6 **35. ♗e6 ♘e8!** [×d6] **36. ♗b6 ♔g6 37. ♘d8 ♗f6 38. ♘c6** [38. g4 fg4 39. hg4 h5=] **h5 39. ♘b4=** ♘g7 **40. ♗d7 ♖b8 41. ♘d5 ♔f7 42. ♔g2** 1/2 : 1/2
D. Gurevich

V. *logical build-up,*
V. *careful before breaking with*

69.* !N 34. e5.   A 64

ILINČIĆ 2545 − PETRONIĆ 2490
Jugoslavija 1997

1. d4 ♘f6 2. c4 c5 3. d5 e6 4. ♘c3 ed5 5. cd5 d6 6. g3 g6 7. ♗g2 ♗g7 8. ♘f3 0−0 9. 0−0 a6 10. a4 ♘bd7 11. ♘d2 ♖e8 12. a5 [RR 12. ♘c4 ♘e5 13. ♘e5 ♖e5 14. ♗f4 ♖e8 15. ♕c2 ♕c7! N (15... ♕e7 — 68/65) 16. ♖ab1 ♗d7 17. ♖fc1 (17. b4? cb4 18. ♖b4 ♖ac8 19. ♖c1 ♘h5 20. ♗d2 ♖e2!−+) b5 18. ab5 ab5 19. b4 c4! 20. ♕d2 (20. ♖a1 ♘h5 21. ♗e3 f5↑) ♖a3! 21. h3 ♘h5 22. ♗e3 f5 23. ♔h2 ♖ea8 24. ♗f3 ♘f6 25. ♗d4 ♘e8 26. ♗g7 ♘g7 27. ♔g2 (Z. Stamenković 2425 − Petronić 2490, Jugoslavija 1997) ♕d8! 28. ♕d4 ♔f7∓ Petronić] **b5 13. ab6 ♘b6 14. e4!** [14. ♘b3 ♘c4 15. ♕d3 (15. ♖a4 — 34/111) ♖b8! 16. ♕c4 ♖b4 17. ♕d3 ♖b3=] **♖b8 15. ♕c2** [15. h3 ♘fd7 16. f4 c4 △ ♘c5∞] **♖e7** [15... ♘fd7 16. f4 (16. b3 ♘e5 17. f4 ♘g4 18. ♘f3 ♗c3 19. ♕c3 ♖e4∓) ♕c7 (16... c4 17. ♘cb1! ♕c7 18. ♘a3 ♗b7 19. ♘dc4 ♖bc8 20. ♘e3±) 17. b3 c4 18. b4±] **16. b3 N** [16. ♖a2] ♘e8 [16... ♘fd5 17. ed5 ♗f5 18. ♗e4 (18. ♕b2 ♗d3 19. ♖d1 ♕e8∓) ♗e4 (18... ♗c3 19. ♕c3 ♗e4 20. ♗b2+−) 19. ♘de4 ♖e4 20. ♕e4 ♗c3 21. ♖b1+−] **17. ♗b2 ♘c7 18. ♖fe1** [18. ♘c4 ♘c4 19. bc4 ♘e8 20. ♘d1 ♕b6=] **♗b7** [18... ♘b5 19. ♘b5 ab5 20. ♗g7 ♔g7 21. e5! de5 22. ♕c5±; 18... f5 19. ♖ad1 fe4 20. ♘de4±] **19. ♘c4∓** 19. f4 ♘b5 20. ♘b5 ab5 21. ♗g7 ♔g7∞] ♘c4 [19... ♘b5 20. ♘b5 ab5 21. ♘e3±] **20. bc4 ♗c8 21. ♘d1 ♘e8 22. ♗g7 ♔g7 23. f4 f6** [23... ♕b6 24. e5 ♕b3 25. ♕b3 ♖b3 26. ♘f2±] **24. ♘f2 ♖b6** [24... ♖eb7 25. ♖a6 ♖b2 26. ♖a7±; 24... ♕b6 25. ♖eb1 (25. ♖ab1 ♕a5∞) ♕a7 26. ♖b8 ♕b8 27. ♘d3±] **25. ♘d3 ♖eb7 26. h3!** [26. e5 ♗f5∞] **a5?!** [26... h5 27. ♕e2 ♖b8 28. g4 hg4 29. hg4 ♖b3 30. ♗f3±] **27. ♖a5 ♖b2 28. ♘b2 ♕a5 29. ♘d3 ♗d7** [29...

♕a3 30. ♔h2 (30. ♖c1 ♖b3 31. ♗f1 ♗h3∓)
♖b3 31. ♖a1 ♕a1 32. ♕b3 a) 32... ♕d4
33. ♕b8 ♗d7 (33... ♕d3 34. ♕c8 ♔f8 35.
e5+−) 34. ♕a7 ♕d3 35. ♕d7 ♔f8 36.
♕h7 ♕c4 37. ♕g6+−; b) 32... ♕a7 33. g4
△ e5±] 30. ♖c1 ♕a3 31. ♗f1 ♗a4 [31...
♖b3 32. ♕d1! ♕a4 (32... ♗h3 33. ♖a1
♗g4 34. ♕e1 ♖d3 35. ♖a3 ♖a3 36. e5+−)
33. ♖a1 ♖a3 (33... ♕c4 34. ♖a7+−) 34.
♕a4 ♖a4 35. ♖a4 ♗a4 36. ♔f2±] 32. ♕d2
♗d7 33. g4 h6 [33... h5 34. gh5 gh5 35.
f5+−] 34. e5 ♖b3 [34... fe5 35. fe5 de5 36.
♕e3+−] 35. ♕e3 ♖c3 [35... fe5 36. fe5
♖c3 37. ♖c3 ♕c3 38. ed6+−] 36. ef6 ♘f6
[36... ♔f6 37. ♖e1+−] 37. ♕e7 ♔g8 38.
♕f6 ♖d3 [38... ♖c1 39. ♕d8 ♔g7 40. ♕d7
♔g8 41. ♘c1+−] 39. ♖a1 ♖g3 40. ♔h2
1 : 0   *Ilinčić*

70.*   A 65

L. CHRISTIANSEN 2550 −
SUMMERMATTER 2320

Schweiz 1997

1. c4 ♘f6 2. ♘c3 g6 3. e4 d6 4. d4 ♗g7 5.
f3 0−0 6. ♗g5 ♘bd7 [RR 6... c5 7. d5 e6
8. ♕d2 ed5 9. cd5 h6 10. ♗e3 a6 11. a4
♖e8 12. ♘ge2 h5 13. ♘f4 ♘bd7 14. ♗e2
♘e5 15. 0−0 ♗d7 (15... g5?! 16. ♘h3!
♗h3 17. gh3 ♘h7 18. f4 gf4 19. ♗f4±)
16. b3 N (16. ♔h1) ♖b8 17. a5 ♘h7 18.
♔h1 ♕e7 19. ♖a2 ♘f8!? a) 20. ♘d3 f5
21. ♘e5 ♗e5 (21... ♕e5 22. ♖c1±) 22.
f4!? ♗c3! (22... ♗g7 23. e5! de5 24. d6
♕f7 25. ♗c5↑) 23. ♕c3 ♕e4 24. ♗c1
♕d4! 25. ♕d4 (25. ♕g3 ♗b5 26. ♗b5 ab5
27. ♗b2 ♕e3 28. ♕g5 ♕e7 29. ♕h6 ♕h7)
cd4 26. ♖d1 ♗b5 27. ♗b5 ab5 28. ♗a3!
♖bd8 (K. Urban 2490 − Dydyško 2480,
Świdnica 1997) 29. g3=; b) 20. ♖b1!? △

b4 Dydyško] 7. ♕d2 c5 8. d5 a6 9. a4 ♕a5
10. ♖a3 ♖e8 11. ♘h3 e6 12. ♗e2 ed5 13.
cd5 ♘e5 14. ♘f2 h5 15. 0−0 ♘h7 16.
♗h6 N [16. ♗e3] ♗h8?! [16... ♗h6 17.
♕h6 ♕b4] 17. ♔h1? [17. f4±] f5! 18. ♕c1
♘f7 [18... ♗d7] 19. ♗d2 ♕d8 20. a5± g5!
21. f4! g4 22. ♗d3 ♘f6 23. ♕c2 [×f5] h4
[23... ♗d7 24. ef5 ♖c8!?] 24. e5 de5 25.
♗f5 e4! 26. ♗e6! [26. ♗e4? ♘e4 27.
♘ce4 ♗f5∓∓; 26. ♗c8 ♖c8 27. ♘fe4 ♘e4
28. ♘e4 ♕d5=] ♗e6 27. de6 ♖e6 28. f5
♖e5 29. ♘fe4 ♘e4 30. ♘e4 ♖e4! [30...
♕d5? 31. ♘c3±; 30... ♕e8? 31. ♖a4±] 31.
♕e4 ♕d2 32. ♖d3?! [32. ♕g4 ♕g5 33.
♕e4±] ♕g5?⊕ [32... ♕b4! 33. ♕e6 (33.
♕b4 cb4 34. ♖b3 ♘e5 35. ♖b4 ♖b8=)
♕b5! 34. ♖fd1 ♖e8 35. ♖d8 ♔f8!] 33.
♖d7 [△ ♖f7] ♖f8?! [33... ♖d8 34. ♖b7 g3
35. ♕c4 ♕f6 36. ♖b6 ♖d6 37. ♕c5±] 34.
♖f4! ♘e5 [34... ♗g7 35. f6+−; 34... ♔h8
35. ♕c4 (35. ♕e6 ♗g7) ♕f6 36. ♖b7±]

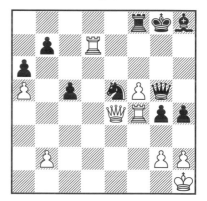

35. f6!+− ♕g6 [35... ♖f6 36. ♕h7; 35...
♘d7 36. ♖g4 ♗f6 37. ♖g5 ♗g5 38. ♕g6
♔h8 39. ♕h5; 35... ♕h5 36. ♕e5!!] 36.
♖g4!   1 : 0   *L. Christiansen*

71. !N   A 65

KHENKIN 2550 − GLEK 2505

Porto San Giorgio 1997

1. d4 ♘f6 2. c4 g6 3. ♘c3 ♗g7 4. e4 d6 5.
f3 0−0 6. ♘ge2 c5 7. ♗e3 ♘c6 8. d5 ♘e5
9. ♘g3 e6 10. ♗e2 ed5 11. cd5 h5 12. 0−0
♘h7 13. ♕d2 h4 14. ♘h1 g5 15. ♘f2 ♗d7
16. ♔h1 ♕f6 17. ♖ae1 ♔h8! N [17...
♖ab8?! − 67/97] 18. f4 gf4 19. ♗f4 ♕g6

20. ♘d3 ♖ae8!= 21. ♘e5 ♗e5 22. ♗e5 ♖e5
23. ♕f4 ♖g8 [23... h3!?] 24. ♗f2 h3 25. g3
♘g5 [25... f5 26. ♗d3 ♕g5=] 26. ♘ef1 ♖g7
[26... ♔g7!?; 26... b5!?] 27. ♔g1 ♔g8?
[27... b5!⇄] 28. ♗g4! ♗e8 [28... ♗g4 29.
♕g4 ♘e4 30. ♕c8 ♔h7 31. ♕h3±] 29. ♗f5
♕f6 30. ♕e3 ♕e7 31. ♗f4 b5 32. a3 [△
32. ♘d1 ♗d7 33. ♗d7 ♕d7 34. ♕d3±] a5
33. ♘d1 b4 34. ab4 ab4 35. ♖e1 ♗d7!∓ 36.
♗d7 ♕d7 37. ♘f2 f5 38. ♖f5?!⊕ ♖f5
[38... ♕f5!?∞] 39. ef5 ♕f5 40. g4? [40.
♕e8 ♕f8∓] ♘f3 41. ♔h1 ♕d5-+ 42.
♕e8 ♔h7 43. ♕e4 [43. ♖e4 ♘d2] ♕e4 44.
♖e4 ♘g5 45. ♖e3 ♔g8 46. b3 ♖a7 47.
♘h3 ♘h3 48. ♖h3 ♖a3 49. ♔g2 c4 50.
♖h5 ♖b3 [50... cb3 51. ♖b5 ♖a4] 51. ♖b5
c3 52. ♖b8 ♔f7 53. ♖c8 ♖b2 54. ♔g3
♖d2 55. ♖c7 ♔e6 56. h4 [56. g5 ♔f5] c2
57. g5 ♖d3   0 : 1   *Glek*

72.   A 68
H. BANIKAS 2450 —
SA. VELIČKOVIĆ 2395
Kavala 1997

1. d4 c5 2. d5 ♘f6 3. c4 g6 4. ♘c3 ♗g7 5.
e4 d6 6. f4 0-0 7. ♘f3 e6 8. ♗e2 ed5 9.
cd5 ♗g4 10. 0-0 ♗f3 11. ♗f3 ♘bd7 12.
♖e1 ♖e8 13. a4 a6 14. ♗e3 ♕a5 15. ♔h1
h6!? N [15... ♖ac8] 16. ♕d2 [16. g4 ♘h7
△ g5] ♘h7 17. ♗f2 [△ ♗g3, e5!⊞] ♕b4!?
[17... g5?! 18. g3± △ ♖e2, ♖ae1, e5] 18.
a5 b5□ 19. ♕c2 c4 20. ♖e2 [△ ♖a3, ♘a2
X♕b4] ♘hf8! [Xe6, g6; 20... ♘c5? 21.
♗c5 ♕c5 22. e5±→] 21. ♖a3 ♗c3! [21...
♘c5 22. ♘a2 ♕a3 23. ba3 ♘d3 24. ♗g3
△ ♘b4±] 22. ♕c3 [22. ♖c3!? △ ♗g3, e5]
♕c3 23. ♖c3 [23. bc3? f5!] f5! 24. ef5 [24.
♖ce3 fe4 25. ♖e4 ♖e4 26. ♖e4 ♔f7 △
♖e8] ♖e2 25. ♗e2 ♖e8! 26. ♗d1? [26.
♖e3; 26. ♗f3] ♘f6!∓ [26... gf5? 27. ♖g3]
27. ♗f3 ♘e4 [27... gf5 28. ♖e3 (28. ♔g1
♘8d7) ♖e3 29. ♗e3 ♘8d7 △ ♔f7-e7,
♘c5‖] 28. ♗e4 ♖e4 29. ♖c2 gf5 30. g3
♘d7 31. ♔g2 ♘c5 [31... ♘f6!? △ ♔f7,
h5] 32. ♔f3 ♘b3 33. g4 ♘d4 34. ♗d4
♖d4 35. gf5 ♖d5 36. ♔e4 ♖d1 37. ♖g2
♔f7 38. ♖g6 h5!-+ 39. ♖h6 b4 40. ♖h5
b3! [△ c3] 41. ♖h7 [41. ♖h3 ♖d2] ♔f6
42. ♖h6 ♔g7 43. ♖g6 ♔f7 44. ♖g2 d5 45.

♔e5 d4 46. f6 c3 47. ♖g7 ♔f8 48. ♖h7
♖e1! 49. ♔f5 cb2!   0 : 1
     Sa. Veličković

73.* !N   A 68
KONIKOWSKI 2345
— F. DÖTTLING 2310
corr. 1997

1. d4 ♘f6 2. c4 g6 3. ♘c3 ♗g7 4. e4 d6
5. f4 c5 6. d5 0-0 7. ♘f3 e6 8. ♗e2 ed5
9. cd5 ♗g4 10. 0-0 ♘bd7 11. h3 ♗f3
12. ♗f3 c4 [RR 12... ♖e8 13. a4 ♕a5 14.
♗d2 c4 15. ♔h1 ♘c5!? N (15... ♕b6 —
68/(69)) 16. e5! de5 17. fe5 a) 17... ♘fd7?!
18. e6! fe6 19. de6 ♘e5 (19... ♘e6 20.
♗d5! ♔h8 21. ♖f7±) 20. ♘d5 ♕d8 21.
e7 ♕d7 22. ♗g5! (V. Umanskij 2375 —
Ocytko 2270, Białystok 1997) ♘cd3!? 23.
♗e4 ♖ac8 24. ♘f6 ♗f6 25. ♗f6±⊞; b)
17... ♖e5!? △ 18. ♘e4 ♕b6! 19. a5 ♕b5
20. ♘f6 ♗f6 21. ♗c3 ♗f5 22. ♗f6 ♖f6 23.
♕d4 ♖f5 24. ♖ad1 ♘d3∞ V. Umanskij]
13. ♗e3 ♕a5 [13... ♖c8 14. ♗a7!? b6 15.
♘b5 a) 15... ♘e8 16. ♕c2 ♖c5 17. a4 f5
18. ef5 gf5 19. ♖ae1 (19. ♕e2!?) ♕f6
(19... ♕a8? 20. ♖e7 ♖b5 21. ♖d7 ♗d4 22.
♔h1 ♖a5 23. ♕c4 ♗b2 24. ♗b6 ♖a4 25.
♕e2+-) 20. ♖e6 (20. ♖f2 ♘c7!) ♕b2 21.
♕b2 ♗b2 22. ♖fe1 ♘ef6 23. ♖1e2 (23.
♖d6 c3 24. ♖b6 ♘b6 25. ♗b6 ♖c4 26.
♗d4 ♖a4 27. ♗c3 ♗c3 28. ♘c3 ♖f4 29.
d6 ♖d4∓) c3 24. ♖c2 ♘d5 25. ♖d6 ♘e3
26. ♖d7 ♘c2 27. ♗b6 ♖cc8 28. ♗d5 ♔h8
29. ♗c7!? (29. ♗b3 ♖c6 30. ♗f2 ♘e3! 31.
♗e3 c2 32. ♘d6 c1♕ 33. ♗c1 ♖c1 34.
♔f2 ♗a3 35. ♘f7 ♔g7 36. ♘g5 ♔g6 37.
♗f7 ♔h6 38. ♗e6↑) ♖fe8 30. ♘d6 ♘e3
31. ♘f7 ♔g7 32. ♘g5 ♔g6 33. ♗f7 ♔h6
34. ♗e8+-; b) 15... ♘c5 16. e5 de5 (16...
♘e8 17. ♕d4!) 17. fe5 ♘fd7 18. e6 fe6 19.
de6 ♘e6 20. ♕d6 (20. ♕d5!?) ♘ec5 (20...
♘dc5 21. ♗b6!) 21. ♖ad1 ♗b2 22. ♕d5
(22. ♗d5 ♔h8 23. ♖f8 ♕f8 24. ♕f8 ♖f8
25. ♗c4∞) ♔h8 23. ♘d6 ♖c7 24. ♘c4
♖a7 25. ♘b2±] 14. ♗d4 ♖fe8 [14... ♘c5
— 39/(122)] 15. b4 ♕b4 16. ♖b1 ♕a5 17.
♖b7 a6 [17... ♘c5 18. ♖b5 ♕a6 19. ♗c5
dc5 20. e5±] 18. ♘a4 ♘e4 [18... ♖ab8 19.
♖b8 ♖b8 20. ♘c3 ♖b2 21. e5↑] 19. ♗g7

♘dc5 20. ♕d4! ♘b7 21. ♗h6 f6 22. ♗e4 ♕a4 23. ♕f6 [23. f5!?] ♕d7

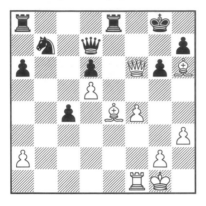

24. f5! N [24. ♗f3? ♕e7 25. ♕c3 ♕e3 26. ♕e3 ♖e3-+] ♘c5 25. fg6 ♘e4□ [25... ♖e4?? 26. ♕f8 ♖f8 27. ♖f8#] 26. ♕f7 ♕f7 27. gf7 ♔h8 28. ♖f4! ♖f8 [28... ♘d2 a) 29. ♖g4? ♖e1 30. ♔f2 ♖f1 31. ♔e2 (31. ♔g3 ♖f7 32. ♗d2 h5 33. ♖c4 ♖g8 34. ♔h4 ♖g2-+) ♖f7 32. ♔d2 ♖g8∓; b) 29. fe8♕ ♖e8 30. ♖d4 c3 31. ♗d2 cd2 32. ♖d2±] 29. ♗f8 ♖f8 30. ♖e4 ♖f7 31. ♖c4 ♖f5 32. ♖a4 ♖d5 33. ♖a6 ♖d2 34. ♖a7 ♔g8 35. ♔h2 d5 36. a4 ♖a2 37. a5 [37. ♔g3!?] d4 38. ♔g3 d3 39. ♔f3 h6 40. a6 d2 41. ♔e2 ♔h8 42. g4   1 : 0

Konikowski

74.* !N   A 70

VAN WELY 2655 − TOPALOV 2745

Antwerpen 1997

1. d4 ♘f6 2. c4 e6 3. ♘f3 c5 4. d5 d6 5. ♘c3 ed5 6. cd5 g6 7. e4 a6 8. a4 ♗g4 9. ♕b3 ♗f3 10. ♕b7 ♘bd7 [10... ♘e4? 11. gf3 ♘c3 12. ♕a8 ♗g7 13. ♖a3! N (13. ♗e3) 0-0 14. bc3 ♖e8 15. ♔d1 ♕f6 16. ♗e2 1 : 0 Van Wely 2645 − A. Guseinov 2430, Pula 1997] 11. gf3 ♗g7 12. ♗f4?! N [12. ♕c6 − 60/77] ♖b8 13. ♕a6 ♘h5 [13... ♖b2!? 14. ♘b5 0-0 15. ♗d6 ♘h5!?↑] 14. ♗c1 0-0 15. ♗e2 ♗e5 [△ ♕h4] 16. h4! ♘f4 17. ♗b5 f5?! [17... c4! 18. ♗d7 ♕d7 19. ♗f4 ♗f4 20. ♕c4 ♖b2↑] 18. ♗f4 ♗f4 19. ♗d7 ♕d7 20. ♕e2 ♗e5 21. ♘b5!? [21. a5!? △ a6, ♔f1-g2] ♔h8?! 22. 0-0-0!? fe4 23. fe4 ♕d8? [23... c4? 24. ♔b1 ♖b5 25.

ab5 ♕b5 (25... ♕a7 26. f4!) 26. ♖c1; 23... ♖a8! 24. ♕c2 ♖fb8∞] 24. ♖d3 ♕a5 25. ♖a3 ♕b4 26. f3 [26. ♔b1?? ♖f2] c4 27. ♕c2 ♖fc8?! [27... ♖f4] 28. ♖f1 ♖f8 29. ♔b1 ♖a8? [29... ♖f4] 30. ♖c1?! [30. f4 ♖f4 31. ♖f4 ♗f4 32. ♕c3 ♕c3 33. bc3 h5 34. ♔c2 ♖a5 35. ♘d4±⇆] ♖f4 31. ♕e2 ♖c8 [31... ♖a4 32. ♖a4 ♕a4 33. ♖c4!↑] 32. ♘a7 c3! 33. ♕b5?⊕ [33. ♖c2 ♖h4=; 33. ♘c8! cb2 34. ♖cc3! ♗c3 35. ♖c3 ♕c3 36. ♕b2 ♕b2 37. ♔b2 ♖f3 38. ♘d6±] c2!-+ 34. ♔a2 ♕d2 35. ♕f1 ♕d4
0 : 1

Van Wely

75.   A 70

JE. PIKET 2630 − VAN WELY 2655

Monaco (m/7) 1997

1. d4 ♘f6 2. ♘f3 e6 3. c4 c5 4. d5 ed5 5. cd5 d6 6. ♘c3 g6 7. e4 ♗g7 8. ♕a4 ♗d7 9. ♕b3 ♕c7 10. ♗f4 0-0 11. ♘d2 ♘h5 12. ♗e3 f5 13. ef5 gf5 14. ♗e2 ♗e8 15. ♘f3 h6 [15... f4 16. ♗d2 ♕e7 17. 0-0 ♘d7 18. ♖fe1 − 43/105; 18. ♖ae1!?] 16. 0-0 a6 17. a4 ♘d7 18. ♖ae1! [18. ♗d3 − 43/(105)] ♖b8 [18... f4 19. ♗d2 △ ♘e4; 18... ♕a5!?] 19. ♕d1 ♕b6?! N [19... ♕d8 20. g3 b5!? (20... ♗c3?! 21. bc3 ♕f6 22. ♘d2 ♘g7 23. ♘c4±) 21. ♘h4 f4∞] 20. ♗c1 ♕d8 [20... ♕b4 21. ♘a2! (21. g3 f4) a) 21... ♕e4 22. ♗a6 (22. g3!? △ ♘h4) ba6 23. ♖e4 fe4 24. ♘d2±; b) 21... ♕a5] 21. g3!± [△ ♘h4 ✕f5] ♘hf6 22. ♘h4 ♘h7 [22... ♘e4 23. ♗d3! (23. ♘e4 fe4 24. ♗g4↑) ♘c3 24. bc3 ♗c3 25. ♖e6↑] 23. ♗d3 f4 24. ♘f5 fg3 25. fg3 ♖f5?! [25... ♘e5 26. ♘h6 ♔h8 27. ♖f8 ♘f8±⇆; 26. ♘g7±] 26. ♗f5 ♘e5 27. ♖e5! de5 [27... ♗e5 28. ♗h6+-] 28. ♘e4 ♕b6 29. ♗e3 [29. ♕c2 Van Wely] ♕b2 30. ♕g4 ♔h8 [30... h5 31. ♗h7 ♔h7 32. ♘g5 △ ♕f5+-] 31. ♕h4 [31. ♗h7 ♔h7 32. ♘f6 ♗f6 (32... ♔h8 33. ♕f5) 33. ♖f6 ♕b1 △ ♗g6] h5 [31... ♕b6 32. ♗h7 (32. ♗c5) ♔h7 33. ♘f6 (33. ♖f6) ♗f6 34. ♖f6 ♕b1 35. ♔g1 ♕c2 36. ♔h3 ♗d7 37. g4+-] 32. ♕e7 [32. ♗h7 ♕e2 (32... ♔h7 33. ♘g5 △ ♕e4+-) 33. ♕g5 ♔h7 34. ♘f6 ♔h8 (34... ♗f6 35. ♖f6 ♕e1 36. ♖f1) 35. ♕e5 ♖a8 (35... ♖d8

36. ♕e7) 36. ♕e4+− △ 36... ♗g6 37. ♕g6
♕e3 38. ♔h1] ♗a4 [32... ♕b6 33. d6; 32...
♕e2 33. ♗h6] **33. ♗h6 ♖g8 34.** ♘d6+−
♕d4 35. ♖f2 ♕d1 36. ♖f1 ♕d4 37. ♖f2
♕d1 38. ♔g2 ♕d5 39. ♗e4 ♕e4 40. ♘e4
♗h6 41. ♖f7 ♗g7 42. ♕b7 ♗c2 43. ♖f5
♘f6 44. ♘f6 ♗f5 45. ♕f7! [45... ♗h7 46.
♘g8 ♗g8 47. ♕h5] **1 : 0** *Je. Piket*

76.* A 70

D. KOMAROV 2615 − LÉKÓ 2600

Jugoslavija 1997

1. d4 ♘f6 2. ♘f3 e6 3. c4 c5 4. d5 d6 5.
♘c3 ed5 6. cd5 g6 7. h3 ♗g7 8. e4 0−0 9.
♗d3 b5 10. ♗b5 ♘e4 11. ♘e4 ♕a5 12.
♘fd2 ♕b5 13. ♘d6 ♕a6 14. ♘2c4 ♘d7
15. 0−0 ♘b6 16. ♘b6 ♕b6 17. ♘c8 ♖ac8
18. ♖b1 ♖fd8 19. ♗f4 ♕b7 [19... ♗d4 20.
d6 c4 21. ♕g4 h5 22. ♕g3 ♗c5 23. ♖fd1±]
20. d6 ♗f8 21. ♕d3 N [21. ♕d2 − 68/(72)]
♗d6 [21... c4?! 22. ♕g3±] **22. ♗d6 ♖c6 23.**
♖fd1 ♕d7! [23... ♕b6? 24. ♗c5 ♖d3 25.
♗b6 ♖d1 26. ♖d1 ♖b6 27. ♖d2±; 23...
♖cd6 24. ♕d6 ♖d6 25. ♖d6 c4! 26. ♖d2
c3 27. ♖c2 ♕e4 28. ♖bc1 cb2 29. ♖b2±
Lëgkij 2535 − Hamdouchi 2520, France
1997] **24. ♕a3** [24. ♕e3 ♖d6 25. ♖dc1
♕f5!; 24. ♖bc1 ♖d6 25. ♕d6 ♕d6 26.
♖d6 ♖d6 27. ♖c5 ♖d1 28. ♔h2 ♕d2 29.
♖a5 ♖b2 30. f4 ♖b7=] **♖d6 25. ♖d6** [25.
♖dc1 ♕f5] **♕d6 26. ♕a7 ♖e8 27. ♕a5**
[27. ♖c1 ♖e2 28. b3 ♖f2 29. ♖c5 (29. ♕c5
♕c5 30. ♖c5 ♖a2=) ♖g2! 30. ♔g2 ♕d2=;
27. ♕a4 ♖e2 28. ♕c4 ♕e5] **♖e2** [27...
♕d4 28. ♕c3±] **28. ♕c3 ♕b6!= 29. a4 c4**
30. ♖f1 ♕b3 31. ♕b3 cb3 32. ♖b1 ♖e4
33. ♖a1 [33. ♔f1 ♖a4 34. ♗e2 ♖c4 35.
♖d1 ♔g7 36. ♖d3 ♖c2 37. ♖d2 ♖c1 38.
♔e3 ♖b1 39. ♔d3 ♖c1] **♖e2 34. ♖b1 ♖e4**
1/2 : 1/2 *D. Komarov*

77. A 70

F. LIPINSKY 2290 − PÁLKÖVI 2420

Balatonberény 1997

1. d4 ♘f6 2. c4 e6 3. ♘f3 c5 4. d5 ed5 5.
cd5 d6 6. ♘c3 g6 7. h3 ♗g7 8. e4 0−0 9.

♗d3 b5 10. ♘b5 ♖e8 11. ♗g5 c4 12. ♗c4
♖e4 13. ♗e2 ♕a5 14. ♔f1!? N [14. ♘d2
− 69/69] ♗a6 15. a4 ♘bd7 16. ♘d2

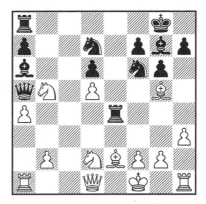

16... ♖e2! 17. ♕e2 ♖e8 18. ♗e3 [18. ♕d1
♘e4! 19. ♘e4 ♖e4↑] ♖e3! 19. ♕e3 [19.
fe3? ♗b5 20. ♕b5 ♕d2−+] ♗b5 20. ♔g1
♗a6 21. ♘f3! [21. ♕a7? ♕d2 22. ♕a6
♘e4 23. ♖f1 ♗d4−+] ♕d5 22. ♔h2 ♗b7
[22... ♕h5?! 23. ♕a7!∞] 23. ♖hd1 ♕h5
24. ♔g1 ♗h6 25. ♕a3 ♗f4? [25... ♘e4∓]
26. ♖d4! ♘e4 27. ♖e1 ♕f5 28. ♕b4 ♘dc5
[△ ♗e5] 29. ♖e2 d5 30. ♕a5 [30. g4?
♕e6 31. ♖ee4 de4 32. ♖d8 ♔g7 33. ♕d4
♔h6 34. g5 ♔h5 35. ♕h8 ♕h3!−+] ♔g7
31. ♖d1?⊕ [△ ♘d4; 31. ♕a7! ♗a6 32.
♖c2∞ △ 32... ♗c4 33. ♖cc4! dc4 34. ♖c4
♘e6 35. ♘d4 ♗h2=] ♗d6! 32. ♘d4?!
♕f4 33. g3 ♘g3!−+ 34. fg3 ♕g3 35. ♖g2
♕e3 36. ♔h1 ♕h3 37. ♔g1 ♘e4! 38. ♕e1
♗f4 39. ♘c2 ♘g5⊕ [40. ♕c3 ♕c3 41. bc3
♘e4 42. ♖d3 ♗e5!; 39... d4!] **0 : 1**
Pálkövi

78. A 75

ANAND 2765 − ILLESCAS CÓRDOBA 2635

León (m/3) 1997

1. d4 ♘f6 2. ♘f3 e6 3. c4 c5 4. d5 ed5 5.
cd5 d6 6. ♘c3 g6 7. e4 ♗g7 8. ♗e2 0−0 9.
0−0 a6 10. a4 ♗g4 11. ♗f4 ♕e7 12. ♘d2
♗e2 13. ♕e2 ♘h5 14. ♗e3 ♘d7 15. ♖ae1
[△ f4, g4-g5] b5?! N [15... ♖ab8; 15...
♖fb8 − 42/104] 16. ab5 ab5 17. ♘b5
♖fb8 18. ♖b1 ♖a2? [18... ♖a4! 19. b4!?
(19. b3? ♖a5 20. ♘d6 ♕d6 21. ♘c4

♛a6−+; 20. ♘c7∓; 19. ♘a3 ♖b2 20. ♖b2 ♗b2 21. ♘ac4± cb4 (19... ♖b4 20. ♖b4 cb4 21. ♔c4) 20. ♘a7 ♘e5 21. f4 ♖a7!∓; 20. ♖fc1± **19. b4! cb4 20. ♖b4± ♖c2 21. ♛d1 ♖c7 22. ♖b3 ♖cb7 23. ♘d4 ♖b3 24. ♘4b3 ♛h4 25. ♘d4 ♘e5 26. ♘4f3 ♘f3 27. ♛f3 ♖e8 28. ♖c1 ♘f6 29. h3 ♘d7** [29... ♘e4? 30. ♘e4 ♖e4 31. g3 ♖e3 32. ♛e3 ♛h3 33. ♛e8 ♗f8 34. ♖c7 ♛f5 35. ♖c8+−] **30. ♖c7 ♘e5 31. ♛d1 h5 32. ♛c2 ♖a8 33. ♖c8 ♖c8 34. ♛c8 ♘h7 35. g3 ♛f6 36. ♔g2 h4** [36... ♘d3 37. ♘f3! ♗h6 38. ♗h6 ♔h6 39. ♛f8 ♔h7 40. h4!+−] **37. f4!+− ♘d3 38. e5 de5** [38... ♛f5 39. ♛f5 gf5 40. ed6] **39. ♘e4 ♛f5 40. ♘g5 ♔h6 41. ♛g8! ♘f4** [41... ef4 42. ♛h7 ♔g5 43. ♛h4#] **42. gf4 ♛c2** [42... ef4 43. ♘f7] **43. ♗f2   1 : 0**   *Anand*

79.**   A 80

D. GUREVICH 2580 −
AL. ONIŠČUK 2580
New York 1997

1. d4 f5 2. ♘f3 [RR 2. ♘c3 *a)* 2... d5 3. ♗g5 g6 4. f3!? N (△ e4; 4. h4 − 69/71) ♗g7 5. ♛d2 (5. ♛d3 ♘c6! 6. e3 h6!∓) ♘c6! (5... c5?! 6. dc5 d4 7. ♘b5 △ ♘d6±) 6. e4! (6. e3?! h6!∓) de4 (6... ♘d4? 7. ed5±) 7. d5 ♘e5 8. fe4 fe4 (8... ♘f6 9. ef5) 9. 0-0-0 ♘f6 10. ♗f4! ♘f7 11. ♗b5 ♗d7 12. ♘ge2 0−0 13. ♘d4! (×e6) ♗b5 (13... ♗g4? 14. h3 ♗d1 15. ♘e6 △ ♖d1±; 13... ♗c8?! 14. ♗c4! ♘d6 15. ♗b3↑ △ h3, g4, ♖he1) 14. ♘db5 ♘h5 15. ♗e3 (15. ♘c7? ♘f4 16. ♛f4 ♗h6−+; 15. ♗c7? ♛d7 △ 16... a6, 16... ♗h6−+) ♘d6 *a1)* 16. ♘d4 ♗d4!□ 17. ♛d4 (17. ♗d4 ♛d7 △ e6) ♘f6 18. ♗f4 ♖f7! (18... ♛d7 19. ♖hf1!±↑ △ 19... ♖f7 20. ♗d6!) 19. h3 (19. ♖hf1?! ♛f8!) 20. ♗e5 ♘f5 21. ♛d2 ♘g4 △ 22... ♘ge3, 22... e3) ♛d7 20. ♖hf1 (20. g4?! (Vi. Ivanov 2390 − Lastin 2535, Moskva 1997) e6! 21. de6 ♛e6 22. ♗d6 ♖d8 23. ♛a7 cd6∓⊞) ♖af8 21. ♗e5 ♘f5 (21... a6 22. g4∞) 22. ♛a7?! b6; 22. ♛d2∞; *a2)* 16. ♘d6!? ♛d6! (16... cd6? 17. ♘e4±; 16... ed6 17. ♘e4↑ △ 17... ♛e8 18. ♘g5 ♛e5 19. c3) 17. ♘e4 ♛e5 18. ♘c3 ♖ad8±⇄ Vi.

Ivanov; *b)* 2... ♘f6 3. ♗g5 d5 4. f3 ♘c6 5. ♛d2 e6 6. 0-0-0 N (6. e4) ♗e7 7. e4 *b1)* 7... 0−0?! 8. e5 (8. ef5?! ef5 9. ♗b5 ♘a5 10. ♗f6 ♗f6 11. f4 c6 △ b5∞) ♘d7 9. h4± A. Kuz'min 2525 − Van Mil 2420, Benasque 1997; *b2)* 7... de4 8. fe4 ♘e4 9. ♘e4 fe4 10. ♗e7 (10. h4 e5 11. d5 ♘d4∞; 10... 0−0!?; 10. ♘h3!?) ♛e7 11. ♘e2 (11. ♛e3±) 0−0 12. ♘g3± A. Kuz'min] **♘f6 3. ♗g5 e6** [3... ♘e4 4. h4 c5] **4. ♘bd2 ♗e7 5. ♗f6 ♗f6 6. e4 d6** [6... d5 7. ef5 (7. e5!?) ef5 8. ♗d3 ♛e7!?] **7. c3** [7. ♗b5 − 59/108] **0−0 8. ♛c2 ♘c6 N** [8... ♛e8] **9. ♗d3 d5 10. ef5** [10. e5 ♗e7 (10... ♗g5 11. ♘g5 ♛g5 12. 0−0 ♗d7 13. f4±) 11. 0−0 a5 12. a4 b6∞ Al. Oniščuk] **ef5 11. 0-0-0→ g6** [11... ♛d6 12. h4! g6 13. h5 Al. Oniščuk] **12. h4 h5 13. ♖de1 ♛d6 14. ♖h3?** [14. ♗b5! (B. Alterman) ♗d7 15. ♗c6 ♗c6 (15... bc6? 16. ♘b3) 16. ♘e5 ♗e8 17. ♘df3 a5 18. ♖h3±] **♗d7 15. ♗g3 ♗g7 16. ♛b3 a5! 17. ♘e5 a4** [17... ♘e5 18. de5 ♗e5 19. ♖e5 ♛e5 20. ♖g6 ♔f7 21. ♖g5 ♖g8 22. ♘f3] **18. ♛d1 ♘e5**

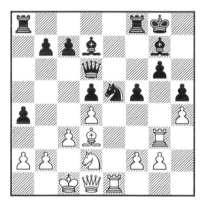

19. ♖e5! [19. de5? ♛b6! 20. e6? a3−+] **a3** [19... c6 20. a3] **20. ♖d5□ ab2 21. ♔b1 ♛e6! 22. ♖e3** [22. ♖g6 ♛g6 23. ♖d7 c5∞; 22. ♗c4 ♗a4!] **♛d5** [22... ♛f7 23. ♗c4] **23. ♗c4 ♗c6 24. ♖e7** [24. ♗d5 ♗d5 25. ♘b3 ♗g2 (25... c6 26. ♔b2 b5 27. f3∞) 26. ♛g1 ♗e4 27. ♔b2 ♖f6∞] **b5! 25. ♗d5 ♗d5 26. ♘b3 ♖fe8 27. ♖c7** [27. ♖e8 ♖e8 28. f3 c6] **♗c4 28. ♖c4! bc4 29. ♘d2 ♖a3 30. ♔b2⊕** [30. ♛f3!? (Kudrin) ♖ea8 31. ♘c4 ♖a2 32. ♘b2 ♔h7 33. ♘c4] **♖ea8 31. ♘c4 ♖a2 32. ♔b3 ♖f2 33. ♘d6 ♖g2 34.**

♕f3 ♖ga2 35. ♕d5 ♔h7 36. ♘f7 ♗f6 37. ♕e6 [37. ♘e5!?] ♖2a6 [37... ♗h4 38. d5!] **38. ♘d6 ♗g7 39. ♕d7 ♖8a7 40. ♕d8 ♖a8 41. ♕c7 ♖6a7 42. ♕c5 ♖a3** [42... ♗f8 43. ♕e5 ♗d6 44. ♕d6 ♖f7 45. ♕f4±] **43. ♔c2 ♖a2 44. ♔d3 ♖f8 45. ♕c7!= f4!** [45... ♖h2 46. ♘f7 (46. ♕e7) ♖h4 47. ♘g5 ♔h6 48. ♘e6 ♔g8 49. ♕f7! ♔h7 50. ♘g5+− Al. Onišćuk] **46. ♘f7! ♖g2** [46... f3 47. ♘g5 ♔h8 (47... ♔g8 48. ♕c4 ♔h8 49. ♕a2 f2 50. ♘f7) 48. ♘e6 ♖g8 49. ♕f7 (49. ♘g5 f2 50. ♘f7=) f2 50. c4!?] **47. ♕f4** [47. ♘g5?? ♖g5 48. hg5 f3−+] ♔g8 48. ♖h6 ♔h7 49. ♘f7 ♔g8 50. ♘h6 ♔h7 [50... ♗h6 51. ♕h6 ♖f3 52. ♔c4 ♖gg3 53. d5]
1/2 : 1/2   *D. Gurevich*

80.** A 81
VESCOVI 2490 − BEZOLD 2500
Bermuda 1997

1. d4 d5 [RR 1... f5 2. g3 ♘f6 3. ♗g2 g6 4. ♘h3 ♗g7 *a)* 5. ♘f4 ♘c6 6. h4 e5!? N (6... ♘g4 − 56/(97)) 7. de5 ♘e5 8. h5 c6! 9. c4 0−0 10. hg6 hg6 11. ♕c2 d6 12. ♘d2 ♕e8! 13. ♘f3 ♘e4 14. ♘e5 de5 15. ♘d3 ♘f6 16. ♗h6 ♗h6 17. ♖h6 ♔g7 18. ♖h1□ e4 19. ♘f4 ♕e5!∓ Krasenkow 2645 − Malanjuk 2615, Polanica Zdrój 1997; 12. b3!? Malanjuk; *b)* 5. c3 ♘c6!? (5... c6 6. ♕b3 ♕b6 7. ♘d2 d6 8. ♘c4±; 7... d5!?) 6. ♘d2 *b1)* 6... e5?! N 7. d5 ♘e7 8. d6! ♘c6 (8... cd6 9. ♘c4±) 9. e4! *b11)* 9... 0−0 10. ef5 gf5 11. ♘c4± h6 12. 0−0 ♘e8 13. ♗d5 ♔h7 14. ♕h5 ♕f6 15. ♘g5 ♔h8 16. f4 *b111)* 16... e4 17. ♘e5 (1 : 0 Co. Ionescu 2490 − Malanjuk 2615, Pardubice 1997) ♘e5 18. fe5 ♕e5 19. ♕g6! ♘f6 20. ♖f5+−; *b112)* 16... cd6 17. ♘f7 ♔h7 18. fe5 ♘e5 (18... de5 19. ♖f5 ♕g6 20. ♘g5+−) 19. ♖f5 ♕g6 20. ♘g5 ♔h8 21. ♖f8 ♗f8 22. ♘f7! ♔h7 23. ♗e4 ♕e4 24. ♘g5+−; *b12)* 9... fe4 10. ♘e4 ♘e4 11. ♗e4 0−0 12. ♘g5±; *b13)* 9... cd6 10. ♘c4 ♗f8 11. ♘d6 ♗d6 12. ♕d6 ♘e4 (12... ♕e7 13. ♕e7 ♘e7 14. ef5 gf5 15. ♗g5 ♔f7 16. 0-0-0 d5 17. ♗he1 e4 18. ♘f4 ♗e6 19. f3) 13. ♗e4 fe4 14. ♗g5 ♕b6 15. 0-0-0±; *b2)* 6... 0−0 7. ♘f4 (7. e4? fe4 8. ♘e4 ♘e4 9. ♗e4 d5

10. ♗g2 e5! 11. de5 ♘e5 12. ♕d5 ♕d5 13. ♗d5 ♔h8 14. ♘f4 g5∓) d5 8. ♕b3 e6 9. 0−0 a5= Co. Ionescu; *b3)* 6... d6] **2. ♘f3 e6 3. g3 f5 4. ♗g2 ♘f6 5. b3 c6** [5... ♗d6 6. ♗a3 ♗a3 7. ♘a3 c5] **6. 0−0 b6 N** [6... ♘bd7 − 69/81] **7. c4 ♗b7 8. ♕c2! ♘a6** [8... ♘bd7? 9. ♘g5! ♕e7□ 10. cd5 (10. ♗a3!?) ♘d5 11. e4±; 8... ♗d6 9. ♗a3 0−0 10. ♘e5 ♗a3 11. ♘a3 ♕e7 12. ♕b2±] **9. ♗a3 ♗a3** [9... ♘b4 10. ♗b4 ♗b4 11. c5 b5 (11... bc5 12. a3 ♗a5 13. ♕c5 ×c6) 12. ♘bd2±] **10. ♘a3 ♕e7 11. ♕b2 0−0 12. ♖ac1 ♖ac8 13. ♘b1 ♖fd8 14. ♘bd2 c5 15. ♖fd1** [△ 15. cd5 ed5 16. ♘e5±] ♖c7 [15... dc4 16. ♘c4? ♗f3 17. ♗f3 ♖d4 18. ♖d4 cd4 19. ♘e5 (19. ♕d4 b5−+) ♖c1 20. ♕c1 ♕c5∓; 16. ♖c4!±] **16. cd5** [16. ♘e5 cd4] **ed5 17. ♘e5 ♘e4** [17... ♖dc8 18. ♘f1!? (18. dc5 bc5 19. e3!?) ♕e6 19. ♘e3 △ ♘d3-f4] **18. ♘d3!?** [△ 18. ♘f1!] **♖dc8!** [18... cd4 *a)* 19. ♘f3? ♘c3 20. ♖d2 ♕f6! 21. ♘f4 g5 22. ♘d4 ♖dc8! 23. ♖c3 (23. ♖d3 ♘a4) ♖c3 24. ♗d5 ♔d5 25. ♘d5 ♖c1 26. ♔g2 ♕e5 27. ♘f5 ♕b2 28. ♖b2 ♖8c2∓; *b)* 19. ♕d4!?±; *c)* 19. ♖c7 ♘c7 20. ♘f3 ♘c3 21. ♘d2 ♘e6 22. ♘f4±; 18... ♕f6 19. dc5!± ♕b2 (19... bc5 20. ♘e4 fe4 21. ♕f6 gf6 22. ♘f4 ♖dd7 23. ♗h3 ♖d6 24. ♘d5!+−) 20. ♘b2 bc5? 21. ♘e4 fe4 22. ♗e4+−] **19. ♘f4** [19. dc5!? bc5 20. e3 c4? 21. bc4 dc4 22. ♘c4! ♖c4 23. ♖c4 ♖c4 24. ♕b3 ♗d5 25. ♘b2±] **g5?** [19... c4 20. bc4 dc4 (20... ♘d2? 21. ♘d5+−) 21. ♘e4 ♗e4 22. d5 ×♘a6; 19... ♕f6! 20. ♘f3 (20. ♘f1 cd4) g5!? (20... c4!? 21. bc4 dc4 22. ♘e5 g5? 23. ♘h5 ♕h6 24. g4 fg4 25. ♗e4± ♗e4 26. ♘g4) 21. ♘d3 c4 22. bc4 dc4 23. ♘de5∞ △ 23... ♗d5? 24. ♕b5] **20. ♘e4! fe4** [20... de4 21. d5 (×d6, h5) ♖d7 22. ♘h5 ♖d6 23. g4 ×e4; 20... gf4 21. ♘c3±] **21. ♘h5 c4?!** [21... ♕f7 22. g4 c4 23. bc4 ♖c4 24. ♖c4 ♖c4 25. f3±] **22. bc4 ♖c4 23. ♖c4 ♖c4** [23... dc4 24. d5! (24. ♕b5!? c3 25. ♖c1) c3 25. ♕c1 c2 (25... e3 26. d6 ef2 27. ♔f2 ♕f7 28. ♔g1 ♗g2 29. d7) 26. ♖d2 ♘b4 (26... ♕c5 27. ♖c2 ♕c2 28. ♕g5 ♔f7 29. ♕g7 ♔e8 30. ♘f6 ♔d8 31. ♕d7♯) 27. d6 ♕f7 28. d7 ♖d8 29. ♖c2 ♕h5 (29... ♘c2 30. ♕g5) 30. ♖c8+−]

24. ♗e4!!+− de4 **25. d5 ♖c8** [25... ♘c5 26. d6 ♕f7 27. d7; 25... ♖b4 26. ♕a1!?] **26. d6 ♕f7 27. d7 ♖d8 28. ♘f6 ♔f8 29. ♘h7! ♔g8 30. ♘f6 ♔f8 31. ♕e5! ♘c5 32. ♘h7 ♔g8 33. ♕g5 ♔h7 34. ♕d8 ♘d3**

1 : 0 *Vescovi*

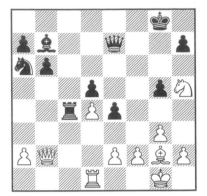

81. !N   A 88

B. ALTERMAN 2615 − ZHANG ZHONG 2475

Beijing 1997

1. d4 f5 2. ♘f3 ♘f6 3. g3 g6 4. ♗g2 ♗g7 5. 0−0 0−0 6. c4 d6 7. ♘c3 ♕e8 8. d5 ♘a6 9. ♖b1 c5 10. dc6 bc6 11. b4 ♗d7 12. b5 cb5 13. cb5 ♘c5 14. a4 ♖c8 15. ♘d4 [15. ♗b2 − 58/(114)] **♘fe4 16. ♘e4 ♘e4 17. ♗b2 ♕f7 18. e3 ♕a2! N** [18... e5] **19. ♘c6!?** [19. ♕b3 ♕b3 20. ♘b3 ♖c4! 21. ♗g7 ♔g7 22. ♖a1 ♖fc8∓] **♗c6 20. ♗g7 ♗b5!** [20... ♘c3 21. ♗c3 ♗g2 22. ♔g2 ♖c3 23. ♕d4 ♖c5 24. ♖bc1 ♖fc8 25. ♖c5 ♖c5 26. e4±] **21. ab5** [21. ♖b5 ♔g7 22. ♖b7 ♖f7 23. ♖a7 ♖c2 24. ♕e1! (24. ♕a1? ♕a1 25. ♖a1 ♘f2 26. a5 ♘g4 27. a6 ♘e3 28. ♗f3 f4 29. g4 ♖c8 30. ♖b7 d5 31. a7 ♖a8∓; 30. ♖a8) ♖b2! (24... e5 25. ♖f7

♔f7 26. ♗e4 fe4 27. ♕b4±; 24... ♖e2 25. ♕a1 ♕a1 26. ♖a1 ♘f2 27. a5 ♘g4 28. a6 ♘e3 29. ♗f3 ♖c2 30. ♖b7 ♖c8 31. a7+−) 25. ♕a1 e5 26. ♖f7 ♔f7 27. a5 ♔g7=] **♔g7 22. ♖a1 ♕b2 23. ♖a7 ♖f7= 24. ♕a1** [24. ♕d3!?] **♕a1 25. ♖fa1** [25. ♖aa1 e6=] **♖b8 26. ♗f1 e6! 27. ♖f7 ♔f7 28. ♖a7 ♔f6 29. ♖c7** [29. ♖h7 ♖c8!! (29... ♘c3 30. ♖h4 ♘b5 31. ♖b4+−) 30. ♗d3 (30. b6 ♖c1 31. ♔g2 ♖c2‾) ♖c1 31. ♔g2 ♘c5 32. ♗e2 ♖c2 33. ♔f1 ♖c1=] **d5 30. ♖c6 ♘d2 31. ♗e2 ♘c4 32. ♖c5 h6** [32... h5! 33. ♗c4 dc4 34. ♖c4 ♖b5=] **33. g4 fg4 34. e4 ♔e5! 35. ed5 ed5 36. ♗c4 ♔d4 37. ♖d5 ♔c4 38. ♖d6 ♖b5 39. ♖g6 h5 40. ♖f6 ♔d4 41. ♔g2 ♔e4 42. h3** **1/2 : 1/2**

B. Alterman

82.   A 89

BAREEV 2665 − LASTIN 2535

Rossija (ch) 1997

1. d4 f5 2. g3 ♘f6 3. ♗g2 g6 4. ♘f3 ♗g7 5. 0−0 0−0 6. c4 d6 7. ♘c3 ♘c6 8. d5 ♘a5 9. ♕d3 e5 10. de6 ♗e6 11. b3 ♘c6 12. ♖b1!? N [12. ♗b2; 12. ♗a3; 12. ♘g5] **♘g4** [12... h6 13. ♗b2 ♕d7 14. ♘d4] **13. ♕d2 h6** [13... ♔h8!? 14. ♗b2 ♕d7 15. ♘d5] **14. e3 ♕d7 15. ♘e2?!** [15. ♘d5; 15. ♗b2] **♗f7 16. ♗b2 ♘f6! 17. ♖bd1 ♖ae8 18. ♕c1 g5?!** [18... b6!? 19. ♘ed4 ♘d8] **19. ♘ed4 ♘d8 20. c5 ♗d5?** [20... d5 21. c6 bc6 22. ♗a3 ♘e4 23. ♗f8 ♖f8 24. ♘d2±] **21. cd6 c6 22. ♘e2?** [22. ♘c2! ♘f7 (22... a5 23. ♘e5 ♕d6 24. ♘c4 ♕c7 25. ♗f6 ♗f6 26. ♗d5 cd5 27. ♖d5+−; 22... ♕d6 23. ♗a3 c5 24. ♘cd4 ♘e4 25. ♘b5 ♕c6 26. ♘a7+−) 23. ♘b4 ♕d6 (23... ♗f3 24. ♗f3 ♘d6 25. ♕c5+−; 23... ♘d6 24. ♗f6 ♗f3 25. ♗g7 ♗g2 26. ♗f8+−) 24. ♗a3+−] **♗f7 23. ♘c3 ♘d6 24. ♘d5 ♘d5 25. ♘d2!** ♗b2 [25... ♘e4 26. ♘e4 fe4 27. ♗g7 ♕g7 28. ♖d4±] **26. ♕b2 ♘f6** [26... ♕g7 27. ♗d5 cd5 28. ♕g7 ♔g7 29. ♘b1±; 26... ♘c7 27. ♘c4 ♘c4 28. bc4 ♕c8 29. ♖b1±; 26... ♘b6 27. ♘b1 ♕e7 28. ♘c3±; 26... ♘e7 27. ♘c4 ♘c4 28. bc4 ♕c7 29. c5±] **27. ♘c4 ♘c4 28. ♕f6 ♖f6** [28... ♕h7 29. ♕c3 ♘b6 30. ♖d6 ♖d8 31. ♖fd1±] **29. ♖d7 ♘d6 30. ♖d1 ♖ee6 31. e4 ♘e4 32. ♖b7 ♖f7** [32... a5 33. ♖d8 ♖f8

34. Rdd7±] **33. Rd8 Kg7 34. Rdd7 Rd7 35. Rd7 Kf6 36. Be4** [36. Ra7 Nd2! (36... Nc3? 37. Ra6) 37. f4 Re1 38. Kf2 Rc1 39. Ra6 Ne4 40. Be4 fe4±] **fe4** [36... Re4 37. Ra7 Re2 38. Ra6 Rc2 39. b4 Ke5±] **37. Ra7** [R 6/f] **e3?** [37... Rd6! 38. Ra6 Ke5 39. Kf1 Rd1 40. Ke2 Rc1±] **38. Kf1 Kf5 39. Ra4 ef2 40. Kf2 Rd6** [40... Ke5!] **41. Ke2 Re6 42. Kf3?** [42. Nd3! Rd6 (42... Re1 43. Nc4 Rh1 44. Rc2) 43. Nc3 Re6 44. Rc4 Re2 45. a4 Rh2 46. a5 Rh3 47. a6 Rg3 48. Kb2 Rd3 49. Rc6 h5 50. b4 g4 51. a7 Rd8 52. b5 g3 53. b6 g2 54. Rc1+−] **Re1 43. Ra5 Ke6 44. Kg4 Rh1?** [44... Re2! 45. h4 Rg2!=] **45. h3?** [45. h4! gh4 46. gh4 Rd1 47. Kh5 Rd5 48. Rd5 cd5 49. Kg4+−] **Rh2 46. h4** [46... Rg2! 47. hg5 hg5 48. b4 Rb2 49. Ra4 Kf6 50. a3 Rc2! (50... Rb3 51. Ra6 Ke7 52. Rc6 Ra3 53. Rc5 Rb3 54. b5+−) 51. Ra6 Rc4 52. Kh5 (52. Kf3 Ke5 53. Ra5 Kd6 54. Rg5 Rc3 55. Kf4 Ra3=) Rc3 53. b5 Rg3 54. Rc6 Kf5 55. Rc5 Kf6! (55... Kf4 56. a4 Ra3 57. Rg5) 56. a4 Rh3 57. Kg4 Rh4=; 46. Ra8 Kf6 47. Ra6 Rc2 48. Kh5 Rc3 49. h4 Rg3 50. Rc6 Kf5= 51. Rh6? Rh3−+] **1 : 0** *Bareev*

83. !N A 90

KHENKIN 2550 − A. ROTŠTEJN 2455

Porto San Giorgio 1997

1. d4 e6 2. c4 f5 3. g3 Nf6 4. Bg2 Bb4 5. Nd2 0−0 6. Ngf3 a5 7. 0−0 b6 8. Nb1! N [8. a3?! Be7 9. Ne5 Ra7 10. e4 fe4 11. Ne4 Ba6!; 8. Ne5 − 44/123] **Be7** [8... Bd6!?] **9. Ne5 Ne4 10. Nc3 Nc3?!** [10... Bb7 11. Wc2 d6 12. Ne4 de5 13. Nf6 Bf6 (13... gf6 14. Bb7 Ra7 15. Bg2 ed4 16. e4! Dautov) 14. Bb7 Ra7 15. de5 Rb7 16. Rd1! We7 17. ef6 Wf6 18. Bd2!; 11... d5] **11. bc3 Ra7 12. e4!±** [12. c5!? bc5 13. Rb1 Ba6? 14. Rb8! Wb8 15. Nd7±; 13... Na6∞] **Bb7 13. Re1 Bf6** [13... Nc6 14. Nc6 Bc6 15. d5 Ba8 (15... Bb7? 16. ef5 ef5 17. d6!+−) 16. ef5 ef5 17. Be3±; 13... Bd6!] **14. Ba3! Re8** [14... d6 15. Nd3+− △ 16. e5, 16. Nf4; 14... Be7 15. Be7 We7 16. ef5 Bg2 17. Kg2 Rf5 18. Wd3!± △ 18... Na6 19. Nc6, △ 18... Ra8 19. We4]

15. ef5 Bg2 16. Kg2 ef5 17. Wf3 Be5 18. Re5+− Re5 19. de5 We8 [19... g6 20. Wd5 Kg7 21. e6 d6 22. c5!] **20. Wf5 Wf7 21. Wf7 Kf7 22. Rd1 Be6 23. f4 Na6** [23... Nc6 24. Kf3 Ra8 25. Ke4 Ne7 26. g4 g6 27. Rd3 Rf8 28. Rh3 Rf7 29. Rh6!] **24. Rd5 Nc5 25. Kf3!** [25. Bc5 bc5 26. Rc5 c6 ×Rc5] **Na4 26. g4! g6 27. Rd3 Nc5 28. Bc5 bc5 29. Ke4 Rb7 30. f5 Ke7 31. Rh3 h5 32. fg6 hg4 33. Rh8** **1 : 0** *Khenkin*

84. A 90

PERUN 2300 − A. MOROZ 2515

Alušta 1997

1. d4 d5 2. c4 e6 3. g3 c6 4. Wc2 f5 5. Bg2 Nf6 6. Nh3 Bd6 7. 0−0 0−0 8. Bf4 Be7 9. Nd2 Nh5 10. Be3 Bd7!? N [10... Bd6 − 68/80] **11. Nf4** [11. Nf3!?±] **Nf4 12. Bf4 g5↑↗ 13. Be5 Be8 14. Wb3!** [×b7] **b5** [14... Wb6 ×c7; 14... Wc8 15. Rac1 ⇔c; 14... Nd7 15. Wb7 Ne5 16. de5 Rb8 17. Wa7 Rb2 (17... Ra8 18. We3+−) 18. Nf3↑⊞] **15. cb5** [15. cd5!? ed5 16. e4 fe4 17. Ne4 Nd7∞] **cb5 16. e4!!±→⊞C fe4 17. Ne4 Nc6** [17... de4? 18. Be4 Nd7□ 19. We6 Rf7 (19... Bf7? 20. Wh6+−) 20. Ba8 (20. Nh7? Kh7 21. Wh3 Kg6 22. We6 Nf6−+) Wa8 21. Rac1±] **18. Rac1!?** [18. Nc3 Ne5 19. de5 △ Nd5, △ Ne2-d4, Bh3 ×e6] **Ne5 19. de5 de4 20. Be4** [20. We6 Bf7 21. Wh6 (△ Be4 ×h7) Wd3 22. Rc7 Rae8? 23. Re7!+−] **Bf7!** [20... Bd7] **21. Rfd1!?** [21. Ba8 Wa8 22. Wb5±; 22. Rc7 Wb6 [×f2; 21... Wa5⇋ A. Moroz] **22. Ba8 Ra8?** [22... Bh5! (Golubev) 23. Bg2 Bd1 24. Rd1 Rf2 25. Kh1=] **23. Rd7 Re8** [23... Bc5 24. Rf7! Kf7 25. Wf3+−] **24. Rcc7 Kf8 25. Wd3 Wa5** [25... Bg6 26. Wf3 Bf7 27. Wf6!? Bf6 28. Rf7 Kg8 29. ef6 Wc7 30. Rc7 Rf8 31. Rg7 Kh8 32. Rg5 a6 33. Rc5+−⊥; 27. b4!+−⊙] **26. Kf1!+−** [26. Re7? We1 27. Kg2 Re7 28. Wd8 Re8 29. Wf6 We4 30. f3 (30. Kh3? Wf5−+) Wg6 31. Wh8 Wg8 32. Rf7! Kf7 33. Wf6#; 31... Bg8!−+] **b4** [△ 27. Wh7 Wb5! 28. Kg2 We5⇋; 26... Bg6 27. Wf3 Bf7 28. Wb7] **27. Re7!** [27... Re7 28. Wd8 Re8 29. Rf7 Kf7 30. Wa5] **1 : 0** *Perun*

B

85.

ILINČIĆ 2545 –
B. FILIPOVIĆ 2410

Jugoslavija 1997

1. d4 b6 2. e4 ♝b7 3. ♞c3 e6 4. ♞f3 ♝b4
5. ♝d3 ♞f6 6. ♝g5 h6 7. ♝f6 ♛f6 8. 0–0
♝c3 9. bc3 d6 10. ♞d2 ♛g6 N [10... e5 —
48/151] 11. f4 f5 12. ♛f3! [12. d5 0–0 13.
c4 (13. de6 fe4 14. e7 ♜e8 15. f5 ♛g5∓)
♞d7 △ ♞c5∞] ♛f7 [12... 0–0 13. ef5 ♝f3
14. fg6±]

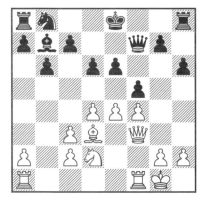

13. d5! fe4 [13... 0–0 14. de6 ♛e6 15.
♝c4+–; 13... ♞d7 14. de6 ♛e6 15. ef5
♝f3 16. fe6+–; 13... ed5 14. ef5 0–0 15.
♛h3 ♞d7 16. ♞f3 ♞c5 17. ♞d4±] 14.
♞e4 ed5 [14... 0–0 15. de6 ♛e6 16. f5 △
f6+–; 14... ♝d5 15. c4 ♝c6 16. ♛h3! ♝e4
17. ♝e4 c6 18. ♛d3!±] 15. ♜ae1! ♚d8
[15... de4 16. ♝e4+–; 15... ♝f8 16. ♞g5!
hg5 17. fg5 ♛f3 18. ♜f3 ♚g8 19. ♜e8#;
15... 0–0 16. ♞g5! hg5 17. ♛h3 g6 18. fg5
♛g7 19. ♜f8 ♚f8 (19... ♛f8 20. ♝g6+–)
20. ♛e6 ♛f7 21. ♜f1+–] 16. ♞g3 ♞c6
[16... ♞d7 17. ♞f5 ♜e8 18. ♜e8 ♚e8 19.

♜e1 ♚d8 20. ♜e7±; 16... ♝c8 17. c4 ♝b7
18. ♞f5±] 17. ♞f5 a6 [17... g6 18. ♞h4 ♜g8
19. ♜e3±] 18. ♛g4 ♜g8 [18... ♝c8 19.
♛g7 ♛g7 20. ♞g7±] 19. ♜e3! ♛f6 [19...
♝c8 20. ♛h4 ♞d7 (20... g5 21. ♞h6+–)
21. ♜fe1+–] 20. ♜fe1 ♝c8 21. ♛f3! ♛f7
[21... ♝f5 22. ♛d5 ♜f8 23. ♛c6+–] 22.
♝c4! dc4 [22... ♝f5 23. ♝d5 ♛f6 24.
♝c6+–] 23. ♛c6 ♝f5 [23... ♜a7 24. ♜e7
♛f8 25. ♞d4 ♛e7 (25... b5 26. ♛e4 ♝d7
27. ♜d7 ♚d7 28. ♛e6 ♚d8 29. ♞c6#)
26. ♜e7 ♚e7 27. ♛c4 ♚f8 28. ♞c6 ♜a8
(28... ♜b7 29. ♞d8+–) 29. ♛e4 ♚f7 30.
♞d8 ♜d8 31. ♛a8+–] 24. ♛a8 ♝c8 [24...
♚d7 25. ♜e7+–] 25. ♜e4 [25. ♜e7 ♛e7
26. ♜e7 ♚e7 27. ♛c6±] ♜f8 26. h3 h5 27.
♚h2 g6 28. ♜1e3 b5 29. a3 [29. ♜g3±]
♛f5 30. ♛c6 ♛d7 31. ♛d5 ♛f5 [31... ♛f7
32. ♛g5 ♛f6 33. ♜e8 ♚d7 34. ♛f6 ♜f6
35. ♜3e7 ♚c6 36. ♜c8+–] 32. ♛a8 ♛d7
[32... ♛f6 33. ♛c6 ♝d7 34. ♛a6+–] 33.
♜g3 ♛f7 34. ♛c6 ♝f5 35. ♜d4 ♝c8 36.
♜g5 ♜g8 [36... ♜e8 37. ♜e5!+–] 37. a4!
ba4 [37... ♛d7 38. ab5 ab5 39. ♛b5 ♛b5
40. ♜b5+–] 38. ♛a4 ♜e8 [38... ♝b7 39.
♛c4 ♛c4 40. ♜c4 c5 41. f5+–] 39. ♜e5
♜f8 [39... ♝d7 40. ♜e8 ♛e8 41. ♛a6+–]
40. ♛c6 ♛d7 41. ♛c4 ♝b7 [41... de5 42.
fe5+–] 42. ♜g5 ♜f6 [42... ♛e8 43. ♛b3
♝c8 44. c4+–] 43. ♛b3 ♝c6 [43... ♝c8
44. ♛g8 ♛d8 45. ♜g6+–] 44. c4 ♛g7 45.
c5 ♚d7 [45... ♛f5 46. ♛b8 ♚d7 47. ♜d6!
cd6 48. ♛a7+–] 46. ♛d3 ♛f7 47. cd6
♜d6 [47... ♜f4 48. dc7 ♜d4 (48... ♚c7 49.
♛g3+–) 49. ♛d4 ♚c7 50. ♛a7 ♝b7 51.
♜c5+–] 48. ♜g6! ♝b5 [48... ♛g6 49. ♛g6
♜d4 50. ♛g7+–] 49. ♜dd6 cd6 50. ♛d6
1 : 0   *Ilinčić*

GLEK 2620 –
H. CASAGRANDE 2365

Linz 1997

1. e4 d5 2. ed5 ♘f6 3. d4 [RR 3. ♗b5 ♗d7 4. ♗e2 ♘d5 5. d4 ♗f5 6. ♘f3 e6 7. 0–0 ♗e7 8. a3 0–0 9. c4 ♘b6 10. ♘c3 ♗f6 11. h3 ♘c6 12. ♗e3 ♕d7 (12... h6 13. b4 ♕e7) 13. b4 N (13. g4) ♖ad8 *a)* 14. ♖a2 ♘d4 15. ♗d4 ♗d4 16. ♖d2 ♗c3!? 17. ♗d7 ♖d7 18. ♕b3 ♗f6 19. ♖d1 ♖d1 20. ♗d1 ♖d8 21. ♗c2 ♗c2 22. ♕c2 c6∞ Hait 2360 – Romcovici 2260, Eforie-Nord 1996; *b)* 14. ♕b3! ♘d4 15. ♗d4 ♗d4 16. ♖ad1 e5 17. ♘b5 ♕e7 18. ♖fe1!? (18. c5 ♘d5 19. ♘bd4 ed4 20. ♘d4 ♗e4 21. ♖fe1 ♕f6=) *b1)* 18... c5 19. ♗f1 *b11)* 19... ♕f6 20. ♘bd4 cd4 (20... ed4 21. bc5 ♘d7 22. ♕b7 ♘c5 23. ♕e7!) 21. ♖e5± Hait 2385 – Ulko 2375, Moskva (rapid) 1997; *b12)* 19... ♗e6 20. ♘e5 (20. ♘a7 f6∞) ♗e5 21. ♖d8 ♖d8 22. ♖e5 a6 23. ♘c3 cb4 24. ab4 ♖d4 25. ♘d5 ♕d8 26. ♖e6 fe6 27. ♕e3 ♖d5 28. ♕e6 ♔h8 29. cd5 ♘d5 30. ♕e4 ♕d7 31. ♕e5±; *b2)* 18... ♕f6 19. ♘c7 ♗e4 20. ♘b5 a6! (20... ♗c6?! 21. c5 ♗b5 22. ♗b5 ♘d5 23. ♗c4! ♘f4 24. ♘d4 ♖d4 25. ♖d4 ed4 26. ♕f3± Hait 2370 – Rasskazov, Moskva 1997) 21. ♘c3 (21. ♘bd4 ed4 22. c5 ♘d5 23. ♘d4 ♗g2) ♗c6 (21... ♗f5 22. c5 ♗e6 23. ♕c2 ♗f5 24. ♘e4 ♕c6 25. ♗d3±) 22. c5 ♘d5= Hait] **♗d5 4. ♘f3 ♗g4** [RR 4... ♗f5 5. ♗d3 ♗d3 6. ♕d3 c6 7. 0–0 (7. ♗g5!? Kotronias) e6 8. c4 ♘f6 9. ♘c3 ♗e7 *a)* 10. b3?! 0–0 11. ♗b2 ♘bd7 12. ♖ad1 (12. ♖fe1!? △ ♖e2, ♖ae1 Kotronias) ♕c7 13. ♖fe1 ♖fe8 14. ♘e5 ♘e5! N (14... ♖ad8 15. f4±) 15. de5 ♖ed8! 16. ♕g3 ♘e8 17. ♕e3 ♖d1 (17... ♕a5?! 18. a3±; 17... ♕b6!?) 18. ♖d1 ♖d8= Kotronias 2585 – And. Tzermiadianos 2420, Ikaria 1997; *b)* 10. ♗f4!± And. Tzermiadianos] **5. ♗e2 e6 6. ♘e5! N** [6. 0–0 – 65/(86)] **♗e2 7. ♕e2 ♘c6!?** [7... ♘d7 8. 0–0 △ ♖d1, c4±] **8. ♘c6 bc6 9. 0–0 ♕h4!?** [9... ♗d6 10. c4±] **10. c4 ♘f6 11. ♕f3! ♕e4** [11... ♗d6? 12. ♕c6 ♔e7 13. f4! △ c5+–] **12. ♘d2 ♕f3 13. ♘f3 c5** [13... ♗e7 14. h3 △ ♗e3±; 14. c5!? △ ♘e5] **14. d5! ** [14. h3 cd4 15. ♘d4 △ ♗e3±] **ed5 15. ♖e1 ♗e7**

---

16. ♗f4! d4 [16... ♖c8 17. ♘e5! *a)* 17... 0–0 18. ♘c6 ♗d8 (18... ♗d6 19. ♗d6 cd6 20. ♘e7) 19. ♖ad1! d4 (19... dc4 20. ♖e5±) 20. ♖e5±; *b)* 17... c6 18. ♖ad1∞↑; 16... c6 17. ♗d6 ♘e4 18. ♗e7 ♔e7 19. ♘e5! ♖he8 20. ♘c6 ♔d6 21. cd5 ♔d5 22. ♘a5!→ ✕♔d5] **17. ♗c7 ♔f8?** [17... ♔d7 18. b4!↑] **18. ♖e2 ♘e8 19. ♗f4 h6 20. ♖ae1 ♗f6 21. h4+– h5 22. ♘e5 g6 23. g3 ♔g7 24. ♘d3 ♖c8 25. b3 ♘c7 26. ♘c5 ♘d5 27. ♘d3 ♘c3 28. ♖c2 ♖he8 29. ♖e8 ♖e8 30. ♔f1 ♖e6 31. c5 ♔f8 32. ♗d2 ♔e8 33. ♗f4 ♖c6 34. b4 a5 35. a3 ab4 36. ab4 ♘b5 37. ♖a2 ♗d8 38. ♔e2 ♔d7 39. ♔d3 ♖f6 40. ♔c4 ♘c7 41. b5   1 : 0**   *Glek*

---

87.   B 01

SVIDLER 2640 – DREEV 2650

Rossija (ch) 1997

1. e4 d5 2. ed5 ♘f6 3. ♘f3 ♘d5 4. d4 ♗g4 5. h3 ♗h5 6. c4 ♘b6 7. ♘c3 N [7. g4 – 58/121] **e5?** [7... e6 8. g4 ♗g6 9. ♘e5 c6 (9... ♘8d7 10. ♘g6 hg6 11. c5±; 9... ♘c6 10. ♘c6 bc6 11. ♗g2 ♕d7 12. 0–0 ♘c4 13. ♕a4 ♘b6 14. ♕c6 ♖d8 15. ♕b7±) 10. ♗g2 ♘8d7 11. ♘g6 hg6 12. ♕e2±] **8. g4!** [8. de5 ♕d1 9. ♘d1 ♘c6 10. g4 ♗g6∞; 8. ♕e2!? *a)* 8... ♘c6 9. g4 (9. d5 ♗f3 10. gf3 ♘d4 11. ♕c5 ♕c7 12. ♕c7 ♗e7 13. ♔d1±) ♗g6 10. d5 ♘b4 11. ♘e5±; *b)* 8... ♗e7 9. ♕e5 (9. de5 ♘c6) ♗f3 10. gf3 *b1)* 10... ♘c6 11. ♕g7 ♗f6 12. ♕g4 ♘d4 13. ♗d3 (13. ♕e4 ♕e7 14. ♕e7 ♗e7 15. ♗d3 ♘f3 16. ♔e2 ♘e5∓) ♘d7 (13... ♕e7 14. ♗e3 h5 15. ♕e4 0-0-0 16. ♕e7 ♗e7±) 14. ♗f4! ♕e7 (14... ♘c5 15. 0-0-0±) 15. ♔f1 h5 16. ♕g2±; *b2)* 10... 0–0 11. ♗e3 ♘c6 12. ♕f4 (12. ♕e4 ♗f6 13. 0-0-0 ♖e8 14. ♕g4±) ♗d6 13. ♕f5±] **ed4** □ **9. ♘d4 ♗g6 10. ♗g2 c6** [10... c5 11. ♘db5±; 10... ♗c5!? *a)* 11. ♘b3 ♕d1 (11... ♕e7 12. ♕e2±) 12. ♔d1 (12. ♘d1 ♗b4=) ♘8d7 13. ♗b7 ♖d8 14. ♖e1 ♔f8; *b)* 11. ♗e3!? ♕c8 (11... 0–0 12. ♘e6!±; 11... ♗d4 12. ♕d4±; 11... c6 12. ♘c6!±) 12. ♕e2 0–0 13. 0-0-0±; *c)* 11. ♕e2! ♔f8 12. ♘b3 ♗d3! 13. ♕d1 ♕e7 (13... ♕e8 14. ♗e3 ♗e3 15. ♕d3 ♗h6 16. ♔f1 ♘c6 17. c5±) 14. ♗e3 ♗e3 15. ♕d3 ♗c1 (15... ♗c5 16.

♚f1 ♘8d7 17. ♜e1 ♘e5 18. ♕f5±) 16. ♘e2 (16. ♚f1 ♝b2 17. ♜e1 ♕d7∓) ♝b2 17. ♜b1±] **11. 0—0 ♝e7 12. f4 h6□ 13. f5 ♝h7 14. c5! ♘6d7** [14... ♝c5 15. ♜e1 ♚f8 (15... ♝e7 16. f6 gf6 17. ♝h6→ ♘8d7? 18. ♝c6+−) 16. ♝e3 ♘a6 17. ♘e4∞]

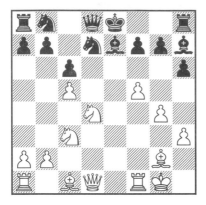

15. g5!! 0—0 [15... ♝g5 16. ♝g5 ♕g5 17. ♘e4 (17. ♜e1 ♚f8 18. ♘e4→) ♕e3 18. ♜f2 0—0 19. ♘c2+−; 15... hg5 16. ♘e6! ♕a5 17. ♘g7 ♚d8 (17... ♚f8 18. ♘e6 fe6 19. fe6 ♘f6 20. ♕h5+−) 18. ♘e4±; 15... ♘c5 16. b4! ♘ca6 (16... ♘cd7 17. g6 fg6 18. ♘e6 ♕b6 19. ♚h1±) 17. g6! ♝g8 (17... fg6 18. fg6 ♝g6 19. ♕g4±) 18. b5±] **16. g6 fg6 17. ♘e6 ♕c8** [17... ♝c5 18. ♚h1 ♕e7 19. ♘f8 ♜f8 20. ♘e4±] **18. ♘f8 ♝c5** [18... ♘f8 19. f6! gf6 (19... ♝f6 20. ♘e4±) 20. ♘e4±; 20. ♝h6±] **19. ♚h1 ♝f8** [19... ♘f8 20. f6 gf6 21. ♘e4±] **20. fg6 ♝g6 21. ♝h6! ♘e5** [21... gh6 22. ♕g4 ♚h7 23. ♜f6! (23. ♜ae1+−) ♕e8 24. ♜g6 ♘e5 25. ♜e6+−] **22. ♝f4 ♘bd7** [22... ♘d3 23. ♜f3 ♕d7 (23... ♘f4 24. ♜f4+) 24. ♕b3 ♚h8 (24... ♝f7 25. ♜d3 ♕d3 26. ♕b7+−) 25. ♜d1 ♘a6 26. ♕c4±] **23. ♘e4+− ♕e8 24. ♕b3 ♕f7** [24... ♝f7 25. ♕g3] **25. ♕g3** [25. ♕b7 ♜b8 26. ♕a7 ♝e4 27. ♝e4 ♕h5 28. ♝g2] **♝e4 26. ♝e4 ♘f6! 27. ♝g2?!** [27. ♝e5 ♘e4 28. ♕g2 ♕d5 29. ♜f8 ♚f8 30. ♝g7! (30. ♕g7 ♚e8 31. ♕h8 ♚d7 32. ♕a8) ♚g8 (30... ♚f7 31. ♜f1 ♚e6 32. ♜e1+−) 31. ♚e5 (31. ♝c3 ♘g3) ♚f7 32. ♜f1 ♚e6 33. ♕g4 ♚e5 (33... ♚e7 34. ♕g7 ♚e6 35. ♕f7 ♚e5 36. ♜f5) 34. ♜f5 ♚d6 35. ♜d5 cd5+−] **♘h5?⊕** [27... ♘ed7±] **28. ♕g5 ♘d3 29. ♝e5! ♕e7** [29... ♝e7 30. ♕g4 ♘e5 (30... ♘f6 31. ♝f6 ♝f6

32. ♜f6 ♕f6 33. ♕c4+−) 31. ♜f7 ♘g4 32. ♜e7+−; 29... ♕e6 30. ♕h5 ♘e5 31. ♜ae1 ♝d6 32. ♝e4 ♕h6 33. ♕h6 gh6 34. ♜f6+−] **30. ♕h5** [30. ♜f8 ♕f8 (30... ♚f8 31. ♜f1+−) 31. ♕h5 ♕c5 32. ♜f1 ♘e5 (32... ♕e5 33. ♕f7 ♚h7 34. ♜f5+−) 33. ♝e4 g6 34. ♝g6 ♕d5] **♕e5** [30... ♘e5 31. ♜ae1 ♜e8 32. ♝e4+−] **31. ♕f7 ♚h8 32. ♜f5 ♘f2 33. ♚g1** [33. ♜f2 ♝d6 34. ♝f1 ♜f8 35. ♕f8 (35. ♕c4 ♜f2 36. ♕h4) ♝f8 36. ♜f8 ♚h7 37. ♜f2+−] **♘h3 34. ♚f1**
1 : 0 *Svidler*

88.* B 01

B. LALIĆ 2585 —
B. GOLUBOVIĆ 2450
Pula (open) 1997

1. e4 d5 2. ed5 ♕d5 3. ♘c3 ♕a5 4. ♘f3 ♘f6 5. h3 e6 N [5... ♘c6 N 6. ♝b5 ♝d7 7. 0—0 e6 8. d4 ♝b4 9. ♝d3 ♝c3 10. bc3 ♕c3 11. ♜b1 ♘d4 12. ♘e5!∞ ♘c6 13. ♘c4 ♕d4 14. ♜b7 ♜b8 15. ♜b8 ♘b8 16. ♝a3 ♘d5 17. ♕b1 ♘c6 18. ♕b7± B. Lalić 2585 − Zeidler 2265, England 1997; 7... a6!? 8. ♝c4 e6; 5... ♝f5 − 69/(86)] **6. g3 c5 7. ♝g2 ♝e7** [△ 7... ♘c6] **8. ♘e5!±** [⟋h1-a8, ×♝c8] **0—0 9. 0—0 ♕c7 10. ♜e1 ♘bd7 11. ♘c4 ♘b6 12. ♘b5 ♕d8 13. d3 ♘bd5 14. a4 a6 15. ♘c3 ♘c3** [15... b6? 16. ♘d5 ♘d5 (16... ed5 17. ♘b6 ♕b6 18. ♜e7) 17. ♘e5! △ c4] **16. bc3 ♘d5 17. ♝d2 ♝f6 18. ♘e5 ♝e5 19. ♜e5 ♕c7 20. ♕e2** [20. ♕e1?! *a)* 20... ♝d7? 21. c4 ♘b4 (21... ♘e7 22. ♝a5!) 22. ♜c5! ♕c5 23. ♝b4+− △ ♝f8; *b)* 20... c4!∞] **♝d7 21. c4 ♘e7! 22. ♜b1 ♜ab8 23. a5 ♘g6 24. ♜e3** [24. ♜h5?! e5 ×♜h5] **♝c6** [24... b6?! 25. ab6 ♜b6 26. ♜a1!± ×a6, c5] **25. ♝c6 ♕c6 26. ♜b6 ♕d7 27. ♕h5 ♜bc8 28. ♕f3 ♕a4 29. ♜b3 ♜c7 30. ♜e1 ♜e8 31. ♜eb1 h6! 32. h4!?** [32. ♜b7?! ♜b7 33. ♜b7 ♘e5 34. ♕e4 (34. ♕d1?! ♕c6) ♕c2 35. ♕e5 ♕d2=] **♜ee7 33. ♝c3 e5 34. ♚g2 e4 35. ♕g4 ed3 36. cd3 ♘e5?⊕** [36... ♕c6 37. ♚g1 ♘e5=] **37. ♝e5 ♜e5 38. ♜b7 ♕a5** [38... ♜b7 39. ♜b7 ♕c6 40. ♕f3+−] **39. ♕f3!+− ♜e6 40. h5 ♜ec6 41. ♜b8 ♜c8** [41... ♚h7 42. ♕e4 g6 43. ♕e8] **42. ♕c6**
1 : 0 *B. Lalić*

ANAND 2765 — LAUTIER 2660

Biel 1997

1. e4 d5 2. ed5 ♕d5 3. ♘c3 ♕a5 4. d4 ♘f6 5. ♘f3 c6 [RR 5... ♘c6 6. ♗d2 ♗g4 7. ♘b5 ♕b6 8. c4! (8. a4 — 59/(122)) ♗f3 9. ♕f3 ♘d4 10. ♘d4 ♕d4 11. ♕b7 ♕e4 12. ♕e4 ♘e4 13. ♗e3 e6 14. g3! 0-0-0 (14... f5?! N 15. ♗g2 0-0-0 16. ♗e4 ♗b4 17. ♔e2 fe4 18. ♖hd1 a6 19. c5! c6 20. ♖d8 ♖d8 21. ♖c1 ♗a5 22. ♖c4 ♗c7 23. ♖e4+− Macieja 2465 — Myć 2335, Polska (ch) 1997) 15. ♗g2 ♘c5 16. ♔e2±; 14... ♗b4] **6. ♗c4 ♗f5 7. ♘e5 e6 8. g4 ♗g6 9. h4 ♘bd7 10. ♘d7 ♘d7 11. h5 ♗e4 12. ♖h3 ♗g2 13. ♖e3 ♘b6** [13... b5 14. ♗d3 b4 15. ♘e4±] **14. ♗d3** [14. ♗b3?! c5!] **♘d5 15. f3! N** [15. ♖g3?! — 67/(124)] **♗b4** [15... ♘c3 16. bc3 ♕c3 17. ♗d2 ♕d4 18. ♔f2 ♗f3 19. ♔f3 ♗c5 20. ♔g2±] **16. ♔f2! ♗c3** [16... ♘c3 17. bc3 ♗c3 18. ♖b1 ♗d4 19. ♔g2 ♗e3 20. ♗e3±] **17. bc3 ♕c3 18. ♖b1 ♕d4** [18... ♗f3 19. ♕f3 ♕d4 20. ♖b7±] **19. ♖b7 ♖d8** [19... ♗h3 20. ♖f7! c5 21. ♖f5!! (Lautier) ♘e3 22. ♗e3 ♕b2 23. ♖c5 0-0 24. ♔g3!+−; 19... ♘f4 20. ♔g3 (20. ♕e1 ♕f6 21. ♔g3±; 20. ♗e2±) ♕d6 21. ♗a3! ♘h5 (21... ♕a3 22. ♗e4!+−) 22. ♔g2 ♕g3 23. ♔f1+−]

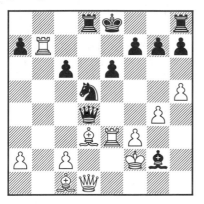

20. h6!! gh6? [20... ♘e3□ 21. ♗e3 ♕e5 22. hg7 ♖g8 23. ♕c1 (23. ♗h6 ♕h2!; 23. ♕g1 ♗f3 24. ♔f3±) ♗f3 (23... ♕h2 24. ♗f4 ♕h3 25. ♕a3!+−) 24. ♕a3 ♕h2 25. ♔f3 ♕h3 26. ♔e2 ♕g4 27. ♔d2 ♕h4 28. ♕c3 c5 29. ♖a7±] **21. ♗g6!! ♘e7** [21...

 - - - (second column) - - -

♕e3 22. ♗e3 fg6 23. ♗c5+−; 21... ♕f6 22. ♗f7 ♕f7 23. ♖f7 ♘e3 24. ♕d8! (24. ♕e2 ♘d1 25. ♔g2 ♔f7±) ♔d8 25. ♗e3 ♗h3 26. ♖a7+−] **22. ♕d4 ♖d4 23. ♖d3! ♖d8 24. ♖d8 ♔d8 25. ♗d3!** [25... ♗h1 26. ♗b2 ♖e8 27. ♗f6+−]   **1 : 0**   *Anand*

ALEXA. IVANOV 2600 — BABURIN 2560

Las Vegas 1997

1. e4 ♘f6 2. e5 ♘d5 3. g3 d6 4. ed6 ♕d6 5. ♗g2 e5 6. ♘c3!? N [6. ♘a3] **♘c3 7. bc3 c6** [7... ♘c6!?] **8. ♘f3 ♗g4 9. h3 ♗h5 10. g4 ♗g6 11. ♘h4 ♘d7 12. ♘g6 hg6 16. ♗e3 ♗d6 17. a4 f5!** [17... e4 18. de4 ♘e6≠] **18. a5 a6 19. gf5 ♖df8 20. f6?! gf6 21. ♗c5 ♗c5 22. d4 ♗d6!∓** [22... ed4 23. cd4 ♗a7 24. d5⇆] **23. ♖ab1 ♖h4! 24. ♖fe1 ed4 25. ♖e6?** [25. cd4 ♖d4 26. ♖b3 *a)* 26... ♗c5 27. ♖eb1 ♖f4 28. ♕e2 (28. ♖b7 ♕b7−+) ♖f2 29. ♕e6 ♕d7 30. ♕d7 ♔d7 31. ♖b7 ♔d6∓; 28... ♗f2; *b)* 26... ♕a5 27. ♖eb1 ♖e8 (27... ♖f7? 28. ♖b7 ♖b7 29. ♕c6 ♔d8 30. ♕b7±) 28. ♖b7 ♖e1 29. ♗f1 ♕g5 30. ♕g2 ♕g2 31. ♔g2 ♖b1 32. ♖b1 a5−+] **♖f4! 26. ♕e2** [26. ♕d3 ♕d7] **dc3 27. ♖c8⊕ ♖c8 28. ♕e8 ♕d8 29. ♕e6 ♔c7 30. ♕f7 ♕e7 31. ♕g6 ♗c5 32. ♔h1 ♖f2 33. ♕g3 ♕e5⊕**   **0 : 1**   *Baburin*

I. ROGERS 2570 — TU HOANG THONG 2475

Singapore 1997

1. e4 ♘f6 2. e5 ♘d5 3. d4 d6 4. c4 ♘b6 5. ed6 [RR 5. f4 de5 6. fe5 ♘c6 7. ♗e3 ♗f5 8. ♘c3 e6 9. ♘f3 *a)* 9... ♗e7 *a1)* 10. d5 ed5 11. cd5 ♘b4 12. ♘d4 ♗d7 13. ♕b3 c5 14. dc6 bc6 15. 0-0-0 ♕c7 16. e6 fe6 17. ♘e6 ♕e5 18. ♖d7 ♔d7! da Costa Júnior; *a2)* 10. ♗e2 0-0 11. 0-0 f6 12. ef6 ♗f6 13. ♕d2 ♕e7 14. ♖ad1 ♖ad8 15. ♕c1 h6 16. ♔h1 ♔h8 17. h3 ♗h7 18. ♖fe1 ♕f7 19. ♖d2!? N (19. ♖f1 — 26/(155)) e5!? 20. d5 ♘e7 21. ♖dd1 ♖fe8 22. b3 ♘f5 23.

♘e4 ♘d7 24. ♗d3± Suĕtin 2410 − R. Ba-
girov 2325, Biel (open) 1997; 20... ♘d4!?
Suĕtin; *b)* 9... ♗g4 10. ♗e2 ♗f3 11. gf3
♕h4 12. ♗f2 ♕f4 13. c5 ♘d7 14. ♘e4
0-0-0 15. ♕a4 ♘db8 16. ♖d1 ♗e7 17. 0−0
♔h4?? 18. ♗h4 ♕h4 19. d5! da Costa
Júnior; 17... f5 − 18/(132)] **ed6** [RR 5...
cd6 6. ♘c3 g6 7. ♗e3 ♗g7 8. ♖c1 0−0 9.
b3 *a)* 9... f5?! 10. g3 N (10. d5 − 65/(94);
10. ♘f3 − 65/94) *a1)* 10... e5?! 11. de5
de5 (11... ♗e5 12. ♘h3±) 12. ♕d8 ♖d8
13. c5 f4 (13... ♘6d7 14. ♗c4 ♔h8 15.
♘b5! △ 15... ♘a6 16. ♘d6 ♖f8 17.
c6!+−) 14. ♗d2 ♘6d7 15. ♗c4 ♔f8 (15...
♔h8 16. ♘b5+−) 16. ♘d5 ♘c5! 17. ♘c7
b6 18. ♘a8 ♗b7 19. ♘c7! fg3! 20. hg3
♗h1 21. ♗b4! ♗h6 22. ♖c2 ♖c8 23. ♘e6
♔e8 24. ♗c5! bc5 25. f3! ♗e3□ 26. ♖h2
♗g1 27. ♖h1 △ ♖h7±; *a2)* 10... ♘c6 11.
d5 ♘e5 12. ♗e2 e6 13. de6 ♗e6 14. f4
(14. ♘h3!? A. Ardeleanu) ♘g4 15. ♗g4
fg4 16. ♘ge2± A. Ardeleanu 2420 − M.
Grunberg 2330, Buziaş 1996; *b)* 9... e5 10.
de5 de5 11. ♕d8 ♖d8 12. c5 ♘6d7 13.
♘f3 ♘c6 14. ♗c4 ♘a5 (14... h6 15. ♘e4!)
15. ♗e2!? N (15. ♗g5 − 65/92) b6! (15...
♘f8 16. 0−0 f5 17. ♖fd1±) 16. cb6 (16. b4
♘c6 17. b5 ♘d4 18. c6 ♘c5 △ a6) ♘b6
17. 0−0 ♗b7 18. ♖fd1 ♘c6 19. ♘b5
(Zukauskas 2280 − Bandza 2385, Lietuva
(ch) 1997) ♘d5 20. ♖d5 ♖d5 21. ♘c7=
Bandza] **6. ♘c3 ♗e7 7. h3 0−0 8. ♘f3** [8.
♗d3!? ♘c6 9. ♘f3 ♗f6 10. ♗e3±] **♗f5 9.
♗e2 c6 N** [9... ♘c6 10. d5 ♘e5 11. ♘d4
♗g6 12. b3±; 9... ♖e8 − 41/(109)] **10.
0−0 ♖e8 11. ♗e3 ♘8d7 12. b3 ♗f8 13. a4**
[△ 13. d5±] **a5 14. d5 ♘c5 15. ♘d4 ♗d7
16. ♗f3 ♕c7 17. ♕c2 ♘c8 18. ♘e4**
♘e7!= 19. ♗f4 [19. ♘c5?! dc5 20. ♘e2
♘f5∓] **♘e4 20. ♗e4 cd5!?** [20... ♘g6= △
21. ♗g6 hg6 22. dc6 bc6 23. c5?! ♕a7!]
21. ♗h7 ♔h8 22. ♘b5! ♗b5 23. cb5
♕c2? [23... ♖ac8 24. ♕c7 ♖c7 25. ♗b1
(25. ♗d6 ♖c3=; 25. ♗d3 ♖c3=) ♖c3 26.
♗d2 ♖b3 27. ♗a5 ♖a8=] **24. ♗c2 ♘g8!?**
[24... ♖ac8 25. ♖ac1±] **25. ♖ad1 ♘f6**
[25... ♖e2 26. ♖d2±] **26. ♖d3!±** [△ ♗d1-
f3] **♖e2 27. ♗d1 ♖b2 28. ♗f3 ♖c8 29.
♗e3** [29. ♗d2] **♗e7 30. ♗d4 ♖bc2 31.
♗f6 ♗f6 32. ♗d5 ♖8c7 33. ♗c4 ♖d7**
[33... ♗e5 34. f4+−] **34. ♖fd1 ♗e5 35.**

♖d5 ♗c3 [35... f6 36. g3 g5 37. b6+−] **36.
♖d6 ♖d6 37. ♖d6 ♖c1 38. ♗f1 ♖b1 39.
♖d7 ♖b3 40. ♖f7!** [40. ♖b7 ♖b4 41. ♗f7
♖a4 42. b6 ♖b4 43. b7±] **♖b4 41. ♗d3 g5
42. ♖c7 ♗d4 43. ♖c4 ♖c4** [43... ♖b2 44.
♗c2+−] **44. ♗c4+−** [△♗ **6/h**] **♔g7 45.
♔f1 ♔f6 46. ♔e2 b6 47. ♔f3 ♗c5 48.
♗d3 ♗b4** [48... ♗d4 49. ♔g3 ♗c5 50. f3
(50. f4? ♗d6) ♗b4 51. ♔g4 △ h4, f4; ⊘
48... ♔e5 49. ♔g4 ♗e7 50. ♗e2 ♔e4 51.
g3 ♗d8 52. ♗f1 ♗e7 53. ♗g2 ♔e5 (53...
♔d4 54. f4 gf4 55. ♔f4 ♔c3 56. ♗f3) 54.
♔h5 ♔d4 55. f4 gf4 56. g4 ♔e3 (56... ♔c3
57. ♗f3) 57. g5 f3 58. ♗f1 ♔f2 59. ♗c4
♔g3 60. h4] **49. ♔g4 ♗d2 50. h4 gh4 51.
♔h4 ♗e1 52. ♔g3 ♔e5 53. ♔f3 ♔f6 54.
g3 ♔g5 55. ♔g2 ♗d2 56. f4 ♔g4 57. ♗e2
♔f5 58. ♔f3 ♗c1 59. g4 ♔e6**   1 : 0

I. Rogers

92.

B 05

J. POLGÁR 2670
− YUSUPOV 2640

Dortmund 1997

**1. e4 ♘f6 2. e5 ♘d5 3. d4 d6 4. ♘f3 ♗g4
5. ♗e2 e6 6. h3 ♗h5 7. c4 ♘b6 8. ♘c3
♗e7 9. d5?! N** [9. ed6 cd6 − 67/131, 132]
ed5 [9... de5 10. ♘e5↑; 10. de6!?] **10. cd5
de5** [10... ♗f3 11. ♗f3 de5 12. d6±] **11.
g4** [11. ♘e5 ♗e2 12. ♕e2 0−0∓] **♗g6 12.
♘e5 ♘8d7 13. ♘d7 ♕d7** [13... ♘d7!? 14.
♗f4 (14. ♗e3 0−0 15. ♕d2 ♖e8) 0−0◯]
**14. ♗b5 c6 15. dc6 bc6 16. ♕d7 ♔d7 17.
♗a6** [△ ♗f4, 0-0-0→; 17. ♗e2!?=] **♗d6
18. ♗e3 h5 19. ♔e2** [19. 0-0-0 ♘c7] **♖ae8
20. a4 hg4 21. a5 ♘c8** [21... ♘d5?? 22.
♘d5 cd5 23. ♗b5+−] **22. hg4 ♖h1 23.
♖h1 ♗f4 24. ♖d1 ♔c7** [24... ♘d6? 25.
♘b5!± △ 25... cb5 26. ♗b5 ♔c7 27. ♗e8
♗e3 28. ♖d6+−] **25. ♖c1?** [25. ♘d5! cd5
26. ♖c1 ♔d6! (26... ♔d7? 27. ♗b5 ♔d6
28. ♗e8+−; 26... ♔b8? 27. ♖c8 ♖c8 28.
♗f4 ♖c7 29. b4+−) 27. ♖c8 ♖c8 28. ♗f4
♔d7=; 25. ♘b5! cb5 (25... ♔b8? 26. ♖d8
♖d8 27. ♗f4 ♔a8 28. ♘c7 ♔b8 29. ♘e6
♖d6 30. ♘g7+−) 26. ♖c1 ♔d6 27. ♖c8
♖c8 28. ♗f4 ♔d7 29. ♗c8 ♔c8=] **♗e3
26. ♘d5 ♔d7 27. ♘e3 ♘d6∓ 28. ♖d1 ♔c7
29. ♖d4 c5 30. ♖d2 ♔c6 31. ♗f3 f6 32.**

♔g2 ♖e4 33. b3 ♖d4 34. ♖b2 ♗e4 [34... ♗f7!?∓] 35. ♔f1 ♗f3 36. ♗e2 ♗e2 37. ♔e2 ♗b5 38. ♖c2 a6 39. ♖c1 g5?!⊕ [39... ♖b4 40. ♖c3; 39... ♘b7 40. ♘c4 ♖g4−+] 40. f3 ♖b4?! [40... ♘b7 41. ♘c4 ♔b4] 41. ♘d5 ♖b3 42. ♘f6 c4∓ 43. ♖d1 ♔c6! 44. ♘d5 ♘b5 45. ♘e7 ♔c7! [45... ♔c5? 46. ♖d5] 46. ♘d5 ♔b7 47. ♔f2 c3 48. f4!? [48. ♖c1 ♔c6 49. ♘f6 ♘a3 50. ♘e4 c2 51. ♔e2 ♖b5∓] gf4! [48... c2 49. ♖c1 ♘d4 50. fg5! ♖b1 51. ♖c2 ♘c2 52. g6 ♔c6 53. ♘e7 ♔c5 54. g7] 49. ♘f4 [49. ♖c1!?∓] c2 50. ♖c1 ♘d4 51. ♘e2⊕ [51. ♔e1 ♖g3−+; 51. ♔g2 ♖c3 52. ♘d5 ♖d3∓] f3 52. ♔g2 ♘e2 53. ♖c2 ♘d4!−+ 54. ♖c4 [54. ♖b2 ♖b3 55. ♖b3 ♘b3 56. g5 ♘a5 57. g6 ♘c6 58. g7 ♘e7 59. ♔f3 ♔c6 60. ♔e4 ♔d6 61. ♔d3 (61. ♔d4 ♘f5) ♔e6 62. ♔c4 ♔f7 63. ♔c5 a5! 64. ♔b5 ♔c6] ♖d3 55. ♖c5 ♘e6 56. ♖e5 ♘f4 57. ♔f2 ♔c6 58. ♖f5 ♘e6 59. g5 ♖d5! 60. ♖d5 [60. ♖f6 ♔d6 61. g6 ♖a5] ♔d5 61. g6 ♔e4! [61... ♔e5? 62. ♔e3 ♔f6 (62... ♔f5 63. g7 ♘g7 64. ♔d4 ♘e6 65. ♔d5 ♘f4 66. ♔c5 ♘d3 67. ♔b6 ♘b4 68. ♔c5=) 63. ♔e4 ♔g6 64. ♔d5 ♔f5 65. ♔c6=] 62. ♔g3 [62. ♔e2 ♘f4; 62. ♔e1 ♔f5 63. ♔d2 ♔g6 64. ♔d3 ♔f5 65. ♔c4 ♔e5] ♘f4!   0 : 1   *Yusupov*

93.*   B 06

HECTOR 2470 −
M. GUREVICH 2620

Mariehamn/Österåker 1997

1. e4 d6 [RR 1... c6 2. d4 g6 3. ♘f3 ♗g7 4. h3 d5 5. e5 ♘h6!? 6. c4!? N (6. ♘c3 − 39/(177), B 15) ♗e6 (6... 0−0 7. ♘c3 f6!?) 7. ♘g5 ♗f5 8. g4!? ♗b1 9. ♖b1 0−0 (9... ♕a5?! 10. ♗d2 ♕a2 11. ♕c1 ♕b3 12. ♖a1⟐ △ ♖a3, ♘f3 ✕♘h6) 10. ♗e3 ♕d7 (10... ♕a5 11. b4 ♕a2 12. ♕c1⟐) 11. f4 f6 12. ♘f3 ♘f7 13. ♗d3 (13. ♗e2!?) a) 13... ♘a6 14. c5 ♘c7 15. ♕c2 fe5 16. fe5 ♘e6 (16... ♘h8? 17. 0−0 ♘e6 18. ♗d2 ♖f7 19. b4 ♖af8 20. ♘h2! ♖f1 21. ♗f1 a6 22. a4±○ Am. Rodríguez 2545 − Bosque Ortega 2285, Barberá del Vallés 1997) 17. 0−0 b6 18. b4 ♖ab8⇆; b) 13... fe5!? 14. de5 (14. fe5 c5!) e6∞ Am. Rodríguez] 2. d4 g6 3. ♘c3 c6 4. f4 d5 5. e5 h5 6. ♗e3!?

[6. ♘f3 − 65/96] ♘h6 7. ♕d2 ♘g4!? 8. ♘d1 N [8. 0-0-0] ♗f5 9. ♘f3 ♘e3!? [9... e6 10. ♗g1 ♘d7 (10... ♗e4 11. ♘g5±) 11. h3 ♘h6 12. ♘f2±] 10. ♘e3 e6 11. ♗e2 ♕b6?! 12. 0−0 c5?! [12... ♕b2? 13. ♖fb1 ♕a3 14. ♖b7±] 13. a4! [13. c4? cd4 14. ♘f5 (14. ♘d4 ♗b4 15. ♕d1 ♗c5−+) d3 15. ♘5d4 de2 16. ♕e2 ♘c6 17. ♖ad1 ♗c5∓; 13. c3 ♘c6 14. ♘f5 gf5∞] cd4 [13... a6 14. a5 ♕c7 (14... ♕a7 15. ♘f5 gf5 16. c4 cd4 17. ♔h1 dc4 18. ♘d4 ♗c5 19. ♖fd1 ♗d4 20. ♕d4 ♕d4 21. ♖d4 ♘c6 22. ♖c4→) 15. c4!?⊕; 13... c4 14. ♘f5 gf5 15. b3 cb3 16. c4!] 14. ♘d4 ♗c5 15. ♗b5 ♔f8 [15... ♘c6 16. a5 ♕c7 17. a6] 16. a5 ♕c7 17. ♘ef5?! [17. b4!? ♗d4 18. ♕d4 ♘a6 (18... ♘c6 19. ♕c5 ♔g7 20. ♘f5 gf5 21. a6±) 19. ♗a6 ba6 20. c4 dc4 21. ♘c4 ♔g7 22. ♘d6 ♖hd8 23. ♖fc1±] gf5 18. b4! ♗d4 19. ♕d4 ♔g7 [19... ♕c2 20. ♖ac1 ♕e4 (20... ♕b3 21. ♖c3 ♕a2 22. ♕c5 ♔g7 23. ♖g3+−) 21. ♕c5 ♔g7 22. ♖ce1+−; 19... ♘c6 20. ♕c5 ♕e7 21. a6! ♕c5 22. bc5 ♖b8 23. ab7 ♘d4 24. ♗a6+−; 20... ♔g7; 19... ♘d7 20. c4 a6 21. ♗a4!±; 19... a6 20. ♗a4 ♘c6 21. ♕c5 ♔g7 (21... ♕e7 22. ♗c6 ♕c5 23. bc5 bc6 24. ♖ab1 ♔g7 25. ♖b6±) 22. ♖a3!± △ 23. ♖c3, 23. ♖g3] 20. ♖a3!? h4 21. ♖c3 ♕e7 [21... ♘c6!? 22. ♗c6 (22. ♕c5 a6 23. ♗c6 ♕c6 24. ♕c6 bc6 25. ♖c6 ♖hc8⇆) bc6 23. b5 ♕a5 24. bc6±] 22. g4 [22. ♕c5 ♕c5 23. ♖c5 ♘a6 24. ♗a6 ba6 25. ♖c6 ♖hc8 26. ♖a6 ♖c2∞; 22. ♖ff3!?] hg3 [22... fg4? 23. f5 ♕g5 24. fe6 fe6 25. ♖f4+−] 23. ♖g3 ♔f8 24. ♖ff3!? ♘c6 25. ♗c6 bc6 26. ♖h3?! [26. ♖c3!? ♖c8 27. h3 (27. ♖c5 ♕h4 28. ♕d2±) ♕c7 28. ♔h2±] ♖g8 27. ♖fg3 ♖g3 28. ♖g3 [28. hg3 ♔g7∞] ♖b8 29. c3 c5! 30. ♕f2 [30. ♕c5 ♕c5 31. bc5 ♖c8 32. h4 ♖c5 33. h5 ♖a5 34. h6 ♖a1 35. ♔g2 ♖a2 36. ♔h3 ♖a1 37. ♔h2 (37. ♔h4 ♖h1 38. ♔g5 a5 39. ♖g2 a4 40. ♖a2 ♖g1 41. ♔h5 ♖h1=) ♖a2=] cb4 31. ♖h3 ♕c7! 32. ♕h4 [32. ♖h8 ♔g7 33. ♖b8 ♕b8 34. ♕g3 ♔f8 35. ♕h4 ♕c7⇆] bc3!∓ 33. ♕h8 [33. ♕f6 ♕c5 34. ♔g2 ♖b2 35. ♔g3 ♕f2] ♕e7 34. ♕f6 ♔e8! [34... ♔d7? 35. ♕f7 ♔c8 (35... ♔c6 36. ♖c3+−) 36. ♕e6 ♔b7 (36... ♕d7 37. ♖c3+−) 37. a6 ♔a8 38. ♕d5+−] 35. ♕h8 [35. ♕h8 ♔d7] ♔d7 36. ♕f7 [36.

罩b8 營b8 37. 營f7 含c6 38. 營e6 含c5∓]
含c6 37. 營e6 含c5 38. 罩b8 [38. 罩h3 罩b1
39. 含g2 罩b2 40. 含g1 營a5 41. 營d6 含d4
42. 罩f3 c2!−+] 營b8 39. 營f5 營b2!−+ 40.
營c8 含b4! [41. 營b8 含a4 42. 營e8 含a3
43. 營e7 含a2; 41. 營b7 含a3 42. 營d5 c2
43. 營c5 含a2 44. 營c4 營b3 45. 營e2 含a1;
40... 含d4?! 41. e6∞ c2?? 42. 營h8+−]
0 : 1   *M. Gurevich*

94.*** !N   B 06

IZMUKHAMBETOV 2415
− BOLOGAN 2585

Sevastopol' 1997

1. e4 g6 2. d4 ♗g7 3. ♘c3 [RR 3. ♘f3 d6
4. ♗c4 ♘f6 5. 營e2 c6 6. e5 ♘d5 7. h3
0−0 8. 0−0 a5 9. ed6! N (9. 罩e1 −
22/174) 營d6 10. 罩e1 ♗f5 *a)* 11. ♘c3?!
♘c3 12. bc3 b5! 13. ♗d3 ♗d3 14. cd3 e6
15. 營e4 ♘d7 *a1)* 16. 營h4 罩fe8 17. ♗h6
(17. ♘g5 h6 18. ♘e4 營e7=) f6 18. ♗g7
含g7 19. ♘d2 e5 20. ♘e4 營d5 21. de5
罩e5 22. d4 罩e6 23. ♘d2 罩ae8 24. 罩e6
罩e6 25. 營g3 a4 26. ♘f1= Matulović 2445
− Striković 2560, Jugoslavija 1997; *a2)* ◌
16. ♗f4; *b)* 11. a4! ♘b4 12. ♘a3± Matu-
lović] **c6** [RR 3... d6 4. ♗e3 a6 5. 營d2 b5
6. a4 b4 *a)* 7. ♘d1 a5 8. f4!? N (8. f3 −
67/133) ♗b7 9. ♘f2 ♘f6 (9... e6!? △ ♘e7)
10. ♗d3 e6 11. ♘f3 0−0 12. 0−0 ♘bd7
13. c4 bc3 14. bc3 *a1)* 14... c5 15. 罩ab1
♗c6 16. e5 ♘d5 17. ♘e4! ♘e3 18. 營e3
cd4 19. cd4 ♗e4 (19... d5 20. ♘d6 ♗a4 21.
♘g5→; 19... de5 20. de5 ♗a4 21. ♘fg5→;
20. fe5!?) 20. ♗e4 d5 21. ♗d3 ♘b6 22.
g4± (An. Sokolov; 22. ♗b5? 營e7 23. 罩fc1
罩fc8= An. Sokolov 2585 − V. Neved-
nichy 2530, Jugoslavija 1997; 22. ♘g5 h6
23. ♘e6 fe6 24. 營h3 罩e8 25. ♗g6 罩e7 26.
g4⊼) ♗h6□; *a2)* 14... d5!? 15. e5 ♘e4 16.
♗e4 de4 17. ♘g5 ♘b6 18. 營c2 ♘c4 19.
罩fe1 營d5 20. ♘ge4⊼ V. Nevednichy; *b)*
7. ♘ce2 a5 8. ♘g3 ♘d7 9. ♘f3 N (9. h4)
♘b6 10. ♗b5 ♗d7 11. ♗d7 營d7 12. b3 h5
13. h3 ♘f6 14. ♘g5 h4 15. ♘e2 e5 16.
0−0 c5 17. dc5 dc5 18. 罩ad1 營d2 19.
罩d2± M. Kamiński 2540 − Ehlvest 2610,
Polanica Zdrój 1997] **4. ♗c4 d6 5. 營f3 e6
6. ♘ge2 b5 7. ♗b3 a5 8. a3 ♗a6 9. d5 cd5**

**10. ed5 e5 11. ♘e4 h6 12. g4 ♘f6 13.
♘2g3 ♘e4 14. ♘e4 0−0 15. 營h3 f5 16.
gf5 ♗c8 17. ♘g3 罩f5** [17... ♗f5 18. ♘f5
罩f5 19. ♗h6±; 17... gf5 18. ♗h6 f4 19.
營h5 fg3 20. ♗g7 含g7 (20... gf2 21. 含d2
含g7 22. 罩hg1 fg1營 23. 罩g1 含f6 24. 罩g6
含e7 25. 罩g7 含f6 26. 營g6‡) 21. 罩g1!
♗f5 22. 罩g3 含f6 23. 營g5 含f7 24.
營f5+−] **18. ♘f5!? N** [18. 營g2 − 66/76]
♗f5 19. 營g3 [19. 營g2 ♘d7 20. ♗e3 e4
21. 0-0-0 ♘e5↑] **♘d7 20. ♗e3 罩c8?** [20...
e4! 21. 營d6 a4 22. ♗a2 ♗b2 23. 罩b1 ♗c3
24. ♗d2 ♗d2 25. 含d2 營g5 26. 含e1 e3→]
21. c3 ♘f6 22. a4?? [22. 0−0 ♘h5 23.
營g2 營h4 24. f3 ♘f4 25. ♗f4 ef4 26. 罩fe1
♗e5 27. ♗c2+−] **罩b8∓ 23. ab5** [23. 罩a3
ba4 24. ♗a4 ♗b1 25. 罩a1 罩b2 26. 0−0
♗f5∓] **罩b5 24. 罩a3 營b8 25. ♗a2 罩b2
26. 0−0 ♘e4 27. 營f3 ♘c3! 28. ♗a7!?** [28.
罩c3 e4 29. 營g3 ♗c3 30. ♗f4 ♗e5 31.
♗e5 de5 32. 營a3 營b4−+] **營a7 29. 營c3
e4 30. 營a5 營a5 31. 罩a5 ♗d4 32. 罩a3?**
[32. ♗b1 ♗h3 33. 罩a2 ♗f2! 34. 含h1 罩a2
35. ♗a2 ♗f1−+] **♗c5 33. 罩a8 含g7⊕**
0 : 1   *Bologan*

95.**   B 07

MI. ADAMS 2680
− McSHANE 2455

Great Britain (ch) 1997

1. e4 c5 [RR 1... ♘c6 2. ♘c3 d6 3. d4 ♘f6
4. h3!? g6 5. ♗e3 ♗g7 6. 營d2 0−0 7. 0-0-0
N (7. ♘f3 − 13/182) e5 8. d5 ♘e7 9. g4
♘e8 10. ♘ge2 c6 11. ♘g3 cd5 12. ♘d5!?
(12. ed5± Mirumian) ♘d5 13. ed5 ♗d7
14. ♗e2 b5?! 15. h4 a5 16. h5 b4 17.
♗h6± Mirumian 2425 − Kazhgaleyev
2510, Cappelle la Grande 1997] **2. c3 d6
3. d4 ♘f6 4. ♗d3 cd4** [RR 4... ♘c6 5.
♘e2 g6 6. f3 N (6. 0−0 − 65/144) ♗g7 7.
♗e3 cd4 8. cd4 0−0 *a)* 9. ♘bc3 ♘d7 (9...
e5!? 10. d5 ♘e7 11. 0−0 ♘e8 12. a4!±)
10. 營d2 e5 11. d5 ♘d4!? 12. 0−0 f5 13.
罩ac1 ♘c5 14. b4! (14. ♗b1?! ♘e2 15.
營e2 b6∞) ♘d3 15. 營d3± Ohotnik 2420 −
P. Demeter 2260, Mishalovce 1997; *b)* 9.
♘a3!? △ 9... e5?! 10. d5 ♘e7 11. 營b3 △
0-0-0, 含b1, 罩c1± Ohotnik] **5. cd4 g6 6.
♘f3 ♗g7 7. h3 e5** [7... 0−0] **8. de5!** [8.

0—0 ed4 9. ♘d4 0—0∞] **de5 9. 0—0 ♘c6
10. ♘c3 0—0 11. ♗e3 ♘h5 12. ♗c4** [12.
♘d5 ♘f4 13. ♘f4 (13. ♗c4 ♘e6 △ ♘ed4)
ef4 14. ♗f4 ♗b2 15. ♖b1 ♗g7 16. ♕e2±]
♘f4 N [12... ♘d4 — 44/(173)] **13. ♕d8**
[13. ♖c1!?] **♖d8** [13... ♘d8 14. ♗c5 ♖e8
15. ♘b5] **14. ♘g5 ♗e6** [14... ♘e6 15.
♘b5!?] **15. ♘e6 ♘e6 16. ♖ac1** [16. ♗e6±]
♘cd4 17. ♖fd1 ♖ac8 18. ♗e6!** [18. ♗f1
♗f8=] **fe6** [18... ♘e6 19. ♗a7] **19. ♔f1
♖d7 20. ♘e2 ♖cd8** [△ ♘c2] **21. ♗g5 ♖f8
22. ♖d3 h6 23. ♗e3 g5 24. ♖dc3 ♖fd8** [△
♘b5] **25. ♖c8 ♖c8 26. ♖c8 ♔f7 27. ♘c1**
[27. ♘c3] **♘b5! 28. f3 b6 29. ♔e2 ♘d6
30. ♖c6 ♔e7 31. a4** [31. ♘d3 ♘b5] **♖b7
32. ♘d3 ♔d7 33. ♖c2 ♖c7 34. ♖c7** [34.
♖d2 ♔c8] **♔c7 35. b3 ♘f7 36. ♔d2 ♗f8
37. ♔c3 ♔c6 38. ♘b2!?** [38. b4 a6 △ b5]
♗d6 [38... a6 39. ♘c4 b5] **39. ♘c4 ♗c7
40. ♔d3 ♗d8 41. ♗d2 ♗e7?** [41... ♗c7
42. ♗c3 a6±] **42. ♗c3 ♗d6** [42... ♗f6 43.
g3±] **43. ♘d6! ♔d6 44. ♗b4 ♔c6 45. ♔c4
♘d6?** [45... a6 46. ♗f8! h5! (46... ♔b7 47.
♔b4 ♔c6 48. a5 b5 49. g4+—) 47. ♗b4 △
♗d2-e3, ♔b4, a5+—] **46. ♗d6! ♔d6 47.
♔b5+— ♔c7 48. ♔a6 ♔b8 49. g4! ♔a8
50. b4 ♔b8 51. a5 ba5 52. ♔a5 ♔c7** [52...
♔b7 53. b5 ♔a8 54. ♔a6 ♔b8 55. b6] **53.
♔a6   1 : 0**   *Mi. Adams*

96.***   **B 07**

A. BELJAVSKIJ 2710 —
AZMAIPARASHVILI 2645

Portorož 1997

**1. ♘f3 g6 2. e4 d6 3. d4 ♘f6 4. ♗d3 ♗g7
5. 0—0 0—0 6. ♖e1 ♘c6 7. c3 e5** [RR 7...
♗g4 8. ♘bd2 e5 9. h3 ♗d7 10. de5 ♘e5
11. ♘e5 de5 12. ♘c4 ♖e8 N (12... ♘h5)
13. a4 ♘h5 14. ♗f1 ♘f4 15. ♗e3 ♕e7
16. ♔h2 a5 17. ♕c2 h5 18. ♗ad1 h4 19.
♖d2 ♗c6 20. ♘a3 ♖ed8 21. ♗b5 ♖d2 22.
♗d2 ♗b5 23. ♘b5 ♘e6 24. ♘a3 ♗f6=
Va. Salov 2680 — Topalov 2745, Dos Her-
manas 1997] **8. h3 ♘h5 9. ♗e3** [9. ♗g5
— 59/135] **d5 N** [RR 9... ♕e7 10. ♘bd2
h6 11. ♘f1 N (11. ♖b1 — 58/(140)) ♗d7
12. a3!? b6!? 13. ♗c2 ♖ae8 14. ♕d2 g5
15. b4 ♔h8 16. ♖ad1 ♘f4 (A. Chernin
2635 — Plaskett 2450, Aubervilliers (rapid)

1997) 17. ♘3h2± A. Chernin; 17. ♘g3!?
Plaskett] **10. ♗g5!** [10. de5 ♘e5 11. ♘e5
♗e5 12. ed5 ♕d5 13. ♗e2 ♘f4 14. ♗f3
♕d1 15. ♖d1= Magem Badals 2570 —
Azmaiparashvili 2670, Pamplona 1996/97]
f6 11. ed5 fg5 [11... ♕d5 12. ♘a3 ♕f7 13.
♗e3±] **12. dc6 ed4 13. ♕b3 ♔h8 14. cb7
♗b7 15. ♕b7 dc3 16. ♘c3 ♕d3 17. ♖ad1
♕f5** [17... ♕c4!?] **18. ♕c7 g4** [18... ♘f4
19. ♖e7 ♘h3 20. ♔f1→] **19. hg4 ♕g4 20.
♕d7 ♕d7** [20... ♕b4!?] **21. ♖d7 ♖ab8 22.
♘a4 a5 23. ♘g5!** [23. b3 ♖bc8∞] **♖b5**
[23... ♗b2 24. ♘b2 ♖b2 25. ♘h7 ♖fb8
26. g4 ♘g7 27. ♘f6 ♖2b7 28. ♖ee7+—]
24. ♘e6 ♖e8 25. b3± ♗e5?! 26. ♘ac5?
[26. ♘c7 ♘f6 27. ♖h7 ♔h7 28. ♘b5 ♗h2
29. ♔f1+—] **♘f6 27. ♖dd1 ♗c3 28. ♗e3
♗b4 29. ♖f3 ♗c5** [29... ♖b6 30. ♘c7 ♗c5
31. ♘e8 ♘e8 32. ♖c1 ♗a3 33. ♖c8 ♖e6
34. ♖e3+—] **30. ♘c5 ♖c5 31. ♖f6 ♔g7 32.
♖f3 ♖e7 33. ♖d2 h5 34. ♖fd3 ♘h6 35.
♖d4 ♖e6 36. f3 g5 37. ♖d6 ♖g6 38. ♔f2?**
[38. ♔h2! h4 39. ♔h3 ♔h5 40. ♖g6 ♔g6
41. ♔g4 a4 42. ♖d6 ♔g7 43. ba4+—] **h4
39. ♖6d5 ♖gc6 40. ♖c5 ♖c5 41. ♔e3 ♔h5
42. ♔d4 ♖f5 43. ♖c2 g4 44. ♔e4 ♔g5 45.
♖c8 gf3 46. gf3** [46. ♖g8 ♔f6 47. ♖f8
♔g6 48. ♖f5 fg2 49. ♖f8 ♔g7—+] **♖b5
47. f4 ♔f6 48. ♖c6 ♔e7 49. ♔f3 a4 50.
♖c3 h3 51. ♔g3 ♖h5 52. ♔h2 ab3?!** [52...
♖h4 53. ♖c4 ab3 54. ab3 ♔d6 55. b4
♔d5 56. ♖c5 ♔d6 57. ♖f5 ♔e6=] **53.
♖b3 ♖h4 54. ♖f3** [54. ♖b4 ♔f6 55. a4
♖h5 56. ♖b6 ♔g7! 57. ♖b3 ♖a5 58. ♖a3
♖f5 59. ♔g3 h2 60. ♖a1 ♖h5 61. ♔g2
♖f5=] **♔e6 55. a4 ♔f5 56. a5 ♔g4?!**
[56... ♖h6 57. ♖a3 (57. ♖h3 ♖g6 58. ♖h4
♖g7!=) ♖a6] **57. ♖f2 ♖h6 58. f5 ♖f6 59.
♖f1 ♔h4 60. ♖f3 ♔g4 61. ♖g3 ♔f4 62.
♖g1 ♔e3** [62... ♔e5 63. ♖f1 ♖a6 64.
f6+—] **63. ♖e1 ♔d2?** [63... ♔f4? 64. ♖a1
♖a6 65. f6+—; 63... ♔f2? 64. ♖a1 ♖f5 65.
a6 ♖f8 66. a7 ♖a8 67. ♖a3! ♔e2 68. ♔h3
♔d2 69. ♔g4 ♔c2 70. ♖f5 ♔b2 71. ♖a6
♔b3 72. ♔e6 ♔b4 73. ♔d6! ♔b5 74. ♖a1
♔b6 75. ♖b1 ♔a6 76. ♔c7 ♖a7 77.
♔c6+—; 63... ♔d3! 64. ♖f1 ♔e2 65. ♖f4
♔e3 66. ♖a4 ♖f5 67. a6 ♖f8 68. a7 ♖a8
69. ♔h3 ♔d3 70. ♔g4 ♔c3 71. ♔f5 ♔b3
72. ♖a1 ♔b4 73. ♔e6 ♔c5!! 74. ♔d7
♔b6 75. ♖b1 ♔c5 76. ♖b7 ♖h8!=] **64.**

♖e5 ♔d3 65. a6 ♖a6 66. ♔h3 [♖ 3/c3]
♔d4 67. ♖e6 ♖a8 68. ♔g4 ♖g8 69. ♔f4
♔d5 70. ♖a6 ♖g1 71. f6 ♖f1 72. ♔g5
♔e5 73. ♔g6 ♖g1 74. ♔f7 ♖b1 75. ♔g7
♖g1 76. ♔f8 ♔f5 77. f7 ♖e1 78. ♔g7 ♖g1
79. ♔h7   1 : 0   *A. Beljavskij*

97.** !N   B 07

SHERZER 2490 —
CIMMERMAN 2410

Magyarország 1997

1. e4 d6 2. d4 ♘f6 3. ♘c3 g6 [RR 3... e5
4. de5 de5 5. ♕d8 ♔d8 6. ♗c4 ♗e6 7.
♗e6 fe6 8. ♗e3 ♗d6 9. f3 ♔e7 10. ♘h3
a6 11. ♘f2 ♘c6 N (11... ♘bd7?! 12. ♔e2 —
67/140) 12. ♘cd1 (△ c3, ♘d3, b4↑≪) h6
13. c3 *a)* 13... ♖ac8?! 14. b4! (14. ♘d3?!
♘a5 15. b3 c5 △ c4∞) b5?! 15. ♘d3 a5
16. a4!± Fejgin 2505 — S. Kasparov 2315,
Minsk 1997; *b)* 13... ♘a5 14. b3 *b1)* 14...
c5?! 15. ♘b2 b5 16. ♘fd3 ♖hc8 (16... c4?
17. ♗b6) 17. c4 b4 18. ♘a4± *b2)* 14...
♖hf8± Fejgin] 4. h4 [RR 4. f3 c6 5. a4
♗g7 6. ♗e3 ♘bd7 7. ♕d2 0—0 8. ♘ge2 e5
9. g4 ed4 N (9... d5 — 18/161) 10. ♘d4
♘e5 11. ♗e2 ♖e8 12. g5 ♘h5 13. 0-0-0 d5
14. ♘b3 ♗h3 15. f4 *a)* 15... ♘c4?! 16.
♗c4 dc4 17. ♕d8! (17. ♕f2? ♕c7 18. ♘d4
♗g4! 19. ♖d2 b5! 20. ab5 c5!∓ Slovineanu
2410 — Hait 2370, Eforie-Nord 1997) ♖ad8
18. ♖d8 ♖d8 19. ♘a5 *a1)* 19... ♗c3?! 20.
bc3 ♖d7 (20... ♗g2 21. ♘b7 ♗h1 22. ♘d8
♗e4 23. ♗a7 ♘f4 24. ♗c5±) 21. ♘c4
♗g2 22. ♖e1 ♗e4 23. ♗d4 f5 24. gf6 ♗d5
25. ♘e5 ♖d8 26. ♘g4± *a2)* 19... ♗d4 20.
♖e1 (20. ♗d4 ♖d4 21. ♘b7 ♘f4 22. ♘a5
♗d7 23. h4 c5 24. ♘b7 ♘e6∞) ♗e3 21.
♖e3 ♗c8 22. f5 gf5 23. ef5 ♗f5 24. ♘b7
♖d4 25. ♖e5 ♗e6 26. ♘c5 ♘f4 27. h4
♔g7±; *b)* 15... ♘g4!? 16. e5 ♘e3 17. ♕e3
♘f4! 18. ♕f4 ♗e5 19. ♕d2 ♕e7!? (19...
♗c3 20. bc3! ♕e7 21. ♖he1 ♕a3 22. ♔b1
♕a4 23. ♕d4 ♕d4 24. cd4 ♖e3 25. ♗d3±)
20. ♖hg1 (20. ♖he1 ♕b4⊼) ♕b4⊼ Hait]
♗g7 5. ♗e2 c5 6. dc5 ♕a5 7. ♕d3 ♕c5 8.
♗e3 ♕a5 9. h5 gh5 10. a3! N [10. ♘h3 —
46/158] ♘c6 11. 0-0-0 ♘e5?! [11... ♘g4?!
12. ♗d2! *a)* 12... ♘f2? 13. ♕g3! ♘h1
(13... ♘g4? 14. ♘d5+−) 14. ♕g7 ♖f8 15.

♘d5 ♕d8 16. ♗h6+−; *b)* 12... ♘ge5 13.
♕g3±; 11... ♗e6!?] 12. ♕b5! ♕b5 13. ♘b5
♔d7□ [13... ♔d8? 14. ♗a7! ♘e4 15. ♗b6
♔d7 16. ♘c7] 14. ♘a7 ♘e4 15. ♖h5 ♔c7
16. ♘c8! ♖ac8 17. f4 ♘c6 18. ♗f3 ♘f6
19. ♖b5!? ♘d7 20. ♘e2± e6 21. c4! b6 22.
♔b1 ♖a8 23. ♔a2? [23. ♘d4!? ♗d4 24.
♗d4 ♘d4 25. ♖d4±; 23. ♖b3! *a)* 23... ♘c5
24. ♖b6!! ♔b6 25. ♖d6 ♖hc8 26. b4 ♖a3
27. ♗c5 ♔b7 28. b5! ♖f3 29. ♖d7!! ♔b8
(29... ♖c7 30. bc6 ♔c6 31. ♖c7 ♔c7 32.
gf3+−) 30. gf3 ♘a5 31. ♗d6 ♔a8 32.
c5+−; *b)* 23... ♖hd8 24. ♘c3 ♗c3□ 25.
♖c3± ♖a4! 24. ♖c1□ [24. b3?? ♖a3−+]
♘c5 25. ♔b1 ♘a7 26. ♘d4! ♗d4! [26...
♘b5? 27. ♘b5±] 27. ♗d4 ♖g8 28. ♖b4
[28. b4?! ♘b5 29. cb5 ♖a3 30. bc5 bc5∓]
♖b4 29. ab4 ♘b3! [29... ♘d3? 30. ♖h1±]
30. ♖d1 ♘d4 31. ♖d4 [♖ 9/i] ♘c6 32.
♖d3! [32. ♗c6?! ♔c6 33. ♖d2 ♖g4 34.
♖f2 b5! 35. b3 ♖g3 36. ♔c2 bc4 37. bc4
d5∓] ♘b4 33. ♖a3 ♘c6 34. b4 ♖g3 35.
♔b2 h5 36. ♖a8 h4 37. ♖f8 [37. ♖h8!?
♘b4 38. ♔c3! h3 *a)* 39. ♖h3!? ♖h3 40.
gh3 ♘c6 (40... ♘a6!?) 41. ♗c6 ♔c6 42. h4
♔d7 43. ♔b4 ♔e7 44. ♔b5 ♔f6 45. ♔b6
♔g6! 46. ♔c6 d5 47. cd5 ed5 48. ♔d5
♔h5=; *b)* 39. ♔b4! hg2 40. ♗g2 ♖g2 41.
♖h7 ♖b2! 42. ♔c3 ♖f2 43. ♖f7 ♔c6 44.
♖e7 ♖f4 45. ♖e6 ♔c5 46. ♔b3=] ♖g7 38.
♔c3 h3 39. ♗c6! h2! 40. ♖h8 ♔c6 41.
♖h2 ♖g4∓ 42. f5 e5 43. ♖h7 ♖g3 44. ♔d2
♖g2 45. ♔d3 ♖g3 46. ♔c2 b5 47. c5! dc5
48. bc5 ♔c5 49. ♖f7 ♖f3 50. f6 ♔d4 51.
♖b7 ♖f2 52. ♔d1 ♔c4 [52... ♖f6 53. ♖b5
e4 54. ♖b3=] 53. f7 b4   1/2 : 1/2
                          Cimmerman

98.**   B 07

KHENKIN 2550 — McNAB 2490
Koszalin 1997

1. d4 d6 2. e4 [RR 2. ♘f3 ♗g4 3. e4 ♘f6
4. ♘c3 c6 5. h3 ♗h5 6. ♕e2 e6 7. g4 ♗g6
8. h4 h5 9. g5 ♘fd7 10. ♗e3 d5 11. ♘d2
a) 11... ♘a6 *a1)* 12. a3?! ♘c7 *a11)* 13.
♗h3 ♗e7 14. f4 de4 15. ♘de4 (15.
♘ce4!?) ♘d5 16. 0—0 ♘e3 N (16... ♘c3)
17. ♕e3 0—0 18. f5 ef5 19. ♗f5 ♘b6! 20.
♗g6 fg6 21. ♘c5 ♗c5 22. dc5 ♘d5= Aga-

76

maliev 2475 — Malanjuk 2610, Świdnica 1997; *a12)* ⌒ 13. ♗g2; *a2)* 12. f4; *a3)* 12. ♗g2!?; *b)* 11... ♗b4!? 12. ♗g2 ♘b6 13. 0–0 ♘a6 Malanjuk] ♘f6 3. ♘c3 g6 4. g3 ♗g7 5. ♗g2 0–0 6. ♘ge2 e5 7. h3 ♘c6 8. ♗e3 ♗d7 9. 0–0 ed4 10. ♘d4 ♖e8 11. ♖e1 ♕c8 12. ♔h2 ♖e5 13. g4 N [13. f4 — 56/136] ♗g4 14. hg4 ♘g4 15. ♔g1 ♘e3 16. ♖e3 ♘d4 17. ♕d4 ♖b5 18. ♕d2! ♖b2 19. ♕c1! [1/2 : 1/2 J. Shaw 2390 — McNab 2490, London 1997] ♖b6□ [19... ♗c3 20. ♖c3 ♖b5 (20... ♖b6 21. ♕h6 △ ♖h3+−) 21. ♖b1! ♖b1 22. ♕b1 ♖b8□ 23. ♕b5! △ 24. ♕a5, 24. ♕g5, 24. e5±] 20. ♘d5 ♕d8□

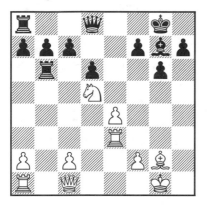

21. e5!! [21. ♘b6 ab6 △ 22... ♗a1, 22... ♗h6] ♗e5?! [21... ♖b5□] 22. ♖h3! [△ 23. ♕h6, △ 23. ♘b6 ab6 24. ♖b1] ♖b5 [22... ♗a1 23. ♕a1 h5 24. ♘f6 ♔f8 25. ♘h5! gh5 26. ♕h8 ♔e7 27. ♖e3 ♔d7 28. ♗h3! ♔c6 29. ♕c3] 23. ♕h6! ♗a1 [23... c6 24. ♕h7 ♔f8 25. ♖f3! ♗g7 26. ♕g6! ♕d7 27. ♗h3!!+−; 23... ♗g7 24. ♕h7 ♔f8 25. ♖e1 c6 26. ♘e7 ♖e5 27. ♖e5 de5 28. ♘g6! fg6 29. ♖f3 ♗f6 30. ♕g6+−] 24. c3!!□ [24. ♕h7 ♔f8 25. c3 ♖d5! 26. ♗d5 ♕g5!∞] ♖d5 [24... ♗c3 25. ♘c3! ♖h5 26. ♖h5 gh5 27. ♘d5 f6 28. ♘f6 ♔f7 29. ♗d5 ♔e7 30. ♕g7#] 25. ♗d5 ♕f6 26. ♕h7 ♔f8 27. ♕h8   1 : 0   *Khenkin*

99.*    **B 07**

LÉKÓ 2600 — CONQUEST 2540
Yopal 1997

1. e4 d6 2. d4 ♘f6 3. ♘c3 g6 4. ♗g5 c6 [RR 4... ♘bd7 5. ♕d2 h6 6. ♗h4 c5 N

(6... ♗g7 — 70/101) 7. dc5 g5 8. ♗g3 ♘c5 9. f3 ♗g7 10. ♗b5 ♗d7 11. ♘ge2 ♗b5 12. ♘b5 ♘h5!= Z. Almási 2615 — A. Beljavskij 2710, Magyarország 1997; 7. e5!? cd4 8. ef6 dc3 9. ♕c3↑ A. Beljavskij] 5. ♕d2 b5 6. ♗d3 ♘bd7 7. ♘f3! ♕c7 N [7... h6 8. ♗f6! (8. ♗e3 — 19/152) ef6 (8... ♘f6 9. e5→) 9. d5!±; 7... ♘b6 8. e5!→] 8. 0–0 ♗g7 9. ♖fe1 0–0 10. h3!? [10. e5 b4 (10... de5?! 11. de5 ♘g4 12. ♗e7 ♘de5 13. ♘e5 ♗e5 14. ♗f8±) 11. ♘a4 ♘d5± ♗b7 [10... e5!?] 11. e5 b4 12. ♘a4 ♘d5 13. ♗h6! [△ ♖e4-h4; 13. ed6 ed6 14. c4 bc3 15. ♘c3 ♘c3! 16. bc3 c5=] c5□ 14. e6! c4! [14... fe6? 15. ♗g7 ♔g7 16. ♘g5 ♘f4?! 17. ♕f4! ♖f4 18. ♘e6+−] 15. ♗g7 ♔g7 16. ♗f1 c3!? [16... ♘7f6 17. a3! (17. ♘g5 c3∞ ×♘a4) c3 18. ♕c1 a5 19. ♘g5→] 17. bc3 bc3 18. ♘c3! ♘c3 [18... ♕c3? 19. ed7] 19. ed7 ♗f3 20. ♖e3! [20. gf3 e6!] ♘e4!? [20... ♘d5 21. ♖f3 ♕d7 22. c4±; 20... ♗d5 21. ♕c3 ♕d7 22. ♕a5!±] 21. ♕e1 ♘g5 [21... ♕d7 22. ♖f3 d5 23. c4!± △ c5]

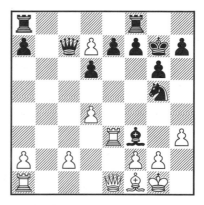

22. ♖e7!! ♗c6?! [22... ♗e4 23. ♕e3! h6 24. h4 ♕d8 25. ♖e8 ♖e8 26. de8♕ ♕e8 27. hg5 hg5 28. ♖e1 ♗c6 29. ♕c3+−; 22... ♗d5 23. c4!; 22... ♔f6!? (A. Zapata) *a)* 23. ♕e3 ♘e6 24. ♖e8 ♗c6!? (24... ♗b7 25. ♗b5⩲) 25. d5! ♗d5 (25... ♖ae8 26. de8♘ ♗e8 27. ♕h6!±) 26. c4 ♗g2! 27. ♕c3 ♔g5 28. ♕e3 ♔f6=; *b)* 23. ♖e3! ♗b7 24. d5 (24. c4!?→) ♗d5 25. c4±→; 22... ♖ad8! 23. h4 (23. ♕e3 ♘h3! 24. gh3 ♗a8 25. c4 ♖d7 26. ♖e1∞) ♖d7! 24. ♖d7 ♘h3 25. gh3 ♕d7 26. c4! ♖e8 27. ♕c3±] 23. ♕c3! d5 [23... ♕d8!? 24. d5 ♔g8 25. ♕e3! ♘h3 26. ♕h3! (26. gh3 ♗d7) ♗d5

27. ♖ae1±] **24. ♖ae1!+−** [24. ♗b5 ♕d6]
♕d6 [24... h6 25. ♗b5] **25. h4 ♘e4 26.**
♖7e4! ♗d7 [26... de4 27. d5] **27. ♖e5**
♖fc8?!⊕ [27... ♖fe8 28. h5] **28. ♕d2 ♖ab8**
[28... h5 29. ♗d3] **29. h5 ♗f5 30. ♕f4!**
♖b6□ **31. h6 ♔f8 32. ♗d3!?⊕** [32. ♗b5?!
f6!] ♗d3 **33. cd3 ♖d8 34. ♕e3 ♖bb8 35.**
♖d5! ♕d5 **36. ♕e7 ♔g8 37. ♕f6 ♕d4 38.**
♖e8 [38. ♖e5 ♕e5 39. ♕e5 ♔f8] ♖e8 **39.**
♕d4 ♔f8 **40. ♕d6 ♔g8 41. ♕d4** [41. ♕f6
♔f8] ♔f8 **42. ♕a7** [42. ♕h8?! ♔e7 43.
♕h7? ♖g8!] ♖b1 **43. ♔h2 ♖ee1 44. ♕c5**
♔e8 **45. a4 ♖h1 46. ♔g3 ♖h5 47. ♕c3**
♖h6 **48. a5 g5 49. a6 ♔d7 50. ♕a5**
1 : 0 *Lékó*

100. B 07

BECERRA RIVERO 2495
− M. MARIN 2530

Benasque 1997

1. e4 d6 2. d4 ♘f6 3. ♘c3 g6 4. ♗g5 ♗g7
5. e5 de5 6. de5 ♘g4 7. ♕d8 ♔d8 8. ♖d1
N [8. ♘f3 − 17/182] ♗d7 **9. e6 fe6 10.**
♗c4 ♔e8 **11. ♘ge2 ♘a6** [11... ♘e5! 12.
♗b3 ♘a6 13. ♘e4 ♘f7⇆] **12. ♘d4 ♔f7**
13. 0−0 ♘e5 14. ♗a6 ba6 15. ♘e4 ♖hd8
16. ♗f4! [△ ♘g5; 16. ♘c5 ♗b5! 17.
♘de6 ♖d6!? 18. ♘g7 (18. ♖fe1 ♖e6 19.
♘e6 ♔e6 20. f4 ♔f5⇆) ♗f1 19. ♖f1 ♔g7]
h6 17. ♘c5 ♘c6 [17... g5 18. ♗e5 ♗e5 19.
♘d7 ♖d7 20. ♘c6+− ♖d1 (20... ♗d6 21.
♘e5) 21. ♘e5 ♔f6 22. ♘g4 ♔f5 23. ♘e3;
17... ♗b5 18. ♘de6 ♖d6 19. ♘g7+−] **18.**
♘db3! ♗e8 [18... e5 19. ♗h6!] **19. c3 e5**
20. ♗e3 a5 21. ♘b7 ♖db8 22. ♘7c5 [22.
♘3c5 ♘d8!] ♖d8 **23. ♘a6 ♖dc8 24. ♖d2**
[24. ♘bc5 ♘b8!] **a4** [24... ♘b8 25. ♘b8
♖cb8 26. ♘a5 ×b2] **25. ♘bc5 ♘a5 26. b3**
♗b5 **27. ♖b1 ♗a6 28. ♘a6 ♖d8 29. c4**
♖ac8 **30. ♘c5** [30. ♘c7 ab3 31. ab3 ♘b3!]
ab3 31. ab3 ♖b8 32. ♖d8 ♖d8 33. ♔f1
♖b8 **34. ♖a1** [34. ♔e2 ♘c4] **♘c6** [△ a5;
34... ♘b3 35. ♘b3 ♖b3 36. ♖a7±] **35.**
♖a6 ♖b6□ **36. ♔e2** [36. b4 ♘b4 37. ♖a7
♖c6=] **e6 37. b4 ♗f8□** [37... ♘b4 38.
♖a7 ♖c6 39. ♘e4! △ 39... ♖c4?? 40.
♘d6+−] **38. b5 ♗c5** [38... ♘d4 39. ♗d4
ed4 40. ♘d7 ♖a6 41. ba6±] **39. ♗c5 ♖a6**
40. ba6 ♘b8 41. ♗a7 ♘a6 42. ♔f3 ♘b4

43. ♗b8 ♘a6 44. ♗a7 ♘b4 45. ♗e3 h5
46. ♔e4 ♘c6 47. ♗d2 [47. ♗c1 ♘a5 48.
c5 ♘c6 49. ♗b2 ♘b8 50. ♗e5 ♘d7 51.
c6 ♘b8=] **♔e7 48. c5** [48. ♗c3? ♔d6∓]
♘b8□ [48... ♔f6 49. ♗c3⊙] **49. ♔e5 ♘d7**
50. ♔d4 c6 [△ e5, ♔e6∓] **51. ♗g5** [51. f4
♔f6 △ e5∓] **♔f7 52. f4 ♔e8 53. ♗h4 ♔f7**
54. g3?! e5 55. fe5 ♔e6 56. ♗f6 ♔f6?!
[56... ♔f5∓ (△ ♘f8-e6∓) 57. ♗g7 ♘b8!
(Šubă) *a)* 58. ♗f8 ♘a6 59. ♗d6 ♘b4 60.
♔c4 ♘d5 (60... ♘c2 61. ♔d3) 61. ♔d4 g5
62. h3 h4 63. gh4 gh4 64. ♗f8! (64. ♔c4
♘f4 65. ♗e7 ♘g6 66. ♗f6 ♘e5−+) ♔e6
(64... ♘f4 65. ♗e7) 65. ♗h6=; *b)* 58. h3!?
♘a6 59. g4 hg4 60. hg4 ♔g4 61. e6 ♔f5
62. e7 ♘c7 63. ♗e5 ♘e8 64. ♗d6 g5 65.
♔e3 ♔e6 66. ♔f3= ♘d6?? 67. cd6 ♔d7
68. ♔g4 c5 69. ♔g5+−] **57. ef6 ♔f6 58.**
♔e4 g5 **59. h4** [59. h3 ♔e6 *a)* 60. h4? g4!!
(60... ♔f6 61. hg5 ♔g5 62. ♔e5 ♔g4 63.
♔d6 ♔g3 64. ♔c6 h4 65. ♔d7=) 61. ♔f4
♔d5 62. ♔g5 ♔e4 63. ♔h5 ♔f3 64. ♔g5
♔g3 65. h5 ♔f3 66. h6 g3 67. h7 g2 68.
h8♕ g1♕ 69. ♔f5□ ♕c5 70. ♔e6 ♕d5∓;
b) 60. g4=] **gh4 60. gh4 ♔e6 61. ♔f4 ♔f6**
1/2 : 1/2 *M. Marin*

101.* !N B 07

Z. ALMÁSI 2615 −
A. BELJAVSKIJ 2710

Jugoslavija 1997

1. e4 d6 2. d4 ♘f6 3. ♘c3 g6 4. ♗g5 ♗g7
5. ♕d2 h6 6. ♗h4 ♘bd7 7. 0-0-0 [7. f4
c5 8. d5 ♕a5∞] **g5 8. ♗g3 ♘h5 9. e5!** N
[9. ♘ge2 c5! N (9... e6 − 68/(99))) 10.
♔b1 a6 11. dc5 ♘c5 12. h4 ♕b6 13. ♕e3
♘g3 14. ♘g3 ♗e6 15. ♘f5 ♗f5 16. ef5
♘d7!∓ A. Beljavskij 2710 − A. Chernin
2640, Portorož 1997; 12. f3!?∞] **de5** [△
9... ♘b6∞] **10. de5 e6□ 11. ♗e2** [11. ♘e4
♕e7 ×e5] ♘g3 **12. hg3 ♕e7** [12... ♗e5
13. f4 ♗g7 14. ♘f3 g4 15. ♘e5⊠] **13. f4**
♘b6 14. ♘f3 [14. a4!?; 14. ♘h3!?] **♗d7**
15. ♘b5 [15. a4 0-0-0 (15... ♘a4 16. ♘a4
♗a4 17. fg5 hg5 18. ♖h8 ♗h8 19. ♘g5 △
♗h5) 16. ♕e3∞] ♗b5 **16. ♗b5 c6 17.**
♗e2 ♖d8! **18. ♕a5** [18. ♕d8 ♕d8 19. ♖d8
♔d8 20. fg5 hg5 21. ♖h8 ♗h8 22. ♘g5
♔e7 23. ♗h5 ♗e5=] **0−0 19. ♗d3** [19.

♕a7? ♘d5↑] ♖d5 20. ♕e1 [20. ♕a7? ♕c5
△ 21... ♖a8 22. ♕b7 ♖d7] **g4 21. ♘d2 f5!**
22. ♕e2 [22. ef6? ♕f6∓] ♖fd8 23. ♘c4
♕c5 24. ♘b6 [24. ♘d6 ♖8d6 25. ed6 ♗b2
26. ♔b2 ♘a4 27. ♔c1 ♕a3 28. ♔d2 ♕c3=]
ab6 25. c3 [25. ♗c4!?] ♔f7 [25... b5!∓]
26. ♗c2 ♖d1 27. ♗d1 b5 28. ♗b3 b4 29.
♖d1!= ♖d1 30. ♕d1 ♔e7 31. ♔c2 bc3 32.
bc3 ♗f8 33. ♕d2 ♗g7 34. ♔b2 ♗f8 35.
♔c2 ♗g7   **1/2 : 1/2**   *A. Beljavskij*

102.*   B 07

GRASSO – MAY

corr. 1997

1. e4 d6 2. d4 ♘f6 3. ♘c3 g6 4. ♗e3 c6 5.
♕d2 [RR 5. f3 ♕b6 6. ♕c1 ♗g7 7. g4
0–0 8. ♘ge2 ♘a6 N (8... ♘bd7 — 21/140)
9. h4 ♗g4!? (9... h5?! 10. e5±) 10. fg4
(10. e5 ♗f3∞) ♘g4 11. ♗h3 (11. h5 e5!;
11. ♗g1 ♗h6 12. ♕b1 e5! 13. de5 ♗e3∞)
♘e3 12. ♕e3 ♕b2 13. ♖b1 ♕a3 (13...
♕c2? 14. 0–0 △ ♖fc1+−) 14. ♖b7 (14.
h5!? b5 15. hg6 hg6 16. ♘d5?! ♕a5) c5
15. ♖b3 ♕a5 *a)* 16. d5?! ♖ab8 (16... ♘b4
17. ♔d2!) 17. 0–0 ♘b4∓ Adamson 2320 –
Gufeld 2450, USA 1997; *b)* 16. ♖b5 ♕a3
(16... ♕d8∞) 17. ♖b3= Gufeld] **♘bd7 6.**
♘f3 ♕c7 7. ♗d3 e5 8. 0-0-0!? N [8. h3]
b5 9. de5 de5 [9... ♘e5? 10. ♘e5 de5 11.
♗b5 cb5 12. ♘b5+−] **10. ♗b5! cb5 11.**
♘b5 ♕c4 12. ♕a5 ♗b4 13. ♘e5 ♕e4 14.
♘c7 ♔f8 15. ♗h6 ♔g8 16. ♕b5! ♗f8 17.
♗f8 ♖b8! 18. ♘d7 ♕f4 19. ♔b1 ♖b5 20.
♗d6! ♖b2 21. ♔b2 ♕f5 22. ♘c5 ♔g7 23.
♖he1 ♖d8 [23... ♕f2 24. ♗e5 ♕c5 25.
♘d5 ♖e8 26. ♗f6 ♔f8∞] **24. ♘b3 ♔g8**
[24... ♕g4!?] **25. ♖d4!↑ ♗e6 26. f3 ♘e8**
27. g4! ♕f3 28. ♖e6! fe6 29. ♖f4 ♖d6 30.
♖f3 ♘c7 [♖ 9/h] 31. c4 g5 32. ♔c3 ♔g7
33. a4 h6 34. c5 ♖d1 35. ♔c4 ♖e1 36. c6
♖e4 37. ♔c5 ♖a4 [37... ♖g4 38. a5!] 38.
h3! h5!? 39. gh5 ♖f4 40. ♖g3 ♖f5 41.
♔d6 ♘b5 42. ♔e6 ♖f6 43. ♔e7 ♖f7 [43...
♖c6 44. ♖g5 ♔h6 45. ♖b5 ♖b6=] 44.
♔d8 ♖f8 45. ♔d7 ♖f7 46. ♔c8 ♖c7 47.
♔d8 ♖c6 48. ♖g5 ♔h6 49. ♖b5 ♖b6!
1/2 : 1/2   *Grasso*

103.   B 08

L. CHRISTIANSEN 2550
– JOEL BENJAMIN 2580

USA (ch-m/4) 1997

1. d4 d6 2. e4 ♘f6 3. ♘c3 g6 4. ♘f3 ♗g7
5. ♗f4 0–0 6. ♕d2 ♗g4 7. 0-0-0 c6 [7...
♘c6!? 8. d5 ♗f3 9. gf3 ♘e5] **8. ♗h6 N** [8.
♗e2] **♕a5 9. ♔b1** [9. ♗g7 ♔g7 10. e5
de5 11. de5 ♘fd7 12. ♕d4 ♗f3 13. e6
♘f6 14. gf3 fe6=] **♘bd7 10. ♗e2 e5 11.**
♗g7 ♔g7 12. h3 ♗f3 13. ♗f3 b5 14. g4
♘b6 15. h4 ♘c4 16. ♕c1 ♖ab8 17. de5
[17. ♖h3!?±] **de5 18. h5 ♘g8** [18... ♖fd8
19. hg6 fg6 20. ♗e2 ♖d1 21. ♖d1 ♘a3 22.
♔a1 b4 23. g5±] **19. hg6 hg6 20. ♗e2!**
♖fd8?! [20... ♘a3 21. ♔a1 (21. ba3 ♕c3
22. ♖d3 ♕c5 23. ♖dh3∞) b4 22. ba3 (22.
♘b1?? ♘c2 23. ♕c2 b3) bc3 23. ♖h3!∞]
21. ♗c4 bc4 22. ♖d8 ♕d8 23. f4!? [23.
♖d1 ♕b6 24. f3 ♕f2] **♕d4 24. ♔a1 ef4**
25. ♕f4 ♖e8 26. a3 [26. ♖h7 ♔h7 27. ♕f7
♔h6 28. ♕e8 ♘f6⇆] **♕e5 27. ♕e3± ♖e7**
28. g5 a5 29. ♔a2?! ♖e6 30. ♖h4?! ♖e8
31. ♖h1 ♘e7 32. ♖f1 [32. ♕f2 ♕g5 33.
♖h7 ♔h7 34. ♕f7 ♔h6 35. ♕e8 ♕f6∞;
32. ♕h3 ♕g5 33. ♕h7 ♔f8 34. ♖f1 f6 35.
♘e2∞] **♘f5 33. ♕f2** [33. ♕a7 ♘d6 34.
♕c7 ♖e7 35. ♕c6 ♘e4 36. ♘e4 ♕e4 37.
♕f6 ♔g8 38. ♖d1 ♖e8 39. ♖d7 ♕e6 40.
♖d8 ♔h7=] **♘d6 34. ♕f6 ♕f6 35. ♖f6**
♘e4 [35... ♘b5!?] **36. ♘e4 ♖e4 37. ♖c6**
♖e5 38. ♖c4 ♖g5 39. b4 ab4 40. ab4 f5 41.
b5 f4= 42. ♖c7?! [42. ♖f4=] ♔f6 43. b6??
♖a5 44. ♔b3 ♖b5 45. ♔c4 ♖b6 46. ♔d4
♔f5 47. ♔d3 ♖e6 48. ♖f7 ♔g4 49. c4 f3 50.
c5 ♔g3   **0 : 1**   *Joel Benjamin*

104.   B 08

A. SIMONOVIĆ 2420 –
V. NEVEDNICHY 2530

Jugoslavija 1997

1. e4 g6 2. d4 ♗g7 3. ♘c3 c6 4. ♗c4 d6 5.
♘f3 ♘f6 6. ♗b3 0–0 7. 0–0 ♗g4 8. h3
♗f3 9. ♕f3 ♘bd7 10. ♗e3 e6 [△ 10... e5
11. ♖ad1 ♕c7] **11. ♖ad1 N** [11. ♕d1 –
61/(113)] **♕e7 12. ♖fe1 a6 13. ♗g5! h6**
[13... e5 14. de5 ♘e5 (14... de5?? 15.

79

罝d7+−) 15. 豐e3± △ 15... 罝fe8 16. 豐d2
罝ad8 17. f4+−; 15. 豐f4!? △ 豐h4, f4→]
**14. 奧h4 g5 15. 奧g3 罝fd8 16. 奧d6! 豐d6
17. e5 豐e7 18. ef6 豐f6 19. 豐g3!± 匂f8
20. 匂e4 豐f4□ 21. 豐f4 gf4 22. c3 b6 23.
匂d2!? 罝ab8 24. 杍f1 奧f6 25. 杍e2 杍g7
26. 奧c2 罝d7 27. 杍f3 奧g5 28. 匂c4 罝c7
29. 罝h1!? c5 30. d5 ed5 31. 罝d5 匂e6 32.
匂d6 杍f8 33. 匂f5 h5 34. h4 奧f6 35. 罝hd1
b5!⇆ 36. 罝d7 罝d7 37. 罝d7 b4 38. 匂h6
奧e7 39. 奧b3 bc3 40. bc3 罝b6 41. 匂f5
奧f6 42. 匂d6! 匂d8** [42... 奧e7 43. 匂c8]
43. 杍f4! 奧h4 44. g3 奧e7 45. 罝e7?! [45.
匂c8! 罝f6 46. 杍g5!! 罝d6□ 47. 罝e7 罝c6
48. 奧a4! 罝c8 49. 杍f6! 匂c6 (49... 杍g8 50.
罝e8 杍h7 51. 奧c2 杍h6 52. 罝h8‡) 50.
罝f7+−] **罝d6** [罝 9/i] 46. 罝e5 c4 [46... 罝c6
47. 奧d5!] **47. 奧c4 罝c6 48. 罝e4 罝c5 49.
杍e3 匂c6 50. 奧a6± 罝c3 51. 杍d2 罝a3 52.
奧c4 杍g7 53. 奧b3 罝a5 54. 罝f4 f5 55.
杍c3 杍f6 56. a4 匂e7 57. 罝h4 杍g5 58.
奧d1 匂d5 59. 杍b3 匂f6 60. 奧f3+− 匂g4
61. 杍b4 罝a7 62. a5 f4 63. 奧g4?** [63.
杍b5+−] **hg4? ** [63... fg3! 64. fg3 hg4] **64.
罝h1?⊕** [64. f3!+−] **罝b7 65. 杍c3 罝c7=
66. 杍b3 罝b7 67. 匂a4** [67. 杍a3 罝b5] **罝b2
68. 罝f1 杍f5 69. a6 罝a2 70. 杍b5 罝b2**
1/2 : 1/2   *A. Simonović*

105.   B 08

B. IVANOVIĆ 2500 −
A. BELJAVSKIJ 2710

Jugoslavija 1997

**1. e4 d6 2. d4 匂f6 3. 匂c3 g6 4. 匂f3 奧g7
5. h3 0−0 6. 奧e3 c6 7. 奧d3?! 匂bd7 8.
0−0 e5 9. 罝e1 N** [9. 豐d2 − 59/137] **罝e8
10. 奧f1?!** [10. de5 匂e5 11. 匂e5 de5 12.
a4 奧e6 13. a5 匂h5 14. 豐c1 豐c7 15. b4
匂f4 16. 奧f1 豐e7 17. 奧c5 豐h4 18. 豐e3
奧h6↑] **ed4 11. 奧d4 豐c7** [11... b5 12. e5
de5 13. 匂e5 匂e5 14. 奧e5 豐d1 15. 罝ad1
奧e6 16. g3 匂d5 17. 奧g7 杍g7 18. 匂e4↑;
16. g4] **12. a4 b6 13. 奧c4** [13. g3!?] **奧b7
14. 匂g5** [14. 豐d2 罝ad8 15. 罝ad1 a6 16.
奧a2 b5 17. ab5 ab5↑] **罝e7 15. f4 d5** [15...
罝ae8? 16. e5 de5 17. fe5 匂e5 18. 罝e5
罝e5 19. 匂f7 罝e1 20. 豐e1 罝e1 21. 罝e1
豐g3 22. 罝e3 豐h4 23. 匂d6 匂d5 24. 罝e8
奧f8 25. 罝c4 豐d8 26. 匂b7 豐d7 27. 罝e5

豐b7 28. 罝d5+−; 15... 罝f8 16. 豐d2 h6
17. 匂f3∞] **16. ed5 罝e1 17. 豐e1 豐f4 18.
奧f6 豐f6 19. 匂f3** [19. dc6 奧c6 20. 奧f7
杍h8 21. 豐e6 罝f8 22. 罝f1 豐g5 23. 豐c6
匂e5 24. 豐e6 (24. 豐d5 豐e3 25. 杍h1 匂f7
26. 罝f7 豐e1 27. 杍h2 奧e5†) 匂f7 25. 罝f7
豐c1 26. 杍f2 奧d4 27. 杍e2 (27. 杍g3 罝f7
28. 豐f7 豐e1 29. 杍g4 h5 30. 杍g5 豐g3
31. 杍h6 奧e3) 豐c2 28. 杍e1 奧c3 29. bc3
豐c3 30. 杍e2 罝f7 31. 豐f7 豐e5 32. 杍d2
豐d6 33. 杍e2 a6†] **豐f4 20. 豐e7 匂c5 21.
dc6 奧c6 22. 奧d5 奧c3! 23. 奧c6 奧f6 24.
豐e2** [24. 豐e1 罝c8 25. c3 (25. 罝b1 杍g7
26. 奧b5 a6 27. 奧f1 豐a4†) 匂d3 26. 豐e2
匂b2] **奧b2† 25. 罝f1 罝d8 26. c4 奧f6 27.
杍h1 杍g7 28. a5?! ba5−+ 29. 奧d5 罝d5
30. cd5 匂e4 31. 杍g1 匂g3 32. 豐d2 豐d2
33. 匂d2 奧d4 34. 杍h2** [34. 罝f2 a4] **匂f1
35. 匂f1 a4   0 : 1**   *A. Beljavskij*

106.   B 08

TH. HEINEMANN 2450
− FTÁČNIK 2585

Hamburg 1997

**1. e4 d6 2. d4 匂f6 3. 匂c3 g6 4. 匂f3 奧g7
5. 奧e2 0−0 6. 0−0 匂bd7 7. h3 e5 8. de5
de5 9. 奧e3 b6 10. 匂d2** [10. 豐d3 奧b7 11.
罝ad1 豐e7 12. 豐c4 c6=] **奧b7 11. a4 N**
[11. 豐e1] **a5** [11... a6 12. 奧c4 豐e7 13.
豐e2 ×a6; 11... 豐e7 12. a5 罝fd8 13. a6
奧c6∞] **12. 奧c4** [12. 匂b5!? 匂e4 13. 匂e4
奧e4 14. 奧f3 奧f3 15. 豐f3 罝c8 16.
罝ad1⯑] **豐e7 13. f3 罝ad8** [13... 匂h5 14.
匂d5 奧d5 15. 奧d5 罝ad8 16. 奧c4 匂f4†]
14. 豐e1! 匂c5 [14... 匂h5 15. 匂d5! 奧d5
(15... 豐d6 16. 奧b3) 16. ed5 杍h8 17. g4
匂hf6 18. 奧g5 (18. 匂e4 匂e8 19. 奧g5 f6
20. 奧h4 匂d6 21. 奧d3∞) 豐b4 19. b3∞]
15. 匂b3 [15. 豐h4 匂e6 16. 罝ad1 匂d4†]
匂e6 16. 匂e2 [16. 奧e6 豐e6 17. 匂b5 豐e7
18. 豐c3 罝d7 19. 罝ad1 罝fd8†] **匂d4!? 17.
匂ed4** [17. 罝c1 匂h5 18. c3 匂e2 19. 奧e2
匂f4†] **ed4 18. 匂d4?!** [18. 奧d4? 罝d4 19.
匂d4 豐c5 20. 奧f7 罝f7 21. c3 匂h5†; 18.
奧f2! 匂h5 (18... 匂e8 19. 奧d3 c5 20. 匂d2
匂d6∞) 19. 匂c1 匂f4 20. 匂d3] **匂e4 19. c3**
[19. fe4 豐e4 20. 豐f2 豐e3!? (20... 奧d4
21. 奧f7 杍g7 22. 罝ae1 奧e3 23. 罝e3
豐g2†) 21. 豐e3 奧d4 22. 罝ae1 奧e3 23.

80

罝e3 罝d2∓] ②d6 [19... ②g3? 20. 奧f4 (20.
奧f2) 豐c5 21. 豐g3 豐c4 22. 奧c7 奧d4 23.
cd4 豐d4 24. 豐f2±] **20. 奧d3** [20. 奧a2
罝fe8 21. 奧f4 豐d7 22. 豐f2 c5 23. ②c2
②f5∓] **罝fe8 21. 奧f2?** [21. ②c2 豐f6 22.
豐f2 ②f5 23. 奧f5 豐f5∓; 21. 奧f4! 豐f6
(21... c5 22. 豐e7 罝e7 23. ②b5 ②c8 24.
罝ad1 罝ed7 25. 奧c7 罝e8 26. 奧e4=; 21...
豐d7 22. 豐f2 c5 23. ②b5=) 22. 豐g3 h6
23. 罝fe1] **豐f6 22. 豐c1** [22. ②e2 ②f5∓;
22. 豐b1 c5 23. ②b5 奧h6∓] **c5 23. ②b5**
②f5 24. 奧f5 [24. 罝d1 奧h6 25. 豐c2 ②e3
26. 奧e3 奧e3∓] **豐f5 25. 豐b1** [25. 罝e1
奧e5∓] **豐f4 26. 豐c1 罝d2! 27. 奧g3** [27.
奧e1 罝ee2 (27... 罝g2 28. 尝g2 罝e2 29. 罝f2
豐f3 30. 尝f1 罝f2 31. 奧f2 豐h3 32. 尝e1
奧h6 33. 豐c2 豐h1 34. 尝e2 奧f3 35. 尝d3
奧e4 36. 尝e2 豐f3−+) 28. 罝f2 罝f2 29.
奧f2 奧e5 30. 尝f1 豐c4 31. 尝g1 奧f4−+]
豐e3?! [27... 罝g2! 28. 尝g2 罝e2 29. 罝f2
奧f3 (29... 豐f3 30. 尝f1 罝f2 31. 奧f2 豐h3
32. 尝e1 奧h6−+) 30. 尝f1 豐g3 31. 罝e2
豐h3 32. 尝e1 奧h6! (32... 豐h1 33. 尝d2
奧h6 34. 罝e3 豐g2 35. 尝d3 奧g4 36. 罝e8
尝g7 37. 豐h1±) 33. 罝e3 (33. 豐c2 豐h1
34. 尝f2 豐g2 35. 尝e1 豐g1⩲) 豐g3 (33...
豐g2 34. 罝f3 奧c1 35. 罝f2 豐e4−+) 34.
尝d2 奧e3 35. 尝e3 奧d5 (35... 奧g4 36.
尝e4 豐f3 37. 尝e5 豐f5 38. 尝d6 豐d7 39.
尝c5 f6 40. 尝f4 豐f5 41. 尝g3 豐f3 42.
尝h2 豐f2−+) 36. 尝e2 (36. 尝d2 豐f2−+)
奧c4 37. 尝d1 豐f3−+] **28. 罝f2** [28. 尝h1
罝ed8∓] **罝ed8 29. 豐e1** [29. 尝h1 a) 29...
豐g5? 30. 奧d6!+−; b) 29... 奧e5 30. 罝d2
(30. ②d4 奧g3 31. 罝d2 奧f4 32. ②b3 罝d2
33. ②d2 豐d2 34. 豐d2 奧d2−+) 罝d2 31.
奧e5 豐e2 32. 豐f1 豐e5 33. 罝e1=; c) 29...
奧h6 30. 豐e1 f5!] **奧h6 30. 尝h1 奧c6?!**
[30... 豐g5 31. 罝d2 罝d2 32. ②d6! 奧c6 33.
②c4; 30... f5! 31. 罝d2 (31. 奧h4 罝f2 32.
豐e3 奧e3 33. 奧d8 c4; 31. 奧c7 罝f2 32.
豐e3 奧e3 33. 奧d8 c4 34. ②d6 奧a6∓) 罝d2
32. 罝d1 豐e1 33. 罝e1 f4 34. 罝e8 尝f7 35.
奧e1 罝d1 36. 罝e2 g5∓] **31. 罝d2 罝d2 32.**
豐e3 奧e3 33. ②d6! 奧d5?! [33... 罝b2 34.
②c4 罝e2 35. 奧c7 (35. ②b6 奧g5 36. ②c4
奧f6∓) 奧d5 36. ②e3 罝e3 37. 奧b6 罝c3 38.
奧a5 罝c2 39. 奧b6 c4=] **34. 罝e1 奧f2??⊕**
[34... 奧g5 35. 罝e8 尝g7 36. h4 奧f6 37.
罝b8 奧c6 38. 罝b6 奧h4 39. 奧e5 f6 40.
罝c6 fe5±; 34... 奧h6 35. 罝e8 尝g7 (35...

奧f8 36. ②c8 尝g7 37. 罝d8±) 36. 罝b8 奧c6
37. 罝b6±] **35. 罝e8 尝g7 36. 奧e5 f6** [36...
尝h6 37. 奧f4+−] **37. 罝e7 尝f8 38. 罝e8?⊕**
[38. 奧f6! 奧c6 39. 罝c7+−] **尝g7 39. 罝e7**
尝f8 40. 罝e8? 尝g7 41. 罝e7 尝f8
1/2 : 1/2   *Ftáčnik*

107.   B 08

GLEK 2505 − M. GUREVICH 2620

Vlissingen 1997

1. e4 d6 2. d4 ②f6 3. ②c3 g6 4. ②f3 奧g7
5. 奧e2 0−0 6. 0−0 奧g4 7. a4 ②c6 8. a5
a6 9. 奧e3 [9. d5 e5 [9... ②d7; 9... 罝e8]
10. d5 ②e7 11. ②d2 奧d7 N [11... 奧e2 −
49/172] **12. ②a4** [12. ②c4!? △ f4⇈] **奧a4!?**
13. 罝a4 ②d7 14. b4 [14. c4!? c5 15. b4±]
f5 15. f3 罝f7! [△ 豐f8, 奧h6⇄] **16. c4** [16.
g4! △ 16... 豐f8 17. h4±] **豐f8 17. c5** [17.
g4?! 奧h6 18. g5? f4] **奧h6 18. 豐b3** [18.
奧h6 豐h6 19. cd6 cd6 20. ②c4 罝f6∞; 19.
c6!?] **②f6 19. 罝a2 豐h5 20. 罝c1 奧f4 21.**
奧f4 ②f4 22. 奧f1 豐h6 23. cd6 [23. 罝ac2!?;
23. c6!?] **cd6 24. 罝c7 罝c8! 25. 罝c8** [25.
罝b7 罝c1⩱] **②c8 26. b5** [26. 罝c2 ②a7∞]
ab5 27. 豐b5 罝c7 28. ②c4 豐g5 29. g3 ②h5
30. ef5 gf5 31. 罝g2?! [31. 罝c2±; 31. 豐e8
尝g7 32. 罝c2 (△ ②d6!) ②f6 33. 豐e6±]
尝f8 32. 豐b2 [△ 32. 罝c2∞] **豐f6** [32... f4!
33. 豐d2∞] **33. 罝c2 豐f7?!** [33... e4±]

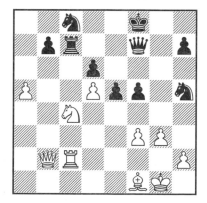

34. 豐c1! 豐d5⊕ 35. 豐h6 ②g7 36. 豐f6⊕
[36. ②d6!+−] **豐f7 37. 豐f7 罝f7 38. ②e5**
de5 39. 罝c8 ②e8 [39... 尝e7 40. 罝c7 尝f6
41. 罝f7 尝f7 42. 奧c4 尝e7 43. 奧d5+−]
40. 奧b5 罝e7 41. 罝b8+− 尝f7 42. 奧e8

♖e8 43. ♖b7 ♔g6 44. a6 ♖e6 45. a7 ♖a6 46. ♖b6 1 : 0 *Glek*

Bad Homburg 1997

108. B 08

NADYRHANOV 2470 — ČAŠČEV 2310

Rossija 1997

1. e4 d6 2. d4 ♘f6 3. ♘c3 g6 4. ♗e2 ♗g7 5. ♘f3 0–0 6. 0–0 ♗g4 7. ♗e3 ♘c6 8. d5 [8. ♘d2!? ♕c8 9. f3 ♗d7 10. ♘b3 a5 11. a4 ♘b4∞] ♗f3 [8... ♘b8 9. ♕d2 c6 10. a4 a5 11. ♖ad1 ♕c7 12. ♗d4 ♘bd7 13. ♖fe1±] 9. ♗f3 ♘e5 10. ♗e2 c6 11. f4 ♘ed7 12. dc6 bc6 13. ♕d3 ♖b8!? [13... ♕b8 — 63/102] 14. ♖ab1 N [14. b3 ♕a5 15. a3 ♖fc8 16. b4 ♕c7 17. ♖ab1 a5; 14. ♖fb1!?] ♕a5 15. a3 ♘c5 16. ♕c4 ♘fd7 17. e5 [17. b4 ♕a3 18. bc5 ♕c3 19. ♕c3 ♗c3 20. cd6 ed6 21. ♗a7 *a)* 21... ♖a8 22. ♗f2 (22. ♖b7?? ♖a7!–+) ♘f6 23. ♖b3! (23. ♗f3 ♖a4!=) ♗a1 24. ♗f3±; *b)* 21... ♖b1!? 22. ♖b1 c5 23. ♗f3 ♘f6 24. ♖b8 ♖e8=] ♘b6 [17... d5 18. ♕d4 ♘e6 19. ♕d2 f6 20. ♗g4!±] 18. ♕b4 [18. ♕a2!? ♘ba4 19. ♘a4 ♘a4 20. b4!? ♕d5 (20... ♘c3 21. ba5 ♘a2 22. ♗a7 ♖b1 23. ♖b1 ♘c3 24. ♖e1±) 21. c4 (21. ♕d5 cd5 22. ♗a7 ♖bc8 23. ed6±) ♕e4 (21... ♕e6 22. ♕c2! de5 23. f5+–) 22. ♕d2 △ ♗d3±] ♕b4 19. ab4 ♘cd7 20. ed6 ed6 21. ♖fd1 [21. ♖bd1!?] ♖fe8 22. ♔f2 ♗c3! [22... d5 23. ♗d4±] 23. bc3 ♘d5? [23... ♘f6! 24. ♗f3 ♘e4 25. ♗e4 ♖e4 26. ♖d4 (26. ♖d6? ♖e3!–+) ♖be8=] 24. ♖d5! cd5 25. ♗a7 ♖a8 26. ♗d4± ♖a2?! [26... ♘f8 27. ♗f3 ♘e6 28. ♗d5 ♖ac8 29. ♗e6 fe6±] 27. ♖c1 ♘f8 28. ♗f3 ♘e6 29. ♗d5 ♖b2 30. ♗e3 ♖c8 31. ♗d2 ♘c7 32. ♗c4 d5□ 33. ♗d3! [33. ♗b3 ♘b5=] ♖a2 [33... d4!? 34. cd4 (34. c4 ♘a6!) ♘d5 35. b5 ♘b4 36. ♗b4 ♖b4 37. ♔e3 (37. c4 ♖b5!±) ♖e8 38. ♔d2 ♖d4 39. g3±] 34. g4 ♘a8 35. ♔e3 ♘b6 36. ♔d4 ♖a7 37. ♖e1 ♔f8 38. f5!+– ♔g7 [38... ♖e7 39. ♗h6 ♔e8 40. ♗b5] 39. ♗f4 ♖d7 40. ♗b5 ♖dd8 41. ♗g5! ♖d7 [41... f6 42. ♖e7; 41... ♖f8 42. ♗e7 ♖g8 43. f6 ♔h8 44. ♗c5] 42. f6 ♔g8 43. ♗d7 ♘d7 44. ♔d5 h6 45. ♘d6! ♘b6 46. ♗e3 ♘c4 47. ♔d7 ♖b8 48. ♗c5 1 : 0
Nadyrhanov

109.* B 08

1. e4 g6 2. d4 ♗g7 3. ♘f3 d6 4. ♗e2 ♘f6 5. ♘c3 0–0 6. 0–0 c6 7. ♖e1 [RR 7. h3 ♕c7 8. ♗f4 ♘h5 9. ♗h2 e5 10. a4 ♘d7 11. ♕d2 ♘hf6 12. ♖fe1 ♖e8 13. ♗f1 N (13. de5 — 68/(100)) b6 14. ♖ad1 ♗b7 15. de5 de5 16. ♗c4 h6 (16... ♖e7?! 17. ♗g3! a6 18. b4 b5 19. ab5 ab5 20. ♗b3± Antić 2450 — Iv. Marković 2435, Jugoslavija 1997) 17. ♘h4 ♘f8 18. f4 ♖ad8 19. ♕f2 ♖d1 20. ♖d1 ♘h5∞ Antić] ♘bd7 8. e5 ♘e8 9. ♗f4 de5 10. de5 ♘c7 11. ♕c1 N ± [△ ♗h6; 11. ♕d2?! ♘e6 12. ♗h6? ♘e5; 11. ♗g3 — 36/(159)] ♘b6 [11... ♘e6 12. ♗h6 ♕a5 13. ♗f1] 12. h3 [12. ♗h6?! ♗g4⇆ ×d4, e5] ♘e6 [12... ♗e6!? △ ♗d5] 13. ♗h6 [13. ♖d1?! ♕c7 14. ♗h6 ♘d7 15. ♗g7 ♔g7 16. ♕e3 ♕b6=] ♘d4? [13... f5 14. ef6 ef6±; 13... ♗d7±] 14. ♘d4 ♕d4 15. ♗d3± [△ ♖e4-h4; 15. ♗g7?! ♔g7 16. ♗d3 ♕h4 17. ♖e4 ♕h6∞] ♕d8 [15... ♕h4 16. ♗g5; 15... ♗e5 16. ♖e4 ♕d6 17. ♗f8 ♔f8 18. ♕h6 ♔g8 19. ♖h4; 15... f5 16. ef6 ef6 17. ♗g7 ♔g7 18. ♖e7 ♖f7 19. ♖f7 ♔f7 20. ♕h6 ♔g8 21. ♖e1] 16. ♖e4 f5 [16... ♗f5 17. ♖h4 e6 18. ♗g7 ♕h4 19. ♗f6 g5 20. ♗g5 ♕h5 21. g4+–] 17. ef6 [17. ♖h4? ♗e5] ef6 18. ♗g7 ♔g7 19. ♖h4? [19. ♕e3 ♗d7 (19... ♖f7 20. ♖e8) 20. ♖e1 *a)* 20... ♖e8 21. ♖e7 ♔g8 (21... ♖e7 22. ♕e7 ♕e7 23. ♖e7 ♔g8 24. ♘e4 ♖f8 25. ♘d6+–) 22. ♕c5 ♖e7 23. ♖e7 ♕f8 24. ♘e4±; *b)* 20... ♖f7 21. a4 (21. ♖e7?! ♕f8) ♕f8 (21... a5 22. ♖e7±) 22. a5±] h5□ [19... ♕c7 20. ♕h6 ♔g8 21. ♗g6+–] 20. ♘e2 [△ ♘f4; 20. ♕e3 f5 21. ♕g3 ♔h6 22. ♖e1±; 20. ♖e4 ♗f5 21. ♖e3 ♗d3 22. ♖d3 ♕c7±] ♘d5? [20... ♗e6? 21. ♘f4 ♗f7 22. ♗g6; 20... f5!? (×♗d3, ♖h4) 21. ♕f4 (21. ♖d4 ♕f6 22. ♖f4±) *a)* 21... ♗e6?! 22. ♕g3 △ ♘f4; *b)* 21... ♘d5?! 22. ♕g3 ♕f6 (22... ♔h6 23. c4± △ ♖d4; 22... ♕c7 23. ♕g5 ♖h8 24. c4±) 23. ♖h5 ♕b2 (23... f4 24. ♕g5) 24. ♖f1 ♕f6 25. ♖g5± △ h4-h5; *c)* 21... ♕f6 22. ♕g3 ♔f7 (22... ♖h8 23. ♘f4 ♔f7 24. ♖e1 △ ♘g6, △ c4-c5) 23. ♖d4 ♗e6 △ 24. ♕c7 ♕e7 25. ♕e7 ♔e7 26. ♘f4 ♔f7±] 21. c4± ♘e7 [21...

♘b4 22. ♗g6!? (22. ♖d4) ♔g6 23. ♘f4 ♔f7 (23... ♔g7 24. ♕c3 △ ♕g3) 24. ♕c3 c5 25. ♖h5→ △ ♖e1, ♕g3] **22. ♖d4 ♕c7** [22... ♕e8!? 23. ♕c3] **23. ♕e3 c5?!** [×d5; 23... ♘f5 24. ♗f5 ♗f5 25. ♘g3 ♕e5 26. ♘f5 (26. ♕d2!?±) ♕f5 27. ♖ad1±] **24. ♖e4 ♘f5 25. ♕f3** [△ ♘f4, ♖ae1] ♘d6 26. ♖e3 ♘f5 [26... ♗f5 27. ♘f4] **27. ♖e4⊕ ♘d6 28. ♖e3 ♘f5 29. ♗f5 ♗f5 30. ♘g3** [30. ♘f4?! ♖ae8 31. ♖e8 ♖e8 32. ♘h5 gh5 33. ♕f5 ♕e5±] **♗d7** [30... ♖ae8 31. ♘f5 gf5 32. ♖e8 ♖e8 33. ♕h5+−; 30... ♗c8 31. ♖ae1+−] **31. ♖e7 ♖f7 32. ♘e4+−** [32... f5 33. ♕c3 △ ♖f7; 32... ♕c6 33. ♖f7 ♔f7 34. ♖d1 ♗f5 (34... f5 35. ♘c5) 35. ♘d6 ♔g8 36. ♕c6 bc6 37. ♘f5 gf5 38. ♖d6] **1 : 0** *Ch. Lutz*

110.** !N   B 09

LLANES HURTADO 2295 — CARRASCO MARTÍNEZ 2250

España 1997

1. e4 g6 2. d4 ♗g7 3. ♘c3 d6 4. f4 ♘f6 5. ♘f3 0-0 [RR 5... c5 6. ♗b5 ♗d7 7. e5 ♘g4 8. h3 ♗b5 9. ♘b5 de5 10. ♕e2!? (10. hg4 — 68/(102)) e4! 11. ♘e5!? N (11. hg4) ♘f6 12. ♕c4 0-0 *a)* 13. dc5?! ♘c6! 14. ♘c6 bc6 15. ♘c3 (15. ♘d4?! ♕d5! 16. ♕d5 ♘d5∓) e5! 16. fe5 ♘h5 17. 0-0 ♗e5∓ Bednar 2230 — Cimmerman 2410, Komarno 1997; *b)* 13. ♕c5!? ♘c6! 14. c3 a6 15. ♘a3 ♖c8∞ Cimmerman] **6. ♗e3 ♘c6 7. e5 de5 8. de5 ♘h5 9. ♗c4** [RR 9. ♕d2!? N ♗h6 (9... ♕d2 10. ♗d2±; 9... f6 10. ef6 ef6 11. 0-0-0±) 10. g3 ♗g4 (10... ♕d2 11. ♗d2±) 11. ♕f2 (11. ♗g2) *a)* 11... f6 12. ♖d1 ♕c8 13. ef6 ♖f6 (13... ef6±) 14. h3 ♗f3 15. ♕f3 e5 16. ♘e4! (16. ♕d5? ♔h8 17. fe5 ♖f5!) ♖f8 17. ♗c5±; *b)* 11... ♘g7 12. ♖d1 ♕c8 13. h3 ♗f3 14. ♕f3 f6 15. ef6 ♖f6 16. ♗g2! (16. ♗c4? ♔h8 △ e5↑) *b1)* 16... e5 17. 0-0! (17. ♕d5? ♔h8 18. fe5 ♖f5!) *b11)* 17... ef4?! 18. ♘d5 ♖f7 19. ♗f4! g5 (19... ♗f4 20. ♘f4! g5 21. ♕b3! gf4 22. ♗d5) 20. ♕b3! gf4 21. ♘f6 ♔f8 22. ♘h7! ♔g8 23. ♖d7!+−; *b12)* 17... ♔h8 — 16... ♔h8; *b2)* 16... ♔h8 17. 0-0 e5 18. ♘d5 *b21)* 18... ♖f7?! (Dubinskij 2305 — A. Gelman 2435, Moskva (open) 1997) 19. ♗d2! ef4 20. ♘f4±; *b22)* 18... ♖f8 19.

♗d2! △ ♗c3± Dubinskij] ♗h6 **10. g3 ♗g4 11. ♕e2 ♔h8 12. ♖d1 ♕c8 13. ♘e4 f6 14. 0-0 ♕f5** [14... fe5?! 15. fe5 ♘e5 (15... ♗e3 16. ♕e3 ♗f3 17. ♖f3 ♖f3 18. ♕f3± ♘e5? 19. ♕c3 ♕f5 20. ♖d5!+−) 16. ♘d4 ♗g7 17. ♗e5 ♗e5 18. ♘eg5!±] **15. ♘c5 fe5 16. ♗e6 ♗f3 17. ♕f3!** N [17. ♖f3? — 58/155] **♕f6**□ [17... ♕c2?? 18. ♖d2+−] **18. ♕e4!** [18. f5?? gf5−+; 18. ♗g4? ef4 19. ♘d7 ♘e5!∓] **ef4 19. ♘d7 ♕g7!?** [19... ♕b2 20. ♘f8 ♖f8 (20... fe3? 21. ♘g6! hg6 22. ♕g6+−) 21. gf4±⊕ ⇔d] **20. ♘f8 fe3 21. ♖f7 ♕f8 22. ♖f8 ♖f8 23. ♖e1 ♘f6 24. ♕h4 ♔g7 25. ♕c4!** ♘e5?⊕ [25... ♖d8!□ 26. ♕c3 ♖d2 *a)* 27. ♗b3? ♘d4 (27... e2? 28. ♕c4! ♘d4 29. ♕f7 ♔h8 30. ♕e7 ♘f3 31. ♔f2 ♘e1 32. ♕f6 ♗g7 33. ♕f7+−) 28. ♖e3 ♗e3 29. ♕e3 e5!∓ 30. h3 ♖e2 △ ♘e4 ×♗b3, ♔g1; *b)* 27. ♖e3 ♗e3 28. ♕e3 ♖c2 29. b4∞] **26. ♕c3?!** [26. ♕c7 ♘f3 27. ♔f1+−] ♘f3 **27. ♔f1 ♘e1 28. ♔e1 c6 29. h4!** ♖d8 [29... g5 30. ♕e5! gh4 31. g4+− △ g5] **30. g4 ♖d6 31. ♗b3?**⊕ [×e2; 31. ♗c4+−] ♗f4 **32. g5 ♖d2 33. gf6 ef6 34. ♗c4 ♗g3 35. ♔f1 ♖f2 36. ♔g1 ♖h2! 37. ♔h1 e2 38. ♗e2 ♖e2** [♖ 5/i] **39. ♕d3 ♖f2 40. ♕e3 ♖c2 41. ♕e7 ♔g8!** [41... ♔h6? 42. ♕f6± ♖e2? 43. ♕f8 ♔h5 44. ♕f3+−] **42. ♕f6 ♗g3= 43. ♕e6** [43. h5?! ♖h2 44. ♔g1 ♖h5] ♔g7 **44. ♕e7 ♔g8 45. ♕b7 ♖c1 46. ♔g2 ♗h4 47. ♕a7 ♖c2 48. ♔h3 ♗f6 49. a4 h5⇆ 50. ♕b8 ♔g7 51. ♕c7** **1/2 : 1/2** *B. Lalić*

111.*   B 09

O. KORNEEV 2590 — ZAHAREVIČ 2505

Smolensk 1997

1. e4 d6 2. d4 ♘f6 3. ♘c3 g6 4. f4 ♗g7 5. ♘f3 0-0 6. ♗d3 ♘c6 [RR 6... ♘a6 7. 0-0 c5 8. d5 ♘c7 9. a4 a6 10. ♕e1 ♖b8 (10... b6 — 18/174)) *a)* 11. a5 b5 12. ab6 ♖b6 13. ♕h4 ♖b4! *a1)* 14. ♘a2?! N ♖e4!! (14... ♖b8?! 15. c4±) 15. ♗e4 ♘e4 (C. López 2400 — Rom. Hernández 2430, Cienfuegos III 1997) 16. ♖d1 e6 17. ♕d8 (17. ♕e1) ♖d8 18. de6 ♗e6 19. c3 ♗b3 20. ♖e1 f5 21. ♘d2 ♗d5∞; *a2)* 14. ♖b1 e6 (14... ♗d7) 15. de6 fe6 16. ♗d2 ♗b7 17. ♘a2 ♖e4! 18. ♗e4 ♗e4∞̅; *b)* 11. ♕h4!? b5 12.

ab5 ab5 13. f5 b4 14. ♘e2± Rom. Hernández, Ibarra Padrón] **7. e5 de5 8. fe5 ♘h5 9. ♘e2 ♗b4!? N** [9... ♗g4 — 57/(140)] **10. ♗c4!** [10. ♗e4 f5 11. ef6 ♘f6⇆] ♗f5 **11. 0–0!** [11. ♗b3 a5 12. a3 a4 13. ab4 ab3 14. ♖a8 bc2!?⇆] **♕d7** [11... ♗c2? 12. ♕d2+–; 11... ♘c2 12. g4! ♗a1 13. gf5↑] **12. c3 ♗c6! 13. ♗b3!** [13. ♗f7 ♖f7 14. cb4 ♗g4∞] **♘d3 14. h3 ♘c1 15. ♕c1** [15. ♖c1? ♗h6] **♗d3 16. ♖f2 ♔h8 17. ♕e3 ♗e2 18. ♖e2 ♘g3** [18... f6 19. g4 fe5 (19... ♘g3 20. ♖g2±) 20. ♘e5 ♗e5 21. ♕e5 ♗g7 22. ♗d5±] **19. ♖ee1 f6 20. ♘h4 ♘h5** [20... ♘f5 21. ♘f5 gf5 22. e6±] **21. g4** [21. e6 f5] **fe5 22. gh5 ed4 23. cd4 g5 24. ♘g2** [24. d5 ♕h6!∞] **♖f3 25. ♕e4** [25. d5?! ♕f6 26. ♕e6 (26. ♕e7? ♖f1!) ♕b2∞] **♖h3 26. ♕g4!** [26. ♕c6? ♗d4 27. ♔f1 ♖f8 28. ♔e2 ♖f2∓; 26. ♖ad1 ♕h6!∞] **♖d3 27. ♖e7 ♗d4** [27... ♖d4? 28. ♕g5 ♗f6 29. ♖h7! ♔h7 30. ♕g6 ♔h8 31. ♕h6#] **28. ♔h1 ♖f8?!⊕** [28... ♕f3! 29. ♕f3 ♖f3 30. ♗e6 ♖af8 31. ♗g4 ♖f2∞] **29. ♖f7! ♖f7 30. ♗f7 ♕f3** [30... ♕f6 31. ♗c4!] **31. ♕f3 ♖f3 32. ♗e6 ♔g7 33. ♖e1± ♗b2 34. ♗g4 ♖g3?** [34... ♖f2] **35. ♖e4 ♗a3 36. ♘e3+– ♔f7 37. h6 ♗c5 38. ♘d5 ♖a3 39. ♗h5   1 : 0   *Zaharevič*

112.*** !N**   **B 12**

KINDERMANN 2570 – DAUTOV 2595

Bad Homburg 1997

1. e4 c6 2. d4 d5 [RR 2... ♘a6!? N 3. c4 d6 *a*) 4. ♘f3 g6 5. ♘c3 ♗g7 6. ♗e2 ♘c7 7. 0–0 ♘h6!? 8. d5 0–0 9. ♗f4 f5 10. ♕d2 ♘f7 11. ef5 ♗f5 12. ♖ad1 e5 13. de6 ♘e6 14. ♗e3 (Gufeld 2435 — Miles 2630, Beijing 1996) ♕f6=; *b*) 4. ♘c3 g6 5. ♗e3 ♗g7 6. ♕d2 e5!? 7. ♘ge2 (7. ♘f3) ♕e7 8.

0-0-0 f5!? 9. ef5 gf5 10. de5 de5 11. f4 (11. ♗g5 ♗f6 Miles) e4 12. ♘d4 ♘f6 13. h3 ♗d7 14. ♕f2 b6! 15. ♗e2 ♘c7 16. ♔b1 0-0-0!= Suétin 2415 — Miles 2550, Cappelle la Grande 1997] **3. e5** [RR 3. ♗d3 de4 4. ♗e4 ♘f6 5. ♗f3 ♗f5 (5... ♘bd7!? △ e5). 6. ♘e2 e6 N (6... h6) 7. ♘g6 ♗g6 8. h4!? h6 9. h5 ♗h7 10. c3 ♕c7 (10... ♗d6 11. ♖h3) 11. ♕d2 ♘bd7 12. ♘ge4 ♗e4!? (12... ♗e7 13. ♗f6 ♘f6 14. ♘c4± Nisipeanu) 13. ♗e4 ♘e4 14. ♗e4 ♘f6= Nanu 2320 — Nisipeanu 2600, România (ch) 1997] **c5 4. dc5 e6 5. ♕g4** [RR 5. ♗e3 ♘h6!? N (5... ♕c7 — 69/(106)) 6. ♘f3 (6. c3 ♘f5 7. ♗d4 ♘d4 8. cd4 b6∞) *a*) 6... ♘f5 7. ♗g5± Ch. Lutz 2590 — Dautov 2595, Deutschland 1997; *b*) 6... ♘c6!? 7. c3 ♘f5 *b1*) 8. ♗f4?! ♗c5 9. ♗d3 ♘h4! 10. ♘h4 ♕h4 11. ♗g3 ♕h6!? (△ f6↑; 11... ♕d8=) 12. ♘d2 0–0 13. 0–0 a5 (13... f6?! 14. ef6 ♖f6 15. ♘f3 △ 15... ♗d7? 16. b4! ♗b6 17. b5 ♘e7 18. ♘e5; 15... a5±) 14. ♘f3 ♗d7 15. ♖c1!? (15. ♕e2∞) ♔h8!? (1/2 : 1/2 Glek 2505 — Dautov 2595, Porto San Giorgio 1997) 16. c4!? *b11*) 16... d4 17. ♗e4! (17. ♘d2 ♘e7! 18. ♘e4 b6∞) ♖ad8 △ b6, ♘e7-f5∞; *b12*) 16... b6!?∞ Dautov; *b2*) 8. ♕d2!?; *b3*) 8. ♗d4!? ♘fd4 9. cd4 b6 10. b4!? Glek] **h5! N** [5... ♘c6; 5... ♘d7] **6. ♗b5** [6. ♕g3 h4] **♗d7 7. ♗d7 ♘d7** [7... ♕d7 8. ♕e2 ♗c5 9. ♘f3 ♘c6 10. 0–0 ♘ge7 11. ♘bd2 ♘f5=] **8. ♕e2 ♗c5 9. ♘f3 ♘e7** [9... ♕a5! 10. ♘bd2 (10. c3 ♕a6 11. ♕a6 ba6 12. ♘bd2 ♘e7 13. ♘b3 ♗b6∓ △ ♘g6 ✕e5) ♖c8 11. 0–0 ♕a6 12. ♕d1 ♘e7 13. ♘b3 ♗b6∓] **10. 0–0 ♕c7 11. c3 a6** [11... ♖c8 12. ♗e3! (Kindermann) ♘f5 (12... ♘e5?? 13. ♘e5 ♕e5 14. ♕b5+–) 13. ♗c5 ♘c5=; 11... ♘f5=] **12. ♖e1 ♖c8** [12... 0-0-0 13. b4 ♗a7 14. ♗g5 ♖de8 15. ♗e7 ♖e7 16. ♘bd2∞] **13. ♗g5 ♘g6 14. ♘bd2 0–0** [14... ♗a7? 15. c4! dc4 16. ♘c4±; 14... ♗e7!? 15. ♗e7 ♔e7 16. ♕e3 ♕b6 17. ♕g5 ♔f8 18. ♘b3 ♕d8 19. ♕e3 h4∞ △ ♖h5] **15. ♘b3 ♗a7** [△ ♗b8] **16. ♗e3!** [16. ♘fd4 ♘de5 17. ♕h5 ♘d3 18. ♖e3 ♘df4 19. ♗f4 ♘f4 20. ♕g4 ♖ce8∓; 20... f5!?] **♗e3** [16... ♗b8 17. ♗d4±] **17. ♕e3** [△ ♕g5 ✕h5] **♕d8 18. ♘bd4** [18. ♘c1!? (△ ♘d3) *a*) 18... ♕e7? 19. ♘d3 ♖ce8 20. ♘d4 f6 21. ef6 ♖f6 (21... ♕f6? 22. ♘e6±) 22. ♕g5±; *b*) 18... ♖c4!?; *c*) 18... ♕b6! 19. ♕d2 (19. ♕b6

♘b6 20. ♘d3=) ♘c5 (19... f6 20. ♘d3) 20. ♘g5 f6 21. ef6 ♖f6 22. b4 ♘a4 23. ♘d3 ♖c4⇆] ♕e7 [△ ♖ce8, f6] **19. g3?!** [19. ♖ad1 ♖ce8 20. ♕d3! ♘f4 (20... ♘h4 21. ♘h4 ♕h4 22. ♖e3±; 20... ♘c5 21. ♕c2 △ c4) 21. ♕d2 ♘g6 22. c4 ♘b6 23. cd5 ♘d5=; 22. ♕c2! △ ♘e3, ♖de1, △ g3] **h4!** [19... ♖ce8 20. h4 f6 21. ef6 ♕f6 22. ♘g5 e5 23. ♘b3± ✕d5, h5] **20. ♔h1 ♖ce8?** [20... hg3! 21. hg3 ♖ce8 22. ♕d3 (22. ♔g2 f6 23. ef6 ♕f6 24. ♖ad1 e5 25. ♘b3 e4 26. ♘h2 ♘de5∓) ♘c5 23. ♕c2 ♘e4↑ △ f6] **21. gh4! ♘h4** [21... f6 22. h5 ♘ge5 23. ♘h4 ♕f7 24. f4! ♕h5 (24... ♘c4 25. ♕g3 e5 26. ♘df5±) 25. ♕g3 ♘c6 26. ♘c6 ♖f7 27. f5±] **22. ♖g1 ♘f3 23. ♘f3 f6 24. ♘h4! fe5** [24... ♘e5? 25. f4 ♘c4 26. ♕h3±] **25. ♘g6 ♕f6 26. ♘f8 ♖f8 27. ♖g3± ♖f7** [27... ♕f2 28. ♖g7 ♔g7 29. ♖g1 ♕g1 30. ♕g1 ♔f7 31. ♕a7±] **28. ♖ag1 ♕f4⊕** [28... e4? 29. ♖g6 ♕h4 30. ♖h6 ♕f2? 31. ♖g7 ♔g7 32. ♕g5 ♔f8 33. ♖h8#] **29. ♕f4 ef4** [♖ 9/n] **30. ♖g6⊕** [30. ♖g5 ♘c5 (30... e5? 31. ♖d1+−; 30... ♘f6 31. f3±) 31. f3 ♘d3 32. ♖1g2 ♘e1 33. ♖f2± ♘d3 34. ♖e2 e5? 35. ♖d2+−] **e5 31. ♖d6** [31. ♖1g5! ♘f8 32. ♖d6 (32. ♖b6 ♖e7 33. ♔g2) ♖d7 33. ♖d7 ♘d7 34. ♔g2±] **♘f6 32. f3 e4 33. ♔g2 ♖e7 34. ♔f2 ♔f7 35. ♖g5** [△ ♖f5; 35. ♖c1? (△ c4) g5⇆] **g6□ 36. ♖d8 ♖e6 37. ♖c8 ♖e7 38. h4 ♖d7 39. ♖e5! e3?** [39... ♔g7 40. ♔e2 ♔f7] **40. ♔e2 ♘h5** [40... d4 41. cd4 ♖d4 42. ♖c7 ♘d7 43. ♖b7 ♔f6 44. ♖a5 ♖d2 45. ♔e1+−] **41. ♔d3 ♘f6** [41... ♘f6 42. a4± △ a5, b4, ♖c5, b5] **42. ♖ee8 ♘g7 43. ♖cd8! ♖d8 44. ♖d8 ♘f5 45. ♖d5 ♔e6 46. ♖d8 ♘h4 47. ♔e2+− ♘f5 48. ♖b8 ♘d6** [48... ♘g3 49. ♔d3 g5 50. ♖b7 g4 51. fg4 e2 52. ♔d2 f3 53. ♔e1 ♘e4 (53... ♘f1 54. ♖b8 ♔f7 55. ♖b4) 54. ♖b8 ♔e7 55. ♖b4 ♘c5 56. ♖d4] **49. ♔d3 g5 50. c4** [50. a4 ♔d5 51. a5 ♔c6 (51... ♔e5 52. b4 ♔e6 53. c4 ♘f5 54. ♖b7 ♘d4 55. b5) 52. ♖g8 ♘f7 53. ♖g7 ♘e5 54. ♔e2] **♘f5! [✕d4] 51. ♖e8** [51. ♖b7? ♘d4!! 52. ♖b6 ♔e7 53. ♖a6 ♘f3 54. c5 g4 55. ♖a4 g3 56. ♖e4 ♔d7 57. ♖f4 g2 58. ♖f7 ♔c6=] **♘f7 52. ♖e4??** [52. ♖e5 ♔f6 53. ♖d5 ♔e6 54. a4 ♘h4 55. ♔e2 (55. ♖g5 ♘f3=) ♘f5 56. a5 ♘g3 57. ♔d3 ♘f5 58. b4 ♘h4 59. ♔e2 ♘f5 60. ♖d8 ♔e5 61. b5 ♘d4 62. ♔d3 ♘f3 63. c5+−] **♘h4= 53.**

♔e2 ♘f5 54. ♔d3 ♘h4 55. ♔e2 ♘f5 56. ♔d3 ♘h4 **1/2 : 1/2** *Dautov*

113. **B 12**

MAGEM BADALS 2570 − KÁLLAI 2505

France 1997

1. e4 c6 2. d4 d5 3. e5 ♗f5 4. h4 h5 5. c4 e6 6. ♘c3 ♗e7 7. ♘h3!? N **dc4!?** [7... ♗h4?! 8. ♘f4 g6 9. cd5 cd5 10. ♕b3 b6 11. ♘fd5! △ 11... ed5 12. ♖h4 ♕h4 13. ♕d5±] **8. ♗c4 ♗g4!** [✕d4] **9. f3** [9. ♕d3 ♘d7 △ 10... b5 11. ♗b3 ♘e5] **♗h4 10. ♔f1 ♗f5** [10... ♗h3?! 11. ♖h3 g6 12. f4 ♘d7 13. g3 ♗e7 14. g4 h4? 15. g5 △ ♗e3, ♕g4] **11. ♘f4 ♘d7** [11... ♖h7!?] **12. g3! ♘b6** [12... ♗e7 13. ♘h5 ♖h7∞ △ ♘b6, ♕d7, 0-0-0] **13. ♗e6!?** [13. ♗b3 ♗e7 14. g4 ♗h7!! 15. ♘h5 ♔f8 △ ♗g6, ♕d7, ♖d8] **fe6 14. ♖h4 ♕e7!** [△ 0-0-0; 14... g5? 15. ♖h5] **15. ♘e4** [15. ♖h5 ♖h5 16. ♘h5 0-0-0 △ ♕b4, ♘c4, △ g6, ♕h7↑] **♗e4 16. fe4 0-0-0 17. ♔g1?** [17. ♔g2 g5 18. ♖h5 ♖h5 19. ♘h5 ♕b4 20. ♕b3! ♕d4 21. ♕e6 ♘d7 22. ♘f6 ♘gf6 23. ef6 ♘b8!? 24. f7 ♘e5 25. ♕f5 ♖f8∞]

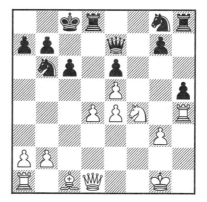

17... g6!!∓ 18. ♕b3 [18. ♘g6 ♕g7 19. ♖h5 ♖d4!!] **g5! 19. ♖h5** [19. ♘e6 gh4 20. ♗g5 ♕d7 21. ♗d8 ♖h6 22. ♗b6 ♖e6 23. ♗a7 ♖g6−+] **♖h5 20. ♘h5 ♖d4 21. ♘f6 ♘f6 22. ♗g5?⊕ ♕c5−+ 23. ♕e6 ♖d7 24. ♔h1 ♘e4 25. ♕g8 ♔c7 26. ♗f4 ♕d5 27. e6 ♘d6 28. ♕h2 ♖e7 29. ♖e1 ♘bc4 30. ♕g6 ♘d2 31. ♕f6?** [31. ♔h3 ♘f3 32. ♖e3 ♘d4 33. ♖d3 ♕h1 34. ♔g4 ♕h8] **♘f3 32. ♔h3 ♕h5 33. ♔g2 ♘e1 34. ♔f1 ♕h3**

0 : 1 *Kállai*

B 12

BECERRA RIVERO 2510
— W. ARENCIBIA 2560

Cienfuegos 1997

1. e4 c6 2. d4 d5 3. e5 ♗f5 4. ♘f3 e6 5.
♗e2 ♘d7 6. 0—0 h6 7. c3 ♘e7 8. ♘h4
♗h7 9. ♗d3 ♗d3 10. ♕d3 c5 N [10... g5
— 64/(117)] 11. f4 ♕b6 [11... ♘c6!? *a*) 12.
♘g6 fg6 13. ♕g6 ♔e7 14. f5 ef5 (14...
♕e8 15. ♕e6 ♔d8 16. ♕d5±) 15. ♖f5 (15.
♕d6 ♔e8 16. ♕g6=) ♕e8□ 16. ♗g5 (16.
♕d6? ♔d8 17. ♕d5 ♘e7 18. ♕b7 ♖b8 19.
♕f3 ♘f5 20. ♕f5 g6—+) hg5 17. ♕g5
♔e6 18. ♕g4=; *b*) 12. ♘f3±] 12. ♘a3 a6
13. ♘c2 g6 14. b4?! [14. ♗e3!] cb4 15.
cb4 ♖c8 16. ♖f2! ♕c6 17. ♖b1 ♕c4 18.
♕d1 ♘b6 [18... ♕a2?? 19. ♘a3+—] 19.
♘a3 ♕c7 20. b5 a5 21. ♖c2 ♕d8 22. ♕d3
[22. ♖c8!?] ♘f5 23. ♘f5? [23. ♖c8 ♕c8
24. ♘f3∞] gf5 24. ♖c8 ♕c8 25. ♗d2 ♗a3
26. ♕a3 ♕c2 27. ♕c1□ ♕e4! 28. ♖b3
♖g8∓ 29. g3 ♘c4 30. ♗a5 ♕d4 31. ♔g2
h5 [31... ♕a7 32. ♖a3□ ♔d7 (32... ♕a8
33. ♗b4 ♘a3 34. ♕c7 ♕d8 35. ♕b7=) 33.
b6 ♕a6 34. ♗b4 ♕b6 35. ♖b3 ♕a6∓] 32.
h4 ♔d7?! [32... ♘f8!! 33. ♗e1 ♔g7—+]
33. ♗e1 ♕e4 34. ♔g1 ♕e2 35. ♗f2 ♕a2
36. ♕d1! ♖h8 37. ♖c3 ♔e8 [37... ♖c8 38.
♕h5! ♕a1 39. ♔h2 ♕c3 40. ♕f7 ♔d8 41.
♗b6! ♘b6 42. ♕f8 ♔d7 43. ♕f7 ♔d8 44.
♕f8 ♔d7=] 38. ♖c1 ♔f8 39. ♖a1 ♕d2
40. ♕d2 ♘d2 41. ♖a7 ♔g7 42. ♖b7 ♖c8
43. b6 ♖c2 44. ♖c7 [△ 44. ♖d7] ♖b2 45.
b7 d4 46. ♖d7 [46. ♖c2?? ♘f3! (46... ♖c2
47. b8♕ d3! 48. ♕d8 ♘e4 49. ♕d3 ♖f2=)
47. ♔f1 (47. ♔g2? ♘e1—+) ♖b7 48. ♔e2
♖b3 49. ♖c4∓]   **1/2 : 1/2**

Becerra Rivero, Ale. Moreno

B 12

R. HÜBNER 2580 —
AN. KARPOV 2745

Dortmund 1997

1. e4 c6 2. d4 d5 3. e5 ♗f5 4. ♘f3 e6 5.
♗e2 ♘e7 6. 0—0 c5 7. dc5 ♘ec6 8. ♗e3
♘d7 9. c4 dc4 10. ♘a3 ♗c5 11. ♗c5 ♘c5
12. ♘c4 0—0 13. ♕c1 ♕e7 [13... ♕c7 14.
♕e3 b6 15. ♖fd1±] 14. ♕e3 ♖ad8 15.

♖ad1 N [15. ♘d6 — 68/110] ♗g6 16. a3?
[16. ♘d6 b6 (16... ♘d7 17. ♘b7 ♖b8 18.
♘d6 ♖b2 19. ♗b5 ♘db8 20. ♖c1±) 17. a3
(17. ♗b5 ♘b4 18. ♘d4 ♘c2 19. ♘c2 ♗c2
20. ♖d2 ♗g6 21. b4±) ♘b7 18. ♘b5±]
♖d5?! [16... ♖d1 17. ♖d1 ♖d8 18. ♘d6
(18. ♖d6 ♘e4) b6=] 17. ♘d4 [×e5; 17.
♘d6 ♘d7 18. ♗c4 ♖d1 19. ♖d1 ♗h5]
♕d4□ [17... ♖fd8 18. ♘c6 bc6 19. ♘d6+—]
18. ♖d4 ♖d4 [18... ♖fd8 19. ♘d6 ♖d4 20.
♕d4 b6 21. b4 — 18... ♖d4] 19. ♕d4 b6
20. b4 ♖d8 21. ♘d6 ♘b7 [21... ♘e4 22.
♖d1 f6? 23. ♘f5+—] 22. ♖d1 f6 [22...
♘d6 23. ed6 ♕d7 24. ♕c4 △ ♕a6±] 23. f4
fe5 24. fe5 ♖f8 25. ♗c4 [×e6; 25. ♗f3 ♘d8
△ 26... ♕g5, 26... h6∞] ♘d8 26. ♕g4
♔h8 27. h3 [27. b5?! (×c5) ♗f5 28. ♘f5
♖f5 29. ♗e6 ♖e5 30. ♕d4 ♘f7= 31. ♗f7?
♖e1 32. ♔f2 ♕e2 33. ♔g3 ♖d1—+] ♘c6?
[27... ♗f5 28. ♘f5 *a*) 28... ♖f5? 29. ♗e6
♖e5 (29... ♖g5 30. ♖d7; 29... ♖f8 30. ♖d7)
30. ♖d7 ♕f6 31. ♕g7+—; *b*) 28... ef5 29.
♕e2 (29. ♕d4 ♘c6 30. ♕d6 ♖d8—+) ♘e6
30. ♖d6±] 28. ♕e6 ♕e6 29. ♗e6 ♘e5 30.
♖d5? [30. ♘c8?! ♖e8 31. ♖d6 ♘f7 32.
♗f7 ♖c8 33. ♗e6 (33. ♗g6 hg6 34. ♖g6
♖c3=) ♖c1 34. ♔h2 h5±; 30. ♖c1 (△
♖c8+—) ♘d3 31. ♖c7 (31. ♖c8 ♖c8 32.
♘c8 a5 33. b5 ♘c5=) a5 32. ba5 ba5 33.
♖a7 a4 34. ♗d7 ♘c5 35. ♗c6 △ ♖a5±]
♘d3= [△ ♘f4] 31. ♗g4 [31. g3 h6 (△
♖f3) 32. ♗f5 ♗f5 33. ♘f5 ♘e1 △ 34...
♘c2, 34... ♖f7] h5 32. ♗d1 [32. ♗h5?
♘f4; 32. ♗f3 ♘f4 △ ♘h3] ♘f4 33. ♖d4
♔h7 34. ♘b5 ♖f7 [34... a5] 35. ♘a7 ♖a7
[36. ♖f4 ♖a3 37. ♖d4 ♖e3 38. ♔f2 ♖e5;
35... ♘h3?! 36. gh3 ♖a7 37. a4 △ ♖d6±]
1/2 : 1/2   *R. Hübner*

B 14

A. DELČEV 2515 —
A. SHEVELEV 2415

Úbeda 1997

1. e4 c6 2. d4 d5 3. ed5 cd5 4. c4 ♘f6 5.
♘c3 ♘c6 [RR 5... e6 6. ♘f3 *a*) 6... ♗e7 7.
♗f4 0—0 8. c5 b6 9. b4 ♘e4 10. ♕c2 ♘c6
a1) 11. b5 ♘b4 12. ♕b2 bc5 13. a3 cd4 14.
♘a4 (14. ♘d4 ♗f6!? 15. ♕b4 ♘c3 16.
♕c3 e5 17. ♘c6 ef4; 14. ♘d1 a5!? 15.

♘d4 ♕b6!? 16. ♗e3 ♕b7 17. f4 ♗d7; 14.
♘b1 f6!? 15. ab4 e5 16. ♗g3 ♕d6∞) ♕a5
15. ab4 ♕b4!? 16. ♕b4 (16. ♗d2 ♘d2
17. ♕d2 ♕d6 18. ♘d4 ♗f6∞; 16. ♘d2
g5 17. ♕b4 ♗b4 18. f3 gf4 19. fe4 de4∞)
♗b4 17. ♗d2 (17. ♔e2 ♗d7 18. ♘d4 e5
19. ♗e5 ♖fe8 20. f4 f6∞) ♘d2 18. ♘d2
e5∞ △ ♗f5, ♖fc8; a2) 11. ♖b1 N bc5 12.
bc5 ♕a5 13. ♗d2 a21) 13... ♘d4?! 14.
♘d4 ♘d2 15. ♕d2 ♕c5 a211) 16. ♖c1?!
♗f6 (Ju. Balašov 2550 − A. Galkin 2540,
Tomsk 1997) 17. ♘b3±; a212) 16. ♗d3!?
♗f6 (16... e5 17. ♘b3 △ ♘d5) 17. ♘de2
♗d7 (17... a5 18. 0−0 ♗a6 19. ♘b5!?) 18.
0−0±; a22) 13... ♘d2 14. ♕d2 ♗f6 (14...
♗a6 15. ♘d5 ♗d8) 15. ♗b5 ♕c7 16. 0−0
♗d7⇆; 16... ♖b8⇆ A. Galkin; a3) 11. a3;
b) 6... ♗b4 7. cd5 ed5 8. ♗d3 0−0 9. 0−0
♘c6 N (9... ♗g4?! − 57/148) 10. h3 h6 11.
♗e3 ♖e8 12. ♖c1 ♘e4= Leskur 2340 − S.
Mirković 2365, Jugoslavija 1996] **6. ♗g5**
e6 7. ♘f3 ♗e7 8. c5 ♘e4 9. ♗e7 ♕e7 10.
♕d3 [10. ♗b5!? ♗d7 11. 0−0±; 10...
♘c3!] **♗b4□** [10... ♘c3 11. ♕c3±; 10...
♘g5 11. ♘g5 ♕g5 12. ♕e3!±; 10... f5 11.
♕e3±] **11. ♕b5** [11. ♕b1 ♘c3 12. bc3
♘c6 13. ♗b5 ♗d7 14. 0−0 ♖b8=] **♘c6**
12. ♗d3 N [12. ♘e4 − 62/129] **f5?!** [12...
♘c3 13. bc3 0−0 14. 0−0 ♕c7 15. c4 ♗d7
16. ♕b1 h6 (16... dc4? 17. ♗h7 ♔h8 18.
♗e4 ♖ad8 19. ♕c1±) 17. cd5 ed5 18. h3±]
13. ♕a4!± [△ ♗b5 ×e5] **♗d7** [13... 0−0
14. ♗b5 ♘c3 15. bc3 ♗d7 16. 0−0] **14.**
♗b5 ♘c3 15. bc3 e5 16. de5 [⌓ 16. ♘e5
♘e5 17. de5 ♕e5 18. ♔d2 ♗b5 19. ♕b5
♔d8 20. ♖he1 ♕f4 21. ♔c2±] **♕c5 17.**
0−0 0−0 18. ♖fe1 ♖ae8 19. ♗c6? [19.
♖ad1! a6 (19... ♕c3 20. ♖c1 ♕b2 21. ♖b1
♕c3 22. ♖ec1+−; 19... ♔h8 20. ♕b3 ♗e6
21. ♘d4! ♘a5 22. ♕b4+−; 19... ♖f7 20.
♘g5 ♖fe7 21. ♗d5±) 20. ♗d5 ♘e5 (20...
ab5 21. ♕b3±) 21. ♖de5 ab5 22. ♕b3
♕c4+] **bc6 20. ♕b4 ♕e7!= 21. ♕b7** [21.
♖ab1] **f4 22. e6** [22. ♕a7 ♗g4∞] **♗e6 23.**
♕c6 ♕d7 24. ♘d4 ♕c6 25. ♘c6 ♔f7 26.
f3 ♔f6 27. ♘d4 ♗d7 28. ♔f2 ♖e1 29. ♖e1
♖b8 30. ♖e2 ♖b1 31. ♖e1 ♖b2 32. ♖e2
♖b1 33. g3⊕ fg3 34. hg3 g5 35. g4 ♖c1
36. ♖b2 ♖c3 37. ♖b7 ♖d3 38. ♖d7 ♖d4
39. ♖a7 ♖d3 40. ♖h7 ♖d2 41. ♔e3 ♖a2
42. ♔d4 ♖d2 43. ♔e3 ♖a2 1/2 : 1/2
A. Delčev, Kostakiev

AM. RODRÍGUEZ 2555
− CONQUEST 2540
Yopal 1997

1. e4 c6 [RR 1... g6 2. d4 ♗g7 3. ♘f3 c6
4. h3 d5 5. ♘c3 a) 5... ♘h6 6. ♗f4 ♕b6 7.
♕d2 de4 8. 0-0-0!! N (8. ♘a4) ♘f5 (8...
ef3 9. ♗h6±→) 9. ♘e4 ♗e6 a1) 10. c4?
(Macieja 2430 − R. Appel 2490, Budapest
1996) ♘a6! 11. g4 (11. ♘eg5 0-0-0! 12. ♘e6
fe6∓ △ 13. c5 ♘c5! 14. dc5 ♗b2!) ♘d4
12. ♘d4 0-0-0 13. ♗e3 (13. c5 ♘c5−+) c5
14. ♘c5 ♘c5 15. ♕c2 ♗d4 16. ♗d4 ♖d4!
17. ♖d4 ♘b3∓; a2) 10. g4 ♗d5 11. ♕d3
♘h6 12. ♕e3± Macieja; b) 5... ♘f6 6. e5
♘e4 7. ♘e4 de4 8. ♘g5 c5 9. e6 b1) 9...
f5? 10. d5 0−0 11. a4! △ ♗c4±; b2) 9...
♗e6?! 10. ♘e6 fe6 11. dc5 (11. ♗c4 −
57/150) ♕d1 (11... ♕a5 12. c3 ♕c5 13.
♕b3!±) 12. ♔d1 0−0 13. ♔e2 − 18/(192);
13. ♗c4!±⌓; b3) 9... f6!? N 10. ♘f7 ♕d4
11. ♘h8 b31) 11... ♗h8 12. ♕d4 cd4 13.
♗c4 ♘a6!? (13... ♘c6 14. g4! ♘d8 15.
♗d5 ♘e6 16. ♗e4 ♘c5 17. ♗g2±) 14.
♗b5 (14. f3!? ef3 15. 0−0 fg2 16. ♖e1∞)
♔f8 15. ♗h6 ♔g8 16. 0-0-0 f5 (S. Lalić
2405 − A. Webster 2415, Jersey 1997) 17.
♗a6 ba6 18. ♗e3!! de3 19. ♖d8 ♔g7 20.
fe3 ♗b7 21. ♖a8 ♗a8 22. ♖d1 f4!□ (22...
♗c6? 23. c4!+−) 23. ef4 e3 24. g4! ♗g2
25. g5 ♗h3 26. ♖d7 ♗e6 27. ♖e7 ♗f7 28.
c3!± b32) 11... ♗e6 12. ♘g6 hg6 13. ♗b5
♘d7 14. 0−0 b321) 14... 0-0-0? 15. ♕e2!
♘e5 (15... a6? 16. ♗a6!+−) b3211) 16.
♗e3? (B. Lalić 2585 − A. Webster 2415,
Jersey 1997) ♕b2 17. ♗c5 ♗h3! 18. ♗e7
(18. gh3 ♘f3 △ ♕e5) ♘f3! 19. gf3 ♕e5
20. ♕e3 ♕e7∞; b3212) 16. ♗f4!±; b322)
14... a6! 15. ♗d7 ♗d7 16. ♗e3 ♕e5± B.
Lalić] **2. d4 d5 3. ♘d2 de4 4. ♘e4 ♘f6 5.**
♘f6 ef6 6. c3 ♗d6 [RR 6... ♗e6 a) 7. ♘e2
♗d6 N (7... ♗c4?! − 54/(141)) 8. ♘f4!?
(8. ♗f4 0−0 9. ♗d6 ♕d6 10. ♘g3? ♗a2!
11. ♘f5 ♕e6 12. ♘e3 ♗b3 13. ♕d3 ♗d5
14. ♗e2 ♗e4 15. ♕d2 ♘d7 16. 0−0 ♖fe8∓
Soloženkin 2485 − S. Mirković 2390, Ju-
goslavija 1997) ♗f5 9. ♕e2 ♗e7∞; b) 7.
♗d3 c5 8. ♘e2 ♘c6 9. ♗e3 cd4 10. ♘d4
♘d4 11. ♗d4 ♗d6 12. ♗b5 ♔e7 13. 0−0
♕c7 14. ♕h5 h6 15. ♖fe1 ♖hd8 16. ♗e4 N

(16. a4 — 51/(138)) ♔f8 17. ♖ae1 (V. Nevednichy 2530 — S. Mirković 2390, Jugoslavija 1997) ♔g8!∞ S. Mirković] **7. ♗d3 ♕c7 8. ♕h5 N** [8. ♘e2 — 28/200] **♗e6 9. ♘e2 ♘d7!** [9... f5 10. ♕g5 g6 11. ♗f4±] **10. g3** [10. ♘g3 g6 △ f5] **0-0-0** [10... g6!?] **11. ♗f4** [11. ♗f4 f5 △ ♘f6] **f5 12. 0-0 g6 13. ♕f3 h5 14. ♖e1** [△ 14. h4±] **♖de8 15. ♗d2 h4 16. c4 hg3 17. hg3** [17. fg3!? ♕b6⇆] **♘f6 18. d5 ♗d7 19. ♗c3 ♘g4!** [19... ♗e5 20. ♘e6 ♗e6 (20... ♗c3 21. ♘c7 ♖e1 22. ♖e1 ♗e1 23. ♕e2!±] 21. ♖e5 (21. ♗e5 ♗d5 22. cd5 ♖e5 23. ♖e5 ♕e5 24. dc6) cd5 22. cd5 (22. ♖ee1!?) ♘d5 · 23. ♖d5 ♕c6±] **20. ♗h8 ♖h8 21. dc6?** [21. ♖e2] **♗c6! 22. ♘d5 ♕d8** [22... ♗c5 23. ♖e2 ♘e5 (23... ♗d5 24. cd5 ♘e5 25. ♖e5 ♕e5 26. ♖c1 ♕c7 27. ♕f4!+−) 24. ♗f5 gf5 25. ♕f5 ♘d7 26. ♖e8 (26. ♕f7?? ♕g3) ♖e8 27. ♘c7 ♔c7 28. ♔f1∞] **23. ♗f1** [23. ♖ad1!?] **♘h2! 24. ♕e3?** [24. ♕c3] **f4! 25. ♕a7?** [25. gf4] **♘f3 26. ♔g2 ♘e1 27. ♖e1 fg3 28. fg3 ♕g5** [28... ♗g3!] **29. ♕e3 ♕h5 30. ♔f2 ♔b8 31. ♗g2 ♖e8 32. ♕d3** [32. ♕c3∓] **♗c5 33. ♔f1 ♖e1 34. ♔e1 ♕e5 35. ♕e2 ♕g3 36. ♔d1 f5 37. b4 ♗a4** [37... ♗b4] **38. ♔d2** [38. ♔c1 ♕a3 39. ♕b2 ♕d3] **♗f8 39. ♔c1 ♕a3 40. ♔b1 ♗b4   0 : 1**

Am. Rodríguez

118. ** !N   **B 17**

IVANČUK 2725 — AN. KARPOV 2745

Dortmund 1997

1. e4 c6 2. d4 d5 3. ♘d2 de4 4. ♘e4 ♘d7 5. ♘g5 [RR 5. ♘f3 ♘gf6 6. ♘f6 ♘f6 7. ♘e5 ♗e6 8. ♗e2 g6 9. 0-0 ♗g7 10. c4 0-0 11. ♗e3 ♘e4 12. f4 ♘d6! N (12... f6 — 43/167) 13. b3 *a)* 13... ♕a5?! 14. ♕c2 ♖ad8 15. ♖ad1 ♗f5 16. ♕b2 ♗e4 17. a4 ♕c7 (17... f5 18. b4±; 17... a6!?±) 18. ♗f2 a6 19. ♖fe1! f6 (19... b5 20. ♕a3!±) 20. ♘d3 (I. Rogers 2600 — M. Wach 2415, Linz 1997) ♗f5□±; *b)* 13... ♕c7!∓ △ ♖ad8, ♗f5, f6 I. Rogers] **♘gf6 6. ♗d3 e6 7. ♘1f3 ♗d6 8. ♕e2 h6 9. ♘e4 ♘e4 10. ♕e4 c5 11. 0-0 ♘f6** [RR 11... ♕c7 12. ♕g4 ♔f8 13. ♗d2 e5! N (13... c4 — 67/174) 14. dc5 (14. c3!?) ♘c5 15. ♗f5 h5! (15... ♗f5 16. ♕f5 ♕d7 17. ♕h5↑ ×♔f8) 16. ♕h3 ♘e4! 17. ♖ad1 (17. ♖fe1 ♘d2 18. ♘d2 g6 19. ♗c8 ♖c8 20. ♘e4 ♔g7=) g6 18. ♗c8 *a)* 18... ♕c8?! 19. ♖fe1! (19. ♕c8 ♖c8 20. ♖fe1 f5 21. ♗c3 ♗c5∞) ♕h3 (19... f5? 20. ♗c3 ♗c5 21. ♖e4! fe4 22. ♖d7+− O. Korneev 2565 — Arlandi 2470, Asti 1997) 20. gh3 f5 21. ♗c3 ♗c5 (21... ♘c3 22. ♖d6) 22. ♖e4!? (22. ♗e5!? ♗f2 23. ♔f1 ♗e1 24. ♗h8 △ ♖d7↑ Arlandi) fe4 23. ♘e5∞; *b)* 18... ♖c8= O. Korneev] **12. ♕h4 ♕c7?! N 13. ♖e1 ♗d7 14. ♗g5! ♗e7 15. dc5 ♕c5 16. ♘e5 ♗c6 17. ♕h3 ♖d8□ 18. ♖ad1!?** [18. c3?? ♖d3; 18. ♖e2!?] **0-0 19. ♗h6 gh6 20. ♕h6 ♖d3 21. cd3 ♕d5 22. ♕g5 ♔h8 23. ♖e4 ♘e4 24. ♕e7 ♔g7 25. ♘c6 ♘f2 26. ♔f2 ♕c6±] ♘e4! 19. ♗e4 ♖d1 20. ♗c6** [20. ♖d1 ♗e4 21. ♗e7 ♕e5 22. ♕a3 ♗d5 23. c4 ♕e2 24. ♖c1 ♕d2 25. b3 ♗c6 26. ♖f1±] **bc6 21. ♖d1 ♕e5 22. ♗e7 ♔e7 23. ♕a3 ♔f6 24. ♕f3** [RR 24. f4!? ♕e4 25. ♕c3 ♔g6 26. ♖d4 ♕e2 27. h3 Lékó] **♔g6 25. h4!? ♖b8! 26. b3 ♖b7!□ 27. c4 ♖c7 28. c5?!** [28. ♕d3!? ♔f6 (28... ♕h5 29. g3±; 28... f5 29. ♕d2 ♔f7 30. h5 ♖e7±) 29. f4 ♕c5 30. ♔f1 ♕f5 31. ♕d8 ♖e7 32. ♖d2±] **f5 29. b4?!** [29. ♕d3!?] **♕f6 30. ♕d3 ♕d5!= 31. ♕c2 ♕e4 32. ♕c3   1/2 : 1/2**

An. Karpov

119. !N   **B 17**

LAUTIER 2660 — AN. KARPOV 2745

Biel 1997

1. e4 c6 2. d4 d5 3. ♘c3 de4 4. ♘e4 ♘d7 5. ♘g5 ♘gf6 6. ♗d3 e6 7. ♘1f3 ♗d6 8. ♕e2 h6 9. ♘e4 ♘e4 10. ♕e4 c5 11. 0-0 ♘f6 12. ♕h4 cd4 13. ♖e1 ♗d7 14. ♘d4! N

[14. ♗d2] ♕a5 15. ♗e3!± [15. c3 0-0-0=
△ g5] ♔f8?! [△ 16... g5 17. ♕h3 e5 18.
♘f5 e4−+; 15... 0-0-0? 16. ♘b3 ♕c7 17.
♗a7+−; 15... g5?! 16. ♕h3 0-0-0 17. ♘b3
♕a4 18. ♕f3±; 15... ♕h5 16. ♕h5 ♘h5
17. ♘f5 ♗f8 (17... ef5? 18. ♗c5) 18. ♖ad1
a) 18... 0-0-0?! 19. ♗a7 ef5 20. ♗b6 ♘f6
(20... ♗d6 21. ♗d8 ♖d8 22. ♗e2+−) 21.
♗d8 ♔d8 22. ♗f5 (△ ♖d7, ♖d1) g6 (22...
♔c7 23. ♗d7 ♘d7 24. ♖e8+) 23. ♗d7
♘d7 24. ♖e3 ♖h7 (24... ♔c7? 25. ♖c3+−)
25. ♖de1±; b) 18... ♘f6 19. ♗f4 0-0-0 20.
♘d6 ♗d6 21. ♗d6±] 16. ♗f4! ♗f4 [16...
♗e7 17. ♗e5±] 17. ♕f4± ♖c8 [△ ♕c7]
18. ♘f3 ♔e7 19. ♕g3 ♕b4 [△ ♕g4; 19...
♘h5? 20. ♖e5 ♘g3 21. ♖a5+−] 20. ♘e5
g5 21. c4! ♖hd8?! [21... ♕b2 22. ♖ab1 a)
22... ♕d2 23. ♖ed1 ♕f4 (23... ♕c3 24.
♘f7+−) 24. ♕f4 gf4 25. ♖b7±; b) 22...
♕a2 23. ♖b7 ♖hd8 b1) 24. ♕e3 ♕a5 25.
♖a7 (25. ♘f7? ♔f7 26. ♕e6 ♔g7 27. ♕e7
♔g8−+) ♕c5±; b2) 24. ♕h3! b21) 24...
♕d2? 25. ♘g6 ♔d6 26. ♕g3 ♔c6 27. ♕f3
♘d5 28. ♖eb1+−→; b22) 24... ♕a5? 25.
♘g6 ♔d6 (25... ♔e8 26. ♖e6 fe6 27. ♕e6
♗e6 28. ♖e7#) 26. ♕g3 ♔c6 27. ♕f3
♘d5 28. ♖eb1 fg6 29. ♖7b5+−; 27. ♖e5!+−
△ ♕f3→; b23) 24... ♕a6 25. ♖bb1! b231)
25... h5 26. ♕e3 g4 27. ♖a1 (27. c5 ♕a5
28. c6? ♗c6 29. ♘f7? ♕d5−+; 28. ♖ec1↑)
♕b6 b2311) 28. ♕g5? ♖c5! (28... ♖g8?
29. ♕f6+−) 29. ♕g7? ♖e5 30. ♖e5
♕d4−+; b2312) 28. ♕h6! ♗e8 (28... ♖c5?
29. ♘f7+−) 29. ♕g7±→; b232) 25... ♖h8
26. c5 ♕a5 (26... ♕a2 27. ♗c4 △ c6) 27.
c6 ♖c6 (27... ♗c6 28. ♘f7+−) 28. ♘c6
♗c6 29. ♖a1±] 22. ♕h3! h5? [22... ♖h8
23. b3± △ ♖ad1] 23. ♕e3+− [×a7, g5] g4
24. a3! [24. ♕a7 b6 25. b3 ♕c5⇆ △ ♖a8,
♖db8] ♕b2 [24... ♕d6 25. ♖ad1! (25. ♕a7
b6) ♕b8 (25... ♕b6 26. ♕g5) 26. ♗f5 ♖c7
27. ♕h6; 24... ♕c5 25. ♕g5! (△ ♕g7)
♖g8 26. ♕f6] 25. ♖ab1 ♕a3 26. ♘f7! [26.
♖b7 ♕d6] ♕c5 27. ♘d8 [27. ♕h6? g3! 28.
hg3 ♘g4 29. ♕f4 ♘f2 (29... ♖f8? 30. ♖b7
♖f7 31. ♖d7+−) 30. ♕f2 ♕f2 31. ♔f2
♔f7 32. ♖b7 a5=] ♕e3 28. ♖e3 [28. fe3!?
♔d8 29. ♖b7 a5 30. ♖f1] ♔d8 29. ♖b7 a5
30. ♖a7 [30. ♖e5 ♖a8] ♖c5 31. f4! [△
♖e5] gf3 32. ♖f3 ♘e8 33. ♖f7 ♘c7 34.
♖h7 ♗e8 35. ♔f2 ♔c8 36. ♖h8 ♔d7 [36...

♔b8 37. ♖c7] 37. ♔e3 e5 38. ♗e2 ♗g6
39. ♗h5 ♗f5 40. ♗e2 ♗e6 41. h4 ♔c6 42.
♖h6 ♔d7 43. h5   1 : 0   Lautier

120. !N   B 17
GLEK 2505 − EPIŠIN 2570
Berlin 1997

1. e4 c6 2. d4 d5 3. ♘c3 de4 4. ♘e4 ♘d7
5. ♘g5 ♘gf6 6. ♗d3 e6 7. ♘1f3 ♗d6 8.
♕e2 h6 9. ♘e4 ♘e4 10. ♕e4 ♘f6 11. ♕e2
♕c7 12. ♗d2 b6 13. 0-0-0 ♗b7 14. ♘e5
c5 15. ♗b5 ♔e7 16. dc5 ♕c5 17. a3 ♘d5
18. ♔b1! N [18. ♗d3 − 68/(117)] ♖hd8
[18... ♗e5?! 19. ♗b4! ♘b4 20. ab4 ♕c7
(20... ♕b4 21. ♕e5±↑) 21. ♖d7±] 19. f4
♖ac8 20. ♗d3 ♕c7 21. ♖he1 [21. c4 ♘f6
22. ♗c3 b5!?] ♔f8 22. g4!→ ♔g8 23. h4
[23. g5 hg5 24. fg5 ♗e5 25. ♕e5±] a5! 24.
g5 hg5 25. hg5 [25. fg5!? ♗e5 26. ♕e5
♕e5 27. ♖e5±] ♗e5 26. fe5 [26. ♕e5±]
♘e7 27. ♗c1 [27. ♕h5!?; 27. ♕g4!?; 27.
♗f4±] ♘g6 28. ♕h2 ♕d5 29. ♖e3 ♖cd8□
30. ♖de1! [30. ♖h3!? ♕e5 31. ♗f4!? ♕f4!
32. ♖h8 ♘h8 33. ♕f4 e5∓; 30. ♖f1!? (△
31. ♗g6 fg6 32. ♖h3) ♖d3□ 31. ♖d3 ♖d3
32. cd3 ♕d7∓] ♖d3!□ 31. ♖d3 [31. cd3±]
♖d3 32. cd3± ♕d7 33. ♕d2 [33. ♕g3±]
♘e7 34. ♕c3 g6 35. ♔a1 [△ 35. d4±]
♕a4? [35... ♘d5 36. ♕d4] 36. b3?⊕ [36.
♕c7!+−] ♕h4 37. ♗d2? [37. d4±] ♘d5
38. ♕c2 ♕d4 39. ♕b2 ♕d3∞ 40. ♖c1
♕e4 41. ♖e1   1/2 : 1/2   Glek

121.   B 17
KUPREJČIK 2500
− PE. NIELSEN 2515
Ålborg 1997

1. e4 c6 2. ♘c3 d5 3. d4 de4 4. ♘e4 ♘d7
5. ♗c4 ♘gf6 6. ♘g5 e6 7. ♕e2 ♘b6 8.
♗b3 h6 9. ♘5f3 a5 10. a3 c5 11. ♗e3
♕c7 12. ♘e5 cd4 13. ♗d4 ♗c5 14. ♘gf3
0−0 15. 0-0-0 a4 16. ♗a2 ♘bd5 17. g4
b6 18. h4!? N [18. ♗c5 − 33/(187); 18.
♖hg1!?] ♘f4 19. ♕d2 [19. ♕e1!?] ♘6d5
[19... ♗d4 20. ♕f4 ♗e5 21. ♕e5 (21. ♘e5
♘g4! 22. ♕g4 ♕e5 23. ♖hg1∞) ♕e5 22.
♘e5 ♗b7 23. ♖he1±] 20. ♔b1 [20. ♗d5!?

♘d5 21. g5∞] ♗d4 21. ♕d4 f6!? 22. ♘d3 [22. ♗d5? fe5−+] ♗b7 23. ♘f4 [23. c4? ♘e2! 24. ♕e4 ♘dc3−+; 23. ♖he1!? e5 24. ♘fe5 fe5 25. ♖e5 ♘h8 26. ♗d5 ♘d5 27. c4 (27. ♖d5∞) ♘e7!? 28. ♕e3∞] ♘f4 24. ♕e3 ♔h8 25. ♖hg1 [25. g5 ♘g2 26. ♕e2 ♘f4=] ♖ac8 26. c3 [26. ♔a1!?] ♘d5 27. ♗d5 [27. ♕e6? ♖fe8 28. ♕f5 ♘c3−+] ♗d5 28. ♖d4 b5 29. g5!? [29. ♘d2!? △ f4, g5; 29. ♖g3] fg5 30. ♘e5 ♖f5 31. ♘g6 ♔h7 32. hg5

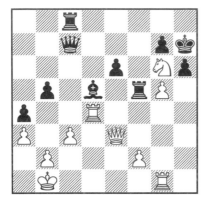

32... ♕h2!!□ 33. f4□ ♖c3?! [33... ♔g6! 34. ♖d5! (34. gh6 ♔f6 35. hg7 ♖g8∓) ed5 (34... ♖d5? 35. ♕e6 ♔h5 36. ♕g4 ♔g6 37. gh6+−) 35. gh6 a) 35... ♔f6 36. ♕b6+−; b) 35... ♔f7 36. ♕a7+−; c) 35... ♔h7 36. ♖g7 ♔h6 (36... ♔h8 37. ♕d4+−) 37. ♕a7 ♖h8 38. ♖g1+−; d) 35... ♔h6 36. ♕e1!□ g6 (36... ♕f4? 37. ♕e6 ♖f6 38. ♕h3+−) 37. ♖h1 ♕h1 38. ♕h1 ♔g7 39. ♕e1∓] 34. bc3 ♕a2 35. ♔c1 ♗b3 36. ♕e4□ ♕a1 37. ♔d2 ♕g1 38. ♘e7!□ ♕d1 39. ♔e3 ♕e1 40. ♔f3 ♕f1 41. ♔g3 ♕g1 42. ♔h3 ♕f1 43. ♕g2 ♕g2 44. ♔g2 hg5 [44... ♖f8 45. g6 ♔h8 46. ♔f3± ×♖h8] 45. ♘f5 ef5 46. fg5 [46. ♔g3 g4! 47. ♔h4 ♔h6!=] ♔g6 47. ♖d7! ♔g5 48. ♖g7 ♔f4 49. ♖e7 ♗c4 50. ♔f2 ♗d5 51. ♖e8 ♗c4 52. ♖d8 ♔e5 53. ♖d4! [△ ♔g3-h4-g5±] f4 54. ♔f3 ♗d5 55. ♔g4 ♗e6 56. ♔g5 f3 57. ♖f4± ♗d5 58. ♔f6 ♗c8 59. ♖f3 ♔c4 60. ♖f4 ♔c3 61. ♖b4 ♗b7 62. ♔e5 ♗f3 63. ♖b5 ♗d1 64. ♔d5 ♗b3 65. ♔c5 ♔d3 66. ♖b4 ♔e3 67. ♖d4 ♗c2 68. ♔c4 ♗b3 69. ♔c3 ♗f3 70. ♔d2 ♗g3 71. ♔e2 ♗c2 72. ♖c4 ♗b3 73. ♖b4   1 : 0   *Kuprejčik*

122. B 19

TIVJAKOV 2590 − NGUYEN ANH DUNG 2485
Jakarta 1997

1. e4 c6 2. d4 d5 3. ♘d2 de4 4. ♘e4 ♗f5 5. ♘g3 ♗g6 6. h4 h6 7. ♘f3 ♘d7 8. h5 ♗h7 9. ♗d3 ♗d3 10. ♕d3 ♕c7 11. ♗d2 e6 12. 0-0-0 ♘gf6 13. ♕e2 0-0-0 14. ♘e5 ♘b6 15. ♖h4 ♗d6 16. c4!? N [16. ♗a5 − 20/215; 16. f4; 16. ♔b1] c5□ [16... ♗e5 17. de5±○] 17. ♔b1!? [17. dc5 ♗e5 (17... ♕c5; 17... ♗c5) 18. cb6 ab6∞] ♖hf8!? [△ ♘fd7; 17... cd4 18. c5 ♗c5□ (18... ♗e5 19. cb6 ♕d6 20. ba7 ♔d7 21. ♕b5+−) a) 19. b4 ♖d5! (19... ♗d6 20. ♖c1 ♗e5 21. ♕e5 ♘c4 22. ♕c7 ♔c7 23. ♖c4+−) 20. ♘d3 (20. bc5? ♖e5 21. cb6 ♕b6) ♗d6 21. ♖c1 ♘c4 22. ♘f4 (22. ♘b2 ♘a3 23. ♔a1 ♘c2 24. ♔b1 ♘a3=) b5□ 23. ♘d5 ♘d5∞; 23... ed5∞; b) 19. ♖c1!? ♖d5 20. ♘d3± △ b4; 17... ♔b8!?] 18. dc5 ♗e5! [18... ♕c5 19. ♘d3→≪; 18... ♗c5±] 19. cb6 ab6 20. ♖c1!? ♖d4 [20... ♗g3 21. fg3 ♕g3 22. c5!→ △ 22... ♕h4 23. cb6 ♔d7 (23... ♔b8 24. ♕e5 ♔a8 25. ♕a5 ♔b8 26. ♕a7) 24. ♕b5 ♔e7 25. ♗b4+−] 21. ♖h3 [△ ♘f1, ♖a3↑≪] ♖d7? [21... ♗f4 22. ♘f1∞; 22. ♗f4!?] 22. ♘f1!± [△ ♖a3↑≪, ♟b6, b7] ♖fd8 23. ♖a3 [23. c5!? bc5□ 24. ♖a3 b6!□ (24... ♔b8 25. ♗a5 b6 26. ♗b6 ♕b6 27. ♖b3 ♕b3 28. ♕e5+−) 25. ♖a8 (25. ♕a6 ♕b7) ♔b7 26. ♕a6 ♔c6 △ ♔d6-e7] ♔b8□ 24. c5 ♖d5□ [24... ♗d4 25. cb6 ♕b6 26. ♗a5+−; 24... bc5 25. ♗a5+−] 25. cb6 ♕b6 26. ♖b3 ♕a7 27. ♗e3 ♗d4 28. ♕c4!?↑ [28. g4±] ♘e8 [×c7; 28... ♗e3 29. ♕c7! ♔a8 30. ♘e3+− (△ ♖a3) ♖5d7 (30... ♖8d6 31. ♖a3 ♖a6 32. ♕c8 ♕b8 33. ♖a6 ba6 34. ♕a6 ♕a7 35. ♖c8) 31. ♕c8 ♖c8 32. ♖c8 ♕b8 33. ♖a3; 28... ♖5d7!?±] 29. g4 [×h5] ♖5d7!? [△ ♖c7] 30. ♕b4 [△ ♖a3] ♗e3 31. ♘e3 ♕d4 32. ♕a5 ♕e4 33. ♔a1 ♖c7 34. ♖b1 ♖d6 35. a3⊕ ♖dc6 36. ♔a2 ♘d6 37. ♖d1 ♖c1 38. ♖bd3 ♘c8 [38... ♖d1 39. ♖d1±] 39. ♕b5 ♖7c6!? [39... ♖d1 40. ♖d1±] 40. ♖c1 ♖c1 41. ♖d7 ♘a7 [41... ♖c7 42. ♖c7!? (42. ♖d1±) ♔c7 43. ♕c5± △ ♕f8] 42. ♕a5 ♘c8 43. ♕d2!↑ [43. ♖f7 ♕b1 44. ♔b3 ♕d3 45. ♔a2 ♕b1=] ♕b1 [43... ♖c7 44. ♖c7 ♔c7 45.

♕c3 △ ♕g7] **44. ♔b3 ♖c6 45. ♘c2!** [45. ♖f7 ♖b6→; 45. ♘c4 ♖c4 46. ♔c4 ♘b6=⊥] **♘b6** [45... ♖b6 46. ♘b4 ×f7, ♖b6] **46. ♖d8!** [46. ♖f7 ♘c4⇆] **♔c7** [46... ♘c8!?±] **47. ♖f8! ♘d5 48. ♖f7 ♔b8!?** [48... ♔c8 49. ♘b4 △ 49... ♖c3 50. ♔a4+−] **49. ♘b4 ♖c3** [49... ♖b6 50. ♕d4!?; 50. ♖g7!?+−; 49... ♘b4 50. ♕b4+− △ 50... ♕d1 51. ♔a2 ♕d5 52. ♕b3] **50. ♔a4 ♖c4□** [△ 51... ♘b4 52. ab4 ♕a2 53. ♔b5 ♕a6#; 50... ♘b6 51. ♔b5+−] **51. ♔b5 ♕f1 52. ♘d3 ♖c6⊕ 53. ♖g7+− ♕g2** [53... ♖b6 54. ♔c5 △ ♔d4-e5] **54. ♖g8! ♔c7** [54... ♔a7!?] **55. ♘b4! ♕f1** [55... ♖b6 56. ♔a5; 56. ♔c5!?] **56. ♕d3 ♖b6 57. ♔a5 ♕e1 58. ♕h7 ♔d6 59. ♖d8 ♔e5 60. ♖d5 ed5 61. ♕f5 ♔d4** [61... ♔d6 62. ♕f6] **62. ♕d5#**

1 : 0 *Tivjakov*

123. B 19

HJARTARSON 2605 – V. BAGIROV 2495

Mariehamn/Österåker 1997

1. e4 c6 2. d4 d5 3. ♘d2 de4 4. ♘e4 ♗f5 5. ♘g3 ♗g6 6. ♘f3 ♘d7 7. h4 h6 8. h5 ♗h7 9. ♗d3 ♗d3 10. ♕d3 ♕c7 11. ♗d2 e6 12. 0-0-0 ♘gf6 13. ♘e4 0-0-0 14. g3 ♘c5 15. ♘c5 ♗c5 16. c4 ♖he8 17. ♗c3 ♗b6 [17... ♕e7!? 18. ♘e5 ♗b6 19. f4 ♘d7±; 17... ♘g4!? 18. ♕e2 ♗f8] **18. ♕c2!** [18. ♕e2] **♕e7** [18... c5 19. d5!] **19. ♘e5 ♘d7 20. ♘d3 N** [20. f4 ♘e5 21. de5 ♖d1 22. ♖d1 ♖d8 23. ♕e2±] **♘b8 21. ♖h4 f6 22. ♖e4** [22. ♘f4!? ♕f7 23. ♕g6±] **f5! 23. ♖h4 ♘d7 24. d5 ♘c5□** [24... ed5 25. cd5 c5 26. ♘f4±] **25. ♘c5 ♗c5 26. dc6 ♖d1 27. ♕d1 bc6 28. ♕f3 ♔b7 29. a3** [29. ♖h1!?] **♕g5 30. ♗d2 ♕f6 31. ♕b3 ♔a8 32. ♗c3 e5! 33. ♕c2** [33. f4 ♗d4!∓] **♗d4=⊕**

1/2 : 1/2 *V. Bagirov*

124.** !N B 20

BATSANIN 2300 – M. RÖDER 2460

Paks 1997

1. e4 c5 2. g3 [RR 2. b3 b6!? 3. g3 ♗b7 4. ♗g2 ♘f6 (4... f5!?) 5. ♘c3 g6 (5... e6) 6. ♗b2 ♗g7 *a)* 7. ♘ge2?! ♘e4! N (7... 0–0) 8. ♘e4 ♗b2 9. ♘d6 (9. ♖b1 ♗g7 10. ♘f6 ♗f6 11. ♗b7 ♘c6 12. ♗a8 ♕a8=∞) ed6 10. ♗b7 ♘c6 11. ♖b1 ♗g7 12. ♗a8 ♕a8 13. d3 (13. 0–0 ♘e5 14. ♘f4 ♘f3 15. ♔h1 ♘d2∓; 13. f4 ♘e5 14. ♖f1 ♘f3 15. ♔f2 ♘h2∓; 13. f3 ♘e5 14. ♘g1 0–0↑○) ♘e5 14. ♔d2 (14. 0–0 ♘f3 15. ♔h1 ♘d2∓) ♘f3! 15. ♔c1 0–0=∞↑ ×♔c1 Lopatskaja 2255 – Vi. Ivanov 2435, Moskva 1997; *b)* 7. ♘d5 0–0 8. ♘f6 ♗f6 9. ♗f6 ef6 10. ♘e2 d5!; *c)* 7. d3 0–0 8. ♘ge2 ♘c6 9. 0–0 e6 △ d5 Vi. Ivanov] **♘c6 3. ♗g2 g6 4. d3 ♗g7 5. f4 d6 6. ♘f3 e5** [RR 6... e6 7. 0–0 ♘ge7 8. c3 0–0 9. ♗e3 b6 10. ♘a3 ♗a6 11. ♗f2 ♕d7 12. ♖e1 ♖ac8 (12... b5?! 13. e5 △ 13... b4 14. ♘c4!±) 13. ♘c2 N (13. ♕d2 – 57/(157)) ♖fd8?! 14. ♕d2 (△ ♖ad1, d4) e5!? 15. ♖ad1⩲ (15. f5?! gf5?! 16. ♗h3; 15... d5!∞) ♗b7 16. f5! d5 (16... gf5?! 17. ♗h3↑ △ ♘h4) 17. g4 (17. ♕c1!?) de4 18. de4 ♕d2 19. ♘d2 ♗h6 20. ♘c4 ♖d1 21. ♖d1 f6 22. ♖d6! ♔g7 23. ♗h4 ♖f8 (Poluljahov 2510 – Doroškevič 2395, Novorossijsk 1997; 23... g5?! 24. ♗g3 △ 24... ♖d8 25. ♗e5!) 24. a4!±; 13... h6!? △ f5 Poluljahov] **7. c3 ♘ge7 8. 0–0 0–0 9. ♘a3 ♖b8 10. f5! N** [10. ♗e3 – 56/156] **gf5 11. ♘h4! fe4 12. de4 ♗e6 13. ♘f5 ♕d7?** [13... ♗f5 14. ef5 f6 15. ♗d5 ♘d5 (15... ♔h8 16. ♘c4 ♘d4! 17. ♗g2 ♘df5 18. ♕h5 d5 19. ♖f5 dc4 20. ♗e4 ♕e8 21. ♕h3 ♕d7 22. ♗e3 b6 23. ♖af1=∞) 16. ♕d5 ♖f7 17. ♘c4 ♗f8 18. a4=∞] **14. ♘g7 ♔g7 15. ♕h5! ♘g8?** [15... ♔h8□ *a)* 16. ♖f6 ♗g4! (16... ♘g8? 17. ♗g5!+−) 17. ♕h4 ♘g6 18. ♕h6 ♘ce7∞; *b)* 16. ♗h6 ♖g8□ 17. ♗g5 ♖g6 18. ♗f6 ♔g8 19. ♘c2±]

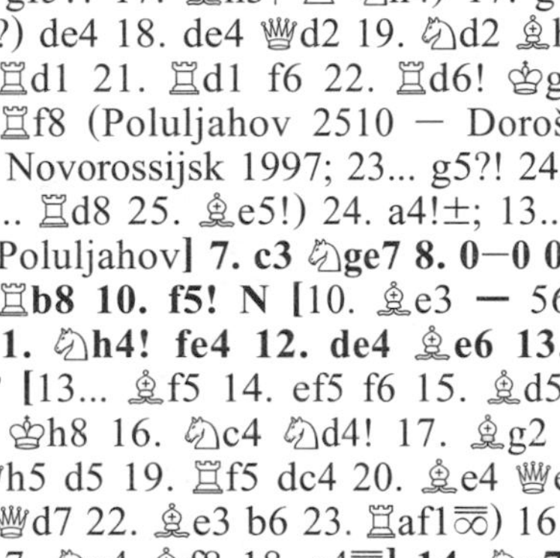

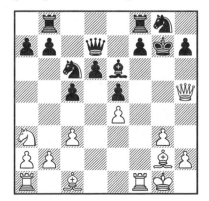

16. ♖f6!!+− ♘ce7 [16... ♔f6 17. ♕g5#;
16... ♘f6 17. ♕g5 ♔h8 18. ♕f6 ♔g8 19.
♗h6; 16... ♔h8 17. ♗g5 ♘ce7 18. ♖h6!;
16... ♕e7 17. ♗g5 ♔h8 18. ♖af1 b5 (18...
♗a2 19. ♗h3) 19. ♗h3!! ♗h3 (19... b4 20.
♖e6) 20. ♖f7 ♖f7 21. ♖f7 ♕f7 22. ♕f7;
16... ♕d8 17. ♗g5 ♗g4 18. ♕g4 ♘f6 19.
♕h4] 17. ♖h6! ♖fc8 [17... ♘h6 18. ♗h6
♔h8 19. ♕g5 ♘f5 20. ♕f6 ♔g8 21. ef5]
18. ♖h7 ♔f8 19. ♗g5! ♘g6 [19... ♘e8 20.
♗h3!? ♗h3 21. ♕f7 ♔d8 22. ♕g8 ♔c7
23. ♕f7] 20. ♖f1 ♔e8 21. ♖g7 ♘8e7 22.
♕h7 ♘f8 [22... ♔d8 23. ♗h3! ♗h3 24.
♖ff7] 23. ♕h8 b5 [23... ♕c7 24. ♗h3] 24.
♗h3! [24. ♗h6 ♔d8 25. ♖ff7 ♗f7 26.
♕f8 ♔c7 27. ♕f7 ♖e8 28. ♗g5+−] ♗h3
[24... ♖c7 25. ♗h6! ♕c8 26. ♖gf7] 25.
♖gf7 ♕e6 26. ♕f8 ♔d7 27. ♖e7 ♔c6 28.
♕f3 ♕a2 29. ♖d1 ♕b3 30. ♕d3 ♖d8 31.
♖h7 ♗g4 32. ♖d2 a6 33. ♖h6⊕ ♗e6 34.
♗d8 ♖d8 35. ♘c2 ♕a2 36. ♕f3 ♖d7 37.
♘e3 a5 38. ♔g2 b4 39. cb4 ab4 40. ♕f6
1 : 0   *Petronić*

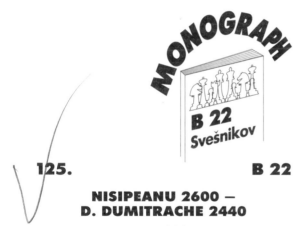

B 22
Sveŝnikov

125.   **B 22**

NISIPEANU 2600 −
D. DUMITRACHE 2440

România (ch) 1997

1. e4 c5 2. ♘f3 ♘c6 3. c3 d5 4. ed5 ♕d5
5. d4 ♘f6 6. dc5 ♕c5 7. ♘a3 ♗g4 8. ♕e2
♗f5 9. h3 ♘ge5 10. ♘e5 [10. ♗e3!? *a)*
10... ♕a5 11. ♘e5 ♕e5 (11... ♘e5 12. ♕b5
♕b5 13. ♘b5±) 12. ♕b5! 0-0-0 13. ♕e5
♘e5 14. ♗a7 ♘d3 15. ♗d3 ♗d3 16. 0-0-0±;
b) 10... ♘f3 11. ♕f3 ♕e5□ 12. 0-0-0±↑]
♕e5 11. ♕e5 ♘e5 12. ♘b5 ♖d8!? N [12...
♔d8] 13. ♘a7 ♘d3 14. ♗d3 ♗d3 15. a4!?
[15. ♗e3 g6⚐] e5 [15... g6 16. ♘b5 ♗g7
17. ♘c7±] 16. ♗e3 ♗e7 17. 0-0-0 0−0 18.

♖he1 ♖d5 19. ♘b5 ♖fd8 20. b3! [20. ♖d2
f5] f5 [20... ♗b5? 21. ab5 ♖b5 22. ♖d8
♗d8 23. ♖d1 ♗e7 24. b4!+−] 21. ♗b6?!
[21. c4! ♖b5 22. ♖d3! ♖d3 23. ab5 ♗b3 24.
♔c2 ♖a3 25. ♖d1 f4 26. ♗b6 e4 27. ♔b2
♖a4 28. ♖d7 ♔f8 29. ♖c7 ♗d6 30. ♗c5!±]
♗g5 22. ♔b2 ♖8d7 23. ♘c7 ♖5d6⚐ 24.
a5 ♗e4⊕ 25. ♖d6 ♖d6 26. g4!?⊕ [26. f3
♖d2 27. ♔a3 ♗e7 28. b4 ♗d3 29. ♔b3
♗c2 30. ♔c4 ♗d3=] ♗d2! [26... ♖d2 27.
♔a3 ♖c2 28. gf5 ♗e7 29. b4 ♖c3 30. ♔b2
♖c4 31. b5 ♗f5 32. ♖e5 ♗f6 33. ♔b3±]
27. ♖e2 ♖d3 [27... ♗f4 28. gf5 ♗f5 29.
c4! ♗h3 30. c5±; 27... ♗f3!? 28. ♖e5 fg4
29. hg4 ♗g4⚐] 28. ♘b5 ♗c6? [28... ♗f3?!
29. ♖e5 fg4 30. hg4 ♗g4 31. ♗d4 ♗d7 32.
♖e7! ♗b5 33. ♖g7 ♔f8 34. ♖b7±; 28...
♗f4! 29. gf5 (29. ♗e3?! ♗f3∓) ♗f5 30.
♗e3 ♗h3 31. ♗f4 ef4 32. ♘d4 ♗g2 33.
♔c2 ♖h3∞] 29. ♖e5± fg4 30. hg4 ♗f4 31.
♖f5 g5 32. ♗e3 [32. ♘d4!? ♗d7 33. ♖d5
♗g4 34. ♗c7!±] ♗d7 33. ♖c5 ♗g4? [33...
♗e3 34. fe3 h6 35. ♘d4 ♗g4 36. ♖c7±]
34. ♗f4   1 : 0   *Nisipeanu, V. Stoica*

126.*   **B 22**

KARAKLAJIĆ 2380 −
B. ALTERMAN 2615

Beijing (open) 1997

1. e4 c5 2. c3 d5 3. ed5 ♕d5 4. d4 ♘f6 5.
♘f3 ♗g4 6. ♗e2 e6 7. h3 [RR 7. 0−0 ♘c6
8. h3 ♗h5 9. ♗e3 cd4 10. cd4 ♗e7 11.
♘c3 ♕d6 12. ♕b3 ♕b4 13. g4 ♗g6 14.
♘e5 0−0 15. g5 ♕b3 16. ab3 ♘d5 17.
♘d5 ed5 18. ♖fc1 ♘e5 N (18... ♗f5) 19.
de5 d4! 20. ♗d4 ♗g5 21. ♖c7 ♗e4 (21...
♖fd8 22. ♖a7 ♖a7 23. ♗a7 ♗f4 24. ♗d4
♗f5 25. ♖b7 ♗h3 26. ♗c3 ♖a8 27. f3
♗g3 28. ♗f1 ♗e6 29. ♗c4 ♗h3 30. ♗a5
♗e6 31. ♗e6 fe6 32. ♗c3±; 21... ♗f5 22.
♖b7 ♗h3 23. ♗c4 a5 24. ♗c3± Danil'uk]
22. e6!? ♗d8□ 23. ♖f7 ♖f7 24. ef7 ♔f8
25. ♗c4 ♔g6= Danil'uk 2425 − Petrušin
2425, Rossija 1997] ♗h5 8. ♗e3 cd4 9.
cd4 ♗b4 10. ♘c3 0−0 11. 0−0 ♕a5 12.
♕b3 ♘c6 13. ♖ac1!? N [13. ♖fd1
63/(122)] ♖fd8 14. ♖fd1 ♖ac8 15. a3 ♗c3
16. ♖c3!? [16. bc3 ♕c7 17. c4 ♘a5 18.

♕a2 ♗f3 *a)* 19. ♗f3 ♘c4 20. ♗b7 (20. ♗e2 b5∓) ♕b7 21. ♖c4 ♖c4 22. ♕c4 ♖c8∓; *b)* 19. gf3 b6∞] ♘d5 17. ♖c5 ♕c7 **18. g4!** ♗g6 [18... ♘e3 19. ♕e3 ♗g6 20. ♘e5 ♕b6 21. ♘c6 ♖c6 22. b4 ♖cd6 23. ♗f3±] **19. ♘e5 f6 20. ♘c6 bc6 21. ♗f3 ♖b8 22. ♕c4 ♖b2** [22... ♘e3 23. ♕e6] **23. ♖c6 ♕d7 24. ♖c1 h5?!** [△ 24... h6] **25. ♖c8 ♔h7 26. ♖d8 ♕d8 27. gh5! ♗f5 28. ♗d5! ed5** [28... ♕d5 29. ♕d5 ed5 30. ♖c7] **29. ♕c7 ♕c7□ 30. ♖c7±** [♖ **9/j**] **♔g8 31. ♖a7 ♗e4** [△ 31... ♗h3] **32. ♖c7 ♖a2 33. ♗c1 ♗f3 34. h6! gh6 35. ♖c3 ♗e4 36. ♗h6±** ♔h7 **37. ♗c1 ♔g6 38. ♖c7 ♔f5 39. ♖c6 ♔g6 40. h4 ♔h5 41. ♖f6 ♖a1 42. ♖c6 ♔h4 43. ♖c3 ♔g4 44. ♔h2 ♗f3 45. ♖c8 ♗e4 46. ♖c3 ♗f3 47. ♔g1 ♗e4 48. ♔f1! ♗f3 49. ♖c8 ♔h5** [49... ♗e4 50. ♔e2 ♖a2 51. ♔e3 △ f3; 49... ♖a2 50. ♖g8 ♔h4 (50... ♔f5?? 51. ♖f8 ♔e4 52. ♖f4+−) 51. ♖g3! ♗e4 (51... ♗e2 52. ♔g2 ♖c2 53. ♗g5 ♔h5 54. ♗e7+−; 51... ♖a1 52. ♖f3 ♖c1 53. ♔g2+−) 52. ♗g5 ♔h5 53. ♗e7+−] **50. ♔e1 ♔g6** [50... ♖a2 51. ♖h8 ♔g4 52. ♖g8 ♔h5 53. ♖g5! ♔h4 54. ♖g3 ♗e4 55. ♗g5 ♔h5 56. ♗e7+−] **51. ♔d2 ♔f7 52. ♔e3 ♗g2 53. f3+−** ♗f1 **54. ♗b2! ♖e1 55. ♔f4 ♗c4 56. ♗c3 ♖f1 57. ♗b4 ♗e2 58. ♔e3 ♗d1 59. ♖f8 ♔e6 60. ♗c5 ♔d7 61. ♖f6! ♔c7 62. f4 ♗c2 63. ♔d2 ♗a4 64. ♔c3 ♖c1 65. ♔d2 ♖f1 66. ♗d6 ♔b7 67. ♗e5 ♖f3 68. ♖f7 ♔c6 69. f5 ♗b5 70. f6 ♖f2 71. ♔c3 ♖f3 72. ♔b4 ♗e2 73. a4! ♗d1** [73... ♔b6 74. a5 ♔a6 75. ♗b8] **74. ♔a5** **1 : 0**

A. Simonović, Karaklajić

127.   B 22

KVEINYS 2555 – ŠIPOV 2575
Ålborg 1997

1. e4 c5 2. c3 d5 3. ed5 ♕d5 4. d4 ♘f6 5. ♘f3 ♗g4 6. ♗e2 e6 7. h3 ♗h5 8. c4 ♕d8 9. ♕b3?! cd4 10. ♕b7 ♘bd7 11. ♘d4 [11. 0−0 ♗c5∓⊞] **♖b8 12. ♕a6 ♗b4 13. ♘c3 0−0** [13... ♗e2] **14. ♘c6** [14. ♗h5? ♘c5 15. ♕a7 ♕d4 (△ ♘d3) 16. ♗f7 ♔h8 17. 0−0 ♖b7−+] **♖b6 15. ♘d8** [15. ♕a4 ♗c3 (15... ♘c5? 16. ♕b4!) 16. bc3 *a)* 16...

♕a8? 17. ♗h5 (17. ♘e7? ♔h8 18. ♗h5 ♕g2 19. ♖f1 ♕h3−+) ♕c6 (17... ♘h5 18. ♘e7 △ ♕d7) 18. ♕c6 ♖c6 19. ♗e2=; *b)* 16... ♘c5! 17. ♘d8 ♘a4 18. c5□ ♘c5 19. ♗a3 (19. ♗e3 ♖b2! 20. ♗h5 ♘d3∓) ♘fe4 20. f3 (20. ♗h5 ♘d3 21. ♔e2 ♖d8∓) ♖d8 21. fe4 ♗e2∓] **♖a6 16. g4** [16. ♘b7 ♖b6; 16. ♗h5 ♘h5−+ ✕♔d8] **♖d8** [16... ♗g6? 17. c5 ♖a3!? 18. ♘c6 ♖c3 19. ♘e7! ♔h8 20. ♗d2∞] **17. gh5 ♘e4 18. ♗d2** [18. 0−0!?] **♗c3 N** [18... ♘d2!? 19. ♔d2 ♘e5 20. ♔c2 (20. ♔c1) ♘c6 21. ♗d1! (21. ♖hd1 ♘d4 22. ♔d3 ♗c3 23. bc3 ♖a3→) ♘d4 22. ♔b1 ♖c6 23. ♗b3∓] **19. ♗c3** [19. bc3 ♘d2 20. ♔d2 ♘c5 21. ♔c2 ♘e4 22. ♖hd1 ♖d1 23. ♖d1 g5!∓] ♘c3 **20. bc3 ♘c5∓** [✕a2, c3, c4, h5] **21. 0−0** [21. ♖g1!?] ♔f8 **22. ♖fb1** [22. h6!?] **♖a3 23. ♖b5 ♖c8! 24. ♗f1** [24. h6] **h6** [✕h5] **25. ♖b2 ♖c3 26. ♖ab1 ♘e7 27. ♖b8 ♖c7 28. ♖g8 ♔f6 29. ♖bb8 ♖a3 30. ♖bc8 ♖c8 31. ♖c8 ♘e4 32. c5** [32. ♗g2 ♘d6 33. ♖c6 ♘f5 △ ♘d4] **♖a2 33. ♗g2 ♘c3** [33... ♘f2? 34. c6 ♘d3 35. c7 ♖c2 36. ♖d8=] **34. ♗f3** [34. c6 ♖c2 △ 35. c7 ♘b5] ♖c2 **35. c6 ♘b5−+ 36. ♔g2 ♖c3 37. ♖d8 a5 38. ♖d7** [38. ♖a8 ♘d4 39. ♗e4 a4 40. ♖a4 ♘c6−+ ✕h5] **♖c5 39. ♗e4 a4 40. ♗d3⊕ ♘c3 41. ♗h7 ♘d5 42. ♖a7** [42. ♗g8 ♘e7] **♖c6 43. ♖a4 g6!** [✕♗h7] **44. hg6 fg6 45. ♖a8 ♖c7!** [45... ♘e7 46. ♖a7 △ 47. ♖e7 ♔e7 48. ♗g6] **46. ♗g8 ♘e7 47. h4 h5 48. f4 ♖c8** **0 : 1**   *Šipov*

128.   B 22

RO. PÉREZ 2385 – C. LÓPEZ 2400
Cienfuegos III 1997

1. e4 c5 2. c3 ♘f6 3. e5 ♘d5 4. d4 cd4 5. ♕d4 e6 6. ♘f3 ♘c6 7. ♕e4 ♕c7 8. ♗c4 ♘de7 9. ♗f4 ♘g6 10. ♗g3 b6!? [10... a6 − 66/117] **11. 0−0 N** [11. ♘bd2 ♗b7 12. ♕e2 ♗e7** [12... d6!? 13. ed6 ♗d6 *a)* 14. ♗e6!? ♗g3 (14... fe6 15. ♕e6+−; 14... 0−0 15. ♗b3 ♖fe8 16. ♕c2±) 15. ♗f7 (15. ♗d5? ♗e5 16. ♗c6 ♗c6 17. ♘e5 ♕e5 18. ♕e5 ♘e5 19. ♖e1 0-0-0−+; 15. ♗c8 ♗e5 16. ♗b7 ♕b7 17. ♘e5 ♘ge5 18. f4 0−0 19. fe5 ♖fe8 20. ♘d2=) ♔f7 16. fg3∞ △

♘g5, ♕c4; *b)* 14. ♘bd2=] **13. ♘bd2 0−0
14. ♗d3!** [△ ♘c4, △ ♗g6, ♘e4±; 14.
♖ad1!?] **d6 15. ed6 ♗d6 16.** ♘g5!? ♗g3
[16... ♘ce5? 17. ♕h5 h6 18. ♘e6!±] **17.
hg3 ♕e5?!** [17... ♕d8!= △ 18. ♕h5? h6
✕♘g5, ♗d3] **18. ♕h5 h6 19.** ♘df3 ♕f6□
[19... ♕c5 20. b4! ♕c3 (20... ♕e7 21. ♗g6
fg6 22. ♕g6 hg5 23. ♘g5+−; 20... ♕d5
21. ♗e4 ♕b5 22. a4+−; 20... ♕d6) 21.
♗g6 fg6 22. ♕g6 hg5 23. ♘g5 ♖f6 (23...
♖fe8 24. ♕f7+−) 24. ♕h7 ♔f8 25. ♕h8
♔e7 26. ♕g7] **20. ♘f7!? ♔f7 21. ♖ae1!**
[21. ♗e4 (△ ♘h4) ♖ab8□ 22. ♖ae1 (22.
♖fe1 ♘ce7! ✕f2) ♗a6 (22... ♔g8 23. ♕g6
♕g6 24. ♗g6 ♗a6 25. ♖e6 ♗f1 26. ♖c6∞)
23. ♗c6 ♗f1 24. ♔f1 (△ ♗e4-g6+−) ♔e7
(24... ♕f5? 25. ♕f5 ef5 26. ♗d5 ♔f6 27.
♖e6 ♔f7 28. ♖b6 ✕♘g6; 24... ♔g8 25.
♖e6 ♕e6 26. ♗d5 ♕d5 27. ♕d5 ♔h7±)
25. ♗e4 ♘h8 26. ♗d5∞] ♘ce7? [21...
♖ad8 22. ♗e4 △ ♗c6, ♘e5; 21... e5 22.
♗e4 ♖fe8 23. ♘h4; 21... ♖ab8 22. ♖e3!
(△ 23. ♗e4, 23. ♖fe1; 22. ♗e4 − 21.
♗e4) e5 (22... ♖fd8 23. ♗e4) 23. ♗e4
♖fe8 24. ♘h4 ♘ce7 25. ♖f3; 21... ♔g8!□
a) 22. ♗g6 ♗a6 23. ♗e4 ♖ac8 (23... ♗f1?
24. ♗c6 ♖ac8 25. ♗d7±) 24. ♗c6 ♖c6∓
✕♖f1; *b)* 22. ♕g6 ♕g6 23. ♗g6 ♗a6 24.
♗e4 ♖ac8 25. ♗c6 ♖c6 26. ♘e5 ♖cc8 27.
c4 ♗c4 28. ♘c4 ♖c4 29. ♖e6 ♖c2 30. ♖e7
♖f7∞] **22. ♗g6 ♘g6 23.** ♘e5 ♔g8 24.
♘g6 ♖fd8 [24... ♕f7 25. ♕g4; ◌ 24...
♖fe8 25. ♘e5±] **25.** ♘f4 ♖e8 [25... ♗a6?
26. ♖e6 △ ♖fe1; 25... ♖d6 26. ♖e3±] **26.
♖e3 e5 27. ♖fe1± g5 28.** ♕g4! ♖ad8 [28...
♔h7 29. ♘h5 ♕c6 30. ♕f5 △ f3+−; 28...
♔h8 29. ♕d7! ♗c6 (29... ♖e7? 30. ♕e7;
29... ♕g7 30. ♘g6 ♕g6 31. ♕b7+−) 30.
♘d5!+−] **29. ♘h5 ♕c6 30.** ♕e4?⊕ [30.
f3±] **♕e4 31.** ♘f6 ♔f7 **32.** ♘e4 ♗e4 **33.**
♖e4 ♖d2 **34.** ♖1e2 ♖e2 **35.** ♖e2 ♖d8⊕
[35... ♔f6 36. ♖d2] **36. f3 ♔f6 37. ♔f2**
♖d3? [37... ♖d1 38. g4 b5±] **38. ♔e1** [△
♖d2+−] **♖d6 39.** ♖d2 [39. g4! △ ♖d2,
♔e2-e3] **♖c6 40. g4** [40. ♔e2] **e4! 41.** ♖d5
[41. fe4 ♔e5 △ 42... ♔f4, 42... ♖f6] **ef3
42. gf3 ♔e6 43.** ♖d4 ♔e5 **44.** ♔d2 h5?
[44... b5?! 45. a4 a6 46. a5±; ◌ 44... ♖f6]
45. ♖e4 ♔f6 [45... ♔d5 46. c4 ♔c5 47.
gh5] **46. gh5+−** ♔f5 **47.** ♖e7 ♖h6 **48.** ♖a7

♖h5 **49. ♔e3** ♖h2 **50. b3** ♖c2 **51. c4** ♖c3
52. ♔e2 ♖c2 **53. ♔d3** ♖f2 **54. ♔e3** ♖c2
55. ♖d7   **1 : 0**   *Nogueiras*

129.** !N   B 22

ROZENTALIS 2650
− I. SOKOLOV 2615

Malmö 1997

1. e4 c5 2. c3 ♘f6 **3. e5** ♘d5 **4.** ♘f3 e6
[RR 4... d6 5. d4 cd4 6. ♕d4 e6 7. ed6
♕d6 8. ♗d3! N (8. ♗b5 − 66/(119)) ♘c6
9. ♕e4 ♗e7 10. 0−0 (And. Tzermiadianos
2420 − Pountzas 2265, Aegina 1997) ♘f6
11. ♕e2 0−0 12. ♘bd2± And. Tzermiadi-
anos] **5. d4** [RR 5. ♗c4 ♘b6 6. ♗b3 d6 7.
d4 cd4 8. cd4 de5 9. ♘e5 ♘c6 10. ♘c6 bc6
11. 0−0 c5 (11... ♗e7 − 69/126) 12. dc5! N
(12. ♗e3) ♗c5 (12... ♕d1?! 13. ♗d1! ♗c5
14. ♗f3 ♘d5 15. ♘c3 ♗b7 16. ♘d5 ♗d5
17. ♗d5 ed5 18. ♖d1 ♖d8 19. ♗f4 △
♖ac1±↑) 13. ♕c2! (✕h7, ♗c5, ⇔d) ♕e7□
14. ♘c3 0−0 15. ♘e4 ♗d4 16. ♖d1 ♖d8
(16... e5 17. ♗g5!±) 17. ♘g5 g6 18. ♕e4!
(And. Tzermiadianos 2420 − K. Nikolaidis
2325, Aegina 1997) ♗f6 19. ♖d8 ♕d8 20.
♕h4 h5 21. ♕g3± And. Tzermiadianos]
cd4 6. cd4 b6 7. ♘c3 ♘c3 **8. bc3** ♕c7 **9.**
♗d2 ♗b7 **10. ♗d3 d6 11. 0−0** ♘d7 **12.**
♖e1 de5 **13. de5** ♗e7 **14.** ♘d4 [14. ♘g5!?]
♘c5! N [14... a6; 14... 0-0-0] **15. ♗c2** [15.
♗b5 ♔f8 16. ♕h5 ♖d8∞] **h5! 16. a4 a6
17. ♕e2 ♖d8 18. ♖ab1 g5!**∓↑ [△ ♖d5,
♘d7 ✕e5] **19. f3 ♖d5 20.** ♕c4 ♗d8 [20...
♖e5 21. ♖e5 ♕e5 22. ♖b6] **21. f4 gf4 22.**
♗f4 ♖g8 **23.** ♖e2 ♗g4 **24.** ♖f1 ♗g5! [24...
♖f4 25. ♖f4 ♖e5∞] **25. ♗g5 ♖g5 26.** ♘f3
♖g4∓ **27. ♕a2** ♘d3 [27... ♖e5? 28. ♘e5
♕e5 29. ♗f5!] **28. ♗d3 ♖d3 29.** ♘e1 ♕c5
30. ♖ef2 ♖e3 **31. ♕d2** ♖g7 **32. ♔h1**
♕c3−+ **33. ♕c3 ♖c3 34. ♖b2** ♖c1 **35.**
♔g1 ♖c6?⊕ [35... ♗d5 36. ♖b6□ ♗c4
37. ♖c6 ♖g2!−+] **36. h3 ♖g5?** [36... a5!?
37. ♘f3 ♖c4 38. ♖b6 ♗d5; 36... ♔d8 37.
♖bf2 ♖c1 38. ♗f7 ♖f7 39. ♖f7 ♗c6 (39...
♖e1? 40. ♔f2) 40. ♔f2 ♗a4] **37.** ♘f3 ♖g6
[37... ♖f5 38. ♖fb1] **38. ♔h2 ♔f8 39.**
♖ff2∓ a5!? **40.** ♘d4 ♖c4 **41.** ♘b5 [41.
♖b6 ♗d5 42. ♘b5 ♖f4∓] ♖a4 **42.** ♘d6

&d5 43. ♖f7 [43. ♖b6 ♖f4] ♔g8 44. ♖ff2
♖b4 45. ♖bc2 a4! 46. ♖c7 [46. ♖f7 ♖g7
(46... ♖c4? 47. ♖cf2) 47. ♖f6 a3] a3! 47.
♘e8 ♖f4 48. ♖fc2 a2 49. ♖a7 ♖f7! [49...
♖f1? 50. ♘f6 ♖gf6 51. ef6 a1♕? 52.
♖c8♯] 50. ♖a6 ♖f1−+ 51. ♖ca2 ♗a2 52.
♖a2 ♖g5   0 : 1   *I. Sokolov*

130.   B 22

JOEL BENJAMIN 2580
− BROWNE 2530

USA (ch) 1997

1. e4 c5 2. c3 ♘f6 3. e5 ♘d5 4. ♘f3 ♘c6
5. ♗c4 ♘b6 6. ♗b3 d5 7. ed6 ♕d6 8. 0−0
♗e6 9. ♘a3 ♗b3 10. ♕b3 ♕d5 11. d4
cd4 12. ♘b5 ♖c8 13. ♘fd4 ♘d4 14. ♘d4
e6 15. ♖d1 ♗c5 16. ♕b5 ♔e7 17. ♕e2
♖hd8 18. ♗e3 ♕e5 19. ♕g4 h5 N [19...
♔f8 20. ♗f4 ♕d5□ (20... h5) 21. ♘b3→]
20. ♕h4 f6 21. ♘f3! ♖d1 [21... ♕f5 22.
♗c5 (22. ♖d8 ♖d8 23. ♕g3±) ♕c5 23.
♕e4±] 22. ♖d1 ♕f5 23. ♗c5 ♖c5 24. ♕g3
♔f7 25. ♕b8± ♕c2 26. ♕b7 ♔g8 27. ♖e1
♕b2 28. ♕a7 ♖c3 29. ♕e7 [29. ♖e6 ♖c1
30. ♘e1 ♕d2 31. ♖e8 (31. ♕e7 ♕d7!)
♔h7 32. ♕e7] e5! 30. ♕e8 [30. ♘e5 fe5
31. ♕e8 ♔h7 32. ♕h5 ♔g8 33. ♕e8 ♔h7
34. ♕e5! ♖c1!=] ♔h7 31. ♕h5 ♔g8 32.
♕e8 ♔h7 33. ♕e6 ♖c1 34. h3 ♖e1 35.
♘e1 [♕ 8/c] ♕b1 36. ♔h2 ♘a4 37. ♘f3
♘c3 38. a3 [38. ♕b3 ♕c1→≫] ♕b2 39.
♕f5 ♔g8 40. ♕c8 ♔h7 41. ♕f5 ♔g8 42.
♘h4 ♕a3 43. ♕e6 ♔h7 44. ♕f7 ♕c1
[44... ♕b4 45. ♘g6 ♘d5 46. ♘f8 ♔h8 47.
♘e6 ♕e7=; 44... ♕a4 45. ♘g6 ♔h6=] 45.
♕g6 ♔g8 46. ♕e8 ♔h7 47. ♕g6 ♔g8 48.
♕e8 ♔h7 49. ♘g6 ♔h6?? [49... ♕g5□
50. ♘f8 ♔h6 51. ♘e6 ♕g6 (51... ♕f5 52.
♕d7+−) 52. ♕c8 (52. ♕h8 ♔h7 53. ♕c8
♘e4 54. ♕c1 g5=) ♘e2 53. ♕c4 ♘f4 54.
♘f4 ef4 55. ♕f4±] 50. g4! ♕g5 [50... ♔g5
51. ♕h8+−] 51. ♘e7+− ♕f4 52. ♔g1
♘e2 53. ♔f1 ♘g3 [53... ♕c1 54. ♔e2 ♕c4
55. ♔f3 ♕f4 56. ♔g2 ♕e4 57. ♔h2 ♕f4
58. ♔g1 ♕c1 59. ♔g2] 54. ♔g2 ♔h7 55.
♕g8 ♔h6 56. ♕h8 ♔g5 57. ♕g7 ♔h4 58.
♘g6   1 : 0   *Joel Benjamin*

131.   B 22

J. WALLACE 2350
− G. WEST 2425

Australia 1997

1. e4 c5 2. c3 ♘f6 3. e5 ♘d5 4. d4 cd4 5.
♘f3 ♘c6 6. ♗c4 ♘b6 7. ♗b3 d5 8. ed6
♕d6 9. 0−0 ♗e6 10. ♘a3 ♗b3 11. ♕b3 e6
12. ♘b5!? ♕d8?! [12... ♕d7! 13. ♗f4!?
(13. ♘a7; 13. ♖d1) ♘d5 14. ♗g3; 12...
♕b8 (△ 13. g3 ♕d8) 13. ♘fd4] 13. ♗f4 N
[13. ♖d1] ♘d5 14. ♗g3 a6 [14... dc3 15.
♖ad1!→ △ bc3, c4, △ ♖d5] 15. ♘bd4 [15.
♘c7 ♘c7 16. ♕b7 ♘a5 17. ♕c7 dc3 18.
♕d8 (18. ♕c3 ♖c8!) ♔d8 19. ♖fd1 ♔c8?!
20. ♖ac1±; 19... ♔e8=] ♘a5 [15... ♗e7 16.
♘c6 (16. ♕b7?? ♘a5−+) bc6 17. ♕a4±]
16. ♕c2! [16. ♕a4 b5 17. ♕c2] ♗e7?! [16...
♖c8±; 16... ♗c5!? 17. ♕a4!? ♕d7! (17...
b5? 18. ♘b5!+−; 17... ♔e7?! 18. ♗h4→)
18. ♕a5 b6 19. ♘e5 ba5 20. ♘d7∞] 17.
c4! [17. ♘e5?! ♖c8!] ♘b6 [17... ♘f6 18.
♕a4! (18. ♖ad1) ♘d7 (18... ♔f8 19.
♖ad1→) 19. ♖ad1→] 18. c5!± [18. ♖ad1
♕c8 19. b3±] ♘d7 [18... ♖c8 19. b4 ♘c6
20. ♘c6 ♖c6 21. ♘e5 ♖c8 (21... ♖c7 22.
♘c4!+−) 22. ♖ad1 ♘d5 23. ♕a4 ♔f8 24.
♘d7 ♔g8 25. ♘b6 ♖c6 26. ♘d5 ed5 27.
♕b3+−; 18... ♘d5 19. ♕a4 ♔f8 20. ♘e5
♗f6 21. b4?! ♗e5 22. ♗e5 ♘c4; 21.
♖ad1±; 18... ♘c8±] 19. b4 ♘c6 20. ♘c6
bc6 21. ♘d4 ♗f6

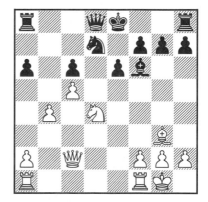

22. ♘c6 [22. ♖ad1! ♗d4 (22... ♕c8 23.
♕e4 ♗d4 24. ♕d4 ♘f6 25. ♗e5±) 23. ♖d4
♕c8±] ♕c8 23. ♕a4 ♗a1 24. ♖a1 ♕b7!□
25. ♗d6 [△ 26. ♘d4 ♕d5 27. ♖d1+−→]

♕b5□ 26. ♕b5 ab5 27. ♘d4 ♘f6 28. ♘b5 ♘d5 29. a3!? [△ ♖d1-d3+−; 29. ♘c7?! ♘c7 30. ♗c7 ♔d7 31. ♗b6 ♖a4⇆; 29. c6 ♖a4 30. a3±] ♘b4! 30. ♘c7 ♔d7 31. ♘a8 ♖a8 32. g3 [32. ♗e5!?] ♘c2! [32... ♘c6 33. ♖b1 ♖a7 34. ♖b3±] 33. ♖b1 ♖a7 34. ♔g2? [34. ♗b8 ♖a8!□ (34... ♖a3 35. ♖b7 ♔c8 36. c6+−) 35. ♗e5 f6 36. ♖b7 ♔c6 37. ♖c7 ♔d5 38. ♗d6 ♖a3⇆ △ 39. ♖g7 ♖a1 40. ♔g2 ♘e1 41. ♔h3 (41. ♔f1 ♘c2 42. ♔e2 ♘d4 43. ♔e3 ♖a3 44. ♔f4 h5−+) ♖a2!; 34. ♗f8! g5 (34... g6!?) 35. c6! ♔c7□ a) 36. ♗c5 (△ ♖c1+−) ♖a4!□; b) 36. ♖d1 ♔c8!□⇆ (×c6, a3) 37. ♗c5 (△ 38. ♖c1+−, 38. ♗b6+−) ♖a5□ 38. ♗b6 ♖d5] ♘a3 35. ♖b8 ♘c4 36. ♖g8 ♘d6 37. cd6 g6 38. ♖g7 ♔d6 39. ♖h7 e5 40. h4 1/2 : 1/2 ___ *J. Wallace*

132.* !N ___ B 23

MI. ADAMS 2680
− LAUTIER 2660

Tilburg 1997

1. e4 c5 2. ♘c3 e6 [RR 2... d6 3. f4 g6 4. ♘f3 ♗g7 5. ♗b5 ♗d7 6. a4 ♘c6 7. 0−0 (7. d3 − 41/(151)) e6 N (7... ♘f6) 8. ♗c6 ♗c6 9. d4 ♘f6 10. d5 ed5 11. ed5 ♗d7 12. ♖e1 ♔f8 13. b3 h6 14. ♗b2 a6 15. a5 ♔g8 16. ♕d2 ♗g4 17. ♖f1 ♔h7 18. ♘e5 ♗e8 19. ♘g4 ♘g4 20. ♘a4 ♗b2 21. ♘b2 ♕h4 22. g3 ♕f6 23. ♘c4 h5 24. ♖ae1 ♘h6 25. ♔g2 ♘f5= Ivančuk 2725 − Topalov 2745, Dortmund 1997] 3. f4 d5 4. ♘f3 de4 5. ♘e4 ♗e7 [5... ♘c6 − 59/177; 5... ♘f6] 6. d4! N [6. g3; 6. b3; 6. ♗b5; 6. ♗c4] cd4 [6... ♘f6 7. ♘c5 ♗c5 8. dc5 ♕a5 9. ♗d2 ♕c5 10. ♗d3±] 7. ♕d4 ♕d4 8. ♘d4 a6 [8... ♘f6 9. ♘f6 ♗f6 10. ♘b5±] 9. ♗e3 [△ 9. g3! ♘f6 10. ♗g2 ♘bd7 11. ♗d2!] ♘d7 10. g3 [10. ♗e2] ♘gf6 11. ♗g2 [11. ♘f6 ♘f6 12. ♗g2 ♘d5!?] ♘e4 12. ♗e4 ♘c5 [12... ♘f6] 13. ♗f3 ♗d7 14. 0-0-0 ♖c8 [△ 14... 0-0-0 15. ♖he1 ♖he8 16. ♗d2 ♔c7!] 15. ♖d2 ♖c7 [15... 0−0 16. ♘f5 ef5 17. ♗c5 ♗c5 18. ♖d7±] 16. ♖hd1 ♘a4 [16... 0−0 17. ♘b3!] 17. ♘e2 [△ ♗d4] ♗b5? [17... ♗f6 18. b3! ♘c3 19. ♘c3 ♖c3 20. ♖d3 △ ♗b6±; 17... ♗c5 18. ♗c5 ♘c5 19. ♘c3! △ b4±; 17... ♗b4! 18.

---

c3 ♗c5 19. ♗c5 ♘c5 20. c4 ♔e7 21. ♘c3 ♖hc8 22. b3±] 18. ♗d4± f6 [18... 0−0 19. ♗e5 ♖c5 20. ♗b7; 20. ♗d6!?] 19. b3 ♗b4? [△ 19... ♘c5 20. ♗c5 ♗e2! 21. ♖e2 ♗c5 22. ♗d5! ♔f7 23. ♗e6 ♔g6 24. c4±] 20. ba4 ♗d2 21. ♖d2 ♗a4 22. ♘c3! [22. ♗b6 ♖d7 23. ♘d4 ♔f7±] ♗c6 [22... ♖d7 23. ♘e4 ♗c6 (23... 0−0 24. ♗b6) 24. ♗h5] 23. ♗h5! [23... ♔f8 24. ♗c5; 23... g6 24. ♗f6 ♖f8 25. ♗e5 ♖d7 26. ♗e2] ___ 1 : 0 ___ *Mi. Adams*

133. ___ B 23

MARCINKEVIČIUS − VIGNERON

corr. 1996/97

1. e4 c5 2. ♘c3 ♘c6 3. f4 e6 4. ♘f3 d5 5. ♗b5 ♘ge7 6. ♕e2 de4 7. ♘e4 a6 8. ♗c6 ♘c6 9. b3 ♗e7 [9... ♘d4 10. ♘d4 ♕d4 11. ♖b1 f5 12. ♘g5±] 10. ♗b2 0−0 11. ♘eg5!? N [Bandza; 11. 0−0; 11. 0-0-0] ♘b4!? [11... ♗f6 12. ♕e4 g6 13. ♗f6 ♕f6 14. ♘e5 ♘e5 15. ♕e5 ♕e5 16. fe5±; 11... h6 12. h4 hg5 13. hg5 f5 (13... f6 14. g6 △ ♘e5, ♖h8+−) 14. g6 (14. ♘e5!?) ♖e8□ 15. ♘e5 (15. ♖h7!?) ♗h4 16. g3 ♘e5 17. ♗e5 ♗f6 18. ♕h5 ♔f8 19. 0-0-0→] 12. 0-0-0! ♘a2 13. ♔b1 ♘b4 14. h4 [△ 15. ♘h7! ♔h7 16. ♕e5! (16. ♘g5 ♔h6∞) f6 17. ♕h5 ♔g8 18. ♘g5 fg5 19. hg5+−] h6 [14... e5!?] 15. ♘e5 [15. ♕e4!? f5 16. ♕e2 ♗f6 17. ♘e5∞] ♕e8 [15... f6 16. ♘g6 (16. ♕e4!?) ♖e8 (16... fg5? 17. hg5 hg5 18. ♕h5) 17. ♘e6 ♗d6 18. f5; 15... a5 16. ♕h5 ♕e8 17. ♘g4] 16. ♘g4 ♕c6 [16... f6 17. ♕e4 fg5 (17... hg5 18. hg5 f5 19. ♕e5 ♕g6 20. ♘h6+−) 18. hg5 h5 19. ♘h6 gh6 20. gh6 ♖f5 21. g4+−; 16... f5 17. ♕e5; 16... ♘d5 17. ♘h6 gh6 18. ♕h5 (18. ♕d3? f5 19. ♘e6 ♖f6!!) f6 19. ♕h6 ♖f7 20. c4!?↑]

(diagram)

17. ♗g7!? [17. ♘h6? gh6 18. ♕h5 e5!; 17. ♖h3!? △ ♘h6] ♔g7 18. ♘e5 ♕c7? [18... ♕b5!] 19. c3 [19. ♘e4 ♕a5 (19... ♗d7 20. ♕g4 ♔h7 21. ♘g5 ♗g5 22. hg5 ♕a5 23. g6 ♔g7 24. gf7 ♔f6 25. ♕h4 ♔f5 26. g4 ♔e4 27. ♖he1 ♔d5 28. ♕h1 ♔d6 29. ♘c4+−) 20. ♘c3 c4 21. ♘c4 ♕c7 22. ♖h3 ♗d7 23. ♖g3 ♔h7 24. ♕h5 ♗c6∓] ♘c6

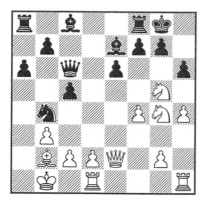

[19... ♕a5 20. cb4 ♕a3 21. ♕d3!; 19... ♗d7!? *a)* 20. ♕g4 hg5 21. hg5 (21. ♕h5 ♕e5!∞) ♖h8 22. g6 f5 23. ♕g3 ♕e5! 24. fe5 ♘c6 25. ♖h7 ♖h7 26. gh7 ♔h8 27. ♖h1 ♖f8 28. ♖h6 f4∞; *b)* 20. cb4 hg5 21. hg5 (21. ♕h5 g4!) ♖h8] **20. ♕g4 hg5 21. hg5 ♖g8 22. ♕h5 ♗g5 23. fg5 ♔f8 24. ♘f7! ♕b6 25. ♔c2+−** [25. ♖df1 c4 [25... ♘a5 26. b4 cb4 27. ♘e5 ♔e7 28. ♕f7 ♔d6 29. ♕f4] **26. bc4 ♕a5 27. ♖df1 ♔e7 28. ♕h7 ♖e8 29. ♖h3** [△ ♖d3] **♔d7 30. ♘e5 ♔d6 31. ♕d3 ♔c7** [31... ♔c5 32. ♕e3 ♔d6 33. c5 ♔c7 34. ♖h7 ♔e7 35. ♖e7 ♘e7 36. ♖f7 ♕a4 37. ♔b2 ♕b5 38. ♔c2 ♕e8 39. c6! bc6 40. ♕c5] **32. ♖h7 ♖e7 33. ♖e7 ♘e7 34. ♖f7 ♕a2 35. ♔d1 ♕a4 36. ♔e2 ♕a3** [36... ♕e8 37. c5 ♗d7 38. ♕d6 ♔d8 39. g6] **37. g6 ♕d6 38. ♕e3 ♗d7 39. c5 ♕d5 40. ♖e7 ♕g2 41. ♔d1 ♖d8 42. ♕d4** **1 : 0** *Bandza, V. Novikov*

134. !N   B 23

NADYRHANOV 2480 — FILIPPOV 2510

Smolensk 1997

1. e4 c5 2. ♘c3 ♘c6 3. f4 g6 4. ♘f3 ♗g7 5. ♗c4 e6 6. 0−0 ♘ge7 [6... d6 − 67/202] 7. e5!? d5?! [7... d6!] 8. ed6 [8. ♗b5!?±] ♕d6 9. ♘e4 ♕c7 [9... ♕f4?? 10. ♘fg5 ♕e5 11. ♘f7+−] 10. d3 0−0 11. a3! N [11. ♕e1 ♘a5!] b6 12. ♕e1 ♘f5 13. ♖b1? [13. g4! ♘fd4 14. ♕h4!↑ △ f5] ♘a5! 14. ♗a2 c4∓ 15. dc4 ♘c4 16. b3 ♘cd6 [16... ♘a5!?] 17. ♘d6 ♕d6 18. b4 ♗a6 19. ♖f2 ♖ac8 [19... ♖fd8! 20. ♘e5?! ♗e5 21. fe5 ♕e5!∓] 20. ♘e5! ♗e5! 21. fe5 ♕d4 22.

♗b2 ♕e3 23. ♕e3 ♘e3 24. ♗b3 ♖fd8! 25. ♗a1□ [25. ♖e1? ♘d1−+] ♗c4 26. ♖f3□ [26. ♖e1? ♘d1! 27. ♖f3 ♗b3 28. cb3 ♖c1−+] ♘f5 27. ♖c3 ♗b3 28. cb3! ♖c3 29. ♗c3 [△ ♖ 9/i] ♖d3 30. ♗e1 g5 31. ♗f2 ♔g7 32. a4 ♔g6 33. a5 ♘d4 34. g4! b5 35. a6! ♘c6⊕ 36. ♗c5?⊕ [36. ♖c1! ♘b4 37. ♖c8! h6! (37... h5 38. ♖g8 ♔h6 39. ♖h8 ♔g7 40. ♖h5 ♘a6 41. ♖g5=) 38. ♖g8 ♔h7 39. ♖b8! ♘a6 40. ♖b5 ♖d7 41. ♖a5 ♘b4 42. ♖a7 ♖a7 43. ♗a7 ♘c6 44. ♗c5 ♘e5 45. b4 ♘g4 46. ♗d4! e5 47. ♗c3 ♘f6 48. ♗e5=] h5 37. gh5 ♔h5 38. ♗d6 f5!−+ 39. ♖c1 ♘d4 40. ♖c7 ♔g4 41. ♔f2 f4 42. ♖a7 ♖d2 43. ♔f1 ♘c2 44. ♖h7 ♘e3 45. ♔e1 ♖a2 46. ♗c5 ♔f3 47. ♖h3 ♔e4 48. ♗e3 g4! [49. a7 gh3 50. ♗b6 ♖a6 51. ♔f2 ♔e5] **0 : 1** *Nadyrhanov*

135.   B 30

PETRONIĆ 2490 — GORBATOV 2420

Paks 1997

1. e4 c5 2. ♘f3 ♘c6 3. ♗b5 ♘d4 4. ♘d4 cd4 5. 0−0 [5. c4 − 19/322] g6 6. c3! ♕b6 N [6... ♗g7] 7. ♗c4 ♗g7 8. cd4 ♗d4 [8... ♕d4 9. d3±C] 9. ♘c3 a6 10. d3 e6 11. ♔h1!? ♘e7 12. f4 0−0 [△ 12... d6 13. ♕e1↑] 13. f5! d5 [13... ef5 14. ♗g5! *a)* 14... ♕b2? 15. ♗e7 ♕c3 (15... ♖e8 16. ♘d5 ♕a1 17. ♕a1 ♗a1 18. ♖a1+−) 16. ♖c1+−; *b)* 14... ♗f6! 15. ♗f6 ♕f6 16. ef5 ♘f5 17. g4 ♕c6 18. ♗d5 ♘e3! 19. ♕f3 ♕b6 (19... ♘d5 20. ♘d5±) 20. ♗f7 ♔g7□ 21. ♕f4!! ♘f1 (21... ♘g4 22. ♕g4 ♖f7 23. ♖f7 ♔f7 24. ♖f1 ♔g7 25. ♕f4+− △ 25... ♕d8 26. ♕e5 ♔h6 27. ♖f7 d6 28. ♕g7 ♔g5 29. h4 ♔g4 30. ♕d4 ♔g3 31. ♘e2 ♔h3 32. ♖f3♯) 22. ♖f1 ♕c6 (22... d6 23. ♕f6 ♔h6 24. g5 ♔h5 25. ♕g7+−) 23. ♘d5 (23. ♘e4 ♕e6 24. ♘d6±) ♕d5 24. ♗d5 ♖f4 25. ♖f4±; 13... gf5!? 14. ♕h5 ♗g7 (14... fe4 15. ♗h6 ♗g7 16. ♗g7 ♔g7 17. ♕g5 ♔g6 18. ♕f6 ♔g8 19. ♘e4 ♕d8 20. ♕d4 f5 21. ♘d6→) 15. ♖f3→] **14. f6! dc4 15. fe7 ♖e8 16. ♗g5!±** [16. dc4!? ♖e7 17. ♘a4! ♕a7 (17... ♕d6 18. c5! ♗c5 19. ♘c5 ♕c5 20. ♕d8 ♔g7 21. ♗h6 ♔h6 22.

♕f8 ♔g5 23. ♖f7+− Gorbatov) 18. c5 e5
19. ♘b6 ♖b8 20. ♗e3 ♗e6 21. ♗d4 ed4
22. ♕d4±] ♕b2 [16... f6 17. ♕f3!? cd3
(17... ♖e7 18. ♗f6 ♖f7 19. ♗d4+−) 18.
♗f6 ♗f6 (18... ♗d7 19. ♖ad1 ♗f6 20.
♕f6 ♕d6 21. ♘d5 ♗c6 22. ♖d3+−) 19.
♕f6 ♗d7 20. ♖f3+−] **17. ♕f3! f5 18. ef5
gf5** [18... ef5? 19. ♕d5+−] **19. ♘e4!?** [19.
♕g3 ♔h8□ (19... ♔f7 20. ♕h4+−; 19...
♗f2 20. ♕e5 ♕b6 21. ♖f2 ♕f2 22. ♗h6
♖e7 23. ♕f6 ♗d7 24. ♕g5 ♔h8□ 25. ♕e7
♕d4□ 26. ♗g5+−) 20. ♖ac1 ♗c3!? 21.
♖c3 ♕c3 22. ♗f4 ♕g7 23. ♗e5 ♖e7∞]
♗e5 [19... ♗d7 20. ♘d6 ♗c6 21. ♕g3+−]
20. ♖ad1 ♗d7 21. d4! ♗c6 [21... ♗d4 a)
22. ♖d4 ♕d4 23. ♘f6 ♔g7 (23... ♔h8 24.
♘d7+−) 24. ♖d1 ♗c6 25. ♕h5 ♕f6 26.
♗f6 ♔f6 27. ♕h6 ♔f7□ (27... ♔e7 28.
♕g7#; 27... ♔e5 28. ♕g7 ♔f4 29. ♕g3
♔e4 30. ♖e1 ♔d4 31. ♕e3 ♔d5 32.
♖d1#) 28. ♕h7 ♔f6± b) 22. ♖d2! ♕b6
(22... fe4 23. ♕f7 ♔h8 24. ♖b2 ♗b2 25.
♗f6 ♗f6 26. ♕f6 ♔g8 27. ♕g5 ♔h8 28.
♖f7+−) 23. ♕g3 ♔h8 (23... ♗g7 24.
♖d7+−) 24. ♖d4+−] **22. de5⊕ ♗e4 23.
♕g3 ♔f7** [23... ♕e2 24. ♗f6 ♕g4 25.
♕g4 fg4 26. ♖f4 ♗f5 27. ♖c4 ♔f7 28.
♖d8 b5 29. ♖cd4 ♖c8 30. ♔g1+−] **24.
♖d2+− ♕b5 25. ♕h4?** [25. ♖d8 c3 26.
♖e1 ♕b2 (26... ♖g8 27. ♕h4 f4 28. ♕h6
♗g6 29. ♕f8! ♖f8 30. ef8♕#) 27. ♗f6+−]
**♕e5 26. ♕h5 ♔g8 27. ♖d8 ♗c6 28. h3
♕g7** [28... ♕g3 29. ♖f3!] **29. ♖fd1 ♕f7
30. ♕h6 ♗d5 31. ♗f6 b6 32. ♖c1 f4 33.
♖e1 ♖ad8⊕ 34. ed8♕ ♖d8 35. ♕g5 ♔f8
36. ♗d8 f3 37. ♕h6 ♔e8 38. ♗h4 fg2 39.
♔g1 ♕f3 40. ♗f2 c3 41. ♕h7 b5 42. ♗h4
♕f8 43. ♕c7 ♕a3 44. ♗f2 ♕b4 45. a3!**
1 : 0   *Petronić*

136.   **B 30**

ISTRĂŢESCU 2550
− ČERNIŠOV 2445

Pardubice 1997

1. e4 c5 2. ♘f3 ♘c6 3. ♘c3 ♘f6 [RR 3...
e5 4. ♗c4 d6 5. d3 h6 (5... ♗e7 − 65/159)
a) 6. ♘d2 N ♘f6 7. ♘f1 ♗e6 8. ♘e3 ♗e7
9. 0−0 ♕d7 10. ♘cd5± Bajarany 2405 −
B. Ibragimov 2355, Baku 1996; b) 6. ♘d5

N ♘f6 7. ♘f6 ♕f6 8. c3 ♕g6 (8... g5?! 9.
♘d2 ♗e6 10. ♘f1 0-0-0 11. ♘e3 h5 12.
♖b1!→« ♕g6 13. ♕a4 ♔b8 14. 0−0 g4
15. b4 cb4? 16. ♘d5! ♗h6 17. ♕c6! bc6
18. ♖b4 ♔c8 19. ♘e7 ♔c7 20. ♘g6 1 : 0
Gadjilu 2290 − And. Tzermiadianos 2370,
Athens 1997; ⌒ 15... ♗c4; 8... ♗g4 9.
♕b3! 0-0-0 10. ♘d2 ♘a5 11. ♕a4 ♘c4 12.
dc4± ×d5, d6; 8... g6!?) 9. 0−0 ♗g4 10.
♘h4 b1) 10... ♕h5 11. f3 ♗e6 12. ♘f5!
♗f5 13. g4 ♕h4 (13... ♕g6 14. ef5 ♕f6
15. ♕b3 ♕e7 16. ♗d5±) 14. gf5 ♗e7 15.
f4±; b2) 10... ♗d1 11. ♘g6 fg6 12. ♖d1±
Gadjilu, Bajarany; c) 6. 0−0 − 42/172] **4.
♗b5 ♕c7 5. 0−0 e6 6. ♖e1 ♗e7?! N** [6...
d6 7. e5! (7. d4 − 50/(177)) de5 8. ♘e5 ♗d7
9. ♘d7 ♕d7 10. ♕f3 ♖c8 11. d3±] **7. e5
♘g4 8. ♗c6 bc6□** [8... ♕c6?? 9. d4!+−;
8... dc6 9. d3 h5□ 10. h3 ♘h6 11. ♗g5!±]
9. d4! [9. d3?! f6!∞; 9. h3 ♘h6 10. d3 ♘f5
11. ♗f4±] **f5?!** [9... f6 10. dc5! ♗c5 11.
♘e4 a) 11... ♗e7 12. ♘d6 ♔f8 13. ♗f4!
fe5 14. ♘e5 ♘e5 (14... ♗d6 15. ♘g6!!+−)
15. ♗e5+−; b) 11... ♕b6 12. ♘c5 ♕c5 13.
♗e3! ♘e3 14. ♖e3±] **10. h3 ♘h6 11. ♗g5!
♗f8□ 12. ♗e3!!± ♖b8** [12... cd4 13. ♕d4
c5 (13... ♘f7 14. ♘a4 ♖b8 15. b3 a5 16.
c4±) 14. ♘b5! a) 14... cd4 15. ♘c7 ♔d8
16. ♗h6 (16. ♘a8!? de3 17. ♖e3 ♗b7 18.
♖b3! ♔c8 19. ♖c3 ♗c6 20. ♘d4 ♔b7 21.
♘c6 dc6 22. ♖d1+−) ♔c7 17. ♗f4 ♗c5
18. ♖ad1 ♖b8 19. b3+−; b) 14... ♕c6 15.
♘d6 ♗d6 16. ♕d6 ♕d6 17. ed6 c4 (17...
♗b7?! 18. ♗c5 ♗f3 19. gf3 ♖c8 20.
b4+−) 18. ♗h6 gh6 19. ♘e5 ♗a6 20.
♖e3±] **13. dc5! ♘f7** [13... ♖b2?! 14. ♘d2!
♖b4 15. ♗h6 gh6 16. ♕h5 ♔d8 17. a3
♖b8 18. ♘c4 ♗c5 19. ♕h6+−] **14. ♖b1
♗e7 15. b4 0−0?!** [15... a5 16. a3 ab4 17.
ab4 g5□ 18. ♗d4 h5 19. ♘d2 ♗a6 20.
g3!±] **16. ♕d2! a5 17. a3 ab4 18. ab4 ♖a8
19. ♗d4 ♗a6 20. ♘a4!+− ♗e2□ 21. ♘b6
♗f3 22. ♘a8 ♖a8 23. gf3 ♕d8 24. f4 g5
25. ♗e3 ♔h8 26. ♔h2 g4 27. ♖a1 ♖a1 28.
♖a1 ♗h4 29. f3! h5 30. c4 ♕b8** [30... ♕g8
31. ♕d7 gf3 32. ♖g1] **31. ♖g1 ♕b7 32.
fg4 fg4 33. hg4 ♘h6 34. ♔h1!⊕ ♕a6 35.
gh5 ♕c8** [35... ♕c4 36. ♕g2] **36. ♕g2
♕f8 37. ♗f2 ♗e7 38. b5 ♘f5 39. b6**
1 : 0   *Istrătescu*

137. B 30

KR. GEORGIEV 2530 — KRASENKOW 2645

Gouves 1997

1. e4 c5 2. ♘f3 ♘c6 3. ♗b5 e6 4. b3 ♘ge7
[4... ♕c7 — 46/(199)] 5. ♗b2 ♘g6 [5... f6]
6. h4 N [6. 0—0] h5 7. g3 [△ ♗e2 ×h5] d5
8. 0—0? [8. e5 ♘ge7 △ ♘f5; 8. ed5 ed5 9.
0—0 ♗g4 10. ♖e1 ♗e7 11. ♗g7 ♖g8 12.
♗c6 (12. ♗f6 ♔f8 13. ♗e7 ♘ce7 14. ♗e2
♗f3 15. ♗f3 ♘h4 16. ♗h5 ♕d6 17. ♕e2
♘ef5∞) bc6 13. ♗f6 ♔f8 14. ♗e7 ♘e7 15.
♕e2 ♘g6 16. ♕e3 ♗f3 17. ♕f3 ♘h4∞]
de4 9. ♘g5 ♗e7! [9... f5 10. ♗e2] 10. ♘e4
[10. ♗g7 ♖g8 11. ♗h6 ♗f6! 12. ♘c3 ♖h8
13. ♕h5 ♗g7 14. ♘ge4 ♖h6 15. ♕c5
♘ge7!∓] f5 11. ♘ec3 ♗d7 [11... ♗h4?!
12. gh4 ♕h4 (12... ♘h4 13. f4 ♖h6 14.
♕e2) 13. ♗c6 bc6 14. ♕f3] 12. ♗e2? [12.
♖e1 ♘d4; 12. f4□∓]

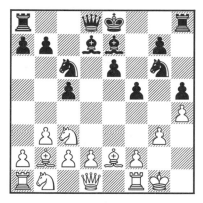

12... ♗h4! 13. ♘a4 [13. gh4 ♕h4 14. ♗f3
(14. ♖e1 ♘f4 15. ♗f3 ♘h3 16. ♔g2 ♖h6
17. ♘e2 ♘f2—+) ♘ge5! 15. ♖e1 ♘g4 16.
♖e2 ♘d4 17. ♗b7 (17. ♗g2 ♗c6 18. ♘d5
♘e2 19. ♕e2 ♕h2 20. ♔f1 ♔f7—+) ♕h2
18. ♔f1 ♗c6! 19. ♗c6 ♘c6 20. ♖e6 ♔f7
21. ♕f3 ♘d4—+; 13. ♗h5 ♕g5 14. ♗f3
♗g3 15. fg3 ♕g3 16. ♗g2 ♕h2 17. ♔f2
♘f4 18. ♕f3 ♖h3—+; 13. ♘b5 ♕g5! 14.
♔h2 (14. ♘c7 ♔e7 15. ♘a8 ♗g3 16. fg3
♕g3 17. ♔h1 ♘ce5—+) ♘ce5! 15. ♘c7
♔e7 16. ♗e5 ♘e5 17. ♘a8 f4 18. ♖g1 fg3
19. fg3 ♗g3 20. ♖g3 ♕h4 21. ♔g2 ♗c6
22. ♗f3 ♘f3 23. ♖f3 ♖f8—+] ♕g5 14.
♔h2 ♘ce5 15. ♘c5?! [15. ♗e5 ♘e5 16.
♘c5 f4 17. ♘e4 fg3 18. fg3 (18. ♘g3 ♗g3

19. fg3 h4 20. g4 ♘g4 21. ♗g4 ♕e5—+)
♗g3 19. ♘g3 ♕h4 20. ♔g2 ♗c6 21. ♗f3
♘f3 22. ♖f3 ♖f8—+] f4 [16. gh4 ♕h4 17.
♔g1 ♘g4] 0 : 1 *Krasenkow*

138.***** B 30

YUDASIN 2600 — KRASENKOW 2615

Vilnius 1997

1. e4 c5 2. ♘f3 ♘c6 3. ♗b5 e6 4. 0—0
♘ge7 5. ♘c3 [RR 5. ♖e1 ♘g6 6. c3 d5 7.
ed5 ♕d5 8. d4 cd4 9. c4 ♕d6 10. ♘d4 ♗d7
11. ♗e3 ♕c7 12. ♘c3 ♗e7 N (12... ♗d6 —
67/(208)) 13. ♘c6 bc6 14. ♗a4 f5!∓ (14...
0—0 15. ♘e4!) 15. f3 0—0 16. ♕e2 ♗d6
17. h3 ♘f4 18. ♗f4 (18. ♕d2 ♖ad8) ♗f4
19. ♖ad1 ♖ae8 20. ♕d3 ♗c8 21. ♘e2
♖d8 22. ♕b3 ♗d2 23. ♖f1 (S. Horváth
2385 — Glek 2505, Vlissingen 1997) e5∓;
13. ♖c1= Glek; 5. c3 d5 6. ed5 ♕d5 7. d4
cd4 8. ♘d4 (8. c4 — 65/(162)) ♗d7 9. ♘c6
♕b5 (9... ♕d1 10. ♖d1 ♗c6 11. ♘a3!±)
10. ♘d4 ♕d5 11. ♗e3 ♘c6 12. ♘f3 N (12.
♘c6) ♕d1 13. ♖d1 ♗e7 14. ♘bd2 f6! (14...
0-0-0?! 15. ♘c4 f6 16. b4!±; 14... 0—0 15.
♘e4±) 15. ♘e4 (15. ♘c4 e5 16. ♘d6 ♗d6
17. ♖d6 ♗g4=) 0-0-0 16. ♘d6 (16. ♗c5
♗c5 17. ♘c5 e5= Moizhess) ♗d6 17. ♖d6
e5 1/2 : 1/2 Odeev 2420 — Moizhess 2405,
Moskva 1997; 5. b3 b6!? N (5... ♘d4 —
67/(207)) 6. ♗b2 ♗b7 7. ♖e1 ♘g6 8. a4
f6 9. ♗c6 ♗c6 10. d4 cd4 11. ♘d4 ♗b4
12. ♗c3 ♗c5 13. ♘c6 dc6 14. ♕d8 ♖d8
15. ♘d2 e5 16. ♘f3 ♘f4 17. ♔f1 ♗e7=
B. Ivanović 2500 — D. Komarov 2600, Ju-
goslavija 1997] ♘d4 [RR 5... a6 6. ♗c6
♘c6 7. d4 cd4 8. ♘d4 ♕c7 9. ♖e1 ♗d6
10. ♔h1 N (10. ♘d5 — 65/161) ♘d4 11.
♕d4 *a)* 11... f6!? 12. ♗e3 (12. f4?! 0—0 13.
♖f1 ♗c5 14. ♕d3 b5= Vydeslaver 2400 —
Poluljahov 2510, Kahovka 1997) b5 13.
♖ad1 ♗e5 (13... ♗e7 14. f4 △ f5±) 14.
♕d3 (14. ♕b4? a5! 15. ♕b5 ♖b8; 14. ♕d2
♗b7) ♗b7 15. ♗d4± *b)* 11... ♗e5 12.
♕d3 b5=; 12. ♕e3!? △ f4 Poluljahov] 6.
♘d4 cd4 7. ♘e2 a6 8. ♗a4 ♘c6 9. d3 ♗c5
10. f4 d5 11. ♘g3 N [11. ♔h1 — 47/(211)]
de4 12. ♕h5!? [12. ♘e4 1/2 : 1/2 Glek
2670 — Nunn 2605, Deutschland 1996]
♗e7 [12... ♗a7 13. ♘e4↑≫ ×♗a7] 13. de4
g6 14. ♕f3 b5 15. ♗b3 h5 [15... ♗b7!? 16.

f5 ♘e5 17. ♕f4 ♕d6 (△ g5) 18. f6 ♗f8 19. a4∞] **16. ♗d2 ♗b7** [16... h4 17. ♘h1 ♗b7∞] **17. f5!?** [17. a4!?] **♘e5 18. ♕f4 f6!□** [18... g5? 19. ♕e5 ♗f6 20. ♕f6! ♕f6 21. fe6+−; 18... ♕d6? 19. fg6 fg6 20. ♗b4!+−] **19. fe6?** [19. ♗e6? g5 20. ♕f2 h4 21. ♘h1 ♕c7∓; 19. fg6! ♘g6 20. ♕f3∞] **♕b6 20. ♘h1 ♘c4∓ 21. ♗c4 bc4 22. ♘f2 0-0-0?!** [✕♔c8; 22... ♕e6 △ 23. ♕c7 ♕c6∓⊥] **23. c3 d3 24. b3!** [△ ⇆⇔b] **♕e6 25. bc4 f5 26. ♖ab1 fe4** [26... ♗d6 27. ♕e3 ♕e5 28. ♕h3∞] **27. ♕e3!⇆ ♖d7 28. ♖fe1 ♖f8 29. ♘e4??** [29. ♘d3? ♖d3! 30. ♕d3 ♗c5 31. ♔h1 ♖f2! (31... ed3? 32. ♖e6 ♖f2 33. ♖g6 ♖d2 34. ♖g8) 32. ♗g5 ed3 33. ♖e6 ♗g2 34. ♔g1 ♖b2 35. ♗e3 ♗e3 36. ♖e3 ♖b1 37. ♔g2 d2−+; 29. ♕a7!⇆] **♗e4 30. c5** [30. ♕e4 ♗c5 31. ♔h1 ♖f1−+; 30. h3 ♖e8−+] **♕g4   0:1**
Krasenkow

139.** !N   B 30
P. GERMAN 2415 − MILOS 2605

Buenos Aires 1997

1. e4 c5 2. ♘f3 ♘c6 3. ♗b5 e6 4. ♗c6 bc6 5. b3 ♘e7 [RR 5... d5 6. e5 a) 6... ♗a6 7. d3 c4 8. dc4 dc4 9. ♕d8 ♖d8 10. ♗a3 ♘e7 11. ♘bd2 ♘d5 12. ♗f8 ♖f8 13. ♘c4 ♗c4 14. bc4 ♘b6 15. ♘d2 ♖d4 16. 0-0-0 ♔e7! N (1/2 : 1/2 Martín Guevara 2335 − Chavez 2090, México 1997; 16... ♘d7 − 53/(154)) 17. c3 ♖d3 18. ♔c2 ♖fd8 19. c5 ♘a4 20. ♘e4 ♖3d5!=; b) 6... ♘e7!? N 7. ♗a3 ♘f5 8. c3?! ♗a6 9. d4 cd4 10. ♗f8 ♔f8 11. ♘d4 ♕g5 12. g3 ♘e7! 13. f4 ♕g6 14. b4 h5! 15. ♕f3 ♖c8 16. ♘b3 (Martín Guevara 2335 − R. Camacho 2345, San Salvador 1997) f6!∓; △ 8. 0-0 H. Leyva] **6. ♗b2 ♘g6 7. h4** [7. 0-0 − 65/160] **h5 8. e5 c4! N** [8... ♗e7] **9. bc4** [9. ♘c3] **♖b8 10. ♗c3 c5 11. d3 ♗e7 12. ♘bd2 f5! 13. ef6** [13. g3 ♗b7∓] **gf6∓ 14. ♕e2 ♔f7 15. 0-0 ♗b7 16. ♕e3 ♕c7 17. ♖fe1 ♖bg8 18. ♘e4 e5! 19. ♗b2** [△ 19. ♔f1 ♘f4 20. g3 ♘e6∓] **d6 20. c3? ♘f4∓ 21. ♘g3** [21. g3 ♕d7−+] **f5 22. d4 ♘g2 23. ♔g2 f4 24. ♕d3 fg3 25. de5 de5 26. ♕f5 ♔e8 27. fg3** [27. ♕e5 ♕e5 28. ♖e5 ♖f8 29. ♖e3 ♖f3−+; 27. ♖e5 ♗f3 28. ♔f3 ♖f8−+] **♖h6! 28. ♕e5** [28. ♖e5 ♗f3−+] **♕e5 29. ♖e5 ♖hg6−+ 30. ♔f2 ♖g3?** [30... ♖f8!

31. ♖e3 ♖gf6−+] **31. ♘e1! ♖h3 32. ♗a3 ♔f7 33. ♔e2** [33. ♖h5 ♖h2 34. ♔e3 (34. ♔f1 ♔e6! 35. ♖h6 ♘d7 36. ♖d1 ♗c8 37. ♘d3 ♖gg2 38. ♖h8 ♗c7−+) ♖g3 35. ♔f4 ♗d6 36. ♔f5 ♖f2 37. ♘f3 ♖ff3#] **♖h4 34. ♗c5 ♖h2** [34... ♗c5 35. ♖c5 ♖h2 36. ♔e3 ♖g3 37. ♔f4 ♖c3∓ △ 38. ♖c7 ♔f6 39. ♖b7 ♖h4#] **35. ♔d1?** [35. ♗f2 ♗h4 36. ♘d3; 35... ♗a6∓ △ 36. ♖e4 ♖g4] **♗c5 36. ♖c5 ♖d8 37. ♔c1 ♗e4−+ 38. ♘f3 ♖c2 39. ♔b1 ♖d1#   0:1**
Milos

140.   B 31
RUBLEVSKIJ 2650 − U. ANDERSSON 2640

Polanica Zdrój 1997

1. e4 c5 2. ♘f3 ♘c6 3. ♗b5 g6 4. ♗c6 dc6 5. d3 ♗g7 6. h3 ♘f6 7. ♘c3 0-0 8. ♗e3 b6 9. ♕d2 ♖e8 N [9... e5 − 66/132] **10. a3** [10. 0-0-0 e5] **a5** [10... ♘d7?! 11. ♗h6! (11. b4?! cb4 12. ab4 a5 13. 0-0 ♗b7 14. ba5 b5=) ♗h8 12. h4 ♘f6 13. h5 ♘h5 14. ♖h5!] **11. 0-0 ♘d7 12. ♘h2 ♗f8** [12... e5?! 13. ♗h6 ♗h8 14. ♗g5! ♕c7 15. f4 ef4 16. ♘g4] **13. f4** [13. ♗h6!? ♗h8 14. f4 c4 15. f5 cd3 16. cd3 ♗a6 17. ♖ad1] **f5** [13... ♘e6 14. f5 ♘d4] **14. ♖ae1 ♘e6** [14... fe4 15. ♘e4 ♗b2 16. c3 ♗a3 17. ♕a2+−] **15. ef5 gf5 16. ♘f3 ♘d4 17. ♘e5 ♗e6** [17... ♗e5 18. fe5 ♔h8 19. ♖f4] **18. ♕f2 ♗e5 19. fe5 ♔h8 20. ♗d4 ♕d4 21. ♘e2** [21... ♕b2 22. ♘f4 ♗a2 23. c4 ♕f2 24. ♖f2 ♗b3 25. ♘e6] **22. ♖f2 ♖ed8** [22... ♖ad8 23. ♘f4] **23. ♘g3 ♖f8 24. ♖ef1 ♖ad8** [24... c4 25. d4 ♖ad8 26. c3 c5 27. dc5 bc5 28. ♘f5 ♗f5 29. ♖f5 ♖f5 30. ♖f5 ♖d1 31. ♖f1 ♖d2 32. ♖f2 ♖d1 33. ♔h2 ♖e1 34. ♖f4 ♖e5 35. ♖c4 ♔g7 36. ♖a4+−] **25. ♘f5 ♗d5 26. ♘e7 ♖f2 27. ♔f2 ♖e5** [27... ♖d7 28. ♘c6 ♗d5 29. e6 ♖g7 30. ♘d8] **28. ♘c6 ♖f5 29. ♔g1** [29... ♖g5 30. ♘d8]
1:0
Rublevskij

141.* !N   B 31
TIMMAN 2625 − JAKOVIČ 2610

Køge 1997

1. e4 c5 2. ♘f3 ♘c6 3. ♗b5 g6 4. ♗c6 bc6 5. 0-0 ♗g7 6. ♖e1 [RR 6. c3!? d6 7. h3

(7. d4 cd4 8. cd4 ♗g4) ♘h6!? (7... e5 8. d4 cd4 9. cd4 ed4 10. ♘d4 ♘e7 11. ♘c3± Smyslov) 8. d4 cd4 9. cd4 0-0 10. ♘c3 f6 11. b3!? N (11. ♖e1 — 67/209) ♕a5 12. ♗b2 ♕h5?! 13. ♘d2! (13. ♘e2 g5!?⇄) ♕d1 14. ♘d1 (14. ♖fd1?! f5=) f5 15. e5 (△ f4) f4 16. ♖c1 ♗d7 17. ♘f3 ♘f5 18. ♘c3 h6 19. ♖fe1 ♖fd8 (Matulović 2445 — Velimirović 2515, Jugoslavija 1997) 20. ♘e4!± △ g4; ⌓ 12... ♘f7 △ e5 Matulović]
♘h6 7. c3 0-0 8. d4 cd4 9. cd4 d5 10. e5 f6 11. ♘bd2 [11. ef6 — 61/(173)] g5?! [⌓ 11... ♘f7] 12. e6! N ± [12. h3] ♕d6 [12... ♘f5 13. ♕c2] 13. ♕e2 ♘f5 14. ♘b3 [14. g4?! ♘h6 15. h3 f5! 16. ♘g5 ♗d4∞] g4 [14... a5 15. g4 ♘h6 16. h3 f5 17. ♗g5 fg4 18. ♘e5 ♗e6 19. ♗h6 ♗h6 20. ♘g4±] 15. ♘fd2 a5 16. ♘f1 [16. ♕g4!? ♗e6 17. ♘f3 △ ♗f4±] a4 17. ♕g4 ♗e6 18. ♗f4 h5!□ [18... ♘d4 19. ♕g7! ♔g7 20. ♘d4+−] 19. ♕f3 [19. ♕e2!? ♕f4 20. ♕e6 ♔h8 21. ♘g3±] ♕d8□ [19... ♕b4 20. ♖e6 ab3 21. ♗d2+−] 20. ♘c5 ♘d4 21. ♕e3 ♗f7 22. ♕d4 e5 23. ♕d2 ef4 24. ♕f4 a3 [24... ♕b8 25. ♕f5 ♕b2 26. ♖ab1 ♕d4 27. ♘e6 ♕g4 28. ♕g4 hg4 29. ♘f8 ♗f8 30. ♘e3±] 25. ba3 ♖e8 26. ♘g3 ♖e1 [⌓ 26... ♖e5±] 27. ♖e1 ♕a5 28. ♖c1 ♖e8 29. ♕b4 ♕b4 30. ab4 ♗h6 31. ♖d1 ♗g6 32. h4!± ♗f4⊕ [32... ♗c2 △ 33. ♖d4 ♖e1±] 33. ♔f1+− ♔f7 34. ♘e2 ♗c2 35. ♖d4 ♗d6 36. ♖d2 ♗g6 37. ♘d4 ♖c8 38. a4 ♗f4 39. ♖d1 ♗e5 40. g3 [⌓ 40. ♔e2 △ ♔e3] ♔e7 41. f4 ♗d4 42. ♖d4 [♖ 9/i] ♔d6 43. a5 ♗f5 44. ♔f2 ♖b8 45. a6 ♔c7 46. ♖d2! ♗g4 [46... ♔b6 47. ♖e2 ♔b5 48. ♖e7] 47. ♖a2 ♔b6 48. a7 ♖a8 49. ♖a6 ♔b5 50. ♔e3 ♗c8 51. ♖a2 ♔b6 [51... ♔b4 52. ♔d4]

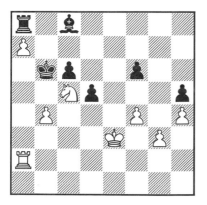

52. g4!! ♗g4 [52... hg4 53. h5] 53. ♖a6 ♔b5 54. ♔d4 ♗c8 55. ♖a5 ♔b6 56. ♘a4 ♔b7 57. b5 cb5 58. ♖b5 ♔a7 [58... ♔c7 59. ♖a5 ♗d7 60. ♔d5] 59. ♖a5 ♔b7⊕ [60. ♖a8 ♔a8 61. ♘b6 ♔b7 62. ♘c8 ♔c8 63. ♔d5 ♔d7 64. f5] **1 : 0** *Timman*

142.*   B 31
ĆERTIĆ 2435 — SKEMBRIS 2470
Kavala 1997

1. e4 c5 2. ♘f3 ♘c6 3. ♗b5 g6 4. 0-0 ♗g7 5. c3 ♘f6 6. ♖e1 0-0 7. h3 d6!? [RR 7... e5 8. d3 d6 9. ♘bd2 ♗d7 10. ♘f1 h6 N (10... ♘e8 — 64/(159)) 11. ♘e3!? (11. a3!?; 11. ♗a4 △ ♗e3, ♕d2) a6 12. ♗a4 b5 13. ♗c2 ♖e8 14. a3 ♗e6 15. ♗d2 ♔h7 (15... d5 16. ed5 ♘d5 17. ♘g4) 16. ♕c1 ♕d7 17. b4 a) 17... cb4 18. ab4 d5 19. ed5 ♘d5 20. ♘g4!□ ♗g4 21. hg4 a1) 21... ♖e7?! 22. g5 h5 23. ♖e4 ♘b6 24. ♖a3 ♘c8 25. ♖h4 (△ g4) ♔g8 26. ♗e3 ♖e8 (Ćertić 2435 — Kotronias 2585, Kavala 1997; 26... ♘d6 27. ♗c5 ♘f5 28. ♖e4 ♖ee8 29. ♕a1 ♕b7 30. ♕a2± △ ♖e1, ♘d2-e4, ♖a1) 27. ♗c5! ♘d6 28. ♗d6 ♕d6 29. ♘d2 (△ ♘e4, ♕a1-a2, ♖h3-f3, ♗b3) a5!? 30. ba5 ♖a5 31. ♖a5 ♘a5 32. ♖b4 ♕c6 33. ♕b2 ♖b8 34. ♗a4± a2) 21... ♕g4 22. ♖e4 ♕d7 23. ♖h4 h5 24. g4 ♘f6 25. gh5 ♘h5 26. ♘g5 ♔g8 27. ♕d1!⟐ Ćertić; b) 17... a5!?∞] 8. d3 N [8. d4 — 4/413] ♗d7 9. a3 ♕c7 10. ♘bd2 a6!?⇄ 11. ♗c4 [⌓ 11. ♗a4⇄] ♘e5!? [×d3, ♗c4; 11... b5 12. ♗a2 ⟋a2-g8] 12. ♘e5 de5↑ [⇔d] 13. ♘f3 [13. b4!?⇄] ♖ad8 14. ♕e2 ♗c6 [14... ♗a4!?] 15. a4 ♘h5!? [×d4, f4; 15... b5 16. ab5 ab5 17. ♗b3↑ △ ♗e3 ×c5] 16. a5 [△ ♗e3 ×c5, b6] ♗b5! [×d3, ♗c4] 17. ♗e3⇄ [△ b4; 17. ♗b5 ab5 18. ♗e3 (18. a6?! ♖a8 ×a6) ♖d6 △ ♘f4] ♕c6!? 18. ♘d2 [18. ♗d5!?⇄] e6 [×d5] 19. f3 [△ ♘b3, ♕f2 ×c5; 19. ♘b3 ♗c4 (19... ♘f4!?) 20. dc4 ♕e4 21. ♗c5 (21. ♘c5 ♕c6!?↑) ♕e2 22. ♖e2⇄] ♗f6!? [19... ♘f4!? Agnos] 20. g4 [20. ♕f2 ♖fe8!? △ 21. ♗c5? ♗c4 22. ♘c4 ♘f4∓↑ ×d3] ♘f4 21. ♗f4 ef4 22. e5 ♗g7! [×e5; 22... ♗h4 23. ♖ed1↑] 23. g5 [×f6; 23. ♕e4 (×f4) ♕e4 24. ♘e4 (24. ♖e4 ♗c4 ⇔d) ♗c4 25. dc4 ♗e5 26. ♘c5 ♗b8!↑ △ ♗a7; 23. ♗b5

ab5 △ 罝d5; 23. ②b3 罝d7!?∞] 罝d7 24.
②b3 [24. 豐e4!?] 罝fd8↑ 25. 豐f2?! [⌒ 25.
豐e4 (Ćertić) 豐e4!∓] 奧c4! [25... 罝d3 26.
奧d3 罝d3 (×f3) 27. 罝e4 豐d5 28. ②c5
罝d2 29. 罝d4!] 26. dc4 b5! [×②b3; ⇔b, d]
27. ab6 [27. ②c5? 罝d2−+; 27. 罝e4 bc4
28. 罝c4 豐b5−+; 27. 豐c5 奧f3→] 豐b6↑
28. 罝a3□ 奧f8!∓ 29. 罝e2 罝d3 30. 含g2
罝a8 [△ a5↑] 31. ②c1? [⌒ 31. ②a5∓] 罝d1
32. ②a2 [32. ②b3 a5↑] 豐d8∓ [△ 豐d3
×g5] 33. b4 罝d3!→ [×b4; 33... 豐g5∓] 34.
bc5?⊕ [34. b5∓] 豐g5 35. 含h2 罝e3−+ 36.
罝e3 fe3 37. 豐g3 豐g3 38. 含g3 e2! [39.
含f2 奧c5]   0 : 1   *Skembris*

143.* !N   B 32

NISIPEANU 2600 −
G. GRIGORE 2485

România (ch) 1997

1. e4 c5 2. ②f3 ②c6 3. d4 cd4 4. ②d4 e5 5.
②b5 d6 6. ②1c3 a6 7. ②a3 奧e6 [RR 7...
b5 8. ②d5 ②ge7 9. c4 ②d4 10. 奧e3 ②d5
11. cd5 奧e7 12. 奧d3 0−0 13. 0−0 f5 14.
奧d4 ed4 15. ②c2! N (×d4; 15. ef5?! 奧f5
16. 奧f5 罝f5 17. 豐d4 奧f6 18. 豐d2 罝c8
19. 罝ac1 罝c5∓↑; 16. ②c2 − 46/(207)) 奧f6
(15... 豐b6 16. ef5 奧f5 17. 奧f5 罝f5 18.
②d4! 罝d5 19. 豐b3+− Mojseenko; 15... fe4
16. 奧e4 奧f6 17. 豐d3 h6 18. ②d4 豐b6 19.
罝ad1±; 15... f4 16. 奧e2 △ 豐d3, 罝ad1±)
16. ef5 奧b7 17. 豐f3 罝c8 18. a4 *a)* 18...
豐b6?! 19. ab5 ab5 20. ②a3 (×b5) 奧a6
(20... 罝c5? 21. b4! 罝c3 22. ②b5 罝b3 23.
罝fb1+−) 21. ②c2 奧b7 22. 罝fd1 罝fe8 23.
②b4 豐c5 24. ②c6! 奧c6 25. dc6 罝c6? 26.
b4!+− Fejgin 2505 − Mojseenko 2370,
Har'kov 1997; 25... 豐b6±; *b)* 18... 罝c5!? 19.
②b4 a5 20. ②c6 奧c6 21. dc6 ba4 22.
罝fc1±⇄ ♂c Fejgin] 8. ②c4 b5!? [8... 罝c8]
9. ②e3 ②f6 10. ②ed5 [10. g3 − 59/188]
②e7 11. a4! N [11. 奧e3 ②ed5 12. ②d5
②d5 13. ed5 奧d7=] ②ed5?! [11... b4 12.
②b4 豐a5 13. 豐d6! 罝d8 14. 豐a6 豐b4 15.
奧b5 奧d7 16. 0−0±↑; 11... ②e4 12. ab5
②c3 13. ②c3 a5! 14. b6! 豐b6 15. 奧b5
奧d7 16. 奧d7 含d7 17. 0−0∞→] 12. ed5
奧g4 13. f3 b4 14. ②a2! 奧h5 15. ②b4
②e4 16. ②a6!± [16. g3? 豐b6 17. ②d3

豐a5 18. c3 豐d5∓] 豐h4 [16... f5!? 17.
豐d3! (17. c3? 罝a6! 18. 奧a6 豐h4 19. g3
②g3 20. 奧g5 豐g5 21. hg3 豐g3 22. 含d2
奧f3 23. 豐e1 豐f4 24. 豐e3 豐e3 25. 含e3
奧d5!∓) ②f6 (17... 罝a6 18. fe4+−; 17...
豐h4 18. g3 ②g3 19. hg3 豐g3 20. 含d2+−)
18. 豐f5! 罝a6 19. 奧b5!+−] 17. g3 ②g3
18. hg3 豐g3 19. 含d2 奧f3 20. 豐e1! 豐f4
[20... 豐e1 21. 含e1 罝a6 22. 奧a6 奧h1 23.
奧b7 △ a5+−] 21. 豐e3 豐e3 22. 含e3 奧h1
23. ②c7 含d8 24. ②a8 奧d5 25. ②b6 奧c6
[△ d5] 26. 奧c4! f5 27. 奧d5 含c7 28. a5
奧e7 29. 含e2 f4 30. 罝a3!+− 奧b5 31. 含f3
奧a6 32. 罝c3 含d8 33. b4 奧f6 34. b5! e4
35. 奧e4 奧c3 36. ba6   1 : 0
                            Nisipeanu

144.*   B 32

Z. ALMÁSI 2615 −
B. IVANOVIĆ 2500

Jugoslavija 1997

1. e4 c5 2. ②f3 ②c6 3. d4 cd4 4. ②d4 e5 5.
②b5 d6 6. c4 奧e7 7. b3 [RR 7. 奧e2 f5
(7... 奧e6 − 63/134) 8. ef5 奧f5 9. 奧g4
奧g4 10. 豐g4 ②f6 11. 豐d1 0−0 12. 0−0
豐d7 N (12... d5) 13. ②1c3 (13. 奧e3!?) a6
14. ②a3 ②d4 15. 奧e3 (15. ②c2?! ②c2 16.
豐c2 豐c6 17. b3 b5) ②f5 16. 奧g5 (16.
②d5 豐c6!) 罝ac8 (16... 豐c6!?) 17. 罝c1
②d4 18. 奧e3 d5! 19. cd5 (19. 奧d4? ed4
20. 豐d4 奧a3 21. ba3 罝c4∓; 19. ②d5?!
②d5 20. cd5 罝c1 21. 奧c1 奧a3 22. ba3
豐d5∓ Čumačenko) 奧a3 20. ba3 罝c4!⇄
Petrušin 2425 − Čumačenko 2220, Novo-
rossijsk 1997] a6 N [7... ②f6 − 68/135] 8.
②5c3 f5?! 9. 奧d3!? f4 10. ②d5 ②f6 11.
②bc3 0−0 12. 奧b2 奧e6 13. ②e7 [13. f3!]
豐e7 14. f3 含h8 15. 豐d2 罝fd8 16. 0−0!?
g5 17. ②d5 豐g7 18. g4!? h5 19. h3 含h7!
20. 含g2 hg4 21. hg4 含g6 22. 罝h1 罝h8
23. b4! 罝ad8 24. 豐f2? [24. b5±] 豐d7! 25.
罝h8 罝h8 26. 罝h1 罝h1 27. 含h1 奧g4!?
[27... 豐h7 28. 豐h2 (28. 含g2 奧g4!; 28.
含g1!?) 豐h2 29. 含h2 含f7±] 28. ②f6! [28.
fg4 豐g4! 29. ②f6 豐h3!] 含f6 29. fg4 豐g4
30. 奧e2 豐h3 31. 豐h2 豐h2 32. 含h2 ②b4
33. a3 ②c6 34. 含h3± [△奧 8/h] a5?⊕ 35.
奧c3 b6 36. 奧e1!± ②d4 37. 奧d1 含e6 38.

♗f2 ♔f6 39. ♔g4 ♔g6 40. ♗g1! ♔h6?
[40... ♔f6 41. a4! ♔e6□ (41... ♔g6 42.
♗d4 ed4 43. ♗c2 ♔f6 44. ♗d3+−) 42.
♔g5 ♔d7 43. ♗d4 ed4 44. ♔f4 ♔c6 45.
♗e2 ♔c5 46. ♔f5 ♔b4 47. ♔e6+−] 41.
♗d4 ed4 42. ♔f5   1 : 0   *Z. Almási*

145.**** !N   B 33

PEPTAN 2425 − IG. JELEN 2405
Ljubljana 1997

1. e4 c5 2. ♘f3 ♘c6 3. d4 cd4 4. ♘d4 ♘f6
5. ♘c3 e5 6. ♘db5 d6 7. ♗g5 [RR 7. ♘d5
♘d5 8. ed5 ♘b8 9. c4 ♗e7 10. c5 0−0 11.
♗e2 ♘a6! N (11... a6 − 55/(188)) 12. cd6
♗d6 13. 0−0 ♘c7 *a)* 14. ♕b3?! ♘b5 15.
♕b5 f5 16. f4!? ♕e7 (16... ♕c7!?) 17.
♔h1! ♗d7 18. ♕b3 (18. ♕b7 ♖fb8 19.
♕a6 ef4∓) ♔h8 19. ♗d3 b6 20. fe5 ♗e5
21. ♗f4! ♗f4 22. ♖f4 ♕d6 23. ♖ff1 ♖ae8
(23... ♖ad8?! 24. ♗e2! ♖f6 25. ♖ac1 h6
26. ♗f3 1/2 : 1/2 Berelovič 2495 − Šarijaz-
danov 2465, Świdnica 1997) 24. ♖ae1 ♖e5∓;
b) 14. ♘d6?! ♕d6 15. ♕b3 (15. f4? ♘d5
16. f5 ♗d7 17. f6 ♕b6 18. ♔h1 ♘f6 19.
♖f6 ♕f6 20. ♕d7 ♖fd8 21. ♕b5 a6 22.
♕b3 ♕f2−+) ♕d5 16. ♗f3 ♕b3 17. ab3
a6∓; *c)* 14. ♗e3= Šarijazdanov, Lysenko]
a6 8. ♘a3 b5 9. ♗f6 [RR 9. ♘d5 *a)* 9...
♕a5 10. ♗d2 ♕d8 11. ♘f6 ♕f6 12. ♗d3
d5?! 13. ed5 ♘b4 14. ♗e4 ♕h4 *a1)* 15.
♕f3 ♗c5 (15... ♗g4 − 24/360) 16. c3 f5
17. cb4 fe4 18. ♕e2 ♗g4 (18... ♗d4 19.
♗e3 ♗g4 20. ♕d2) 19. ♕f1 ♗d4−+ ×b2,
e3, f2 An. Hernández; *a2)* 15. ♕e2! N f5 16.
d6! ♕e4 17. ♕e4 fe4 18. ♗b4+−⊥ Joa.
Díaz 2375 − An. Hernández 2295, Cuba
1997; *b)* 9... ♗e7 10. ♗f6 ♗f6 11. c3 0−0
12. ♘c2 ♗g5 *b1)* 13. ♗e2 ♘e7 14. ♘cb4
(14. ♘e7 − 38/(205)) a5 15. ♘e7 ♕e7 16.
♘d5 ♕b7 17. ♕d3 b4 18. cb4 ab4 19. ♕b3
N (19. ♕g3) ♗e6 20. ♗c4 ♖ac8 21. 0−0
♕c6 22. ♖ac1 ♗d5 23. ed5 ♕c5 24. ♖c2
g6 1/2 : 1/2 Anand 2765 − Kramnik 2770,
Dortmund 1997; *b2)* 13. a4 ba4 14. ♖a4 a5
15. ♗c4 ♖b8 16. b3 ♔h8 17. 0−0 g6 18.
♕d3 (18. ♕e2 − 63/137) f5 19. ♖d1 ♗h4
N (19... fe4 20. ♕e4 ♗f5 21. ♕e2 e4 22.
♘de3 ♘e5 23. ♗d5±; 19... ♗h6) 20. g3
♗g5 21. b4!? (Bologan 2575 − Belikov

2500, Sevastopol' 1997) fe4 22. ♕e4 ♗f5
23. ♕e2 ♕c8! 24. ♘de3 ♗e3 (24... ab4 25.
♘f5 ♕f5 26. ♘b4±) 25. ♘e3 ab4 26. ♘f5
♕f5 (26... gf5 27. ♖d6 bc3 28. ♗d5) 27.
♖d6 bc3 28. ♗d3 ♖b2 29. ♕b2 cb2 30.
♗f5 gf5 31. ♖d1 ♘d4 32. ♖b4 ♘e2 33.
♔f1 ♘c3 34. ♖e1 b1♕ 35. ♖bb1 ♘b1 36.
♖b1=; 20. f3!?± Bologan] gf6 10. ♘d5
♗g7 11. g3 f5 12. ef5 e4 13. c3 ♘e5 14.
♗e2 N [14. ♕h5 − 37/175] ♗f5 15. 0−0
0−0 16. ♘c2 ♖b8 [16... a5?! 17. ♘d4 *a)*
17... ♗h3 18. ♖e1 ♗d7 (18... ♖b8 19.
♕c2±) 19. ♗f1±; *b)* 17... ♗d7 18. ♕c2 f5
19. f3±; △ 16... ♖c8 17. ♘ce3 ♗h3 18. ♖e1
♗h6! 19. a4 f5∞] 17. ♕d2 ♗e6 18. ♖ad1
a5 19. b3! ♕d7 [△ 19... a4 20. ♕e3 ab3
21. ab3 f5] 20. ♘f4± ♖fd8 21. ♘h5 ♗g4
[21... ♗h8 22. ♕g5 ♘g6 23. ♘d4±] 22.
♘g7 ♗e2?! [22... ♔g7 23. ♕g5 ♔f8 24.
♗g4 ♕g4 25. ♕g4 ♘g4 26. f3±] 23. ♕e2
♘f3 24. ♔g2 ♕g4 25. ♘d4!± ♔g7 26.
♘f3 ef3 27. ♕f3 ♕f3 28. ♔f3 ♖bc8 29.
♗d3 ♖c5 30. ♖e1 ♖dc8 31. ♖ee3 ♖8c6 32.
♔g2 ♔f6 33. ♖d4! ♔g7 34. ♖e7 ♖f5 35.
♖d3 b4 [△ 35... a4] 36. c4 ♔f6 37. ♖a7
♔e6 38. ♖e3+− ♔f6 39. g4 ♖g5 40. h3 h5
41. ♖f3   1 : 0   *Peptan, V. Stoica*

146.**   B 33

GY. SAX 2570 −
ŠARIJAZDANOV 2465
Hrvatska 1997

1. e4 c5 2. ♘f3 ♘c6 3. d4 cd4 4. ♘d4 ♘f6
5. ♘c3 e5 6. ♘db5 d6 7. ♗g5 a6 8. ♘a3
b5 9. ♗f6 gf6 10. ♘d5 ♗g7 11. ♗d3 ♘e7
12. ♘e7 ♕e7 13. 0−0 [RR 13. c3 0−0 14.
♕h5 f5 15. 0−0 d5 16. ed5 e4 17. ♖ae1
♕c5 18. ♗c2 N (18. ♗b1 − 47/217) ♗d7
19. ♖e3 a5! 20. ♘b1 ♖a6 21. ♘d2 ♖h6
22. ♕d1 ♖d6? 23. ♗e4! ♖e8!? (23... fe4
24. ♘e4 △ ♘d6±) 24. ♘b3 ♕a7 25. ♗f5
♖e3 26. fe3?! ♕e3 27. ♔h1 ♗f5 28. ♖f5
a4 29. ♘c1? ♕e4 30. ♖f3! (30. ♕d3?
♖d5!!−+ Fluvia Poyatos 2235 − Ruíz
Díez 2235, España 1997) ♖d5 31. ♖d3 ♖d3
32. ♘d3 a3 33. ba3 ♗c3=; △ 29. ♘d4; 26.
♗d7!±; 22... ♔h8∞; 22... ♗e5!? B. Lalić]
0−0 14. c3 f5 15. ♘c2 ♖b8 16. ef5 e4 17.
♖e1 ♗f5 18. ♘b4!? N [18. ♘d4 − 69/143]

♕b7□ [RR 18... ♖be8 19. ♗c2 ♕h4!? 20.
♘a6 ♖e6⇆; 19. ♗f1!?± △ a4; 18... ♗g6
19. ♗c2±; 18... ♖bc8 19. ♗c2 a5 20. ♘d5
♕e5 21. f3 (21. f4!?) ♖c5 22. ♗e4 ♗e4
23. fe4 f5 24. ♘b6± Am. Rodríguez] **19.
♗c2 a5□** [19... ♖bd8 20. ♗b3 △ ♗d5] **20.
♘d5** [RR 20. ♕d5 ♗g6 (20... ab4? 21.
♕f5 d5 22. ♖e4!+−) 21. ♕b7 ♖b7 22.
♘c6 (22. ♘d5 ♖e8) b4!⇆ Am. Rodríguez]
♖fe8 21. ♘e3 [RR 21. f3?! ef3 22. ♖e8
♖e8 23. ♗f5 ♖e2! (23... ♕a7 24. ♔h1) 24.
♗h7 ♔h8 (24... ♔h7 25. ♕d3 ♔g8 26.
♕f3 ♕a7 27. ♔h1 ♖b2 28. ♖e1→) 25.
♗e4 f2 (25... ♖e4!? 26. gf3 ♖e5∞) 26.
♔f1 ♖e1 27. ♕e1 fe1♕ 28. ♖e1 ♗e5=;
21. ♕d2! b4 22. cb4 ab4 23. ♖ad1 ♕a7
(23... ♗g6 24. ♗b3±; 24. ♖e3!?) *a)* 24.
♕f4 ♗g6! (Am. Rodríguez 2545 − Rojo
Huerta 2355, Albacete 1997; 24... ♖e5 25.
♗b3±) 25. ♕d6!? ♖e6 (25... ♕a2 26.
♗e4±; 25... ♗e5 26. ♘f6 ♔h8 27. ♕d7±)
26. ♕g3 ♗b2 (26... e3 27. ♘e3 ♖e3 28.
♖e3 ♗c2 29. ♖de1 ♖f8 30. ♖e8 ♗g6 31.
♕b3) 27. ♖e4±; *b)* ⌓ 24. ♗b3 ♗g4 25.
♖c1 ♕d4 26. ♕g5 ♗e6 27. ♖e4 ♕b2 28.
♖ce1± Am. Rodríguez] **♗g6** [21... ♗e6!?
22. ♗b3 ♖bd8 23. ♗d5 ♗d5 24. ♕d5 ♕d5
25. ♘d5 b4 26. ♖ad1 (26. cb4?! ab4 27.
♖ab1 ♖b8 28. b3 ♖e5 29. ♖ed1 ♖b5∓) bc3
27. bc3 ♖c8=] **22. h4! h5 23. ♕d6 b4 24.
♗b3 ♔h7** [24... bc3? 25. ♕g6!] **25. cb4!**
[25. ♖ac1 ♖bd8 26. ♕g3 (26. ♕f4? ♗e5
27. ♕g5 f6−+) ♗e5 27. ♕h3 ♖d3⚅↑]
♕b4! [25... ♗b2? 26. ba5 ♗a1 27. ♖a1±
△ ♘d5] **26. ♕b4 ♖b4 27. ♖ad1** [27. ♘d5
♖d4 △ ♖d2⚅; 27. ♖e2! ♖eb8! (27... a4?!
28. ♘c2!) 28. ♘d5 ♖d4 29. ♘c3! f5 30. g3
♖d3⚅] **♗b2 28. ♖d7 ♔g7 29. ♘d5 ♖d4!
30. ♖a7?!** [⫽g1-a7; 30. ♖b7 ♖d2 31. ♘f4
♗d4 32. ♘g6 (32. ♖e2 ♖e2 33. ♘e2
♗e5=) ♖f2 33. ♖d7 ♖e2 34. ♔f1 (34.
♖d4? ♖e1 35. ♔f2 ♖b1 36. ♘f4 e3 37.
♔e2 ♖b2 38. ♔e1 e2−+) ♖f2=] **♖d2 31.
♖a5 ♖e5! 32. ♖d1□ ♖d1 33. ♗d1 ♗d4**
[△ ♖f5] **34. ♔f1□ ♗f5! 35. ♗e2?⊕** [35.
♗b3 e3! 36. fe3 ♗e3 37. ♗c4 (37. ♘e3
♗d3∓) ♗e4→] **♗e6 36. ♗c4 ♖f5 37. f3□**
ef3 38. gf3 ♖f3 39. ♔g2? [39. ♔e2 ♖h3∓]
**♖f2 40. ♔g3 ♖d2−+ 41. ♗b3 ♗g4 42.
♔f4 ♖e2! 43. ♘b4 f6 44. ♘d3 ♗g1!**
0 : 1   *Šarijazdanov, Lysenko*

147.✓** **   **B 33**

AM. RODRÍGUEZ 2545 −
DOMÍNGUEZ GONZÁLEZ 2305

Terrassa 1997

**1. e4 c5 2. ♘f3 ♘c6 3. d4 cd4 4. ♘d4 ♘f6
5. ♘c3 e5 6. ♘db5 d6 7. ♗g5 a6 8. ♘a3
b5 9. ♗f6 gf6 10. ♘d5 f5 11. ♗d3 ♗e6
12. 0−0** [12. ♕h5 *a)* RR 12... ♗g7 13. 0−0
f4 14. c4 bc4 15. ♗c4 0−0 16. ♖ac1 ♖b8
17. b3 ♕d7 18. ♖fd1 ♘d4 19. ♘c2 ♘c2
(19... ♗g4? 20. ♕g5!) 20. ♖c2 ♔h8 21.
♕h4!? N (21. h3 − 58/(205)) ♗d5 (21... f5
22. ♘e7 ♗c4 23. ♘g6 ♔g8 24. ♘f8 ♖f8
25. ♖c4+− Oskulski 2140 − Iwanow, corr.
1997; 21... ♗g4 22. ♘f6 ♗f6 23. ♕f6 ♔g8
24. ♖d6+−) 22. ♗d5 ♖fc8 23. ♖cd2± Koni-
kowski; *b)* 12... ♖g8 13. c3 ♖g2 14. ♕f3
♖g4 15. ef5 ♗d5 16. ♕d5 ♘e7 17. ♕b7
♕b8 N (17... ♗h6 − 54/176; 17... ♕c8!?
Černjaev) 18. ♘b5! ♕b7□ 19. ♘d6 ♔d7
20. ♘b7 ♘c6 21. b4 ♔c7 22. ♘c5 ♗c5 23.
bc5 e4 24. ♗c2 (24. ♗e2!?) ♖e8 25. 0-0-0
(25. ♔f1!? ♖e5 26. ♖e1 ♖c5 27. ♖e4 ♖e4
28. ♗e4 ♖c3 29. ♔g2) ♖f4 (25... ♖e5 26.
♖he1 ♖h4 27. ♖d2) 26. ♖d6 (26. ♖he1
♖f2 27. ♗e4 ♖a2 28. ♗d5 ♖e1 29. ♗a2
♖e5) ♖e5 (26... ♖f5?? 27. ♖c6!+−) 27.
♖f6 ♖ef5? 28. ♖f5 ♖f5 29. ♗e4 ♖f2 30.
♗h7± Am. Rodríguez 2545 − Černjaev
2480, Manresa 1997; 27... ♖c5 △ 28. ♖f7
♔b6⇆] **♗d5 13. ed5 ♘e7 14. c3 ♗g7 15.
♘c2 0−0** [15... e4!? 16. ♗e2 ♕b6] **16.
♕h5 e4 17. ♗e2 ♕d7** [17... f4! 18. ♕g5
♘g6 (18... f5 19. ♕f4 ♘d5 20. ♕d2±) 19.
♕d8 ♖fd8 20. a4±] **18. ♖ad1 ♖ac8 19.
♖d2** N [19. f4!? − 55/(199)] **♖c5 20. ♖fd1
f4 21. ♗g4! f5 22. ♗h3 ♖f6 23. ♕e2 ♖h6**

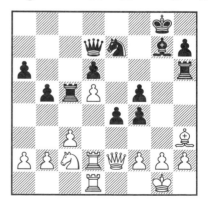

24. ♕e4! ♖h3 25. ♕e6 ♕e6 26. de6 ♖h6 27. ♖d6 a5 28. a3 ♗e5 [28... f3!? △ 29. g3 f4!] 29. ♖a6 a4 [29... f3 30. g3 ♖c6 31. ♖a5 ♖b6 32. ♖a8 ♔g7 33. ♘e1 ♖he6 34. ♘f3 ♗f6±] 30. ♖d7 ♖c7?⊕ [◌ 30... ♗f6±] 31. ♘d4!± ♖f6 32. ♘b5 [32. ♘f3! ♖c6 33. ♖aa7] ♖d7? [32... ♖c5!±] 33. ed7 ♖f8 34. ♖e6! ♔g6 35. ♖e8 ♗f6 36. ♘d4 ♔f7 37. ♘f5 ♖e8 38. ♘d6   **1 : 0**

Am. Rodríguez

148.   B 33

VL. GUREVIČ 2430 –
G. TIMOŠENKO 2510
Enakievo 1997

1. e4 c5 2. ♘f3 ♘c6 3. d4 cd4 4. ♘d4 ♘f6 5. ♘c3 e6 6. ♘db5 d6 7. ♗f4 e5 8. ♗g5 a6 9. ♘a3 b5 10. ♗f6 gf6 11. ♘d5 f5 12. ♗d3 ♗e6 13. 0–0 ♗d5 14. ed5 ♘e7 15. c3 ♗g7 16. ♕h5 e4 17. ♗c2 0–0 18. ♖ae1 ♖e8!? N [18... ♖c8 — 54/173] 19. ♗b3 [19. f4 ♘d5 20. ♗b3 (20. ♕f5?! ♕b6 21. ♖f2 ♘e3 22. ♕h3 ♘c2 23. ♘c2 d5 24. ♖d1 ♖ad8∓; 20. ♗e4 ♖e4 21. ♖e4 fe4 22. ♕d5 ♕b6 23. ♔h1 ♖e8=) ♘f6 21. ♕f5 ♕b6 22. ♔h1 ♕c5=; 19. f3!? a) 19... ef3?! 20. ♕f3±; b) 19... ♘g6?! 20. ♕f5 (20. fe4 f4⧉) ♖e5 21. ♕h3±; c) 19... b4?! 20. cb4 ♗b2 21. ♘c4±; d) 19... ♘d5 d1) 20. ♕f5?! ♕b6 21. ♔h1 ♘e3 22. ♖e3 ♕e3 23. ♗e4 ♖ad8 24. ♕h7 ♔f8 25. ♘c2 ♕d2 △ d5∓; d2) 20. ♗e4 fe4 21. ♕d5 ♖e5 22. ♕d2 d5=; d3) 20. ♗b3 ♘f6! 21. ♕f5 ♖e5 22. ♕h3 (22. ♕f4 ♕b6 23. ♔h1 ♖ae8 24. fe4 d5!=) ♕b6 23. ♔h1 d5 24. ♘c2 ♖h5 25. ♕g3 ♖h6 △ ♖g6=; d4) 20. fe4! ♕b6 21. ♔h1 ♘f6 (21... ♘e3 22. ♖f3 ♘c2 23. ♘c2 fe4 24. ♕f7 ♔h8 25. ♖h3±) 22. ♕f5 ♖e5 23. ♕f3 ♖ae8 (△ d5) 24. ♖d1! ♖8e7 25. ♖d4±] ♘g6! 20. f4 [20. ♕f5?! ♖e5 21. ♕g4 (21. ♕h3 ♘f4) f5 22. ♕d1 ♕g5→] ef3 [20... ♕d7?! 21. ♘c2 △ ♘e3±] 21. ♖e8 [21. ♕f3 ♕b6 22. ♔h1 f4=] ♕e8 22. ♕f3 f4 23. ♘c2 a5 24. a3 ♖a7!= 25. ♖e1 ♖e7 26. ♖e7 ♕e7 27. ♕d3 ♘e5 [27... ♕g5 (△ f3) 28. ♕d2 △ ♘e1] 28. ♕f5! [28. ♕b5? f3 29. ♕f1 ♕g5∓↑] ♘g6 [28... ♘h4 29. ♕c8 ♗f8 30. ♕h3 ♕h3 (30... ♕g5 31. ♘d4 f3 32. ♕g3=) 31. gh3 ♘d3 32. ♘d4=] 29. ♔f1 ♗e5?! [29... ♕h4=] 30. ♘e1± b4 31. ab4 ab4 32. cb4 ♗b2 33. ♗c2 ♔g7 34. ♕e4 ♕f6 [34... ♕e4 35. ♗e4 ♘e5±] 35. ♘f3 ♗c1 36. ♕d4 h6?! 37. ♗g6± fg6? [37... ♔g6? 38. ♕f6 ♔f6 39. ♔e2+–; 37... ♕d4 38. ♘d4 fg6 39. ♘c2!±] 38. ♕a7 ♔g8 [38... ♕f7 39. ♕a1+–] 39. ♕b8 ♕f8 [39... ♔g7 40. ♕c7+–] 40. ♕f8 ♔f8 41. ♔e2+– ♔e7 42. ♔d3 ♗e3 43. ♔e4 ♔d7 44. ♘h4 g5 45. ♘f5 ♗g1 46. ♘h6 ♗h2 47. ♔f5 ♔c7 48. ♘f7 ♔b6 49. ♘g5 ♗g3 50. ♘h3 ♔b5 51. ♘f4 ♔b4 52. ♘h5 ♗h4 53. g4 ♔c5 54. ♘f6 ♔d4 55. g5
1 : 0

Vl. Gurevič

149.*   B 33

HELLERS 2585 –
SCHANDORFF 2510
Århus 1997

1. e4 c5 2. ♘f3 ♘c6 3. d4 cd4 4. ♘d4 ♘f6 5. ♘c3 e5 6. ♘db5 d6 7. ♗g5 a6 8. ♘a3 b5 9. ♗f6 gf6 10. ♘d5 f5 11. c3 ♗g7 12. ef5 ♗f5 13. ♘c2 ♗e6 14. g3 0–0 [RR 14... ♘e7!? 15. ♗g2 (15. ♘ce3 — 64/165, 166) ♘d5 16. ♗d5 0–0 17. 0–0 N (17. ♗a8) ♖b8 18. ♘b4! ♕b6□ 19. a4 a5 20. ♘c6 ♖be8 21. b4 ab4 22. cb4 (22. a5!? ♕c5 23. ♘b4 ♕c3 24. ♗e6 ♖e6 25. ♘d5⧉) ba4 23. ♗e6 (23. ♖a4?! ♗d7!⇆) ♖e6 (23... ♕c6 24. ♗d5 ♕b5 25. ♖a4±) 24. ♕d5! e4 25. ♖a4 e3 26. fe3 ♕e3 27. ♔g2 ♕e4?! 28. ♕e4 ♖e4 29. ♖a7± N. Ninov 2445 – V. Volodin 2305, Cappelle la Grande 1997; 27... ♖f6!? N. Ninov, Kostakiev] 15. ♗g2 a5 16. 0–0 f5 17. ♕h5 ♖b8 18. ♖ad1 ♔h8 19. ♖d2 N [19. ♘ce3 — 63/(140)] ♗f7 20. ♕h3!? [20. ♕e2∞] ♘e7 21. ♘e7 [21. ♖fd1 ♘d5 22. ♗d5 ♗g6 23. ♗f3 f4! (23... ♖b6 24. ♗h5) 24. ♖d6 (24. ♗h5!?) ♗g5↑] ♕e7 22. ♖fd1?! [22. ♕f5! ♗c4 23. ♕h5 ♗f1 24. ♗e4 ♖f6 25. ♔f1∞ ♗g5 26. ♖d6 ♖bd8 27. ♖d8 ♖d8 28. h4 ♗c1 29. b3] ♗a2! 23. ♘e3 [23. ♖d6 ♗b3!] ♗b3?! [23... ♕g5! 24. ♖d6 ♗b3 25. ♖1d2 e4∓] 24. ♘f5 ♕g5 25. ♘d6 ♗d1 26. ♖d1⧉ ♕h6 27. ♕d7 ♕f6 28. ♖d2 ♗h6! 29. ♗e4! ♕g7 30. ♕g7 ♗g7? [30... ♔g7 31. ♖d5 ♗c1!∞] 31. ♖d5± a4 32. ♘b5 ♖fd8 33. ♘d6 ♖d7?! [33... ♔g8!] 34. ♗f5 ♖e7? [34... ♖a7] 35. ♖a5!± ♗f8 36. ♖a4 ♖b2 37. ♖a8 ♔g7 38. ♗h7 ♔h7? [38... ♖d7

39. ♘f5 ♔f7 40. ♗g6!] **39.** ♖f8 ♖d2 40.
♖f7!+− ♖f7 41. ♘f7 ♖d5 42. ♘g5 ♔g6
43. ♘e4 ♖d1 44. ♔g2 ♔f5 45. f3 ♖c1 46.
h4 ♖c2 47. ♔g1 ♖a2 48. h5 ♖b2 49. c4
♖a2 50. c5 ♖c2 51. ♔f1 ♖b2 52. ♔e1 ♖a2
53. ♔d1 ♖b2 54. c6 ♔e6 55. h6 ♖b8 56. g4
1 : 0
Hellers

150.* **B 36**

Z. ARSOVIĆ 2425 −
A. KOVAČEVIĆ 2485

Jugoslavija 1997

1. ♘f3 c5 2. c4 g6 3. e4 ♘c6 4. d4 cd4 5.
♘d4 ♘f6 6. ♘c3 d6 7. ♗e2 ♘d4 8. ♕d4
♗g7 9. ♗e3 0−0 10. ♕d2 ♗e6 11. 0−0
♕a5 12. ♖ab1 ♖fc8 13. b3 b5?! N [13... a6
− 67/222] 14. b4 [14. ♘b5?! ♕d2 15. ♗d2
♘e4 16. ♗a5 ♗f5 17. ♗f3 a6 18. ♘c7
♖a7∓ Pikula 2495 − Mi. Pavlović 2505,
Jugoslavija (ch) 1997] ♕c7 15. c5! [15. e5
de5 16. ♘b5 ♕b7 17. c5 ♖d8∞] a6 16.
♖fc1± dc5 [16... ♖d8 17. cd6 ♕d6 18.
♕d6 ed6 19. ♗d4±] 17. ♗c5 [17. bc5? ♖d8
18. ♕c2∞] ♘d7 [17... ♖d8 18. ♕e3±] 18.
♘d5 [18. ♗d4 ♗d4 19. ♕d4 ♕b6=] ♗d5
19. ed5 ♘c5 20. bc5± [δc] ♖d8 21. ♗f3
♖ac8 22. g3 ♗f6 23. ♔g2 ♔g7 24. h4 h5
25. ♕d3 [△ a4] ♕e5 26. ♖b4! [26. ♕a3?!
♕d4 27. ♕a6 ♖a8 28. ♕b5 ♖a2 29. ♕f1±
×f2] e6 27. a4 ba4 [27... ed5 28. ab5 ab5
29. ♖b5 ♕d4 30. ♕b3± △ c6] 28. ♖a4 ed5
29. ♖a6 ♖c7 [29... ♕b2 30. ♖c2 ♕d4 31.
♕b5±] 30. ♖c2 ♕d4 31. ♕b5 ♗e7 32. c6
♖d6 33. ♖a4 ♕e5 34. ♖e2 ♕c3 35.
♗d5+− [×f7] ♗f6 36. ♖e3 ♕d2 37. ♖d3
♕e2 38. ♕b3! ♕e5 [38... ♖cc6? 39. ♖a2]
39. ♖a8 ♕e7 40. ♖b8 ♕e5 41. ♖b7 ♖d8
42. ♖f3! [△ ♗f7, ♖f4, ♖c7, ♖b4-b7] ♖f8
43. ♖f4 ♕d6 44. ♖c7 ♕c7 45. ♖b4 ♕e5
46. ♖b7 ♗e7□ [46... ♕e8 47. ♗f7!] 47.
♕f3 ♕f6 48. ♕e3 ♗d6 49. ♖d7 1 : 0
Z. Arsović

151.* !N **B 38**

BETANELI 2345 − DESHPANDE

USA 1997

1. c4 c5 2. ♘f3 ♘c6 3. d4 cd4 4. ♘d4 g6
5. e4 ♗g7 6. ♗e3 ♘f6 [RR 6... d6 7. ♘c3

♘h6 8. ♗e2 0−0 9. ♕d2 (9. 0−0?! f5! 10.
ef5 ♗d4! 11. ♗h6 ♖f5∞) ♘g4 10. ♗g4
♗g4 11. 0−0 ♖c8 N (11... ♕a5 − 39/(208))
12. b3 ♕a5 13. h3 ♗e6 14. ♖fd1 ♘d4 15.
♗d4 ♗d4 16. ♕d4 a6 17. a4 ♖fe8 (17...
♕b4 18. ♖ab1±) 18. f4 ♕c5□ 19. a5!
♕d4 20. ♖d4 ♗c5! (20... f6?! 21. ♘a4!±)
21. ♔f2 ♖b8 22. ♔e3 f6 23. g4 ♔f8 24.
♔d3 (24. ♘a4? ♗a5 25. b4 ♖a4 26. ♖a4
♗c4!∓ Istrățescu) b5 25. ab6 ♖b6 26. ♔c2±
Istrățescu 2550 − As. Afifi 2340, Cairo
1997] 7. ♘c3 0−0 8. ♗e2 b6 9. 0−0 ♗b7
10. f3 ♖c8 11. ♖c1 ♘d4 12. ♗d4 ♗h6 13.
♖c2 ♘h5 14. g3 ♗g7 15. f4 f5 16. e5 ♘e6
17. ♖d2!? [17. ♗e3] g5 [17... ♘d4 18.
♖d4 ♗c6 19. ♗f3±] 18. ♗e3 ♗c6 19.
♘d5! N [19. ♗f3∞ − 29/297] gf4 [19...
♕e8?! 20. ♗h5 ♕d8 21. ♗f3±] 20. gf4
♔h8 21. ♗f3! [△ ♗g2] ♕e8 22. ♖g2 ♖g8
23. ♕d2 ♖g2 24. ♗g2! ♕f7 25. ♖f3 ♖g8
26. ♖g3 ♖g6 [26... ♖g3 27. hg3±] 27. ♕f2
♕e8 28. ♗h3 ♕f7 29. ♗g2 ♕e8 30. b4!↑≪
♔g7 31. ♖g6! hg6 [31... ♔g6? 32. ♗h3
♔f7 33. ♕h4→] 32. ♕h4± [×e7] ♕f8 33.
b5! [33. ♕e7? ♕e7 34. ♘e7 ♗g2 35. ♔g2
♘f4; 33. ♘e7? ♗g2 34. ♔g2 ♘f4 35. ♗f4
♗f4 36. ♘g6 ♔g6 37. ♕f4 ♕b4∞] ♗d5
[33... ♗b7 34. ♘e7 ♗g2 35. ♔g2 ♘f4 36.
♗f4 ♗f4 37. ♘g6 ♔g6 38. ♕f4+−] 34.
cd5 ♘c5 35. ♗d4 ♔f7 36. d6! ♗g7 [36...
ed6 37. ♕f6±] 37. ♗d5?⊕ [37. ♗c5! bc5
38. de7 ♕e7 39. ♗d5 ♔e8 40. ♕h7+−]
e6?⊕ [37... ♘e6!±] 38. ♗c5! bc5 [38...
ed5 39. ♗d4+− (×♔f7, ♗g7) ♕c8? 40.
e6!] 39. ♗c4+− [△ a4-a5] ♕c8?⊕ 40.
♕e7 ♔g8 41. ♗e6 1 : 0
Serper, Betaneli

152. !N **B 39**

B. LALIĆ 2600 − S. HEIM 2400

Slough 1997

1. e4 c5 2. ♘f3 ♘c6 3. d4 cd4 4. ♘d4 g6
5. c4 ♗g7 6. ♗e3 ♘f6 7. ♘c3 ♘g4 8. ♕g4
♘d4 9. ♕d1 e5 10. ♕d2 0−0 11. ♘b5
♕e7 12. 0-0-0 ♘b5 13. cb5 d5! [×♔c1]
14. ed5 [14. ♕d5? ♗e6∓ 15. ♕d6?? ♖ac8
16. ♔b1 ♖fd8!!−+] ♖d8∞ 15. d6 ♕e6 16.
♔b1 ♗f8 17. ♗c5?! [△ 17. ♕c3 ♖d6 18.
♗c4 ♕f5! (18... ♖d1? − 63/145) 19. ♔a1
♗e6∞] b6 18. ♗b4 ♗b7 19. h4 ♗d6! N

[19... ♖ac8 20. h5? ♗d6!−+ − 63/(145);
20. f3] **20. ♗d6 ♖d7** [△ ♖ad8∓] **21. f4!□**
[21. ♕b4? ♖ad8 22. ♗c4 ♕f6 23. ♗e7
♗e4! 24. ♔c1 ♕f4−+; 21. h5? ♖ad8 22.
♕g5 (22. hg6? ♖d6 23. gf7 ♔f7 24. ♖h7
♔g8!−+) ♕f5! 23. ♕f5 gf5∓⊥] **ef4** [21...
e4? 22. f5! ♕f5 23. ♕b4± △ ♗e2] **22.
♕f4 ♖ad8 23. ♗c4! ♗e4** [23... ♕e4? 24.
♔c1! ♖d6 25. ♕f7 ♔h8 26. ♖d6+−] **24.
♔a1 ♕c4 25. ♖c1 ♕e6 26. ♗e5 f6?!** [⌒
26... ♕f5!∓⊥] **27. ♕f6 ♕f6 28. ♗f6 ♖f8
29. ♗g5!= ♗g2 30. ♖hd1 ♖d1**
1/2 : 1/2   *B. Lalić*

153. B 39

LÉKÓ 2635 − JE. PIKET 2630

Tilburg 1997

**1. e4 c5 2. ♘f3 ♘c6 3. d4 cd4 4. ♘d4 g6
5. c4 ♗g7 6. ♗e3 ♘f6 7. ♘c3 ♘g4 8. ♕g4
♘d4 9. ♕d1 ♘e6 10. ♖c1 ♕a5 11. a3!?
b6 12. ♗d3** [12. ♕d5 ♖b8 13. ♕a5 ba5
14. ♘a4 ♗b2 15. ♖b1 ♗e5∓] **g5** [12...
♗b7 13. f4!?] **13. 0−0 ♗b7 14. ♖c2!? N**
[14. ♘b5 ♗b2 15. ♖b1 (15. ♗d2 ♕a6 16.
c5 0-0-0 17. e5 bc5 18. ♕h5⊚) ♗e5 16.
♖b4 ♘c5 Lékó; 14. ♕d2 − 10/426] **♗c3!?**
[14... h5?! 15. ♘b5!; 14... ♕e5 15. g3!?
(15. ♘d5 h5∞) ♖g8 (15... ♘c5!?) 16. ♔h1
♘c5 (16... f5!?) 17. f4∞] **15. ♖c3 ♕e5 16.
♖e1** [16. f3 h5 △ h4; 16... f5!?] **h5 17.
♗d2 ♖h6 18. h4?!** [18. ♖c2 △ ♗c3; 18.
♗f1; 18. b4] **♖g6!** [18... f6!?∞] **19. hg5**
[19. ♕h5 0-0-0 △ ♖h8↑] **♘g5 20. ♕h5**
[20. f4? ♘h3] **♕g7□** [20... 0-0-0 21. f4]
21. ♔f1? [21. ♗g5 ♖g5 22. ♕h3 0-0-0
23. g3 ♖h8 24. ♕g2∓; 21. g3] **♘e6 22. g3
0-0-0 23. ♗e3** [23. c5 ♖h8 24. cb6 ♕c3−+]
♖h8 24. ♕f3 ♖h2!!∓ [24... f5 25. c5; 24...
d6 25. ♔e2] **25. c5** [25. ♔e2 ♖g3; 25. ♔g1
♕h8 △ ♖f6] **♖f6 26. cb6 ♔d8!** [26...
♔b8? 27. ba7 ♔a8 28. ♖ec1] **27. ♗f4** [27.
ba7 ♖f3 28. ♗b6 ♘c7□ (28... ♔e8 29.
a8♕ ♗a8 30. ♖c8 ♘d8 31. ♖d8#) 29.
♖c7 ♖ff2−+] **♘d4** [27... ♖f4 28. gf4 ♘d4
29. ♕g3 ♖h1 30. ♔g2 ♕g3 31. ♔g3 ♖e1
32. ba7 ♘c6 △ ♔c7∓] **28. ♕e3 ♕g4!!−+
29. ♕d4** [29. ♔g1 ♕h3 △ ♖h1#] **♕f3??**
[29... ♖f4 (△ ♖h1, ♕h3#) 30. ♔g1
♕h3−+] **30. ♕d7!** [30... ♔d7 31. ♗b5]
1 : 0   *Je. Piket*

A. FEDOROV 2580
− KEŃGIS 2585

Vilnius 1997

1. e4 c5 2. ♘f3 e6 3. d3 [RR 3. g3 *a)* 3...
♘c6 4. ♗g2 ♘f6 5. ♕e2 d6 6. 0−0 ♗e7 7.
c3 0−0 8. d4 cd4 N (8... d5 − 67/(225)) 9.
cd4 d5 10. e5 ♘d7 11. ♘c3 ♘b6 12. h4 a5
13. ♗g5 a4 14. ♘b5 ♘a5 15. b3 ♗d7 16.
♕d3 h6 17. ♗d2 ♗c6 18. ♖ab1 ab3 19.
ab3 ♗b5 20. ♕b5 ♘c6 21. ♖a1 ♕c7 22.
♖fc1 ♖a1 23. ♖a1 ♖a8 24. ♖c1 ♘d7=
Spassky 2550 − Ioseliani 2520, København
1997; *b)* 3... b6 4. ♗g2 ♗b7 5. ♕e2 ♘f6 6.
d3 d5 7. e5 ♘fd7 8. 0−0 N (8. c4 −
69/(152)) ♕c7 9. ♗f4 ♗e7 10. ♖e1 h6 11.
h4 ♘c6 12. ♘c3 0-0-0 13. ♘d5 ed5 14. e6
♗d6 15. ed7 ♕d7 16. ♗d6 ♕d6 17. ♘e5
♘e5 18. ♕e5 ♕e5 19. ♖e5 ♖he8 20. ♖ae1
♖e5 21. ♖e5 ♔c7 22. f4 ♗c6 23. ♖e7 ♖d7
24. ♖e8 ♖d8 1/2 : 1/2 Spassky 2550 − P.
Cramling 2520, København 1997; 3. b3 a6
4. ♗b2 ♘c6 5. c4 ♘f6! N (5... f6?! −
61/190; 5... d6 − B 50) 6. e5 ♘g4 7. h3
♘h6 8. ♗d3 d6 9. ed6 ♕d6 10. ♗e4 ♘f5!
11. ♗f5 ef5 12. d4 cd4 13. ♘d4 ♘d4 14.
♕d4 ♕d4 15. ♗d4 ♗d7! 16. 0−0 f6 17.
♘c3 ♗c6 18. a3 ♔f7 19. b4 b5! (19... ♖c8
20. c5 △ a4, b5) 20. cb5 (20. c5? ♗e7 △
♖hd8, g5, h5↑) ab5 21. ♖fb1? (△ a4)
♗d6∓ 22. a4? ba4 23. b5 ♗e4!∓ Tockij
2485 − Tunik 2450, Sevastopol' 1997; 21.
♗c5!= Tunik; 3. c3 d5 4. e5 ♕b6 5. ♗e2
♘c6 6. 0−0 (6. d4 − 68/(238), C 02) ♘h6
7. ♘a3 ♗d7 8. h3?! N f6! 9. ef6 gf6 10. d4
cd4 11. ♘d4 ♘d4 12. ♗h5 ♘f7 13. cd4
♗g7 14. ♗f7 ♔f7 15. ♕h5 ♔g8∓⌓ Con-
quest 2540 − A. Zapata 2515, Yopal 1997;
8. d4=] **♘c6 4. g3 ♗d6** [RR 4... g6 5. ♗g5
♕c7 6. ♗g2 ♗g7 7. c3 ♘ge7 8. 0−0 0−0
9. d4 cd4 10. cd4 h6 N (10... d5 −
69/(152)) 11. ♗f4! (11. ♗e3 d5 12. e5
♘f5=) *a)* 11... ♕b6?! 12. ♗d6! ♖e8 13.
♘bd2 ♘d4 14. ♘c4 ♕a6 (14... ♘f3 15.
♗f3! ♕a6 16. ♗e2 b5 17. ♘a3↑) 15. ♘d4
♕c4 16. e5 ♘c6 17. ♘c6 dc6 (17... bc6 18.
♖e1±) 18. ♖e1 ♕a6 19. a4! ♕a5 20. ♖e3
♗f8 21. b4 ♕d8 22. ♖d3 ♗d6 23. ♖d6±
Glek 2505 − Bezold 2490, Martigny 1997;
b) 11... d6 12. ♘c3 e5 13. de5 de5 14.

♗e3± Glek] **5. ♗g2 ♘ge7 6. 0—0 ♗c7 7.
♘h4 N** [7. ♗e3!? △ d4; 7. ♘bd2] **♘g6?!**
[7... d5] **8. ♘g6 hg6 9. ♘c3 a6 10. a3 b5
11. ♗e3 ♕e7** [11... ♗b6 12. e5 0—0 13. f4
f6 14. ♕g4±; ◯ 11... d6 12. f4 ♗b7 13.
♕d2↑] **12. ♘d5!± ed5 13. ed5 ♗b7 14.
dc6 ♗c6** [14... dc6 15. ♖e1 0—0 16. ♗f4
♕d7 17. ♗c7 ♕c7 18. ♕e2 △ 19. ♕e5,
19. ♕e7] **15. ♗c6 dc6 16. ♕f3 ♕d6** [16...
♔d7 17. ♕g4→] **17. ♗f4 ♕f6 18. ♕e3
♔d7 19. ♗c7 ♔c7 20. ♕c5?** [20. ♖fe1!
♖h5 (20... ♖he8 21. ♕c5 ♕b2 22. a4! △
a5±→; 20... ♔b6 21. a4→) 21. ♕e7 ♔b6
22. a4 ba4 23. ♖a4 ♕e7 (23... ♖ah8? 24.
♖a6+−) 24. ♖e7 ♖f5 25. ♖a3] **♖h5 21.
♕e3 ♖e5?** [21... ♖ah8! 22. h4 g5 23. a4!?
gh4 24. g4 ♖g5 25. ab5 ♖g4 26. ♔h1 cb5
27. ♕a7 ♔c8 28. ♕a6 (28. f3 ♖g3 △ ♖h3)
♕a6 29. ♖a6 ♔b7 30. ♖fa1 ♖f4=] **22.
♕d2 ♖ae8 23. a4 ♖e2 24. ♕a5 ♔b7 25.
c4! ♖b2** [25... bc4 26. dc4 ♖b2 27.
♖ad1→] **26. c5!+− ba4** [26... ♕d8 27. ab5
♕a5 28. bc6 ♔c6 29. ♖a5] **27. ♖a4 ♖ee2**
[27... ♖a8 28. ♖f4 ♕e7 29. ♖e1 ♕d7 30.
♕c3] **28. ♕a6 ♔c7 29. ♕a5 ♔c8 30. ♕a8
♖b8 31. ♕a6 ♔c7 32. ♖f4 ♕e7 33. ♕a5
♔c8 34. ♖d4 ♖e5** [34... ♖e6 35. ♖h4] **35.
♖d6 ♖e6** [35... ♕d6? 36. ♕a6] **36. ♖e6
♕e6 37. ♖e1 ♕d7 38. h4 ♖b5 39. ♕c3 f6
40. ♕c4 ♔b7 41. d4 g5 42. hg5 fg5 43.
♖e5 g6 44. d5** [44. ♔g2!? ♖b1 (44... ♕h7
45. ♕e2) 45. ♕d3] **♖b1 45. ♔g2 ♕h7 46.
♖e1 ♖e1 47. ♕b4 ♔c8** [47... ♔c7 48. d6;
47... ♔a8 48. ♕e1 cd5 49. ♕a5] **48. ♕e1
cd5 49. ♕e8 ♔b7 50. ♕b5 ♔c7 51. ♕b6
♔c8 52. ♕c6 ♔b8 53. ♕d5 g4 54. ♕d8
♔b7 55. ♕b6 ♔a8 56. c6 g5 57. ♕d8**
[57... ♔a7 58. ♕d7; 57. c7?? ♕h1=]
1 : 0   *A. Fedorov*

155.* !N   B 40

TOPALOV 2725 − SHORT 2690
Novgorod 1997

**1. e4 c5 2. ♘f3 e6 3. d4 cd4 4. ♘d4 ♕b6
5. ♘c3 ♗c5 6. ♘a4** [RR 6. ♗e3 ♘c6 7.
♘a4 (7. ♘cb5 − 58/(209)) ♕a5 8. c3 ♗d4
9. ♗d4 ♘d4 10. ♕d4 e5! 11. ♕b4 (11.
♕d1 ♘f6 12. ♗d3 0—0 13. 0—0? b5 14.
♘c5 ♕b6 15. ♘b3 ♗b7∓) ♕b4 12. cb4

♘f6 13. ♘c3 b6! N (13... d6 14. 0-0-0 ✕d6)
14. 0-0-0 ♗b7 15. f3 ♔e7 16. ♗c4 ♖hd8?!
17. ♗b3?! h5!∓ Joel Chacón − José Alva-
rez 2390, Cuba 1997; 17. g4∞; 16... h5!∓
Alvarez Pérez] **♕a5 7. c3 ♗d4 8. ♕d4
♘f6 9. ♘c5 ♘c6 10. ♕e3** [10. ♕d6 b6 11.
b4 ♘b4 12. ♘b3 ♘c2 13. ♔d1 ♘e4 14.
♕f4 (14. ♕d3 ♘a1!) ♕c3∓] **0—0 11. ♘b3
♕a4! N** [11... ♕h5] **12. ♗d3** [12. ♘c5=]
b6 13. 0—0 [13. ♘d4 ♘d4 14. cd4 ♗a6 15.
b3 ♕a5 16. ♗d2 ♕a3 17. ♗c1=] **♗a6 14.
♗a6 ♕a6 15. ♖e1 d5 16. e5?!** [16. ed5
♘d5 17. ♕e2] **♘d7 17. ♕g3 ♔h8 18. ♘d4**
[18. ♖e3!? ✕h7] **♖ac8 19. ♘c6 ♖c6∓ 20.
♗g5 ♖fc8 21. ♕f3 ♔g8 22. a3** [22. ♕g3
♔f8!?] **♕b5 23. ♖e2 h6! 24. ♗f4 ♖c4 25.
♖d2?!** [25. ♖ae1 d4∓] **♖e4 26. ♕g3 ♕c4
27. ♗e3 ♖g4 28. ♕h3 ♘e5 29. f4** [29.
♗d4? ♖e4 30. ♕g3 ♘g6 31. f3 ♖e2−+]
♖f4 30. ♗f4 ♕f4∓ 31. ♖f2 [31. ♖d5 ♘g4
32. ♖f1 (32. ♖d4 ♕f2 33. ♔h1 ♕b2; 32.
♖dd1 ♘f2) ♕h2−+; ◯ 31. ♖e2] **♕g5 32.
♖af1 ♖c4** [△ ♖h4] **33. ♖e2 a5 34. ♕e3
♕e3 35. ♖e3 ♘g4 36. ♖d3 ♖c7** [36... a4
37. ♖d4 b5!?] **37. a4 f5 38. b3 ♔f7 39.
c4?! dc4 40. ♖c3 ♘e5 41. ♖fc1 ♖c6 42. h4**
[42. bc4 ♘d7] **g5 43. hg5 hg5 44. bc4 ♘d7
45. ♔f2 ♘c5 46. ♖a3 g4−+ 47. ♔e2 ♔f6
48. ♖d1 ♘e4 49. ♖c1 f4 50. ♖b3 ♘c5 51.
♖a3 e5 52. ♖h1 ♔f5 53. ♖h5 ♔e4 54.
♖h4! ♖g6 55. ♖h1 g3 56. ♖h5 ♔d4 57.
♖a2 ♖e6 58. ♖h1 ♘d3** [58... ♔c4] **59.
♖c2 e4 60. ♖h8 f3** [61. gf3 ef3 62. ♔f3
♘e1; 61. ♔f1 ♘f4]   **0 : 1**   *Short*

156.   B 40

IVANČUK 2725 − SHORT 2660
Dortmund 1997

**1. e4 c5 2. ♘f3 e6 3. d4 cd4 4. ♘d4 ♕b6
5. ♘c3 ♗c5 6. ♘a4 ♕a5 7. c3 ♗d4 8.
♕d4 ♘f6 9. ♘c5 b6?! N** [9... 0—0 −
60/(178)] **10. ♘b3 ♕h5 11. f3 0—0 12.
♗f4! ♘c6** [12... d5 13. e5 ♘c6 14. ♕e3
♘d7 15. g4 ♕h4 16. ♗g3±] **13. ♕e3 e5
14. ♗g5 ♘e8 15. g4 ♕g6 16. 0-0-0 ♕e6
17. ♔b1** [17. ♕d2 d6 18. h4 ♗b7 19. ♔b1
f6 20. ♗e3 ♘e7 21. c4 ♗a6⇆] **♗b7** [17...
f6 18. ♗h4 ♗b7 19. ♕d3 ♖d8 20. ♗f2
♘e7 21. c4 ♗a6⇆; 20. ♕c4±] **18. ♕d3 d6**

19. h4 ♔h8?! [19... ♖c8 a) 20. ♖h2 f6 21. ♗e3 ♘e7 22. c4 (22. ♗h3 d5 23. g5 f5!) ♗a6 23. ♖c2 ♘c6 24. ♕d2 ♖f7 25. h5 ♖fc7⇆; b) 20. ♘c1 f6 21. ♗e3 ♘e7 22. c4 ♗a6 23. b3 ♖b8 24. ♖h2 b5 25. c5±; c) 20. h5 f6 21. ♗e3 ♘e7 22. c4 ♗a6 23. ♖c1±] **20. ♖h2 f6 21. ♗e3 ♘e7** [21... ♖f7 22. ♖hd2 ♖c7 23. g5±] **22. c4 ♕f7?!** [22... ♖c8] **23. h5 h6 24. ♘a1! ♘c6 25. ♖hd2 ♖d8 26. ♘c2 ♕e6 27. ♗f2 ♖f7 28. ♘e3± ♕c8** [28... ♖c7 29. ♘d5 (29. ♘f5 ♘e7) ♖cc8 30. ♕a3±] **29. ♕a3 ♘d4 30. ♘d5 ♘c6 31. ♘c3 ♕b8** [31... ♕e6 32. c5 (32. ♘b5 ♖fd7 33. ♗e3 ♘e7 34. ♘a7 ♖a8 35. ♗b6 ♘c8!) bc5 (32... ♖fd7 33. cb6 ab6 34. ♗b6 ♖a8 35. ♘a4!±) 33. ♗c5 dc5 34. ♖d8 ♖d8 35. ♖d8±] **32. ♘b5 ♖fd7 33. c5 bc5 34. ♗c5 ♗c8** [34... ♕c8 a) 35. ♗d6 a6 36. ♘c3 ♘d4 37. ♗e7 ♘f3∞; b) 35. ♘d6 ♘d6 36. ♖d6 ♖d6 37. ♗d6 (37. ♖d6 ♖d6 38. ♗d6 ♘d4⇆) ♘d4 38. ♖c1 ♕a8 39. ♗e7 ♖d7±; c) 35. ♘a7! ♘a7 36. ♗a7±] **35. ♘d6 ♘d6 36. ♖d6 ♖d6 37. ♖d6** [37. ♗d6 ♘b4 38. ♕d3 ♕b6 39. ♕b5! (39. ♕d2 ♗e6!) ♖d6 40. ♕e8 ♔h7 41. ♕g6=] **♗e6??+−** [37... ♖d6 38. ♗d6 ♕b6 39. ♗c5 ♕d8 40. ♔c1 a5±] **38. ♖c6 ♖d1 39. ♔c2 ♖f1 40. ♖e6 ♕b5 41. ♕a6   1 : 0**

Ivančuk, Sulypa

157.****** !N   B 42

ASEEV 2530 − KEŃGIS 2585

Vilnius 1997

1. d4 e6 2. e4 c5 3. ♘f3 cd4 4. ♘d4 a6 5. ♗d3 ♗c5 [RR 5... d5 6. ed5 ♕d5 7. 0−0 ♘f6 8. ♘c3 ♕d8 9. ♗f4 N (9. ♗g5 − 69/156) ♗e7 10. ♖e1 0−0 11. h3 ♗d7 12. ♕f3 ♘c6 13. ♘b3 ♘b4!? 14. ♕b7□ ♗c6 15. ♕c7 ♘d3 16. cd3 ♖c8 17. ♕d8 ♖fd8 18. ♖ed1 ♘d5 19. ♘d5 ♗d5 20. ♗e5 f6 21. ♗c3⨺ (1/2 : 1/2 Zagrebelny 2480 − Vyžmanavin 2585, Novgorod (open) 1997) e5 △ ♖d7, ♖cd8= Vyžmanavin, B. Arhangel'skij; 5... ♘f6 6. 0−0 d6 (6... d5 7. ed5 ♘d5 8. ♗e4±; 8. ♖e1 Yudasin) 7. c4 a) 7... ♗e7 8. ♘c3 0−0 9. ♗e3 ♘bd7 10. f4 ♕c7 11. g4! ♘c5 N (11... g6 − 69/(156)) 12. ♗c2 (12. g5? ♘g4!↑) e5 (12... g6? 13. g5 ♘h5 14. f5 ♖e8 15. b4 ♘d7 16. fe6 fe6 17. ♘e6 ♕c4 18. ♗b3+−; 12... d5?! 13. ed5

ed5 14. g5 ♘g4 15. ♘d5 ♘e3? 16. ♗h7!!+− Macieja 2470 − Gratka 2265, Koszalin 1997; 15... ♕d8±) 13. ♘f5 ♗f5 14. ef5 ef4 15. ♖f4 h6± Macieja; b) 7... g6 8. ♘c3 ♗g7 9. ♘f3 b1) 9... 0−0?! 10. ♗f4! b11) 10... ♕c7 11. ♖c1 (△ c5!) ♘c6 12. ♗b1 (12. c5 e5 13. cd6±↑) ♘e5 13. ♘e5 de5 14. ♗e3 (×b6, ♘f6) ♕c4 15. ♘d5±; b12) 10... ♘h5 − 63/147; b13) 10... ♘g4 11. ♗e2 ♘e5 12. ♘e5! N de5 13. ♕d8! ♖d8 14. ♗g5 f6 (14... ♖e8?! 15. ♘a4 ♘c6 16. ♘b6 ♖b8 17. c5± Yudasin 2600 − Movsesian 2630, Pula 1997) 15. ♖fd1 ♗d7! 16. ♗e3 ♖c8 17. b4±↑; 17. a3!? △ ♖ac1 ×♗d7, ♘b8; b2) 9... ♘c6! 10. ♖e1 (10. h3 ♗d7; 10. ♗f4 ♘g4 11. ♗e2 ♘ge5∞) ♘g4 11. ♗f1 ♘ge5 12. ♘d2!?; 12. ♖b1!? Yudasin; c) 7... ♗d7 8. ♘c3 ♘c6 9. ♘c6 ♗c6 10. ♕e2 ♗e7 11. b3 0−0 12. ♗b2 ♕a5 c1) 13. a3 ♖fe8 N (13... ♕h5 − 69/(156)) 14. ♖ad1 ♖ac8 15. b4 ♕h5 16. ♕d2 ♖ed8 17. ♖fe1 ♗e8 18. ♖e3 ♕g5 19. ♘e2 1/2 : 1/2 Psakhis 2565 − Rublevskij 2650, Polanica Zdrój 1997; c2) 13. f4 ♕h5 14. ♕h5 ♘h5 15. ♖ad1 N (15. ♗e2) ♖fd8 16. ♗e2 ♘f6 17. ♗f3 ♘d7 18. ♗a3 ♘c5 19. ♔f2 b6 20. ♖d2 1/2 : 1/2 Z. Almási 2615 − Rublevskij 2650, Jugoslavija 1997] **6. ♘b3 ♗e7 7. 0−0** [RR 7. ♕g4 ♗f6 (7... ♘f6 − 69/(159)) 8. 0−0 ♘c6 9. f4 d6 10. ♘c3 h5 (10... ♕c7 11. e5!?; 10... ♘ge7!? △ 11. e5 de5 12. ♘e4 ♘g6) 11. ♕f3 N (11. ♕g3) ♘ge7 12. ♗e3 ♕c7 13. ♖ad1 ♖b8! (13... b5? 14. e5+−; 13... ♘b4?! 14. e5!→) 14. a4 b6 15. ♖d2 (Am. Rodríguez 2545 − Vehí Bach 2395, Manresa 1997) ♗c3! 16. bc3 ♗b7∞ Am. Rodríguez] **d6 8. ♕g4 ♗f6** [8... ♘f6?! 9. ♕g7 ♖g8 10. ♕h6±] **9. ♖d1! N** [×d6; 9. ♘c3 − 69/(159)] **♘c6 10. ♕g3 ♘ge7 11. ♘c3 0−0 12. ♗f1 d5 13. ♔h1!?** [13. ed5 ed5 (13... ♘d5 14. ♘d5 ed5 15. c3±) 14. ♗g5 a) 14... ♗e5 15. ♗e7 ♕e7 16. ♘d5 ♕d8 17. ♕f3 (17. ♕e3 ♖e8!⨺) ♕h4 (17... ♗b2 18. ♖ab1±↑) 18. h3 ♗b2 19. ♖ab1±↑; b) 14... ♘f5 15. ♗f6 ♕f6 16. ♕f4 (16. ♘d5?! ♕b2) d4 17. ♘e4±; 17. ♘e2!?] **d4?** [13... ♗e5 14. f4 ♗b8 15. ♗e3±; 13... ♘b4!? 14. ♖b1!? (14. e5 ♘f5 15. ♕f4 ♗e7; 14. ♗f4 ♘c2) ♘c2 15. e5 ♘f5 16. ♕f4 ♗e7 17. ♗d3 (17. a3? ♕b6) ♘b4 18. ♗f5 ef5 a) 19. a3 ♘c6 20. ♘d5 ♗e6! 21.

♘e7 (21. ♘f6 ♗f6 22. ♖d8 ♖fd8∞↑) ♕e7
22. ♘d4=; b) 19. ♘d4!? g5!? (19... g6? 20.
♘f3! △ ♕h6±→; 19... ♘c6 20. ♘f5 ♗f5
21. ♕f5±) 20. ♕f3 (20. ♕g3!? ♔h8 21.
f4∞) f4 21. h4!? h6 22. ♕h5 ♔g7 23. b3
△ ♗b2∞] **14. ♘e2 ♕b6 15. c3! e5** [15...
dc3 16. ♘c3 ♗c3 (16... e5 17. ♗e3±) 17.
bc3 e5 18. ♗a3±] **16. cd4 ed4 17. ♗f4
♗e6** [17... ♗g6 18. ♗c7 ♕a7 19. f4±] **18.
♗c7 ♕a7 19. ♘bd4! ♘g6** [19... ♘d4 20.
♘d4 ♗d4 21. ♖d4 ♕d4 22. ♗e5 ♕e5□
23. ♕e5+−] **20. ♘e6 fe6 21. f4 ♖f7 22.
♗d6 ♗b2 23. ♖ab1 ♗f6 24. ♕b3 ♖e8 25.
e5 ♗d8 26. g3± b5 27. a4 ♘a5 28. ♕f3⊕
ba4?!** [28... ♘c4 (△ 29... ♘ce5, 29... ♘ge5)
29. ♕c6±] **29. ♕e4+− ♕d7 30. ♗g2 ♗c7
31. ♗a3** [△ 31. ♗c7 ♕c7 32. ♕a4+−]
♕c8 32. ♕a4 ♖d8 33. ♖d8 ♕d8 34. ♖d1
[34. ♘d4] **♕b8 35. ♘d4 ♕c8 36. ♗h3** [36.
♘e6 ♕e6 37. ♗d5 ♕c8 38. ♗f7 ♔f7 39.
♕d7 ♕d7 40. ♖d7+−] **♕a8 37. ♗g2 ♕c8
38. ♗b4 ♕d7?** [△ 38... ♘c4 39. ♕b3+−]
39. ♘c6   1 : 0   *Aseev*

158.   B 42

GY. FEHÉR 2380 − BEZOLD 2500
Budapest 1997

**1. e4 c5 2. ♘f3 e6 3. d4 cd4 4. ♘d4 a6 5.
♗d3 ♗c5 6. ♘b3 ♗a7 7. 0−0 ♘c6 8. ♕g4
♔f8?!** [8... ♘f6 − 61/193] **9. ♘c3 d6** N
[9... ♘f6] **10. ♕g3 ♘f6 11. ♔h1! e5 12. f4
♘h5** [12... ♕c7 13. fe5 ♘e5 (13... de5? 14.
♖f6! gf6 15. ♗h6 ♔e8 16. ♕g7+−) 14.
♗g5±] **13. ♕f3 ♘f6** [13... ♘f4 14. g3 ♗h3
15. gf4 ♗f1 16. ♕f1±] **14. f5 b5 15. ♗g5
♘e7 16. ♕h3** [16. ♗f6 gf6 17. ♕h5±]
**♘fg8 17. ♕h4 f6 18. ♗d2 ♗b7 19. a4 b4
20. ♘e2 ♘c6 21. ♗c4 ♖c8 22. ♗e6 ♖c7 23.
c4!?** [23. c3] **♗c8 24. ♗d5 ♘ge7 25. ♘g3
♘d5 26. cd5 ♘e7 27. ♘h5 ♖g8** [27... ♖c2
28. ♗h6!+−] **28. ♖ac1 ♖c1 29. ♖c1 ♔f7
30. ♘f6! ♘f5** [30... gf6 31. ♕h5 ♔g7 32.
♗h6 ♔h8 33. ♕f7+−] **31. ef5 gf6 32.
♕h5⊕** [32. ♕h7 ♖g7 33. ♕h5 ♔g8 34.
♗h6+−] **♔g7 33. ♕h6 ♔f7 34. ♕h5** [34.
♕h7] **♔g7 35. ♗h6 ♔h8 36. ♕f7 ♗d7?⊕**
[36... ♗f5□ 37. ♕a7 (37. ♖c7? ♕c7!! 38.
♕c7 ♗e4 39. ♕a7 ♖g2−+) ♗e4 38.
♖g1±] **37. ♖c7!   1 : 0**   *Gy. Fehér*

159.   B 43

J. POLGÁR 2670 − SHORT 2660
Dortmund 1997

**1. e4 c5 2. ♘f3 e6 3. d4 cd4 4. ♘d4 ♕b6 5.
♘b3 a6** [5... ♘f6 − 67/225, B 40] **6. ♘c3 d6**
N [6... ♕c7 − 61/191; 6... ♘c6!?] **7. ♗f4!?
♘f6 8. ♕d2 ♗e7** [8... ♘bd7 9. 0-0-0 ♘e5
10. ♗e3 ♕c7 11. f4] **9. 0-0-0 0−0 10. g4
♘g4** [10... e5 11. ♗e3 ♕d8 12. f3±] **11.
♖g1 ♘e5** [11... e5 12. ♘d5 ♕d8 13. ♘e7
♕e7 14. ♗g5 f6 15. ♗h4; 14. ♗g3!? ×d6]
12. ♕e2 [12. ♗e5? de5 13. ♕h6 g6 14.
♖d3 ♕f2 15. ♖h3 ♕f4; 12. ♖g3!?] **♕c7**
[12... ♘g6!? 13. ♗e3 ♕d8 14. f4∞ △
♕h5, f5] **13. ♗e3 b5** [13... ♘bc6 14. f4
♘g6 15. h4!?∞ ♗h4 16. ♕h5] **14. f4 ♘c4
15. ♗d4 g6 16. ♕h5** [16. ♖d3 d5!□ 17.
ed5 ♕f4 18. ♔b1 e5] **♘d7□** [16... ♘c6
17. ♖d3 e5 18. ♘d5 ♕d8 19. f5 ♔h8 20.
♕h6 ♖g8 21. ♖h3 ♖g7 22. ♗f2±] **17.
♕h6** [17. ♖d3!? e5 18. ♘d5 ♘f6□ 19.
♘c7 ♘h5 20. ♘a8 ed4 21. ♘c7 ♗b7∞]
♗f6 [17... ♘f6 18. ♗c4 bc4 19. e5 ♘e8
20. ♘d2±] **18. ♖d3** [18. ♖g3!? ♗d4 19.
♘d4 ♘f6 (19... ♖e8 20. ♘d5 ed5 21.
♘f5+−; 19... ♗b7 20. ♘e6 fe6 21. ♖g6
hg6 22. ♕g6 ♔h8 23. ♕h6 ♔g8 24. ♗h3
♖f6 25. ♗e6 ♖e6 26. ♖g1 ♔f7 27.
♖g7+−) 20. ♖h3 ♖e8 21. ♗c4 bc4 22.
♘f3 △ e5, ♘g5±] **♗d4 19. ♘d4 ♖e8** [19...
♘f6!? 20. ♖h3 ♕c5 21. ♘f5 ef5 22. ♘d5
♕d5 23. ed5 ♖e8∞; 20. ♕h4!?] **20. ♖h3**
[20. ♘d5? ♕a5!] **♘f8** [20... ♘f6 21. ♗c4
♕c4 22. ♘f3! b4 (22... ♘e4 23. ♖g6! fg6
24. ♕h7 ♔f8 25. ♘h4 ♕f1 26. ♘d1 ♕f4
27. ♘e3+−) 23. e5] **21. e5 d5** [21... de5
22. ♘e4 ♕d8 23. ♘c6; 21... ♗b7 22. f5]
22. ♗d3 [22. ♘f5!? f6□ (22... ef5 23. ♘d5
♕d8 24. ♘f6? ♕f6; 24. ♗c4) 23. ♗c4 bc4
24. ♘d6 ♖d8 25. f5 ♕g7 26. ♕h4] **♘e5**
[22... ♗b7 23. ♘d1 △ ♘f2-g4] **23. fe5
♕e5 24. ♕h4 ♗b7 25. ♖f3 ♖ac8 26. ♘ce2**
[26. ♘d1!?] **♖c7 27. ♖f6! ♖ee7** [27... ♘d7
28. ♖f7] **28. ♔d2 ♖ed7 29. a3 ♔g7 30.
♘f4 ♖c8 31. ♗g5 ♕c7⊕ 32. ♘fe6 ♘e6**
[32... fe6 33. ♖f8] **33. ♖e6** [33. ♖gg6! hg6
34. ♘e6 fe6 35. ♖g6 ♔f8 36. ♕h8 ♕e7
37. ♕f6 ♔d6 38. ♕e6 ♔c5 39. b4 ♕d4
40. ♕e3#] **♕a5 34. b4 ♕a3 35. ♘f5 ♔g8**

36. ♘e7 ♖e7 37. ♖e7 ♕c3 38. ♔e2 d4 39. ♕f4 1 : 0 *J. Polgár*

160.**** !N B 43

VARAVIN 2505 – LANDA 2570

Perm' 1997

1. e4 c5 2. ♘f3 e6 3. d4 cd4 4. ♘d4 a6 5. ♘c3 ♕c7 [RR 5... b5 *a)* 6. ♗d3 ♕b6 7. ♘b3 ♕c7 8. f4 ♗b7 (8... d6!? 9. ♕f3 ♘d7 10. 0–0 ♘gf6 — B 82) 9. 0–0 ♘f6 10. e5 N (10. ♕e2) b4 (10... ♘d5 11. ♘e4±) 11. ♘e2 (11. ef6 bc3 12. ♕e1 gf6 13. bc3 ♖g8⇆) ♘d5 (11... ♕c6 12. ♖f3) 12. ♘g3 ♗e7 (12... ♕b6?! 13. ♔h1 ♘e3 14. ♗e3 ♕e3 15. ♘h5±; 12... d6!? 13. ♕e2 △ f5) 13. ♕e2 (△ f5) g6 14. ♘e4 (14. ♔h1 d6=) ♘c6 15. ♔h1 a5 16. c4 bc3 17. bc3 *a1)* 17... f5?! 18. ef6 ♘f6 (Lukin 2475 – Halifman 2655, Moskva (rapid) 1997) 19. ♘f6 ♗f6 20. f5! gf5 21. ♖f5 ♗e7 (21... ♗c3 22. ♗g5+−) 22. ♕h5 ♔d8 23. ♗f4±; *a2)* 17... a4± Svidler, Lukin; *b)* 6. g3 ♗b7 7. ♗g2 *b1)* 7... ♘f6 8. ♕e2 b4 9. ♘a4 ♕a5 10. b3 ♘c6 11. ♗e3 ♘d4 12. ♗d4 ♕b5 13. ♕d3 ♗e7 14. 0–0 e5! N (14... ♗c6 — 64/181) 15. ♗e3 d5 16. ed5 ♗d5 17. c4 1/2 : 1/2 Hellers 2585 – Keņgis 2585, Århus 1997; *b2)* 7... b4 8. ♘a4 ♘f6 9. ♗g5 ♕a5 N (9... ♗e7 — 33/249) 10. ♗f6 gf6 11. c3 ♘c6 12. 0–0 ♗g7 13. cb4 ♕b4 14. ♘e2 ♗h6 15. f4 0–0 16. ♖c1 a5 17. a3 ♕e7 18. ♘c5 ♗a6 19. ♖f2 ♖a7 20. ♘a6 ♖a6 21. ♘c3 ♖b8 22. ♖d2 ♖a7 23. a4 ♖b4 24. ♘a2 ♖b8 25. ♘c3 ♖b4 26. ♘a2 ♖b8 27. ♘c3 1/2 : 1/2 Mi. Adams 2680 – G. Kasparov 2820, Tilburg 1997] **6. ♗e2** [RR 6. g3 ♘f6 7. ♗g2 ♗e7 8. 0–0 0–0 9. f4 ♘c6 (9... d6 — 67/291, B 80) 10. ♘c6 (10. ♔h1; 10. ♘b3; 10. ♗e3 — 62/(252)) bc6 11. e5 ♘d5 12. ♘e4 f5 13. ef6 ♘f6 14. ♗e3 ♖b8! N (14... ♘e4) 15. b3 c5 16. c4 ♗b7 17. ♘f6 ♗f6 18. ♖c1 ♗g2 19. ♔g2 a5 20. ♕f3 a4 21. ♗f2 1/2 : 1/2 Hellers 2585 – Hellsten 2485, Malmö 1997] **♘f6 7. 0–0 ♗b4 8. ♖e1!? N** [8. ♕d3 — 65/183] **0–0** [8... ♗c3 9. bc3 ♘e4 10. ♗f3◯] **9. ♗f1** [△ e5] **d6 10. ♘b3!** [×d6] **b6 11. ♗f4 e5** [11... ♗b7 12. a3 ♗c3 13. ♗d6 ♕c6 14. bc3 ♖d8 15. e5 ♘e8 16. ♖e3 ♘d6 17. ♖d3±] **12. ♗g5**

♘bd7 **13. ♖e3!** [△ a3] **♗b7 14. f3 h6 15. ♗h4 ♖fd8 16. a3 ♗c5** [16... ♗c3 17. ♖c3 ♗c6 18. ♕d2 g5 19. ♗f2 ♘c5 20. h4±] **17. ♘c5 dc5** [17... bc5 18. ♗c4 (18. ♘d5 ♗d5 19. ed5 ♕b7∞) g5 19. ♗f2 ♘b6 20. b3±] **18. ♗c4** [△ 18. ♘d5! ♗d5 (18... ♘d5 19. ♗d8 ♘e3 20. ♗c7 ♘d1 21. ♖d1 △ ♖d6) 19. ed5 c4 20. b3±] **g5 19. ♗g3 b5 20. ♗d5 ♘f8** [20... ♘b6 21. ♖d3 c4 22. ♖d2±] **21. ♖d3 ♘d5** [21... ♘g6 22. ♗b7 ♖d3 23. ♕d3 ♕b7 24. ♕d6] **22. ed5 ♘g6 23. ♕e2** [23. d6!? ♕b6 24. ♗f2! (△ b4) ♘f4 25. ♖d2 a5 26. ♘e4 ♗e4 27. fe4 ♖d7 28. b4 ab4 29. ab4 ♖a1 30. ♕a1 ♖d6 31. ♗c5 ♕a6!∞] **c4 24. ♖d2 ♘f4 25. ♗f4 gf4 26. ♖e1 ♕b6 27. ♔h1 f6?⊕** [27... ♖e8! 28. g3!? (28. d6 ♖ad8 29. d7 ♖e7 30. ♘d5 ♗d5 31. ♖d5 ♖dd7 32. ♖d7 ♖d7 33. ♕e5 ♕f2=) fg3 29. hg3 ♖ad8 30. ♕e4∞] **28. ♕e4!± ♖d7!** [28... ♔g7 29. g3 fg3 30. ♖g1 ♖g8 31. ♖g3 ♔h8 32. ♖h3] **29. ♕g6 ♖g7 30. ♕h6 ♖h7 31. ♕g6 ♖g7 32. ♕f5 ♗c8 33. ♕e4⊕** [33. ♕h5!? ♗d7 34. d6 ♖f8 35. ♖ed1 △ ♘d5] **♕d6! 34. ♕e2 ♗f5 35. ♘e4 ♗e4 36. ♕e4 ♖aa7 37. ♕f5 ♖ad7 38. ♖ed1 ♖de7 39. ♕c8 ♔f7 40. ♕f5 ♖e8 41. b3!** [△ →≪] **♔g8 42. bc4 bc4 43. ♕e4 ♖c8 44. ♕f5 ♖b8 45. ♕e4 c3** [45... ♖c8 46. ♖b1 ♖b8 47. ♖b8 ♕b8 48. ♖d1 c3 49. d6+−] **46. ♖d3 ♖c7 47. ♖g1 ♔f8 48. ♕f5 ♖b5 49. h3 a5 50. a4 ♖d5 51. ♖b1** [51. ♖d5!? ♕d5 52. ♕f6 ♖f7 53. ♕h8 ♔e7 54. ♖b1→] **♖d3 52. ♖b8 ♔g7!** [52... ♔e7 53. ♕h7 ♔e6 54. ♕g8 ♖f7 (54... ♔f5 55. ♕g4#; 54... ♔d7 55. ♕e8#) 55. ♖e8 ♕e7 56. ♖e7 ♔e7 57. cd3 c2 58. ♕c8+−] **53. ♕g4 ♔h7□ 54. ♕h5 ♔g7**

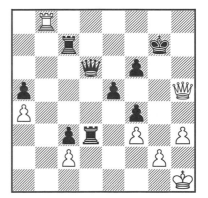

55. cd3! [55. ♕h8 ♔g6 56. ♖g8 ♔f5; 55. ♖h8 ♖d1 56. ♔h2 f5! 57. ♕h7 ♔f6 58. ♕h6 ♔f7! 59. ♖h7 ♔e8 60. ♕d6 ♖d6 61. ♖c7 e4! 62. fe4 fe4 63. ♖c3 e3 64. ♖c4 ♖e6−+; 55. ♕g4 ♔h7 56. ♕h5=] **c2 56. ♖h8!!+− c1♕ 57. ♔h2 f5** [57... ♕d3 58. ♕h6 ♔f7 59. ♖f8 ♔e6 60. ♕f6 ♔d5 61. ♕d8 ♔c6 62. ♕d3+−] **58. ♕h7 ♔f6 59. ♕h6!** ♔f7 [59... ♔e7 60. ♕f8 ♔d7 61. ♕e8#] **60. ♕d6** [60... ♕c5 61. ♖h7+−]
1 : 0 *Varavin*

161.**** !N **B 44**

AM. RODRÍGUEZ 2555
− MILOS 2605

Yopal 1997

1. e4 c5 2. ♘f3 e6 3. d4 cd4 4. ♘d4 ♘c6 5. ♘b5 [RR 5. ♘c6 bc6 6. ♗d3 ♘f6 7. 0−0 d5 8. ♘d2 ♗e7 9. b3 a5 10. ♗b2! N (10. ♕e2 − 5/380) 0−0 (10... a4!?) 11. f4 ♗a6 12. e5! ♘d7 (12... ♗d3 13. cd3 ♘d7 14. f5±) 13. ♗a6 ♖a6 14. f5 ef5 15. ♖f5 *a)* 15... c5? 16. ♕g4 *a1)* 16... ♖g6 17. ♕f3 ♘b6 (17... ♗g5? 18. ♕d5 ♘e5 19. ♕d8 ♖d8 20. ♘e4+−) 18. ♖f1 ♕e8 19. ♗c3! a4 20. ♗a5±; *a2)* 16... d4 17. ♖af! f6 18. ♕e2 ♖a8 19. ef6 ♘f6 20. ♕e6 ♔h8 21. ♘c4± A. Simonović 2410 − Damljanović 2540, Jugoslavija 1997; *b)* 15... ♕b6 16. ♔h1 g6 17. ♖f1 ♕e3 18. ♘f3 ♘c5 19. ♗d4 ♕h6□ 20. ♗c5! ♗c5 21. e6± A. Simonović] **d6 6. ♗f4 e5 7. ♗e3 a6** [RR 7... ♗e7 8. ♘d2 ♘f6!? 9. ♗g5 0−0 10. ♗f6 ♗f6 11. ♘c4 ♘d4! N (11... ♗e6 − 46/(229)) 12. ♘c3 ♗e6 13. ♗d3 d5 14. ed5 ♗d5 15. ♘d5 ♕d5 16. ♘e3 ♕c6 17. ♕g4 g6 18. ♕e4 ♗g7 19. ♕c6 ♘c6 1/2 : 1/2 Su. B. Hansen 2505 − E. Mortensen 2450, København 1997] **8. ♘5c3 ♘f6 9. ♗g5** [RR 9. ♗c4 ♗e7 10. ♘d5 ♘d5 11. ♗d5 0−0 *a)* 12. ♘c3 ♗e6 13. 0−0 ♕c7 (13... ♖c8!?) 14. ♗b3 ♖ac8 15. ♘d5 ♗d5 16. ♗d5 ♘b4 17. c3 (17. ♗b3 ♘c2 18. ♖c1 ♘e3 19. ♖c7 ♘d1 20. ♖e7 ♘b2 21. ♖b7 ♘c4 22. ♖c1 d5!∓) ♘d5 18. ♕d5 ♕c6 19. ♖fd1 ♕d5 20. ♖d5 f5! 21. ef5 ♖f5=; *b)* 12. ♘a3 ♔h8 13. 0−0 f5 14. f3 ♖b8! N (14... f4 − 41/(180)) 15. ♘c4!? (15. c3 ♗d7 16. ♘c2? f4! 17. ♗f2 ♖f6 18. ♘e1

♖h6 19. ♘d3 ♕e8∓→≫ Müllner 2210 − Gefenas 2280, corr. 1997) b5!? 16. ♗c6 bc4 17. b3! cb3 (17... c3? 18. ♗d5 ♗d7 19. ♗c4 △ ♕d3±) 18. ab3 ♕c7 19. ♗d5 fe4 20. fe4 ♖f1 21. ♕f1 ♕c2 22. ♕f7 ♗h3! 23. gh3 ♕c3 24. ♕e7 ♕e3= Gefenas] **♗e7 10. ♘d2 ♗e6 11. ♘c4** [RR 11. ♗f6 ♗f6 12. ♘c4 ♘d4 13. ♘e3 0−0 14. ♘cd5 ♗g5 15. ♗d3 ♗e3 N (15... g6; 15... ♖c8) 16. ♘e3 f5 17. ef5 ♗f5 (17... ♘f5 18. ♗f5 ♗f5 19. ♕d5 ♔h8 20. 0−0 ♕b6 21. b3±) 18. 0−0 ♗d3 19. ♕d3 ♕e7 20. c3 *a)* 20... ♘e6 21. ♖ad1 (21. ♘f5? ♕g5 22. ♘d6 ♕g2! 23. ♔g2 ♘f4 24. ♔g1 ♘d3∓) ♖ad8 22. ♘f5 ♕c7 (22... ♕g5 23. ♘d6+−) 23. ♘d6 ♘f4 24. ♕c4 ♕c4 25. ♘c4 ♘e2 26. ♔h1 ♖d1 27. ♖d1 ♖f2 28. ♘e5+− Becerra Rivero; *b)* 20... ♘c6 21. ♖ad1 ♖ad8 22. ♘d5 ♕h4 23. ♖d2! ♖f7 24. ♖e1 ♖df8 25. ♖e4 ♕g5 26. ♖e3± Becerra Rivero 2495 − Al-Modiahki 2380, Balaguer 1997] **♘d4 12. ♘e3 N** [12. ♗d3 − 68/148] **♕a5! 13. ♕d2 ♖c8 14. ♗d3 0−0** [14... ♘g8 15. ♘ed5 ♗d5 (15... ♗g5 16. ♕g5 ♗d5 17. ♕g7 ♖c3 18. 0−0 ♖d3 19. cd3+−) 16. ♘d5 ♕d2 17. ♗d2 ♘c2 18. ♗c2 ♖c2 19. ♗c3 ♘f6 20. ♘f6 ♗f6 21. ♖f1 △ ♔d1] **15. ♗f6** [15. 0-0-0?? ♘e4 16. ♘e4 ♘b3; 15. 0−0? ♘e4] **♗f6 16. ♘cd5 ♕d2 17. ♔d2 ♗d5?** [17... ♗g5 18. h4 ♗e3 19. ♘e3 f5 20. ef5 ♘f5 21. ♘f5 ♗f5 22. f3 ♗d3 23. ♔d3 ♖f4 24. c3=] **18. ♘d5 ♗g5 19. ♔d1± ♗d8 20. c3 ♘c6 21. ♗c2** [21. ♔e2 ♘e7 22. ♘e3 ♗b6 23. ♘c4 ♗c7] **♘e7 22. ♗b3 ♘d5 23. ♗d5 ♖c7 24. ♔e2** [24. a4 ♗g5 25. ♖a3 b6 26. b4 ♖fc8 27. ♔c2 ♔f8=] **g6 25. ♖ad1 ♔g7 26. ♖d3 ♗e7 27. ♖hd1 ♖b8 28. g3 ♗g5 29. ♗b3 ♗e7 30. f4 ef4 31. gf4 ♖e8 32. ♔f3 ♗f8 33. ♖d4** [33. a4] **b5 34. ♗d5** [34. a4 ba4 35. ♗a4 ♖b8 36. ♖1d2 a5 37. ♖d5 ♖cb7 38. b3 ♖c7 39. ♖2d3 ♖bc8 40. c4 ♖c5; 34. ♖d5] **♖b8 35. ♖1d2 ♗e7 36. a4 ♖c5 37. ♖b4 ♗d8 38. ♗a2?!** [38. ab5] **♗a5 39. ♖b3** [39. ♖bd4 b4] **♗c7** [39... b4 40. cb4 (40. ♖d6 bc3) ♗b4 41. ♖d6] **40. ab5 ab5 41. ♖d5** [41... b4 42. cb4 ♖d5 43. ed5 ♖b5; 41... f5 42. ♗b1 fe4 43. ♗e4 ♔f6=]
1/2 : 1/2 *Am. Rodríguez*

162.** !N   B 46

R. HÜBNER 2580
− BEGOVAC 2425

Schweiz 1997

1. e4 c5 2. ♘**f3** ♘**c6 3. d4 cd4 4.** ♘**d4 e6 5.**
♘**c3 a6 6.** ♘**c6** [RR 6. ♗e2 ♘ge7 7. 0−0
♘d4 8. ♕d4 ♘c6 9. ♕d3 ♕c7 10. ♗g5
♗d6 11. ♔h1 b5 (11... ♘e5 — 64/(185))
12. ♖ad1 ♗f4! N (12... ♗e5) 13. ♗f4 ♕f4
14. g3 ♕c7 15. f4 0−0 16. ♗f3 f6 17. a4
b4 18. ♘d5 ♕a7 19. ♘e3 a5 20. ♖fe1
♘d8 21. ♕d4 ♘b7 22. ♕a7 ♖a7 23. ♘c4
♘c5 24. b3 ♗b7= Hellers 2585 − Cu.
Hansen 2605, Århus 1997] **bc6 7.** ♗**d3 d5**
[RR 7... e5 8. 0−0 ♘f6 9. ♕e2 d6 N (9...
♗e7) 10. ♗e3 ♗e7 11. ♘a4! ♘d7 12. c4
0−0 (12... c5 13. ♘c3! ♘b8 14. ♗c2 ♘c6
15. ♗a4± Ziatdinov) 13. ♖fd1 ♕a5? 14.
♗c2 ♖b8 15. b4! ♕c7 16. ♖ab1 ♖d8 17.
♘c3 ♘f6 18. a3 ♗g4 19. f3 ♗e6 20. ♗d3
h6 21. ♖bc1 ♘h5 22. ♕d2 ♘f6 23. ♗f1
♕d7 24. ♕c2 ♘h5 25. ♖b1 ♘f6 26. ♖b2
♔h8 27. ♗f2 ♕c7 28. ♕c1± Ziatdinov
2485 − Z. Krnić 2430, Wijk aan Zee (open)
1997] **8. 0−0** ♘**f6** [8... ♗d6!? △ ♘e7] **9.**
♖**e1** ♗**e7 10. e5** ♘**d7 11.** ♘**a4! N** [11. ♕g4
— 67/(238)] **a5!?** [11... 0−0 12. c4 △
♕c2±; 11... ♘c5 12. ♘c5 ♗c5 13. ♕g4 g6
14. ♗e3±] **12.** ♕**g4 g6 13.** ♗**h6** ♗**f8** [13...
♖b8 14. c4 △ b3; 13... ♗a6 14. c4 △ b3;
13... ♘c5 14. ♘c5 ♗c5 15. c4 ♕b6 16.
♖e2±] **14.** ♗**f8** [14. ♕f4?! ♗h6 15. ♕h6
♕e7 △ 16... ♗a6, 16... ♘c5=] ♔**f8 15. c4**
♗**a6 16.** ♕**d4** [16. ♖ac1 ♘b6 (×c4) 17.
♘b6 ♕b6∞; 16. b3!? △ 16... ♘b6 17.
♘c5] ♔**g7 17.** ♖**ac1** ♕**b8** [17... ♕e7 18.
cd5 cd5 (18... ♗d3 19. d6+−) 19. ♗a6
♖a6 20. ♖c7 ♕b4 21. ♕b4 ab4 22. b3 ♘b8
(22... ♖d8 23. ♖b7) 23. ♖ec1± 17... ♖b8
18. b3 c5!? 19. ♕f4 (19. ♘c5? ♕b6 20.
cd5 ♗d3∓) d4 20. h4 h5 21. ♖cd1± 17...
♖e8!?] **18. b3** ♕**b4** [18... c5 19. ♕f4 d4
20. h4 h5 21. ♖cd1±] **19.** ♕**e3** [×♖e1; △
cd5 ×c5; 19. h4 ♕d2∞] ♖**hc8** [19... ♕e7
20. cd5 cd5 21. ♗a6 ♖a6 22. ♖c7±] **20. h4
h5 21. g3** [21. cd5 cd5 22. ♗a6 ♖c1 23.
♖c1 ♖a6 24. ♖c7 ♘b8□ 25. g3 (25. ♕f3?
♕e1 26. ♔h2 ♕e5; 25. ♕g5 ♕e1 26. ♔h2
♕f2; 25. ♘c5 ♖c6) ♖c6∞] ♗**b7** [21...
♕e7 22. cd5 cd5 23. ♗a6 ♖c1 24. ♕c1

♖a6 25. ♕c7] **22.** ♕**g5** ♖**e8 23.** ♖**e2** ♕**e7?**
[23... ♖ac8] **24. cd5 ed5**□ [24... cd5 25.
♕e7 ♖e7 26. ♖c7 ♗a6 27. ♗a6 ♖a6 28.
♘c5+−; 24... ♕g5 25. hg5 ed5 (25... cd5
26. ♖c7 ♗c8 27. f4 △ ♖ec2+−) 26. f4+−]
25. ♕**e7** [25. f4 ♕b4∞] ♖**e7 26. f4** ♗**a6
27.** ♘**b2?!** [27. ♗a6 ♖a6 28. ♔f2 ♖e6
(28... f6 29. e6 ♘f8 30. ♘c5+−) 29. ♔e3
f6 30. ♔d4±] ♖**e6 28.** ♖**ec2?** [28. ♔f2 △
28... ♗d3 29. ♘d3 f6 (29... a4 30. b4 ♘b6
31. f5 gf5 32. ♘f4+−) 30. f5 gf5 32.
♘f4±] ♗**b7?** [28... ♗d3?! 29. ♘d3 ♖a6
(29... ♖c8 30. ♘c5 ♘c5 31. ♖c5 △ 32.
♖d5, 32. ♖a5) 30. ♔f2±; 28... a4!= a) 29.
♖c6? a3−+; b) 29. ♗a6 ab3 b1) 30. ♖c6
♖c6 31. ♖c6 ba2−+; b2) 30. ♗b7 ♖b8 31.
ab3 (31. ♗c6 bc2 32. ♗d7 ♖b2−+; 31.
♖c6 ♖b7 32. a4=) ♖b7 32. ♖c3 f6=; b3)
30. ab3 ♖a6 31. ♘a4 f6=; c) 29. ba4 ♗d3
30. ♘d3 ♖a4 31. ♔f2 (31. ♖c6 ♖c6 32.
♖c6 ♖a3= ×g3) c5=] **29.** ♗**f1+− f6** [29...
♘b6 30. ♘d3 △ ♘c5] **30.** ♗**h3 f5 31.** ♘**a4**
♔**f8 32.** ♔**f2** ♔**e7 33.** ♔**e3** ♔**d8 34.** ♗**g2**
♖**a7** [34... ♘f6 35. ♘c5 ♘g4 36. ♔d4 ♖e7
37. ♘b7 ♖b7 38. ♖c6+−; 34... ♔c7 35.
♗d5; 34... ♖e7 35. ♖c6+−] **35.** ♔**d4** ♖**a6
36.** ♔**c3** ♖**a8** [36... ♔c7 37. ♔b2 ♔b8 38.
♔a3 △ ♘c5+−] **37.** ♔**b2** ♖**a6 38.** ♔**a3**
♖**a8 39.** ♘**c5** ♘**c5 40.** ♖**c5 a4** [40... ♔d7
41. ♗d5+−; 40... ♖e7 41. ♔a4+−] **41. b4**
♖**c8 42.** ♖**a5** [42. b5?! cb5 43. ♖c8 ♗c8
44. ♗d5 ♖b6 45. ♔b4 ♗d7±; 42. ♔a4?!
♗a6 43. ♗f1 ♗f1 44. ♖f1 ♖e7±; 42. ♗f1
♖a8 43. ♖a5!?] ♖**e7 43.** ♔**a4 d4 44.** ♔**b3**
♖**d7 45.** ♗**f1 d3** [45... ♔e7 46. ♗d3+−;
45... c5 46. ♖ac5 ♖c5 47. bc5 ♗e4 48.
♗b5+−] **46.** ♖**d1 c5 47.** ♖**c5** ♗**d5** [47...
♖c5 48. bc5 ♗e4 49. ♔c3+−] **48.** ♔**c3**
♖**a8 49.** ♖**d3** ♖**a3 50.** ♔**b2** ♖**a2 51.** ♔**b1**
1 : 0   *R. Hübner*

163. !N   B 46

ARAKHAMIA-GRANT 2430
− L. PORTISCH 2610

København 1997

1. e4 c5 2. ♘**f3 e6 3. d4 cd4 4.** ♘**d4** ♘**c6 5.**
♘**c3 a6 6.** ♘**c6 bc6 7.** ♗**d3 d5 8. 0−0** ♘**f6**
9. ♖**e1** ♗**b7 10.** ♗**g5** ♗**e7 11. e5** ♘**d7 12.**
♗**e7** ♕**e7 13.** ♕**h5! N** [13. ♕g4 − 42/(207)]

c5 [13... ♘c5 14. ♖ad1!? ♘d3 15. ♖d3 0–0 16. ♖g3↑] **14. b3 h6** [14... c4?! 15. bc4 ♕b4 16. ♘d5 ed5 17. e6+−] **15. f4 g6 16. ♕h3 h5 17. ♘d1** [△ c4] ♔f8 [17... c4 18. bc4 dc4 19. ♗c4 ♕c5 20. ♘e3] **18. c4 ♘b6 19. ♘f2 ♖d8** [△ 20... dc4 21. bc4 ♖d4] **20. ♖ab1!?** [×b6] ♔g7 **21. ♕e3** [21. ♖ec1!? (△ ♗f1, ♘d3 ×c5) ♕c7 22. ♕h4 ×f6] **♕c7 22. ♗f1** [△ 22... dc4 23. bc4 ♖d4 24. ♕b3] **♖a8?!** [22... ♖d7 23. ♖ec1 ♖c8 △ 24. ♘d3 dc4 25. bc4 ♖d4∞] **23. ♖ec1 d4?!** [23... ♖hc8] **24. ♕d2 a5 25. ♗d3± ♘c8 26. a3 ♘e7 27. b4 ab4 28. ab4 ♖a7** [28... cb4 29. ♕b4 ♖hb8 30. ♕d6±] **29. ♘e4 ♗e4 30. ♗e4 ♖b8 31. b5 ♘c8 32. ♖a1 ♖a1 33. ♖a1 ♘b6 34. ♕d3** [34. ♕c2 (△ ♖a6, ♕a2) ♖d8!? 35. ♖a6?! d3! 36. ♗d3 ♖d4 37. g3 ♖d8 38. ♗e2 (38. ♖a3 g5⩱) h4∞] **h4 35. ♖a6 g5?** [35... ♖d8!? 36. ♔f2!? △ ♔e1-d1, ♗c6, ♕a3± ×c5] **36. ♕e2+− ♔f8 37. ♕h5 gf4 38. ♕h8 ♔e7 39. ♕h4 ♔e8 40. ♕h8⊕ ♔e7 41. ♕f6 ♔f8 42. ♕f4 d3 43. ♗d3 ♖d8 44. ♗e2 ♖d4 45. ♕h6 ♔e8** [45... ♔e7 46. ♕f6 ♔e8 47. ♗f3] **46. ♕h8 ♘d7 47. ♕f8**
1 : 0   *Arakhamia-Grant*

164.   B 47

KUPREJČIK 2500 − RAZUVAEV 2555

Mariehamn/Österåker 1997

1. e4 c5 2. ♘f3 e6 3. ♘c3 ♘c6 4. d4 cd4 5. ♘d4 ♕c7 6. g3 d6 7. ♘db5 ♕b8 8. ♗f4 [8. a4!?] **♘e5 9. ♗e3 N** [9. ♗e5 − 62/186] **♘f6** [9... a6 10. ♗b6!! ab5 11. ♘b5 ♔d7 (11... ♖a4 12. c4±; 11... ♖a6 12. ♗c7±) 12. ♗c7 (12. c4⊠) ♕c7 13. ♘c7 ♔c7 14. f4∞] **10. f4 ♘c6** [10... ♘ed7!?] **11. ♗g2 ♗e7 12. ♕e2 0–0 13. 0-0-0 a6 14. ♘d4** [14. ♘a3 ♘d7 △ b5↑] **♘d4** [14... ♗d7 △ 15. g4? ♘d4 16. ♗d4 e5⩱] **15. ♗d4 e5** [15... ♘d7 16. e5±] **16. ♗b6** [16. ♗e3?! b5⇄; 16. ♘d5! ♘d5 17. ed5 a)] 17... ♗f6 18. fe5 de5 (18... ♖e8 19. e6±) 19. ♗c5±; b) 17... ed4 18. ♕e7 ♗f5 19. ♖d4∓; c) 17... ♗g4 18. ♕g4 ed4 19. ♖d4 ♗f6⊠; 19. ♗e4±] **♗g4** [16... ♗d7 17. f5 ♖c8 18. g4 ♖c3∞] **17. ♗f3 ♗f3 18. ♕f3 ♕c8** [18... ♖c8? 19. g4±] **19. f5 ♕c6 20. ♗e3 ♖fc8 21. ♗g5** [21. g4 b5 22. ♖d2 (22. g5 b4∓)

b4 23. ♘d5 ♘d5 24. ed5 ♕c4 25. ♔b1 (25. b3? ♕c3 26. ♔b1 e4) e4 26. ♕f2 (26. ♕g2 ♗f6 27. g5 ♗b2∓) ♗f6 27. ♗d4 (27. g5 ♗c3 28. ♖dd1 ♖ab8 △ ♖b5↑) ♗g5 28. ♖e2 (28. ♗e3 ♗f6=) ♕d5 29. ♖he1 (29. h4? e3!) ♖e8 30. h4∞ △ 30... ♗h4 31. ♕h4 ♕d4 32. ♖h1 h6 33. g5⊠]

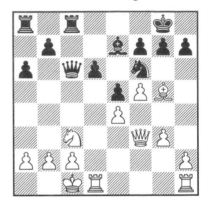

21... d5! 22. ♗f6 [22. ed5 ♘d5 23. ♗e7 ♘e7 24. ♕c6 ♘c6 25. ♖d7 b5=] **de4 23. ♕g2** [△ 23. ♕e2] **♗f6 24. ♘e4 ♗g5 25. ♔b1 ♖d8=** 26. ♕e2 ♗e7 27. g4 h6 28. a3 [28. ♖d3!? ♖d3 29. cd3∞ Kuprejčik] **b5 29. ♘c3** [29. ♖d8? ♖d8 30. h4? ♖d4−+] **♗a3 30. ♕e5 ♖e8** [30... ♗d6 31. ♕e4 (31. ♕d5?! ♕c7∓) ♕e4 32. ♘e4 ♗e7=] **31. ♕d5 ♖ac8** [31... ♕f6 32. ♕b3±] **32. ♕c6 ♖c6 33. ♘b5⊕ ♗b2 34. ♔b2 ab5 35. ♖he1 ♖ec8⊕** [35... ♖e1 36. ♖e1±] **36. ♖e2 ♖c4 37. h3 ♖b4 38. ♔c1 ♖b3 39. h4 b4 40. ♖d4 ♖h3 41. ♖b4 ♖h4 42. ♖be4 h5 43. gh5** **1/2 : 1/2**   *Razuvaev*

165.   B 47

GI. HERNÁNDEZ 2525 − AL-MODIAHKI 2380

Benasque 1997

1. e4 c5 2. ♘f3 e6 3. d4 cd4 4. ♘d4 ♘c6 5. ♘c3 ♕c7 6. g3 a6 7. ♗g2 ♘f6 8. 0–0 ♗c5 9. ♗f4 e5 10. ♘b3 ef4 11. ♘c5 fg3 12. hg3 d6 13. ♘d3 h5 14. ♘d5 ♕d8 15. ♕d2 ♔f8 16. ♕c3 ♘d5 17. ed5 ♘e7 18. ♕b4 N [18. ♖ae1 − 66/153] **a5 19. ♕b5 h4 20. ♖ae1 ♘f5** [20... b6!?∞] **21. ♘f4 ♗d7=** [21... b6? 22. ♘e6!+−] **22. ♕d3?!** [22. ♕b7 ♖b8 23. ♕a7 ♖a8 24. ♕b7=] **♕f6∓ 23.**

⌐e4 ⌐e8 [23... ♕b2?! 24. ♘e6! ♔g8 *a)* 25. ⌐f4 g6! (25... fe6 26. de6 ♗e6 27. ♗d5→) 26. ⌐f5?! gf5 27. ♕f5 fe6 28. de6 ♗e8∓; *b)* 25. g4!?⧫] **24. ⌐e8 ♗e8 25. c3 ♗d7 26. ♕f3?!** [△ 26. ⌐e1∓] ♘e7! **27. ⌐e1?!⊕** [27. ♘e2 ♕f3 28. ♗f3 ♗b5 29. ⌐e1 ♗e2 30. ⌐e2 hg3 31. fg3 ♘g6∓⊥ ✕e5; 27... ♕h6!∓] **h3 28. ♗h1?** [28. ♗f1 ♘d5 (28... h2 29. ♔h1 ♘d5 30. ♗g2 ♘f4 31. ♕f4 ♕f4 32. gf4 ♗c6∓) 29. ♔h2 ♘f4 30. ♕f4 ♕f4 31. gf4∓] **h2 29. ♔f1**

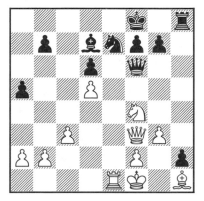

29... ⌐h6!!−+ 30. ♔e2 [30. ♕e4 g5 31. ♘d3 ♘d5−+; 30. ♕d3 g5 31. ♘e2 ♗h3−+; 30. ♕d1 g5 (30... ♗b5!?) 31. ♘d3 ♘d5 32. ♗d5 h1♕ 33. ♗h1 ⌐h1 34. ♔g2 ♗c6 35. f3 g4!−+; 30. ♕e3 ♗b5 31. ♘d3 (31. ♔g2 g5−+) ♕f5! 32. ♕e7 ♔g8−+] **♗b5 31. ♘d3** [31. ♔d2 g5 32. ♘d3 ♕f3 33. ♗f3 ⌐f6−+] ♕f3! **32. ♗f3 ♘g6 33. ⌐h1 ♘e5 34. ♗e4 f5! 35. ♗f5 ⌐h5 36. g4 ⌐h3 37. f3 ⌐f3 38. ⌐h2 ♗d3**   **0 : 1**
A. Kuz'min

166.   B 47

TIVJAKOV 2590 − LIANG JINRONG 2425

Beijing 1997

1. e4 c5 2. ♘f3 ♘c6 3. d4 cd4 4. ♘d4 ♕c7 5. ♘c3 e6 6. g3 a6 7. ♗g2 ♘f6 8. 0−0 ♗c5 9. ♘c6 dc6 10. ♘a4 ♗a7 11. c4 ♘d7! 12. b4!? [12. ♕g4 − 61/(195)] **b5 N** [12... a5 *a)* 13. a3?! ab4?! 14. ab4 b5 15. ♘c5!↑; 13... b5! △ 14. ♘c3 ab4 15. ab4 ♗f2; *b)* 13. b5 e5 14. ⌐b1 (14. ♗b2!?; 14. ♗a3!?) ♗d4 15. ♗b2 c5∞ 16. ♗d4 cd4 17. c5

♘c5 18. ♕c2 b6 19. ⌐fc1 ♗e6 20. ♘c5 ♕c5 21. ♕c5 bc5 22. ⌐c5 ♗a2 23. ⌐e5 ♔d7 24. ⌐d1 ⌐hd8 25. ⌐c5 ♔e7=; *c)* 13. ♗b2!? 0−0 (13... e5 14. a3±) 14. a3 ab4 15. ab4 b5 16. cb5 cb5 17. ♘c3±; 17. ♕g4!?; 17. ⌐c1!?; 17. e5!?; 17. ♘c5!?; 12... 0−0!?; 12... c5!?; 12... e5!?] **13. ♘b2** [△ c5○ ✕♗c8, ♗a7] **c5** [13... bc4 14. ♘c4; 13... 0−0 14. c5 a5 15. a3±○; 13... a5!? 14. cb5±; 14. ba5±] **14. bc5** [14. cb5 ab5∞; 14... cb4∞] **♗c5** [14. bc4 15. ♘c4; 15. c6!?± △ e5; 14... ♘c5!? 15. cb5 ab5 (15... 0−0 16. ♗e3!?↑) 16. ♗e3↑ △ 17. ⌐ac1, 17. ♕e2] **15. ♕g4! ♔f8** [15... ♗d4 16. e5+−; 15... 0−0 16. ♗h6! (16. cb5 ♘e5 △ ab5∞) ♗d4 (16... ♕e5 17. ♘d3) 17. e5! ♗e5 (17... ♕e5 18. ♗a8±) 18. ♗a8 ♗b2 19. ⌐ab1±; 15... ♕e5 16. ⌐b1± △ ♘d3; 15... g6± ✕»] **16. ♘d3!?±** [16. cb5↑] **h5** [16... ♗d4 17. ♗a3 ♔g8 18. ⌐ac1±; 16... bc4!? 17. ♘c5±↑⊕] **17. ♕f3** [17. ♕e2!?] **♗b7** [17... bc4 18. ♘c5 ♘c5 19. ♗a3 △ ⌐ac1±; 17... ♗d4 18. ♗a3 ♔g8 19. e5!? (19. ⌐ac1!?) ♗a1□ 20. ♕a8±; 20. ♗d6!?; 20. ⌐a1!?] **18. ♘c5 ♘c5** [18... ♕c5 19. ♗a3!? b4 20. ♗b4 ♕b4 21. ⌐ab1 ♕c5 22. ⌐b7+−] **19. ♗a3 ♔g8** [19... bc4 20. ⌐ac1+−] **20. ♕e2!** [⊕, ✕b5, ♔g8; 20. ♕e3 ♘a4 △ 21. cb5 ab5 22. ⌐ac1 ♕a5 △ ♘b6-c4; 20. cb5 ♗e4] **♘d7** [20... ♘a4!?] **21. ⌐ac1 h4** [21... ♕a5 22. ♗b2± △ 22... ♕a2 23. cb5 ab5 24. ⌐c7+−; 21... bc4 22. ⌐c4±] **22. cb5 ♕a5 23. ♗b2 hg3 24. hg3 ab5** [24... ♕b5 25. ♕b5 ab5 26. ⌐c7+−] **25. ⌐fd1 ♘f8 26. ⌐c5!? ♕a2 27. ⌐c7 ♗a6** [27... ⌐b8 28. ♕f3!? e5□ (28... f6 29. ⌐g7 ♔g7 30. ♕f6+−) 29. ♗e5+−] **28. e5!+−** [△ 29. ♗a8, 29. ♕f3; 28. ♕f3 e5 29. ♗e5±→] ⌐c8 **29. ⌐a7** [✕♗a6, △ ♕f3] ♕b3 [29... ♘g6 30. ⌐a1 ♕b3 31. ⌐7a6 ⌐c2 32. ⌐a8 ♘f8 (32... ♔h7 33. ♕h5♯) 33. ♕d1 ♕b2 34. ⌐f8 ♔f8 35. ♕d8♯] **30. ⌐a6 ⌐c2 31. ⌐d2** [31... ♕b2 32. ⌐c2 ♕b1 33. ♗f1]   **1 : 0**
Tivjakov

167.**   B 47

ZELČIĆ 2530 − KOBALIJA 2495

Oberwart 1997

1. e4 c5 2. ♘f3 e6 3. d4 cd4 4. ♘d4 ♘c6 5. ♘c3 ♕c7 6. ♗e2 ♘f6 7. 0−0 a6 [RR

7... ♗b4 8. ♘db5 (8. ♗g5 — 43/(232)) ♕b8 9. a3 ♗c5 10. b4 ♗e7 11. ♗e3 d6 12. f4 0—0 13. ♕d3!? N (13. ♗f3) ♖d8 (13... a6!?) 14. ♖ad1 a6 (14... b6=) 15. ♘d4 ♘e5 16. fe5 de5 17. ♕c4 ed4 18. ♖d4 ♖d4 (18... ♗d7!? △ 19. ♖fd1 b5 20. ♕b3∞⇆) 19. ♕d4 e5 20. ♕d3 ♗e6!? (20... b5?! 21. ♘d5 ♘d5 22. ed5 ♗d7? 23. d6!+− Klovans 2445 — Velčeva 2285, Cappelle la Grande 1997; 22... ♗d6±) 21. ♘d5 ♗d5 22. ed5 a5∞⇆ Kostakiev] **8. ♔h1 ♘d4 9. ♕d4 ♗c5 10. ♕d3 h5** [RR 10... b5 11. f4 ♗b7 12. ♗f3 h5 13. e5 ♘g4 14. ♗b7 ♕b7 15. ♘e4 ♗e7 16. f5? N (16. b3 — 69/171) ♘e5 17. ♘d6 ♗d6 18. ♕d6 ♘c4! 19. ♕d3 (19. ♕g3! h4! △ 20. ♕g7? 0-0-0-+) h4 (19... f6 20. ♕g3!?) 20. h3 f6! 21. b3 ♘e5 22. ♕e2 ♖c8! (22... ef5?! 23. ♖f5∞ Polu-ljahov) 23. ♗b2 ♖c5 24. ♖ae1 ♕c6∓ An. Sokolov 2585 — Poluljahov 2510, Jugo-slavija 1997] **11. f4 ♘g4 12. e5 d5 13. ed6 ♕d6 14. ♕g3 N** [14. ♕d6 — 51/181] **f5□ 15. ♗g4!?** [15. ♘d1 ♗d7 16. ♘e3 0-0-0∓] **hg4 16. ♗e3 ♗d7 17. ♖ad1**

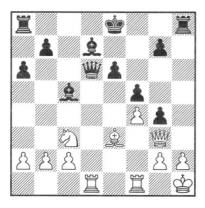

17... ♕c6! [17... ♕b6? 18. ♖d7!±; 17... ♕c7 18. ♘e2!∞] **18. ♖d3** [18. ♕f2? ♖h3! 19. ♗c5 g3-+; 18. ♔g1!? 0-0-0∞] **♖h3 19. ♕e1 0-0-0!** [19... g3 20. ♖f3! ♖h2 21. ♔g1 0-0-0 22. ♕g3 ♖h7 23. ♗c5 ♕c5 24. ♕f2=; 19... ♗e3 20. ♖e3 0-0-0 21. ♔g1!∞] **20. ♗c5 ♖d3** [20... ♕c5 21. ♖d7!±] **21. ♗e7!** [21. cd3 ♕c5 22. ♕f2 ♕b4!∓] **♖d4!** [21... ♖c3 22. ♕c3 ♕c3 23. bc3 ♖h8 24. ♖d1 g3 25. h3 ♗c6 26. ♖d3=] **22. ♕e3** [22. ♗d8 ♔d8 23. ♕e3 ♕d6∓] **♕c4 23. ♔g1 ♗b5** [23... ♖e8? 24. b3!] **24. ♘b5 ♖d1!** [24... ab5 25. ♗d8 ♖d8

26. ♖e1 ♖d6 27. c3=] **25. ♖e1 ab5 26. ♗d8 ♖e1 27. ♕e1 ♕d4 28. ♕f2 ♕d1 29. ♕f1 ♕d4?!** [29... ♕d8!] **30. ♔h1?** [30. ♕f2 ♕d1 31. ♕f1 ♕d8!∓] **♕d8 31. ♕e1 ♕d6 32. b3 ♗d7!∓ 33. ♕f1 ♕d5 34. a3 ♔d6 35. ♕c1 ♕d4 36. ♕f1 ♕d2 37. c4 bc4 38. bc4 ♔c5 39. h3 g3-+ 40. ♕b1 ♔c4 41. a4 ♔c3 42. ♕a1 ♔d3 43. ♕b1 ♔c3 44. ♕a1 ♔b3 45. ♕f1 ♔b2 46. ♕b5 ♔c1 47. ♕c4 ♕c2 0 : 1** *Kobalija*

168. !N B 47

GALLAGHER 2525 — KOBALIJA 2495

Biel (open) 1997

1. e4 c5 2. ♘f3 e6 3. d4 cd4 4. ♘d4 ♘c6 5. ♘c3 ♕c7 6. ♗e2 a6 7. 0—0 ♘f6 8. ♔h1 ♘d4 9. ♕d4 ♗c5 10. ♕d3 h5 11. ♗g5 ♘g4! N [11... b5 — 63/153] **12. f4 f6! 13. ♗h4 b5 14. e5!?** [14. ♗g3 ♗b7 15. f5 ♘e5∓; 14. ♕g3 ♗b7 15. ♗g4 (15. h3 g5!) hg4 16. ♕g4 0-0-0!∞] **f5**

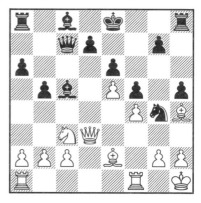

15. ♘d5! [15. ♘e4? fe4! 16. ♕e4 ♗b7 (16... 0—0? 17. ♗d3+−) 17. ♕g6 ♔f8 18. f5 (18. ♗g4 ♖h6! 19. ♕g5 hg4∓) ♘e5! 19. ♗g3 ♖h6! 20. fe6 ♔g8 21. ♕f7 ♔h8∓; 15. ♗f3 ♗b7 16. ♘d5? ♗d5 17. ♗d5 ed5 18. ♕f5 ♕c6 19. e6 ♕e6∓; 16. ♖ae1!?∞] **ed5 16. ♕f5 ♕c6!** [16... d6? 17. e6 ♖h6 18. ♗g4 hg4 19. ♖ae1±; 16... ♖h6 17. ♖ae1!↑; 16... ♕b6 17. ♗f3!? (17. e6? de6 18. ♕g6 ♔f8 19. f5 ef5-+) ♗b7 (17... ♕e6 18. ♕d3! ♗b7 19. f5 ♕f7 20. e6!±) 18. ♗g4 hg4 19. e6! de6 20. ♖ae1 ♖h6 21. ♗g5↑] **17. e6** [17. ♗f3 ♗b7 18. ♖ae1 (18.

罝ad1 g6! 19. 豐g5 豐e6∓) 豐e6 19. 豐d3 (19. 豐g5 g6∓) 0-0∓; 17. h3 豐h6 18. hg4 hg4 19. g3 奧e7 20. 含g2 d6! 21. 豐d3 奧h4 22. 罝h1 (22. gh4 de5 23. 豐d5 罝a7!→) 豐e6 23. ed6 (23. 罝h4 罝h4 24. gh4 de5 25. fe5 豐e5=) 奧b7!∞] de6 [17... 豐e6!? 18. 奧g4 hg4 19. 罝ae1 罝h4 (19... 奧e3 20. 罝e3 豐e3 21. 罝e1±) 20. 豐g6 (20. 豐d5? 奧e3! 21. 豐a8 g3-+) 含d8 21. 罝e6 de6 22. f5!∞] 18. 豐g6 含f8 19. f5 [19. 奧g4? 罝h6!∓] 罝h6!? [19... 公e5 20. fe6 公g8 21. 豐g3 豐e6 22. 罝f6! 豐e8 23. 罝e1↑; 19... 含g8 20. f6 豐c7! (20... 罝a7? 21. 奧g4 hg4 22. f7 含f8 23. 奧f6!!+-) 21. 奧g4 hg4 22. 豐e8 奧f8 23. fg7 豐g7 24. 罝f8=] 20. fe6 含g8 21. 罝f8! [21. 豐f7? 含h8 22. e7 奧e6 23. 豐f8 奧g8-+] 奧f8 22. 豐f7 含h8 23. 豐f8 含h7 24. 奧d3 罝g6! [24... g6? 25. 罝e1!±] 25. 奧g6 [25. 豐f5 豐e6 26. 豐h5 公h6 27. h3 (27. 罝e1 豐g4) 奧d7 28. 罝e1 豐d6 29. 罝e7∓; 25. e7 奧d7 △ 奧e8∓] 含g6 26. 豐f7 含h7 [26... 含h6? 27. 豐f5! g6 28. 奧g5 含g7 29. 豐f7 含h8 30. 罝e1±] 27. 豐f5 含g8 28. 豐f7 含h7 29. 豐f5 含g8 30. 豐f7 1/2 : 1/2 *Kobalija*

169.* B 48

MI. ADAMS 2680 − RAZUVAEV 2555

London 1997

1. e4 c5 2. 公f3 公c6 3. d4 cd4 4. 公d4 e6 5. 公c3 豐c7 6. 奧e3 a6 7. 豐d2 公f6 8. f3 公e5 9. 0-0-0 b5 [9... 奧b4 − 58/221] 10. 含b1 N [10. g4?! h6 11. h4 b4 12. 公b1 d5 13. ed5 公d5∓ O. Korneev 2565 − Bešukov 2460, Sankt-Peterburg (open) 1996] b4 [10... 奧b7!?=] 11. 公a4 d5 12. 公b3 罝b8 [12... 公ed7!?] 13. 奧d4! 奧d6?! [13... 公ed7 14. ed5 公d5 15. c4 公5f6=] 14. ed5 公d5 15. f4± 公g4 16. g3 [16. 奧g7 奧f4⇆] 0-0 17. 奧g2 罝b5?! [17... 罝d8 18. 奧d5 ed5 19. h3 公h6 20. 奧c5±] 18. c4! bc3 [18... 豐c4? 19. 罝c1+-] 19. 公c3 公c3 20. 奧c3± 奧e7 21. 公d4 [21. 豐e2 公f6 (21... e5? 22. h3±] 22. 公d4 罝b6 23. 奧a5 罝b2∞] 罝c5 [21... 罝b6 22. 奧a5+-; 21... 罝b8 22. 公c6±] 22. 奧b4 罝c4 23. 奧e7 豐e7 24. h3 [24. 豐e2 豐c5∞] 公f6 25. 公c6 豐c5 [25... 豐c7 26. 罝c1 罝c1 27. 罝c1±] 26. 公e5 [26. 罝c1!? 罝c1 27.

罝c1±] 罝a4 27. 奧c6 [27. 罝he1!?] 罝b4 28. 公d3 罝b2 29. 豐b2 豐c6 30. 公e5 豐a8! [30... 豐e4? 31. 含a1 奧b7 32. 罝he1+-] 31. 含a1 奧b7 32. 罝he1 奧d5 33. g4 罝b8 34. 豐a3 豐a7∓ 35. 罝e2 [35. 罝b1 豐d4⇆] h6 36. 罝c2?⊕ [36. 豐e3] 奧e4 [36... 公e4? 37. 罝d5! ed5 38. 公c6 豐g1 39. 罝c1+-] 37. 罝b2?! [37. 公c6 奧c6 38. 罝c6 公d5 (38... a5!?) 39. 罝a6 (39. 豐a6? 豐a6 40. 罝a6 公b4-+) 公e3 40. 罝c1 (40. 罝a7? 公c2#; 40. 罝d2? 豐d4! 41. 罝d4 公c2#) 豐d4 41. 豐c3 豐f4=] 罝c8 38. 罝bd2 公d5⊕ 39. 罝d4? [39. 罝c1]

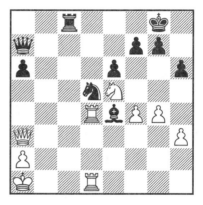

39... 罝c3? [39... 奧c2! 40. 豐c1 (40. 罝1d2 罝b8!-+) 罝c3 a) 41. 罝1d2 奧d3 42. 豐g1 公e3 43. 罝d8 (43. 豐e3 罝c1 44. 含b2 豐b6-+; 43. 罝2d3 罝d3 44. 罝d3 公c2-+) 含h7 44. 含b2 公c4∓; b) 41. 罝d5 ed5∓] 40. 豐a4 豐c5 41. 罝c4 [41. 罝e4 罝c1-+] 豐e3 42. 豐e8 含h7 43. 公d7! [43. 公f7 豐f4! (43... 罝c4? 44. 豐h8 含g6 45. 公e5 含f6 46. 豐f8#) 44. 罝c3 (44. g5 罝c4 45. g6 含g6-+) 公c3 45. 罝e1 豐d2 (45... 豐f2? 46. 公g5=; 45... 豐f6 46. g5 hg5? 47. 公e5∓) 46. 豐h8 含g6 47. 公e5 含g5 48. 豐g7 含h4 49. 豐f6 含g3 50. 罝g1 含h2-+] 罝c4 44. 公f8 [44... 含g8 45. 公e6=] 1/2 : 1/2 *Razuvaev*

170.* !N B 48

MACIEJA 2470 − POLULJAHOV 2510

Koszalin 1997

1. e4 c5 2. 公f3 e6 3. d4 cd4 4. 公d4 公c6 5. 公c3 豐c7 6. 奧e3 a6 7. 奧d3 公f6 8. 0-0

♞d4 9. ♗d4 ♗c5 10. ♗e2 [RR 10. ♗c5
♕c5 11. ♞a4 ♕c7 12. c4 b6 13. e5! N (13.
♕e2 — 51/182) ♕e5 14. ♞b6 ♖b8 15.
♞c8 ♖c8 (15... ♕c5!? 16. ♖b1 a5 17. a3
♕c8 18. b4 ab4 19. ab4± P. Tregubov]
16. b4 0—0 17. ♖b1 ♕c7 18. ♕e2 a5 19.
a3 d6 20. ♖fc1± Zontah 2550 — Polulja-
hov 2490, Beograd 1996] **d6 11. ♕d2 b5
12. ♗f6! N** [12. ♖ad1 — 60/193] gf6 13.
b4!! [Ceškovskij] ♗b4 [13... ♗a7 14. ♗b5
(14. a4 ba4 15. ♞a4 ♗b7 16. ♕f4 ♔e7 17.
c4±) ab5 15. ♞b5 ♕c6 16. ♞d6 ♔e7 17.
♖fd1 (△ c4-c5) ♖d8 18. e5!+—; 13... ♗b6
14. a4! (14. ♗b5 ab5 15. ♞b5 ♕c6 16.
♞d6 ♔e7 17. ♖fc1 ♖d8 18. e5 fe5 19.
♕g5 ♔f8 20. ♕h6 ♔g8 21. ♕g5 ♔f8=)
ba4 15. ♞a4±] **14. ♞b5!** [14. ♞d5 ed5 15.
♕b4 ♕c5□ 16. ♕c5 (16. ♕b2? de4 17.
♕f6 ♕e5∓) dc5 17. ed5=] **♕c5 15. c3
♗a3** [15... ab5 16. cb4 ♕b6 17. ♖fd1±] **16.
♞a3 ♕a3 17. ♖ab1± ♕c5 18. ♖b4 ♔e7
19. ♖fb1** [19. ♖c4 ♕b6 20. ♔h1!? △ f4,
e5 Ceškovskij] **♖d8 20. ♖c4 ♕a7! 21. ♖d1
e5= 22. ♖c6 ♕d7 23. ♖b6 ♕c7 24. ♖db1
♖a7 25. ♕e3 a5 26. f3 ♖b7 27. c4 ♖b6 28.
♕b6 ♖d7 29. ♔f2 ♕b6 30. ♖b6 ♖c7 31.
♖b5 ♖c5 32. ♖c5 dc5 33. g4** 1/2 : 1/2
Macieja

171.   B 48

M. GOLUBEV 2530 —
G. PAVLOVIĆ 2295

Novi Bečej 1997

**1. e4 c5 2. ♞f3 ♞c6 3. d4 cd4 4. ♞d4 ♕c7
5. ♞c3 e6 6. ♗e3 a6 7. ♗d3 ♞f6 8. 0—0
♞e5 9. ♗e2 d6** [9... ♗c5! 10. f4 d6] **10. f4
♞g6 N** [10... ♞c4 — 62/(192)] **11. f5!?
♞e5 12. fe6 fe6 13. ♗h5 ♞h5 14. ♕h5 g6
15. ♕h3** [15. ♕h4!?] **♕e7** [15... ♞c4⇆ 16.
♗g5 (16. ♞e6? ♕e7 17. ♞d5 ♗e6 18.
♞c7 ♔d7! 19. ♞e6 ♕e6 20. ♖f7 ♗e7—+;
16. ♖f6?! ♞e3 17. ♕e3 ♕c5!) ♕c5 17. ♗f6
e5 18. ♕h4→] **16. ♕g3 ♞f7** [16... ♗g7!?
17. ♖ad1 ♖f8; 17... ♞f7 △ 0—0; 17. ♗g5]

(diagram)

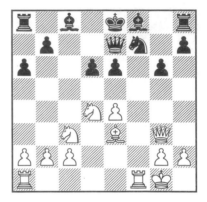

17. e5!± [17. ♖f7 ♕f7 18. ♖f1 ♕g7!∞;
17. ♖f2 ♗g7] **♗g7** [17... de5?! 18. ♞e4!?
♗g7 19. ♞f3± b6 20. ♞fg5 △ 20... ♞h6 21.

♞h7; 17... d5±; 17... ♞e5 18. ♞e4!? ♗g7
19. ♗g5 ♕c7 20. ♞f6 ♗f6 21. ♗f6⨀] **18.
ed6 ♕d6 19. ♕h4 e5** [19... 0—0 20. ♖ad1!?
(20. ♞e4 ♕e5 △ 21. ♖ae1 g5! G. Pavlo-
vić) ♕b4 (20... ♕e5±) 21. ♞e4 ♕b2 (21...
e5? 22. ♞e6!+—) 22. ♞f6!?↑] **20. ♞e4
♕e7 21. ♕e7** [21. ♖f7 ♔f7□ (21... ♕h4?
22. ♞d6 ♔d8 23. ♞c6+—) 22. ♖f1 ♗e8□
23. ♗g5 (23. ♕e7? ♔e7 24. ♗g5 ♔e8)
♕d7!∞ 24. ♞b3!?] **♔e7 22. ♞e2 ♗e6**
[22... ♗f5 23. ♞2g3 ♗e6 24. ♖ad1; 24.
♞g5!] **23. ♗c5** [23. ♖ad1 ♖hd8] **♔d7 24.
♖ad1 ♔c6?** [24... ♔c7!□ 25. ♗e7!?] **25.
♖f7!! ♗f7 26. ♖d6 ♔c7** [26... ♔b5? 27.
♞2c3 ♔c4 (27... ♔a5 28. b4#) 28. b3#]
27. ♗b6 ♔c8 28. ♞2c3± [28. ♞g5 ♗c4]
♖e8? [28... a5 29. ♞g5 ♗c4 30. b3; 28...
h6 29. ♞a4!; 28... ♖f8□ 29. b3; 29. ♞d5!?]
29. ♖d1+— ♗e6 [29... ♔b8 30. ♖d7+—;
29... ♗f8□ 30. ♞f6 ♗e7 31. ♞e8 ♗e8 32.
♞d5 ♗d6 (△ 33. ♞f6 ♗c7) 33. c4!?+—]
30. ♞d6 ♔d7 31. ♞f5! [31... ♔c6 32.
♖d6#] **1 : 0** *M. Golubev*

172. !N   B 49

BECERRA RIVERO 2510
— A. ZAPATA 2515

Cienfuegos 1997

**1. e4 c5 2. ♞f3 e6 3. d4 cd4 4. ♞d4 ♞c6 5.
♞c3 ♕c7 6. ♗e2 a6 7. ♗e3 ♞f6 8. a3 b5!
N** [8... ♗e7 — 67/(244)] **9. 0—0?!** [△ 9. f4
♗b7 10. ♗f3∞] **♗b7 10. ♔h1 ♞e5** [10...
♞d4! 11. ♕d4 ♗d6∓] **11. f3** [11. f4 ♞c4
12. ♗c4 ♕c4 13. ♕d3 ♞e4!? 14. ♞e4
♕d5 15. ♞b5 ab5 16. ♕d5 ♗d5 17. ♞c3

♗c6; 13... ♖c8∓] ♘c4 12. ♗c1 ♖c8 13. a4 **b4 14. ♘a2 d5** [14... ♗d6!? 15. b3 ♘a5↑] **15. b3 ♘b6** [15... ♘a5∓] **16. a5 ♘bd7 17. ed5 ♘d5 18. ♖e1 ♗d6?** [18... ♕a5 19. ♗b2⯹; 18... ♗e7 19. ♗c4 ♘7f6∓; 19... 0-0!?]

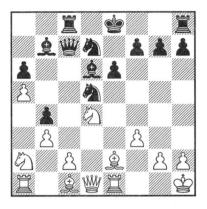

19. ♗a6!! ♗a6 20. ♘e6 ♕a5 [20... fe6 21. ♖e6 a) 21... ♔f8 22. ♕d5 ♖e8 23. ♖e8 ♔e8 24. ♕e6 ♔f8 (24... ♔d8 25. ♗g5 ♔c8 26. ♖d1+-) 25. ♗d2+-; b) 21... ♗e7□ 22. ♕d5 ♘f6 23. ♕d1! (23. ♕g5 ♕d7 24. ♕e3 ♘d5) ♖d8 (23... ♕a5 24. ♗d2!+-) 24. ♕e1 ♗c8 25. ♗f4+-] **21. ♕d5** [21. ♘c7!? ♔f8 22. ♘d5] **♕d5 22. ♘c7 ♔f8 23. ♘d5 ♗e5 24. ♗f4!+- ♗f4** [24... ♗a1? 25. ♗d6 ♔g8 26. ♘e7 ♔f8 27. ♘c8 ♔g8 28. ♖e8 ♘f8 29. ♖f8#] **25. ♘f4 g5 26. ♘b4 ♗b7 27. ♘fd3 g4 28. ♖a7 ♖b8 29. f4!** [29. fg4 ♖g8 30. h3 h5] **♔g7 30. ♔g1 ♖hd8 31. c4! ♔f8 32. c5 ♖dc8 33. c6 ♖c6 34. ♖b7 ♖b7 35. ♘c6 ♖b3 36. ♘de5 ♘f6 37. ♖a1** [37. ♘d8! ♘d5 38. g3 f5 39. ♘e6 ♔e7 40. ♘d4] **h5 38. ♘d4⊕** 1 : 0
Becerra Rivero, Ale. Moreno

173.** B 49

VARAVIN 2440 — AL-KHATEEB 2320

Pardubice 1997

1. e4 c5 2. ♘f3 e6 3. d4 cd4 4. ♘d4 ♘c6 5. ♘c3 ♕c7 6. ♗e2 a6 7. ♗e3 ♘f6 8. 0-0 ♗b4 9. ♘a4 [RR 9. ♘c6 bc6 10. ♕d4 ♗d6!? 11. f4 e5 12. ♕d2 a) 12... ef4 13. ♗f4 a1) 13... ♗e5 14. ♗e5 ♕e5 15. ♖f5 ♕e6 16. ♖af1 0-0 (16... d6 17. ♕g5±) 17.

e5 ♘d5 18. ♗c4± a2) 13... ♗f4 14. ♖f4 (14. ♕f4 ♕f4 15. ♖f4 d6 △ ♔e7) d6 (14... 0-0!? 15. ♖d1 ♖e8) 15. ♖d1 ♔e7 (-2/376) △ ♖d8, ♔f8±; b) 12... 0-0 N 13. ♖ad1 b1) 13... ♗b4?! b11) 14. fe5?! b111) 14... ♘e4 15. ♕d4 ♘c3 (15... ♗c3 16. bc3 f5 17. ♗c4 ♔h8 18. ♕e4+-) 16. bc3 ♗e7 (16... c5 17. ♕d5+-) 17. ♗c4± ✕f7, ♗c8; b112) 14... ♕e5 15. ♗d4 ♗c5 16. ♗c5 ♕c5 (Ro. Pérez 2385 — Borges Mateos 2500, Santa Clara 1997) 17. ♕d4! ♕d4 (17... ♕e7 18. e5±) 18. ♖d4±⊥; b12) 14. ♗f3!± △ 15. a3, 15. f5; b2) ◻ 13... ef4 Nogueiras; c) 12... ♖b8 — 69/(173)] **0-0 10. c4 ♗d6** [10... ♘e4 N 11. ♗f3 a) 11... f5 12. ♗e4 fe4 13. c5 d6◻ 14. ♘c6 a1) 14... ♕c6 15. ♘b6 ♖b8 16. ♖c1! d5 (16... dc5 17. ♘c8 ♖bc8 18. a3 ♗a5 19. ♖c5+-; 16... ♗c5 17. ♘c8 ♖bc8 18. b4+-) 17. ♕d4! ♗a5 18. ♕e5! ♗d7 19. ♗d4+-; a2) 14... bc6 15. ♕c2 ♗c5 16. ♗c5! dc5 17. ♘c5 e5 18. ♖ac1 ♗f5 19. ♘e4 ♕f7?! 20. ♘d6! ♗c2 21. ♘f7 ♖f7 22. ♖c2±⊥ Varavin 2505 — Ozolin, Perm' 1997; 19... ♖ab8!?; b) 11... ♘f6 12. ♖c1!☒] **11. g3 ♘e4 12. ♗f3 f5 13. ♗e4 fe4 14. c5 ♗e7 N** [14... ♗e5 — 60/(195)] **15. ♕g4!** [15. ♖c1 ♘b4 △ ♘d3⇆; 15. ♕c2!? d5 16. cd6 ♗d6 17. ♕e4 ♘d4 (17... ♗d7 18. ♘e6 ♖ae8 19. ♘c7 ♘e4 20. ♖fd1!±) 18. ♗d4 e5∞] **♕e5** [15... d5 16. ♘e6! ♗e6 17. ♕e6 ♔h8 18. ♕d5±; 15... ♘d4 16. ♗d4 e5 17. ♕e4!±] **16. ♖fd1 h5 17. ♕g6! ♖f7** [17... ♖f6? 18. ♕e8 ♖f8 19. ♘c6+-] **18. ♘b6** [18. ♖ac1!?] **♗c5!!⇆** [18... ♖b8 19. ♖ac1 d5 20. cd6 ♗d6 21. ♘c4+-] **19. ♘c6 bc6 20. ♘a8 ♖f6 21. ♕e8 ♖f8 22. ♕g6 ♖f6 23. ♕g5! ♕g5 24. ♗g5 ♗f2!** [24... ♖f2 25. b4! ♗a7 26. ♗e7! △ ♗c5] **25. ♔g2 ♖f5 26. ♖f1 e3?!** [26... ♖g5 27. ♖f2 ♗b7 28. ♖af1 c5 29. ♖f8 ♔h7 △ e3, d5⇆] **27. ♗e3! ♗e3 28. ♖f5 c5!** [28... ef5? 29. ♖e1 ♗d4 30. ♖e8+-] **29. ♖f3 ♗b7 30. ♖d1!** [30. ♘b6 g5! 31. ♘d7 g4 32. ♘e5 ♗d4 33. ♖e1 gf3 34. ♘f3 e5∞] **♗a8** [30... ♗d4 31. ♖d4 cd4 32. ♘b6 △ ♔f2+-] **31. ♖d7** [♖ 9/m] **♔h7 32. ♖d6⊕** [32. h4! ♗d4 33. b4!] **♗d4 33. b4 e5** [33... g5 34. bc5 ♗c5 35. ♖a6 ♗e4 36. ♖a5 ♗d4 37. ♖g5+-] **34. ♖a6?** [34. bc5 ♗c5 35. ♖a6 ♗e4 36. ♖e6 ♗d4 37. h4 △ a4+-]

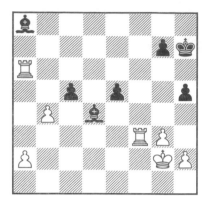

34... ♗e4! 35. h4 [35. bc5 g5! 36. ♖a7
♔g8 37. c6! ♗c6 38. ♖af7! ♗e4 (38...
♗d5 39. ♖d7) 39. ♖f8 ♔g7 40. ♖8f7 ♔g6
41. ♖7f6=] **cb4?**⊕ [35... c4! 36. b5! c3 37.
♖c6 c2 (37... ♗c6 38. bc6 c2 39. ♖f1+−)
38. ♖c4 *a)* 38... ♗b2 39. ♔f2 c1♕ (39...
♗f3 40. ♖c2) 40. ♖c1 ♗c1 41. ♖b3 ♗d2
42. b6 ♗b7 43. ♖d3 ♗a5 44. ♖d6 e4 45.
♔e2! ♗a6 46. ♔e3 ♗b7 47. ♔f4 ♔g8 48.
♖d8 ♔h7 49. ♖d7+−; *b)* 38... ♔g6 39. a4
♗b2 (39... ♗e3 40. ♖e4!) 40. ♔f2 c1♕ 41.
♖c1 ♗c1 42. ♖b3 ♗d2 43. b6 ♗b7 44.
♖d3 ♗a5 45. ♖d7! (45. ♖d6 ♔f5 46. ♔e2
♔g4!) ♗b6 46. ♔e2 ♗a6 47. ♔d1! ♗c5
48. ♖c7 △ ♖c6+−; *c)* 38... ♗e3!? 39. ♖e4
c1♕ 40. ♖fe3 ♕b2 41. ♖e2 ♕b5 42. ♖e5
♕c6 43. ♔h2 g6 44. ♖5e4 ♕a6 45. a4
♕a5∞] **36. ♖a4 g5** [36... ♗c5 37. ♖a5!
♗d4 38. ♖b5 ♗c3 39. ♔f2+−] **37. hg5
♔g6 38. ♖b4 ♔g5 39. ♖d4! ed4 40. ♔f2
♗f3 41. ♔f3+− d3 42. a4 d2 43. ♔e2
♔g4 44. a5 ♔g3 45. a6**   **1 : 0**
Varavin

174.*** !N   B 49

VARAVIN 2505 — FOMINYH 2545

Perm' 1997

**1. e4 c5 2. ♘f3 ♘c6 3. d4 cd4 4. ♘d4 e6 5.
♘c3 ♕c7 6. ♗e2 a6 7. 0−0 ♘f6 8. ♗e3
♗b4 9. ♘a4 ♗e7 10. c4** [RR 10. ♘c6 bc6
11. ♘b6 ♖b8 12. ♘c8 ♕c8 13. e5 ♘d5 14.
♗c1 ♗c5 *a)* 15. ♕d3 0−0 16. ♕c4 ♗a7
17. ♕e4 ♕c7 18. ♗a6 f5 19. ef6 ♖b4 20.
♕e2 ♘f6 21. ♗e3 ♘g4! N (21... ♖b2 —
62/197) 22. g3 ♘e3 23. fe3 ♕e5∓ 24.

♖fe1? ♖e4 25. ♖f1 ♖e3 26. ♖f8 ♔f8 27.
♕f2 ♔e7 28. ♔g2 ♕d5 29. ♔h3 ♖e5 0 : 1
Landa 2560 − Liang Jinrong 2425, Beijing
(open) 1997; *b)* 15. c4 ♘e7 16. b3 ♕c7 17.
♗b2 d6 18. ♗h5 (18. ed6 − 69/(174))
0−0! N (18... de5) 19. ♕e2 a5 20. ♖ac1
♘f5 21. ♖fd1 a4 22. ♖d3 ab3 23. ab3
♖bd8 24. ed6 ♗d6 25. g3 ♗c5 26. ♖cd1
♖d3 27. ♕d3 ♕b6 28. ♖d2 ♗b4 29. ♖d1
1/2 : 1/2 Svidler 2660 − J. Polgár 2670,
Tilburg 1997] **d6** [RR 10... ♘e4 11. c5 0−0
12. ♖c1 f5 13. g3 N (13. f4 − 65/190) ♖b8
14. ♗f4 e5 15. ♘f5 ef4 16. ♕d5 ♔h8 17.
♘e7 ♘e7 18. ♕e4 d5 19. cd6 ♕d6 20.
♖fd1 ♕f6 21. ♕d4 fg3 22. hg3 ♕g5 23.
♘c5 ♗h3 24. ♕d2 ♕g6 25. ♗d3 ♕f7 26.
♗c4 1/2 : 1/2 Velimirović 2515 − Miladi-
nović 2500, Jugoslavija 1997] **11. ♘c3 ♘e5
12. ♖c1 0−0 13. f4 ♘g6 14. f5!? N** [14.
♕e1 − 47/(234)] **♘e5 15. ♔h1 h6 16.
♕e1 ♘h7** [16... ♘fg4 17. ♗f4 ♕b6 18.
♖d1 ♕b2 19. ♕g3→] **17. ♕g3 ♗g5 18.
♗g5 hg5** [18... ♘g5 19. f6 g6 20. ♕e3 △
h4 ⤬h6] **19. ♘f3!** [19. fe6 fe6 20. ♖f8 ♔f8
21. ♕h3 ♔g8 22. ♘e6? ♕f7!−+] **♘f3 20.
♖f3 ♖e8 21. ♗d3** [△ ♕g4-h5, ♖h3→;
♖d1 ef5 22. ef5 ♖e5∞; 21. fe6!? ♗e6
(21... fe6 22. ♖d1 ♖d8 23. ♖fd3 e5 24.
♘d5±) 22. b3 △ ♖d1, ♖fd3→ ⤬d6] **♕c5
22. ♕g4 ef5 23. ef5 ♗d7**

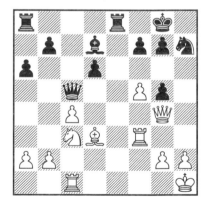

24. ♘d5 [△ b4; 24. ♘e4!? *a)* 24... ♕d4 25.
♖h3! ♘f6 (25... g6 26. ♖f1 gf5 27. ♕h5
♕g7 28. ♕h7! ♕h7 29. ♘f6+−; 25... ♕b2
26. ♖f1 ♕e5 27. ♕h5 ♗f5 28. ♘g5! ♗d3
29. ♕f7 ♔h8 30. ♘h7! ♗h7 31. ♕g6+−)
26. ♘f6 ♕f6 27. ♕h5 ♔f8 28. ♕h8 ♔e7
29. ♖e3 ♔d8 30. ♖e8 ♗e8 31. ♖e1 ♔d7

32. h3±; *b)* 24... ♕e5! 25. ♘g5 (25. ♖cf1
♗c6⇆) ♕b2! (25... ♘g5 26. ♕g5 ♕b2 27.
f6+−) 26. ♖cf1 ♘g5 27. ♕g5 ♕f6! (27...
♕e5 28. ♖g3 △ f6) 28. ♕f6 gf6 △ ♗c6,
♖e5=] ♕a5!□ [△ ♖e1] **25. b4 ♕a2 26.**
♕h5 [26. ♖h3 ♕f2 27. ♖f1 ♖e1] ♕d2 27.
♖cf1 g4?!⊕ [27... ♘f6! 28. ♘f6 gf6 *a)* 29.
♖h3 ♔f8 30. ♕h6 (30. ♗e4 ♖e4! 31. ♕h8
♔e7 32. ♕a8 ♖e1 33. ♖hf3 ♗c6−+) ♔e7
31. ♖ff3?! ♖h8! 32. ♖e3 ♗e6 33. ♖e6 ♔d7!
34. ♖d6 ♔c7!−+; *b)* 29. ♕h6! ♖e3□ 30.
♖e3 ♕e3 31. ♕f6 ♕d3 32. ♕g5=] **28.**
♕g4 ♖e1 29. ♖g3! ♖f1 30. ♗f1 ♕h6?
[30... g6 31. ♘e7 ♔h8□ 32. ♖h3 ♕f2 33.
♖f3 ♕e1 34. ♕d4 ♕e5 35. ♕e5 de5 36.
fg6 ♘g5 37. ♖g3 f6 38. h4+−; 30... g5 31.
h4 ♖e8! 32. hg5 ♖e1 33. ♘f6 ♔g7□ 34.
♘d7 ♖f1 35. ♔h2 ♕f2! (35... ♕c1 36.
♕d4 ♔g8 37. ♘f6+−) 36. f6 ♔h8 37.
♕e4! ♕g1 38. ♔h3 ♖e1 39. ♕d5 (△ g6)
♖e3 40. ♖e3 ♕e3 41. ♔g4+−; 30... ♕b2!
31. ♕h4 ♔h8!! (31... ♕f2? 32. ♖g7+−;
31... ♕b1 32. ♔g1 ♗f5 33. ♘e7 ♔f8 34.
♘f5 ♕f5 35. ♗d3+−; 31... ♖e8 32. f6 g6
33. ♖f3 ♕d2 34. ♘e7 ♔h8 35. ♖f4! ♖e7!
36. ♕h6!+−) 32. ♘e7 (△ ♕h7) ♕f6=]
31. ♘e7?⊕ [31. ♖h3! ♕c1 (31... ♕g5 32.
♕g5 ♘g5 33. ♘e7 ♔f8 34. ♖h8+−) 32.
♘e7 ♔f8 33. ♕e2! ♖e8 34. ♖h7 ♖e7 35.
♖h8#] **♔f8 32. ♖h3 ♕f6! 33. ♖h7 ♔e7**
34. ♕e4 ♕e5 35. ♕h4 ♕f6 36. ♕e4 ♕e5
[37. ♕b7 ♕f5 38. ♔g1 ♕h7 39. ♕a8
♕b1=]   **1/2 : 1/2**   *Varavin*

175.**   B 50

MI. ADAMS 2660
− HALIFMAN 2650
Århus 1997

1. e4 c5 2. ♘f3 d6 [RR 2... e6 3. b3 ♘c6 4.
♗b2 d6 5. ♗b5 ♗d7 6. 0−0 ♘f6 N (6...
a6 − 31/190) 7. ♖e1 ♗e7 8. ♗f1 0−0 9.
c4 e5 10. d3 a6 11. ♘c3 ♘d4 12. ♘d4 cd4
13. ♘e2 b5 14. ♘g3 g6 15. ♗c1 ♖e8 16.
h3 a5 17. f4± Smyslov 2480 − Ioseliani
2520, København 1997] **3. ♗c4 ♘f6** [RR
3... e6 4. 0−0 (4. ♕e2 − 60/(196)) ♘f6 5.
♖e1 ♗e7 N (5... ♘c6; 5... a6) 6. c3 d5 7.
ed5 ♘d5 8. d4 0−0 9. dc5 ♗c5 10. ♗d5 ed5
11. ♗e3 ♗e7 12. ♘bd2 ♘c6 13. ♕b3 ♕a5

14. h3 ♗f6 15. ♗g5 ♗g5 16. ♘g5 ♕d8
17. ♘gf3 d4 18. ♘e4 dc3 19. ♘c3 ♕b6 20.
♕c2 h6= Hellsten 2485 − R. Åkesson
2515, Malmö 1997] **4. d3 ♘c6 5. ♘bd2 N**
[5. ♗b3 − 69/175] **g6 6. a3 ♗g7 7. 0−0**
0−0 8. ♗a2 b5 9. ♖e1 ♖b8 10. c3 a5 11.
d4 [11. a4?! b4 12. ♘c4 bc3 13. bc3 d5!∓;
11. h3 ♘d7 12. ♘f1 b4=] **cd4 12. cd4**
♕b6 13. ♘f1 [13. d5 *a)* 13... ♘g4 14. dc6
(14. ♖f1 ♘d4 15. h3 ♘e5∓) ♘f2 15. ♕e2
♘d3 16. ♔h1 ♘e1 17. ♕e1∞; *b)* 13... ♘d4
14. ♘d4 ♕d4 15. ♕c2 ♗d7∓] **♗g4 14.**
♗e3 ♗f3 15. gf3 ♕b7 16. ♘g3 a4!? [16...
e5 17. d5 ♘d4 18. f4±; 16... e6 17. ♕d2 d5
18. ♖ac1 ♖fd8∞] **17. f4?!** [17. b3!? ab3
18. ♗b3 ♘a5=; 17. ♖c1 e6∞] **♘a5 18.**
♗d2 [18. d5 ♘d7 19. ♗d4 ♗d4 20. ♕d4
♕b6∓] **♘c4 19. ♗c4** [19. ♗c3 ♖fc8∓] **bc4**
20. ♗b4 [20. ♗c3 ♕d7∓]

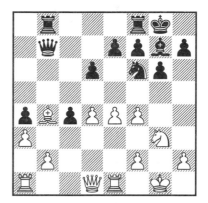

20... h5! 21. d5?! [21. ♕c2 h4 22. ♘f1
♘h5∓; 21. e5 ♘d5∓; 21. h4 ♘g4 22. f3
♘h6∓; 21. f3 h4 22. ♘e2 ♘h5 23. ♕a4 f5
24. ♕c2 fe4 25. fe4 ♘f4 26. ♘f4 ♖f4 27.
♕c4 ♔h7 28. ♕d3 ♖bf8∞; 22... ♕d7!?∓]
h4 22. ♘f1 ♘h5∓ 23. ♗g4 [23. f5 ♘f4!∓]
♕c8! [23... ♗b2 24. ♖ab1∞] **24. f5** [24.
♕h4? ♗f6−+] **♗b2 25. ♕h4** [25. ♖ab1
♖b4! (25... ♗f6 26. ♘e3∞) 26. ab4 c3 27.
♘e3 (27. ♕h4 a3∓; 27. ♕g5 a3 28. fg6 fg6
29. ♕g6 ♘g7∓) c2 28. ♖bc1 ♗c1 29. ♖c1
♘f6 30. ♕h4 ♕c3 31. ♖c2 ♕b4∓] **♗f6!**
26. ♕g4 ♗a1 27. ♖a1 ♘f6 28. ♕g2 [28.
♕f3 gf5−+] **c3! 29. ♘e3** [29. fg6 ♕g4∓]
♔h8 30. ♖c1 [30. e5 ♖b4 (30... gf5 31.
♕h3 ♘h7 32. ed6 ed6∓) 31. ef6 (31. ab4
de5−+) c2 32. ♘c2 ♖b7∓] **♖b4 31. ab4 a3**
32. ♔h1 a2 33. f4 [33. f3 ♕a6 34. ♖a1 (34.

♕f1 ♕f1 35. ♖f1 ♖a8 36. ♖a1 gf5−+; 34. fg6 fg6 35. ♕f1 ♕f1 36. ♖f1 ♘e4−+) ♕d3 35. ♕f2 ♕b1 36. ♕f1 c2−+] ♕a6−+ 34. ♖a1 [34. fg6 fg6 35. ♘c2 ♕d3−+] ♕d3 35. fg6 fg6 36. ♕h3 ♘h5   0 : 1

Halifman

176.* ✓   B 50

MILOS 2605 − SUTOVSKIJ 2560

Villa Martelli 1997

1. e4 c5 2. ♘f3 d6 3. ♘c3 ♘f6 [RR 3... e6 4. d4 cd4 5. ♕d4 ♘f6 (5... ♘c6 − 56/(201)) 6. ♗g5 ♘c6 7. ♗b5 *a)* 7... ♗e7?! 8. e5! de5 9. ♕d8 ♗d8 N (9... ♔d8 10. ♗c6 bc6 11. ♘e5±) 10. ♘e5 ♗d7 11. ♗c6 (11. ♘d7 ♘d7 12. ♗d8 ♔d8 13. ♗c6 bc6 14. 0-0-0±) ♗c6 12. ♘c6 bc6 13. 0-0-0 ♘d5 (13... ♘d7 14. ♗d8 ♖d8 15. ♖d4±) 14. ♘e4 ♗g5 (14... f6 15. ♗d2) 15. ♘g5 ♔e7 16. c4! ♘f6 (16... ♘f4 17. g3 ♘g6 18. f4±) 17. ♘f3 ♖hd8 18. ♘e5 ♖d1 19. ♖d1 ♖c8 20. ♖d3!±↑ Cejtlin 2455 − Ch. Braun 2195, Passau 1997; *b)* 7... ♗d7!? Cejtlin] **4. g3 ♘c6 5. ♗g2 ♘d4!?** N [5... ♗g4 − 68/156] **6. ♘d4** [6. 0−0 ♗g4!] **cd4 7. ♘d5** [7. ♘e2 e5 8. d3 (8. c3 d3) ♗e7 9. c3 dc3 10. ♘c3±] **♘d7** [7... ♘d5 8. ed5 g6 9. c4±] **8. c4** [8. c3 e6 9. ♘f4 dc3=] **e6** [8... dc3 9. ♘c3!±] **9. ♘f4 ♘e5!?** [9... a5 10. 0−0 ♘c5 11. d3 ♗e7 12. b3±] **10. d3 ♕a5! 11. ♕d2** [11. ♗d2 ♕b6 12. 0−0 (12. ♕c2? g5 13. ♘e2 ♕b2∓) ♕b2∓] **♕d2 12. ♔d2 a5 13. b3 a4?** [13... ♗e7 14. ♗b2 ♘c6 15. a3 0−0 16. b4±; 15... ♖b8! △ 16. b4 b5∞] **14. ♗a3** [14. b4 a3!?] **♗e7 15. ♘e2! ♘c6 16. b4 e5 17. b5! ♘d8 18. f4 ♘e6 19. h4 h5 20. ♖af1 f6 21. ♗h3 ♘f8 22. ♗c8 ♖c8 23. ♘g1± ♘e6 24. ♘f3 ♔d7 25. ♘e1 ♗d8 26. ♗b4 ♗b6 27. ♘c2 ♖a8** [27... ♗c5 28. ♔e2 ♗b4 29. ♘b4±] **28. ♖hg1 ♖h7 29. ♔e2 ♖c8 30. ♗e1 ♗c5 31. f5 ♘d8 32. g4 hg4 33. ♖g4 ♔e8 34. ♖fg1 ♔f8 35. ♗d2 ♘f7 36. ♘e1 b6? 37. ♘f3 ♖c7 38. h5 ♘h6 39. ♗h6 ♖h6** [39... gh6 40. ♖g8 ♔f7 41. ♘h2+−] **40. ♖h4 ♖c8 41. ♖g6 ♖h7** [41... ♖g6 42. fg6! (42. hg6 ♔g8) a3 (42... ♔e7 43. ♖h1 ♖h8 44. ♘h4+−) 43. ♖h1 ♖a8 44. ♘h4 ♖a4 45. h6 gh6 46. ♘f5+−] **42. h6 ♔f7 43. ♘h2+− ♗a3 44. ♔d1! ♖f8**

45. ♘g4 ♔e7 46. ♖g7 ♖f7 47. ♖g8 ♗c5 48. ♖a8 a3 49. ♔c2 ♗b4 50. ♖h1   1 : 0

Milos

177.**** !N   B 50

SVIDLER 2660 −
G. KASPAROV 2820

Tilburg 1997

1. e4 c5 2. ♘f3 d6 3. c3 ♘f6 4. ♗e2 ♘bd7 [RR 4... g6 5. 0−0 ♗g7 6. ♗b5 ♗d7 7. ♗d7 ♕d7! 8. ♖e1 0−0 9. d4 cd4 10. cd4 d5 11. e5 ♘e4 (11... ♘e8 − 46/241) 12. ♘bd2 ♘d2 13. ♗d2 ♘c6 14. ♖c1 ♖fc8! N (14... e6) 15. h3 ♘d8! 16. ♕b3 ♘e6 17. ♗e3 a6 18. a4 ♖ab8 19. ♖ed1 h5 20. ♖e1 (20. ♘e1 ♖c4 21. ♖c4 dc4 22. ♕c4 ♗e5 23. ♘f3 ♗f6= B. Alterman) ♗f8 1/2 : 1/2 Ch. Lutz 2590 − B. Alterman 2615, Bad Homburg 1997] **5. d3 b6 6. 0−0 ♗b7 7. ♘bd2 g6 8. d4!?** [RR 8. ♖e1 ♗g7 9. ♗f1 ♘e5 10. ♘e5 N (10. d4 − 46/(241)) de5 11. a3! 0−0 12. b4 ♕c7 13. ♗b2 *a)* 13... ♖ad8 14. bc5 ♕c5 (14... bc5 ✕c5) 15. d4 ♕c7 16. d5±; *b)* 13... ♘h5! 14. g3 ♖ad8 15. ♕e2 ♖d7 16. ♘f3 ♖fd8 17. ♕e3 c4! 18. d4 (18. dc4 ♘f6∓ ✕e4) ed4 19. cd4 ♘f6 20. ♘e5 ♘e4 21. ♘d7 ♖d7 22. ♖ac1 (22. ♗g2?! c3 23. ♖ad1 cb2 24. ♗e4 ♗e4 25. ♕e4 h5∓ Vratonjić 2435 − G. M. Todorović 2510, Jugoslavija 1997) b5 23. ♗g2 ♘d6 24. ♗b7 ♕b7∞ G. M. Todorović] **cd4** [8... ♕c7 9. e5! de5 10. de5 ♘g4 (10... ♘e5 11. ♘e5 ♕e5 12. ♗b5 ♘d7 13. ♘f3 ♕d5 14. ♕d5 ♗d5 15. ♗d7! ♔d7 16. ♖d1+−) *a)* 11. ♕a4 h5 12. h3 ♗c6 13. ♗b5 ♗b5 14. ♕b5 a6 15. ♕a4 ♘ge5 16. ♘e5 ♕e5 17. ♕c6 (17. ♘f3 b5) ♖d8 18. ♘f3 ♕d6 19. ♕b7 ♘b8 20. ♗f4 ♕f4 21. ♖ad1 ♘d7 22. ♖d7=; *b)* 11. e6 fe6 12. ♗c4 ♗d5 (12... e5 13. ♘g5) 13. ♕a4 *b1)* 13... h5 14. h3 ♘gf6 (14... ♗g7 15. ♗d5 ed5 16. hg4 b5 17. ♕a6!+−) ♘g5; *b2)* 13... ♘gf6 14. ♘g5 ♕f4 15. ♘de4 ♕f5 (15... ♕e5 16. f4 ♕f5 17. ♘g3 ♕g4 18. ♗e2 ♕h4 19. c4 h6 20. cd5 hg5 21. de6 ♕h2 22. ♔f2+−) 16. ♖e1 ♘e4 17. ♘e4 ♗c4 (17... ♗e4 18. ♗b5±) 18. ♕c4 ♗g7 19. ♘g5 ♕d5 20. ♕a4 e5 21. ♖d1±] **9. cd4**

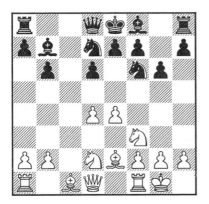

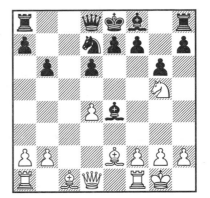

9... ♞e4?! [9... ♝e4 10. ♞e4 ♞e4 11. d5!?
♝g7 12. ♞d4 0−0 (12... ♝d4 13. ♛d4
♞ef6 14. ♝h6) 13. ♞c6 ♛e8 14. ♖e1 *a)*
14... f5 15. f3 ♞ec5 16. ♝b5 ♝f6 17. b4!
♝a1 (17... a6 18. ♞e7 ♝e7 19. bc5 bc5 20.
♝c6 ♖a7 21. ♛e2) 18. bc5 ♝e5 19. cd6
ed6 (19... ♝d6 20. ♞e7 ♝e7 21. d6) 20. f4
a6 21. ♝f1±; *b)* 14... ♞e5 15. ♝b5 (15.
♝f3 ♞c5 16. ♝g5 ♞c6 17. dc6 ♞e6∓) a6
(15... f5 16. ♞a7 ♛f7 17. ♞c6±) *b1)* 16.
♝a4 *b11)* 16... ♞c5 17. f4! ♞a4 18. fe5
♞c5 19. ♝g5!? (19. ed6 e5 20. b4 ♞b7 21.
♝e3 ♞d6 22. ♝b6∞) e6 (19... f6 20. ef6
♝f6 21. ♝f6 ♖f6 22. ♖e7 ♛c8 23. b4±)
20. ♝e7±; *b12)* 16... b5 17. ♖e4 ba4 (17...
♞c6 18. dc6 ba4 19. ♛a4 d5 20. ♖e2 ♖c8
21. ♖c2±) 18. ♛a4 e6!∓; *b2)* 16. ♞e5 ♛b5
17. ♞c6 ♞f6 18. a4 ♛c4 19. b3 ♛h4 (19...
♛c3 20. ♝a3±) 20. ♞e7 ♔h8 21. ♝b2
♖ae8 22. ♖c1±; 9... ♝g7 *a)* 10. ♝d3 0−0
11. b4 e5 (11... a5!?) 12. ♝b2 d5=; *b)* 10.
d5 0−0 11. ♖e1 ♞c5 12. ♝f1 e6 13. de6
♞e6 14. e5 de5 15. ♞e5 ♛c7 16. ♞df3
♖ad8 17. ♛a4= Degraeve 2515 − Nepom-
njaščij 2480, Sankt-Peterburg 1996; *c)* 10.
e5 de5 11. de5 ♞d5 *c1)* 12. ♖e1 0−0 13.
♝c4 e6!? (13... ♖c8 14. e6 fe6 15. ♖e6)
14. b3 b5 15. ♝f1 ♞c3 16. ♛c2 ♖c8∓; *c2)*
12. e6 fe6 *c21)* 13. ♞g5 *c211)* 13... ♞f4
14. ♞de4 ♝e4 (14... ♞e2 15. ♛e2 ♝d5∞)
15. ♞e4 (15. ♝f4 ♝d5∞) 0−0 16. ♝g4
♞c5=; *c212)* 13... ♞c7 14. ♝c4 ♝d5 15.
♖e1 ♞c5∓; *c22)* 13. ♞e4! ♞c7! (13... 0−0
14. ♞fg5 ♞c7 15. ♞e6! ♞e6 16. ♛b3±)
14. ♛a4 b5 (14... 0−0 15. ♖d1 ♝d5 16.
♞c3∞) 15. ♛c2 0−0 16. ♖d1 ♖c8 17.
♝d3 ♞d5 18. ♛e2∞] **10. ♞e4 ♝e4 11.
♞g5**

11... d5!□ N [11... ♝b7? 12. ♝c4 e6 (12...
d5 13. ♛f3+−) *a)* 13. ♖e1 *a1)* 13... h6?
14. ♞e6 fe6 15. ♝g4 ♛c8 16. ♝e6 ♔d8
17. ♛g6+−; *a2)* 13... ♝e7? 14. ♝e6 fe6
(14... ♝g5 15. ♝d5 ♔f8 16. ♝b7 ♖b8 17.
♝c6±) 15. ♞e6 ♛c8 − 13. ♝e6; *a3)* 13...
d5□ 14. ♛f3 *a31)* 14... ♛e7 15. ♝b5 ♝g7
(15... ♖d8 16. ♛h3! a6 17. ♞e6 fe6 18.
♖e6 ab5 19. ♝g5+−) 16. ♛h3 ♝d4 (16...
0-0-0 17. ♝f4→) 17. ♞e6 ♝f2 18. ♔f2 fe6
19. ♛e6 (19. ♖e6 0−0) ♖f8 20. ♔g3 ♛e6
21. ♖e6 ♔f7 (21... ♔d8 22. ♝g5 ♔c7 23.
♖c1 ♞c5 24. b4+−) 22. ♝d7 ♖ad8 23.
♖d6 ♔e7 24. ♝c6±; *a32)* 14... ♛f6! 15.
♝d5 ♛f3 16. ♝f3 ♝f3 17. ♞f3 ♞f6=; *b)*
13. ♝e6! fe6 14. ♞e6 *b1)* 14... ♛e7 15.
♖e1+−; *b2)* 14... ♛c8 15. ♖e1 ♔f7 (15...
♝e7 16. ♝g5 ♝g5 17. ♞g5 ♔f8 18. ♖c1
♛b8 19. ♛g4+−) 16. ♛b3 d5 17. ♛f3
♞f6 (17... ♔g8 18. ♞g5+−) 18. ♝g5 ♝e7
19. ♖ac1 ♝c6 20. ♞g7! ♖f8 (20... ♛d7 21.
♝f6 ♝f6 22. ♖e6+−) 21. ♖e6 ♛d8 22.
♖cc6 ♔g7 23. ♛e3!+−; *b3)* 14... ♛h4
b31) 15. ♝g5 ♛e4 16. ♞c7 (16. d5 ♔f7)
♔f7 17. ♛b3 d5 18. ♖ae1 *b311)* 18... ♛d4
19. ♛f3 ♞f6 (19... ♔g8 20. ♞a8 ♝a8 21.
♖e8+−) 20. ♞e6 ♛b2 21. ♖e2 ♛e2 22.
♛e2 ♖e8 23. ♖e1 ♝c8 24. ♝f6 ♖e6 25.
♝e5±; *b312)* 18... ♛f5 19. ♞a8 (19. f4
♖c8 20. ♖e5 ♞e5 21. fe5 ♛f1 22. ♔f1
♖c7−+) ♛g5 20. ♞c7 ♝d6∓; *b32)* 15.
♖e1 ♝e7 (15... ♔f7 16. ♝g5 ♛h5 17.
♛b3 d5 18. h3!! h6 19. g4 ♛g5 20. ♞g5
hg5 21. ♛e3+−) *b321)* 16. ♛b3 *b3211)*
16... ♖f8!? 17. ♞f8 ♞f8 18. ♛b5 ♔f7
(18... ♔d8 19. ♖e7) 19. ♛c4 d5 20. ♛c7
♝a6 21. ♝d2! ♛f6 22. ♝b4 ♞e6 23. ♖e6
♛e6 24. ♖e1±; *b3212)* 16... h6!?; *b3213)*

123

16... ♕g4 17. f3 ♗f3 (17... ♕h4 18. ♗g5+−) 18. ♕f3 ♕f3 19. gf3 ♔f7=; *b322)* 16. ♗g5! ♗g5 17. g3!! ♕h6□ 18. ♘g5 ♔f8 19. ♕d2! ♔g8 20. ♖e7 ♗c6 21. ♘e6!+−; 11... ♗d5 12. ♗f3 ♗f3 13. ♕f3 ♘f6 14. ♕c6 ♘d7 *a)* 15. ♖e1 ♗g7 (15... ♖c8 16. ♕f3+−) 16. ♕d6 ♖c8 17. ♕a3 (17. ♗d2 ♘f6 18. ♖e7 ♕e7 19. ♖e1±; 17... ♘e5!∓) ♗d4 18. ♘f3 ♗f6 19. ♕a7 ♘c5 20. ♕a3 0−0∞; *b)* 15. ♕d5 e6 16. ♘e6 (16. ♕f3 ♘f6 17. ♕c6 ♘d7 18. ♕f3 ♘f6 19. ♕c6 ♘d7 20. ♕f3 1/2 : 1/2 Degraeve 2515 − Bacrot 2470, France 1996) fe6 17. ♕e6 *b1)* 17... ♕e7 18. ♕d5 ♖b8! (18... 0-0-0 19. ♗g5+−; 18... ♖c8 19. ♗g5 ♘f6 20. ♕f3 ♔f7 21. ♖fe1 ♕d8 22. ♗f6 ♕f6 23. ♕d5 ♔g7 24. ♕b7+−; 18... ♖d8 19. ♗g5 ♘f6 20. ♕f3 ♔f7 21. ♖fe1+−) 19. ♗g5 ♘f6 20. ♕b3! (20. ♕f3 ♔f7 21. ♖fe1 ♕d8 22. ♖ac1 ♗g7∓) ♕f7 (20... ♕g7 21. ♖fe1 ♗e7 22. ♖e6+) 21. ♖fe1 ♗e7 22. ♖e6! 0−0 (22... ♔f8 23. ♗h6 ♔e8 24. ♖ae1 ♘g8 25. ♗g5 ♖b7 26. ♕d5+−) 23. ♖e7 ♕b3 24. ab3±; *b2)* 17... ♗e7 *b21)* 18. ♖e1 ♖f8 (18... ♘f8 19. ♕f6+−) 19. ♗g5 ♖f7 20. ♕d6 (20. ♖e3 ♔f8 21. ♗e7 ♕e7 22. ♕d5 ♕d8 23. ♕d6 ♔g8−+) ♖c8 21. ♖e2 ♘f6 22. ♕e6 ♔f8 23. ♖ae1 ♗b4∓; *b22)* 18. ♗h6 ♖c8 19. ♖fe1 ♖f8 (19... ♘f8 20. ♕d5±) 20. ♗f8 ♘f8∓; *b23)* 18. ♗g5! *b231)* 18... ♔f8 19. ♗e7 ♕e7 20. ♕d5+−; *b232)* 18... ♘f8 19. ♕e4 ♖c8 (19... d5 20. ♕e5 ♕d6 21. ♖fe1+−) 20. ♖fe1 ♖c7 21. ♖ac1 *b2321)* 21... ♖c1 22. ♖c1 ♔f7 (22... ♖g8 23. ♖c8+−; 22... d5 23. ♕e5 ♕d6 24. ♖e1+−) 23. ♕f3 ♔g8 24. ♕d5 ♔g7 25. ♕b7 ♘d7 26. ♖c7+−; *b2322)* 21... ♖d7! *b23221)* 22. ♖c8 ♕c8 23. ♕e7 ♖e7 24. ♖e7 ♔d8=; *b23222)* 22. ♗f6 ♔f7!! (22... d5 23. ♕f4 ♖g8 24. ♗e7 ♖e7 25. ♖e7 ♔e7 26. ♕g5 ♔e8 27. ♕e5 ♔f7 28. ♖c7 ♘d7 29. ♕d5+−) 23. ♗h8 ♔g8 24. ♖c6 ♔h8 25. ♕c2 ♗g5 26. ♖c8 ♕f6; *b23223)* 22. ♖c3 h6 23. ♕c2 (23. ♕h4 ♖h7; 23. ♗f6 ♖h7 24. ♕c2 ♔f7 25. ♖c8 ♗f6 26. ♖d8 ♗d8) hg5 24. ♖c8 ♖c8 25. ♕c8 ♔f7∞; *b23224)* 22. ♕f3! h6 23. ♗e7 ♖e7 24. ♖e7 ♕e7 25. ♖c8 ♔d7 26. ♕c6 ♔e6 27. ♖e8+−; *b233)* 18... ♔f8□ 19. ♗h6 ♔e8 20. ♖fe1 (20. ♗g5=) ♖f8□ 21. ♗f8

♘f8 22. ♕d5 ♖c8 23. ♖e3 ♖c7 24. ♖ae1±]
12. ♗b5 [12. ♘e4 de4 13. f3 *a)* 13... ef3 14. ♗f3 ♖c8 (14... ♖b8 15. ♗f4 ♖c8 16. ♗b7 ♖c4 17. ♗d5+−) 15. ♗b7 ♖c7 16. ♕f3 f6 17. ♗c6→; *b)* 13... e3 14. ♗e3 ♗g7 15. ♕d2 0−0 16. d5 ♘f6 17. ♖fd1 ♘e8 18. ♖ac1 (18. ♗b5 ♘d6 19. ♗c6 ♘c4 20. ♕e2 ♘e3 21. ♕e3 ♖c8=) ♘d6∞] **♗g7** [12... a6 13. ♗c6 (13. f3 ♗f5) *a)* 13... ♖c8 14. ♕a4 ♗f5 15. ♗d5 e6 16. ♗b7 ♖c7 (16... ♖c1 17. ♖ac1 ♕g5 18. ♖c8 ♔e7 19. ♗c6 b5 20. ♕a6+−) 17. ♗a6 ♖c1 18. ♖ac1 ♕g5 19. ♖c7 e5 20. f4+−; *b)* 13... ♖a7 14. f3 ♗f5 15. g4 (15. ♗d5 e6 16. ♗b3 ♗e7) h6 (15... ♕c7 16. ♗d5 e6 17. ♗b3 h6 18. ♘h3+−; 15... ♗e6 16. ♘e6 fe6 17. ♕e2 ♗g7 18. ♕e6 ♗d4 19. ♔h1+−) 16. gf5 (16. ♘f7 ♔f7 17. gf5 gf5 18. ♗d5 e6 19. ♗b3 ♘f6∞) hg5 17. fg6 ♕c7 18. ♕c2 ♗g7 19. ♗g5 ♗d4 20. ♔h1±] **13. f3** [13. ♘e4 de4 14. ♗c6 0−0 (14... ♖c8 15. ♕a4±) 15. ♗a8 ♕a8 16. ♗g5 *a)* 16... ♕d5 17. ♗e7 ♖e8 18. ♗a3 ♗d4 19. ♕e2! ♘e5 (19... e3 20. ♔h1±) 20. ♖ad1±; *b)* 16... ♘f6 17. ♕e2 ♕d5±] **♗f5 14. g4 h6□** [14... ♗e6? 15. f4! h6 (15... a6 16. f5 ♗f5 17. gf5 ab5 18. fg6+−) 16. f5 ♗f5 17. gf5 hg5 18. fg6 fg6 (18... 0−0 19. ♗c6 ♘f6 20. gf7 ♖f7 21. ♗a8 ♕a8 22. ♗g5±) 19. ♗g5 (19. ♕d3? ♕c7! 20. ♕g6 ♔d8−+) ♗h5 20. h4 ♕c7 21. ♕g4 ♗d4 22. ♔h1±] **15. gf5** [15. ♘f7 ♔f7 16. gf5 gf5 17. ♗c6 ♖c8 18. ♗d5 e6 19. ♗b3 ♘f6∞] **hg5 16. fg6 a6!** [16... fg6 17. ♗g5±] **17. gf7** [17. ♗a4!? *a)* 17... ♕c7 18. ♖f2 ♖h4 *a1)* 19. ♗g5 ♖d4 20. ♕e2 ♕d6 21. ♗c6 (21. ♖e1 e6 22. ♕c2 ♕b4 23. ♗d7 ♔d7 24. ♕e2 e5 25. gf7 ♖f8∞) ♖a7 22. ♗e7 ♕e7 23. ♖e1 ♕e2 24. ♖fe2 ♔d8 25. ♖e8 ♔c7 26. ♗d7 fg6 27. ♗f5 ♔d6 (27... gf5 28. ♖1e7) 28. ♗g6 ♖d2±; *a2)* 19. ♗e3! fg6 20. ♖c1; *b)* 17... fg6 18. ♗g5 (18. ♕d3 ♕c7 19. ♖f2 ♕d6) b5 19. ♗b3 ♕b6 20. ♗d5 (20. ♗e3 ♕d6 21. ♖f2 ♖c8) ♗d4 21. ♔h1 ♖d8∞] **♔f7 18. ♗a4** [18. ♗c6 ♕c7∓] **♖h5?!** [18... ♘f6 19. ♗e3 (19. ♗g5? ♕d6 20. ♕e2 ♖ag8→) ♕d6 20. ♕d2 ♖h3 21. ♖f2 ♖ah8 22. ♖af1±; 18... ♕c7! 19. ♖f2 ♖h4 20. ♗e3 (20. f4 g4) ♖ah8 21. ♖c1 (21. ♕d2 b5 22. ♗b3 ♘b6; 22. ♗c2!?∞) ♖h2 22. ♖c7 ♖h1 23. ♔g2 ♖8h2

24. ♔g3 ♖h3 25. ♔g4 ♖h4= 26. ♔g5??
♗f6 27. ♔f5 e6#] **19. ♗e3** [19. ♗c6 ♕h8
20. ♕e2! ♗d4 21. ♔h1 ♘f6 (21... ♖d8 22.
♗d5 ♗f8 23. ♗e6!± △ 24. ♗g4, 24. f4)
22. ♗a8 ♕a8±] **♘f6 20. ♕d2 ♕d6 21.
♖f2 ♖ah8 22. ♖g2! ♖h3?!** [22... ♗h6 23.
♗c2 ♖g8 24. ♗d3!±] **23. ♖f1 ♖8h4? 24.
♗c2+−** ♘h5 [24... e6 25. ♗g5 ♗h6 26.
♗h6 ♖h6 27. ♕g5 ♖h2 28. ♕g7 ♔e8 29.
♗g6 ♔d8 30. ♕f6 ♗c8 31. f4+−] **25. ♗f5
♘f4 26. ♗h3** [26. ♗f4 ♕f4 27. ♕f4 gf4 28.
♖d2 ♗d4 29. ♖d4 ♖h2±] **♘h3 27. ♔h1
♕f6** [27... ♗f6 28. ♖g4 ♖h5 29. f4+−] **28.
♖g3! ♕f5** [28... ♘f4 29. ♖g4+−] **29. ♗g5
♘g5** [29... ♖d4 30. ♕g2 ♘g5 31. ♖g5 ♕f6
32. ♖g1+−] **30. ♖g5 ♕h3 31. ♖g2 ♗f6
32. ♕d3 ♖d4 33. ♕g6 ♔e6 34. ♕e8 ♖c4**
[34... ♔d6 35. ♕b8 ♔c6 36. ♖c1 ♔b5 37.
♕e8 ♔a5 38. a3 b5 39. b3+−] **35. ♕d8!
♕f5 36. ♖e1 ♗e5 37. ♕b8** [37... ♔f6 38.
♕h8 ♔e6 39. ♖e5 ♕e5 40. ♖g6 ♔f5 41.
♖g5] **1 : 0** *Svidler*

178. !N B 50

GALEGO 2440 –
AN. SOKOLOV 2585

Mulhouse 1997

**1. e4 c5 2. ♘f3 d6 3. c3 ♘f6 4. ♗d3 g6 5.
♗c2 ♗g7 6. 0–0 0–0 7. h3 e5 8. d4 cd4 9.
cd4 ♘c6 10. ♘c3 ed4 11. ♘d4 ♘e4** [11...
d5 12. ♘c6 (12. ed5 ♘d5 13. ♘c6 bc6∓)
bc6 13. ♗g5±; 11... ♘d4 — 45/(220)] **12.
♘c6** [12. ♘e4 ♘d4 13. ♗g5 ♕a5 14. ♗e7
(14. ♘f6 ♔h8∓) ♘c2 15. ♕c2 ♗f5 16.
♗f8 ♖f8⊙] **♘c3 13. ♘d8 ♘d1 14. ♘f7! N**
[14. ♘b7? ♘b2∓] **♘b2 15. ♘d6** [15. ♘h6
♔h8 16. ♗b3 ♘d3 (16... ♘c4 17. ♗c4
♗a1 18. ♗e3⊙) 17. ♗e3 ♘c5 18. ♘f7
♔g8 19. ♘h6=] **♘c4 16. ♘c4 ♗a1 17.
♗a3 ♗g7** [17... ♗f6 18. ♗f8 ♔f8 19.
♘d6=] **18. ♗b3?!** [18. ♗f8 ♗f8 19. ♗e4
♗e6∓; 18. ♖e1!? ♗d7 19. ♘d6 ♖ae8=]
♗e6 19. ♖e1 ♗f7 [19... ♖fe8? 20. ♖e6
♖e6 21. ♘d6±] **20. ♗f8** [20. ♖e7 ♗f6 21.
♖b7 ♖fb8 22. ♖d7 ♖d8 23. ♖b7 ♗d5∓]
♗f8 21. ♘e3 [21. ♘a5 ♗b3 22. ab3 b6 23.
♘c6 a5 24. ♘e7 ♔f7 25. ♘d5 ♗c5∓; 21.
♘e5 ♗b3 22. ab3 ♖c8∓] **♗b3 22. ab3 a5**
[△ b5∓] **23. ♘d5 ♖d8 24. ♖d1** [24. ♘b6
♖d3∓ ♔g7 [⌒ 24... ♔f7] **25. ♔f1 b5 26.**

♘c3 [26. ♔e2 a4 27. ba4 (27. ♘c7 ♖d1
28. ♔d1 a3 29. ♔c2 b4−+) ba4 28. ♘c7
♖d1 29. ♔d1 ♔f6∓] **♖d1 27. ♘d1 ♗b4
28. ♔e2 ♔f6 29. ♔d3 ♔e5 30. g3** [30.
♘e3 ♗c5 31. ♘g4 ♔f4−+; 30. ♘b2 ♗c5
△ ♗d4−+] **g5−+ 31. f3 ♗e1 32. ♔e2
♗g3 33. ♘c3 b4** [33... ♔d4 34. ♘b5 ♗c5
35. ♘c3 ♔b4−+] **34. ♘e4 ♗f4 35. ♔d3
h6 36. ♘c5 ♔d5** [36... ♔f5? 37. ♔c4 △
♘d3=] **37. ♘d7 ♗c7 38. ♘f6 ♔e5 39.
♘g4 ♔f4 40. ♔e2** [40. ♘h6 ♔f3 41. ♘f7
(41. ♘f5 ♗d8!) ♗f4 42. ♔c4 ♔g3 43.
♔b5 ♔h3 44. ♔a5 g4−+] **h5 41. ♘f6
♔f5 42. ♘d5** [42. ♘h5 ♔g6−+] **♗b8** [43.
♔d3 ♔e5 44. ♔c4 ♗d6−+] **0 : 1**
An. Sokolov

(Turns into a Ruy Lopez)

179.** B 51

NADYRHANOV 2470 –
LOBZHANIDZE 2515

Čerkessk 1997

1. e4 c5 2. ♘f3 d6 3. ♗b5 ♘c6 [RR 3...
♗d7 4. d4 ♘f6 5. ♘c3 a6 6. ♗d7 ♘d7 7.
0–0 e6 8. ♗g5 ♕c7 9. dc5 ♘c5 *a*) 10.
♖e1 b5 N (10... f6 — 59/212) 11. ♘d5
♕b7 12. ♕d4 e5 13. ♕b4 ♗e6 14. ♖ad1
h6 15. ♗h4 ♖c8 16. b3 g5 17. ♗g3 ♗g7
18. ♘c3 ♕c6 19. ♘d5 ♕b7 20. ♘c3 ♕c6
21. ♘d5 1/2 : 1/2 Peng Xiaomin 2530 –
Pigusov 2560, Beijing (open) 1997; *b*) 10.
♕d4 N f6 11. ♗e3 ♗e7 12. a4 b6 13. ♕c4
♗d8 14. ♘d4 ♘b7 15. ♕a2 ♕f7 16. f4
0–0 17. f5 ♖e8 18. ♖ad1 ef5 19. ♕f7 ♔f7
20. ♘f5 ♗f5 21. ♖f5 ♖c8 22. ♖fd5
1/2 : 1/2 Liang Jinrong 2425 – Zhu Chen
2515, Beijing 1997] **4. c3 ♘f6** [4... ♗d7?!
5. d4 cd4 6. cd4 a6 7. ♗e2! g6 8. d5±] **5.
♕e2** [5. ♗c6 bc6 6. ♕a4!? Ceškovskij]
♗d7 [5... a6 6. ♗c6 bc6 7. e5 ♘d5 8. d3
♗g4 9. ♘bd2 de5 10. ♘e5 f6 11. ♕g3±;
5... g6 6. d4 cd4 7. cd4 a6 8. ♗a4 ♕a5 9.
♘c3 b5 10. ♗b3 ♗g4 11. ♗e3 ♗g7 12. h3
♗f3 13. ♕f3±; 5... ♗g4!? 6. h3 ♗h5 7. d4
cd4 8. cd4 a6 9. ♗c6 bc6 10. 0–0 e6 11.
♗g5 ♗e7⊙; 5... ♕b6!?; 5... e6; 5... e5] **6.
0–0** [6. h3!?] **a6 7. ♗a4 e5** [7... b5 8. ♗c2
♗g4 9. h3 ♗f3 10. ♕f3 g6⊙; 7... c4!? 8.
♗c2 b5 9. b3 cb3 10. ab3 g6!? 11. d4 ♗g7
12. e5 de5 13. de5 ♘g4 14. ♗f4 ♕c7 15.
♗e4 ♖a7 16. e6!?∞] **8. h3 b5 9. ♗c2 ♗e7**

125

10. a4 b4 [10... 0−0!? 11. ab5 ab5 12. ♖a8
♕a8 13. ♘a3 ♖b8!?∞] **11. d4! cd4 12. cd4
ed4 13. ♘bd2!? N** [13. ♖d1 − 27/401]
♗e6! **14. ♘b3 ♗b3?!** [14... ♘e5! 15. ♘fd2
♕b6∞] **15. ♗b3 0−0 16. ♖d1 ♕b6 17. ♗g5
♖ae8□** [17... ♖fe8? 18. ♕c4!] **18. ♖ac1**
[18. a5! ♘a5 19. ♗a4 ♖c8 20. ♘d4↑] **♘d7
19. ♗f4! ♘c5 20. ♗d5 d3 21. ♕e3 ♘b8
22. ♖d3 ♘a4 23. ♘d4 ♗f6 24. ♘f5 ♕e3
25. ♖e3 ♗b2 26. ♖c7 ♗e5 27. ♗e5 de5**

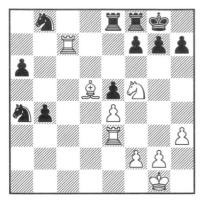

28. ♘d6?⊕ [28. ♖g3! g6 29. ♗f7!+−]
♖d8 29. ♖f3! [29. ♘f7 ♖d5! 30. ed5 ♖f7
31. d6 ♘d7∓] **♘b6□** [29... ♖d6? 30. ♖ff7!
♖d5 (30... ♖f7 31. ♖c8+−) 31. ♖g7+−]
**30. ♗f7 ♔h8 31. ♖d3 ♖d7 32. ♖d7 ♘8d7
33. ♗a2 g6** [33... h6 34. ♘f7 ♔h7 35. ♖d6
△ g4-g5∞] **34. ♘f7 ♔g7 35. ♘g5 ♖c8?⊕**
[35... ♘c5! 36. ♖d6 ♖b8!∓] **36. ♖f3! ♘f6
37. ♘e6 ♔f7 38. ♘c7 ♔e7 39. ♘a6 ♖c1
40. ♔h2 ♘e4 41. ♖f7 ♔d6 42. ♘b4 ♖d1!
43. f3 ♘d2 44. ♖f6** [44. ♖h7 ♘f1 45. ♔g1
♔c5 46. ♘a6 ♔d4=] **♔c5 45. ♘a6 ♔b5?!**
[45... ♔d4! 46. ♖b6 ♘f1 47. ♔g1 ♘e3 48.
♔f2 ♖d2=] **46. ♘c7 ♔a5 47. ♗g8?!** [47.
♔g3!?] **e4! 48. fe4 ♘f1** [49. ♖f1?! ♖f1 50.
e5 ♖e1 51. e6 h6 52. ♔g3 ♔b4∓; 49. ♔g1
♘g3 50. ♔h2=] **1/2 : 1/2**
Nadyrhanov

180.*   B 51

GALEGO 2440 − SE. IVANOV 2530

Benasque 1997

**1. e4 c5 2. ♘f3 ♘c6 3. ♗b5 d6 4. ♗c6 bc6
5. 0−0 e5 6. c3 f5!?** [6... ♘f6 − 60/(200)]
7. ♕a4 N [7. ef5 ♘f6 8. d4 cd4 9. cd4 e4
10. ♖e1 ♗e7 11. ♘g5 ♗f5 12. ♘c3 d5 13.

f3 0−0 14. fe4± Rublevskij 2645 − Kotsur
2505, Rossija 1996; 7... ♗f5!?] **♘f6!?** [7...
fe4 8. ♕c6 ♗d7 9. ♕e4 ♘f6 10. ♕e2 △
d3±; 7... ♕c7 8. ef5 ♗f5 9. d4 *a)* 9... cd4
10. cd4 e4 11. ♖e1 *a1)* 11... ♘f6 12. ♘c3
d5 (12... ♗e7 13. ♘h4) 13. ♗f4!? (13.
♘e5) ♗d6 (13... ♕f4 14. ♕c6 ♔f7 15.
♘e5 △ ♕a8+−) 14. ♗d6 ♕d6 15. ♘e5
♗d7 16. f3±; *a2)* 11... ♗e7 *a21)* 12. ♘g5
d5 13. ♘c3 ♘f6 14. ♗f4 (14. f3 h6) ♕d7!
△ 15. f3 h6∓; *a22)* 12. ♘fd2 d5 13. ♘c3
♘f6 14. f3 ♗d6 15. fe4 (15. ♘f1 0−0)
♗h2 16. ♔h1 ♗g3∞; *b)* 9... e4 10. ♖e1
(10. ♘g5 h6 11. ♘e4 ♗e4 12. ♖e1 d5 13.
f3 ♗d6∞; 10... d5!?) ♗e7 (10... ♘f6 11.
dc5) *b1)* 11. ♘g5 d5 12. f3 (12. ♗f4 ♕d7)
h6; *b2)* 11. ♘fd2 d5 △ ♗d6⇄] **8. ef5 ♗f5
9. ♕c6 ♗d7** [9... ♔f7 10. d4∞] **10. ♕a6
e4** [10... ♗e7 11. ♕e2 (△ d3) e4 12. ♘g5
♗f5 13. f3] **11. ♘g5** [11. ♖e1 ♗e7 12.
♘g5 d5 13. ♘e6 (13. d3 h6 14. ♘e6
♕c8∓) ♕c8 14. ♕c8 ♖c8 15. ♘f4 (15.
♘g7?? ♔f7−+) g5 16. ♘e2 ♘g4 △ ♘e5↑
×d3] **h6!?** [11... d5 12. ♘e6; 11... ♗e7 12.
d3] **12. ♘e4** [12. ♘h3 ♗h3 13. gh3 ♕d7↑]
♘e4 13. ♖e1 [13. ♕e2? ♕e7 14. ♖e1 ♘f6
15. ♕d1 ♗e6−+] **♕h4 14. ♕e2** [14. g3
♕f6 15. ♖e4 ♗e7⊠] **d5 15. d3 ♗g4 16.
♕f1** [16. f3 ♗d6; 16. ♕e3!?] **♗d6 17. g3**
[17. h3? 0−0 18. de4 ♖f2! 19. ♕f2 ♗h2
20. ♔f1 ♗g3−+] **♕h5 18. de4 0−0⊠○**

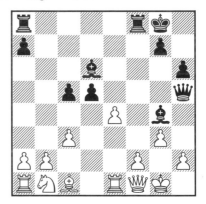

19. f4 [19. ♗e3 ♗g3! 20. hg3 ♗f3−+; 19.
♕d3 *a)* 19... ♖f2!? 20. ♕d5 (20. ♔f2 ♕h2
21. ♔e3 d4! 22. cd4 ♕g3 23. ♔d2 ♕f2∓→)
♕d5 21. ed5 ♖af8 22. ♗e3! ♖b2 23. ♘d2∞;
b) 19... d4 20. cd4? ♖f2!; 20. f4!∞; *c)* 19...
♕h3 20. ♕f1=; 19. ♘d2!?] **♖ae8 20. ♕d3**
[20. ♘d2 g5!?; ⌐ 20. ♗e3 de4!? (20... ♖e4

21. ♘d2) 21. ♘d2 g5↑] **c4** [20... ♗c7 (△ c4, ♗b6) 21. e5 △ ♕d5] **21. ♕d4 ♗h3** [21... ♗c7 22. ♕a7!?] **22. e5 ♗e5?** [22... ♖e5! 23. ♖e5 (23. fe5 ♕f3−+) ♗e5 24. ♕d5 ♘h8 25. ♔f2□ (25. ♗e3 ♕e2−+; 25. ♘d2 ♕d1 26. ♔f2 ♗c7 △ ♗b6−+; 25. ♘a3 ♗d4! 26. ♕d4 ♕f3 27. ♕f2 ♕d1−+) ♗g4→] **23. ♕d5** [23. fe5? ♕f3−+] **♘h8 24. ♗e3** [24. fe5? ♕e2!−+] **♖f4?!** [24... ♖d8] **25. ♘d2** [25. ♗f4? ♗d4! 26. ♕d4 ♖e1 27. ♔f2 ♕e2#; 25. gf4! *a)* 25... ♕g4 26. ♔h1 (26. ♔f2? ♗f6 △ ♗h4#) ♗f4 27. ♖g1!+−; *b)* 25... ♖e6 26. ♘d2 ♖g6 27. ♔h1 ♗g2 28. ♕g2 ♖g2 29. ♔g2±] **♖f5 26. ♕c4 ♖ef8** [26... ♕g6 27. ♗d4!] **27. ♖a7?!** [27. ♗d4] **♕g6** [△ ♗g3] **28. ♘e4 ♕g4** [△ ♕f3; 28... h5!? △ h4] **29. ♕d3** [29. ♘d2 ♕g6=] **♖f3 30. ♕c2** [30. ♕e2? ♖f1 31. ♖f1 ♖f1 32. ♕f1 ♗f1−+; 30. ♖e3 ♕e4! (30... ♖f1 31. ♖f1 ♖f1 32. ♕f1 ♗f1 33. ♔f1±) 31. ♖e4 (31. ♕e4?? ♖f1 32. ♖f1 ♖f1♯) ♖d3 32. ♖e5 ♖d2∞] **♗g3** [30... h5!? △ h4→] **31. hg3 ♖g3 32. ♘g3 ♕g3 33. ♔h1 ♗g4 34. ♖e2** [34. ♖g1? ♕h3 35. ♕h2 ♗f3 36. ♖g2 ♗g2 37. ♔g1 ♕d7 38. ♗d4 (38. ♗c5 ♖f5) ♗h3→; 34. ♖f1 ♗f3 35. ♖f3 *a)* 35... ♖f3 36. ♕h2 (36. ♗g1? ♕h4−+) ♕g4 37. ♖g1 ♕f5 (37... ♕e4 38. ♖g2±) 38. ♗d4 (38. ♖g3) ♖h3 39. ♖g7±; *b)* 35... ♕f3 36. ♕g2 ♕h5 37. ♕h2 (37. ♔g1? ♖f4 △ ♖g4−+) ♕f3=] **♗f3** [34... ♗e2 35. ♕e2 ♖f4 36. ♗g1+−; 34... ♖f5 35. ♖g2□ ♗f3 − 34... ♗f3] **35. ♖g2 ♖f5** [35... ♕h4 36. ♔g1 ♗g2 37. ♕g2 ♖f4 38. ♗f2+−] **36. ♔g1** [36. ♖f1? ♗g2 37. ♕g2 ♕h4 38. ♔g1 ♖g5−+; 36. ♕f2? ♕h3 37. ♔g1 ♗g2 38. ♕g2 ♖g5 39. ♕g5 hg5 △ g4-g3−+] **♗g2 37. ♕g2 ♕d3!□** [37... ♕h4 38. ♗f2; 37... ♕f4 38. ♖f1; 37... ♕e5 38. ♗d4 ♕e7 39. ♕g7+−; 37... ♕c7 38. ♗e3] **38. ♗f2** [38. ♕a8? ♘h7 39. ♗f2 ♖g5 40. ♔h2 ♕e2−+] **♖g5 39. ♕g5 hg5 40. ♖e1 ♔h7 41. a4 g4 42. ♖e3 ♕b1 43. ♔g2 ♕b2 44. a5 ♕b5 45. ♖g3= ♕d5 46. ♔g1 ♕d1 47. ♔g2 ♕d5 48. ♔g1 ♕a5 49. c4** [49. ♖g4 ♕c3=] **♕a1 50. ♔g2 ♕a8 51. ♔g1 ♕e4 52. c5 ♕c4 53. ♔g2 ♔g6 54. ♔g1 ♔f5 55. ♔g2 g5 56. ♔g1 ♔f4 57. ♔g2 ♕c2 58. ♔g1 ♕e4 59. ♔h2 ♕d5 60. ♔g1**
1/2 : 1/2   *Se. Ivanov*

181.*   **B 52**

MI. ADAMS 2660 − KEŃGIS 2585

Århus 1997

1. e4 c5 2. ♘f3 e6 3. b3 d6 4. ♗b5 ♗d7 5. ♗d7 ♘d7 6. 0−0 ♘gf6 7. ♕e2 ♗e7 [RR 7... g6 8. c3 ♗g7 9. d4 0−0 (9... cd4 10. cd4 d5 11. e5 ♘e4 12. ♗a3! ♗f8 13. ♗b2±) 10. ♘bd2 ♕c7 11. ♗b2 cd4 N (11... ♖fc8 − 67/253) 12. cd4 ♖fc8 13. e5 de5 14. de5 ♘d5 15. ♘c4 ♗f8 16. ♘g5 ♘c5 (16... b5 17. ♕f3! ♘c5 18. ♘d6+−) 17. h4 (17. ♕f3 h6) *a)* 17... h6? 18. ♘h3 ♕d8 (18... h5) 19. h5 ♕h4 (19... g5 20. ♖ad1 △ 21. f4, 21. ♘e3) 20. hg6 fg6 21. ♘d6 ♗d6 22. ed6±→ Ulybin 2555 − Zagrebelny 2480, Kstovo 1997; *b)* 17... b5 18. ♘d6 ♗d6 19. ed6 ♕d6 20. ♕b5∞; *c)* 17... ♘f4 18. ♕f3 ♘fd3 (18... ♘cd3 19. ♗c1! b5 20. ♗f4 bc4 21. bc4 ♘f4 22. ♕f4 h6 23. ♘e4 ♕c4 24. ♖ad1! △ ♖d7+−) 19. ♗d4 ♖d8 20. ♘d6 ♗d6 21. ed6 ♖d6 22. ♗c5 ♘c5 23. ♖ac1 ♖c6 24. b4 ♘a6 25. ♖c6 bc6 26. b5 ♘b4 27. ♖c1= Ulybin, Lysenko] **8. ♗b2 0−0 9. c4 a6 10. d4 cd4** [10... b5 11. e5 ♘e8 12. cb5 ab5 13. ♕b5±] **11. ♘d4 ♖c8** [11... ♕b6 − 61/(204)] **12. ♘c3 ♕a5 N** [12... ♕b6; 12... ♕c7] **13. ♖ad1!?** [13. ♖ac1 ♕h5?! [13... b5? 14. cb5 ♖c3 15. ♗c3 ♕c3 16. ♘c6 △ ♖c1+−; △ 13... ♖fe8] **14. f3** [14. ♕h5 ♘h5=] **♖fe8 15. ♔h1 ♗f8** [15... d5 16. g4! ♕g5 17. cd5 ed5 18. ♘f5→] **16. ♕e1** [△ f4; 16. ♖d3!?] **♕a5!?** [16... d5 17. g4 ♕e5 18. cd5 ed5 19. f4 ♕b8 20. e5] **17. f4 e5□ 18. fe5** [18. ♘f5 ef4 19. ♖f4 b5] **♕e5** [18... ♖e5] **19. ♕f2 ♕h5 20. ♘f5 ♘c5** [20... ♘e4? 21. ♘e4 ♖e4 22. ♘g3]

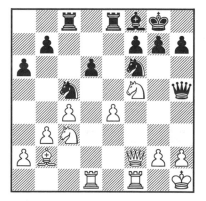

127

21. ♕f3! ♕f3□ [21... ♖c6 22. ♘d5; 21...
♕g6 22. ♘d6 ♗d6 23. ♖d6 ♘ce4 24. ♘e4
♕e4 25. ♖f6+−] **22. gf3 ♖e6!** [22... ♖cd8
23. ♘h6! gh6 24. ♖g1 ♗g7 25. ♘d5] **23.
♘d5 ♘h5 24. ♖g1 g6?** [24... f6!? △ ♔f7,
g6] **25. ♖g5 h6** [25... f6 26. ♖h5 gh5 27.
♘f4→] **26. ♖h5 gh5 27. ♘f6 ♖f6 28. ♗f6
b5 29. cb5** [29. ♗e7; 29. ♗g7] **ab5 30.
♘d6** [30. ♗e7] **♖a8 31. b4 ♘e6** [31... ♘d7
32. ♗c3] **32. ♘b5 ♖a2** [32... ♗b4 33. a3]
33. ♘c3 ♖f2 34. b5 ♗c5 [34... ♖f3 35.
b6+−] **35. ♘d5! ♖f3 36. ♖b1 ♘f4 37.
♘f4⊕** [37. ♗e5 ♘d3 38. ♗g3+−] **♖f4 38.
♗d8 ♖e4 39. b6 ♖b4** [△ 39... ♖e8 40.
♗c7 ♗b6 41. ♗b6+−] **40. ♖b4 ♗b4 41.
♗h4** [41... f5 42. ♗g3] **1 : 0**

Mi. Adams

182. B 52

TIVJAKOV 2590 − OLL 2645

Beijing (open) 1997

**1. e4 c5 2. ♘f3 d6 3. ♗b5 ♗d7 4. ♗d7
♘d7 5. 0−0 ♘gf6 6. d3!? e6** [6... g6 −
45/226] **7. ♘c3 ♗e7 8. ♘g5!±** [△ f4-f5↑≫,
⊞, ✕♘d7; 8. a4 0−0 9. h3 ♕c7 10. ♗f4
b6 11. ♕e2 ♕b7 12. e5 de5 13. ♘e5 ♘e5
14. ♕e5 ♖ad8=; 8. h3 0−0 9. ♖e1 a6 10.
a4 ♕c7 11. ♕e2 ♖fe8=] **h6** [8... d5 9. ed5
(9. f4!?) ed5 (9... ♘d5 10. ♘d5 ed5 11.
♕h5+−) 10. ♕f3±; 8... 0−0 9. f4±↑] **9.
♘h3 g5** [9... 0−0 10. f4↑≫; 9... d5 10. ed5
ed5 (10... ♘d5 11. ♘d5 ed5 12. ♕g4±) 11.
♕f3±; 11. ♘f4!?] **10. f4 g4 N** [10... gf4 11.
♗f4 ♕c7 12. ♕d2 (12. ♘b5 ♕c6 13. c4±;
12... ♕b6 △ a6, ✕b2) ♘g4 13. ♔h1 (13.
♘b5!? ♕c6 14. c4 △ a3, b4±→≪) ♘de5
14. a4±; 14. ♘b5!?] **11. ♘f2 h5?!** [○ 11...
♖g8 (△ g3) 12. ♕e2 (△ e5) ♕c7 13.
♘fd1!?±↑ △ 14. ♘b5 ♕c6 15. c4, △ ♘e3,
△ a3, b4] **12. ♕e2** [△ e5] **♕c7□ 13.
♘b5!?** [13. a3!? △ 13... 0-0-0 14. ♘b5
(14. ♗d2 △ b4) ♕b6 15. c4 △ b4±→≪]
♕c6 14. c4± a6 15. ♘c3 0-0-0 [15... b5 16.
a3±] **16. a3 ♖dg8?!** [16... g3 17. hg3 ♖dg8
18. ♕f3±; ○ 16... ♘e8!? △ 17. b4 ♘c7,
17... ♗f6] **17. ♘fd1 ♘e8** [17... g3 18. h3;
17... h4!? △ h3 ✕≫] **18. b4 ♘c7 19.
♗e3→≪ f5?!** [19... ♗f6±] **20. d4! fe4□**
[20... cd4 21. ♗d4 △ b5+− ✕♕c6; 20...
cb4 21. d5+−] **21. dc5!** [21. b5!?] **dc5 22.**

---

b5 ♕b6 [22... ab5 23. cb5 ♕b6 24. ♘b2
△ ♘c4+−→] **23. a4 ♗f6** [○ 23... a5 24.
♘e4+− ✕c5, a5, e6, ♕b6] **24. a5 ♕d6 25.
♘e4 ♕e7 26. ♘dc3+−→≪ ♖d8 27. ♘f6
♘f6** [27... ♕f6 28. ♘e4+−] **28. ♘a4 ♘e4
29. ♕b2!?** [△ ♕e5; 29. ♕c2 ♕h7□ ♘
♘d2] **♕f6 30. ♕f6 ♘f6 31. ♘c5 ♖d6**
[31... ab5 32. cb5 ♘b5 33. a6+−→; 33.
♘e6+−] **32. ♖ab1 h4?!** [32... ♖hd8?! 33.
ba6 △ ♘b7+−; 32... ♘d7!?] **33. b6 ♘ce8**
[33... ♘a8 ✕♘a8] **34. ♘a6 ♘g7** [34... ba6
35. b7 ♔b8 36. ♗a7+−] **35. ♘c5 ♘f5 36.
♖fe1⊕ ♖hd8 37. ♗c1!?** [△ 38. ♗b2, △
38. a6 ba6 39. b7 ♔b8 40. ♗b2] **♖c6 38.
♗a3 h3 39. ♖ed1! ♖d1** [39... ♖h8 40. a6
ba6 41. b7 ♔b8 42. ♗b2+−] **40. ♖d1
♘e3 41. a6 ba6** [41... ♘d1 42. a7; 41...
♖c5 42. ♗c5 ♘d1 43. a7; 41... ♖b6 42.
a7] **42. b7 ♔c7 43. ♖d8 1 : 0**

Tivjakov

183. B 52

LÉKÓ 2635 − J. POLGÁR 2670

Tilburg 1997

**1. e4 c5 2. ♘f3 d6 3. ♗b5 ♗d7 4. ♗d7
♕d7 5. 0−0 ♘c6 6. b3!? ♘f6 7. ♖e1 g6
8. c3 ♗g7** [8... ♘e5 9. d4 ♘f3 10. ♕f3] **9.
d4 d5 10. e5 ♘e4 11. ♗b2 cd4 12. cd4
0−0 N** [12... f5 − 66/(166)] **13. ♘bd2 f5?**
[13... ♘d2 14. ♕d2 e6 (14... f6!?) 15. ♗a3
♖fc8=] **14. ef6 ♘d2**

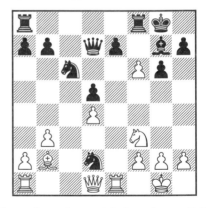

15. ♘e5! [15. ♕d2 ef6] **♘e5** [15... ♕f5 16.
♕d2] **16. de5 ef6 17. ♕d2** [17. e6! ♕d6
18. ♕d2 *a)* 18... ♖ae8? 19. ♗c3! (19. ♕a5
♖e6 20. ♗a3 ♕d8!) ♖e6 20. ♗b4±; *b)*

18... f5?! 19. ♗g7 ♔g7 20. ♖ad1 ♖ae8 21. ♕d4!±; c) 18... ♖fe8 19. ♕e3± fe5 18. ♗e5 ♖f5! 19. ♗g7 ♕g7 20. ♖ad1 ♖d8 21. ♖e4!? b6 22. ♖d4 [22. ♕e2 ♕f8!] ♕e7 23. ♖e1?! [23. f4! h5 24. g3; 23... g5!±] ♖e5 24. ♖e5 ♕e5 25. g3 ♕g7= 26. ♔g2 ♖d7 27. h3 ♖d8 28. h4 ♖d7 29. ♕d1 h5 30. ♕d3 ♔h7 31. ♕e3 ♕g7 [31... ♕e3! 32. fe3 ♔g7 33. ♔f3 (33. e4 ♔f6) ♖f7! (33... ♔f6? 34. ♔f4!) 34. ♔e2 ♖d7=] 32. ♕d3 ♕e5 33. ♕e3 ♕g7 34. ♕e6 ♕d4 [34... ♖d8!? 35. ♖f4 ♖d7] 35. ♕d7 ♔h6 [35... ♔g8] 36. ♕e7 [36. ♕a7! ♕e4 37. ♔h2 d4 38. ♕b8 ♔h7 39. ♕c7 ♔h8! 40. ♕c4 b5! 41. ♕b5 (41. ♕b4 ♕d5 42. ♕d2 d3=) d3=] a5 [36... ♕e4=] 37. ♔f3 ♕g4 38. ♔e3 d4 39. ♔d3 [39. ♔d2 ♕c8!] ♕d1 40. ♔c4 ♕c2 41. ♔d4 ♕f2 42. ♕e3 ♕e3 43. ♔e3 ♕g7 44. ♔f4 ♔f6 45. ♔e4 ♔e6 46. a3 ♔d6 47. ♔d4 ♔e6 48. ♔e4 ♔d6
1/2 : 1/2   Lékó

184.* !N   B 52

RUBLEVSKIJ 2650
— EHLVEST 2610
Polanica Zdrój 1997

1. e4 c5 2. ♘f3 d6 3. ♗b5 ♗d7 4. ♗d7 ♕d7 5. c4 ♘c6 [RR 5... e5 6. 0–0 g6 7. ♘c3 ♗g7 8. d3 ♘e7 9. ♘h4 N (9. ♖b1 — 67/(251)) 0–0 10. f4 ef4 11. ♗f4 ♘bc6 12. ♕d2 f5 13. ♗h6 ♘d4 14. ♗g7 ♔g7 15. ef5 ♘ef5 16. ♘f5 ♖f5 17. ♖f5 ♘f5 18. ♖e1 ♖e8 19. ♘d5 ♖e6 20. ♘f4 ♖e1 21. ♕e1 ♕e7 1/2 : 1/2 Azmaiparashvili 2645 — Zvjagincev 2635, Portorož 1997] 6. ♘c3 g6 7. d4 ♗g7 8. d5 ♗c3 9. bc3 ♘a5 10. ♘d2! N [10. 0–0 — 67/252] f6 11. f4 0-0-0 [11... ♘h6 12. e5! fe5 13. fe5 a) 13... de5 14. ♘e4 ♘f5 15. ♘c5 ♕c7 16. ♕a4 ♔f7 a1) 17. ♘e6? ♕c4 18. ♘g5 ♔g8 19. ♕a5 h6! 20. ♘f3 ♕e4 21. ♔f2 (21. ♔d2 ♘e3!) ♕c2 22. ♔g1 (22. ♘d2 ♖f8) ♕d1 23. ♔f2 ♕h1?? 24. ♗b2+—; 23... ♕c2=; a2) 17. ♘d3 e4 18. ♗f4; b) 13... 0–0 14. e6 ♕e8 15. ♘b3 ♘b3 16. ab3; 11... b6!?] 12. 0–0 b6 [12... ♘h6 13. e5 fe5 14. fe5 de5 (14... ♘f5 15. e6 ♕e8 16. ♖f4) 15. ♘b3! ♘b3 16. ab3 ♘f5 17. ♖a7] 13. a4 ♘h6 14. ♘b3 ♘f7 [14... ♘c4?? 15. ♕d3 ♘a5 16. ♘a5 ba5 17. ♖b1 ♕a4 18. ♕a6

♔d7 19. ♖a1! ♕a1 20. ♕c6#; 14... ♕g4 15. ♖f3] 15. ♘a5 ba5 16. ♕b3 ♕b7 [16... ♔c7 17. ♕b5] 17. ♕c2 [17. ♕b5? ♕b6! 18. ♖b1 ♔c7] ♕d7 18. ♖b1 ♔c7 19. e5 fe5 20. f5 gf5 [20... g5 21. f6 ♖b8 22. ♖b8 ♔b8 23. fe7 ♕e7 24. ♕f5+—] 21. ♖f5 ♖df8 [21... e6 22. ♖f6 ed5 (22... ♖de8 23. ♕f2 ♘d8 24. ♕b2! ♕c8 25. ♕b5+—) 23. ♕f2 ♖df8 (23... ♖hf8 24. ♗h6 ♘h6 25. ♖f8 ♘g4 26. ♖d8+—) 24. ♗h6 ♘h6 25. ♖f8 ♘g4 26. ♕f3 e4 27. ♕f4 ♖f8 28. ♕f8 dc4 29. ♕b8 ♔c6 30. ♕a8+—] 22. ♕f2 ♕e8 [22... e6 23. de6 ♕e6 24. ♗h6+—] 23. ♕b2 ♕a8 [23... ♕c8 24. ♕b5! ♘d8 (24... ♔d8 25. ♖f2 ♖hg8 26. ♖fb2+—; 24... ♕f5 25. ♕c6+—) 25. ♕a5 ♔d7 26. ♕a7 ♔e8 27. ♗g5+—] 24. ♕b5 ♘d8 25. ♖f8 ♖f8 26. ♗g5 ♘f7 [26... ♖f7 27. ♕e8+—; 26... e6 27. ♗e7 ♖g8 28. ♖f1 ed5 (28... ♖g7 29. ♕a5 ♔d7 30. ♗d8 ♕d8 31. de6+—) 29. ♗d8 ♖d8 (29... ♔d8 30. ♖f7 ♕c8 31. h3! d4 32. ♕a5 ♔e8 33. ♖a7 ♕e6 34. ♕b5 ♔f8 35. ♕b8 ♕e8 36. ♕d6+—) 30. ♖f7 ♔c8 31. ♕a6 ♔b8 32. cd5+—] 27. ♗e7 ♖b8 28. ♕a5 ♔d7 29. ♖f1 ♔e8 [29... ♔e7 30. ♕c7+—; 29... ♘h8 30. ♗f6 ♘g6 (30... ♘f7 31. ♗h4 ♘h6 32. ♗g5+—) 31. ♗g5 ♘h8 32. h3 ♖b6 33. ♖f8!+—] 30. ♗d6 ♘d6 31. ♕c7 [31... ♖b6 32. ♕g7 ♔d8 33. ♖f8 ♘e8 34. ♕f7]   1 : 0
                                                      Rublevskij

185.* !N   B 52

SA. VELIČKOVIĆ 2395
— AGNOS 2515
Kavala 1997

1. e4 c5 2. ♘f3 d6 3. ♗b5 ♗d7 4. ♗d7 ♕d7 5. 0–0 ♘c6 6. d4 [RR 6. c4 ♘f6 7. ♘c3 ♘e5 (7... g6 — 69/(180)) 8. d3 ♘f3 9. ♕f3 g6 10. h3 ♗g7 11. ♗e3 0–0! N (11... ♖c8) 12. d4 ♘g4! 13. dc5 ♘e3 14. ♕e3 ♗c3 1/2 : 1/2 Kudrin 2535 — D. Gurevich 2575, USA (ch) 1997; 6. b3 — 69/180] cd4 7. ♘d4 ♘f6 8. ♘c3 g6 9. ♖e1 ♗g7 10. ♘f3 0–0 11. ♘d5 ♘g4 12. h3! N [12. c3] ♘ge5 13. ♘e5 ♘e5 [13... ♗e5!? 14. c3±] 14. ♗g5! ♖fe8 [14... f6 15. ♗h4! (△ f4) g5 16. ♗g3 f5 17. ♗e5! ♗e5□ 18. ef5 ♖f5 19. ♕g4 (19. g4? ♖f7□) e6 (19... ♖af8 20. ♘e3+—)

20. ☐e5!! de5 21. ♕f5!+−] **15. c3 h6** [15...
☐ac8 16. f4 ♘c4 17. ♕e2±] **16. ♗h4!**
[⫽h4-d8] **g5 17. ♗g3 ☐ac8 18. ♗e5! ♗e5**□
19. ♕h5 ♗g7 [19... ♔g7 20. ☐ad1±; 20.
h4!?±] **20. ☐ad1±** [△ e5] **e6** [20... ♕e6!?]
21. ♘e3 ♕e7 22. ☐d3! ♕f8 [22... ☐c6 23.
♘g4 ♔h7 24. ☐f3 ☐f8 25. ☐f6!+−] **23.**
☐**ed1 ☐c6 24. h4! ☐d8** [24... gh4 25. ♕h4
☐d8 (25... f5 26. ef5 ef5 27. ♕f4 ☐e5 28.
☐d5+−) 26. ♘g4 f5 (26... ☐c5 27. e5!+−)
27. ef5 ef5 28. ☐f3 ☐c5 29. ♘e3 ☐d7 30.
♕f4+−] **25. hg5 ☐c5 26. ♕h2! hg5 27.**
☐**d6 ☐d6 28. ♕d6 ♕d6** [28... ♗e5 29.
♕d7 ☐c7 (29... ♕h6 30. ♘g4 ♕h5 31.
♕e8 ♔g7 32. ☐d8+−) 30. ♕b5 ♗f6 (30...
♗f4 31. ♘g4 f5 32. ef5 ef5 33. ♕f5!+−)
31. ♘g4 ♗e7 32. ☐d3! △ ♕e5+−] **29.**
☐**d6 ♔f8** [⌐ 29... ☐c7] **30. ☐d7 ☐b5 31.**
♘**c4+−** [△ ☐f7] ♔**g8 32. a4** [32. ☐f7 ☐c5
33. ♘d6 △ ☐d7] ☐**c5** [32... ☐b3 33. ♔f1
a6 34. a5; 34. ☐d2!] **33. ♘d6 ♗f8 34. ♘f7**
g4 35. ☐b7 ☐h5 36. g3   **1 : 0**
                        Sa. Veličković

NADYRHANOV 2480
− S. KOSTIN 2210

Smolensk 1997

1. e4 c5 2. ♘f3 d6 3. ♗b5 ♘d7 4. ♗d7
♕**d7 5. 0−0 ♘c6 6. c3 ♘f6 7. d4 ♘e4 8.**
d5 ♘e5 9. ☐e1! ♘f6 [9... ♘f3 10. ♕f3
♘f6 11. c4 e5 (11... 0-0-0 12. b4!↑) 12. de6
fe6 13. ♘c3 ♗e7 14. ♗g5! ☐d8 15. ☐ad1
0−0 16. ♕e2 e5 17. ♗f6 gf6 18. f4 ☐f7
19. ♕f3 ♗f8 20. f5±; 14... h6! − 66/(166)]
10. ♘e5 de5 11. ☐e5 e6 12. c4 0-0-0 13.
♘**c3** [13. ♗g5 ♗d6! (13... ed5? 14. ♗f6 dc4
15. ♕d7 ☐d7 16. ☐e8 ♔c7 17. ♗e5+−)

14. ☐e1 ed5 15. ♗f6 gf6 16. cd5 (16. ♕d5?
♗h2!) ♗e5!] **♗d6 14. ☐e1 ed5 15. ♘d5!**
♕**f5!? N** [15... ♘d5 16. cd5! N (16. ♕d5
☐he8! 17. ☐e8 ☐e8=) ☐he8 (16... ♗c7!?
17. ♗e3 ♕d5 18. ♗a4!? ♔b8 19. ☐ad1 △
b4↑) 17. ☐e8! ☐e8 18. ♗e3 ☐e5 19. ☐c1!±
♔b8 (19... ☐d5? 20. ♕d5! ♗h2 21. ♔h2
♕d5 22. ☐c5+−) 20. g3 ♕e7 21. b4! cb4
22. ♕c2 (22. ♕d4 b6 23. ☐c6 ☐e4! 24.
♕g7 ☐e3!=) ♕d7 (22... ♕f8 23. ♕h7 ☐d5
24. ♕e4! △ ♗f4±) 23. ♕h7 g5!? (23... f6
24. ♕d3!±) 24. ♗g5 b6 (Nadyrhanov 2470
− Bigaliev 2345, Moskva 1995) 25. ♗e3!±]
16. ♗e3 ♘g4 [16... ☐he8 17. b4!↑] **17. h3**
♘**e5 18. ♕e2 ☐he8 19. ☐ed1!** [19. ☐ad1
g5 20. b4 g4 21. bc5 ♗c5 22. ♗c5 ♘f3 23.
gf3 ☐e2 24. ☐e2 ♕f3∓] **g5 20. b4 g4 21.**
bc5 ♗c5 [21... ♗b8 22. c6! gh3 23. cb7
♔b7 24. c5 hg2 25. c6! ♘a8 26. ♘b6! ab6
27. ♕a6+−] **22. ♕f1! ♗d6** [22... ♗e3 23.
♘e3 ♕g5 24. hg4 ♘g4 25. ♘g4 ♕g4 26.
c5!±] **23. c5 ♗b8 24. c6! ♘c6 25. hg4!**
♕**g4 26. ☐ac1 ☐e6 27. ♕d3! ♗d6** [27...
☐dd6 28. ♕h7!+−; 27... ♗c7!? 28. ☐c6
☐c6 (28... bc6 29. ♕a6 ♔d7 30. f3!+−)
29. ♘e7 ♔b8 30. ♘c6 bc6 31. ♕b3 ♔c8
32. ☐d8 ♗d8 33. ♕f7±] **28. ♕b5! ♗e5**
[28... ♗c7 29. ☐d4 ♕g6 (29... ♕h5? 30.
♘c7+−) 30. ♘c7 ♔c7 31. ☐d8 ♔d8 32.
♕b7+−] **29. ☐b1! ☐d7 30. ♗a7 ♔d8**
[30... ♘a7 31. ♕d7! ♔d7 32. ♘f6+−] **31.**
♘**e3 ♕h5 32. ☐d7 ♔d7 33. ♕b7 ♗c7 34.**
g3!+− [34. ☐d1?? ♕d1−+] ♘**e5 35. ♗b8**
[35. ☐d1 ☐d6 36. ☐d6 ♔d6 37. ♕d5 ♔e7
38. ♗c5 ♔e8 39. ♔g2+−] ♘**f3 36. ♔g2**
♕**h2 37. ♔f3 ☐f6 38. ♔e4 ☐e6 39. ♔d3**
☐**d6 40. ♘d5   1 : 0**   *Nadyrhanov*

HASANGATIN 2470
− VAULIN 2530

Pardubice 1997

1. e4 c5 2. ♘f3 d6 3. d4 cd4 [RR 3... ♘f6
4. dc5 ♕a5 5. ♘c3!? (5. ♘fd2 − 65/(196))
♘e4 6. cd6 ♘c3 (6... ♘c6!?) 7. bc3 ed6 8.
♗d3 ♗e7 (8... ♕c3 9. ♗d2 ♕c7 10.
0−0⊙C) 9. 0−0 0−0 10. ☐b1 ♕a2! N
(10... a6; 10... ♘d7) 11. ♗g5 a) 11... ♗g5?!
12. ☐a1 ♕e6 (12... ♕b2 13. ♗h7! ♔h7 14.
♘g5 ♔g8 15. ♕d3 g6 16. ☐fb1 ♗f5 17.

♖b2 ♗d3 18. cd3±; 12... ♕a1 13. ♗h7!±)
13. ♘g5↑; b) 11... ♘c6 12. ♖e1 ♗g5 13.
♘g5 b1) 13... h6 14. ♖a1! ♕b2 15. ♘f7!
(15. ♕h5 ♘e5; 15. ♘e4 d5∓) ♖f7 (15...
♔f7? 16. ♗c4 ♔g6 17. ♕d6 ♖f6 18. ♕g3
♔h7 19. ♖eb1+−; 15... ♔c3 16. ♘d6→)
16. ♗c4! (16. ♖e8 ♖f8 17. ♗c4 ♗e6) b11)
16... ♘e5? 17. ♗f7 ♘f7 (17... ♔f7 18.
♕d6) 18. ♖e8 ♗h7 19. ♕d3 g6 20. ♖ae1
♕a2 (20... ♗f5 21. ♕d5) 21. ♕d4! △
♕f6+−; b12) 16... ♗f5 17. ♗f7 ♔f7 18.
♕f3! ♔g6 (18... ♕c2 19. g4 ♖f8 20. ♖ac1!
♕d3 21. ♖e3 ♕b5 22. c4 ♕c5 23. ♕f5
♕f5 24. gf5±) 19. ♖eb1 (19. ♖ab1 ♖e8!)
♕c2 20. ♖b7 ♕e4 21. ♕g3 ♕g4 22. ♕d6
♔h7 23. f3 ♕g6 24. ♕g6 ♗g6 25. ♖c7
♗e8 26. ♖a6±; b2) 13... g6 14. ♖a1 ♕b2
(14... ♕d5? 15. ♘h7!) 15. ♕d2 ♕b6 16.
♘e4 (16. ♖a4!?) b21) 16... ♘e5 17. ♖ab1!
♕d8 (17... ♕c7 18. ♗b5! △ 18... ♖d8? 19.
♘f6 ♔g7 20. ♘e8) 18. ♗b5!⊼ △ 18... d5
19. ♕d5 ♕d5 20. ♘f6 ♔g7 21. ♘d5↑; b22)
16... ♕d8 17. ♕h6 (17. ♗c4!?) f6 18. ♗c4
♔h8 (18... d5? 19. ♗d5! ♕d5?? 20.
♘f6+−) 19. ♖ad1 ♗g4! 20. f3 (20. ♖d6
♕e7!) ♘e5! 21. ♘d6 (21. ♖d6 ♕e7!) ♕b6
22. ♔h1 (Jandemirov 2500 − Dubinskij
2295, Smolensk 1997) ♖fd8! 23. ♖e5 (23.
♘f7 ♘f7 24. ♗f7 ♖d1 25. ♖d1 ♖d8 26.
♗d5 ♗f5∓; 23. fg4 ♖d6) ♖d6 24. ♖ed5
♖d5 25. ♗d5 ♗f5∓ Dubinskij] 4. ♕d4 a6
[RR 4... ♘f6 5. e5 ♘c6 6. ♗b5 ♕a5 7.
♘c3 de5 N (7... ♕b5 − 38/(239)) 8. ♗c6
bc6 9. ♘e5 ♗b7 10. 0−0 ♖d8 11. ♕f4 e6
12. ♘c4 ♕a6 13. b3 ♗e7 14. ♗b2 0−0 15.
♖ad1 c5 16. ♕g3 g6 17. ♘a4± Al. David
2455 − R. Janssen 2350, Wijk aan Zee II
1997] 5. c4!? [RR 5. ♗c4 N ♘c6 6. ♕d3
♘f6 7. ♘c3 e6 8. ♗g5 ♗e7 9. 0-0-0 b5 10.
♗b3 ♕c7 11. ♗f6 gf6 12. ♘d4 ♘d4 13.
♕d4 ♕c5 14. ♕d2 ♗d7 15. a3 a5 16. a4
0−0 17. ♕d4 ♖fc8 18. ♕c5 ♖c5 19. ab5
♗b5 20. ♘b5 ♖b5 21. ♖d4= Dmitriev
2370 − Zvjagincev 2590, Azov 1996; 5.
♗e3 ♘c6 6. ♕d2 ♘f6 7. ♘c3 g6 N (7... e6
− 60/(203)) 8. 0-0-0 ♗g7 9. e5 de5 10.
♕d8 ♘d8 11. ♘e5 ♗e6 12. ♗e2 ♖c8 13.
♗f3 ♘d7 14. ♘d7 ♗d7 15. ♗d4 ♗d4 16.
♖d4 ♗c6= 17. ♖hd1 ♗f3 18. gf3 ♘e6 19.
♖b4 ♖c7 20. a4 ♔f8 21. ♘d5 ♖d7 22.
♘e3 ♖c7 23. ♘c4 ♗c4 24. ♘c4 ♔g7 25.
♘b6 ♖d8 26. ♖d8 1/2 : 1/2 Mi. Adams

2680 − Ch. Ward 2485, Great Britain (ch)
1997] ♘c6 6. ♕d2 g6 7. ♘c3 [7. h3 ♘f6 8.
♘c3 ♗g7 9. ♗e2 ♘d7! N (9... 0−0 −
22/472) 10. ♖b1 (10. b3!?) 0−0 (10...
♕a5!? 11. b4? ♘b4 12. ♘d5 ♘d5 13. ♕a5
♗c3 14. ♕c3 ♘c3∓; 11. 0−0!?) 11. b4!?
(11. 0−0 ♘c5 △ f5∓) ♘de5 12. ♘e5
♘e5!? (12... de5 13. ♕d8 ♖d8 14. ♘d5±)
13. f4 ♘c4!? 14. ♗c4 ♕c7 15. ♕d3 b5 16.
♗f7 ♖f7 17. ♘d5 ♕c4 18. ♕c4 bc4 19.
♗b2 e6 20. ♗g7 ed5 21. ♗h6 ♖e7 22.
♔d2 ♖e4 23. ♖be1 ♗f5 24. ♖e4 ♗e4 25.
♖e1 ♗g2 26. ♖e7 ♗h3 27. ♖g7 ♔h8 28.
♖e7 ♔g8 29. ♖g7⊕ ♔h8 30. ♖e7 ♖c8 31.
♗g7 ♔g8 32. ♗d4 ♗f5 a) 33. ♖g7?! ♔f8
34. ♖h7 c3 (34... ♖e8?! 35. ♖h8 ♔f7 36.
♖e8 ♔e8 37. ♔c3= 1/2 : 1/2 Hasangatin
2470 − Štohl 2565, Pardubice 1997) 35.
♗c3 ♖c4∓; b) 33. ♔c3!=] ♗h6 8. ♕c2
♗g7 9. ♗e3! N [9. h3 − 60/(203)] ♘f6 10.
♗e2 ♘g4 11. ♗f4 0−0 12. 0−0 ♗d7 13.
♕d2± ♖c8 14. ♖ac1 e5 15. ♗g5! [15.
♗e3?! ♘e3 16. ♕e3 ♘d4∓; 15. ♗g3 ♗h6
16. ♕d6 ♗c1 17. ♖c1∞] f6 16. ♗h4 ♗h6
17. ♕d5 ♖f7! 18. ♖cd1 ♘b4 19. ♕d6 ♗f8
20. ♕d2 ♗h6 21. ♕d6 ♗f8 22. ♕d2 ♗h6
23. ♕e1!! ♘c2 24. ♖d7 ♕d7 25. ♕b1
♘d4 26. h3 ♘e2 [26... ♗d2! 27. ♘d4 ed4
28. ♗g4 f5 29. ef5 gf5 30. ♗h5 dc3 31.
♗f7 ♕f7⊼] 27. ♘e2 ♖c4 28. ♖d1! ♕c8
29. ♕d3 ♖c6 30. ♘c3 ♗f8 31. hg4 ♕g4
32. ♘d5± ♕e6 33. ♕b3! ♗g7 34. ♗g5!
h6 [34... fg5 35. ♘g5 ♕e8 36. ♘f7 ♕f7
37. ♘e7 ♔f8 38. ♕f7 ♔f7 39. ♘c6+−]
35. ♗e3 f5 36. ♘c3! ♕b3 37. ab3 f4 38.
♗c1 ♖b6 39. ♖d5 ♖b3 40. ♔f1 g5 41.
♔e2 ♖e7 42. ♖d8 ♔h7 43. ♘d2 [43... ♖b4
44. ♘d5 ♖d4 45. b3 △ ♗b2+−] 1 : 0
Hasangatin

188.* B 54

SHABALOV 2585 − SMIRIN 2600
Los Angeles 1997

1. e4 c5 2. ♘f3 ♘c6 [RR 2... d6 3. d4 cd4
4. ♘d4 e5 5. ♗b5 ♗d7 (5... ♘d7 −
69/183) 6. ♗d7 ♕d7 7. ♘e2 a) 7... ♘f6 N
8. ♘bc3 ♗e7 9. 0−0 0−0 10. ♘g3 g6 11.
♗g5 ♘c6 12. ♕d2 ♔h8 13. ♖ad1 ♖ad8
14. f4 ♘g8 (Peng Zhaoqin 2400 − Alexan-
dria 2295, Jakarta 1997) 15. f5 ♗g5 16.

♕g5 f6 17. ♕e3±; *b)* 7... ♕g4 8. ♕d3 ♘f6 (8... ♕g2? 9. ♖g1 ♕h2 10. ♕f3 △ ♖h1+− Alexandria) 9. ♘bc3 ♘c6 10. 0−0 ♗e7 11. ♘g3± Peng Zhaoqin] **3. d4 cd4 4. ♘d4 e6 5. ♘c3 d6 6. g4 ♘ge7 7. ♗e3 a6 8. g5!? b5 9. f4 ♗b7** [9... h6?! 10. g6! fg6 11. ♘c6 ♘c6 12. ♕g4↑] **10. ♗g2 h6! 11. h4?! N** [⌓ 11. gh6 ♖h6! (11... g6? 12. ♕d2 ♗h6 13. ♘c6 ♘c6 14. 0-0-0±; 11... ♘g6 − 69/184) *a)* 12. f5 ♘d4 13. ♕d4 (13. ♗h6? ♘ef5! 14. ef5 ♗g2 15. ♕d4 ♗h1) ♘f5! 14. ef5 ♗g2∞; *b)* 12. ♕d2 ♘d4 13. ♗d4 ♘c6 14. ♗e3 ♖c8∞] **hg5 12. hg5 ♖h1 13. ♗h1 ♖c8 14. ♘c6?** [14. ♕d2 ♘d4 15. ♗d4 ♘c6 16. ♗f2 ♘a5; 14. ♘ce2!? Shabalov] **♘c6 15. ♕g4 ♕a5?!** [15... ♘a5 16. f5 (16. g6 f5!) ♘c4∓] **16. g6 b4 17. gf7 ♔f7 18. ♘e2 b3 19. ♔f2** [19. ♗d2? ♕a2−+] **bc2** [19... ba2!?] **20. ♖g1 ♕a2?!** [20... ♘e7! 21. ♘d4 ♕a2∓] **21. e5! ♘d8** [21... ♕b2!?] **22. f5!**

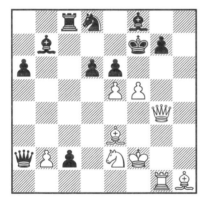

22... ♔g8!□ [22... ♗h1 23. f6!+−; 22... ef5 23. ♕f5 ♔g8 24. ♗b7; 22... ♖c7 23. ed6; 22... de5 23. ♕g6 ♔e7 24. ♗b7 ♘b7 25. f6 gf6 26. ♕h7 ♔d6 27. ♕b7±] **23. ♗b7 ♘b7 24. f6 ♖c7 25. ♕h5 ♕d5** [25... ♕a4? 26. ♖h1 de5 27. ♔g3! (△ 28. f7 ♖f7 29. ♕h8#) gf6 28. ♕h8 ♔f7 29. ♖h7+−] **26. fg7□** [26... ♖g7 27. ♖g7 ♗g7 28. ♕e8 ♔h7 29. ♕h5=] **1/2 : 1/2** *Smirin*

189.* B 56

TH. THÓRHALLSSON 2500 − D. GUREVICH 2580

New York 1997

1. e4 c5 2. ♘f3 ♘c6 3. d4 cd4 4. ♘d4 ♘f6 5. ♘c3 d6 6. f3 [RR 6. ♗e3 ♘g4 7. ♗b5

♘e3 8. fe3 ♗d7 9. ♗c6 bc6 10. 0−0 e6 11. e5 d5 12. ♕f3 ♕e7 13. b4 g6 14. b5 ♗g7! (14... c5? 15. e4!+−) 15. bc6 ♗c8 16. ♘cb5 N (16. e4 − 40/220) 0−0 (16... ♗e5 17. c4) 17. ♕f4 ♗a6 18. a4 ♖ab8 19. ♖f2 ♗b5 20. ab5 (20. ♘b5 ♖bc8 21. ♖af1 ♖c6 22. ♘d6 ♗e5 23. ♕e5 ♕d6−+ A. Jurkovi♢ 2335 − Becerra Rivero 2495, Balaguer 1997) ♕c7∓ Becerra Rivero] **♘d4** [6... e5 − 65/197] **7. ♕d4 g6 8. b3 N** [8. ♗g5] **♗g7 9. ♗b2 0−0 10. ♕d2 ♗e6 11. 0-0-0 ♖c8 12. ♔b1 a6 13. ♗d3 ♖c5!? 14. ♘e2 b5 15. ♖he1 ♕b8 16. g4 ♖fc8⇆ 17. ♘f4 ♗c4! 18. g5!? ♗d3 19. cd3** [19. ♘d3 ♖c2 20. ♕c2 ♖c2 21. ♔c2 ♘d7∓] **♖g5 20. d4!? ♗h6 21. ♕f2 d5□ 22. h4 ♕f4 23. hg5 ♗g5 24. ♕g2! ♗h4 25. ♕h3** [25. ♖h1! ♖c6 (25... ♕g3? 26. ♖dg1! ♕f2 27. ♕h3 ♕c2 28. ♔a1 ♗f2 29. ♖c1+−) 26. ♕h3 (26. ed5 ♘d6) ♗f2 27. ed5 ♖d6 28. ♗a3 ♖d5 (28... ♖d7!?) 29. ♗e7 h5 30. ♕c8 ♔h7 31. ♕f8 ♘d7] ♖c7 [25... e6? 26. ♖h1 ♗g5 27. ed5] **26. ♖h1 ♗f2 27. e5 ♘h5 28. ♗c1 ♗e3** [28... ♖c1 29. ♖c1 ♕d4 30. ♖c2∞] **29. ♕g4⊕ ♗c1⊕ 30. ♖c1 ♖c1 31. ♖c1 ♕e3 32. ♕h4 ♕d3 33. ♖c2 e6 34. ♔c1 ♔g7 35. ♖c8 ♕e3 36. ♔b1 ♕d3 37. ♔c1 ♕f3 38. ♕e7 ♕f4 39. ♔c2 ♔h6 40. ♖f8 ♕f2 41. ♔c3 ♘g3 42. ♖f7 ♘e4 43. ♔b4 ♕d2=** [43... ♕d4!? 44. ♔a5 ♘g5 45. ♖f1 ♔h5∞] **44. ♔a3 ♕c1 45. ♔b4 ♕e1 46. ♔a3 ♘g5 47. ♕f8 ♔h5 48. ♖f2 ♕c1 49. ♔b4 ♕e1 50. ♔a3 ♕c1 51. ♔b4 ♕e1 1/2 : 1/2** *D. Gurevich*

190.** !N B 57

L. CHRISTIANSEN 2550 − YERMOLINSKY 2650

USA (ch) 1997

1. e4 c5 2. ♘f3 d6 3. d4 cd4 4. ♘d4 ♘f6 5. ♘c3 ♘c6 6. ♗c4 ♕b6 [RR 6... e5 7. ♘f3!? ♗e6 N (7... h6 − 69/(186)) 8. ♗b3 h6 (8... ♗e7 9. ♗g5±) 9. 0−0 ♗e7 10. ♖e1 0−0 11. ♘d5 ♘a5 (11... ♖c8 12. c3±) 12. ♘f6 ♗f6 13. ♗d5 ♖c8 14. c3 ♕c7 15. h3!? ♗d5 (15... ♖fd8 16. ♘h2 △ ♘g4±) 16. ♕d5 ♘c4 17. ♕d3 ♘b6 18. ♗e3 ♖fd8 19. ♗b6 ♕b6 (19... ab6? 20. ♖ac1 △ c4±) 20. c4! ♖c5 (20... ♕a6 21. b3 d5?! 22. ed5 e4 23. ♕e4 ♗a1 24. ♖a1±) 21. b3 ♕a6 22. ♖ac1

(22. ♕e2?! b5= 1/2 : 1/2 Vl. Gurevič 2430 − V. Baklan 2530, Enakievo 1997) d5 (22... b5 23. cb5 ♕b5 24. ♕b5 ♖b5 25. ♖c7±) 23. ed5 ♖cd5 (23... ♖dd5? 24. ♕e3+−) 24. ♕e4± Vl. Gurevič] **7. ♘db5** [RR 7. ♘c6 bc6 8. 0−0 g6 9. e5!? de5 10. ♕e2 ♕d4! N (10... ♗g7 − 67/(260) 10... ♕c7 − 67/260) 11. ♗e3 (11. ♖d1? ♗g4) ♕d6! (11... ♕h4 12. f4!↑) 12. ♖ad1 (12. f4 ♗g7 13. ♖ad1 ♗g4!) ♕c7 13. f4 (13. ♗c5!? ♗g7 14. ♖fe1 0−0 15. ♕e5 ♕e5 16. ♖e5 ♘d7 17. ♖d7∞) ♗g4 14. ♕f2 e4 (14... ♗d1!? 15. fe5→ ♕e5 16. ♗d4 ♕c7∞) 15. ♖de1 ♗f5! (15... ♗g7 16. h3 ♗f5 17. g4 ♗c8 18. ♗c5±) 16. h3 h5 17. ♗d4 ♗g7 18. b3 (18. ♗f6 ♗f6 19. ♘e4 ♗e4 20. ♖e4 ♕b6=) 0−0 19. ♗f6 ♗f6 20. ♘e4 ♗e4 21. ♖e4 e6 (21... ♕b6= 1/2 : 1/2 Topalov 2725 − Kramnik 2740, Novgorod 1997) 22. g4= Kramnik] **a6 8. ♗e3 ♕a5 9. ♘d4 ♘e5 10. ♘b3** [10. ♗e2] **♕c7 11. ♗e2 e6 12. f4 ♘c6!** [×♘b3] **13. g4?! N** [13. a4 − 61/(209)] **b5 14. g5 ♘d7 15. ♗f3 ♗b7 16. ♕e2?!** [△ 16. a4 b4 17. ♘e2] **b4** [16... ♘b6 17. a4! b4 18. a5 ♘a5 19. ♘a5 bc3 20. b3∞] **17. ♘a4 a5 18. c4 ♗e7?!** [18... bc3 19. ♘c3 ♗a6 20. ♘b5 ♕b7 21. a4 ♗e7! (21... ♖b8 22. ♖c1 ♗b5 23. ab5 ♕b5 24. ♕b5 ♖b5 25. ♘d4! ♘d4 26. ♖c8 ♔e7 27. ♗d4 ♖b8 28. ♖c7±) 22. 0−0 0−0 23. ♖fc1 ♖ab8 24. ♕d2!=] **19. 0−0 0−0 20. ♖ac1?** [20. ♕f2±] **♖fd8?** [20... e5! 21. ♖fd1 (21. f5 ♘d4 22. ♘d4 ed4 23. ♗d4 ♗g5 24. ♕g2 f6∓) ef4 22. ♗f4 ♘ce5 23. ♗g2∞ △ 23... ♕c6? 24. ♘d4, 23... ♗c6 24. c5] **21. ♕f2** [△ ♘b6] **♘c5 22. ♘ac5 dc5 23. ♘c5 ♗c5 24. ♗c5 ♕f4 25. ♗e3 ♕e5 26. ♗g2 ♖d7 27. ♖cd1 ♕c7** [27... ♖ad8 28. ♗f4 ♖d1 29. ♗e5 ♘e5 30. ♕b6+−] **28. ♗b6** [⇔d] **♕c8 29. ♕f4!** [△ h4-h5] **e5!? 30. ♕f5 ♘d4!?** [30... ♖e7 31. ♖d6] **31. ♕e5 ♘e6 32. b3 a4 33. ♗e3 ab3 34. ab3 ♕d8 35. ♖d5!+−** ♕e7 [35... ♗d5 36. cd5 ♘f8 37. ♗d4+−] **36. c5 ♘c7 37. ♕e7 ♖e7 38. ♖d4 ♖ae8 39. ♗f4! ♘e6 40. ♖b4 ♘f4** [40... ♘c5 41. ♗d6] **41. ♖f4 ♖c8 42. ♖b5** [△ 42. ♖c4] **♗c6 43. ♖b6 ♖e5 44. ♖f5 ♖ee8 45. ♖f2 ♖e5 46. ♗h3! ♖c7** [46... ♖g5 47. ♔f1] **47. ♖b8 ♗e8 48. c6** [48... ♖c6 49. ♗d7 ♖c1 50. ♖f1 ♖g5 51. ♔f2+−] **1 : 0** *L. Christiansen*

---

191. **B 58**

SMIRIN 2600 −
A. GOL'DIN 2595

Los Angeles 1997

1. e4 c5 2. ♘f3 ♘c6 3. d4 cd4 4. ♘d4 ♘f6 5. ♘c3 d6 6. ♗e2 e5 7. ♘f3 h6 8. 0−0 ♗e7 9. ♖e1 0−0 10. h3 [RR 10. ♗f1 ♗g4 11. h3 ♗h5 12. g4 ♗g6 13. ♗g2 ♘h7 N (13... ♖c8) 14. ♘d5 ♗g5 15. ♘g5 ♕g5 16. c3 ♘e6 17. ♗e3 ♕h4 18. ♕d2 h5 19. f3 hg4 20. hg4± A. Zapata 2515 − Gi. Hernández 2540, Cienfuegos 1997] **♗e6 11. ♗f1 ♘b8** [RR 11... d5? N 12. ed5 ♘d5 13. ♘d5 ♕d5 14. ♕d5 ♗d5 15. ♘e5 ♘b4 16. ♗d3 ♗a2 17. b3 ♖fc8 18. ♖e4 a5 19. ♗c4 ♗f6 20. ♗d2 ♖c5 21. f4 b5 22. ♗b4 ab4 23. ♗f7 ♔f8 24. ♖f1 ♖c2 25. ♗d5 1 : 0 Zontah 2545 − Z. Vuković 2455, Tivat 1997] **12. b3 ♘bd7 13. ♗b2 a6 14. ♘d2!? N** [14. a4 − 68/173] **♘c5** [14... b5 15. a4 b4 16. ♘e2 ♘c5 17. ♘g3±; △ 14... ♖c8] **15. a4 ♕c7 16. ♕f3 ♗d7?!** [16... b6; 16... ♕c6] **17. a5 ♗c6 18. ♘d5 ♘d5 19. ed5 ♗e8** [19... ♗d7 20. ♘c4 (△ 21. ♘b6 ♖ad8 22. b4+−) a) 20... ♖ad8 21. ♖e5!! de5 (21... ♗f6 22. ♖ee1 ♗b2 23. ♘b2) 22. ♗e5 ♕c8 23. ♘b6+−; b) 20... f5 21. ♗e5! de5 22. d6 ♗d6 (22... e4 23. dc7 ef3 24. ♖e7) 23. ♕d5 ♗e6 24. ♕d6 ♕d6 25. ♘d6±] **20. ♘c4 ♗f6** [20... f5 21. ♗e5! de5 22. d6] **21. ♕g3 ♖d8 22. ♗c1! ♔h8 23. b4 ♘d7** [23... ♘a4 24. ♕b3] **24. ♖a3!± ♖c8 25. ♗d2** [25. ♘e3!? △ 26. ♘f5, 26. c4] **♗e7 26. f4** [26. ♔h1] **b5!?** [26... ♕d8 27. ♕f2] **27. ab6 ♘b6 28. ♘e3! ef4 29. ♕f4 ♗g5 30. ♕f2 ♗b5** [30... ♗e3 31. ♗e3 ♘d5 32. ♗d4±] **31. c4! ♗e3** [31... ♘c4 32. ♘c4 ♗c4 33. ♗g5! (33. ♖c1 ♗d2 34. ♖c4 ♕c4! 35. ♗c4 ♗b4) ♗f1 (33... hg5 34. ♖c3) 34. ♗h6] **32. ♗e3 ♘c4 33. ♖c3** [△ ♖ec1] **♕d7** [33... ♕b7 34. ♗h6! ♕b6 35. ♗g7! ♔g7 36. ♖g3 ♔h6 37. ♖e4!+−] **34. ♗h6! f5** [34... gh6? 35. ♕f6 ♔h7 36. ♖g3 ♖g8 37. ♗d3; 34... f6 35. ♗g7! ♕g7 (35... ♔g7 36. ♖g3 ♔h8 37. ♖e4) 36. ♖e4! ♘e5 37. ♖h4 ♔g8 38. ♖g3 ♘g6 39. ♗b5 ab5 40. ♖hg4+−] **35. ♕h4! gh6⊕** [35... ♘e5 36. ♗g7! ♔g7 37. ♖g3 ♔f7 (37... ♘g6 38. ♖e7) 38. ♗b5 ab5 39. ♕h7 ♔e8 (39... ♗f6

133

40. ♖g6! ♘g6 41. ♕d7) 40. ♖g7 ♖f7 41.
♖g8 ♔e7 (41... ♖f8 42. ♖e5! de5 43. ♖f8
♔f8 44. ♕d7) 42. ♕h4 ♖f6 43. ♖g7+−]
**36. ♖e7 ♕e7 37. ♕e7 ♖ce8 38. ♕h4 ♔h7
39. ♖c4   1 : 0**   *Smirin*

√192.   B 63

ANAND 2765 − PELLETIER 2465

Biel 1997

**1. e4 c5 2. ♘f3 d6 3. d4 cd4 4. ♘d4 ♘f6 5.
♘c3 ♘c6 6. ♗g5 e6 7. ♕d2 ♗e7 8. 0-0-0
♘d4 9. ♕d4 a6 10. f3 ♕c7 N** [10... 0−0 −
65/203] **11. g4 b5 12. ♕d2 0−0 13. ♘e2
♖d8 14. h4** [14. ♘d4 e5 15. ♘f5 ♗f5 16.
gf5 d5!] **♗b7** [14... d5 15. e5!] **15. ♔b1
♖ab8** [15... e5 16. ♗f6 ♗f6 17. g5 ♗e7
18. ♘c3!±; 15... ♖ac8! 16. ♗g2 b4!? (16...
e5 17. ♗f6 ♗f6 18. g5 ♗e7 19. ♗h3!) 17.
♘d4 e5 18. ♘f5 d5] **16. ♗g2!** [16. ♗e3 d5
17. e5 ♘g4!∓] **b4** [16... e5 17. ♗f6 ♗f6
18. g5 ♗e7 19. ♘c3] **17. ♘d4 a5** [17... e5
18. ♘f5 d5! 19. ♕e2∞] **18. h5 a4?!** [18...
e5 19. ♘f5 d5] **19. ♗e3 ♘d7** [19... e5 20.
♘f5 d5 21. g5! d4 (21... de4 22. ♘e7 ♕e7
23. gf6 ♕f6 24. ♕b4 ef3 25. ♗h3) 22.
♗f2±] **20. g5 ♘e5** [20... d5 21. g6!; 20...
b3! 21. cb3 ab3 22. ♘b3 ♘e5] **21. b3!
♗a6** [21... d5 22. f4 ♘g4 23. e5 ♘e3 24.
♕e3] **22. g6 ♗f6 23. gf7 ♕f7 24. ♗h3
♖e8?** [24... ab3! 25. cb3 (25. ♗e6 ba2 26.
♗a2 ♗c4∓; 25. ab3 ♗c8 △ ♖a8) ♖e8 26.
f4 ♗d3 27. ♔a1 ♗e4 28. fe5 de5; 26.
♗f1∞] **25. f4± ♘d7 26. e5 de5 27. ♗e6
♖e6 28. ♘e6 ab3 29. ab3 ef4** [29... ♗b5
30. ♘g5] **30. ♘f4 ♖a8 31. ♗d4!** [31. ♕d7
♕d7 32. ♖d7 ♗b7 33. ♗d4±] **♘e5 32.
♗e5 ♗e5 33. ♕d8+− ♖d8** [33... ♕e8 34.
♕d5 ♔f8 (34... ♔h8 35. ♘g6) 35. ♘e6]
**34. ♖d8 ♕f8 35. ♖f8 ♔f8 36. ♘d5 ♗d6
37. ♖h4   1 : 0**   *Anand*

193.   B 65

ALEXA. IVANOV 2600 − A. KHAN 2190

Chicago 1997

**1. e4 c5 2. ♘f3 d6 3. d4 cd4 4. ♘d4 ♘f6 5.
♘c3 ♘c6 6. ♗g5 e6 7. ♕d2 ♗e7 8. 0-0-0**

**0−0 9. f4 ♘d4 10. ♕d4 ♕a5 11. ♗c4
♗d7 12. ♖he1 ♗c6 13. f5 b5 14. ♗b3 b4
15. e5!? N** [15. ♘e2 − 60/216] **de5** [15...
bc3!?] **16. ♖e5 ♕c7 17. fe6! bc3** [17... fe6
18. ♖e6 ♔h8 19. ♕c4!? bc3 (19... ♖ac8
20. ♘b5 △ 20... ♕b7 21. ♘a7! ♗d5 22.
♖e7+−) 20. ♕c6 cb2 21. ♔b2 ♗a3! 22.
♔a3 ♕a5 23. ♔b2 ♕g5∞; 22. ♔a1!?; 21.
♔b1!?] **18. ef7 ♔h8** [18... ♖f7?! 19. ♕c3↑]
19. ♕c3 ♗b4?! [19... ♘e4? 20. ♖e7+−;
19... ♖ac8 20. ♖de1 ♗d6 21. ♗f6 gf6 22.
♖e6 ♗f4 (22... ♗e5 23. ♖6e5 fe5 24.
♖e5+−) 23. ♔b1 ♖f7 (23... ♕d8 24. ♖f6
♗d2 25. ♕e5+−) 24. ♖f6 ♗d2 25. ♖f7
♗c3 26. ♖c7 ♖c7 27. bc3 ♗g2 28. ♖e8
♔g7 29. ♖g8+−; 19... h6!?] **20. ♕d4!** [20.
♕b4? ♕e5∓] ♘d7 [20... ♖fd8 21. ♕b4+−;
20... ♖ad8 21. ♕b4 ♕e5 22. ♖d8 ♕g5 23.
♔b1 ♖d8 24. f8♕ ♘g8 25. ♕f1±] **21. ♖e6
♘c5 22. ♕b4 ♘e6 23. ♗e6 ♕e5 24. ♕g4**
[24. ♗e7?! ♕e6 25. ♗f8 ♕f7 26. ♗d6
♕a2∞] **♗g2** [24... ♖ab8 25. ♗b3±] **25.
♗e7 ♕e3?** [25... ♖ab8 26. ♗f8!? ♕b2
27. ♔d2 ♖f8 (27... ♖d8 28. ♔e1 ♕c3 29.
♔f2 ♕c2 30. ♕e2 ♕d1 31. ♕d1 ♖d1 32.
♗e7+−) 28. ♕g2 ♕d4 (28... ♖d8 29. ♗d5
♕d4 30. ♔e2+−) 29. ♔e1 ♕e3 30. ♕e2
♕g1 31. ♔d2 ♕d4 (31... ♕g5 32. ♔c3+−)
32. ♕d3 ♕f4 (32... ♕f2 33. ♔c1+−) 33.
♔e1 ♕h4 34. ♔f1 ♕f6 35. ♕f5+−; 25...
♖fb8 26. f8♕ (26. ♕g2 ♕e6 27. f8♕) ♖f8
27. ♗f8 ♖f8 28. ♕g2 ♕e6 29. ♔b1±] **26.
♔b1 ♗f3 27. ♕g3+− ♕e6 28. ♗f8 ♗g4**
[28... ♖f8 29. ♕f3 h6 30. ♖f1; 28... ♕f7
29. ♗g7 ♕g7 30. ♕f3] **29. ♗g7 ♔g7 30. h3
1 : 0**   *Alexa. Ivanov*

194.**** !N   B 65

ILLESCAS CÓRDOBA 2585 − SAN SEGUNDO 2495

España 1997

**1. e4 c5 2. ♘f3 d6 3. d4 cd4 4. ♘d4 ♘f6 5.
♘c3 ♘c6 6. ♗g5 e6 7. ♕d2 ♗e7 8. 0-0-0
♘d4 9. ♕d4 0−0 10. f4 ♕a5 11. ♗c4
♗d7 12. e5 de5 13. fe5 ♗c6 14. ♗d2 ♘d7
15. ♘d5 ♕d8 16. ♘e7 ♕e7 17. ♖he1
♖fd8 18. ♕g4 ♘f8** [RR 18... ♘c5?! 19.
♗g5! N (19. h4 ♔h8 20. ♗g5 ♖d1 21.**

罝d1 ♕c7 22. ♕d4 ♘d7 23. ♗f4 ♘b6∞)
罝d1 20. 罝d1 ♕f8 a) 21. ♕d4 罝c8 22. ♗e3
b6 23. ♗f1 ♗e4 24. 罝d2 ♗g6∞ Yudasin
2600 − Sosonko 2515, Sankt-Peterburg
1997; b) 21. ♕h4! b1) 21... 罝e8 22. 罝d4
♘d7 23. ♗d3 g6 (23... h6 24. ♗f6!±) 24.
♗h6 ♕e7 25. ♕f4± Z. Almási 2615 −
Bologan 2585, Dresden (rapid) 1997; b2)
21... ♘d7 22. 罝e1 b21) 22... ♗g2 23. 罝g1
♗d5 24. ♗h6 ♗c4 25. 罝g7 ♕g7 26. ♗g7
♔g7 27. ♕c4+−; b22) 22... h6 23. ♗e7
♕e8 24. 罝e3±; b23) 22... ♕e8 23. ♕g4!
♘f8 (23... ♔h8 24. 罝e3±; 23... 罝c8 24. h4
♗g2 25. ♗h6 g6 26. ♕f4!±) 24. h4 ♔h8
(24... ♗b5 25. h5! ♗c4 26. ♗f6 g6 27.
♕c4±) 25. h5 ♘d7 (25... h6? 26. ♗f6! 1 : 0
Halifman 2650 − Sosonko 2515, Sankt-Pe-
terburg 1997) 26. h6 gh6 (26... g6 27. ♕h4
♔g8 28. ♗e7+−; 26... ♕g8 27. ♕h4±) 27.
♗h6 ♕g8 28. ♕h4 ♕g2 29. ♗d3 罝g8 30.
♗e3±; b24) 22... ♕c5 23. ♗d3 h6 (23... g6
24. ♕f4!±) 24. ♗h6 ♘e5 (24... gh6 25.
♕h6 ♘f8 26. ♕g5 ♔h8 27. 罝e3 ♗g2 28.
♕h6 ♔g8 29. ♗h7!+−) 25. ♗h7 ♔f8 26.
♗f4± Halifman] 19. ♗d3 罝d5!? [RR 19...
罝d3 20. cd3 ♕d7 21. ♗b4 ♕d5 22. ♗f8
罝f8 23. ♔b1 ♕g2 24. ♕g2 ♗g2 25. 罝g1
♗c6 26. ♔c2 罝d8 N (26... f5?! − 65/208)
27. ♔c3 g6 28. 罝df1 罝d5 29. d4 ♔g7 30.
罝f4 罝d7 31. 罝g3± Tivjakov 2590 − Atalik
2590, Beijing (open) 1997] 20. g3!? N [20.
♗b4 − 69/193] ♘g6 21. ♗c3 罝c8?! [21...
♕c5∞] 22. h4 ♕c5 23. ♕e2! ♗b5 [23...
b5 24. a3 a5 25. ♕e3±] 24. ♗b5 ♕b5 25.
♕b5 罝b5 26. a4± 罝bc5 [26... 罝b6!?] 27.
罝d7 罝5c7 28. 罝c7 罝c7 29. h5! [29. 罝d1?
h5!] ♘e7 30. 罝d1 ♘d5 31. ♗d4 a6 32. a5
[32. b3 b5=] ♔f8 33. b3 ♔e8 34. c4 ♘e7
35. g4 罝d7 36. 罝d2 ♘c6?! [36... ♘g8!⇄
△ 37. ♗e3 f6] 37. ♗c3 罝d2 38. ♔d2±
♔d7 [38... ♔e7 39. ♔e3 f6 40. ef6 gf6 41.
♔e4±] 39. ♔e3 [39. b4!?] ♘b8 40. ♔d4
♔c6 41. ♗b4 ♔d7 42. ♔e4 ♘c6 43. ♗c3
♘b8 44. b4 ♔c6 45. ♗d4 ♘d7 46. ♔f4
♘b8 47. ♗a7 [47. ♔g5 ♘d7 48. h6 g6±]
♘d7 48. ♗e3 ♘b8 49. ♗d4⊙ ♘d7 50.
♔g5!+− h6 [50... ♔c7 51. b5 ♔c8 52. h6
g6 53. ♗b2 ♔c7 54. ♔f4 ♔c8 55. ♗a3 f5
(55... ♔c7 56. ♗d6 ♔c8 57. ♔g5 ♔d8 58.

ba6 ba6 59. c5) 56. ef6 ♘f6 57. g5 ♘d7 58.
♗d6 ♔d8 59. ba6 ba6 60. c5; 50... b5 51.
ab6 ♘b6 52. ♗b6 h6 53. ♔f4 − 50... h6]
51. ♔f4 b5 [51... ♘f8 52. ♗c5 ♘h7 53.
♗d6; 51... f6 52. ef6 ♘f6 53. g5] 52. ab6
♘b6 53. ♗b6 ♔b6 54. g5! [54. ♔e4? f6⇆]
a5 [54... hg5 55. ♔g5 a5 56. ba5 ♔a5 57.
h6 gh6 58. ♔h6 ♔b4 59. ♔g7 ♔c4 60.
♔f7 ♔d5 61. ♔f6] 55. gh6 gh6 56. ba5
♔a5 57. ♔e3 ♔b6 [57... ♔a4 58. ♔e4
♔a5 59. ♔d3; 57... ♔a6 58. ♔d2! ♔b6 59.
♔c2] 58. ♔d3 [△ 58. ♔d4 ♔c6□ 59. ♔d3
(59. ♔c3 ♔c5) ♔b6 (59... ♔c5 60. ♔c3;
59... ♔d7 60. c5) 60. ♔c2! ♔c6 61. ♔b3]
♔a5 [58... ♔c6 59. ♔c2 ♔d7 60. ♔c3
♔e7 61. ♔d4 f5 62. ef6 ♔f6 63. ♔c5 ♔e7
64. ♔c6] 59. ♔e3 [59. c5?? ♔b5 60. ♔d4
♔a6!=; 59. ♔c2 ♔b4 60. ♔d3 ♔a5; 59.
♔c3 ♔a4 60. ♔d3 ♔a5; 59. ♔d4 ♔b4 60.
♔d3 ♔a5; 59. ♔e4 ♔a6 60. ♔e3] ♔a4 60.
♔e4 ♔a5 61. ♔d3⊙ ♔a4 [61... ♔b6 62.
♔c2; 61... ♔b4 62. ♔d4; 61... ♔a6 62.
♔c3] 62. ♔c3 [62... ♔a5 63. ♔b3]

1 : 0   *Illescas Córdoba*

195.* !N   B 66

G. KASPAROV 2795
− KRAMNIK 2740
Novgorod 1997

1. e4 c5 2. ♘f3 ♘c6 3. d4 cd4 4. ♘d4 ♘f6
5. ♘c3 d6 6. ♗g5 e6 7. ♕d2 a6 8. 0-0-0
h6 9. ♗e3 [RR 9. ♗f4 ♗d7 10. ♗g3 ♗e7
11. ♘b3 N (11. ♗e2 − 32/(273)) b5 12.
♗d6!? b4 13. ♘a4 ♗d6 14. ♕d6 ♘e4 15.
♕f4 ♕g5 16. ♕g5 hg5 (Filipenko 2380 −
Ėmelin 2480, Pardubice 1997) 17. ♘b6
罝a7 18. 罝d7 罝d7

19. ♗a6!! ♖c7 (19... ♖d6 20. ♘c4 ♖d5 21. ♗b7 ♘e7 22. ♗d5 ed5 23. ♘bd2±) 20. ♘a8 ♖d7 21. ♗b5 ♖d6 22. ♘a5 b3!! (22... ♔d7 23. ♖d1!+−) 23. cb3 (23. ab3? 0−0!∓) ♘f2 24. ♖f1 ♘d3 25. ♔b1 ♘e5 26. ♘b6 ♔e7 27. ♘c6 ♘c6 28. ♘c4 ♘d4 29. ♘d6 ♔d6 30. ♗c4 ♖h2 31. ♖f7 ♖g2= Ėmelin] ♗e7 10. f4 ♘d4 11. ♗d4 b5 12. ♔b1 ♗b7 13. ♗d3 0−0 14. e5 de5 15. fe5 ♘d7 16. ♘e4 ♗e4 17. ♗e4 ♖b8 18. c3! N [18. ♗a7 — 69/199] ♕c7 [18... b4 19. ♗c2!? bc3 20. ♗c3 ♘c5 21. ♕d8 ♖fd8 22. ♖d8 ♖d8 23. ♖d1±; 18... ♗c5!?±] 19. ♗c2!± ♖fd8 [19... b4 20. ♕d3 g6 21. ♕g3 ♔g7 22. ♖hf1→; 19... ♘e5 20. ♖he1 (20. ♕f4!? ♗d6 21. ♖he1 ♘g6 22. ♕g4 e5 23. ♗e3±) ♘c6 (20... ♗d6 21. ♕e2 f6□ 22. ♕e4±) 21. ♕d3 f5 (21... g6 22. ♖e6) 22. ♖e6±] 20. ♕f4 [20. ♖hf1!? ♘f8? 21. ♕f2] ♘f8 21. ♖hf1 ♗g5 22. ♕f2! ♖d7 [22... h5 23. h4 ♗h6 24. ♕e2 b4; 24. ♗c5+−] 23. ♗c5 ♖c8 24. ♗d6 ♕d8 25. ♖d4?! [25. g3 ♕e8 (25... h5 26. h4 ♗h6 27. ♖d4+−) 26. ♕b6!+−] ♕e8□ 26. h4 ♗e7 27. g4 ♗d6 28. ed6 ♖c6 29. g5? [29. ♖fd1 ♕d8 30. ♕g3 g5□ 31. hg5 ♕g5±] e5 30. ♖d5 [30. gh6 ed4 31. ♕g2 ♕e5 32. ♕c6 ♕d6 33. ♕d6 ♖d6 34. hg7±] ♖cd6 31. ♖d6 ♖d6 32. ♗b3 ♘e6 33. g6?! [33. gh6 ♘f4□ 34. ♕e3 (△ ♖f4; 34. hg7 ♖g6) ♕b8 35. hg7 ♖g6 36. h5 ♖g7 37. h6 ♖g6] f6 34. h5 [34. ♕f5∓] ♕d7 35. ♕f3? [35. ♕f5! ♔f8 36. ♕e5; 35... ♔h8∓ ×♔h8] ♔f8! 36. ♕a8 ♘d8 37. ♕e4 ♔e7−+ 38. a3 ♕h3? [38... ♘c6 39. ♔a1 ♔d8−+ 40. ♕e3 ♔c7 41. ♕c5 ♖d2] 39. ♖d1 ♖d1?! [39... ♕h5!? 40. ♖d6 ♔d6 41. ♕d5 (41. ♕b4 ♔d7) ♔c7 42. ♕c5 ♘c6 43. ♗c2 (43. ♗d5 ♕g6 44. ♔a2 ♕e8) ♕g4 Huzman] 40. ♗d1 ♕e6

41. ♗g4 ♕c6 [42. ♕e3∓; 42. ♕b4 ♕d6 43. ♕b3 ♕d3 44. ♔a2 f5; 43. ♕e4∓; 41... ♕c4 42. ♕c4 bc4 43. ♗e2 f5 44. ♗c4 a5 45. b4=]   1/2 : 1/2   *Kramnik*

196.   B 66

DVOJRIS 2590 − SVIDLER 2640

Rossija (ch) 1997

1. e4 c5 2. ♘f3 ♘c6 3. d4 cd4 4. ♘d4 ♘f6 5. ♘c3 d6 6. ♗g5 e6 7. ♕d2 a6 8. 0−0−0 h6 9. ♗e3 ♗e7 10. f4 ♘d4 11. ♗d4 b5 12. ♗d3 b4 13. ♘e2 ♕a5 14. ♔b1 e5 15. ♗e3 0−0 16. ♘g3 N [16. ♖he1 − 67/274] ♖d8 [16... ♘g4!? 17. ♘f5 (17. ♗c4 ♗e6 18. ♘f5 ♗c4 19. ♘e7 ♕h7 20. b3 ♗e6) ♗f5 18. ef5∞] 17. f5 [17. ♗c4 *a*) 17... ♗b7!? 18. ♘f5 ♗f8 (18... ♘e4 19. ♘e7 ♔f8 20. ♘g6 fg6 21. ♕e2∞) 19. fe5 de5 (19... ♕e5 20. ♗d4 ♘e4 21. ♕b4±) 20. ♕f2 ♖d1 21. ♖d1 ♕c7 22. ♗d5 (22. ♗b3 ♘e4) ♘e4 23. ♕f3 ♗d5 24. ♖d5 ♘g5 25. ♗g5 hg5∓; *b*) 17... d5!? 18. ed5 ♘d5! 19. ♗d5 (19. ♕e2 ef4 20. ♗f4 ♗e6∓) ♗e6 20. ♘f5! *b1*) 20... ♗f8 21. ♗b6 ♕b6 (21... ♕d5 22. ♕d5 ♖d5 23. ♖d5 ♗d5 24. ♘e3!±) 22. ♕e3 ♕e3 23. ♘e3 ♗d5 24. ♘d5 ef4 25. ♘f4=; *b2*) 20... ♗f6 21. ♗b6! ♕b6 (21... ♕d5 22. ♕d5 ♖d5 23. ♖d5 ♗d5 24. fe5±) 22. ♕e3 ♖ab8 (22... ♕e3!? 23. ♘e3 ef4 24. ♗a8 fe3 25. ♖d8 ♗d8∞) 23. fe5 ♗f5 24. ♕b6 ♖b6 25. ef6 ♖c8 (25... ♖f6 26. ♗f7+−) 26. ♖d2 ♖f6 27. ♖e1=; *b3*) 20... ♗f5! 21. ♗a8 ♖d2 22. ♖d2 ♗e6 23. b3 ef4 *b31*) 24. ♗f4 ♗b3! 25. cb3 (25. ab3 ♗f6) ♕f5∓; *b32*) 24. ♗d4∓; 17. ♘f5 ♗f5 18. ef5 e4 19. ♗e2 ♕f5 20. ♕b4∞; 20. h3!?∞; 17... ♗f8!?∞] d5 18. ♕f2 ♖b8 19. ed5 ♘d5 20. ♗c4 ♗b7 21. ♗c1 ♕c7 22. ♗b3 ♘f4! [22... ♗c5 23. ♕e2 ♘f6 24. ♘h5!? *a*) 24... ♘h5 25. ♕h5 ♗g2 *a1*) 26. f6 ♗h1 *a11*) 27. ♕g6 ♗f8 28. fg7 ♖d1 29. gf8♕ ♔f8−+; *a12*) 27. ♖g1 ♗g1 (27... ♗d5 28. ♕h6+−) 28. ♕g6 ♔f8 (28... ♕c2 29. ♔c2 ♖bc8 30. ♔b1 ♖c1 31. ♔c1 ♗e3 32. ♔b1 ♖d1=) 29. fg7 ♔e7 (29... ♔g8 30. ♕h6) 30. ♕f7 ♔d6 31. ♕g6 ♔c5 (31... ♔e7 32. ♕e6) 32. ♕g1 ♔b5! (32... ♖d4 33. ♗e3±) 33. ♕h1 ♕g7∓; *a13*) 27. ♕g4 ♗f8 (27... g5 28. ♖h1∞) 28. fg7 ♖d1 (28... ♗c5 29.

罝h1 罝b6∓) 29. gf8豐 含f8 30. 豐d1 豐c6∓;
a14) 27. 罝h1 罝b6 28. 罝f1 罝f6 (28... 罝dd6
29. fg7 罝f6∞) 29. 罝f6 gf6 30. 皇h6! (30.
豐g6 含f8 31. 皇h6 含e8 32. 豐g8 含d7 33.
豐f7 含c8∓) 皇f8 31. 豐g6 含h8 *a141)* 32.
豐f6 含h7 (32... 含g8 33. 豐g6 含h8 34.
皇f7 罝d1 35. 皇c1 罝g1 36. 豐g1±) 33. 皇f7
罝d6∓; *a142)* 32. 皇f7 罝d1 33. 皇c1 罝g1
34. 豐f6 含h7 35. 皇e6 豐g7∞; *a2)* 26.
罝dg1!? 皇h1 (26... 皇g1 27. 罝g1±) 27.
罝g7 含g7 *a21)* 28. 皇h6 含h7! (28... 含h8
29. f6 罝d1 30. 豐d1±) 29. 皇g5 (29. f6
皇f3−+; 29. 皇f7 罝d1 30. 皇c1 含g7 31.
豐h6 含f7 32. 豐h7 含f6 33. 豐c7 皇e3−+)
含g8 (29... 含g7 30. f6 含g8 31. 皇h6!+−)
30. 皇f6 罝d1 31. 豐d1 罝b6 32. 豐g4
含f8−+; *a22)* 28. 豐h6 含g8 29. f6 皇f8 30.
豐g6 含h8 31. 豐h5=; *b)* 24... 豐e7!?; 22...
✎f6 23. 豐e2] **23. 皇f4 ef4 24. ✎h5 罝d1
25. 罝d1 罝d8 26. 罝e1 豐d6** [26... 豐d7 27.
a4! (27. 豐e2 皇g5) ba3 28. ba3 皇a3 29.
豐f4] **27. 豐e2 皇h4! 28. 豐g4** [28. 罝f1
皇g2∓] **皇g5 29. a4?** [29. h4 *a)* 29... f3?!
30. 罝c1! 皇f6□ (30... 豐d2 31. hg5 f2 32.
✎g3) 31. ✎f6 (31. 豐g6 fg2 32. 豐f7 含h8
33. 豐b7 g1豐 34. 罝g1 豐d1) 豐f6 32. gf3
罝d4 33. 豐g6 皇f3∓; 31. gf3±; *b)* 29...
豐d2! 30. 罝c1 豐g2! 31. 豐g2 皇g2 32. hg5
hg5 33. c3! (33. f6 g6 34. ✎g7 f3 35. 皇c4
g4; 33. a3 皇f3∓) 皇f3 34. ✎f4 gf4 35. 罝f1
罝d3 36. cb4 皇e4 37. 含c1 (37. 皇c2
皇f5!∓) 皇f5 38. 罝f4=] **ba3 30. h4** [30.
ba3 豐a3 31. h4 皇d5! 32. 罝d1 皇b3 33.
罝d8 含h7 34. cb3 豐b3 35. 含c1 豐c3 36.
含d1 皇d8−+] 豐**d2! 31. 罝e2** [31. 罝g1?
豐d4−+; 31. 罝f1 皇g2 32. 罝c1 皇d5! 33.
皇d5 罝d5 34. hg5 豐b4 35. b3 豐c3 36.
✎f6 含h8−+; 31. 罝c1 ab2 32. 含b2 豐d4
33. 含a2 (33. c3 豐f2 34. 罝c2 豐h4−+)
皇f6 34. ✎f6 豐f6 35. 豐f4 皇g2∓] 豐**a5!**
[31... a2 32. 含a1] **32. ba3□ 豐c3?** [32...
f3! 33. 豐c4 (33. gf3 罝d1 34. 含a2 豐c3−+;
33. hg5 fe2 34. 豐e2 豐f5−+) 罝d1 (33...
皇d5 34. 豐d4) 34. 含a2 皇d5 35. 豐c8 含h7
36. gf3 皇b3 37. cb3 皇e7!−+] **33. 含a2 f3**
[33... 罝d1 34. 罝e8 含h7 35. 豐d1] **34. hg5!
fe2 35. 豐e2 豐c5** [35... 罝b8! 36. gh6 (36.
皇f7 含h8 37. 皇b3 皇d5) 皇d5 37. 豐d1
皇b3 38. cb3 gh6∓] **36. ✎f4!!** [36. gh6
皇d5! 37. c4 (37. hg7 皇b3 38. cb3 豐c3−+)
皇c6 38. hg7 豐d4∓; 38. 豐b2] 豐**f5□** [36...

hg5? 37. 皇f7 含f7 38. 豐e6 含f8 39. ✎g6]
37. 豐e7 豐d7?! [37... 豐f4 38. 豐d8 含h7
39. g6! 含g6 40. 豐b6+−; 37... 罝c8! 38.
豐b7 罝c2 39. 皇c2 豐c2 40. 含a1 (40. 豐b2
豐c4) 豐c1] **38. 皇f7 含h7** [38... 含h8 39.
✎g6 含h7 40. ✎f8+−] **39. g6 含h8 40.
豐e5?** [40. 豐d7 罝d7 41. 含b3 (41. c4 罝d2
42. 含b3 罝f2 43. g3 罝f3 44. 含b4 罝g3∓)
罝d4 42. g3 h5 43. ✎h5 (43. c3 罝f4 44. gf4
h4 45. 皇e6 含g2 46. c4 h3 47. 皇h3 皇h3
48. c5 皇f5 49. c6 皇g6 50. c7 皇f5 51.
含c4 含h7 52. 含c5 含g6 53. 含b6 皇c8 54.
含a7 皇f5−+) 罝g4 44. c4 皇e4∓ 45. c5
罝g5 46. ✎f4 罝c5∓] 豐**d4 41. 豐e7??** [41.
豐d4 罝d4∓] **罝b8 42. 豐b4□ 皇d5 43. ✎d5
罝b4 44. ab4 豐c4 45. 含b2 h5 46. g3 豐g4
47. ✎f4 豐g3 48. ✎h5 豐e5 49. 含b3 豐h5
50. c3 豐e2 51. 皇c4 豐d1 52. 含b2 豐d2
53. 含b3 豐c1 54. 皇f7 豐b1 55. 含c4** [55.
含a3 豐c2 56. c4 豐c3 57. 含a4 豐b2 58. c5
(58. b5 豐a2 59. 含b4 a5) 豐e2! 59. 含b3
豐d3 60. 含b2 豐b5 61. 含c3 a5−+] 豐**c2
56. 含d4□ 豐e2! 57. c4** [57. 含c5 豐d3 58.
c4 豐a3] 豐**b2 58. 含c5 豐a3!** [△ a5] **59.
含b6 豐b4 60. 含a6 豐c5 61. 含b7 豐d6 62.
含c8 豐e7   0 : 1   *Svidler*

197.   B 66

TISCHBIEREK 2515
− EHLVEST 2610

Biel (open) 1997

**1. e4 c5 2. ✎f3 d6 3. d4 cd4 4. ✎d4 ✎f6 5.
✎c3 a6 6. 皇g5 ✎c6 7. 豐d2 e6 8. 0-0-0 h6
9. 皇e3 皇e7 10. f4 皇d7 11. 皇d3 b5 12. h3
✎d4 13. 皇d4 皇c6 14. 含b1 b4 N** [14...
0−0 − 53/195] **15. ✎e2 a5** [15... ✎e4?!
16. 皇e4 皇e4 17. ✎g3! △ ✎h5±] **16. ✎g3**
[16. 豐e3 a4∞] **h5!** [16... 0−0?! 17. e5 de5
18. fe5 ✎d5 19. ✎h5±] **17. 豐e2** [17. 罝he1
h4 18. ✎h1 罝h5!? △ e5∞] **h4 18. 皇f6
gf6** [18... 皇f6 19. ✎h5 △ e5, 皇b5±] **19.
✎h5** [19. 皇b5 皇b5 20. 豐b5 豐d7∓] 豐**b6
20. f5** [20. e5 de5 21. fe5 fe5 22. 豐e5
(22. ✎g7 含f8 23. ✎e6 fe6 24. 豐e5 罝h6∓)
0-0-0∓ ×✎h5] 豐**c5 21. ✎f4** [21. e5 豐e5□
22. 豐g4 0-0-0 23. 罝he1 豐c5∓] **e5 22. ✎d5
皇d5 23. ed5 皇d8∓ 24. 罝hf1** [△ 罝f4]
**含f8! 25. 皇b5 罝b8 26. 皇a4 皇b6 27. 罝f3
含e7 28. 罝f4?** [28. c3!⇆] 豐**e3!∓ 29. 罝e4**

137

♕e2 30. ♖e2 ♖h5 31. ♖f1 ♗c5 32. ♖f3 ♖g8−+ [✕f5, g2] 33. a3 ba3 34. ba3 ♖gg5⊕ [△ 34... ♖g3−+] 35. ♖b3 ♖f5 36. ♖b8 ♖f1 37. ♔a2 f5 38. ♖a8 ♖g5 39. ♖a5 ♖g3 [△ 39... ♖f2] 40. ♖c5 dc5 41. ♖e5 ♔d6 42. ♖e8 ♔d5 43. ♖d8 ♔e5 44. ♗c6 ♔f4 45. ♖d2 ♖e1 46. a4 ♖e6 47. ♗d7 [47. ♗f3 ♖f3−+] ♖f6 48. ♗b5 ♔e3 49. ♖d3 ♔f2 50. ♖d2 ♔e3⊕ 51. ♖d3 ♔f2 52. ♖d2 ♔g1 53. a5 ♖g2 54. ♖g2 ♔g2 55. a6 ♖a6 56. ♗a6 f4 57. ♔b3 f3 58. ♔c4 f2 59. ♔c5 ♔h3 60. ♔d4 ♔g2 61. ♔e3 h3   0 : 1

Ehlvest

198.** !N   B 66

Z. ALMÁSI 2595 − LANKA 2575

Linz 1997

1. e4 c5 2. ♘f3 ♘c6 3. d4 cd4 4. ♘d4 ♘f6 5. ♘c3 d6 6. ♗g5 e6 7. ♕d2 a6 8. 0-0-0 h6 9. ♗e3 ♗d7 10. f3 ♕c7 [RR 10... b5 11. ♔b1 ♘e5 12. ♗d3 *a)* 12... ♕c7 13. ♖he1 *a1)* 13... ♕b7?! N 14. g4 *a11)* 14... g6?! 15. h4 b4 16. ♘ce2 ♘d3 17. cd3 e5 18. ♘b3 ♗e6 19. d4! ♗b3 20. ab3 ♘d7 21. ♖c1!± Shabalov 2555 − Ashley 2465, Philadelphia 1997; △ 18... a5; *a12)* 14... b4 15. ♘ce2 d5; *a2)* 13... ♘c4!? △ 14. ♗c4 ♕c4 R. Byrne, Mednis; *a3)* 13... b4 − 67/276; *b)* 12... b4!? N 13. ♘ce2 d5 14. ed5 ♘d5 15. ♘f4 ♘e3 16. ♕e3 ♗d6 17. ♘de6!? ♗e6□ 18. ♘e6 fe6 19. f4 ♘d3 20. ♖d3 ♕e7 21. ♕b6 ♖d8 22. ♖hd1 ♕c7!□ 23. ♕a6 ♔e7∞ Shabalov 2555 − Ashley 2465, New York 1997] 11. g4 ♘e5 12. ♔b1 b5 13. ♗d3 ♘c4?! [13... b4 − 57/210] 14. ♗c4 ♕c4 15. h4 g6 16. ♘b3! N [16. ♖he1] b4 17. ♘e2 a5 18. ♘g3 [△ 19. h5, 19. g5] a4 19. ♘c1 [✕b4] e5 20. g5 [20. ♘d3 b3! 21. cb3 ab3 22. a3 ♗b5! △ d5] hg5 21. hg5 ♖h1 [21... ♘h5 22. ♘d3!±] 22. ♖h1 ♘h5 23. ♘h5 gh5 24. b3! [24. ♖h5 b3!⇆] ♕b5 25. ♖h5 ♗e6 26. ♖h8 0-0-0 27. g6!? [27. f4! ef4 28. ♗f4+−] fg6 28. ♗g5 ♖e8 [28... ♗e7? 29. ♖d8 ♗d8 30. ♗d8 ♔d8 31. ♕d6] 29. ♘d3 d5! 30. ♗f6! de4 31. fe4 ♕c6? [31... ♗d6□ 32. ♖e8 (32. ♖h7!?) ♕e8 33. ♗e5 (33. ♘b4!?) ♗e5 34. ♘e5 ♗b3 35. ♕d6±] 32. ♗e5+− ♕b6 33. ♕f4 ♕d8 34. ♕e3! [△ ♕a7] ♔b7 35. ♖h7 ♖e7

[35... ♗d7 36. ♕d4] 36. ♗f6 [36. ♘c5 ♔a8] ♖h7 37. ♗d8 ♖h1 38. ♘c1 ♔c8 39. ♕f3   1 : 0

Z. Almási

199.***   B 67

LÉKÓ 2600 − AM. RODRÍGUEZ 2555

Yopal 1997

1. e4 c5 2. ♘f3 ♘c6 3. d4 cd4 4. ♘d4 ♘f6 5. ♘c3 d6 6. ♗g5 a6 7. ♕d2 e6 8. 0-0-0 ♗d7 9. f4 [RR 9. f3 ♖c8 10. ♔b1 ♗e7 11. h4 ♘d4 N (11... ♘a5 12. g4 b5 13. ♕g2!? ♕c7 14. ♗d3 b4 15. ♘ce2 ♘c4 16. ♗c1±; 11... b5 12. ♘c6 ♖c6 13. ♘e2 △ ♘d4±; 11... h6 − 64/211) 12. ♕d4 ♖c6 13. ♕d2 b5 14. ♗d3 (14. ♘e2!?) ♕a5 15. f4 b4 16. ♘e2 h6 17. ♗f6 ♗f6 18. g4 *a)* 18... ♗c3 19. ♕c1! (19. bc3 bc3 20. ♕c1 ♖b6 21. ♔a1 ♕b4!⊼) ♗f6 (19... e5?! 20. f5!± Peptan 2425 − A. Grosar 2495, Ljubljana 1997) 20. g5 ♗e7 21. ♘d4±; *b)* 18... ♕c5 19. g5±; *c)* 18... g6!? 19. e5!? de5! 20. ♗g6 ♖c7 21. g5 ♗g7? 22. f5!→; 21... ♗e7!∞ Peptan, V. Stoica] ♕c7?! [RR 9... b5 10. ♗f6 gf6 11. ♔b1 ♕b6 12. ♘c6 ♗c6 13. ♕e1 *a)* 13... 0-0-0?! 14. ♗d3 h5 15. ♖f1! N (15. f5 − 52/208) ♔b8 16. a3! (16. f5 b4 17. ♘e2 e5∞) ♗b7 17. f5 ♕c5 18. fe6 fe6 19. ♖f6 ♕e5 20. ♖f7 ♗g7 (20... ♗h6? 21. a4!+− B. Lalić 2600 − Kožul 2605, Hrvatska 1997) 21. ♕e3! ♖hf8 (21... ♕d4? 22. ♕g5+− △ ♕e7) 22. ♖df1 ♖f7 23. ♖f7 ♖f8±; *b)* 13... ♖a7 14. f5 h5!? N (14... ♖g8 − 67/277) 15. ♗d3 ♕c5 16. fe6 (16. ♖f1 e5 17. ♕h4 ♔e7! 18. ♘e2 a5 19. ♖f3 ♗h6 20. ♕h5 a4 21. ♕h4 b4 22. ♕e1 ♗g5 23. h3 ♖c7⊼ Palac 2575 − Kožul 2605, Hrvatska 1997) fe6 17. ♖f1± B. Lalić] 10. ♗e2! ♗e7 [10... 0-0-0?! 11. ♗f6 gf6 12. ♗h5±]

11. ♘b3! b5!? [11... 0-0-0 12. ♗f6 ♗f6!? (12... gf6 13. ♗h5) 13. ♕d6±] 12. ♗f6 gf6 13. ♗h5 b4 N [13... ♘a5 14. f5!; 13... ♖f8] 14. ♘e2 a5 15. ♘bd4 ♘d4 16. ♘d4 ♖c8 [16... a4!? 17. f5 b3!∞; 17. ♔b1!±] 17. ♔b1 ♖g8 18. ♖he1 ♔f8 19. g4 [19. e5!?→] a4 20. ♖e3 a3 21. b3 [△ h4, g5→] e5 [21... d5!? 22. e5! (22. ed5 ed5⇆ △ ♗d6) ♗c5 23. ♕f2!±] 22. ♘f5 ♗f5 [22... ef4 23. ♖d3] 23. ef5 d5?! [23... ♔g7 24. h4!→] 24. fe5 d4 [24... fe5 25. f6!] 25. ♖e2 fe5 26. f6! ♗d6□ [26... ♗f6 27. ♖f1] 27. ♕h6 ♔e8

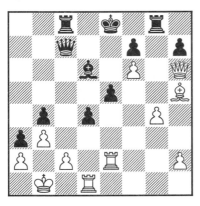

28. c4!! [28. ♕h7 ♕c3! 29. ♖e5 (29. ♕f7 ♔d8 30. ♕g8 ♔d7=) ♔d7 30. ♕f7 ♔c6 31. ♕d5 ♔c7 32. ♕a5 ♔d7=; 28. ♖d4 ♕c3! 29. ♖e5 ♔d8!□ (29... ♗e5 30. ♗f7! ♔f7 31. ♕h7 ♔f6 32. ♕f5+−; 29... ♔d7 30. ♖e7 ♔c6 31. ♖c4+−) 30. ♖d6 ♔c7 31. ♖e7 ♔d6 32. ♕f4 ♔c6=] bc3 29. ♔c2 ♔d8 30. ♕h7 ♖f8 31. g5! ♖b8 32. ♗g4 ♕c6 33. h4 ♖b4⊕ [33... ♔c7 34. g6+−] 34. h5+− d3!? 35. ♕d3 ♖d4 [35... ♖g4 36. ♕d6 ♕d6 37. ♖d6 ♔c7 38. ♖d5 ♖g5 39. ♖de5] 36. ♕f5 ♖d2 [36... ♖d1 37. ♔d1] 37. ♖ed2 cd2 38. ♔d2 ♔c7 39. ♗f3 ♗b4 40. ♔e2 e4 41. ♗e4 [41... ♖e8 42. ♔f3]
1 : 0   *Lékó*

200.   B 67

ALEXA. IVANOV 2600 — KREIMAN 2515

New York 1997

1. e4 c5 2. ♘f3 d6 3. d4 cd4 4. ♘d4 ♘f6 5. ♘c3 ♘c6 6. ♗g5 a6 7. ♕d2 e6 8. 0-0-0 ♗d7 9. f4 h6 10. ♗h4 ♕c7 11. ♘b3 ♗e7

12. ♗e2!? [12. ♗f6 gf6 13. ♗e2 h5] ♖c8 [12... ♘e4? 13. ♘e4 ♗h4 14. ♘d6 ♔e7 15. ♘f7±; 12... 0-0-0 13. ♗f6 gf6 14. ♗h5±; 12... h5!?±] 13. ♗f6 N [13. ♗f2] gf6 14. ♔b1 [14. ♗h5?! ♘a5 15. f5 (15. ♔b1 ♘c4 16. ♕d3 ♘a3!) ♘b3!? (15... ♘c4 16. ♕d4!?) 16. ab3 ♕a5 17. ♔b1 ef5!?∞] h5 15. ♗f3 b5 [15... ♘a5? 16. ♘d5±] 16. ♘e2 a5 17. ♘ed4 ♘d4 18. ♘d4 ♕b6 [18... b4 19. ♖c1!?] 19. c3 ♗d8?! [19... b4 20. ♖c1±] 20. ♘c2 ♗c7 21. ♖hf1 ♗e7 22. e5!± f5 23. ed6 ♗d6 [23... ♕d6 24. ♕e1 ♕c5 (24... ♕f4 25. ♗c6! ♗c6 26. ♖f4 ♗f4 27. ♕h4+−) 25. ♕h4 f6 26. ♖d7 ♔d7 27. ♕f6 ♕f8 (27... ♕e7 28. ♗c6!+−; 27... ♖cf8 28. ♖d1 ♗d6 29. ♕g7+−; 27... ♖h7 28. ♘d4+−; 27... ♖ce8 28. ♗h5!+−) 28. ♖d1 ♗d6 29. ♕e5 ♖b8? 30. ♕c5+−; 29... b4±] 24. ♘d4 b4 25. ♕e3 ♕c5 [25... ♖c5? 26. ♘f5+−] 26. ♖c1 ♖b8 27. cb4 ♕b4 28. ♖f2 ♕f6 29. ♗c6! ♗c8 [29... ♖hd8 30. ♗d7 ♖d7 31. ♘c6 ♕e4 (31... ♕b6 32. ♕c3 ♔g6 33. ♕g3+−) 32. ♕e4 fe4 33. ♘b8 ♗b8±; 29... ♖bd8 30. a3!? (30. ♗d7 ♖d7 31. ♘c6 ♕e4!) ♕b6 (30... ♕b8 31. ♗d7 ♖d7 32. ♘c6+−) 31. ♗d7 ♖d7 32. ♘c6 ♕b8 (32... ♕b7 33. ♖d6+−) 33. ♕c3 ♔g6±] 30. ♕g3 ♔e7 31. ♕g7 ♗a6 32. ♗e8!+− ♗d3 33. ♔a1 ♔e8 34. ♕h8 ♔d7 35. ♕g7 ♖f8 36. ♘c6 ♕b6 37. ♖d2 ♕e3 38. ♖cd1   1 : 0   *Alexa. Ivanov*

201.   B 67

HALIFMAN 2650 — ASEEV 2530

Sankt-Peterburg 1997

1. e4 c5 2. ♘f3 d6 3. d4 cd4 4. ♘d4 ♘f6 5. ♘c3 ♘c6 6. ♗g5 e6 7. ♕d2 a6 8. 0-0-0 ♗d7 9. f4 h6 10. ♗h4 ♗e7 11. ♘f3 ♖c8 12. ♔b1 [12. e5 — 65/(214)] ♘b8 13. ♗d3 ♗c6 14. e5!? N [14. f5 ef5 15. ef5 0-0 16. ♘d4 ♖e8 17. ♘c6 ♘c6∞] de5 [14... ♘fd7!? 15. ♘e4 ♗e4 16. ♗e7 ♕e7 17. ♗e4 (17. ed6 ♕d6 18. ♗e4 ♕d2 19. ♘d2 ♖c7=) ♘c5=] 15. ♘e5 [15. fe5 a) 15... ♘d5 16. ♘e4 0-0 17. ♘d6! (17. ♗e7 ♕e7 18. c4 ♘b6∞) ♖c7 18. ♗g3±; b) 15... ♘fd7! 16. ♗e7 ♕e7 17. ♖he1 ♘c5=] 0-0 [15... ♘bd7 16. ♘g6 fg6 17. ♗g6 ♔f8 18. ♕e2 ♗b4! (18... ♕b6 19. ♕e6 ♗d5 20. ♕e7!

♕e7 21. ♘d5+−; 18... ♗c5 19. ♕e6 ♕e7 20. ♕f5±) 19. ♕e6 (19. f5 e5) ♕e7 20. ♕b3 ♗c3 21. ♕c3 ♕c5 22. ♗f6 gf6 23. ♖d7 (23. ♕b3 ♔e7∞) ♕c3 24. ♖f7 ♔g8 25. bc3 ♗e8 26. ♗f5 ♔f7 27. ♗c8 ♗c6 28. ♗h3 ♖e8∞] 16. f5 ef5 [16... ♗d5 17. ♖he1] 17. ♕f2 g6 18. ♗f5 ♘fd7? [18... ♘d5 a) 19. ♗e7 ♘c3 (19... ♕e7 20. ♘d5 ♗d5 21. ♗c8 ♕e5 22. ♗g4+−) 20. bc3 ♕e7 21. ♖he1 (21. ♖de1 ♕f6 22. ♗g4 ♕c3 23. ♖e3 ♕c4 24. ♗c8 ♖c8∞) ♖cd8 (21... ♕f6 22. ♘g4 ♕c3 23. ♖e3+−) 22. ♘d7 ♕a3 23. ♘f8 ♗d5 24. c4 ♕b4=; b) 19. ♘c6 ♖c6 20. ♖d5 ♗h4 21. g3 ♕b6 22. ♕b6 ♖b6 23. gh4 gf5 24. ♖f5 ♖g6±] 19. ♗e7 ♕e7 20. ♘d7 ♗d7 21. ♘d5 ♕d8 [21... ♕d6 22. ♗h3 f5 23. ♘b6+−] 22. ♗e4 [22. ♗d7! ♘d7 23. ♖he1+−] ♖c6 23. ♖hf1 f5 24. ♗f3± ♔h7 25. ♖fe1 ♖f7?!⊕ 26. ♘f4 ♕b6 27. ♕g3 ♖d6 28. ♘d5 ♕c5 29. b4!+− ♖b6 30. ♕e5 [30. ♕b8 ♖b4 31. ♘b4 ♕b4 32. ♔c1 ♕a3 33. ♔d2 ♕b4∞] ♖b4 31. ♘b4 ♕b4 32. ♕b2 ♕b2 33. ♔b2 ♗c6 34. ♖d8 ♗f3 35. gf3 ♘c6 36. ♖d6 f4 37. ♖ee6 ♖g7 38. ♔c3   1 : 0
Halifman

202. !N   B 72

GOFSHTEIN 2530 −
SUMMERSCALE 2500

Tel Aviv 1997

1. e4 c5 2. ♘f3 d6 3. d4 cd4 4. ♘d4 ♘f6 5. ♘c3 g6 6. ♗e3 ♗g7 7. h3 0−0 8. ♕d2 ♘c6 9. 0-0-0 ♗d7 [△ 9... d5 10. ed5 ♘d5 11. ♘c6 bc6 12. ♘d4 e5 13. ♗c5 ♗e6; 9... ♘d4 10. ♗d4 ♗e6] 10. g4 ♖c8 11. ♔b1 ♘e5 12. f4 ♘c4 13. ♗c4 ♖c4 14. e5 ♘e8 [14... de5? 15. fe5 ♘e8 16. ♘f3 ♖c7 17. ♘b5] 15. ♕d3 ♖c8 16. ♕e4! N [16. ♖he1 de5 (16... a6) 17. fe5 ♗e5∞] b6?! [16... ♗c6 17. ♘c6 bc6] 17. ♖he1 e6 18. ♗f2 [18. ♘db5 d5 19. ♕d3±] ♕e7 19. ♕d3 [19. h4 de5 20. fe5 f6⇆] de5 20. fe5 ♘c7 21. ♘f3 ♗c6 22. ♗h4 ♕c5 23. ♘d2! ♘d5 [23... ♗e5? 24. ♘b3+−] 24. ♘ce4 ♕a5 25. ♘b3 ♕a4 26. ♕g3! ♗a8 [26... ♘b4? 27. ♘c3 ♕a6 28. ♗e7+−] 27. c3 ♔h8! 28. ♘d4? [28. ♗g5±] ♘b4!∞ 29. cb4 ♗e4 30. ♔a1 ♗d5 31. a3 ♖c4 32. ♗e7? [32. ♗f6 ♖b4 33. ♕e3⇆] ♖fc8 33. ♕e3 ♖c3??⊕

[33... ♔g8! △ 34... ♗e5 35. ♕e5 ♕d1 36. ♖d1 ♖c1−+] 34. bc3 ♕a3 35. ♔b1 ♕a2 [35... ♖c3 36. ♕d2+−] 36. ♔c1 ♗e4 37. ♕e4   1 : 0   *Gofshtein, Il. Botvinnik*

203.*** !N   B 72

SHORT 2690 − KRAMNIK 2740

Novgorod 1997

1. e4 c5 2. ♘f3 ♘c6 3. d4 cd4 4. ♘d4 ♘f6 5. ♘c3 d6 6. h3 [RR 6. ♗e2 g6 7. ♗e3 ♗g7 8. ♕d2 0−0 9. 0-0-0 ♘g4! (9... ♘d4 − 65/217) 10. ♗g4 ♗g4 11. f3 ♗e6 N (11... ♘d4) 12. ♘c6 (12. ♔b1 ♘e5∞) bc6 13. ♗h6 ♕a5! (13... ♗h6?! 14. ♕h6 ♕a5 15. f4! △ ♖d3, f5→) 14. ♗g7 ♔g7 15. a3 ♖ab8 16. ♘e2! ♕e5 17. ♕d4 f6 18. ♖d2 ♖b7 (△ ♕a5, ♖fb8→) 19. ♕e5 fe5 20. ♘c3!= g5 21. h3 h5 22. ♘d1 g4 23. hg4 hg4 24. ♖d3! (△ ♘c3⇆ Glek) gf3 1/2 : 1/2 Glek 2620 − Smirin 2575, Pula 1997] g6 7. ♗e3 ♗g7 8. ♗c4 0−0 9. ♗b3 ♘a5 10. ♕d2 N [RR 10. 0−0 b6 11. ♕d3 ♗b7 12. ♗d5 ♕d7 13. ♖ad1! N (13. ♗b7 − 60/230) ♖ac8 14. ♖fe1 a6 15. a4! ♖fe8 (15... e5 16. ♘de2 ♗d5 17. ♘d5 ♘d5 18. ♕d5±; 15... ♘d5 16. ed5±) 16. ♗a2! (16. ♖e2 ♗d5! 17. ed5 ♕b7; 16. ♘f3 ♘d5 17. ed5 ♘c4 18. ♗c1 b5 19. ab5 ab5↑; 16. ♘de2 ♗d5 17. ed5 ♘c4 18. ♗c1 b5 19. ab5 ♘e5! 20. ♕g3 ab5↑) ♕c7 17. ♘f3! ♘d7 (17... ♘c4 18. ♗c4 ♕c4 19. ♗b6 ♕b4 20. ♗a7 ♕b2 21. ♗d4!) 18. ♗d4! ♘c4 19. ♗c4 (19. ♗g7 ♔g7 20. ♘d5 ♗d5 21. ed5 ♘f6 22. ♕d4 b5 23. ab5 ab5 24. ♖e2 ♕c5 25. c3=) ♕c4 20. ♕e3 ♕b4 21. ♗g7 ♔g7 22. ♕c1 a) 22... ♖c5 23. ♖d4! ♖c4 24. ♘a2 ♕c5 25. ♖c4 ♕c4 26. b3± △ ♕b2, c4; b) 22... e5 23. ♖d3 ♘f6 24. ♕d2 ♖cd8 25. b3 ♕c5 26. ♖ee3 ♖d7 (26... b5 27. ♘h4 h6 28. ♖g3 ♔h7 29. ♖df3 ♖e6 30. ♘d5!) 27. ♘h2! (27. ♘h4 h6 28. ♖g3 ♔h7 29. ♖df3 ♖e6) h5 28. ♘f3 b5 29. ♘h4 b4 30. ♘d5→; c) 22... ♘f6 (1/2 : 1/2 N. Mitkov 2445 − M. Marin 2530, Sitges 1997) 23. e5 de5 24. ♘e5± M. Marin] ♗d7 [RR 10... ♘b3!? 11. ab3 d5 12. e5 ♘e4 13. ♘e4 de4 14. ♗f4 ♕b6! (14... f6 15. ef6 ♗f6 16. ♗e3±; 14... b6 15. 0−0 ♗b7 16. ♖fd1±) 15. ♕e3 f6! 16. ♕e4 fe5 17. ♗e5

♗f5 18. ♕d5 (18. ♘f5 ♖f5 19. ♗g3 ♗b2 20. ♖d1 ♗e5!) e6 19. ♕a5 ♗e5 20. ♕e5 ♗c2! *a)* 21. ♘c2 ♕f2 22. ♔d1 ♖ac8! *a1)* 23. ♕e4? *a11)* 23... ♖fd8?? 24. ♔c1 e5 25. ♖d1 (1/2 : 1/2 Oll 2645 — B. Alterman 2615, Beijing (open) 1997) ♖d1 26. ♔d1 ♖c2 27. ♕c2 ♕f1 28. ♔d2 ♕a1 29. ♕c8 ♔g7 30. ♕c7 ♔f6 31. ♕d6 ♔f5 32. ♕d7!=; *a12)* 23... e5! 24. ♔c1 (24. ♕d5 ♖f7 25. ♕e4 ♖fc7−+; 24. ♖a4 ♖fd8 25. ♔c1 b5 26. ♖a6 ♖d4 27. ♖g6 ♔f8−+) ♖f4 25. ♕d5 ♖f7 26. ♕e4 ♖fc7 27. ♔b1 ♖c2 28. ♕d5 ♔g7 29. ♕e5 ♔h6 30. ♖a4 ♖8c5∓; *a2)* 23. ♕e6 ♔g7 24. ♕e5 ♖f6? 25. ♘d4±; 25. ♘e3±; 24... ♔g8=; *b)* 21. ♕e3! ♕b4 22. ♕c3 ♕c3 23. bc3 ♗d3 24. 0-0-0 ♗a6= B. Alterman] **11. ♗h6 ♖c8 12. ♗g7 ♔g7 13. ♕d3!?** [13. 0-0-0] **a6 14. f4 e5!** [14... b5 15. e5] **15. ♘de2 ♕b6 16. 0-0-0 ♗b5! 17. ♕f3** [17. ♘b5 ♕b5 18. ♕b5 ab5=] **♗e2 18. ♕e2 ♘b3 19. ab3 ef4 20. ♖hf1 ♕a5?** [20... ♘h5 21. ♕d2 ♖fe8! 22. ♔b1! (22. ♕d6?! ♕d6 23. ♖d6 ♘g3! △ 24. ♖f4 ♖c3) ♖e6 23. ♖f3 ♕c6∓] **21. ♖f4± ♕a1?!** [21... ♕e5] **22. ♘b1± ♘d7** [22... ♖c6 23. e5 △ 23... de5 24. ♖a4+−] **23. ♖d6 ♘c5 24. ♕e3 a5?** [24... ♕a2!□ 25. ♖f3±] **25. e5+− b5** [25... ♖fe8 26. ♖c4 b6 27. ♖b6] **26. ♖h4 ♔g8** [26... h5 27. ♖h5] **27. ♖d5 ♘e6 28. ♕h6 ♖c2 29. ♔c2 ♖c8 30. ♘c3** ⟋ **1 : 0** *Short*

204.* IN   B 73

CH. LUTZ 2590 — XU JUN 2505

Bad Homburg 1997

1. e4 c5 2. ♘f3 d6 3. d4 cd4 4. ♘d4 ♘f6 5. ♘c3 a6 [RR 5... g6 6. ♗e2 ♗g7 7. 0−0 0−0 8. ♗e3 ♘c6 9. ♕d2 ♗d7 10. ♖ad1 ♖c8 11. f4 ♘g4! N (11... a6) *a)* 12. ♘c6 bc6 *a1)* 13. ♗d4? e5! 14. ♗a7 (14. fe5 c5!) ♕a5 15. ♗f2 ♘f2 16. ♖f2 ef4 17. ♕d6 ♗e6 18. ♕f4 ♖b8 19. ♕c1 ♕b4∓ Sizyh 2350 — M. Golubev 2520, Nojabrsk/Alušta 1997; *a2)* 13. ♗a7? c5 14. ♘d5 ♗d4 15. ♔h1 e6!?; *a3)* 13. ♗g4□ ♗g4; *b)* 12. ♗g4 ♗g4= M. Golubev] **6. ♗e2 g6 7. 0−0 ♗g7 8. ♗e3 0−0 9. f4 ♘c6 10. ♔h1** N [10. ♘b3 — 45/250] **♘d4 11. ♗d4 ♗e6 12. ♕d2** [12. ♗f3!? △ ♘d5] **♖c8 13. ♖ad1 b5**

14. ♗f3 b4 15. ♘d5 [15. ♘a4!?] **♘d5 16. ♗g7 ♔g7 17. ed5 ♗f5= 18. ♗e4 ♗e4 19. ♕d4 ♔g8 20. ♕e4 ♕c7** [20... ♕a5!? (Xu Jun) 21. ♕e7 ♕a2 22. ♕d6 ♕b2=] **21. f5 ♕c2** [21... gf5!? *a)* 22. ♕f5 ♕c2 23. ♕g5 (23. ♖d3 ♔h8) ♕g6 24. ♕e7 ♖c2↑; *b)* 22. ♖f5 ♕c2; *c)* 22. ♕b4 ♕c2; *d)* 22. ♕h4 f6 △ 23... ♖f7, 23... ♕c2, 23... ♕c4; *e)* 22. ♕e1! f6 (22... ♕c2 23. ♕e7) 23. ♖d2 ♗f7 24. ♖f5 △ ♖e2, ♖f4-e4 ╳e7] **22. ♕e7 ♖c4** [△ ♕g4] **23. h3 ♕e4?** [23... ♖f4 24. ♕d6 (24. f6 ♖f1 25. ♖f1 ♕c5= △ h5, a5; 24. fg6 fg6) ♖f5 25. ♕b4 ♖f1 26. ♖f1 ♕d3= Kindermann] **24. ♕d6± ♖c2 25. ♕g3 ♖b2 26. d6 ♖a2 27. d7 ♖d8 28. ♖f4** [28. ♖fe1 ♖e2 29. f6 h5∞] **♕c6** [28... ♕e5 29. ♕h4+−; 28... ♕c2 29. ♖e1 ♕c6 30. ♖d4 △ ♖d6] **29. ♖fd4 b3 30. ♖d6+− ♕a8** [30... ♕e4 31. fg6 hg6 32. ♕g5 ♕a8 33. ♖e1 △ ♖g6] **31. fg6 hg6 32. ♖g6?⊕** [32. ♖1d5? ♖a1 33. ♔h2 ♕b8; 32. ♖e1 (△ ♖g6) ♔f8 (32... ♔g7 33. ♖e7+−) 33. ♖g6 fg6 34. ♕d6 ♔g7 35. ♖e7 ♔h6 36. ♕f4+−] **fg6 33. ♕b3** [33. ♕g6 ♔h8=] **♔g7 34. ♕a2 ♕c6 35. ♕b2 ♔g8? **[35... ♕f6±] **36. ♕e5** [△ ♕e7]   **1 : 0**   *Ch. Lutz*

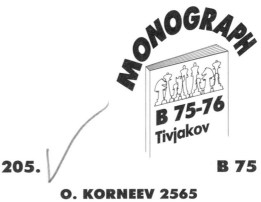

MONOGRAPH

B 75-76
Tivjakov

205.   B 75

O. KORNEEV 2565 — TIVJAKOV 2590

Jakarta 1997

1. e4 c5 2. ♘f3 d6 3. d4 cd4 4. ♘d4 ♘f6 5. ♘c3 g6 6. ♗e3 ♗g7 7. f3 ♘c6 8. ♕d2 ♗d7 9. 0-0-0 ♖c8 10. g4 h5 11. g5 ♘h7 12. f4!? N [12. h4; 12. ♔b1] **0−0 13. ♗e2** [13. h4 ♗g4!?; 13. f5 ╳f5, g5] **♖e8 14. h4** [14. f5!?] **♘f8 15. ♖hf1?!** [15. f5∞] **♕a5** [15... ♘e6? 16. ♘e6 ♗e6 (16... fe6 17. e5± △ 17... d5 18. ♘d5 ed5 19. ♕d5+−) 17.

                                                          141

f5 ♗d7 18. ♗c4 ♘e5 19. fg6 ♘c4 (19...
♖c4 20. gf7 ♘f7 21. ♕d5+−) 20. gf7 ♔h8
21. fe8♕± **16. ♔b1** [16. ♘b3 ♗c3 17.
♘a5□ ♗d2 18. ♗d2□ ♘d4 19. ♗d3
♗g4!? (19... b6 20. ♘b3 ♘b3 21. ab3=)
20. ♖de1 b6 (20... ♘fe6!? 21. ♘b7 ♖c7
22. ♘a5 ♘c5∞; 20... ♘d7!?) 21. ♘b3 ♘f3
(21... ♘b3 22. ab3=) 22. ♖e3 ♘d2=; 22...
♘h4∓; 16. f5 *a)* 16... ♘b4 17. ♔b1 (17.
a3?? ♖c3−+; 17. fg6 fg6 18. ♔b1∞)]
♖c3!? 18. ♕c3 ♖c8 (18... ♕a2 19. ♔c1±)
19. ♕a3□ (19. ♕b3 ♗a4) ♕a3 20. ba3
♗d4 21. ♗d4 ♘c2∞; *b)* 16... ♕e5!?∞]
♘e6 17. ♘b3?! [17. ♘e6 ♗c3 18. ♕c3
♕c3 19. bc3 *a)* 19... ♗e6 20. f5 ♗d7 21.
fg6 (21. ♗c4 ♘e5) fg6 22. ♗c4±⌒; *b)*
19... fe6 20. e5 d5 21. c4 d4!? 22. ♗d4
♘d4 23. ♖d4 ♗c6= 8c2, c4] **♗c3 18. ♘a5**
[18. ♕c3 ♕c3 19. bc3∓ 8c2, c4] **♗d2 19.**
♗d2□ ♘c5 20. ♗d3 [20. ♗f3 ♘d4∓; ⌐
20. ♘c6 ♗c6 21. e5 de5 22. fe5 ♗e4∓ △
♗f5 ✕e5, ⟋h7-b1] **♗g4 21. ♖de1□** [21.
♖c1 ♘d3 22. cd3 ♗e2−+] **♘d4!** [△ 22...
♘f3, △ 22... ♘d3 23. cd3 ♗e2] **22. ♖e3□**

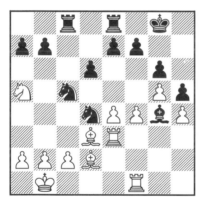

22... d5!!∓ [⟋h7-b1, ✕h4; 22... b6 23. ♘b3
♘db3 24. ab3 ♘d3 25. cd3=⊟] **23. ed5**
[23. ♗c3!? de4 24. ♗e4 ♘e4] **♘d3 24. cd3**
[24. ♖d3 ♗e2? 25. ♖d4 ♗f1 26. ♘b7∓;
24... ♘c2!−+] **♘f5 25. ♖e4!?** [25. ♖e5
♘h4∓] **♗h4!** [25... ♘g3 26. ♖fe1 ♘e4 27.
de4∞] **26. ♘b7 ♘f5 27. ♘a5⊕ ♘g3** [27...
h4!?∓] **28. ♖fe1 ♘e4 29. de4 ♗d7?!** [29...
h4 30. ♘c6 f6−+] **30. ♗c3 f6** [30... h4 31.
♖h1 h3 32. f5⇆] **31. gf6 ef6 32. ♘b7!?**
[32. ♗f6 ♗e4 33. ♖e4 ♗f5−+; 32. e5 ♗f5
33. ♔a1 fe5 34. fe5 h4−+] **♖c3** [32...
♖e4?? 33. ♖e4 ♗f5 34. ♘d6] **33. bc3 ♖b8**

34. c4 ♖b7 [♖ 8/g6] 35. ♔c2⇆ ♔f7 36.
♔c3 [36. e5!?] ♔e7 37. c5 ♗g4! 38. e5
[38. c6!?; 38. ♔c4!?] fe5 39. fe5 ♗f3 40.
c6 [40. ♔c4!? ♖d7!? △ 41. d6 ♔e6−+]
♖b8! 41. c7 [41. ♔c4!?] ♖c8−+ 42. ♔d4
[42. d6 ♔e6] g5 43. ♖c1 [43. d6 ♔e6 44.
♖b1 (44. ♖f1 g4) ♔d7! △ 45. ♖b8 ♗g4;
43. ♖b1!?] g4 44. ♖c6 g3 45. ♖g6 [45. ♖e6
♔d7 46. ♖g6 g2 47. ♖g7 ♔e8 △ 48...
♗g4, 48... ♖c7] g2 [△ ♗g4] 46. d6 ♔d7
47. ♖g7 [47. ♔c5 ♖f8 48. e6 (48. ♖g7
♔c8) ♔c8 49. d7 ♔c7 50. e7 ♖f5] ♔c6
48. ♔e3 ♗d5 49. d7 [49. ♔d4 ♖f8 50.
c8♕ (50. d7 ♖f4) ♖c8 51. d7 ♖g8! 52.
♖g8 ♗g8 53. d8♕ g1♕] g1♕ 50. ♖g1
♔d7 51. ♖g7 ♔c6 52. ♖h7 ♖c7 53. ♖h5
♗a2 54. ♖h2 ♗c4 [54... ♗b3] 55. ♔d4
♔b5 56. ♖b2 ♗a4 57. ♖c2 ♔b4 58. e6
a5⊕   **0 : 1**   *Tivjakov*

206.* !N   B 76

GADJILU 2470 − SHAFIEI 2230
Tehran 1997

1. e4 c5 2. ♘f3 d6 3. d4 cd4 4. ♘d4 ♘f6 5.
♘c3 g6 6. ♗e3 ♗g7 7. f3 0−0 8. ♕d2
♘c6 9. 0-0-0 ♗d7 10. g4 ♖c8 11. h4 ♕a5
12. ♔b1 ♘e5 13. h5 ♘f3!! N [13... ♖c3 −
60/(233)] **14. ♘f3 ♗g4 15. ♗g2!** [15. hg6?
♗f3 16. gh7 ♔h8∓; 15. ♗e2? ♖c3! 16.
♕c3 ♕c3 17. bc3 ♘e4∓; 15. h6 ♗f3 16.
hg7 ♖fe8! 17. ♗g2! (✕e4; 17. ♗b5? ♘e4!;
17. ♗e2 ♗h1 18. ♖h1 ♖c3! 19. ♕c3 ♕c3
20. bc3 ♘e4∓; 17. ♗h3 ♖c3! 18. ♕c3
♕c3 19. bc3 ♘e4 20. ♔b2 ♔g7∓) ♗d1
18. ♕d1 ♔g7∞] **♖c3!** [15... ♗h5 16. ♘d5!
♕d2 17. ♘e7 ♔h8 18. ♖d2 (18. ♗d2)
♖ce8 19. ♘d5 ♘e4 (19... ♘d5 20. ♖d5
♖e4 21. ♗a7±) 20. ♖d3±] **16. ♕c3 ♕c3**
17. bc3 ♘e4 18. ♖d3 [18. ♗d4!? e5 (18...
♗h5!?) 19. h6! ♗h8 (19... ♗f6 20. ♖he1
♘g5 21. ♘g5 ♗g5 22. ♗a7 ♗d1 23.
♖d1±) 20. ♘h2! (20. ♖de1? ♗f3−+; 20.
♖he1? f5−+; 20. ♘h4 ♗d1 21. ♖d1 d5!
22. ♗e4 de4∞) ♗d1 21. ♗e4! ed4 22. ♖d1
♖e8!∞] **♘c3** [18... ♗h5 19. ♘d4!±] **19.**
♔b2! [19. ♖c3 ♗c3 20. hg6 hg6 21. ♗a7∓
Wang Zili 2520 − Ch. Ward 2485, China
− England 1997; 19. ♔c1 ♗f5!⇅] **♘d1**

[19... b5 (△ ♗f5) 20. h6! (20. ♗d4? ♘a4
21. ♔b1 e5) ♗f6 21. ♘d4! ♘a4 22. ♔b1
a6] **20. ♔a3!** [20. ♔c1? ♘e3 21. ♖e3 ♗h6;
20. ♔b3?! ♗e6 21. ♔b4 (21. ♔a3 ♘b2!)
♘b2! 22. ♘g5! (22. ♖a3? ♘c4 23. ♖b3 a5
24. ♔b5 ♖c8 25. ♗h3 f5−+; 22. ♖b3
♖c8!∓; 22. ♖d4 ♖c8!∓) ♘d3 23. cd3∞;
20. ♔b1 ♘c3 21. ♔b2=] ♘b2!↑ [20... ♘e3
21. ♖e3 e6 (△ ♗f3, d5) 22. h6! (22. hg6?!
hg6) ♗f6 23. c4!±] **21. h6! ♗f6 22. ♖b3□**
♘c4 **23. ♔b4 ♘e3?!⊕** [23... ♖c8 (△ a5) 24.
♗a7±; 23... d5! 24. ♗a7□ ♖a8↑ ⨯♔b4] **24.**
♖e3 ♖c8 25. c4⊕ [25. c3∞] **♗e6 26. ♗f1**
[26. ♖c1 ♖c6 (26... g5!?) 27. ♖c2 ♖b6=]
♖c6 **27. ♖h2** [27. a3? ♖b6 28. ♔a4 ♗d7
29. ♔a5 e5!−+; 27. a4∞] **♖b6 28. ♔a3**
♖a6 **29. ♔b3 ♖b6 30. ♔a3** [30. ♔c2?
♖b2 31. ♔c1 (31. ♔d1 ♖b1 32. ♔e2 ♗c4;
31. ♔d3 ♗f5) ♖h2 32. ♘h2 ♗g5 33. ♔d2
♗h6−+] **♖a6** **1/2 : 1/2** *Shafiei*

207. !N   B 76

MACIEJA 2465 −
B. GRABARCZYK 2460

Polska (ch) 1997

1. e4 c5 2. ♘f3 d6 3. d4 cd4 4. ♘d4 ♘f6 5.
♘c3 g6 6. ♗e3 ♗g7 7. f3 ♘c6 8. ♕d2
♗d7 9. 0-0-0 ♖c8 10. g4 0−0 11. h4 ♕a5
12. ♔b1 ♘e5 13. ♗e2! N [⨯f3] **♖c3** [13...
h5 14. gh5 ♘h5 15. ♘d5 ♕d8 16. ♗g5 ♖e8
17. ♖hg1 ♘c4 18. ♗c4 ♖c4 19. ♘e2±; 13...
♘c4 14. ♗c4 ♖c4 15. ♘b3 ♕c7 16. ♗d4±]
14. ♕c3 ♕c3 15. bc3 ♖c8 16. ♘b3!± ♗e6
[16... ♖c3 17. ♗d4 ♖c7 18. ♗a7] **17. ♗a7**
♘fd7 **18. ♗d4 ♘c5 19. ♘c5 dc5 20. ♗e5**
♗e5 **21. ♗b5! ♗c3** [21... ♖c7 22. c4±] **22.**
♗d7+− ♖c7 **23. ♗e6 fe6 24. ♖d3 ♗e5 25.**
♖hd1 ♖c6 **26. ♖b3! b6 27. ♖d8 ♔g7 28.**
♖a3 ♗g3 **29. ♖aa8 ♗h4 30. ♖ac8 ♖c8 31.**
♖c8 h5 **32. gh5 gh5 33. ♔c1 ♗f6 34. ♔d2**
h4 **35. ♔e3 ♗c3 36. ♔f4 ♗d2 37. ♔g4**
♔f6 **38. f4 h3 39. ♖h8 e5 40. f5 e6 41.**
♖h3 ef5 **42. ef5 e4 43. ♖h2 ♗c1 44. ♖h8**
♔e5 **45. ♖e8 ♗d4 46. f6 c4 47. f7 ♗a3 48.**
♔f4 ♔c3 **49. ♔e4 ♔c2 50. f8♕ ♗f8 51.**
♖f8 c3 **52. ♖f2** **1 : 0** *Macieja*

208.*   B 76

SLAVO. MARJANOVIĆ 2390
− ILINČIĆ 2545

Jugoslavija 1997

1. e4 c5 2. ♘c3 ♘c6 3. ♘ge2 g6 4. d4 cd4
5. ♘d4 ♗g7 6. ♗e3 d6 7. ♕d2 ♘f6 8. f3
0−0 9. 0-0-0 d5 10. ♔b1 [RR 10. ed5 ♘d5
11. ♘c6 bc6 12. ♗d4 e5 13. ♗c5 ♗e6 14.
♘e4 ♖b8 15. ♗c4 ♕c8 16. ♗f8!? N (16.
h4; 16. ♗b3; 16. ♗a3) ♕f8 17. ♕a5 ♕e7
(17... f5?! 18. ♘g5 e4 19. c3 ♗h6 20. h4
♕f6 21. ♗d5 ♗d5 22. ♕a7!±) 18. ♗d5
cd5 19. ♖d5 f5!? (19... ♗d5 20. ♕d5 ♖d8
21. ♕c4± Alexa. Ivanov 2600 − Ashley
2465, Philadelphia 1997) 20. ♘d6 (20.
♘c3 ♗d5 21. ♕d5 ♕h8⨂; 20. ♖hd1 fe4
21. ♖d8 ♖d8 22. ♕d8 ♔f7 23. fe4) ♕g5
(20... e4!?) 21. ♖d2 e4 (21... ♗h6 22. ♖d1
♕g2 23. ♕e5±) 22. ♘e4! ♗b2 23. ♔d1
♕e7 (23... ♕e3? 24. ♖e1±; 23... ♕h4? 24.
♕a7±; 23... ♕f4? 24. ♖d8 ♖d8 25. ♕d8
♔g7 26. ♕d2!? ♕e5 27. ♘g5 ♗a2 28.
♖e1±) 24. ♕c5 (24. ♘c5? ♗c3!) ♕b7 25.
♘d6 ♕a6 26. ♕c7 ♖f8⨂ Alexa. Ivanov]
♘d4 11. e5 ♘d7 12. ♗d4 ♘e5 13. ♕e3
♘c6 14. ♗g7 ♔g7 15. ♘d5 e6 N [15...
♕a5 − 61/230] 16. ♘c3 ♕a5 [16... ♕e7
17. h4↑; 17. ♗b5↑] 17. ♗b5 ♘e7 [17... a6
18. ♗c6 bc6 19. ♖d6±; 19. ♖he1±] 18.
♕e5 [18. ♕c5±↑] f6 [18... ♔g8 19. ♘e4
♘c6 20. ♘f6 ♔h8 21. ♕g5 ♔g7 22. ♘h5
♔g8 23. h4±] 19. ♕c5 ♖f7 [19... ♘f5 20.
♖d3!?] 20. ♖d3 [20. b4 ♕a3□ 21. ♖d3
b6∞] ♘g8 [20... ♘f5 21. g4 ♖c7 22. ♕f2
♘e7 23. ♕d4± △ 23... ♖c3 24. ♖c3 ♕b5
25. ♖c7 ♔f7 26. g5! ♕g5 27. ♖d1 f5 28.
♕h8 ♕h4 29. b3→] 21. ♘e4! a6? [21...
♕c7 22. ♖hd1±↑] 22. ♘d6!+− b6 23.
♕d4 ab5 24. ♖a3 ♕a3 25. ba3 ♖d7 26.
♕e4 ♖a4 27. ♕e6 **1 : 0**
Slavo. Marjanović

209.*   B 78

TIVJAKOV 2590 −
B. ALTERMAN 2615

Beijing 1997

1. e4 c5 2. ♘f3 d6 3. d4 cd4 4. ♘d4 ♘f6 5.
♘c3 g6 6. ♗e3 ♗g7 7. f3 ♘c6 8. ♕d2

0–0 9. &c4 &d7 10. 0-0-0 ②e5 11. &b3
&c8 12. ⌖b1 [RR 12. h4 h5 13. &g5 &c5
14. f4 ②c4 15. ♕d3 b5 16. &he1!? N (16.
e5 — 45/259) a) 16... ②g4 17. &e2 a1)
17... &d4?! 18. ♕d4 f6 19. e5!! &c6 (19...
fg5 20. ed6 ed6 21. ♕d6+–; 19... fe5 20.
fe5 ②e5 21. ②d5 &f7 22. ②e7 &e7 23.
♕d6+–) 20. ef6 ef6 21. &e6! ♕d7 22.
&de1+– Plaskett 2450 – Ju. Hodgson
2590, London (rapid) 1997; a2) 17... f6
a21) 18. ②db5 fg5 (18... &e6 19. e5!) 19.
&c4 &h7 20. hg5? &f4∓; 20. e5!∞; a22)
18. ②cb5!?; b) 16... ♕b6!? b1) 17. &f6
&f6 18. ②d5 &d5 19. ed5 &h4∞; b2) 17.
♕g3!? b21) 17... &fc8 18. e5 b211) 18...
②b2? 19. ef6 ef6 (19... &c3 20. &f7!) 20.
&f6 &f6 21. ♕g6+–; b212) 18... de5 19.
fe5 ②b2 20. &f6! (△ ♕g6) ef6 21. e6±;
b22) 17... ②g4 18. &e7? &e8 19. &g5
&g5 20. hg5 &d4∓; 18. f5!?; b3) 17. f5!?;
c) 16... ♕b8!?; d) 16... ②h7!? Plaskett]
②c4 13. &c4 &c4 14. g4 ♕c7!? [14... b5
— 11/357; 14... &e8; 14... a6; 14... ♕b8]
15. g5 [15. h4!?] ②h5 16. ②d5 ♕d8 17.
②e2 &e6!? N [17... e6 18. ②df4 ②f4 19.
②f4 &c6 20. h4 ♕c7 21. h5±↑⧫] 18. ♕d3
[18. b3?! ✕⫽h8-a1; 18. ②g3?! &d5↑; 18.
&a7!?] &d5□ 19. ed5 &a4 [19... ♕c7?!
20. &a7!? (20. c3±) b6 21. ♕b3!; 19...
&h4!?] 20. ♕b5 [20. ♕b3!? ♕a5□ 21.
&d2 ♕a6 22. ②g3±] ♕a5□ 21. ♕a5 &a5
22. ②g3± [✕&a5] &c8!? [22... ②g3 23.
hg3 &c8 24. &h4; 24. b3!?; 23... f6±] 23.
②h5 gh5 24. b3 b5 [△ b4, &b5-b7] 25.
&d2 [25. &he1!? &c3 (25... b4 26. &g1 △
&e4-h4) 26. &d2 — 25. &d2] &c3 [25...
&a6 26. &he1± △ &e4-h4] 26. &he1 ⌖f8!
27. &e3 [27. &e4!? b4 (27... &d2 28.
&d2±) 28. &c3 &c3 (28... bc3?!±) 29. &b4
&f3±; 27. f4!? b4±] &d2 [27... b4?! 28.
&c3±] 28. &d2 b4□ 29. f4 &ac5 [29...
&cc5!?±] 30. &h3 &c3 31. &h5 [&9/q]
⌖g7?⊕ [31... ⌖g8± △ &f3] 32. &f2!
&8c5 33. f5! &e3 [33... &d5 34. f6+–] 34.
f6 ⌖g8 35. &h4! a5 36. &d4± ⌖f8 [36...
ef6 37. gf6+–] 37. fe7⊕ [37. ⌖b2!? △ a3]
⌖e7 38. h4 [38. &df4!? &d5 39. &f7] ⌖e8
[38... &e5 39. &df4+–] 39. ⌖b2 &e5 40.
&fd2 [40. &df4!?] ⌖f8 41. a3 ba3 42. ⌖a3
h6 43. gh6 &h5 44. c4 &h6 45. &e2?! [45.
&f2 &h7 46. &df4 &c7 (46... ⌖e7 47.
h5+–; 47. &e2+– △ &f6) 47. ⌖a4!?+–

△ &f6; 47. &f6+– △ ⌖a4] &f6! 46. &de4
&c8 47. &e7 &b8 48. &a7 &f3 [48... &f1!?
49. &a5? &a1 50. &a2 &b1=; 49. ⌖a2±]
49. &b2 &f1 50. ⌖a2□ [50. &a5 &a1 51.
&a2 &b1= 52. &b2 &a1 53. &a2 &b1 54.
&b5?? &a8–+] f5 51. h5 [51. &a5 f4⇆
(51... ⌖f7!? △ ⌖f6, f4) 52. &a7 f3] &h1□
[51. f4 52. h6 ⌖g8 (52... f3 53. h7+–) 53.
&g2 ⌖h8 54. &gg7+– △ 55. &h7 ⌖g8
56. &ag7 ⌖f8 57. &h8#] 52. &a5 &h5 53.
&a6 [53. &a7!?] &d8□ [53... ⌖e7 54.
&e2+–; 53... &h6 54. &f2+–] 54. &a7!?
f4 55. &f2 &h4 [55... &f5!? a) 56. &h7 a1)
56... ⌖g8 57. &h4 f3 (57... &df8 58.
&g4+–) 58. &h3 &df8 59. &g3+–; a2)
56... &e8□ a21) 57. &h8!? ⌖f7 58. &e8
⌖e8 59. ⌖b2 ⌖f7 60. ⌖c3 ⌖f6 61. ⌖d4
⌖g5 62. &g2 (62. ⌖e4 &e5) ⌖h4 △ 63.
⌖e4 f3!; a22) 57. &h6 f3 58. &d6 &e2 59.
&e2 fe2 60. &e6+–; 57... ⌖e7□; b) 56.
&h2!? ⌖g8□ 57. &g2 ⌖h8 58. &gg7+–
△ &af7; 57... ⌖f8□; c) 56. ⌖b2!? △ 56...
f3 57. &h7 ⌖g8 (57... &e8 58. &h8 ⌖f7
59. &e8 ⌖e8 60. ⌖c3+–) 58. &h3 &df8
59. &g3+–] 56. ⌖b2 &b8 [56... &e8 57.
&d7+–] 57. &f3!? &g4 [57... ⌖g8 58.
⌖c3+–; 57... &e8 58. &d7 &e3 59. &e3
fe3 60. &d6+–] 58. &h7 ⌖g8?! [58...
&e8!? △ 59. &h8 ⌖f7 60. &e8 ⌖e8 61.
⌖c2! (61. ⌖c3 &g3 62. &d3□ f3) ⌖f7 62.
⌖d3 ⌖f6 63. ⌖e4 ⌖g5 (△ &g1) 64. &f1
(64. &f2 &g1) &h4±] 59. &h6+– ⌖g7
[59... &f8 60. &d6; 59... &g3 60. &g3 fg3
61. &g6] 60. &d6 &g3 61. &g3 fg3 62.
&e6 g2 63. &e1 ⌖f7 [63... &e8 64. &g1
&e2 65. ⌖c3; 63... ⌖f6 64. d6!?; 63... &g8
64. d6! ⌖f6 65. d7] 64. &g1 [64. d6?
&e8!= ✕d6; 64. ⌖c3] &g8 65. ⌖c3 [△
⌖d4-e4-f3] ⌖e7 66. ⌖d4 ⌖d6 67. c5 ⌖d7
68. b4 &g4 69. ⌖e5 &g5 70. ⌖e4 &g4 71.
⌖f3 &d4 72. &g2 &d5 73. ⌖e4 &d1 74.
b5 ⌖c7 75. &g7 ⌖b8 76. b6   1 : 0
                                      Tivjakov

210.   B 79

BERELOVIČ 2515 –
NADYRHANOV 2470

Rossija 1997

1. e4 c5 2. ②f3 d6 3. d4 cd4 4. ②d4 ②f6 5.
②c3 g6 6. &e3 &g7 7. f3 ②c6 8. ♕d2

0—0 9. ♗c4 ♗d7 10. ♗b3 ♕a5 11. 0-0-0
♖fc8 12. h4 ♘e5 13. ♔b1 [13. h5 ♘h5 a)
14. ♗h6 ♗h6 15. ♕h6 ♖c3! 16. bc3 ♘f6!
17. ♔b1 ♖c8 18. ♘e2 ♗b5!? 19. ♘f4 ♗c4
20. ♘h3 (20. g4 ♕c3 21. ♘d5 ♗d5 22.
♖d5 ♕f3 23. g5 ♘h5∓) ♕c3 21. ♕d2 ♕d2
22. ♖d2 h5∓; b) 14. g4 ♘f6 15. ♗h6 ♖c3
16. bc3 ♗h6 17. ♖h6 ♖c8 18. ♔b2 ♕b6
19. ♕h2 ♕c5! 20. ♖h7 ♕c3 21. ♔b1 ♘h7
22. ♖h1 e6 23. ♕h7 ♔f8 24. ♕h6 ♔e7 25.
♕g5 f6 26. ♖h7 ♘f7 27. ♕g6 ♕e1=] ♘c4
14. ♗c4 ♖c4 15. h5 ♘h5 [15... ♖c3 16.
bc3 ♘h5 17. g4 ♘f6 18. ♘b3 ♕b5 19. c4
♕c4 20. e5 ♘e8 (20... de5!? 21. g5 ♗f5∞)
21. ♕h2 h5 22. gh5 ♗f5! 23. hg6 ♗g6 24.
♗d4 ♖c8 25. ♖d2 de5 26. ♗e5 ♘f6!=]
16. g4 ♘f6 17. ♘b3 ♕d8 18. ♗h6 N [18.
e5 — 7/401] ♗h6 19. ♖h6 [19. ♕h6 ♕f8!]
♖ac8 20. ♖dh1 [20. ♘d5 ♖c2 21. ♘f6 ef6
22. ♕d6 ♕c7! 23. ♕d7? ♖c1!—+; 20. e5
de5 21. g5 ♘h5 22. ♕d7 ♕d7 23. ♖d7
♖4c7∞] ♖c3□ 21. bc3 ♕c7 22. e5!? [22.
♖h7? ♘h7 23. ♕h6 ♕c3∓] de5 23. ♖h7
♘h7 24. ♕h6 e6 25. ♕h7 ♔f8 26. ♕h8
♔e7 27. ♕h4 ♔d6 [27... ♔e8 28. ♕f6
♗a4 29. ♖h8 ♔d7 30. ♖h7!±] 28. ♖d1
♔c6 29. ♕e7 [29. g5!? b5□ 30. a4!?∞] b6
30. ♕f7 ♗e8□ 31. ♕e6 ♔b7 32. ♖d3±
♗f7 33. ♕f6 ♖e8! 34. ♘d2 ♖e6 35. ♕d8
♕d8 36. ♖d8 ♔c7? [36... ♗e8! 37. ♘e4
♗c6 38. ♖f8 ♗d5±] 37. ♖a8! ♗b7 38. ♖f8
♗e8 [38... ♖f6 39. ♘c4!! ♔c6 40. ♔b2+—]
39. ♘e4 ♗c6 40. ♖f7 ♔a6 41. c4?! [41.
♔c1!? ♗d5 42. a3±] ♗e4 42. fe4 ♖c6 43.
♖e7 ♖c4 44. ♖e5 ♔b7! 45. g5 ♔c6 46.
♖e7 ♔d6 47. ♖a7 ♖e4 48. ♖f7 ♖e6 49.
a4! ♖e5! [49... ♔d5? 50. ♖f6 ♖f6 51. gf6
♔e6 52. c4 g5 53. ♔c2! g4 54. ♔d3 ♔f6
55. c5+—; 49... ♖e4?! 50. ♖f6 ♔c7 51. a5!
ba5 52. ♖g6+—] 50. ♖f6 ♔c7 51. ♖g6
♖a5 52. ♖g7 ♔c6 53. g6 ♖a4 [♖ 5/e] 54.
♖f7 ♖g4 55. g7 b5 56. ♔c1 ♖g2= 57.
♔b2 b4 58. ♔c1 ♔d5 59. ♖c7 ♔d6 60.
♖a7 ♔c5 61. ♔d1 ♔c4 62. ♔e1 ♔d4 63.
♔f1 ♖g6 64. ♔f2 ♔e5 65. ♖c7 ♖g4 66.
♖b7 ♔f5 67. ♔f3 ♖g1 68. ♔e3 ♔e5 69.
♔f3 ♔f5 70. ♖b5 ♔e6 71. ♖b6 ♔e5 72.
♖b7 ♔f5 73. ♔f2 ♖g4 74. ♔e2 ♔e5 75.
♔d2 ♔d5 76. ♖a7 ♖g3   1/2 : 1/2
                                        Nadyrhanov

211.   **B 80**

V. NEVEDNICHY 2530
— AN. SOKOLOV 2585
Jugoslavija 1997

1. e4 c5 2. ♘f3 e6 3. d4 cd4 4. ♘d4 ♘f6 5.
♘c3 d6 6. ♗e3 ♗e7 7. ♕f3 a6 N [7... 0—0
— 20/465] 8. 0-0-0 ♕c7 9. g4 ♘c6! 10. g5
♘d7 11. h4 b5 12. a3?! [12. ♕e2 b4 13.
♘a4 ♗b7 14. f4∞] ♘de5 [12... b4 13. ab4
♘b4 14. ♕e2∞] 13. ♕g3?! [13. ♕e2!
♘c4? 14. ♘db5!+—] b4! 14. ab4 ♘b4 15.
f4 ♘c4 16. ♗c4 ♕c4 17. f5 e5!? 18. f6?
[18. ♘de2 f6□ 19. b3 ♕f7 20. g6 hg6 21.
fg6 ♕e6 22. h5⇆] gf6 19. gf6 ♗f6 20.
♘de2 [20. ♕f3 ♗e7 21. ♘f5 ♗f5 22.
♕f5—+] ♗e7 21. ♕g7 ♖f8∓ 22. b3 [22.
♕h7 ♗g4—+] ♕c6 23. ♔b2 [23. h5 a5]
a5 24. ♖a1 h5! 25. ♘g3 ♗g4 26. ♖hc1
♖c8?! [26... ♘d7!] 27. ♗d2 ♗h4?! 28.
♘h5 ♗h5 29. ♕h6 ♗f2 30. ♕h5 ♗d4 31.
♕h3 ♔e7⊕ [31... d5 32. ♖a5 de4 33. ♔b1
♗c3 34. ♗c3 ♕c3 35. ♖e5 ♕e5 36. ♕c8
♔e7 37. ♕b7 ♔e6 38. ♕b4=] 32. ♖a5
♕e4 33. ♔b1 ♕c6 34. ♘e2 ♗c5 35. ♘g3
♖h8 36. ♘f5 ♔d7 37. ♕g4 ♖cg8 38. ♘g7
♔c7 39. ♗b4 ♗b4 40. ♕b4⊕ [40... ♖g7
41. ♖a7 ♔c8 42. ♕a5±]   **1 : 0**
                                     V. Nevednichy

212.   **B 80**

MI. ADAMS 2680 — MOLVIG 2255
Køge 1997

1. e4 c5 2. ♘f3 ♘c6 3. ♘c3 d6 4. d4 cd4 5.
♘d4 e6 6. ♗e3 ♘f6 7. ♕e2 ♗e7 8. 0-0-0
♕c7 [8... a6 9. g4 ♘d4 (9... ♕c7 —
59/259) 10. ♗d4 e5 11. ♗e5 ♗g4 12. f3→]
9. g4 [9. ♘db5 ♕b8 10. ♗f4 e5 11. ♗g5

a6 12. ♗f6 gf6 13. ♘a3∞] ♘d4 N [9... a6
— 59/259] **10. ♖d4** [10. ♗d4 e5] **a6** [10...
e5 11. ♖c4 ♕d8 12. g5 ♘d7 13. ♘d5 0−0±]
11. g5 ♘d7 12. f4 [△ 12. h4] **b5 13. h4**
♘b6 [13... ♖b8!?] **14. ♕f2** [×c4] **♗b7 15.**
♖g1 [15. h5 d5 16. ed5 ♘d5 17. ♘d5 ♗d5
18. ♗g2 ♗g2 19. ♕g2 0−0±] **d5 16. ed5**
♘d5 [16... b4 17. d6 ♗d6 18. ♘e4] **17.**
♘d5 ♗d5 18. f5 ♖c8 [18... ♗c5?? 19.
♖d5] **19. ♗d3** [19. ♖d2 ♗b4] **♗c5 20.**
♖dg4 0−0 21. f6 g6 [21... ♗e3 22. ♕e3
♕c5] **22. h5** [22. ♔b1] **♗a2□ 23. hg6 fg6**
24. ♖h1 [△ 24. ♖h4 ♕e5 25. ♗c5 ♖c5 26.
♕f3! △ ♕h3] **♗b3?** [24... ♕e5 25. ♗c5
♖c5∞] **25. ♗c5 ♕c5 26. ♔h2 ♕c7** [△
26... ♖c7 27. ♖h4 ♖ff7 28. ♔b1 ♕g5 29.
cb3 ♕f6±] **27. ♖h4!+−** ♗c2 28. ♗c2 [28.
♖h7 ♕h2 29. ♖g7! ♔h8 30. ♖h2#] ♕a5
29. ♔b1   **1 : 0**   *Mi. Adams*

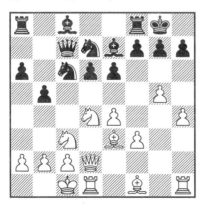

213. !N   B 80

MI. ADAMS 2680
— SHELDON 2285

Great Britain (ch) 1997

1. e4 c5 2. ♘f3 e6 3. d4 cd4 4. ♘d4 ♘c6 5.
♘c3 ♕c7 6. ♗e3 a6 7. ♕d2 ♘f6 8. f3
♗e7 9. g4 d6 10. 0-0-0 0−0 [△ 10... b5
11. ♗b5 (11. ♘c6 — 62/243) ab5 12.
♘db5 ♕b8 13. ♘d6 ♕d6 14. ♕d6 ♗d6
15. ♖d6 ♗b7∞] **11. g5 ♘d7 12. h4 b5?**
[12... ♘d4 13. ♗d4 b5]

13. g6!! N [13. ♘c6 — 65/222] **♘f6** [13...
hg6 14. h5 ♘de5 15. h6!±→; 13... ♘d4
14. gh7 ♔h8 15. ♗d4 ♗b7 △ e5] **14. gh7**
♔h7 [14... ♔h8] **15. ♘c6 ♕c6 16. ♗d3** [△

---

17. ♘d5, 17. e5] **♔h8 17. ♖dg1 b4** [17...
♖g8] **18. ♗h6! ♖g8** [18... g6 19. ♗f8 ♗f8
20. h5 bc3 21. hg6 ♔g8 22. ♕g5] **19. e5**
g6 [19... bc3 20. ♗g7 ♖g7 21. ♕h6 ♖h7
22. ♗h7] **20. ef6 bc3 21. ♕g5** [21... ♗d8
22. ♗g7 ♖g7 23. ♕h6 ♖h7 24. ♕f8#]
1 : 0   *Mi. Adams*

214.   B 80

O. KORNEEV 2590
— A. GALKIN 2510

Novgorod (open) 1997

1. e4 c5 2. ♘f3 e6 3. d4 cd4 4. ♘d4 ♘f6 5.
♘c3 d6 6. ♗e3 a6 7. f3 b5 8. ♕d2 ♘bd7
9. 0-0-0 ♗b7 10. g4 h6 11. h4 b4 12. ♘a4
♕a5 13. b3 ♗e7!? N [13... d5 — 63/192]
14. ♗d3 [14. ♗h3 g5! 15. hg5 hg5 16.
♗g5? ♘e4!; 14. ♗g2 ♘c5 (14... g6) 15. a3
♖c8 16. ♕b4 (16. ab4 ♘b3) ♕b4 17. ab4
♘a4 18. ba4 ♖c4⇆] **♘c5 15. g5 ♘fd7 16.**
g6 ♘e5 17. gf7 ♔f7 18. ♗e2! [18. a3
♘ed3 19. cd3 ♘b3 20. ♘b3 ♕a4 21. ♕b4
♕c6 22. ♔b1 ♖ab8→] **♘a4 19. ba4**
♖ac8!? [19... ♕a4 20. ♔b1 △ f4] **20.**
♖hg1 [20. f4 ♘c4 21. ♗c4 ♖c4∓] **♗f6**
[20... ♘c4!? 21. ♗c4 ♖c4 22. ♕g2 (22. e5
♕e5 23. ♕d3 ♖hc8 24. ♕g6 ♔g8) ♗f6
23. ♕g6 ♔e7 24. ♕g4 ♗c8 25. e5 ♕e5
26. ♗f4 ♕d5 27. ♘b5 e5] **21. f4 ♘c4 22.**
♗c4 ♖c4 23. e5! de5 24. ♘b3 [24. ♘e6
♕d5 25. ♕d5 ♗d5 26. ♖d5 ♔e6 27. ♖a5
ef4 28. ♖a6 ♔f5∓] **♕d5□** [24... ♕c7 25.
♕d7 ♗e7 26. ♗c5] **25. ♕f2** [25. ♕e2 ♕e4
26. ♖d7 ♔g8 27. ♖b7 ♖c2 28. ♕c2 ♕e3
29. ♔b1 ♕g1 30. ♘c1∞; 27... ef4!∓] **♕e4**
26. ♘c5! [26. fe5 ♖c2! (26... ♖hc8? 27.
♖g7!) 27. ♕c2 ♕e3−+] **♖c2□ 27. ♕c2**
♕e3 28. ♔b1 ♗d5 29. f5□ ♖c8! 30. fe6
♔g8!?⊕ [30... ♔e7 31. ♕g6 (31. ♖g7 ♗g7
32. ♕g6 ♗a2 33. ♔a1 ♕c3 34. ♔a2 b3
35. ♘b3 ♕c2 36. ♕c2 ♖c2 37. ♔b1 ♖c7∓
△ 38. ♖d7 ♖d7 39. ed7 ♔d7 40. ♘c5
♔c6 41. ♘a6? ♗f8 42. ♘b8 ♔c7 43. ♘a6
♔b7−+] ♗e6 32. ♘e6 b3□ 33. ♖d7 (33.
♘d4 ba2 34. ♔a2 ♕f2 △ ed4) ♔d7 (33...
♔e6 34. ♕g4#) 34. ♕f7 ♔c6 (34... ♗e7
35. ♖d1 ♔c6 36. ♖c1 ♔d7=) 35. ♖c1
♔b6 36. ♖c8 ♕d3 37. ♔c1 ♕e3 38. ♔d1
♕d3!=] **31. e7□⊕ ♗f7!** [31... ♗e7? 32.
♕g6 ♗f6 (32... ♗f8 33. ♖d5 ♖c5 34.

🖩d7+−) 33. ♕f6 ♗e4 34. ♘e4 ♕e4 35. ♔a1+−] **32. 🖩ge1 ♕g3 33. 🖩g1** [33. ♘e4 🖩c2 34. ♘g3 🖩c8 35. ♘f5 ♗g6 36. 🖩e5 🖩e8!∞→] ♕**e3** [33... ♕h4 34. ♕f5 🖩e8 35. ♘e4→; 33... ♕a3 34. 🖩d3 b3 35. ab3 ♗e7 (35... e4 36. 🖩d8 🖩d8 37. ed8♕ ♗d8 38. ♕c3 g6 39. ♘e4±) 36. ♕g2 g6 (36... ♗f6 37. 🖩g3 🖩c5 38. 🖩g7 ♔h8 39. 🖩g8 ♔h7 40. ♕g7 ♗g7 41. 🖩1g7#) 37. ♘d7±] **34. 🖩ge1 ♕g3 35. 🖩d8?** [35. 🖩g1=] 🖩**d8 36. ed8♕ ♗d8∓ 37. ♕d2 ♗h4 38. ♘e4?** ♕**e1   0 : 1**   *A. Galkin*

O. KORNEEV 2590 − MRĐA 2425

Cutro 1997

1. e4 c5 2. ♘f3 d6 3. d4 cd4 4. ♘d4 ♘f6 5. ♘c3 a6 6. ♗e3 e6 7. f3 ♘bd7 8. ♕d2 b5 9. 0-0-0 ♗b7 10. g4 h6 11. h4 b4 12. ♘a4 d5!? 13. ♗h3! ♘e5!? N [13... ♕a5] **14. g5 ♘fd7!** [14... ♘c4?! 15. ♕e2] **15. b3** [15. f4!? ♘c4 16. ♕e2] ♕**a5** [15... de4 16. f4 ♘f3 17. ♘f3 (17. ♕g2!?) ef3 18. g6→; 15... ♕c7 16. f4] **16. g6!** [16. f4 ♘c4⇆] ♘**g6**

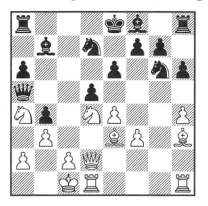

17. ♘e6! [17. f4 0-0-0∞] **fe6 18. ♗e6∞** ♗**d6** [18... 0-0-0?! 19. ♗b6!?→] **19. ♕g2** [19. 🖩hg1 ♘gf8!?; 19. ♗d7!? ♔d7 20. ♕g2→] ♘**df8□** [19... ♘gf8 20. ♗d7 ♘d7 21. ♕g6+−; 19... ♘e7 20. ♕g7+−] **20. ed5** [20. 🖩he1 d4!?] ♕**c7 21. ♔b1?!** [21. 🖩he1!+− ♘f4 (21... ♗g3 22. d6!; 21... ♗f4 22. d6!) 22. ♗f4 ♗f4 23. ♔b1 ♗d8 24. d6 ♗d6 (24... ♕c6 25. ♕g7) 25. ♕g3] ♕**e7 22. 🖩he1 ♘h4!? 23. ♕g4** [23. ♕h3 ♘f3!?] **h5** [23... ♘e6 24. ♗f2! 0-0 25.

♗h4+−] **24. ♕h3 ♘f3!** [24... ♘e6 25. ♗f2] **25. ♕f3 ♘e6 26. ♗g5!** [26. ♗c1? 0-0-0] ♕**f7?⊕** [26... ♘g5□ 27. ♕f5!? (27. 🖩e7±) ♘f7 28. 🖩e7 ♗e7 29. 🖩e1±] **27. ♕e3+− 0−0 28. de6 ♕c7 29. e7 ♗e7 30. ♗e7 🖩ae8 31. ♘c5 ♗c8** [31... 🖩f7 32. 🖩d7] **32. 🖩d5 ♗g4 33. 🖩e5 🖩f7 34. ♘d3⊕ 1 : 0**   *O. Korneev*

VALLEJO PONS 2415 − POGORELOV 2440

Mondariz Balneario 1997

1. e4 c5 2. ♘c3 ♘c6 3. ♘ge2 d6 4. d4 cd4 5. ♘d4 e6 6. g3 ♘f6 7. ♗g2 ♗d7 8. 0−0 a6 9. ♘ce2 🖩c8 10. a4 ♗e7 11. b3 ♘d4 12. ♘d4 b5 13. ab5 ab5 14. 🖩a6!? N [14. ♗d2 ♕b6 15. ♗a5 ♕b8=; 14. ♗b2 0−0] **0−0 15. ♗a3 e5!?** [15... 🖩a8 16. 🖩a8 ♕a8 17. ♗b4 ♘e4 18. 🖩e1 f5 19. f3±] **16. ♘f5 ♗f5 17. ef5 ♕d7** [17... d5?! 18. ♗e7 ♕e7 19. ♗d5 🖩fd8 20. c4 bc4 21. bc4 ♘d5 22. cd5 ♕d7 23. ♕g4±] **18. ♕d3 🖩fd8 19. 🖩d1 d5! 20. ♗e7 ♕e7 21. ♕b5 🖩c2 22. ♗d5 h5!∞** [22... 🖩c5? 23. ♕b4!±] **23. ♕a5!** [△ ♗f7; 23. ♕d3? ♕c5−+; 23. 🖩a8? 🖩a8 24. ♗a8 ♕a7−+; 23. ♗f3? e4! 24. 🖩e1 (24. 🖩d8 ♕d8 △ ♕d2−+; 24. ♗e2 🖩d1 25. ♗d1 🖩c1−+) ef3! 25. 🖩e7 🖩d1 26. ♕f1 🖩cc1−+; 23. b4 e4 △ e3→] 🖩**d7** [23... ♔h7 24. ♗f3! 🖩d1 25. ♗d1 🖩c1 26. ♕d2±] **24. b4** [24. ♗f3 e4→] **e4 25. ♕a4** 🖩**b2** [25... 🖩cc7 26. ♗c6±; 25... 🖩dc7 26. ♗b3 △ 27. 🖩a8 ♔h7 28. 🖩dd8] **26. 🖩f6** 🖩**d5□ 27. 🖩d5?** [27. ♕a8 ♔h7 28. ♕d5 gf6 (28... e3? 29. 🖩e6!+−) 29. ♕c5 ♕b7=]

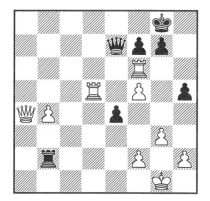

27... e3!! 28. Re6□ [28. Wa8 Kh7 29. Rd8 ef2 30. Kg2 f1W–+] fe6 29. Wa8 Kh7 30. Rd8 Wd8! 31. Wd8 e2 32. Wd4⊕ e1W 33. Kg2 Rb4 34. Wd3 We4   0 : 1

Pogorelov

217.   **B 80**

A. FEDOROV 2580
– KVEINYS 2545

Vilnius 1997

1. e4 c5 2. Nf3 Nc6 3. Nc3 e6 4. d4 cd4 5. Nd4 Wc7 6. g3 a6 7. Bg2 Nf6 8. Nb3 Be7 9. 0–0 0–0 10. f4 d6 11. Be3 b5 12. a3 Bb7 13. g4 Nd7 14. g5 Rfe8 [14... Nb6!? 15. Rf3 (15. f5) Nc4 16. Bc1 Rfe8∞] 15. Rf3 N [15. Wh5 – 13/346] Bf8 [15... Nb6!?] 16. Rh3 g6 17. We1 Nb6 [17... b4 18. Wh4 h6 19. Nd1 △ Nf2→] 18. Wh4 h5? [18... h6∞] 19. Bf3 Nc4 [19... Bg7 20. Bh5!→] 20. Bh5 Ne3 [20... gh5 21. Wh5 Bg7 22. f5+–→] 21. Bg6 Bg7 22. Bh7 Kf8 23. Re3 Nd4 24. Rd3 Nc2 25. Rad1 Na3 26. f5!+–→ ef5 27. ef5 Bc3 28. Rc3 Nb6 29. Nd4 Ne4 30. Wf2 [30. Wh6! Ke8 31. g6! Rd4 32. gf7 Kf7 33. Wg6+–] Nc4 [30... Rg4 31. Rg3 Rg3 32. hg3 Nc4 33. b3+–] 31. Rc4!? [31. b3!? Wa5 32. Rg3 (△ g6) Nb2 33. Rf1+–] Rg4 32. Kf1 Bg2 33. Ke2 Re8 [33... Re4! 34. Kd2 d5! 35. Ne6! (35. Rb4 Wa5 36. Kc3 Rc8 37. Kb3 Rc4 38. Rc4 dc4 39. Kc2 Wa4 40. Kc1 Wa1=) Re6 36. Wb6 Rb6 37. Rc7 d4 (37... Be4 38. Rg1 △ g6+–) 38. f6 △ Rdc1+–] 34. Kd2 Wa5 35. Rc3 b4 [35... Be4 36. Rg1] 36. Rg3 b3 37. Rc3 Bd5 38. Rg1 Rg1 39. Wg1 Wa2 40. Wc1 Wa4 41. Rd3 Bc4 [41... Be4 42. Wc3 Bd3 43. Kd3+–] 42. Re3 Re5 43. Wc3 Rc5 44. Nb3 Rd5 45. Ke1 Re5 [45... Wb3 46. Wh8#] 46. Re5 de5 47. Nd2 Bb5 48. Wa3   1 : 0

A. Fedorov

218.   **B 80**

CRANBOURNE 2420
– BRAGIN 2540

corr. 1992/97

1. e4 c5 2. Nf3 e6 3. d4 cd4 4. Nd4 a6 5. Nc3 Wc7 6. g3 Nf6 7. Bg2 Be7 8. 0–0

0–0 9. f4 d6 10. a4 Nc6 11. Nb3 b6 12. g4 d5 [12... Rb8 – 15/358] 13. ed5 Rd8 N [13... Nd5 14. Nd5 ed5 15. c3±] 14. g5 Nd5 15. Nd5 ed5 16. f5 Bd6 17. g6 [17. Kh1] hg6 18. fg6 Bh2 19. Kh1 fg6 20. Bg5 Be6

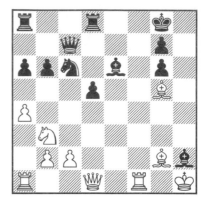

21. a5! [21. Bd8?! Rd8∞] Be5 [21... ba5 22. Nc5→; 21... Na5 22. Nd4 Bf7 23. Bd8 Rd8 24. Rf7 Kf7 25. Wg4±] 22. Wd3! Rd6 23. Rae1→ Kh7 [23... ba5 24. Re5!! (24. Nc5 Bf7 25. Rf7 Wf7 26. Rf1 Bf6? 27. Ne4; 26... Nb4∓) Ne5 25. Wg3→ △ Nd4] 24. Bf4! [24. Rf4!? a) 24... Bf7? 25. Rh4 Kg8 26. Wh3+–; b) 24... Bf4?! 25. Bf4 Bf7 26. ab6 (26. Wg3 Rad8 27. ab6 Wb8 28. Nc5±) Wd8 27. Wg3 Rf6 28. b7 Ra7 29. Na5±; c) 24... Bf5?! 25. Rh4 Kg8 26. Bd5 Be6 27. Be6 Re6 28. Rh8 Kh8 29. Wh3 Kg8 30. We6±; d) 24... Rh8 25. Rh4 Kg8 26. Rh8 Kh8 27. Wg6∞; 24. Nd4!? Rh8 (24... Bd4 25. Re6; 24... Nd4 25. Re5 Nf5 26. Wh3 Kg8 27. Re6 Re6 28. Bd5) 25. Ne6 (25. Re5 Ne5 26. Wg3 Nf7 27. Ne6 Wd7 28. Nf4∞) Kg8 (25... Re6 26. Wh3 Kg8 27. Rf8 Kf8 28. Wh8 Kf7 29. Bd5∞) 26. Bh3 (26. Kg1? Re6 27. Wd5 Bd4∓) Re6 27. Kg2∞] Bf5 [24... Nb4 25. Wd2 Bf4 26. Wf4+–; 24... Bf4 25. Rf4 Rh8 (25... Bf5 26. Rh4 Kg8 27. Bd5+–; 25... Kg8 26. ab6 Wb6 27. Re6 Re6 28. Bd5 Rae8 29. Wg6+– △ Wf8; 25... Re8 26. Rh4 Kg8 27. Wg6+–; 25... Wd7 26. ab6+–) 26. Rh4 Kg8 27. Rh8 Kh8 28. Re6+–] 25. Wg3 Bf4 [25... Re6 26. Be5+–] 26. Rf4 [△ Rh4, Bd5+–] g5!? [26... Kg8 a) 27. Rf5 gf5 28. Bd5 Kf8 (28... Kh7 29.

Ξe6) 29. Ξe6 Ξad8 (29... Ξd7 30. ♕c7 Ξc7 31. ab6+−) 30. Ξf6 Ξf6 (30... ♔e8 31. ♕g6) 31. ♕c7 Ξd5∞; b) 27. ab6→; ♕d8 a) 27. c4 dc4 (27... ♗e4 28. Ξh4 ♔g8 29. ♗e4 de4 30. Ξhe4 ♕d7 31. ab6 Ξd3 32. ♘c5±) 28. Ξc4 ♘a5∞; b) 27. ab6 Ξb8 28. c4 dc4 29. Ξc4 Ξd3 30. ♕h2 ♔g8 31. Ξc6 Ξb3 32. Ξd6+−] **27. ♕g5 Ξh6 28. Ξh4 Ξf8** [28... Ξh4 29. ♕h4 ♔g6 30. ♗d5+− △ Ξg1; 28... ♗g6 29. Ξe6+−; 29. ♘d4+−; 28... ♗e4 29. Ξee4 de4 30. ♗e4+−; 28... ♗c2 29. ♘d4!+−] **29. ♘d4! ♕d7** [29... ♗g6 30. Ξe6+−; 29... ♗d7 30. Ξh6 gh6 31. Ξe7 ♘e7 32. ♕e7+−; 29... ♗c8 30. ♘e6+−; 29... ♗e4 30. Ξee4 de4 31. ♗e4+−; 29... Ξh4 30. ♕h4+−] **30. ab6** [30. c4? Ξf6; 30. ♘c6 ♕c6 31. Ξe7 Ξh4 32. ♕h4 ♔g8 33. ♕g5 g6 34. ♕h4 Ξf7 35. ♕d4 ♗e4 36. ♗e4 de4 37. ♕b6 Ξf1 38. ♔g2 ♕c2] **Ξf6 31. ♘f5 Ξf5** [31... ♕f5 32. ♕f5 Ξf5 33. Ξh6±] **32. Ξh6** [32. ♗h3 Ξg5 33. Ξh6 ♔h6 (33... gh6 34. ♗d7 ♘b8 35. b7) 34. ♗d7 ♘b8 35. b7] **gh6 33. ♕g3** [△ ♕c7] **Ξh5 34. ♔g1 Ξg5 35. ♕c7+−** [35... ♕g7 36. ♕g7 Ξg7 (36... ♔g7 37. Ξe6) 37. ♔h2; 35... Ξg7 36. ♕d7 Ξd7 37. c4; 35. ♕d3±]   **1 : 0**

Cranbourne

219.   B 81

SMIRIN 2600 — R. VERA 2530

Winnipeg 1997

1. e4 c5 2. ♘f3 d6 3. d4 cd4 4. ♘d4 ♘f6 5. ♘c3 a6 6. ♗e3 e6 7. g4 h6 8. f4 b5 9. ♗g2 ♗b7 10. g5 hg5 11. fg5 ♘h5 12. g6 ♕h4!? N [12... ♘f6 — 69/(221)] **13. ♗f2 ♕f6 14. gf7 ♕f7 15. ♕g4** [15. 0−0 ♘f6] **e5?!** [15... ♘f4!? 16. 0−0 (16. 0-0-0 ♘d7∞) ♘g2 17. ♔g2 Ξh6 18. ♗g3 (18. ♗e3 ♕g6 19. ♗g5 ♗e7 20. h4 ♘d7=; 19... ♘d7) ♕d7; 18... ♕e7; 18... ♕g6=] **16. ♘e6! Ξh6** [16... ♘f6 17. ♕f5 Ξh5 (17... ♗c8? 18. ♘g7+−) 18. ♘g5! g6 19. ♕e6 ♕e7 20. h4±] **17. ♘f8 ♔f8 18. ♗e3 ♘f4 19. ♗f4 ef4 20. 0−0± Ξf6 21. ♘e2 ♘d7! 22. Ξf4** [◯ 22. ♘f4] **♘e5 23. ♕g3 Ξf4 24. ♘f4 ♔g8 25. Ξf1 ♗c6** [25... ♕a2 26. ♘h5→] **26. ♘d5?!** [26. ♔h1 ♕a2!? (26... ♕e7±) 27. ♘h5 g6! (27... Ξa7? 28. ♘f6 ♔f7 29. ♘h7+−) 28. ♕g5 ♕b2 29. ♕f6 gh5 30. Ξg1 (30. ♕g5

♔h7 31. ♕h5 ♔g7 32. Ξg1 ♘g6 33. ♗f3 ♕f6−+) ♘g4! 31. ♕b2 (31. ♕g6 ♕g7−+) ♘f2#; 26. a3; 26. b3!?] **♕a7 27. ♔h1 ♗d5 28. ed5 Ξf8 29. Ξf8 ♔f8±** [♕ ♕ 8/e] **30. ♕h3! ♕f2?!** [30... ♕c5; 30... ♕c7] **31. ♕c8 ♔e7 32. ♕e6 ♔d8 33. ♕d6** [33. ♕g8!? ♔c7 34. ♕g7 ♔b6 35. ♗e4! ♕f4 (35... ♘f3? 36. ♗f3 ♕f3 37. ♕g2+−) 36. ♕g2 ♘g4 37. ♗f3 ♘e3 38. ♕f2 ♔b7±] **♘d7 34. h3 ♕c2 35. ♕a3** [35. ♕b4!? ♕b1 36. ♔h2 ♕a2 37. ♕c3±] **♕d2! 36. ♔h2** [36. ♕a6 ♕e1 37. ♔h2 ♕e5 38. ♔g1 ♕e3 39. ♔f1 ♕c1=] **♕d4! 37. d6 ♕e5 38. ♔g1 ♕e1 39. ♔h2** [39. ♗f1 ♘e5 40. ♕b3 (40. ♕a6 ♘f3 41. ♔g2 ♘h4 42. ♔g1 ♘f3=) ♘c4 41. ♕d3 ♕e5] **♕e5 40. ♔g1 ♕e1 41. ♔h2   1/2 : 1/2   *R. Vera***

220.   B 81

SVIDLER 2660 — HRÁČEK 2605

Bad Homburg 1997

1. e4 c5 2. ♘f3 d6 3. d4 cd4 4. ♘d4 ♘f6 5. ♘c3 a6 6. ♗e3 e6 7. g4 h6 8. f4 ♕b6 9. a3 ♗d7 10. ♗g1 ♕c7 11. h3 N [11. ♕e2 — 66/199] **♘c6 12. ♕d2 ♗e7** [12... e5 13. ♘de2! ef4 (13... ♗e7 14. g5±) 14. ♘f4±] **13. 0-0-0 g5?! 14. fg5 hg5 15. ♗e2! Ξg8 16. ♗e3** [16. ♘f3!? b5 17. ♗h2! (17. ♘g5 b4∞) ♕a5 18. ♔b1! (18. ♗d6 b4 19. ♗b4 ♘b4 20. ab4 ♗b4∞) Ξd8! 19. Ξhf1 ♗c8 20. ♘d4±] **b5** [16... ♘h7 17. ♘f3±] **17. Ξhf1 b4** [17... ♘h7 18. ♔b1±] **18. ab4 ♘b4 19. ♔b1!± Ξb8** [19... ♘h7 20. ♘d5! ed5 21. ♕b4 Ξb8 22. ♕a3 de4 23. ♘f5±] **20. ♗g5 ♘fd5** [20... ♘e4 21. ♘e4 Ξg5 (21... ♕a5 22. ♘b3 ♕a2 23. ♔c1+−) 22. ♘g5 ♕a5 23. ♕f4!+−] **21. ♘d5 ♘d5 22. ed5 Ξg5** [22... ♗g5 23. ♕d3+−] **23. ♕f4 Ξg7 24. ♕h6 ♗f8 25. de6 ♗e6 26. ♗a6!+−** [26. ♘e6?! ♕c3 27. ♘g7 ♗g7 28. ♗b5 Ξb5 29. Ξfe1 ♗e5 30. ♕e5 ♕e5 31. ♕c1±] **♕c3 27. ♗b5 Ξb5 28. ♘b5 ♕c4 29. ♘c3 Ξg4 30. ♕e3 ♕h4 31. ♕f3 Ξh5 32. Ξd4 ♕c6 33. Ξe4 d5 34. Ξg4 ♗c5 35. Ξg8 ♔d7 36. ♕e2 d4 37. ♘e4 ♗e7 38. Ξd3 ♕d5 39. ♘c3 Ξe5 40. ♕d1 dc3 41. b3 ♗f6 42. Ξd5 Ξd5 43. ♕f3 ♔e7 44. Ξa8 ♗d4 45. ♕f4 f5 46. ♕h6   1 : 0**

Svidler

221. B 81

SAKAEV 2580 –
AN. SOKOLOV 2580

Jugoslavija 1997

1. e4 c5 2. ♘f3 d6 3. d4 cd4 4. ♘d4 ♘f6 5.
♘c3 e6 6. ♗e3 a6 7. g4 h6 8. f4 ♘c6 9. h3
d5?! N [9... ♕c7 — 67/294, 295; 9... ♗e7
— 67/(294)] 10. e5 ♘d7 11. ♕d2 ♗b4!
[11... g5?! *a)* 12. fg5 ♘de5 13. 0-0-0 hg5
14. ♘c6 (14. ♗g5 ♕g5 15. ♕g5 ♗h6 16.
♕h6 ♖h6 17. ♗e2 ♘d4 18. ♖d4 ♖h4!∓)
bc6 (14... ♘c6 15. ♗g5 ♕g5 16. ♕g5 ♗h6
17. ♕h6 ♖h6 18. h4±) 15. ♘e4∞; *b)* 12. f5
♘de5 13. 0-0-0↑] 12. a3 [12. ♗g2!? ♘b6
(12... ♘a5 13. b3 ♕c7 14. ♘de2±) 13. b3
♕c7 14. a3 ♗e7 15. 0—0±] ♘d4 [⌂ 12...
♗e7 13. ♘f3 (13. ♗d3 ♗h4) b5 *a)* 14.
♘e2 ♘c5 15. ♘ed4 (15. ♕c3 ♘a4! 16.
♕c6 ♗d7 17. ♕b7 ♘c5 18. ♗c5 ♗c5 19.
♘ed4 ♖a7 20. ♘c6 ♖b7 21. ♘d8 ♔d8 22.
♔d2=) ♘e4 16. ♕g2 ♗b7 17. ♗d3∞; *b)*
14. ♕f2! ♗b7 15. ♗g2!±] 13. ♗d4 ♗e7
14. ♗d3 b5 15. ♕e3! ♗b7 16. ♘e2 ♕c7
17. b4!± a5 [17... ♘b8 18. ♔d2! ♘c6 19.
c3±] 18. c3! [18. ♖b1 ab4 19. ab4 ♗c6±]
♕c6 19. ♔d2! 0—0 20. g5+— hg5 [20... h5
21. g6] 21. fg5 ab4 22. cb4 ♖a3!? 23. ♖a3
♗b4 24. ♖c3 ♘b6 25. ♕f3! ♗c3?! [25...
♘c4 26. ♗c4 (26. ♔e1 ♕c7!⇆) ♗c3 27.
♘c3 ♕c4 28. ♕d3 b4 29. ♘e2] 26. ♘c3
♘c4 27. ♔e1?! [27. ♔e2+—] ♕c7 28.
♔e2!+— b4 29. ♘b5 ♕d7 30. ♖f1 g6
[30... ♕b5 31. g6] 31. ♗g6 ♗a6 32. ♕h5
fg6 33. ♕g6 ♕g7 34. ♕e6 ♔h8 35. ♖f8
♕f8 36. ♕a6   1 : 0   *Sakaev*

222. B 81

FEJGIN 2505 –
A. MAKSIMENKO 2545

Kahovka 1997

1. e4 c5 2. ♘f3 d6 3. d4 cd4 4. ♘d4 ♘f6 5.
♘c3 a6 6. ♗e3 e6 7. g4 h6 8. f4 ♘c6 9. h3
♕c7 10. ♕e2 ♗d7 11. ♗g2 ♘a5 N [11...
♗e7 — 16/418] 12. ♖d1! [12. 0-0-0 ♘c4
13. ♗f2 ♖c8↑] ♘c4 13. ♗c1 ♖c8 14. 0—0
♗e7 [14... ♕b6!? 15. e5 *a)* 15... de5?! 16.
fe5 ♘h7 17. ♕f2! ♘e5 18. ♗f4 ♘c4 (18...
♘c6 19. ♗e3+—) 19. b3 ♘b2□ (19... ♘a3

223.* !N B 81

SVIDLER 2660 – LÉKÓ 2635

Tilburg 1997

1. e4 c5 2. ♘f3 d6 3. d4 cd4 4. ♘d4 ♘f6 5.
♘c3 e6 6. g4 h6 [RR 6... ♗e7 7. g5 ♘fd7
8. h4 ♘b6 9. ♗e3 0—0 10. ♕e2 d5 11. 0-0-0
♗b4! N (11... e5 — 57/227) 12. ♘db5 a6
13. a3 *a)* 13... ♗e7? 14. ed5! ab5 (14...
♘d5 15. ♘d5 ed5 16. ♘c3 ♗e6 17. ♗g2±)
15. de6 (15. d6?! ♗d6 16. ♘b5 ♘d5∞) *a1)*
15... ♗d7 16. ed7 b4 17. ♗b6 ♕b6 18.
♕e7 ♘c6 19. ♘d5!+—; *a2)* 15... ♕c7 16.
♗b6 ♕b6 17. ef7 (17. ♘d5!?) ♖f7 (17...
♔h8 18. ♕e7 ♘d7 19. ♗b5+—; 17... ♔f7
18. ♕e7 ♔g8 19. ♗b5+— Ro. Pérez 2385
— Frías 2530, Santa Clara 1997) 18. ♘d5
♕c5 (18... ♕d6 19. ♘e7 ♕e7 20. ♕e7 ♖e7
21. ♖d8+—; 18... ♕e6 19. ♘e7 ♖e7 20.
♖d8 ♔f7 21. ♕h5 g6 22. ♕g6+—) 19.
b4 ♕a7 20. ♘e7 ♖e7 21. ♖d8 ♔f7 22.
♕h5 ♔e6 23. ♗h3+—; *a3)* 15... ♗e6 16.
♖d8 ♗d8 17. ♘b5±; *b)* 13... ab5 *b1)* 14.

---

20. ♗e3 ♘f6 21. ♘c6! ♕c7 22. ♗f4+—)
20. ♖b1 (20. ♗e3?! ♘f6 21. ♘c6 ♘d1 22.
♖d1 ♕c7 23. ♗f4 ♕c6 24. ♗c6 ♗c6∞)
♖c3 21. ♗d2 ♖c2 22. ♘c2 ♕f2 23. ♔f2
♘d3 24. ♔e3±; *b)* 15... ♘h7 16. ♕f2! ♘b2
17. ♗b2 ♕b2 18. f5! ♕c3 19. fe6 fe6 20.
♕f7 ♔d8 21. ♘e6 ♗e6 22. ♕e6 △ ♖f8+—;
16... ♗e7!∞] 15. ♔h1 b5 16. ♕f2 ♕c5 17.
♘ce2 d5 18. e5!? ♘e4 19. ♗e4 de4 20.
♕g2 0—0 21. ♕e4 f6 [21... ♖c7!? △ ♗c8-b7
↑⫽a8-h1] 22. ef6 ♖f6 23. ♔h2 ♖cf8 24.
♘g3± e5 [24... ♘b6 25. ♕b7!] 25. ♘df5!
♗c6 26. ♕e2 ♗d8?⊕ [26... ♖e8!? 27. b3
ef4 28. ♗f4 (28. ♘h5? ♖f5! 29. gf5
♘e3∓→) ♗f8 29. ♕f2 ♕f2 30. ♖f2 ♘e5
31. ♘h5 ♖f7 32. ♘d6±] 27. b3 ef4 28.
♗f4 ♖e8 [28... ♘b6 29. ♗d6+—] 29. ♖d8!
♖d8 30. bc4 ♕c4 [⌂ 30... bc4] 31. ♕c4
bc4 32. ♖f2?! [32. ♘h5?! ♖f7 33. ♗h6
♖f5! 34. ♖f5 gh6 35. ♖f6 ♖d2 36. ♔g3
♗e4∞; 32. g5! ♖e6 (32... hg5 33. ♗g5
♖d7! 34. ♖e1!! △ ♘e7+—) 33. gh6 g6 34.
♘h4 ♖f8 35. ♔g1±] ♖e6 33. ♘h5 ♖d7 34.
c3 ♔h7 35. ♘d4 ♖g6 36. ♗e5 ♗e4 37.
♖b2⊕ [△ 38. ♘f4 ♖g5 39. ♘fe6+—]
1 : 0   *Fejgin*

150

♕b5 ♗c3 15. ♗b6 ♕d6! 16. ♗c5 ♕f4 17. ♗e3 (17. ♔b1? ♖a5−+) ♕d6 18. ♗c5 ♕f4=; b2) 14. ab4!? (Ro. Pérez) ♖a1 15. ♘b1 ♘c4 (15... ♗d7 16. ♗g2) 16. b3 ♘a3 (16... ♘e3 17. ♕e3 △ ♔b2, ♘c3±) 17. ♔b2 ♖b1 18. ♖b1 ♘b1 19. ♔b1 d4 20. ♗d2 ♗d7 21. f4±⊡; c) 13... ♗a5!?∞ Nogueiras] 7. ♗g2 a6 8. h3 g5 9. ♗e3 ♘bd7 10. ♕e2 ♘e5 11. 0-0-0 ♕c7 [11... b5 12. ♘c6! ♘c6 (12... ♕c7 13. ♘e5 de5±) 13. e5 ♗b7 (13... d5 14. ef6±; 13... ♘d5 14. ♘d5 ed5 15. ♗d5 ♗b7 16. ed6 ♔d7 17. ♗e4!±) 14. ef6 ♕f6 15. ♘e4 ♕e5 16. ♖hf1! d5 17. f4∞] 12. ♘f3! N [12. f4 − 56/(243)] ♘g6 [12... b5 13. ♘e5 de5 14. h4 ♖g8 15. hg5 (15. ♕f3 ♘h7±) hg5 16. ♕f3±; 12... ♗d7 13. ♘e5 de5 14. h4 ♖g8 15. hg5 hg5 16. ♕f3±; 12... ♘f3 13. ♗f3 ♘d7 14. h4 ♖g8 15. hg5 hg5 16. ♕d2! ♘e5 17. ♗e2 f6 18. f4 gf4 19. ♗f4±] 13. h4! ♘g4 14. hg5 ♗d7 [14... ♘e3 15. ♕e3 hg5 (15... ♕c5 16. ♕d2 hg5 17. ♖h8 ♘h8 18. e5 d5 19. ♘e4!±) 16. ♖h8 ♘h8 17. ♕g5±] 15. ♗d2! [15. gh6 ♗h6 16. ♗h6 ♖h6 17. ♖h6 ♘h6 18. ♕d2 ♘g4∞] 0-0-0 [15... hg5 16. ♖h8 ♘h8 17. ♘g5±] 16. ♘d4 ♗g7!? [16... ♘4e5 17. gh6±; 16... h5 17. f3 ♘4e5 18. ♔b1 ♘c4 19. ♗c1±] 17. ♕g4 ♗d4 18. gh6 ♘e5 19. ♕e2 ♘c4 20. ♖h3! ♘d2 [20... ♕c5 21. ♗f1! (21. ♔b1 ♕b4 22. ♗c1; 21... ♗b5!∞) ♗b5 22. ♕h5! ♘d2 (22... ♕b4 23. ♗c4 ♗c4 24. b3±) 23. ♘b5 ab5 (23... ♗b2 24. ♔b2 ♕b4 25. ♔c1 ♘f1 26. ♖b3+−) 24. ♖d2±] 21. ♕d2 ♗e5 22. f4 ♗f6 [22... ♗c3 23. ♖c3 ♗c6 24. f5±] 23. ♕d6 ♕d6 24. ♖d6 ♖dg8 25. ♗f3?! [25. e5 ♖g2 26. ef6 ♖h7 (26... ♖g6 27. h7 ♖f6 28. ♖hd3! ♗e8⬜ 29. ♖d8 ♔c7 30. ♖a8+−) 27. ♘e4 ♖g6 28. ♖hd3 (28. ♘g5 ♖hh6 29. ♖h6 ♖h6 30. ♘f7 ♖f6 31. ♘e5±) ♗c6 29. ♘g5 ♖hh6 30. ♘e6! ♔b8⬜ 31. ♘d4 ♖f6 32. ♘c6 bc6 33. ♖f6 ♖f6 34. ♖d4+−] e5 26. f5 [26. ♖h1 ♗e7 27. ♖dd1 ef4 28. ♘d5 ♗d8 29. e5 ♖g3±] ♖g1 27. ♖d1 [27. ♔d2 ♗e7 28. ♖d3 ♗g5 29. ♔e2 ♖c1∞] ♗g5 28. ♔b1 ♖d1 29. ♗d1 ♖h6 30. ♖h6 ♗h6± 31. ♗h5 f6 32. ♗f7 ♔d8! 33. ♗d5 ♔c7 34. ♘e2 b6 35. c3?!⊕ [35. c4± ♔d6 36. ♔c2?? [36. ♗b7 ♗b5; 36. ♗c4 ♗c6 37. ♗d3 b5±] ♗f5= 37. ♗b7 ♗g6 38. ♘g3 ♗f4 39. ♘f5 ♗f5 1/2 : 1/2 *Svidler*

MACIEJA 2470 − B. KELLY 2390
Zagan 1997

1. e4 c5 2. ♘f3 e6 3. d4 cd4 4. ♘d4 ♘f6 5. ♘c3 d6 6. g4 h6 7. ♖g1 ♘c6 8. ♗e3 d5 9. ed5 ed5 10. ♗b5 ♗d7 11. ♕d3! N [11. ♕e2 − 3/490] ♗b4 [11... ♘e5 12. ♕e2±] 12. ♗c6 [12. 0-0-0? ♘e5 13. a3! ♗e7 [13... ♗c3 14. ♕c3 ♘e4 15. ♘c6 ♘c3 16. ♘d8 ♔d8 (16... ♘a4 17. ♘b7 ♘b2 18. ♗d4±) 17. bc3±; 13... ♗d6 14. ♘f5±; 13... ♗a5 14. ♘f5±; 14. 0-0-0±; 14. ♘b3±] 14. ♘f5 ♗f5 15. gf5± ♔f8 16. 0-0-0 ♘d7 [16... ♔g8 17. ♖g3 ♔h7 18. ♖dg1 ♖g8 19. ♗h6! (Bratanov) gh6 (19... ♔h6 20. ♖g6 fg6 21. ♖g6 ♔h7 22. ♕h3 ♘h5 23. ♕h5♯) 20. ♖g8 ♘g8 21. f6±] 17. ♘d5! cd5 18. ♕d5+− ♗f6 [18... ♘f6 19. ♕g2!; 18... ♘b6 19. ♕g2!; 18... ♔e8 19. ♖g7 ♖f8 20. ♖g4!] 19. ♕d7 ♕b8 20. ♗c5 [20. ♗d4? ♕f4 21. ♔b1 ♖d8!] ♔g8 21. ♗d4 ♗g5 [21... ♕f4 22. ♔b1 ♖d8 23. ♗f6 ♖d7 24. ♖g7 ♔f8 25. ♖d7] 22. ♔b1 ♕h2 23. f6 g6 24. ♖ge1 ♕b8 25. ♖e7 ♕f8 26. ♖de1 ♖d8 27. ♕a4! ♔h7 28. ♕a7 ♔g8 29. ♕a4?! [29. ♖f7? ♕f7 30. ♖e7 ♖h7!; 29. ♗b6 ♖b8 30. ♕d7+−] ♔h7 30. ♗b6 ♖d6 31. ♖e8 [31. ♕a7? ♖f6 32. ♗d4 ♖f5] ♖d1 32. ♔a2 ♖e1 33. ♖f8 ♖f8 34. ♕b4 ♖fe8 35. ♗e3 ♖g1 36. f4! ♖e3 37. fg5 ♖e8 [37... ♖g5 38. ♕f8] 38. ♕c4 ♔g8 39. gh6 ♖h1 40. ♕c6 ♖he1 41. ♕d7 ♖f8 42. h7 [42... ♔h8 43. ♕h3] 1 : 0 *Macieja*

SHIROV 2700 − SVIDLER 2660
Tilburg 1997

1. e4 c5 2. ♘f3 e6 3. d4 cd4 4. ♘d4 a6 5. ♘c3 b5 6. ♗d3 ♕b6 7. ♘b3 ♕c7 8. f4 d6 9. ♕f3 ♘d7 10. 0−0 ♘gf6 11. ♗d2 b4!? [11... ♗e7 12. ♖ae1 ♗b7 (12... 0−0? 13. e5! ♗b7 14. ♕h3 de5 15. fe5 ♘e5 16. ♖e5 ♕e5 17. ♖f6±) 13. ♕h3±] 12. ♘d1 ♗b7 N [12... d5] 13. ♘f2 [13. ♘e3 a5∞] a5 14. c3?! [14. g4!? ♘c5 (14... h6 15. c3!±; 14... ♘b6 15. g5 ♘fd7∞) 15. ♗b5 (15. ♘c5 ♕c5 16. ♗e3 ♕c6 17. g5 ♘d7∞ 18. ♗d4?!

e5 19. fe5 de5 20. ♗e3 ♗c5=) ♗c6 (15...
♘fd7 16. ♘c5 ♕c5 17. ♗d7 ♔d7 18. c3±)
16. e5 (16. ♗c6 ♕c6 17. g5 ♘fd7 18. ♘d4
♕b7∞) ♘d5 17. ♗c6 ♕c6∞) **bc3 15. ♗c3**
♗e7 16. ♖ac1 ♕b6! 17. g4?! [17. ♗d4
♕d8∞ △ 18... e5, 18... a4] **a4 18. ♗d4**
[18. ♘d4 ♘c5 19. ♗b5 ♘fd7∞ 20. b4?!
ab3 21. ab3 ♗f6 22. b4? ♘e4!∓] ♕d8 19.
♘d2 0–0 20. g5 ♘e8 21. h4** [21. ♕h5!? e5
22. ♘g4 ed4 23. ♖f3 g6 24. ♕h6 f6 25.
♖h3 (25. f5 ♖f7 26. fg6 ♖g7 27. gh7 ♔h8
28. g6 ♘e5∓) ♖f7 26. f5 (26. ♗c4 d5 27.
ed5 ♘d6) fg5 27. fg6 ♖g7 28. ♗c4 d5 29.
♗d5 ♗d5 30. gh7 ♔h8 31. ed5 ♘f8∓] **e5**
22. ♗c3 [22. fe5 de5 23. ♗e3 f5!↑] **ef4 23.**
♕f4 ♘e5! 24. ♗e5 de5 25. ♕e5 ♗d6 26.
♕f5 [26. ♕b5 ♖b8 27. ♕a4? ♗g3∓] **g6**
27. ♕f3 [27. ♕h3 ♗e5⁖] **♗e5 28. ♘c4**
[28. ♘g4!? ♗d4 (28... ♗b2 29. ♕f7!+−;
28... ♗g7!?) 29. ♔h2 f5 30. ♘h6 ♔h8⁖]
♗d4 29. ♖cd1? [29. ♘e3 f5 30. ♗c4 ♔h8
31. ♗d5±; 29... ♘d6!↑] **f5!∓ 30. ♗e2** [30.
♕e2 ♕c7 31. ♔g2 ♕g7!∓ △ ♘h5] **fe4 31.**
♕g3 ♘g7! 32. ♕d6 [32. ♘d6 ♘f5 33. ♘f5
♖f5∓] **♘f5 33. ♕e6 ♔h8 34. ♘d6 ♕c7!−+**
35. ♘f5 ♖f5 [36. ♖d4 ♕g3 37. ♔h1 e3 38.
♘e4 ♕h3 39. ♔g1 ♖f1 40. ♗f1 ♕e6]

0 : 1   *Svidler, Lukin*

226.   **B 82**

ULYBIN 2555 — AVERKIN 2425

Rossija (ch) 1997

1. e4 c5 2. ♘f3 e6 3. d4 cd4 4. ♘d4 ♘c6 5.
♘c3 ♕c7 6. f4 a6 7. ♘b3 d6 8. ♗d3 ♘f6
9. ♗e3 b5 10. ♕f3 ♗b7 11. 0–0 ♗e7 12.
a4 b4 13. ♘b1 0–0 [13... e5!? 14. ♘1d2
ef4 15. ♕f4 ♘e5 16. ♘d4 g6 17. ♔h1 0–0
18. ♕g3 ♘h5 19. ♕e1 ♖fe8⇆] **14. ♘1d2**
[14. a5 e5 15. ♗b6 ♕c8 16. f5 ♘b8 △
♘d7, d5∞] **♘a5** [14... e5!? 15. f5 ♘b8!?
16. c3!? bc3 17. ♖fc1 ♘bd7 18. ♖c3 ♕d8
19. ♖ac1 d5∞] **15. ♕g3 ♘b3 N** [15... d5
16. e5 ♘e4 17. ♗e4 de4 18. f5 ♘b3 19.
♘b3 ef5 20. ♘d4! ♗c5 21. ♘f5 ♗e3 22.
♘e3±] **16. cb3 ♖ac8 17. ♔h1** [17. ♗d4?
e5 18. fe5 (18. ♗e3 ♘h5 19. ♕h3 ♘f4 20.
♗f4 ef4∓) de5 19. ♗f2!? (19. ♗e5? ♕c5
20. ♔h1 ♘h5 21. ♕h3 ♕e5 22. ♖f5
♕b2−+; 19. ♕e5? ♕e5 20. ♗e5 ♗c5 21.

♔h1 ♘g4 22. ♗g3 ♖fd8 23. ♖f3 ♘e3−+]
♖fd8 20. ♘c4 ♘h5 21. ♕f3 ♘f4 22. ♗c2
♗c5∓] **g6!?** [17... d5!? 18. e5 ♘e4 19.
♗e4 (19. ♘e4 de4 20. ♗c4 ♗c5 21. ♗c5
♕c5 22. f5 ef5 23. ♖f5 ♗d5!⇆) de4 20. f5
ef5 21. ♗h6 (21. ♖f5 ♖fd8 22. ♖af1
♗d5∞) g6 22. ♖f5 (22. ♗f8 ♔f8⁖) ♖fd8
23. ♖af1 ♖d3 24. ♕g4 ♕d7 25. ♘c4 ♖d8
26. ♘e3∞] **18. f5!?** ♘h5 **19. ♕h3** [19.
♕g4!?∞] **ef5 20. ef5 ♗f6! 21. ♖ad1!?** [21.
fg6 fg6 22. ♕e6 ♔g7 23. ♘c4 ♖ce8∓; 21.
♘c4 d5! 22. ♘b6 ♖cd8∞; 21. ♘e4 ♗e4
22. ♗e4 ♗b2∞] **♗e7** [21... ♗b2 22. ♗e2!
♘g7 (22... ♘f6 23. ♘c4 ♗e5 24. fg6 fg6
25. ♘e5 de5 26. ♕e6 ♔g7 27. ♖f6 ♖f6 28.
♖d7+−) 23. ♘c4 ♗e5 24. f6 a) 24... ♘e6
25. ♗g4 ♖fe8 26. ♗b6 ♕b8 (26... ♕c6 27.
♗f3+−) 27. ♘e5 de5 28. ♗e6 ♖e6 29.
♕h6+−; b) 24... ♘e8 25. ♗h6±] **22. ♖de1**
♖fe8 23. ♘c4 ♕d8?! [23... d5! a) 24. ♘a5
a1) 24... ♗b2!? 25. ♗d2 ♕c7 26. ♗b4 (26.
♖e8 ♖e8 27. ♗b4 ♗c8 28. ♕f3 ♘f6⇆)
♖e1 27. ♗e1 (27. ♖e1 ♘f4 28. ♕g3
♗e5∞) ♖e8⇆; a2) 24... ♗a8 25. ♗a6 ♖c2
26. ♗d2 ♕d8 27. ♖e8 ♕e8 28. ♗b4 (28.
♖e1 ♕d8 29. ♗b4 d4⁖) d4 29. ♗b7 ♗b7
30. ♘b7 ♘f4 31. ♕f3 ♕e5⁖; b) 24. ♗d2
♕c5 25. ♘e3 ♗b2∞] **24. fg6! hg6 25.**
♗b6 ♖e1⊕ 26. ♗d8 ♖f1 [26... ♘f4? 27.
♗f6 (27. ♕c8?? ♗g2 28. ♔g1 ♗d4−+)
♘h3 28. ♖e1 ♘f2 29. ♔g1 ♘d3 30.
♖d1+−] **27. ♗f1 ♖d8⁖ 28. ♕e3⊕ d5 29.**
♘a5 d4 30. ♕d3 ♗c8? [30... ♗a8! a) 31.
♕a6 d3! 32. ♗d3 ♔g7! (32... ♗e4!?) a1)
33. ♗f1?? ♘g3 34. hg3 ♖h8−+; a2) 33.
♔g1 ♗d4 34. ♔f1 (34. ♔h1 ♗f2−+) ♘f4
35. ♘c6 (35. g3 ♗g2! 36. ♔e1 ♘d3 37.
♕d3 ♗c3−+) ♗c6 36. ♕c6 ♘d3∓; a3) 33.
h3 ♘g3 34. ♔h2 ♗e5 35. ♔g1 (35. ♘c4?
♗f4! 36. ♗c2 ♘e2 37. ♔h1 ♖h8−+; 35.
♕b5 ♖d5 36. ♕a6 ♘e2 37. ♔h1 ♖d3! 38.
♕d3 ♗g2 39. ♔g2 ♘f4−+) ♗d4 36. ♔h2
♗f2! (36... ♗e5=) 37. ♕c4 (37. ♕b5 ♖d5
38. ♕a6 ♖e5 △ ♖e1−+) ♗e4! (37... ♖e8
38. ♕f4!) 38. ♗e2 (38. ♕c2 ♘f1 39. ♔h1
♗g2 40. ♔g2 ♘e3 41. ♔f2 ♘c2∓) ♖d2
39. ♗f3 a31) 39... ♗f3 40. gf3 ♘f5! 41.
♔h1 ♖d1 42. ♔g2 (42. ♔h2? ♗g1!) ♘e3
43. ♔f2 ♘c4 44. ♘c4 ♗f6∓; a32) 39...
♖c2 40. ♕b4 (40. ♕b5 ♖c1 41. ♕e5 ♔h7
42. ♕g3 ♗g3 43. ♔g3 ♗f3 44. ♔f3

♔g7∓) ♖c1 41. ♕c3 ♖c3 42. bc3 ♗f3 43. gf3 ♘e2∓; *b)* 31. ♘c4 ♘f4 32. ♕d1 ♗g5!? (32... ♘h3!? △ d3, ♗g5) 33. ♕e1! (33. h4? ♘g2? 34. hg5 ♘h4−+) ♗f6 34. ♕d2⊼] **31. ♕f3 ♗e6 32. ♗c4 ♗c4? [**32... d3 *a)* 33. ♗e6 d2! 34. ♕d1 (34. ♗f7? ♔f7 35. ♕d1 ♘g3 36. hg3 ♗d4−+) fe6 35. ♘c4 ♗g5⊼; *b)* 33. ♗d3 ♗d5 *b1)* 34. ♕f1 ♗a8!? (34... ♔g7!? △ ♘g3; 34... ♗g2!? 35. ♕g2 ♖d3 36. ♕g4!⊼) 35. ♗e2! ♖d2 36. ♘c4 ♖c2 37. ♔g1 ♘f4 38. ♕f4 ♖e2 39. ♘e3 a5⊼; *b2)* 34. ♕f2 ♗a8 (34... ♗g2 35. ♕g2 ♖d3 36. ♕g4 ♗b2 37. ♕b4 ♗e5 △ ♘f4⊼) 35. ♗e2 ♖d2 36. ♘c4 ♗d4! 37. ♕f1 ♖c2 38. ♕d1 ♘f4! 39. ♗f3 ♗f3 40. gf3 ♖e2 41. h4 ♗f2 42. ♕d8 ♔g7 43. ♕g5 ♖e1 44. ♔h2 ♖e2 45. ♔h1=] **33. ♘c4± ♗g7 34. g4 ♘f6 35. ♘e5 ♖d5 36. ♘d3 a5 37. h4 g5 38. h5 ♔h7 39. ♔g2 ♔h6 40. ♔h3 ♔h7 41. ♕e2 ♗f8 42. ♕c2 ♔g7 43. ♕c7 ♗d6 44. h6** 1 : 0 *Averkin*

227.** B 82

KUPREJČIK 2500 − LUKIN 2480

Århus (open) 1997

1. e4 c5 2. ♘f3 d6 3. ♘c3 [RR 3. d4 cd4 4. ♘d4 ♘f6 5. ♘c3 a6 6. f4 ♘bd7 7. ♘f3 ♕c7 8. ♗d3 e6 9. 0−0 b5 10. ♕e1 b4 (10... ♗b7 − 53/(215)) 11. ♘d1 ♗b7 12. ♘f2 ♘c5 13. ♗d2 a5 14. a3!? N (14. ♔h1) ba3 (14... b3 15. ♗b5 ♘fd7 16. ♖c1±) 15. ♖a3 (Manso 2260 − Am. Rodríguez 2545, Barberá del Vallés 1997) ♘d3! 16. cd3 d5 17. ♗a5 ♕f4 18. ♗d2 ♕b8∞ Am. Rodríguez] **♘c6 4. d4 cd4 5. ♘d4 ♘f6 6. f4 e6 7. ♗e3 ♗e7 8. ♕f3 0−0 [**RR 8... e5 9. fe5 de5 10. ♘c6 bc6 11. ♗c4 0−0 12. h3 ♗e6 13. ♗e6 fe6 14. ♕e2 ♕c8 N (14... ♕b8 − 17/469) 15. 0−0 c5 16. ♕c4 (16. ♗g5 c4!∓; 16. b3 c4!∓) ♖b8 17. a3 ♖b2 18. ♘a4 ♖b7 19. ♖ab1 (19. ♘c5? ♖b6!) ♖b1 (19... ♖c7!? Chilov) 20. ♖b1 ♕c6 21. ♘c5 ♗c5 22. ♕c5 ♕e4∓ Suětin 2420 − Chilov 2185, Iraklion 1996] **9. 0-0-0 ♕c7 10. g4 ♘d4 11. ♗d4 e5 12. fe5 de5 13. ♕g3 ♘g4 14. ♘d5 ♕d6?! N [**14... ♕d8 − 36/298] **15. ♗c3 ♕h6 [**15... ♗g5 16. ♔b1 ♕h6 (16... ♗f4 17. ♕g2 ♕h6 18. ♗b4±) 17. ♗b4 ♗h4 18. ♕a3±] **16. ♗d2! ♕h4 [**16...

♗g5 17. ♘e7! ♔h8 18. ♘c8+−; 16... ♗h4 17. ♘e7! ♔h8 18. ♕a3! △ ♘g6±] **17. ♘e7 ♕e7 18. ♖g1 g6 [**18... f5 19. h3! ♘f6 (19... f4 20. ♕b3 ♗e6 21. ♗c4+−) 20. ♗b4!+−] **19. ♗e2 [**19. ♗c4!?] **♘f6 20. ♗g5 ♕e6 21. ♕h4 ♘d7 22. ♗h6 ♖e8 23. ♖gf1!? [**23. ♗b5! *a)* 23... ♕e7 24. ♗g5 f6 25. ♗c4 ♔g7 (25... ♔h8 26. ♖d7!+−) 26. ♗h6 ♔h8 27. ♖g6!! hg6 28. ♖d7 ♗d7 29. ♗f8 ♕h7 30. ♕f6+−; *b)* 23... ♕b6 24. ♗a4!±] **a6 24. b3 [**24. ♗g4 ♕e7 25. ♗g5 f6 26. ♖d7 (26. ♗d7 fg5 27. ♕h3 ♖d8!) ♗d7 27. ♗f6 ♕f7∞] **b5 25. ♖d3! ♕e7 [**25... ♘c5 26. ♖c3] **26. ♗g5 f6 27. ♗e3! [**△ ♗g4] **♗b7 28. ♗g4 ♘f8 29. ♖c3 ♗e4 30. ♖f6 ♖ad8 31. ♗c5 ♕b7 32. ♗b6! ♕d5 33. ♕h6+−⊕** 1 : 0 *Kuprejčik*

228.** !N B 84

HALIFMAN 2650 − YUDASIN 2600

Sankt-Peterburg 1997

1. d4 e6 2. ♘f3 c5 3. e4 cd4 4. ♘d4 a6 [RR 4... ♘c6 5. ♘c3 a6 6. ♗e2 d6 7. ♗e3 ♘f6 8. ♕d2 ♗e7 9. g4 ♕c7 10. g5 ♘d7 11. 0-0-0 b5 (11... ♘a5!? 12. f4! ♘b6! 13. f5! ♘ac4 14. ♗c4 ♘c4 15. ♕e2 ♘e3 16. ♕e3 ♕c5!∞) 12. f4 (12. ♘c6!?) *a)* 12... ♘c5 N 13. ♘c6 ♕c6 (Melão jr. 2175 − Giusti 2315, corr. 1996) 14. ♕d4!±; *b)* 12... b4!? 13. ♘a4 ♗b7 14. ♗f3 ♕a5 15. b3 ♘c5 16. ♘c6 ♗c6 17. ♘c5 dc5 18. ♔b1 ♕c7 (18... 0−0!?) 19. h4! a5 20. h5 a4 21. g6!±; *c)* 12... 0−0 − 55/250; *d)* 12... ♘a5! 13. f5 (13. ♗h5!? ♘c5!∞) ♘c5! 14. fe6 fe6 15. b4 0−0 16. bc5 dc5 17. ♘b3 c4⊼ 18. ♘a5 (18. ♘a1!?) ♕a5 19. ♔b1 b4; 19... ♗a3!? Melão jr., C. M. De] **5. ♘c3 d6 6. ♗e2 ♘f6 7. a4 [**RR 7. f4 ♕c7 8. 0−0 ♗e7 9. ♗e3 b5 10. ♗f3 ♗b7 11. e5 de5 12. ♗b7 *a)* 12... ♕b7?! 13. fe5 ♘fd7 14. ♕g4 g6 15. ♘e6! *a1)* 15... fe6 16. ♕e6 ♕c6 (16... ♘c6 17. ♘d5 ♔d8□ 18. ♖ad1+−) 17. ♕f7 ♔d8 18. ♘d5 ♗c5 (18... ♖e8 19. ♘e7 ♖e7 20. ♗g5+−) 19. e6 ♗e3 20. ♘e3 ♕c5 (20... ♖e8 21. ed7 ♖e3 22. ♕f8 ♔d7 23. ♖f7+−)

153

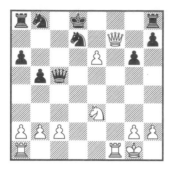

a11) 21. 罝ad1?! 豐e3 22. 含h1 含c7! □ 23.
罝d7 (23. 罝f3 豐e5 24. ed7 罝d8∞) 匂d7 24.
豐d7 含b8! (24... 含b6? 25. 豐d6 含a5 26.
豐c7 含a4□ 27. 罝f4 b4 28. 罝b4! 含b4 29.
c3 含b5 30. a4+−) 25. 豐d6 含c8=; *a12)*
21. 罝ae1; *a13)* 21. ed7! N 豐e3 22. 含h1
匂d7 (22... 含c7 23. d8豐! 含d8 24. 豐f6+−;
22... 豐e7 23. 豐f3 罝a7 24. 豐c3+−) 23.
罝ad1 豐e8 (23... 豐e7 24. 豐d5 罝a7 25.
豐d4+−; 23... 罝a7 24. 豐f6+−; 23... 豐a7
24. 豐f6 含c7 25. 豐d6 含c8 26. 豐c6 含d8
27. 罝f7+−) 24. 豐f6 含c7 25. 豐d6 含b7
(25... 含d8 26. 豐b6+−) 26. 罝fe1! 含c8 27.
罝e7 罝d8 28. 豐e6 含c7 29. 罝d6 1 : 0 Nisi-
peanu 2600 − A. Maksimenko 2545, Ukra-
jina 1997; *a2)* 15... 匂e5 16. 豐g3 − 5/446;
16. 豐f4±; *b)* 12... ed4 13. 含a8 de3 14. 豐f3
含c5∞ Nisipeanu, V. Stoica] **b6 8. f4 含b7
9. 含f3 豐c7 10. 0−0 匂c6 11. 含h1** [11.
含e3 匂a5 △ 匂c4, e5∞] **含e7 12. e5!?** [12.
匂b3 匂a5; 12. g4 匂d4 △ e5; 12. 匂de2!?]
de5 [12... 匂d4 13. 豐d4 含f3 14. 罝f3 de5
15. fe5 匂d7 16. 含f4± △ 匂e4-d6] **13. 含c6
含c6 14. 匂c6** [14. fe5 匂d7 15. 豐g4 h5 16.
豐g7? 0-0-0→] **豐c6 15. fe5 匂d7** [15... 匂d5
16. 匂d5±] **16. 豐g4! h5! N** [16... g6 17.
含h6 匂e5 18. 豐f4 f6 19. 含g7±; 16... 0-0-0]
17. 豐e2 [17. 豐g7? 0-0-0! 18. 豐g3 (18.
豐f7? 罝df8−+) h4 19. 豐h3 匂e5∓] **h4**
[17... g6 18. 含f4 △ 匂e4 ×》] **18. h3 g6!**
[△ 罝h5] **19. 含f4** [19. 匂e4 匂e5 20. 含g5
(20. 匂f6 含f6 △ 罝h5) 罝h5! 21. 罝ad1 (21.
含e7 含e7 22. 匂f6 罝g5∞) 含g5 (21...
罝d8!?) 22. 匂d6 含e7 23. 豐e5 f6∞] **罝h5
20. 罝ad1 匂c5!** [20... 含f8 21. 含h2 含g8
22. 匂e4 匂e5 23. 含e5 罝e5 24. 豐f3 豐e5
25. 匂f6 含f6 26. 豐f6 罝h5∞; 26... 罝f5!?∞;
22. 罝d4!?] **21. 含h2 罝b8?** [21... 罝c8! (△
22... 含f8, 22... 匂e4) 22. 罝d4! 含f8! 23.
罝df4 罝f5 24. 罝f5 ef5∞] **22. b4! 匂a4** [22...

匂d7 23. 匂e4→] **23. 匂e4 罝f5** [23... 匂c3?
24. 豐f3 △ 含f6; 23... 含f8 *a)* 24. 匂d6
匂c3! *a1)* 25. 罝f7 含g8 26. 豐d3 (26. 豐g4?
罝g5−+) 罝g5; *a2)* 25. 豐f2 罝f5 26. 匂f5
匂d1∓; *b)* 24. 罝d3!? 罝f5 25. 罝f5 ef5 26.
匂d6 △ e6; *c)* 24. c4! 罝c8 25. 罝d4 △
匂d6±→] **24. 罝f5 gf5** [24... ef5 25. 匂f6
含f8 26. 匂d7] **25. 匂f6!** [25. 匂d6 含d6 26.
ed6 匂c3!∞ 27. d7 豐d7 28. 罝d7 匂e2 29.
含g3] **含f6 26. ef6⊕ 匂c3!⊕** [26... 罝d8 27.
罝d8 含d8 28. 豐h5! 豐d7 29. 豐h8 豐e8 30.
豐h4+−] **27. 豐h5! 匂d1□ 28. 豐h8 含d7
29. 豐b8 匂e3??** [29... 匂f2 30. 含g1 匂e4
31. 豐a7 (31. 豐g8 匂d6∞) 含c8 32. 豐f7
豐d7 33. 豐g8 含b7 34. 豐b8 含c6 35. 含e5
豐d1 36. 含h2 匂f2=] **30. 豐a7** [30. 豐g8
豐g2□ 31. 豐g2 匂g2 32. 含g2 含c6 (32...
a5 33. b5+−) 33. 含f4 a5 34. ba5 ba5 35.
含g5 △ 含h4-e1-c3, h4+−] **含c8 31. 豐b8**
1/2 : 1/2   *Yudasin*

229.*   B 85

V. SPASOV 2600 −
ABRAMOVIĆ 2500

FYROM 1997

**1. e4 c5 2. 匂f3 e6 3. d4 cd4 4. 匂d4 匂c6 5.
匂c3 a6 6. 含e2 豐c7 7. 0−0 匂f6 8. 含e3
含e7 9. f4 d6 10. 含h1** [RR 10. 豐e1 匂d4
11. 含d4 b5 12. a3 含b7 13. 豐g3 0−0 14.
罝ae1 罝ad8 15. 含h1 含c6 16. 含d3 豐b7
17. 匂d1!? (17. 豐h3 − 25/512) 匂h5 (17...
d5 18. 含f6 含f6 19. e5 含e7 20. f5 ef5 21.
匂e3 d4 22. 匂f5 g6 23. 匂e7 豐e7 24.
罝f6±; 17... 含h8!?) *a)* 18. 豐g4?! N g6 19.
f5 e5 20. 含c3 匂f6 21. 豐e2 罝fe8! 22. 含a5
罝c8 23. 匂c3 d5 (R. Lau 2495 − Nisipeanu
2600, Berlin 1997) 24. ed5∞; *b)* 18. 豐h3!
匂f4 (18... g6 19. f5 e5 20. 含c3 匂f6 21.
匂f2±↑) 19. 罝f4 e5 20. 匂e3! *b1)* 20... g6
21. 豐h6!+−; *b2)* 20... 含d7 21. 匂f5 含f5
22. ef5 匂f6 23. 罝h4! 含h4 24. 豐h4±; 24.
f6!+−; *b3)* 20... ed4 21. 匂f5 *b31)* 21... 含f6
22. 豐h6! gf5 (22... 含f6 23. 罝h4!+−) 23.
ef5 含g2 24. 含g1 含h3 25. 罝g4! 含g4 26.
f6+−; *b32)* 21... 含f6 22. e5! 含g2 23. 豐g2
豐g2 24. 含g2 de5 25. 匂h6! 含h8 26.
罝f3±; *b4)* 20... ef4 21. 匂f5 f6 22. e5! (22.
豐g4) g6 (22... fe5? 23. 匂e7 豐e7 24. 豐h7
含f7 25. 含g6 含f6 26. 豐h4 含e6 27. 豐h3

♔d5 28. ♗e4 ♔d4 29. ♕c3#; 22... de5? 23. ♘e7 ♕e7 24. ♗h7 ♔f7 25. ♕h5 ♗e6 26. ♗e5!+−) 23. ef6 ♗f6 24. ♗f6 ♖f6 25. ♘e7 ♔g7! (25... ♔h8 26. ♘c6 ♕c6 27. ♖e7 h5 28. ♗g6 ♕c5 29. ♖h7 ♔g8 30. ♖h5 ♖g6 31. ♖h8+−) 26. ♘c6 ♕c6 27. ♖e7 ♖f7 28. ♖f7 ♔f7 29. ♕h7 ♔e6 30. ♕g6 ♔d7 31. ♕f5 ♔c7 32. ♕f4 ♖e8± Nisipeanu, V. Stoica] 0−0 11. ♕e1 ♘d4 12. ♗d4 b5 13. a3 ♗b7 14. ♕g3 ♗c6 15. ♖ae1 ♖ae8 16. ♗f3 ♔h8 N [16... ♖d8 — 20/498] 17. e5 de5 18. fe5 [18. ♗e5 ♕c8 (18... ♗d6 19. ♗f6 gf6 20. ♕h4 ♗e7 21. f5±) 19. ♘e4 ♖g8 20. ♘g5 ♖ef8 21. ♕h3 h6] ♘d7 19. ♘e4 [△ ♘d6] ♗e4 20. ♗e4 f5□ 21. ef6 ♕g3 22. hg3 ♗f6 23. c3 [23. ♗f6? ♘f6 24. ♗b7 ♖b8 25. ♗c6 ♖b6 26. ♖e6 ♖c8−+; 23. ♗g1? ♗b2 24. ♗c6 ♖f1 25. ♖f1 ♖f8 26. ♖b1 ♘e5∓] ♗d4 24. ♖f8 [24. cd4 ♖f1 25. ♖f1 ♘f6 26. ♗b7 ♖b8 (26... a5!?) 27. ♗a6 ♖b6 28. ♗c8 ♖c6 29. ♗b7 ♖c2∓] ♘f8 [24... ♖f8 25. cd4± △ 26. ♗c6, 26. ♗b7] 25. cd4 ♖d8 26. ♖d1 ♔g8 27. ♔g1 [27. d5 ♖d6 28. ♗f3 ♔f7=] ♘d7 28. ♔f2 ♘f6 29. ♔e3 [29. ♗f3 ♖c8=] ♘e4 30. ♔e4 ♖c8!= 31. ♗e5 ♔f7 32. ♔d6 ♖d8 33. ♔c6 ♔e7 34. d5 ♖d6 35. ♔c5 h5 36. ♖d4 g5 37. b4 ed5 38. ♖d5 ♖d5 39. ♔d5   1/2 : 1/2   *Abramović*

230.   B 85

AM. RODRÍGUEZ 2545 − BECERRA RIVERO 2495

Albacete 1997

1. e4 c5 2. ♘f3 d6 3. d4 cd4 4. ♘d4 ♘f6 5. ♘c3 e6 6. f4 a6 7. ♗e2 ♗e7 8. 0−0 0−0 9. ♗e3 ♘c6 10. a4 e5 11. ♘c6 bc6 12. a5! ef4 13. ♖f4 N [13. ♗f4 ♗e6 △ d5] ♗e6 [13... ♘d7 14. ♖f1 △ ♕d2, ♘a4±; 13... ♖e8!?] 14. ♕d2 ♘d7 15. ♖ff1 ♕b8 16. ♘a4 ♗d8 17. ♗f4 ♗c7 18. ♖fd1 [18. ♕c3 ♖e8 (18... d5 19. ♗c7 ♕c7 20. ♗f3±) 19. ♕c6?! ♖c8⇆; 18. ♖ad1!?] ♘e5? [18... ♘f6] 19. ♔h1 ♖e8?! [19... f6±] 20. ♗e5! de5 21. ♕c3± ♖d8 22. ♘c5!? [22. ♕c6 ♗a5 (22... ♖d1 23. ♖d1 ♗a5 24. ♗a6) 23. ♗a6] ♕c8 23. ♖d8 ♗d8 24. ♖d1 ♗f6 25. h3! g6 26. ♘e6 [26. ♗c4 ♗c4 27. ♘d7!? ♗h4 28. ♕c4 ♕c7 29. ♘b6 ♖d8∞] ♕e6

27. ♗g4 ♕e8 28. ♗d7 [28. ♖d6!? ♗e7 29. ♖c6 ♗b4 30. ♕c4 ♗a5 31. ♖a6±] ♕e7 29. ♕c6 ♖a7 30. c3 ♗g5 31. b4⊕ [31. ♗c8] ♗e3 32. ♕d5 [32. ♗g4 ♖c7 33. ♕a6 ♖c3 34. b5] ♕g5 33. ♗g4 ♔g7 34. ♕d8 [34. ♕d3!] f6 35. ♕e8? [35. ♕d3 ♗f4 36. ♗e2 f5 37. ef5 gf5 (37... e4 38. ♕d4) 38. g4+−] ♕f4 36. ♗f3? ♕g3= 37. ♕d8 ♗f4 38. ♔g1 ♗e3 39. ♔h1 ♗f4 40. ♔g1 ♗e3
1/2 : 1/2   *Am. Rodríguez*

231.   B 85

GLEK 2505 − PEPTAN 2460

Berlin 1997

1. e4 c5 2. ♘f3 d6 3. d4 cd4 4. ♘d4 ♘f6 5. ♘c3 ♘c6 6. ♗e2 e6 7. 0−0 ♗e7 8. ♔h1 0−0 9. f4 a6 10. a4 ♕c7 11. ♗e3 ♗d7 12. ♕e1 ♖fe8 13. ♕g3 ♗f8 14. ♖f2!? N [14. ♗d3 ♘b4 — 42/288; 14... g6∞] ♖ac8 15. ♖af1 d5! 16. e5 ♘e4 [16... ♘d4!? 17. ♗d4 ♘e4 18. ♘e4 de4 19. b3 ♗c5=; 19... b5!?] 17. ♘e4 de4 18. c3!? [18. b3=] ♘e7!? [18... ♘d4 19. cd4! ♗a4 20. f5⚁] 19. ♗d1 g6? [19... ♘f5! 20. ♘f5 ef5 21. ♗d4!? (21. ♖d2 ♗e6∓) ♗e6 (21... ♗c5? 22. e6!+−) 22. b4!?∞] 20. ♖d2 ♘f5 21. ♕f2! ♗c6 22. ♘f5 ef5 23. ♗b6± ♕e7 24. ♗b3 ♗d7 25. ♖fd1 ♗e6 26. ♗d5! ♗d5 27. ♖d5 ♕e6 28. a5 ♖c4 29. ♖d7 ♕c6 30. ♕e2 ♖c8 31. h3 ♕b5?! [31... h6±] 32. e6! [32. ♖b7 ♖d4!∞] fe6 33. ♕f2!+− ♗g7 34. ♕h4 ♖e8 35. ♖b7 ♕b2 36. ♖g7 ♔g7 37. ♖d7   1 : 0   *Glek*

232.   B 85

BALINOV 2560 − ŠTOHL 2565

Olomouc 1997

1. e4 c5 2. ♘f3 d6 3. d4 cd4 4. ♘d4 ♘f6 5. ♘c3 a6 6. ♗e2 e6 7. f4 ♗e7 8. 0−0 0−0 9. ♔h1 ♕c7 10. a4 ♘c6 11. ♗e3 ♖e8 12. ♗f3 ♗d7 13. ♘de2 ♖ad8!? N [13... ♗c8 — 49/(272)] 14. g4?! [14. ♕e1 ♘b4 (14... ♗c8!? 15. ♕f2 ♘d7⇆) 15. ♕f2 ♖c8 16. ♖ac1 e5!? (16... d5 17. e5 ♘e4 18. ♗e4 de4 19. ♖fd1↑) 17. ♗b6 ♕b8∞ △ 18. f5 d5!] d5! 15. e5 [15. ed5 ♘b4! 16. g5 (16. de6 ♗e6 17. ♘d4 ♗c5∓) ♘fd5 17. ♘d5

155

♘d5↑ △ 18. ♗d5 ♗c6→] ♘e4 16. ♕e1 [16. ♘d5? ed5 17. ♕d5 ♘b4 18. ♕e4 ♗c6 19. ♕f5 g6−+; 16. ♘e4?! de4 17. ♗e4 (17. ♗g2 ♘b4∓) ♘e5!∓ △ 18. fe5 ♗c6] ♘c3 17. ♕c3 f6↑ 18. a5 [18. ♘d4 fe5 19. ♘c6 bc6 20. fe5 c5∓; 18. ♗d4 ♖c8 19. ef6 ♘d4 20. ♕c7 ♖c7 21. f7 ♔f7 22. ♘d4 ♖c4∓; 18. ef6 ♗f6 19. ♕d2 (19. ♕b3 d4↑) ♗b2 20. ♖ab1 d4 21. ♖b2 (21. ♘d4 ♗d4 22. ♗d4 ♘d4 23. ♕d4 ♗b5 24. ♕a1 ♗f1 25. ♖b7 ♗e2!!−+) de3 22. ♕e3 ♘a5↑; 18. ♕b3 ♖c8 (18... fe5!? 19. ♗b6 ♕c8∞) 19. ef6 ♗f6 20. c3 ♘a5∓] fe5! [18... ♗b4?! 19. ♕b3 ♗a5 20. ef6 gf6 21. f5∞→; 18... ♖c8 19. ♗b6 ♕b8 20. ef6 ♗f6 21. ♕b3∞] 19. ♗b6 ♕b8 20. ♗d8 ♗d8∞ 21. fe5 ♘e5 [21... ♗c7!?∞ ✕♟b8-h2] 22. ♘g3 [22. ♘d4 ♗f6↑] ♗c6 23. ♗g2! [23. ♘h5 ♕c7! (23... d4? 24. ♕d4 ♗f3 25. ♖f3+−; 23... g6? 24. ♖ae1!±) 24. ♖a3 g6 25. ♘g3 d4∓] ♘g4∓ [⊞, ✕♔h1] 24. ♕f3 ♘f6 25. ♘h5 ♕c7 [25... ♘h5?? 26. ♕f7 ♔h8 27. ♕e8!+−; 25... d4 26. ♘f6 ♗f6 27. ♕g4⇆] 26. ♘f6 ♗f6 27. c3 ♗e5 [27... d4?! 28. ♕g4= △ ♖f6] 28. ♖ae1 ♗d6 [28... ♗h2? 29. ♖e6!↑] 29. ♕h5 e5 [29... g6 30. ♕g4⇆ △ c4] 30. ♖e3 e4 31. ♖h3 g6 32. ♕g5 ♗e5! [32... ♕a5? 33. ♖h7! ♔h7 34. ♖f7+−] 33. b4?! [✕c3; 33. ♕h6 ♕e7 △ ♗c7 ✕a5] ♕g7∓ 34. ♕d2□ [34. ♕e3 ♗d7−+] ♖f8! 35. ♖f8 ♕f8 [✕♖h3] 36. ♕e2⊕ [36. ♕e3 ♕f6] ♕f4 37. ♕e3 ♕e3⊕ [37... ♕g4!?→] 38. ♖e3 ♗f4 39. ♖e2 ♗b5 40. ♖f2 ♗e5 [40... e3? 41. ♖f4 e2 42. ♗d5 △ ♖e4+−; 40... ♗e3 41. ♖b2 (41. ♖f6 ♗d2 42. ♖d6 ♗c3 43. ♖d5 e3−+) ♔f7 42. ♗h3 ♔f6 43. ♗c8 b6∓] 41. ♖c2 ♗d3 42. ♖c1 ♔f7 [42... ♗f4 43. ♖d1 △ 43... e3? 44. ♗d5 ♔g7 45. ♔g2 e2 46. ♖e1 ♗d2 47. ♔f2 ♗c3 48. ♖e2=] 43. ♗f1!? [43. ♗h3 ♗f4 44. ♖d1 e3! 45. ♔g2 (45. ♖d3 e2−+) e2 46. ♖e1 ♗d2 47. ♔f2 ♗c3 48. ♖e2 ♗e2 49. ♔e2 ♗b4 50. ♗c8 ♗a5 51. ♗b7 ♗c7−+] ♗f1 [43... ♔e6 44. ♗d3 ed3 45. ♖d1 ♗c3 46. ♖d3 d4 △ ♔d5-c4−+; 44. ♔g2!?] 44. ♖f1 ♔e6 45. ♖c1□ ♔d6 [45... ♗f4?! 46. ♖d1 ♔e5 47. ♔g2∓] 46. ♔g2 ♔c6 47. ♔f2?! [47. c4!□ d4 48. ♖e1 d3 49. ♔f1 (49. ♔f2? ♗d4 △ e3) d2 49... ♗c3? 50. ♖e4 ♗b4 51. ♖e5=) 50. ♖b1!? (50. ♖d1 ♗c3−+) ♔h2 51. b5 ♔c5 52. ♔e2 ♗f4∓]

♔b5−+ 48. ♔e3 [48. c4 dc4 49. ♔e3 ♗b2 50. ♖c2 c3 51. ♔e4 ♔b4] ♔c4 49. ♖f1 ♗c3 50. ♖f7 ♗b4! 51. ♖h7 [51. ♖b7 ♗c5 52. ♔d2 d4] ♗c5 52. ♔f4 [52. ♔e2 d4] e3 53. ♔f3 d4 54. ♖h4 ♔c3 55. ♖h7 d3 56. ♖c7 e2 [56... ♔c4] 57. ♖c5 ♔d2   0 : 1

Štohl

233.* !N   B 85

GLEK 2505 − WILHELMI 2405

Biel (open) 1997

1. e4 c5 2. ♘f3 d6 3. d4 cd4 4. ♘d4 ♘f6 5. ♘c3 a6 6. ♗e2 e6 7. 0−0 ♗e7 8. f4 ♕c7 9. a4 ♘c6 10. ♗e3 0−0 11. ♔h1 ♖e8 12. ♗f3 ♖b8 13. g4 ♘d4 14. ♗d4 e5 15. fe5 de5 16. ♗a7 ♖a8 17. g5 ♖d8 18. ♕e2 ♘e8 19. ♗e3 ♗e6 20. ♕f2 ♖dc8 21. ♖ad1 ♗c5 22. ♘d5! N [22. ♗c5 − 68/(216)] ♗d5 23. ♖d5 ♗e3 24. ♕e3 ♖d8! [24... ♕c2?! 25. ♖e5 ♖c7 (25... ♕b2?! 26. ♕f4 △ ♖e7, ♗h5→) 26. ♕f4 ♖d8 27. b4 g6 28. ♗g4± ♕d3? 29. ♗e6+− Vojcehovskij 2475 − Vaulin 2490, Kstovo 1997] 25. ♖c5!? [25. c3±] ♕e7 26. ♕c3 ♖d4 27. ♕a5! ♕d6 [27... ♖a4 28. ♖e5!±] 28. ♕c3 [28. ♖e5? b6∓] ♖d8 [28... ♕e7! 29. a5!? (29. ♕a5=) ♖ad8∞] 29. ♖d5! ♕e7 30. ♕c5! ♕c5 31. ♖c5 ♖d2 [31... ♖a4 32. ♖e5 ♖a2 33. ♖e7 ♖b2 34. e5 △ ♗b7±] 32. a5!± [32. ♖e5 ♖c2∞] ♘d6 [32... f6 33. b4±] 33. b4 [33. ♖e5 ♘c4∞] ♖c8 34. ♖c8 ♘c8 35. c4 g6? [35... ♖d4!? 36. b5! (36. ♖d1 ♘a7!=) ♘d6 (36... ♖c4 37. ♗e2!±) 37. ba6 ba6 38. c5 ♘e4 39. ♖c1±; 35... ♔f8!±] 36. ♖d1!+− ♖d1 37. ♗d1 [♘♗ 5/d] ♔f8 38. ♔g2 [38. c5 ♘e7 39. ♗b3 ♘c6 40. ♗d5 *a)* 40... ♔e7 41. b5! ♘a5 42. c6! (42. b6 ♔d7 43. ♗f7±) ab5 43. cb7 ♘b7 44. ♗b7; *b)* 40... ♘b4 41. ♗b7 ♔e7 42. ♔g2 ♔d7 43. ♔f3 ♔c7 44. ♗d5 ♘d3 45. ♗f7 ♔c6 (45... ♘c5 46. ♗g8 ♘d3 47. ♗h7) 46. ♗c4 ♘c5 47. ♗g8 ♘d7 48. ♗h7 ♘f8 49. ♗g8 ♔b5 50. h4 ♔a5 51. ♗f7 ♔b4 52. h5 ♔e7 39. ♔f3 ♔d6 40. c5 ♔e7 41. ♔e3 [41. c6 bc6 42. ♗e2; 41. ♗b3 ♘a7 42. ♗d5 ♘c6 43. ♔g4 ♘b4 44. ♗b7 ♔d7 45. h4 ♘c7 46. ♗d5 ♘d3 47. ♗f7] ♘a7 42. ♔d3 ♘c6 43. ♔c4 ♔d8 [43... ♘d4 44. ♗a4! ♘f3 (44... ♘e6 45. h4; 44... ♘c6 45.

b5!) 45. c6! bc6 46. ♗c6 ♔d6 47. ♗d5
♘g5 48. b5! ab5 49. ♔b5 ♔c7 50. ♗c4
♘e6 51. a6 ♘d4 52. ♔c5! **44. ♗a4 ♗e7**
[44... ♔c7 45. h4!⊙] **45. b5! ♘a5** [45...
ab5 46. ♔b5 △ ♔b6] **46. ♔b4 ab5 47.**
♗b5! ♘c6 48. ♗c6 bc6 49. ♔a5! h6 50.
gh6 ♔f8 51. ♔b6 f5 52. ♔c6 fe4 53. ♔d6
1 : 0   *Glek*

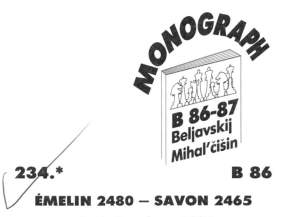

MONOGRAPH
B 86-87
Beljavskij
Mihalčišin

234.*   B 86

ÉMELIN 2480 – SAVON 2465
Sankt-Peterburg 1997

**1. e4 c5 2. ♘f3 d6 3. d4 cd4 4. ♘d4 ♘f6 5.
♘c3 a6 6. ♗c4 e6 7. a3** [RR 7. ♗b3 ♘bd7
8. f4 ♘c5 9. ♕f3 ♗e7 10. f5 0–0 11. ♗e3
♗d7 12. g4 d5!? N (12... ♕a5 — 57/243)
13. ed5 ♘b3 14. ab3 (14. ♘b3? ♘d5 15.
♘d5 ♗h4 16. ♗f2 ♗c6∓) ♘d5 15. ♘d5
♗h4 16. ♗f2 ed5 17. 0–0 (17. ♕d5??
♖e8 18. ♔f1 ♗b5–+) ♖e8 18. ♕d5 ♗f6
19. ♖fe1 ♗d4 20. ♕d4 (20. ♗d4 ♕h4 21.
♖e8 ♖e8 22. ♕d7 ♕g4= H. Leyva) ♗c6
21. ♖e8 1/2 : 1/2 Infante — H. Leyva
2410, San Salvador 1997] **♗e7 8. 0–0
0–0 9. ♗a2 b5 10. ♕f3 ♕b6 11. ♗e3
♕b7 12. ♖fe1 ♗d7 N** [12... ♘bd7] **13.
♖ad1 ♘c6 14. ♕g3 ♖fd8** [14... ♘d4 15.
♗d4 ♗c6 16. f3; 16. f4±; 14... ♖ad8] **15.
f4 b4?** [15... ♘d4 a) 16. ♗d4 ♗c6 17.
♘d5? (17. f5? e5 18. ♗e3 ♘e4 19. ♘e4
♗e4 20. ♗h6 ♗f6 21. ♗g7 ♗g7 22. f6
♗g6∓) ed5 18. ed5 ♗e8 19. ♖e7 ♕e7 20.
♖e1 ♘h5∓; b) 16. ♖d4 ♗c6 17. f5 e5 18.
♖d5 (18. ♗h6 ♘h5 19. ♕g4 ed4 20. ♕h5
♗f8–+) ♗d5 19. ♘d5 ♘e8 20. ♗h6 ♗h8
21. f6⧄] **16. ab4 ♘b4 17. ♗b3 d5** [17... a5
18. e5 de5 19. fe5 ♘h5 20. ♕g4 g6 21.
♖f1 a4∞; 18. f5±] **18. f5! ef5?** [18... de4
19. fe6 ♗e6 (19... fe6 20. ♘f5+–) 20.

♗e6 ♗d6! 21. ♕h3 (21. ♕g5 fe6 22. ♘e6
♘c2 23. ♘d8 ♖d8 24. ♖e2 ♘e3 25. ♖e3
♕b2 26. ♕a5 ♕b8 27. g3=) fe6 22. ♘e6
(22. ♕e6 ♕f7 23. ♘e4 ♕e6 24. ♘e6 ♘e4
25. ♘d8 ♘c2=) ♖d7 23. ♘g7→] **19. ed5!±**
♗g4 [19... ♘fd5? 20. ♘d5 ♘d5 21. ♕f3
♗e6 (21... ♗c8 22. ♘f5+–) 22. c4; 22.
♗f2+–] **20. ♗f4 ♗c5 21. h3 ♘f6 22. ♗e5
♕b6 23. ♔h1⊕ ♘e8 24. ♕f3 ♕g6** [24... f6
25. ♘f5 fe5 26. d6 (26. ♘e7) ♔f8 (26...
♔h8 27. ♘h6+–) 27. ♗g7 ♔g7 28. ♕f7
♔h6 29. ♕f8; 24... g6±] **25. ♘ce2 a5 26.
c3 ♘a6** [26... ♗d4 27. ♘d4 a4 28. ♗c4+–]
27. ♘f4 ♕b6 [27... ♕h6 28. ♘fe6+–] **28.
d6!+–** ♗d4 [28... ♘d6 29. ♘d5 ♕b8 30.
♘e7 ♔f8 31. ♗g7; 28... ♗d6 29. ♕d5] **29.
♕d5 ♘d6 30. ♗d6 ♗e6 31. ♘e6 ♖d6 32.
♕a8 ♕b8 33. ♘d4 g6 34. ♖e8 ♔g7 35.
♕b8 ♖c5 36. ♕d6 ♕d6 37. ♘f5 gf5 38.
♖d6 f4 39. ♖dd8 ♔f6 40. ♖f8 ♔e5 41.
♖f7   1 : 0**   *Émelin*

235.   B 86

KUPREJČIK 2500 – ŠIPOV 2575
Ålborg 1997

**1. e4 c5 2. ♘f3 d6 3. d4 cd4 4. ♘d4 ♘f6 5.
♘c3 a6 6. ♗c4 e6 7. a3 ♗e7 8. 0–0 0–0
9. ♕e2 b5 10. ♗a2 ♗b7 11. f4** [11.
♗e6!?] **♘bd7 12. e5 de5 13. fe5 ♗c5 14.
♗e3 ♘e5□** [14... ♕b6? 15. ♖ad1 ♘e5 16.
b4!+–] **15. ♘e6 ♗e3 16. ♕e3 fe6 17. ♕e5
♕b6 18. ♔h1 ♖ae8 19. ♖ae1!? N** [19.
♖ad1] **♔h8 20. h3 ♕c6 21. ♕g5!** [21.
♖e2? ♘d7! 22. ♖f8 ♖f8 23. ♕g3 (23.
♕e6? ♖f1 24. ♔h2 ♕c7–+) ♗f1 24. ♔h2
♕b6 25. ♖e3 (25. ♕e3 ♕d6 26. ♕g3
♖h1–+) ♗f3!!–+] **♘d7** [21... ♘h5 22.
♖f8 ♖f8 23. ♖e6 ♖f1 24. ♔h2 ♕c7 25.
♕e5±; 21... e5!? 22. ♖f5 e4 23. ♖e3!? △
♘e2-f4±] **22. ♖f8 ♘f8 23. ♖e2** [23. ♘e4
♕c2 24. ♘d6 ♕f2! (24... h6) 25. ♘e8 (25.
♖c1 h6!) ♗g2! 26. ♕g2 ♕e1∞] **h6 24.
♕h5 ♕d7** [24... ♘h7 25. ♗d5] **25. ♖f2
♘h7 26. ♖d2** [26. ♖f7 ♖e7 27. ♖e7 ♕e7
28. ♕e5± ×e6] **♕c6 27. ♘e4 ♖f8 28. ♘d6
♖f1?!** [28... ♘g5 29. ♕e2!□ ♘e4 (29...
♘h3 30. ♕e6 ♘g5 31. ♕e7+–) 30. ♘e4
♕e4 31. ♕e4 ♗e4 32. ♗e6±] **29. ♔h2
♕b6 30. ♘f7 ♖f7** [30... ♔g8 31. ♖d8 ♘f8
32. ♘h6 gh6 33. ♕g6 ♔h8 34. ♕h6 ♔g8

35. ♗e6+−] **31. ♕f7 ♘f6 32. ♕e6 ♕c7 33. ♕d6⊕   1 : 0**   *Kuprejčik*

236.** !N   B 87

LAUTIER 2660 − ANAND 2765

Biel 1997

1. e4 c5 2. ♘f3 d6 3. d4 cd4 4. ♘d4 ♘f6 5. ♘c3 a6 6. ♗c4 e6 7. ♗b3 [RR 7. 0−0 ♗e7 8. ♗b3 0−0 9. f4 b5 10. e5 de5 11. fe5 ♘fd7 12. ♗e3 ♘e5 13. ♕h5 ♘bc6 14. ♘c6 ♘c6 15. ♖f3 b4 N (15... ♕d6 − 68/(218)) 16. ♖h3 h6 17. ♖d1 ♕a5 18. ♘d5 ed5 19. ♖g3 d4 20. ♗d5 ♗g5 21. ♗g5 ♕d5 22. ♗f6 ♕h5 23. ♖g7 ♔h8 24. ♖g6♔h7 25. ♖g7 1/2 : 1/2 Short 2690 − G. Kasparov 2795, Novgorod 1997] **b5 8. 0−0 b4** [RR 8... ♗e7 9. ♕f3 ♕b6 10. ♗e3 ♕b7 11. ♖fe1 0−0 12. a3 ♘bd7 13. ♕g3 ♘c5 (13... ♔h8!?) 14. ♗h6 ♘e8 15. ♘d5! N (15. ♘f5 − 38/338) ♘b3□ (15... ♗d8? 16. ♘f5! ef5 17. ef5 △ ♖e8+−; 15... ♗h4? 16. ♕h4 ♘b3 17. ♘e7+−) 16. ♘e7 ♕e7 17. ♘b3 ♕c7 (17... ♕f6? 18. ♗g5 △ ♗e7+−; 17... e5 18. ♘a5∞) 18. ♖ac1! ♗d7? 19. ♗d2! a5 20. e5!± G. Kuz'min 2535 − Perun 2300, Alušta 1997; 19... e5 △ ♗e6⇆ Perun; 18... e5 △ ♗e6= G. Kuz'min] **9. ♘a4 ♗d7 10. f4 ♘c6 11. ♗e3 ♖b8** [11... ♗e7? 12. f5 ♘d4 (12... e5 13. ♘e6 fe6 14. fe6 ♗c8 15. ♗b6+−) 13. ♕d4 e5 14. ♕b4±] **12. c3 ♗e7 13. e5?!** [13. cb4 ♖b4 14. ♘c3 0−0=] **de5! N** [13... ♘d5 − 44/(292)] **14. fe5 ♘e5 15. ♗f4**

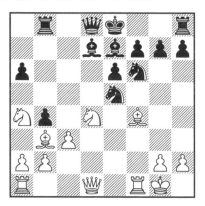

15... ♘g6! 16. ♗b8 ♕b8 17. cb4 ♗b4 18. ♖c1 [18. ♘f3 ♗b5! 19. ♖f2 ♘g4∓] **0−0∓**

---

19. ♔h1 [19. ♘c5? ♗c5 20. ♖c5 ♕b6 21. ♕c2 ♘e4 22. ♖c4 ♘d6 23. ♖c5 e5!; 19. ♘f3 ♗d6! (19... ♖d8 20. ♕c2 ♖c8 21. ♘c3) 20. ♘c3 ♗c6! *a)* 21. ♕e2 ♘g4! 22. h3 (22. g3 ♗c5) ♗f3 23. gf3 (23. ♖f3 ♗c5) ♘f4−+; *b)* 21. ♘e2 ♗f3 22. ♖f3 ♗h2 23. ♔h1 ♗e5† ×♔h1] **♖d8 20. ♘c5 ♗c5** [20... ♗b5 21. ♖f6 (21. ♘ce6 fe6 22. ♘e6 ♖d1 23. ♖fd1 ♗a5!−+) gf6 22. ♕g1] **21. ♖c5 ♗b5 22. ♖f6 gf6 23. ♕g1 ♗e8 24. ♘c6 ♗c6 25. ♖c6 a5 26. ♕f2 ♔g7 27. h3 ♖d7 28. ♖c5 ♕d8 29. ♕e3 ♖d3 30. ♕e1 ♕d4 31. ♖a5 ♖e3 32. ♕c1 ♕e4 33. ♔h2 ♕f4 34. ♔g1 ♕g3** [35. ♔f1 ♘f4−+]
0 : 1   *Anand*

237. !N   B 88

MORÓVIC FERNÁNDEZ 2580 − AM. RODRÍGUEZ 2555

Cienfuegos 1997

1. e4 c5 2. ♘f3 d6 3. d4 cd4 4. ♘d4 ♘f6 5. ♘c3 ♘c6 6. ♗c4 e6 7. ♗b3 a6 8. f4 ♕c7 9. ♗e3 ♘a5 10. f5 e5? [10... ♘c4□ 11. ♗c4 ♕c4 12. ♕f3 (12. ♕d3 ♕d3 13. cd3 ♗d7=) ♗e7 13. 0-0-0±] **11. ♘de2 ♗d7** [11... b5 12. ♘d5 ♘d5 13. ♗d5±] **12. ♗g5 ♘b3 13. cb3 ♗e7 14. ♗f6! N** [14. ♘g3 ♗f6 15. ♘d5 ♕d8 16. 0−0 ♗g5 17. ♘ec3 h5 [17... 0−0 18. ♕h5→] **18. a4!± h4 19. h3 ♖c8 20. ♕e2 0−0 21. b4 f6?!** [×e6] **22. b5 a5 23. b6 ♖c5 24. ♘c7+− ♗c6 25. ♖fd1 ♖f7 26. ♖d3!** [26. ♘e6 ♕b6 27. ♘c5 ♕c5 28. ♔h1±] **♖c4 27. ♖ad1 ♖d7 28. b3 ♖c5 29. ♘e6 ♕b6 30. ♘c5 ♕c5 31. ♔h1 ♗f4 32. ♘d5 ♗g3 33. ♖f1 ♔f8 34. ♖c3 ♕a3 35. ♕c2!** [×♕a3] **♖d8 36. ♖c4 ♗e8 37. ♖d1 ♗c6 38. ♘c3**   **1 : 0**
Am. Rodríguez

238. !N   B 88

DE FIRMIAN 2570 — SERPER 2540

Los Angeles 1997

1. e4 c5 2. ♘f3 d6 3. d4 cd4 4. ♘d4 ♘f6 5. ♘c3 ♘c6 6. ♗c4 e6 7. ♗e3 a6 8. ♗b3 ♕c7 9. 0–0 ♘a5 10. f4 b5 11. f5 ♘b3 12. cb3 b4!? [12... ♗e7] 13. ♘a4 e5! N [13... ♘e4?] 14. ♖c1 ♕b7 15. ♘f3! [15. ♘c6? ♗d7] ♗e7 [15... ♕e4?! 16. ♕d2 a) 16... ♘d5? 17. ♖fe1! ♗b7 (17... ♘e3 18. ♘b6! ♖b8 19. ♘c8+−) 18. ♘c5!! dc5 19. ♗c5 ♗c5 20. ♖c5→; b) 16... ♕b7 17. ♘b6 ♖b8 18. ♕b4↑; 15... ♘e4 16. ♘b6 ♘f6! (16... ♖b8 17. ♘d5↑) 17. ♘a8 ♕a8±] 16. ♘b6 ♖b8 17. ♖c4! 0–0 [17... ♘e4? 18. ♘d5↑; 17... ♘g4 18. ♘d5! (18. ♕d2 ♘e3 19. ♕e3 ♕b6! 20. ♖c8 ♗d8 21. ♕b6 ♖b6∞) ♘e3 19. ♘e3± ♗d7?! 20. ♘d5 ♗c6 21. ♘e7 ♔e7 22. ♕c1! ♖hc8 23. ♕g5 ♔f8 24. f6!→] 18. ♕c1 a5!□ 19. ♖c7 ♕a6 20. ♖c6 [20. ♖e7? ♖b6 21. ♗b6 ♕b6 22. ♔h1 ♘e4 23. ♕e1 ♗a6∓] ♕b7 21. ♖c7 ♕a6 22. ♖c6 ♕b7 23. ♕c4! ♘g4□ 24. ♗f2 [24. ♘d5? ♘e3 25. ♘e3 ♕a7 26. ♖e1 ♗b7 27. ♖c7 ♗d8 28. ♖d7 ♗b6∓] ♘f2 25. ♖f2 ♗d7 26. ♘d7 ♕d7 27. ♖c7 ♖e8 28. ♖c2 ♗d8 29. ♖c6 ♗b6 30. ♔f1 ♗c5 31. ♕d5 ♖c8? [31... ♖d8± 32. ♘e5?! de5 33. ♕c5 ♖d1 34. ♔f2 ♕d8∓] 32. ♘e5!+− [32. ♖c8? ♕b5!] dc5⊕ [32... ♕e7 33. ♘c4] 33. ♖c5 ♖d8 34. ♕e5 ♖d1 35. ♔e2 ♕d8 36. ♖d5 ♖d5 37. ♕d5 ♕g5 38. g3 ♖d8 39. h4! ♕e7 40. ♕c6 h6 [40... ♕e5 41. ♖d2!? ♖d2 42. ♔d2 ♕b2 43. ♔e3] 41. ♖d2!? ♖d2 42. ♔d2 ♕e5 43. g4! ♕b2 44. ♔d3 ♕a2 45. ♕e8 ♔h7 46. ♕f7 ♕b1 47. ♔d4 ♕d1 48. ♔c5 ♕g4 49. e5 ♕g1 [49... ♕h4 50. e6] 50. ♔c6 ♕g2 51. ♔d6 ♕d2 52. ♔e7 ♕d4 53. ♕g6 ♔g8 [53... ♔h8 54. e6 ♕c5 55. ♔f7] 54. ♕e6 ♔h7 55. f6! ♕a7 56. ♕d7 ♕c5 57. ♔e6 ♕f8 58. h5! a4 59. ♕a4 ♕c8 60. ♕d7 ♕a6 61. ♔f7   1 : 0   *Serper*

239.*   B 88

DE FIRMIAN 2575 — FISHBEIN 2525

Philadelphia 1997

1. e4 c5 2. ♘f3 d6 3. d4 cd4 4. ♘d4 ♘f6 5. ♘c3 ♘c6 6. ♗c4 e6 7. ♗e3 a6 8. ♗b3 ♗e7 9. f4 0–0 10. 0–0 ♘d4 11. ♗d4 b5 12. e5 de5 13. fe5 ♘d7 14. ♘e4 ♗b7 15. ♘d6 ♗d6 16. ed6 ♕g5 17. ♕e2 a5 18. c3 ♖a6 19. ♖ad1 [19. ♖fd1!? N a) 19... ♖d8? 20. ♖d3! e5 21. ♗g3 ♕h6 22. ♖f1 ed4 (22... ♖d6?! 23. ♗f7 ♔h8 24. ♗e3 1 : 0 R. Hübner 2600 − Tischbierek 2490, Deutschland 1997) 23. ♖f7 ♔h8 24. ♖d7 ♖d6 25. ♖b7+−; b) 19... e5] ♖d6 N [19... a4?!] 20. ♗g7! ♖d1 21. ♖d1 ♔g7 22. ♖d7 ♗c6 23. ♖d4± ♔h8 24. ♕f2 ♕e5 [24... a4!? 25. ♗c2 ♕e5] 25. a3 f5 26. g3 ♗e4? [26... ♖e8 27. ♕d2 ♔g8±] 27. ♕e3!± [△ ♗c2] ♕f6?! [27... ♖g8! 28. ♗c2 ♖g4±] 28. ♖d6 ♖e8 29. ♕c5 f4 30. ♖e6! ♖e6 31. ♕c8 ♔g7 32. ♕e6+− fg3 33. ♕f6 ♔f6 34. hg3 a4 35. ♗g8 ♔e5 36. ♔f2 h6 37. ♔e3 ♗d5 38. ♗h7 ♗c4 39. ♔f3 ♗e6 40. ♗d3 ♗d7 41. ♔e3 ♗c6 42. c4! bc4 43. ♗c4 ♔f5 44. ♗e2 ♔e5 45. ♔d3 ♗b7 46. ♔c3 ♔e4 47. ♗d1 ♔e3 48. ♔b4 ♔f2 49. ♗a4 ♗c8 50. ♗e8 ♔g3 51. ♔c5 ♗b7 52. b4 ♗f3 53. b5 h5 54. ♗h5 ♗h5 55. b6 ♗f3 56. a4 ♔f4 57. ♔d6   1 : 0   *R. Byrne, Mednis*

240.*   B 89

KUPREJČIK 2500 — MORAWIETZ 2430

Köln 1997

1. e4 c5 2. ♘f3 e6 3. ♘c3 d6 4. d4 cd4 5. ♘d4 ♘f6 6. ♗e3 ♘c6 7. ♗c4 ♗e7 8. ♕e2 [RR 8. ♗b3 0–0 9. ♕e2 ♗d7 10. 0-0-0 ♘a5 11. g4 ♘b3 12. ab3 d5!? N (12... ♕a5) 13. e5 (13. ed5 ♘d5 14. ♘d5 ed5 △ a5-a4⇆) ♘e8 14. f4 f6 (da Costa Júnior − Limp 2385, Brasil 1997) 15. ef6∞ da Costa Júnior] a6 9. 0-0-0 ♕c7 10. ♗b3 ♘a5 11. g4 b5 12. g5 ♘b3 13. ab3 ♘d7 14. h4 b4 15. ♘a4 ♘c5 16. ♕c4 ♗d7 17. ♕b4

♖b8!? N [17... 0—0] **18. ♕c3 ♗a4 19. ba4 ♕b7** [19... 0—0 20. b4]

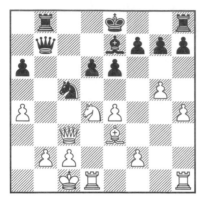

20. ♘f5! ef5 21. ♕g7 ♖f8 22. ♗c5 [22. ef5! f6 (22... ♘a4 23. ♗d4 ♘b2 24. ♗b2 f6 25. ♗c3±) 23. ♗d4 fg5 (23... ♖f7 24. ♕g8 ♖f8 25. ♕h7+−) 24. f6 (24. hg5!? ♖f7 25. ♕g8 ♖f8 26. ♕c4∓↑) ♗f6 25. ♗f6 ♕g7 26. ♗g7 ♖f2 27. ♖d6±] **dc5 23. ef5 f6□ 24. b3 c4! 25. gf6** [25. ♖he1 ♕b4!! 26. gf6 ♕a3 27. ♔b1 ♖b3!=] **♗a3 26. ♔b1 ♕g7 27. fg7 ♖g8 28. ♖he1** [28. f6 ♔f7] **♔f7 29. ♖d7 ♘f6 30. ♖e6** [△ 30. ♔a2 ♗b4 31. ♖e6 ♔f5 32. ♖a6] **♔f5 31. ♖a6 cb3 32. cb3 ♖b3 33. ♔c2** [33. ♔a2 ♖c3] **♖b2 34. ♔d3 ♖b3 35. ♔e2 ♗b2 36. ♖f7 ♔g4 37. ♖a5 h6** [37... ♔h4?? 38. ♖f4 ♔h3 39. ♖h5 ♔g2 40. ♖g4#] **38. ♖a6 ♔h4 39. ♖g6 ♖a3 40. f4 ♖g7 41. ♖g7 ♗g7 42. ♖g7 ♖a4** [♖ 7/b3] **43. ♔f3 ♖a1 44. f5 ♖f1 45. ♔e4 h5 46. ♔e5 ♔h3 47. ♖g5 ♖e1!** [47... ♔h4? 48. ♔f6+−] **48. ♔f6 h4 49. ♔g6 ♔h2 50. f6 ♖e8 51. ♖e5 ♖f8 52. ♔g7 ♖a8 53. f7 h3** 1/2 : 1/2

Kuprejčik

241.*   B 90

LÉKÓ 2600 — MILOS 2605

Yopal 1997

1. e4 c5 2. ♘f3 d6 3. d4 cd4 4. ♘d4 ♘f6 5. ♘c3 a6 6. ♗e3 ♘g4 7. ♗g5 h6 8. ♗h4 g5 9. ♗g3 ♗g7 10. ♕d2 ♘c6 11. ♘b3 b5 12. f3 [RR 12. ♗e2 N ♘ge5 13. 0—0 ♘c4 14. ♗c4 bc4 15. ♘c1 ♖b8 16. ♖b1 ♕a5 1/2 : 1/2 Svidler 2660 − Sutovskij 2590, Bad Homburg 1997] **♘ge5 13. ♗f2 ♖b8! 14. ♘d5**

N [14. ♘d4 b4!; 14. 0-0-0] **e6 15. ♘e3 a5! 16. a4** [16. ♖d1?! a4 17. ♘c1 0—0] **ba4 17. ♖a4 0—0 18. ♗e2 ♘g6** [18... d5! 19. ed5 ed5 20. ♕d5 (20. ♘d5? ♗e6∓) ♗e6! (20... ♕d5 21. ♘d5 ♗e6 22. ♘b6!±) 21. ♕d8 ♖fd8⇆] **19. 0—0 ♘f4 20. ♖b1 ♖b4** [20... d5! 21. ed5 ♘e2! 22. ♕e2 ed5⇆] **21. ♖b4 ♘e2 22. ♕e2 ab4 23. ♕b5!± ♕c7** [23... ♗d7 24. ♕d3] **24. h4! ♕b7!□ 25. ♕e2!** [25. ♕d3 ♖d8 26. hg5 ♘e5! 27. ♕d2 hg5] **♘e5!** [25... ♖d8 26. hg5 hg5 27. ♘g4!] **26. hg5 hg5 27. ♖d1 ♖d8 28. ♘c5!** [28. ♘f1!? ♘g6!∞ △ 29. ♗d4 e5!⇆] **♕e7 29. ♘d3 ♘c6!** [29... ♘d3 30. cd3±] **30. ♕d2 d5 31. ed5 ed5 32. ♖e1 ♕d6□ 33. ♘g4** [33. ♘f1!? ♕g6! (33... g4 34. ♗b6!) 34. ♗b6 ♖f8] **♗g4** [33... f5? 34. ♘ge5!±] **34. fg4 ♕g6= 35. ♘b4 ♘b4 36. ♕b4 ♕c2 37. ♕e7 ♖c8 38. ♕g5 ♕b2 39. ♕d5 ♖c1 40. ♕a8** [40. ♕d8 ♔h7] **♗f8 41. ♕e4 ♖e1 42. ♕e1 ♕b4 43. ♕d1 ♕e4 44. ♕f3** 1/2 : 1/2

Lékó

242.*   B 90

TIVJAKOV 2590 — OLL 2645

Beijing 1997

1. e4 c5 2. ♘f3 d6 3. d4 cd4 4. ♘d4 ♘f6 5. ♘c3 a6 6. ♗e3 ♘g4 7. ♗g5 h6 8. ♗h4 g5 9. ♗g3 ♗g7 10. ♕d2 ♘c6 11. ♘b3 b5 12. f3 ♘ge5 13. ♗f2 ♘a5 14. ♘a5 ♕a5 15. ♘d5 [15. 0-0-0?! N ♗e6 16. ♔b1 ♘c4 (16... ♗c4!?) 17. ♗c4 ♗c3 18. ♕c3 ♕c3 19. bc3 ♗c4∓ 1/2 : 1/2 Ye Jiangchuan 2510 − R. Forster 2365, Genève 1997; 15. ♗e2 ♗e6 16. 0—0 ♖c8∓; 15. ♗d3 ♗e6 16. 0—0 ♖c8∓] **♕d2 16. ♔d2 ♖b8 17. c3 ♘c6** N [△ b4, △ e6, b4↑≪; 17... ♗b7 67/(326)] **18. a3!? 0—0** [18... e6 19. ♘b4 ♘e5∞; 19. ♘b6!?± △ a4] **19. ♗e2** [19. h4?! g4! △ gf3, f5↑⊞] **f5!? 20. ef5 ♖f5 21. ♘e3 ♖f7** [21... ♖f8!? 22. ♗g3∞ △ h4] **22. ♗g3** [22. h4 g4!∓] **♗e6** [22... ♘a5!? ♗e6] **23. b4?!** [×c3; 23. ♖ae1 ♘a5=; 23. h4!?∞] **a5?!** [×b5; 23... ♖d8?! 24. a4! △ 24... d5 25. ab5 ab5 (25... d4 26. bc6±) 26. ♗b5 ×♘c6; 23... ♖c8∓ (△ d5-d4, △ ♖ff8-d8, d5-d4↑⊞) 24. a4 d5! 25. ab5 ab5 26. ♗b5 d4!→⊞; 23... ♖ff8!?] **24. h4 ♖ff8 25. hg5 hg5 26. ♖ac1** [⇗h8-a1 ×b4, c3; 26.

160

Rfc8 27. Rh5= Bf6 28. f4?! [28. Ng4!? Bg4 29. fg4= □ 8g2, g4] gf4 29. Bf4 ab4 30. ab4 Ne5□ 31. Be5!? Be5 32. Bf3 Kf7!∓ □ 33. Kd3 [33. Bd5 Bd5 34. Nd5 Ke6; 33. Rh7 Ke8 △ Kd7; 33. Rh6!?] Ke8 34. Rh6⊕ [34. Bd5 Kd7 35. Be6 Ke6∓; 34. Nd5!? Kd7 △ 35. Rh7?? Bf5; 34. Bg4 Kd7∓] Bf6 [34... Kd7 35. Re6 Ke6 36. Bg4=] 35. Bd5 Kd7! [35... Bd5 36. Nd5 Bg5 37. Rh8 Kd7 38. Rc8 Kc8 (38... Rc8 39. Nb6) 39. Ra1=] 36. Be6 Ke6 37. Ng4 Rh8 38. Re1 [38. Rch1?! Rh6 39. Rh6 Rg8! 40. Nf6 ef6∓ Xg2] Kf7 39. Rh8 Bh8 [R 9/i] 40. Rf1 Ke6 41. Re1 Kd7∓ [∞, Xc3, g2] 42. Ne3 Be5 [42... e6!?∓; 42... Bf6!?∓ △ Rg8] 43. Ng4 Bf4 [43... Bg7!?∓ △ 44... Rc8, 44... Rf8] 44. Rf1 e5 45. Nf6 Ke6 46. Nh5 Bg5□ 47. Ng7! Kd5 48. Rf5! Bh4 [48... Be7!?; 48... Bh6!?] 49. Rh5! Rg8 [49... Bf6 50. Nf5∓] 50. Nf5□ [50. Rh4 Rg7∓] Bg5 51. g4 Ke6 52. Rh7= Bf4 [52... d5 53. Ng7!? (53. Rb7!?; 53. Rg7!?) Kd6 (53... Kf6 54. Nh5 Kg6 55. Rd7) 54. Nf5 Kc6 55. Rg7=] 53. Rg7! Rg7 54. Ng7 Kd5 55. Nf5 e4 56. Ke2 Bg5 [56... Kc4 57. g5=] 57. Ng3 Bf6 58. Kd2 Be5 59. Nf5 Kc4 60. Ne3 Kb3 61. Nd5 Kc4 62. Ne3   1/2 : 1/2   *Tivjakov*

243.   B 90

ANAND 2765 – GEL'FAND 2695

Biel 1997

1. e4 c5 2. Nf3 d6 3. d4 cd4 4. Nd4 Nf6 5. Nc3 a6 6. Be3 Ng4 7. Bg5 h6 8. Bh4 g5 9. Bg3 Bg7 10. Qd2 Nc6 11. Nb3 f5 12. ef5 Bf5 13. h4 N [13. Bd3 — 68/225] Qd7! 14. 0-0-0 [14. Be2!] Nb4! [14... Rc8 15. Nd5! Na5 16. Na5! (Gel'fand) Rc2 (16... Qa4 17. Bc4±) 17. Qc2 Bc2 18. Kc2 Qa4 19. Nb3 Qa2 20. Nc3±] 15. Nd4 [15. Nd5 Nd5 (15... Na2 16. Kb1 Rc8 17. Bd3±) 16. Qd5 Nf6∓] Rc8 16. a3 Rc3? [16... Bd4! 17. Qd4 (17. ab4? Rc3! 18. bc3 Qa4-+) Nc2 18. Qg7!! (18. Qd2? Na1!; 18. Qb6 Na3 19. Qb3 Nb5 20. hg5∓; 18. Qh8 Kf7 19. Bc4 Rc4! 20. Qb8 Na3!→) Na1 (18... Rf8 19. Bd3 Rf7 20. Qh8 Rf8 21. Qg7=) 19. Bd3!=] 17. bc3 Qa4 18. Kb2± [18. cb4? Bd4! 19. c3

Bf2! 20. Bf2 Qa3 21. Qb2 Qb2 22. Kb2 Nf2-+] Nd5 19. hg5 hg5 20. Qg5? [20. Nf5! Bc3 21. Qc3 Nc3 22. Rh8 a) 22... Kf7 23. Rd4 Qa5 24. Rh7 Kf8 (24... Kg6 25. Re7 Kf5 26. Rd6+-) 25. Ne7 Na4 26. Ra4 Qa4 27. Nf5+-; b) 22... Kd7 23. Rd4! Qa5□]

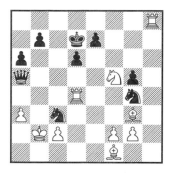

24. Nd6!! b1) 24... Na4 25. Kc1 (25. Ra4 Qa4 26. Nc4+-) ed6 26. Rd6 Ke7 27. Rh7 Ke8 (27... Kf8 28. Rd8) 28. Re6 Kf8 29. Bd6 Kg8 30. Rb7+-; b2) 24... ed6 25. Rd6 Ke7 26. Rh7 Kf8 (26... Ke8 27. Re6 Kf8 28. Bd6 Kg8 29. Rb7! Na4 30. Kc1 Nf6 31. Bc4 Kh8 32. Ree7+-) 27. Rd8! Qd8 28. Rh8+-] Bd4 21. Rh8 Bh8 22. Qh5 Kd8 23. Qh8 Kd7 24. Rd2 Ngf6 25. c4 Nc3 [25... Qa5 26. Rd5 Nd5 27. cd5+-] 26. f3?? [26. Bd6! Nce4 a) 27. Be7 Ke7; b) 27. Qg7 Nd6 28. c5 Bc2 29. Qf7!! Bd3 (29... Nfe4 30. cd6 Nd2 31. Qe7 Kc6 32. Qc7 Kd5 33. d7+-) 30. Rd3 Qb5 31. Nb3 Qc5 32. Qb7±; c) 27. Bc7! Qc7 28. Qd8 Kc6 29. Rd5! Nd6 30. Rf5+-] Qd1! 27. Kc1 Ne3= 28. Bd6 Nf1?? [28... ed6 29. Qf6 Qa3 30. Kb1 Qb4 31. Kc1 Qa3=]

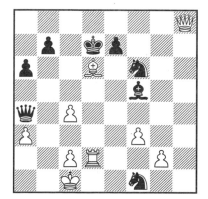

29. ♕f8! [29. ♕b8 ♕c6 30. ♕f8!±] ♘d5
30. ♗e7! ♘d2 31. ♕d8 ♔e6 32. cd5 ♔e5
[32... ♔f7 33. ♕f8 ♔g6 34. ♕g8 ♔h6 35.
♗f8 ♔h5 36. ♕h8 ♗h7 37. ♕h7 ♔g5 38.
♗h6 ♔f6 39. ♕g7 ♔f5 40. ♕g5#] 33.
♕d6 ♔d4 34. ♕c5 ♔e5 35. ♕d6 ♔d4 36.
♕f4 ♘e4 37. ♕f5   1 : 0   *Anand*

244.****** !N   B 90

TH. ERNST 2390 — HELLERS 2585

Stockholm 1996/97

1. e4 c5 2. ♘f3 d6 3. d4 cd4 4. ♘d4 ♘f6 5.
♘c3 a6 6. ♗e3 ♘g4 7. ♗g5 h6 8. ♗h4 g5
9. ♗g3 ♗g7 10. ♗e2 h5 [RR 10... ♘e5 11.
f3 N (11. h4) ♘bc6 12. ♗f2 ♗e6 13. ♕d2
♘g6 14. ♘e6 fe6 15. ♗c4 ♘a5 16. ♗b3
♘b3 17. ab3 ♕c7 18. ♗d4 ♗d4 19. ♕d4
♖g8 20. 0-0-0 0-0-0 21. ♕a7 1/2 : 1/2 Z.
Almási 2615 — Istrăţescu 2550, Jugoslavija
1997] 11. h4 [RR 11. ♗g4 ♗g4 12. f3
♗d7 13. ♗f2 ♘c6 14. 0-0 e6 15. ♘c6 N
(15. ♘ce2 — 69/245) ♗c6 16. ♗d4 ♗e5
17. ♕d2 (17. ♗e5 de5 18. ♕d8 ♖d8 19.
♖ad1 ♔e7 20. ♖fe1 ♖d1 21. ♘d1 ♖d8 22.
♘e3 ♖d2 23. ♘d1 ♖d4 24. ♔f2 1/2 : 1/2
Tivjakov 2590 — S. Savčenko 2565, Jakarta
1997) ♕f6 18. ♗e5 de5 (18... ♕e5 19.
♖ad1 0-0-0 20. ♖fe1 g4 21. f4 ♕c5 22.
♕d4 h4 23. b4 ♕d4 24. ♖d4 g3 25. hg3
hg3 26. ♖e3 ♖h4 27. ♖g3 ♖f4∞ Liang Jin-
rong 2425 — Pigusov 2560, Beijing (open)
1997) 19. ♕d6 (19. a4 0-0 20. b3 ♖fd8
21. ♕e3 ♕f4 22. ♕f4 gf4 23. ♖fd1 h4∓
Short 2690 — Topalov 2725, Novgorod
1997) ♖d8 20. ♕c5 ♕g7 21. ♖ad1 ♖d1 22.
♖d1 f6 23. ♕d6 ♔f7 24. b3 ♕f8 25. ♕c7
♕e7 26. ♕b6 ♖c8= Xie Jun 2495 — Oll
2645, Beijing 1997] gh4 12. ♖h4 ♘c6 13.
♘b3 ♗e6 14. ♕d2 ♕b6 15. ♘d5 ♗d5 16.
ed5 ♘ce5 17. 0-0-0 ♘g6! N 18. ♖h3 ♗h6
19. f4 ♕e3 20. ♗g4! [20. ♖dh1? ♘f4 21.
♗f4 ♕f4 22. ♖h5 ♕e4! 23. ♔b1 (23. ♖h6
♖h6 24. ♖h6 ♘h6 25. ♕h6 ♕e2 26. ♕h8
♔d7 27. ♕a8 ♕e1) ♗d2 24. ♖h8 ♔d7 25.
♗g4 ♕g4 26. ♖a8 ♕g2∓; 20. ♖f1 ♕d2
21. ♔d2 (21. ♘d2 ♘e3∓) ♘f6↑] ♕d2 21.
♘d2 hg4 22. ♖hh1 [RR 22. ♖h5 ♔d7 23.
♖f5 f6 24. ♘c4 ♖ag8 25. ♘e3 ♗f8 1/2 : 1/2
Becerra Rivero 2495 — Moróvic Fernández

2600, Cienfuegos 1997] ♔d7 [22... ♖c8 23.
f5 ♘e5 24. ♗e5 de5 25. ♔b1±] 23. ♘c4!
[23. ♖hf1 ♖ac8∓] ♗af8! 24. ♖hf1 b5 25.
♘e3 e5! 26. de6 fe6 27. ♘g4 ♗f4 28. ♗f4
♘f4 29. ♖f4! ♖f4 30. ♘e5 ♔c7 31. ♘g6
♖hf8 32. ♘f8 ♖f8 33. ♖g1   1/2 : 1/2
                                   Hellers

245. !N   B 90

GARBISU 2380 —
AM. RODRÍGUEZ 2545

Terrassa 1997

1. e4 c5 2. ♘f3 d6 3. d4 cd4 4. ♘d4 ♘f6 5.
♘c3 a6 6. ♗e3 ♘g4 7. ♗g5 h6 8. ♗h4 g5
9. ♗g3 ♗g7 10. ♗e2 h5 11. h4 ♘c6 12.
♘b3 gh4 13. ♖h4 ♗e6 14. ♕d2 ♕b6 15.
♘d5 ♗d5 16. ed5 ♘ce5 17. 0-0-0 [17. c3?
♘g6 18. ♖h3 h4 19. ♗g4 hg3∓] ♗h6
[17... ♗f6?! 18. ♖h3 h4 19. ♗f4 ♕f2 20.
♗e5! ♗e5 21. ♖f1 ♗f4 22. ♕f4 ♕e2 23.
♘d4! ♕g2 24. ♕f7 ♔d7 (24... ♔d8 25.
♖c3) 25. ♕e6 ♔d8 (25... ♔e8 26. ♖hh1)
26. ♖hf3 ♘f6 (26... ♖e8 27. ♕f5) 27.
♖f6!+−→] 18. f4 ♕e3 19. ♕e3 ♘e3 20.
fe5 ♘f5 21. ♔b1 ♘g3 22. ed6 ♗g5 23.
♖b4 ♘e2 24. de7 ♗e7 25. ♖b7 ♖g8! N
[25... ♗d6 — 57/252] 26. ♖e1 [26. c4 ♖g2
27. d6 ♗f6−+; 26. d6 ♗f6 27. ♖e1 ♖g2
28. ♘c1 0-0-0! 29. ♖c7 (29. ♖f7 ♖d6)
♔b8 30. ♖e2 ♖e2 31. ♘e2 ♖d6 32. ♖c5
♖d1 33. ♘c1 h4∓] ♖g2 27. ♘c1 [27.
♘d4? ♖g1∓] ♖d8! 28. c4 [28. ♘e2 ♗h4
29. ♘f4 ♗e1 30. ♘g2 ♖d5∓] ♖c8! 29. b3?
[29. ♖e2?! ♖e2 30. ♘e2 ♖c4 31. ♘g3 (31.
♖a7 h4 32. ♖a6 h3 33. ♖h6 ♖h4∓) ♗g5!?
(31... h4 32. ♘f5 ♖e4 33. ♖b8 ♔d7 34.
♖b7 ♔e8=) 32. b3 ♖c1 33. ♔b2 ♖c5!∓ △
♗c1!; 32. a3∓; 29. ♘e2! ♗h4 (29... ♖c4??
30. ♘c3+−) 30. ♘f4 (30. ♖h1?! ♖c4 31.
♘c3 ♖f4∓) ♗e1 31. ♘g2 ♗g3 (31... ♗f2
32. b3 h4 33. ♘f4 ♗c5±) 32. ♖b3 (32. b3
h4↑) h4 33. ♖e3 (33. ♘e3 ♗f4 △ h3) ♔f8
34. b3 ♖e8↑] ♘c3 30. ♔a1 ♘d5!!−+ 31.
♘d3 [31. cd5 ♖c1! 32. ♖c1 ♗f6 33. ♔b1
♖b2 34. ♔a1 ♖b3] ♘c7 32. ♘f4 ♖h2 33.
♔b1 ♔f8 34. ♖f1 ♗f6 35. ♘h5 ♗e5 36.
♘f4 ♖b2 37. ♔c1 ♖a2 38. ♖f3 ♔g7
0 : 1   *Am. Rodríguez*

246.*** B 90

SHIROV 2700 —
G. KASPAROV 2820

Tilburg 1997

1. e4 c5 2. ♘f3 d6 3. d4 cd4 4. ♘d4 ♘f6 5. ♘c3 a6 6. ♗e3 e5 7. ♘b3 ♗e6 8. f3 ♗e7 [RR 8... ♘bd7 9. ♕d2 b5 10. a4 b4 11. ♘d5 ♗d5 12. ed5 ♘b6 13. ♗b6 ♕b6 14. a5 ♕b7 15. ♗c4 ♗c7 16. ♖a4 ♖b8 17. ♘c1 ♗d8 18. b3 ♕a7?! N (18... ♘d7? — 69/249) 19. ♘d3 ♕d4 (19... e4 20. ♘b4 ♖b4 21. ♕b4 ♕e3 22. ♗e2 ef3 23. gf3 ♕c1 24. ♗d1 0—0 25. ♔f2± Hráček) 20. ♘b4 ♕d2 21. ♔d2 ♖b4 22. ♖b4 ♗a5 23. ♔c3 ♔d7 24. ♖a1 ♗b4 25. ♖b4± Hráček 2605 — Ch. Lutz 2590, Bad Homburg 1997] 9. ♕d2 ♘bd7 [RR 9... h5 10. 0-0-0 (10. ♗d3 — 68/227) ♘bd7 11. ♘d5 N (11. ♔b1) ♘d5 12. ed5 ♗f5 13. ♔b1 ♖c8 14. ♗d3 ♗d3 15. ♕d3 ♕c7 16. ♘d2 *a)* 16... ♘c5 17. ♗c5 ♕c5 18. ♖he1 ♕c7 19. f4 ef4 20. ♕e4 ♔f8 21. c3 ♖h6 22. ♕f4 ♖f6 23. ♕e4 ♕d7 24. ♔a1 ♖e8∞ Wang Zili 2520 — Ye Jiangchuan 2530, Beijing (open) 1997; *b)* 16... g6 17. c3 b5 18. h4 ♕b7 19. ♘b3 ♗d8 20. ♗g5 ♘c5 21. ♘c5 ♖c5∞ Wang Zili 2520 — Van Wely 2655, Beijing (open) 1997] 10. g4 h6 11. 0-0-0 b5 12. h4 ♘b6 13. ♔b1 b4 14. ♗b6 ♕b6 15. ♘d5 ♗d5 16. ed5 a5 17. ♕d3 [17. ♗h3 — 57/(255)] 0—0! 18. ♘d2 a4 19. ♘e4 N [19. ♗h3] ♖fc8 20. ♘f6? [20. g5 *a)* 20... ♘h5!?; *b)* 20... b3 21. cb3 ab3 *b1)* 22. gf6? ♖a2 23. ♘c3 ♕a7 24. ♔c1 ♗f6—+; *b2)* 22. a3 hg5 23. hg5 ♘e4 24. ♕e4 ♗g5 25. ♗d3 (25. ♕h7? ♔f8 26. ♗h3 ♖a3 27. ba3 ♕f2—+) g6 26. ♕g4 ♕f2 27. ♗g6 fg6 28. ♕e6 ♔g7 29. ♕d7 ♔f6=; *b3)* 22. ♕b3 ♕b3 23. ab3 ♘e4 24. fe4 hg5 25. h5∞; *c)* 20... ♘e4 21. ♕e4 b3 22. ♗d3 g6 23. cb3 ab3 24. a3 h5 25. f4 ♕f2 26. fe5 ♖a3 27. ♕e2 ♕e2 28. ♗e2 ♖a4 29. ♗b5 (29. e6? ♖ca8 30. ♔c1 ♖h4—+) ♖b4 30. ♗c6 de5 31. d6 ♗d8 32. ♗d5] ♗f6 21. ♕e4 [21. g5 e4 22. ♕e4 b3 23. cb3 ab3 24. a4 (24. a3 ♗b2 25. ♗d3 ♗e5—+) ♕f2 25. ♗e2 (25. ♕e2 ♕c5 26. ♕c4 ♕c4 27. ♗c4 ♖c4 28. gf6 ♖ca4—+) ♖c2 26. gf6 ♖e2 27. ♕d4 ♖a4 28. ♕f2 ♖f2∓] ♕c5?! [21... b3! 22. cb3 (22. ♗d3 bc2 23. ♗c2 ♖cb8—+) ab3

23. a3 ♗h4 24. ♖h4 (24. ♗d3 ♗g5 25. ♕h7 ♔f8 26. ♗f5 ♖a3!—+) ♕f2 25. ♗d3 (25. ♗c4 ♕h4 26. ♗b3 ♕f2—+) ♕h4 26. ♕h7 ♔f8 27. ♗f5 ♖d8 28. ♖c1 ♖a7 29. ♕h8 ♔e7 30. ♕g7 ♕g5 31. ♕g5 hg5 32. ♖c3 ♖b7 33. ♔c1 ♖h8—+] 22. ♗d3 ♔f8 23. g5! [23. ♖dg1? a3 24. g5 ab2 25. gf6 b3 26. fg7 ♔e7 27. cb3 ♕a3 28. g8♘ ♔f8—+] hg5 24. hg5 ♗g5 25. ♕f5 ♗h6 [25... ♗f6!? *a)* 26. ♕d7? g6 27. ♖h7 ♗g7 28. ♖dh1 (28. ♗g6? ♖c7 29. ♕f5 e4 30. ♖h2 b3—+) b3 *a1)* 29. cb3 ab3 30. a3 (30. ab3 e4 31. ♖g7 ♔g7 32. ♗e4 ♕a7—+) ♖c7—+; *a2)* 29. ♖h8 ♗h8 30. ♖h8 ♔g7 31. ♖h7 ♔h7 32. ♕f7 ♔h8 33. ♕f6 ♔g8 34. ♕g6 ♔f8 35. ♕f6 ♔e8—+; *b)* 26. ♗b5! ♖d8 27. ♖h8 (27. ♗c6 ♖a7 28. ♖h8 ♔e7 29. ♖d8 ♔d8 30. ♖h1 ♔c7 31. ♕d7 ♔b6 32. ♕e8 a3 33. ♕b8 ♔a5∓) ♔e7 28. ♖d8 ♖d8 29. ♗a4 g6∓] 26. ♖h4! [26. ♖h6 gh6 27. ♕f6 b3 28. ♕h6 ♔e8 29. cb3 (29. ♕h8 ♔d7 30. ♕h7 ♔c7—+) ab3 30. a3 ♕d5 31. ♕h8 ♔e7 32. ♕h4 f6—+] ♔e7 [26... ♕d5 27. ♗e2 ♕e6 28. ♕e6 fe6 29. ♖d6=; 26... g6 27. ♕h3 ♗f4 28. ♗g6 fg6 29. ♖h8 ♔g7 30. ♖h7=; 26... ♖cb8!? 27. ♖c4 ♕a5! (27... ♕d5? 28. ♖c7 b3 29. c4 ♕e6 30. ♕h7 ba2 31. ♔a1 f6 32. ♗e4+—) 28. ♗e4 b3 29. cb3 ab3 30. a3∓] 27. ♖c4 ♕c4 28. ♗c4 ♖c4 29. ♕d3 ♖ac8 30. ♖e1 ♗f4 31. ♖e4? [31. b3! ab3 32. ab3 ♖4c5! (32... ♖c3 33. ♕f5 g5 34. ♖h1↑; 32... ♖c2 33. ♕c2 ♖c2 34. ♔c2 f5 35. ♔d3 g5 36. ♖a1±) 33. ♖e4 (33. ♕f5 ♗d2) ♖b8 34. ♕a6 ♖bb5 35. ♖c4 ♖c4 36. ♕b5 (36. bc4 ♖c5 37. ♕b7 ♔f6∞) ♖d4 37. ♕b7 ♔f6 38. ♕b6 ♖d1 39. ♔a2 e4 40. fe4 ♗e5 41. ♕f2 ♔e7 42. ♕a7=] ♖e4 32. fe4 [32. ♕e4? ♖h8 33. a3 b3 34. ♕e1 ♖h2 35. cb3 ab3 36. a4 ♖c2—+] g5∓ 33. a3 ba3 34. ♕a6 [34. ♕a3 g4 35. ♕a4 g3 36. ♕a7 ♔f6 37. ♕d7 ♖h8 38. ♔a2 (38. ♕d6 ♔g7 39. ♕d7 ♖h6—+) ♖h5 39. ♕d6 ♔g7 40. ♕c5 g2 41. ♕g1 (41. d6 ♗h2 42. d7 ♖h8—+) ♖g5—+] ♕d8 35. ♕b6 [35. ♕b7!? ♖d7 36. ♕b6 g4 37. c4 g3 38. c5 g2 39. c6 ♖d8! (39... ♗h2 40. c7 g1♕ 41. ♕g1 ♗g1 42. c8♕ ab2∓) 40. ♔a2 (40. ♕a7 ♔e8 41. ♕f2 ♖b8—+) ♗h2 *a)* 41. ♕b7 ♔f6 42. ♕b6 ♖g8 43. ♕f2 ♔e7 44. ♕a7 (44. ♕h4 ♔e8 45. c7 ♔d7—+) ♔f8 45. c7 ♔g7—+; *b)* 41. c7 ♖g8 42. ♕a7 (42. ♕b7 ♔f6)

g1♕−+] g4 36. c4 g3 37. c5 g2 38. cd6 ♖d6 39. ♕c7 ♔f6! 40. ♕d6 ♔g7　　0 : 1

G. Kasparov

247.　　　　　　　　　B 92

SHIROV 2700 − VAN WELY 2655

Tilburg 1997

1. e4 c5 2. ♘f3 d6 3. d4 cd4 4. ♘d4 ♘f6 5. ♘c3 a6 6. ♗e2 e5 7. ♘b3 ♗e7 8. g4 h6 9. f4 ef4 10. ♗f4 ♘c6 11. h3 ♗e6 12. ♕d2 d5 13. 0-0-0 de4 14. ♕e3 ♕c8 15. ♘e4 N [15. ♗d6 ♗d6 16. ♖d6 0−0 17. ♘c5 ♘b4∓ − 24/(482)] ♘e4 16. ♕e4 0−0 17. ♔b1?! [17. ♗c4 ♗c4 18. ♕c4 ♕e6∞] f5 18. ♕e3 [18. gf5? ♗f5∓] ♘b4 19. ♗d3 fg4 [19... ♘d5 20. ♕d4∞; 19... ♘d3 20. ♖d3 ♖e8∞] 20. ♗e4! ♗f5! [20... gh3 21. ♗h6 (21. ♖hg1) ♗f6 22. ♖hg1 (22. ♗g5!?♔♔) h2 (22... ♖f7) 23. ♖g7 ♗g7 24. ♗g7 ♔g7 25. ♕g5 ♔f7] 21. ♘d4 ♗e4 22. ♕e4 ♕c4! 23. b3 ♕f7 24. ♘e6 ♖fc8? [24... ♕f5 25. ♖he1 (25. ♕f5 ♖f5 26. hg4 ♖f6 27. ♖he1 ♔f7 28. ♘c7 ♖d8∓) ♕e4 26. ♖e4 ♖f7 27. hg4 ♘c6=] 25. ♘c7! ♘c2? [25... ♗f6 26. ♘a8 ♘c2 (26... ♖c2 27. ♗e5+−) 27. ♗d6 ♘d4 28. ♘c7+−] 26. ♔c2 ♗g5 27. ♗g5! ♖c7 28. ♔b1 hg5 [28... ♖e8 29. ♕d3! (29. ♕e8 ♕e8 30. ♖d8±; 29. ♖d8±) hg5 30. hg4 g6 31. ♖h6 ♖c6 32. ♖dh1 ♕f6 33. ♕h3 ♖e2 34. ♖h8 ♔f7 35. ♕h7 ♕g7 36. ♕g7 ♔g7 37. ♖1h7 ♔f6 38. ♖f8 ♔e5 39. ♖e7 ♖e6 40. ♖e6 ♔e6 41. ♖e8+−] 29. hg4 ♖c6 30. ♕h7 ♔f8 31. ♖df1 ♖f6 32. ♕h8 ♔e7 33. ♖e1 ♖e6 34. ♕a8 ♕g6 35. ♔c1　　1 : 0

Shirov

248. !N　　　　　　　B 92

AM. RODRÍGUEZ 2555 − MORÓVIC FERNÁNDEZ 2580

Yopal 1997

1. e4 c5 2. ♘f3 d6 3. d4 cd4 4. ♘d4 ♘f6 5. ♘c3 a6 6. ♗e2 e5 7. ♘b3 ♗e7 8. 0−0 ♗e6 9. f4 ♕c7 10. ♔h1 ♘bd7 11. a4 0−0 12. g4 ♗b3 13. cb3 ♘c5 14. ♗f3 ef4 15. ♗f4 h6 16. g5! N [16. ♗e3 − 66/(228)] hg5 17. ♗g5 ♕d8 [17... ♘fe4? 18. ♘d5+−; 17... ♘ce4? 18. ♗e4 ♘e4 19. ♘d5+−] 18.

♖g1 ♘e8 [18... ♘ce4? 19. ♗e4 ♘e4 20. ♘e4+−; 18... ♘fe4? 19. ♘e4 ♘e4 20. ♗e4 ♗g5 21. ♕h5 ♖e8 22. ♗h7+−] 19. ♗e3 ♗f6 20. b4? [20. ♘d5! ♗e5 (20... ♗b2 21. ♖a2 ♗e5 22. ♗g5! f6 23. ♗h6♔♔) 21. ♗g5 ♘f6 22. ♖g2→] ♘e6 21. ♕d2 [21. ♘d5 ♗b2 (21... ♗e5 22. ♗b6 ♕h4!?) 22. ♖a2 ♗e5 23. ♖ag2 ♖c8 24. ♗g4 ♖c4⇆] ♗e5 22. ♘d5 ♘f6 23. ♖ac1 ♖e8! 24. b3?! [24. ♘b6 ♖b8 25. ♖c2 ♘d7 26. ♘d5 ♕h4⇆] ♘d5 25. ed5 ♘f8⊕ 26. ♖c4∞　　1/2 : 1/2

Am. Rodríguez

249.　　　　　　　　　B 92

KRUPPA 2535 − LAUTIER 2660

Berlin 1997

1. e4 c5 2. ♘f3 d6 3. d4 cd4 4. ♘d4 ♘f6 5. ♘c3 a6 6. ♗e2 e5 7. ♘b3 ♗e7 8. 0−0 ♗e6 9. f4 ♕c7 10. g4!? N [10. ♔h1 − 66/228] ef4 [10... h6 11. g5 hg5 12. fg5 ♕b6 13. ♔h1 ♘fd7 14. ♘d5±] 11. g5 ♘fd7 12. ♗f4 ♘c6 13. ♗g4 [13. ♘d5 ♗d5 14. ed5 ♘ce5=] ♗c4 [13... 0−0?! 14. ♗e6 fe6 15. ♕g4±] 14. ♖f2 ♗de5 15. ♗h3 [15. ♘d5 ♕d8! (15... ♗d5?! 16. ed5 ♘g4 17. ♕g4 ♘e5 18. ♗e5 de5 19. c4±) 16. ♘e7 ♕e7] 0−0 16. ♕h5 [16. ♘d5!? ♗d5 17. ed5 ♘b8 18. ♕h5±] g6 17. ♕h6 [17. ♕h4!?] ♕b6 18. ♔g2 f6 19. ♘d5?! [19. gf6 ♖f6 20. ♗e3 ♖f2 21. ♗f2 ♕d8 22. ♘d5±] ♗d5 20. ed5 fg5 [20... ♘f7?! 21. ♗e6 ♘d8 22. ♕h3!±] 21. ♗e6 ♔h8 22. ♗g3

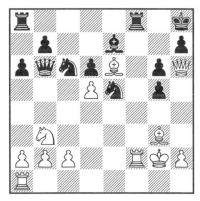

22... ♕e3!= [22... ♘d4? 23. ♖af1 ♘e6 24. ♗e5 de5 25. ♖f7 ♖f7 26. ♖f7 ♘f4 27. ♔h1+−] 23. dc6 ♕e4 24. ♔f1! [24. ♔g1?

♖f2 25. ♔f2 (25. ♗f2 ♘f3−+) ♖f8 26.
♕f8 ♗f8 27. c7 ♕c2−+] ♖f2 **25. ♗f2**
♕h1 [25... ♖f8 26. ♕f8 ♗f8 27. c7 ♕h1
28. ♔e2 ♕f3 29. ♔e1 ♕h1 (29... ♘g4? 30.
♗d4+−) 30. ♔e2 ♕f3=] **26. ♔e2 ♕f3 27.**
♔e1 ♕e4 28. ♔d1 ♕f3 29. ♔e1 bc6? 30.
♕h3 ♕e4 **31. ♔d1 ♖f8 32. ♘d2 ♕h1** [32...
♕b4 33. ♕e3 △ 33... ♕b2? 34. ♖b1+−]
33. ♗e1 ♖f2? [33... ♘f3 34. ♕f1±] **34.**
♕e3 ♖h2 **35. c4 ♕g2?** [35... ♗f6 36. ♘e4]
36. ♗g3 ♕h1 [36... ♖h1 37. ♔c2 △ 37...
♖a1? 38. ♕e5+−] **37. ♔c2 ♖d2 38. ♔d2**
♘f3 **39. ♔e2 ♕g2 40. ♗f2 ♘e5 41. ♗h3**
1 : 0   *Kruppa*

250.   **B 92**

AM. RODRÍGUEZ 2545
− I. HERRERA 2430

Albacete 1997

1. e4 c5 2. ♘f3 d6 3. d4 cd4 4. ♘d4 ♘f6 5.
♘c3 a6 6. ♗e2 e5 7. ♘b3 ♗e7 8. 0−0 0−0
9. ♔h1 ♗e6 10. f4 ♕c7 11. f5 ♗c4 12. g4
d5 13. g5 ♘e4 14. ♘e4 de4 15. f6 ♗d8 N
[15... ♗b4 − 68/(229)] **16. fg7** [16. ♗e3!?]
♔g7 **17. ♗c4 ♕c4 18. ♗e3 ♗e7 19. ♕h5**
[19. ♘d2 ♕c6 (19... ♕b4) 20. ♕g4 ♘d7
21. ♘e4 ♔h8; 19. ♕g4!?] **♘c6 20. ♖f2**
♖ad8 21. ♖af1 [21. ♖g1 ♖d6 22. ♖g4 (22.
♖f6 ♔h8) ♖g6 23. ♖h4 ♖h8; 21. ♘d2
♕d5 22. ♕h4 ♖d6 23. ♘e4 ♖g6∞] **♔g8**
22. ♘d2 ♖d2!? [22... ♕a2? 23. b3+−;
22... ♕e6 23. ♘e4] **23. ♗d2 ♘d4!** [23...
♗c5 *a)* 24. b3?! ♕d5 25. c4 ♕d3 26. ♖f6
(26. ♖f7? ♕f1 27. ♖f1 ♖f1 28. ♔g2
♖f2−+) e3 27. ♗c1 e2; *b)* 24. ♕e2! ♕d5
(24... ♕a2 25. ♖f6 ♕b2 26. g6! hg6 27.
♕c4 ♕d4 28. ♖g6 ♔h8 29. ♖h6 ♔g7 30.
♕e2! e3 31. ♕g2 ♔h6 32. ♖g1+−) 25.
♗e3±] **24. g6** [24. ♗e3 ♘f3 25. ♕g4 ♕c6
26. ♖d1 ♖d8 27. ♖d8 ♗d8 △ ♕d5-d1; 24.
b3!?] **hg6** [24... fg6 25. ♕e5 ♖f2 (25... ♕f1
26. ♖f1 ♖f1 27. ♔g2 ♖g1 28. ♔h3+−) 26.
♖f2 ♘c6 27. ♕c3±] **25. ♕e5 ♘c6!** [25...
♘f3 26. ♕e7 ♘d2 27. ♖d1 (27. b3 ♕d5
28. c4 ♕d8 29. ♕d8 ♖d8 30. ♖d1 e3 31.
♖e2 ♖d3=) e3 (27... ♘f3 28. ♕b7+−) 28.
♕e3 ♕c6 29. ♔g1+−] **26. ♕c3?** [26. ♕g3!
♕d5 27. ♗h6 e3 28. ♕g2!+−] **♕c3 27.**
♗c3 f5⇆ **28. ♖d2** [28. ♖g2!?] **♗f6! 29.**

♗f6 ♖f6 30. h4 ♘e5∞ 31. ♖f4 ♔g7 32.
♔g2 ♔h6 33. ♔g3 ♘g4 34. ♖d7 ♖e6 35.
♖b7 e3 36. ♖f1 e2 37. ♖e1 ♖e3 38. ♔f4
♖e4 39. ♔f3 ♖e3 40. ♔f4 ♖e4   1/2 : 1/2
                                     Am. Rodríguez

251.   **B 92**

J. POLGÁR 2670 −
VAN WELY 2655

Tilburg 1997

1. e4 c5 2. ♘f3 d6 3. d4 cd4 4. ♘d4 ♘f6 5.
♘c3 a6 6. ♗e2 e5 7. ♘b3 ♗e7 8. 0−0 0−0
9. f4 ♕c7 10. a4 ♗e6 11. ♔h1 ♖e8?! N
[11... ♘bd7 − 68/229] **12. f5 ♗c4 13.**
♗g5?! [13. g4 d5 (13... h6? 14. g5 hg5 15.
♗g5 △ ♖g1→) 14. ed5 ♖d8∞] **♘bd7 14.**
a5 ♖ac8 15. ♖a4 ♗e2 16. ♕e2 ♕c6 [△
17... ♘e4, 17... d5] **17. ♘d2** [17. ♗f6 ♘f6
18. ♖d1 △ ♕f3±] **d5 18. ed5 ♘d5 19. ♖c4**
♘c3 [19... ♗c5 20. ♘ce4 b5 21. ab6 ♘5b6
22. ♖c3→] **20. ♖c3 ♕c3 21. bc3 ♗g5 22.**
♘e4 ♗e7 **23. ♖b1 ♘c5?!** [23... ♖c7!? △
h6, ♖b8, ♘f6] **24. h3** [△ 24. g3] **h6 25.**
♕g4 h5 26. ♕f3 h4 27. ♘c5 ♖c5 28. ♖b7
♗f6 29. ♕e4 ♖a5 [29... ♖d8 30. ♖a7 ♖d1
31. ♔h2 ♗g5 32. ♖a8 ♔h7 33. f6 g6 34.
♕b7 ♗f4 35. g3 ♗g3 (35... hg3 36. ♔g2
♖d2 37. ♔f3 ♖f2 38. ♔g4+−) 36. ♔g2
♖d2 37. ♔f1 ♖f2 38. ♔g1 ♖f6 39. ♕e7
♗f2 40. ♔g2 ♖f5 41. ♕f8+−] **30. ♖a7**
♗g5 [30... ♖a1 31. ♔h2 ♗g5 32. g3] **31.**
♔g1 [31. ♖a8 ♖a1 32. ♔h2 ♗f4 33. g3
hg3 34. ♔g2 ♖a8 35. ♕a8 ♔h7 △ ♖d1-d2]
♗f4 **32. ♖a8 ♖a1 33. ♔f2 ♗g3 34. ♔e2**
♖e1 **35. ♔d3 ♖a8 36. ♕a8 ♔h7 37. ♕e8**
f6 38. c4 [38. ♔c4 e4 39. ♔d5 e3 40. ♔e6
♖b1] **e4 39. ♔d4 e3 40. c5 ♖d1 41. ♔e4?!**
[41. ♔c4 ♖d2 (41... ♗e5?? 42. ♕h5) 42.
♕e3 ♖c2 43. ♔d3 (43. ♔d5 ♗f2) ♖g2 △
♗e5] **e2 42. ♕h5**   1/2 : 1/2
                                     Van Wely

252.**   **B 92**

G. KUZ'MIN 2535 −
VL. GUREVIČ 2430

Enakievo 1997

1. e4 c5 2. ♘f3 d6 3. d4 cd4 4. ♘d4 ♘f6 5.
♘c3 a6 6. ♗e2 e5 7. ♘b3 ♗e7 8. 0−0 0−0

9. Kh1 Qc7 [RR 9... b6 10. Be3 Bb7 11. Nd5 N (11. f3 — 69/252) Nd5 12. ed5 Bg5 13. Qd2 Be3 14. fe3 Qh4 15. Bd3 Nd7 16. e4 a5 17. Qe3 f5 18. ef5 Bd5 19. Rad1 Rf6 20. Kg1 Rh6 21. Qg3 Bc6 22. Qh4 Rh4 23. g3 Rh6 24. Bc4 Kf8 25. f6 Rf6 26. Rd6 Rc8= J. Polgár 2670 — Gel'-fand 2695, Dortmund 1997] **10. g4 Be6 N** [10... h6 — 69/251] **11. g5 Nfd7 12. Rg1** [12. Nd5 Bd5 13. ed5 Re8 △ Nf8-g6, Nd7=; RR 12. Be3 Nb6!? 13. f4 (13. Nd5 Nd5 14. ed5 Bf5∓) a) 13... Nc4 14. Bc4 Bc4 15. f5!? (15. Rf2 ef4 16. Bf4 Nc6∞; 15. Nd5 Nd5 16. Qd5 ef4 17. Bf4 Nd7∞) Bf1 16. Qf1∞; b) 13... ef4 14. Bf4 Nc4∞; 12. a4!? Nc6 (12... Nb6? 13. a5 Nc4 14. Nd5 Bd5 15. Qd5± Svidler) 13. Nd5 Qd8 14. Rg1 Re8∞ Malisauskas 2530 — O. Berezin 2445, Świdnica 1997] **Re8** [12... Nc6 13. Bg4±] **13. Be3** [13. Nd5 Bd5 14. Qd5 Nc6 (14... Qc2? 15. Bc4 Rf8 16. Be3 Nc6 17. Rgc1 Qb2 18. a3+−) 15. c3 b5=] **Nb6** [13... Nf8?! (△ Nbd7) 14. Nd5±] **14. a4 N8d7 15. a5 Nc4 16. Bc1?!** [16. Nd5 Bd5 17. Qd5 Ne3 18. fe3 Rac8 (18... Qc2? 19. Bc4 Rf8 20. Rg2+−) 19. c3±] **b5 17. Nd5** [△ 17. ab6] **Qb7 18. Bg4 Bd8!∓** [×a5] **19. f3 Nf8** [×f4] **20. Qd3** [20. h4 Ng6 21. h5 Ne7 22. Be6 fe6 23. Nf6 gf6 24. gf6 Ng6 25. hg6 Bf6∓] **Ng6 21. Rd1?!** [21. Ra2∓] **Bg4 22. fg4 Nf4!∓ 23. Qf3** [23. Nf4 ef4∓ ×e4; 23. Bf4 ef4 24. Qd4 Bg5∓] **Bg5 24. Nd2** [24. Bf4 Bf4+] **Nd5 25. Nc4 bc4 26. Bg5 Nf4 27. Rab1 Re6 28. b4 cb3 29. Rb3 Qc6 30. Rc3 Qa4 31. Bf4 Rf6 32. Ra3 Qd7!** [32... Qc2? 33. Rc1 Qb2 34. Qc3! Qc3 35. Rac3+−] **33. h3 Rf4 34. Qd3 h6 35. Rb3** [35. Qd6 Rf1−+] **Qa4!−+ 36. Rb7 Rc8 37. Rd2 Qa5 38. Qd6 Qa1 39. Kh2 Rf1 40. Qb6 Rh1 41. Kg3 Rc3   0 : 1**   *Vl. Gurevič*

253.*   B 92

AL. ONIŠČUK 2625 — SVIDLER 2660

Tilburg 1997

1. e4 c5 2. Nf3 d6 3. d4 cd4 4. Nd4 Nf6 5. Nc3 a6 6. Be2 e5 7. Nb3 Be7 8. 0−0 0−0 **9. Kh1 Qc7 10. g4 Be6 11. g5 Nfd7 12. f4 N ef4 13. Bf4 Nc6** [13... Ne5!? 14. Nd5 (14. Nd4 Nbd7 15. Ne6 fe6 16. Bg4 Qc4∓) Bd5 15. ed5 Nbd7] **14. Nd5 Bd5 15. ed5** [15. Qd5!? Nde5 16. c3 Rfe8 17. Nd4 g6∞] **Nce5 16. Nd4 g6 17. c4 Rfe8 18. Rc1 Rac8** [18... Qd8 19. Rg1 Nc5 20. Qc2 a5 21. b3 Bf8 22. Rg3± Al. Oniščuk 2625 — Lautier 2660, Tilburg 1997] **19. b4?!** [19. b3 Qd8 20. Rg1 Bf8∞] **Qd8 20. Rg1 Bf8⇆** [×c4] **21. Qb3** [21. Qd2 Nb6 22. Be5 de5 23. Nb3∞; 22... Re5∓; 21. Nf3 Bg7∞] **Bg7 22. Rge1?** [22. Nf3 a5! 23. a3 ab4 24. ab4 Qb6 25. Be3 Nc5!∓; 22. Rgd1 Qe7! a) 23. Kg1 Nb6! 24. c5 (24. Bf1 Nec4 25. Bc4 Qe4) dc5 25. bc5 Ned7! 26. cb6 Bd4 27. Rd4 Rc1 28. Bc1 Qe2∓; b) 23. Nf3!? Ng4 24. Re1∞; c) 23. Re1!? c1) 23... Nb6!? 24. Bf1 Qd8 25. Nf3! (25. Red1 Nec4 26. Bc4 Re4) Nec4? 26. Bc4 Re1 27. Ne1 Qe7 28. Ng2!+−; c2) 23... Nc4 24. Rc4 Rc4 25. Qc4 Nb6! (25... Qe4 26. Nf3+−) 26. Qd3 Qe4 27. Qe4 Re4 28. Bd6 Bd4 29. Rd1 Re2 30. Rd4 Ra2 31. Re4! f5 32. Re8 Kf7 33. Re7 Kg8=] **Nb6∓ 23. Red1** [23. Nf3 Nf3 24. Qf3 Nc4∓] **Nec4! 24. Bc4 Re4 25. Qf3** [25. Nc6 bc6 26. Ba6 Rf4 27. Bc8 Qc8 28. dc6 (28. Rc6 Qf5 29. Qd3 Rd4!−+) Be5 29. b5 (29. Rc2 Qf5 30. Qd3 Rf1!−+) Qf5 30. Qd3 Qg5 31. c7 Rf2−+; 25. Ba6 Rf4 26. Rc8 Qc8 27. Ne2 Rf5−+] **Rd4 26. Rd4 Bd4 27. Bb3** [27. Bd3 Rc1 28. Bc1 Qc7 29. Bf4 (29. Bd2 Bc3−+) Qc3 30. Bd6 Nd5−+] **Rc1 28. Bc1 Qc8! 29. Bf4** [29. Bd2 Nc4 30. Bf4 Ne5−+] **Qf5 30. Kg2 Nc8!** [30... Nd7 31. Bd6 Qg5 32. Bg3∓] **31. Bd2 Qe5 32. Bf4 Qe1 33. a3 Ne7! 34. Bd6 Nf5 35. Bg3 Ne3 36. Kh3 Qc3!** [36... Qb1 37. Qf4!∞] **37. Qe4** [37. Bd1 Qc8 38. Kh4 h6! 39. Bf2 (39. Bf4 hg5 40. Bg5 Nd1 41. Qd1 Bf2#; 39. gh6 Ng2 40. Qg2 Bf6#) Nf5 40. Kh3 Bf2 41. Qf2 Ne3 42. Kg3 Nd1−+] **Qc8 38. Kh4 h5!** [39. Bf2 Nf5 40. Kh3 Nd6; 39. Bd1□ Nd1 40. Qd4 Ne3−+]   **0 : 1**   *Svidler*

A. LUGOVOJ 2520 –
ISTRĂȚESCU 2550

Pardubice 1997

1. e4 c5 2. ♘f3 d6 3. d4 cd4 4. ♘d4 ♘f6 5. ♘c3 a6 6. ♗e2 e5 7. ♘b3 ♗e7 8. 0–0 0–0 9. ♗e3 ♕c7 10. a4 b6 11. f3 N [11. ♔h1 ♘bd7 12. f3 ♖d8! N (12... ♗b7 – 65/247) 13. ♖f2 ♘c5 14. ♗f1 ♗e6! 15. ♖d2 ♕b7! 16. ♘c5 bc5! (16... dc5?! 17. b3! ♖d2? 18. ♕d2 ♖d8 19. ♕e1 h6 20. ♖d1±; 17... ♖d4!∞) 17. b3 ♕b4! (Hait 2370 – Istrăţescu 2545, Eforie-Nord 1997) 18. ♘d5 ♘d5 19. ed5 ♗d7∓] ♘bd7 12. ♖f2 ♖d8!= 13. ♗f1 ♘c5 14. ♘c5 dc5 15. ♖d2 ♗e6 16. ♖d8 [16. ♘d5 ♘d5 17. ed5 ♗f5∓] ♖d8 17. ♕e1 c4!∓ 18. ♖d1 ♖d1 19. ♘d1 ♗c5 20. ♕d2 g6 21. ♔f2 b5 22. ab5 ab5 23. ♗c5 ♕c5 24. ♘e3 ♔g7 25. ♗e2 h5! 26. h4□ ♘e8 27. ♔f1?! [27. g3 ♘d6 28. c3 ♔f8∓] ♘d6 28. c3 [28. g3 ♕d4!∓] f5!∓ 29. ef5 gf5 30. g3□ f4! 31. gf4 ♗h3! 32. ♔e1⊕ [32. ♘g2 e4! 33. ♕d4 ♕d4 34. cd4 e3! 35. ♔g1 ♗g2 36. ♔g2 ♘f5–+] ef4 33. ♘f1 ♕e5–+ 34. ♔d1 ♔f6 35. ♔c1 ♔e7 36. ♔b1 ♘f5 37. b3 cb3 38. ♗d3 ♘g3 39. ♘g3 fg3 40. ♕h6 [40. f4 ♕d5 41. ♕e3 ♔f6 42. ♕g3 (42. ♔b2 g2) ♕d3! 43. ♕d3 ♗f5 44. ♕f5 ♔f5 45. ♔b2 ♔g4! 46. ♔b3 h4 47. ♔b4 ♔g4 48. ♔b5 h4] g2 41. ♕h7 ♔d8 42. ♕g8 ♔c7 43. ♔b2 ♕h2 **0 : 1**   *Istrăţescu*

A. GALKIN 2510 –
VA. LOGINOV 2555

Rossija (ch) 1997

1. e4 c5 2. ♘f3 d6 3. d4 cd4 4. ♘d4 ♘f6 5. ♘c3 a6 6. ♗e2 e5 7. ♘b3 ♗e7 8. 0–0 0–0 9. ♗e3 ♗e6 10. ♘d5 ♘bd7 11. ♕d3 ♗d5 12. ed5 a5 13. c4 a4 14. ♘d2 ♘c5 15. ♕c2 ♕a5 16. ♘b1 ♖fc8 N [16... ♗d8 – 69/253] 17. ♘c3 [17. ♘a3] ♘cd7 18. ♖ac1 [18. ♘b5? ♕b5] ♗d8?! [18... b5 19. ♘b5 ♘d5 20. ♗d2 (20. ♗g4!? ♘e3 21. fe3 △ 21... ♖d8?! 22. ♗d7 ♖d7 23. ♕f5±) ♕b6 (20... ♘b4 21. ♕f5 △ a3+–) 21. ♗f3 ♘7f6 22. ♕d3 (22. ♕b1) e4 23. ♗e4 ♘e4 24. ♕e4±; 18... ♘b6 19. ♗b6 ♕b6 20. ♘a4±; 18... a3 19. b3 ×a3; 18... g6] 19. ♘b5! ♗e7 [19... ♘d5 20. ♕f5 (20. ♗d2 ♕b6 21. ♗d1 ♘f4 22. ♗g4 ♘e6 23. ♗e3±) ♘5f6 (20... ♘e3 21. ♕d7 ♗b6 22. fe3 ♗e3 23. ♔h1 ♗c1 24. ♕f7 ♔h8 25. ♘d6±) 21. ♘d6±] 20. ♖fd1 g6! 21. ♖d3!? [△ ♖a3] ♘e4! [21... ♘c5 22. ♖a3 △ b4±; 21... ♘b6 22. ♖c3± △ 23. b4, 23. ♗d2 ×♕a5, ♘b6] 22. ♖a3 f5 [22... ♘ec5?! 23. b4! ab3 (23... ♕b4? 24. ♗d2) 24. ab3±; 22... ♘dc5?! 23. f3 ♘f6 24. b4±] 23. f3 ♘ef6 [23... ♘ec5 24. b4 ab3 25. ab3±] 24. ♕d2 [24. b4 ♕b4 25. ♗d2 ♕c5 26. ♗e3 ♕b4=] ♗d8 [24... ♘c5? 25. b4+–; 24... ♕d2 25. ♗d2±] 25. ♗d1 [25. ♘a7 ♖a7 26. ♗a7 b6∞ ×♗a7] ♘c5 [25... ♘b6!? 26. ♕b4 (26. ♗b6 ♕b6 27. ♔f1 ♕c5 28. ♖cc3 ♗d8 △ ♗b6; 26. b3; 26. ♖ac3 △ b4±) f4 27. ♗d2 ♘bd5 28. cd5 ♕b6 29. ♔f1 ♘d5 30. ♖c8 ♖c8 31. ♕a4 ♗h4 32. ♗e1 ♗e1 33. ♔e1 ♕g1 34. ♔d2 ♕g2 35. ♗e2 ♕g1 36. ♕d1±] 26. b4 [26. ♗c5?! ♖c5 27. ♖a4 ♖a4 28. ♗a4 ♘d5 △ 29. cd5? ♔g5–+] ab3 27. ♖a8 ♖a8 28. ab3 e4! 29. ♗c5 [29. b4 ♘d3; 29. ♘d4!?] dc5 30. d6 ♖a6?! [30... ♘e8? 31. ♕d5+–; 30... ef3?! 31. ♗f3±; 30... ♗f8! 31. fe4 fe4 32. ♗c2±] 31. fe4! fe4 [31... ♗d6? 32. e5+–; 31... ♘e4? 32. ♕d5+–] 32. ♗c2 ♗f8 [32... ♗d6? 33. ♖d1±; 32... ♖a2 33. ♕f4 (33. ♕g5 ♗d6 34. ♖d1 ♖c2 35. ♖d6 ♕a5 36. ♖f6) ♗f8 34. ♗e4±] 33. ♗e4 ♗d6 [33... ♘e4 34. ♕d5 ♔h8 35. ♕e4 ♗d6 36. ♕b7±] 34. ♗d5 [34. ♗b7? ♗h2; 34. ♖d1?! ♗h2 35. ♔h2 ♕d2 36. ♖d2 ♘e4 37. ♖d8 ♔g7 38. ♖d7⇆] ♗h8 [34... ♘d5 35. ♕d5 ♔h8 36. ♖d1+–] 35. ♕b2 [35. ♖d1 ♕b8 36. ♗b7 ♗h2 37. ♔h1 ♕b7 38. ♕d8 ♔g7 39. ♔h2 (39. ♖e1 ♗e5 40. ♖e5 ♖a1 41. ♔h2 ♘g4) ♖a2] ♗f8⊕ 36. ♗b7 ♖b6 37. ♗f3 ♗g7 38. ♕e2?!⊕ [38. ♖a1? ♘g8 39. ♘c3 ♕d4; 38. ♕e5 ♘g4! △ 39. ♕c5? ♖b5!; 38. ♕f2!? ♘g4 (38... ♖b5?! 39. ♖d1!+–) 39. ♗g4 ♖b5 40. ♖d1] ♕e8! 39. ♕e8 ♘e8 40. ♖e1 ♘f6?! [40... ♘d6 41. ♖d1 (41. ♘d6 ♗d4; 41. ♖e6 ♗f8 △ ♔g7) ♘b5 42. ♖d8 ♗f8 43. ♖f8 ♔g7 44. ♖c8 ♘d4±; 41... ♗f8] 41. ♖e7! ♖a6 [41... ♗f8 42. ♖a7±] 42. ♖b7! ♗h6 43. ♘c7 ♖a1 [43... ♖d6 44. ♗d5±; 43... ♗e3 44. ♔f1] 44. ♔f2 ♖a2 45. ♔g3 ♗d2 [45... ♔g8 46. ♘e6±] 46.

♖b8 ♔g7 47. ♘e6 ♔f7 [47... ♔h6 48. ♘c5+−] 48. ♘c5 g5 49. ♘d3 h5 50. h4 ♔g6 [△ 50... g4±] 51. hg5 ♔g5 [51... ♔g5 52. ♖b5] 52. ♖b5 h4 53. ♔h3 ♖a1 54. g3 hg3 55. ♔g3 ♗e3 56. ♘e5 ♔g7 57. ♖b7 ♔h6 58. ♘g4+− ♔g4 59. ♗g4 ♖f1 60. ♗e2 ♖f6 [60... ♖f2 61. ♖e7 ♗c5 (61... ♖e2 62. ♔f3) 62. ♖e6 ♔g7 63. b4] 61. ♗d3 ♖d6 [61... ♔g5 62. ♖b5 ♔h6 63. ♗f5 △ ♔f3] 62. ♗e4 ♔g5 63. ♔f3 ♗d4 64. b4 ♖a6 [64... ♖f6 65. ♔e2 ♔f4 66. ♔d3 ♖d6 67. ♗d5] 65. ♗d5 ♔f5 66. ♖f7 ♔e5 67. ♖e7 ♔f5 [67... ♔f6 68. ♖h7] 68. c5! ♔f6 69. ♖h7 ♖a4 [69... ♔g6 70. ♗e4 ♔g5 71. c6 ♖a3 72. ♗d3 ♖d3 73. ♔e4 ♖c3 74. ♔d4 ♖c6 75. ♖f7 ♔g6 76. ♖f1] 70. c6 ♔e5 71. c7 ♖a3 72. ♔g4 [72... ♖c3 73. ♗b7] **1 : 0** *A. Galkin*

256.* !N **B 93**

LÉKÓ 2635 — VAN WELY 2655

Tilburg 1997

1. e4 c5 2. ♘f3 d6 3. d4 cd4 4. ♘d4 ♘f6 5. ♘c3 a6 6. f4 ♕c7 [RR 6... e5 7. ♘f3 ♘bd7 8. a4 ♗e7 9. ♗d3 0−0 10. 0−0 ef4 11. ♔h1 ♘h5 12. ♘e1! N (12. ♘d4 − 69/257) ♘df6 (12... ♘e5 13. ♗e2 ♘f6 14. ♗f4±) 13. ♗e2! g6 14. ♘d3 ♗e6 (14... ♗d7 15. ♘f4 ♘f4 16. ♗f4 ♗c6 17. ♗h6 ♖e8 18. ♕d4±) 15. ♘f4 ♘f4 16. ♗f4 *a)* 16... ♖c8 (A. Delčev 2515 − Ubilava 2530, Andorra 1997) 17. ♗h6! ♖e8 18. ♕d4 d5 19. ed5 ♗d5 20. ♘d5 ♕d5 21. ♕d5 ♘d5 22. ♗f3±; *b)* 16... ♖e8 17. ♕d4!±; *c)* 16... d5 17. ed5 ♘d5 18. ♘d5 ♗d5 (18... ♕d5 19. ♗f3 ♕d1 20. ♖ad1±) 19. ♗f3±; *d)* 16... ♕b6!? 17. ♗g5 ♕b2 18. ♖f3 ♕b4 19. ♖b1 ♕c5 20. ♕d2 ♖fc8 21. ♖b7 ♗d8∞; 17. a5! △ 17... ♕b2 18. ♕d4 ♖ac8 19. ♗d2 ♕c2 20. ♖ac1 ♕b2 21. ♖b1 ♕a3 22. ♖b7± Kostakiev, A. Delčev] **7. ♕f3 g6 8. ♗e3 b5 9. ♗d3 ♗b7 10. g4 b4 11. ♘ce2 ♗g7 12. 0-0-0 ♘bd7 13. ♕g3 N** [13. g5 − 69/255] **♘c5 14. ♔b1 ♘fd7 15. ♘b3□ ♖c8** [15... ♘a4 16. ♗c1] **16. ♕f2 ♘a4** [16... ♘f6!? 17. ♗c5 dc5 18. g5 ♘g4 19. ♕d2! (19. ♕e2 c4!−+) 0−0!∞ △ 20. h3 ♘e5!∓] **17. ♗c1** [17. ♗d4?! e5 18. fe5 ♘e5∓] **♘dc5 18. h4! a5** [18... ♘d3!?∞] **19. h5** [19. ♗b5!?] **♖g8?!** [19... ♘d3 20.

cd3 ♖g8∞] **20. hg6 hg6 21. ♖h7?** [21. ♗b5!→] **♘d3 22. cd3 ♗a6∓→ 23. ♘f1!?** [23. ♕e2] **♗b5** [23... ♕d7!? 24. ♘e3 ♖c1 25. ♘c1 ♗b2 26. ♕c2! ♗d4 27. ♘d5∞] **24. ♕e2 ♕a7** [24... ♕c6!∓] **25. e5!⇆ ♕a6** [25... de5? 26. ♖g7! ♖g7 27. ♕e5+−; 25... ♕d7!?] **26. ♘d4 de5 27. fe5 ♘c5** [27... ♗d7!?] **28. ♘b5 ♕b5 29. ♘e3! ♘d7** [29... ♗e5?! 30. ♘c4 ♘d7 31. ♖e1 f6 32. ♗f4; 29... ♘e6 30. ♘c4] **30. ♘c4 ♕d5 31. ♗h6 ♗h6⊕** [31... ♗e5 32. ♖e1 f6 33. ♗f4] **32. ♖h6 ♖c6 33. ♖c1 ♘f8 34. ♖h3 ♘e6 35. ♕c2 ♔f8** [35... ♔d7? 36. ♕a4!±] **36. ♖f1 ♘g5 37. ♖hh1! ♔g7?** [37... ♘e6±]

38. ♕h2!⊕ ♕d3 39. ♔a1 ♘h3 [39... ♕h3? 40. ♕f4+−; 39... ♔f8? 40. ♖d1!+−] **40. e6!?** [40. ♖d1! ♕f3 (40... ♕c4 41. ♕h3+−) 41. ♘d2 ♕g4 42. ♕h3 ♕h3 43. ♖h3± △ 43... ♖d8 44. ♖dh1!] **♖f8?** [40... ♖c4 41. ef7! ♖f8 42. ♕e5 ♔h7 43. ♕e7+−; 40... f6! 41. ♘e5 fe5 42. ♕e5 ♔h6 43. ♖f7 (43. ♕f4 g5 44. ♕f7 ♖gc8!) ♖gc8 44. ♖h3 ♕h3 45. ♕g7 ♔g5 46. ♖f5 ♔h4! 47. ♕h6 ♔g3 48. ♕e3 ♔h4=] **41. ♘e5** **1 : 0** *Lékó*

257. **B 96**

TOPALOV 2745 — ANAND 2765

Dortmund 1997

1. e4 c5 2. ♘f3 d6 3. d4 cd4 4. ♘d4 ♘f6 5. ♘c3 a6 6. ♗g5 e6 7. f4 ♕c7 8. ♗f6 gf6 9. ♕d2 ♘c6 10. 0-0-0 ♗d7 11. ♔b1 h5 12. ♗c4 N [12. ♗e2 − 53/235] **0-0-0 13. ♘c6!** [13. ♗b3 ♘a5] **♕c6 14. ♗b3 ♕b8 15. ♖hf1 ♕c5 16. ♕d3 h4?** [16... ♗e7 17. f5 ♖dg8 18. ♕h3 ♖g4! ⊠e4 Lékó] **17. ♕h3**

Le7 18. f5 We5 19. Rde1!± Rde8 20. Ne2
Lf8 21. Nf4 Rh6 22. a3 Lb5 [22... Lc8±]
23. Nd3 Ld3 24. cd3 Rh8 25. fe6 fe6 26.
d4! Wd4 27. Le6 Lg7 28. Ld5 Re7 29.
Rd1 Wa4 30. Rd3 Rc8? [30... f5! 31. ef5
Lf6 (31... Lb2 32. Kb2! Re2 33. Ka1
Wc2 34. Rb1+−) 32. Le6±] 31. Rb3 Rc5
[31... f5 32. Wh4] 32. Ka2 Wd4 33. Rd3
Wa4 34. Rb3 Wd4 35. Rff3? [35. Wh4!
Rd5 36. Rb4 Wd3 37. Rf3+−] f5! 36. Rb4
[36. Wh4! Rc2 37. Rfc3 Rc3 38. Rc3
We5∞] Wd1 [36... Wg1 37. Rfb3! Rcc7
(37... b5 38. Wh4 Rc1 39. Rb5 ab5 40.
Rb5 Kc8 41. We7 Ra1 42. Kb3 Wd1 43.
Kb4+−) 38. Wh4+−] 37. Rd3! We1??
[37... Wg4! 38. ef5 Wh3 39. gh3±] 38.
Wf5!+− a5 [38... Rc1 39. Wf4!] 39. Rb6
Rc1 40. Wf4 Ra1 41. Kb3 Rd7 42. Rd6!
1 : 0 *Anand*

258. B 97

TOPALOV 2725 −
G. KASPAROV 2795

Novgorod 1997

1. e4 c5 2. Nf3 d6 3. d4 cd4 4. Nd4 Nf6 5.
Nc3 a6 6. Lg5 e6 7. f4 Wb6 8. Nb3 Le7
9. Wf3 Nbd7 10. 0-0-0 Wc7 11. g4 b5 12.
Lf6 Nf6 13. g5 Nd7 14. a3 Rb8 15. h4 b4
16. ab4 Rb4 17. Na2!? N [17. Rd4] Rb6
18. Wc3 Wc3 [18... Nc5? 19. Nc5 (19.
Wg7 Nb3 20. Kb1±) dc5 20. Wg7 Wf4
21. Kb1 Rf8 22. Nc3±] 19. Nc3 h6 20.
Le2 Lb7 [20... Nf8!? 21. Kd2 (21. Lh5
Ng6 22. Lg6 fg6⇄) Ng6 22. Ke3 hg5 23.
hg5 Rh1 24. Rh1 e5 25. f5 Lg5 26. Kf2
Nf4 27. Rh8 Kd7 28. Lc4 g6∞] 21. Na5
La8 22. Nc4 Rc6 23. Kb1?! [23. b3∞]
Nb6! 24. b3 [24. Na5?! Rc3 25. bc3
Le4∓; 24. Nd2?! Rc3 25. bc3 Na4 26.
Rh3 hg5 27. fg5 (27. La6 Rh4!∓) Lg5∓]
Nc4 25. Lc4 Rc5!? [△ Lc6, a5; 25...
Kd7 26. Kb2 Rb8 27. Ld3 g6!∞] 26.
Kb2 a5 27. Ld3 Lc6 28. Na4!? [28. Ne2
e5∓] La4 29. ba4 [29... e5 30. f5 hg5 31.
Lb5 Kf8 32. hg5 Rh1 33. Rh1 Lg5 34.
Rh8 Ke7 35. Re8 Kf6 36. Rd8 d5 37.
Rd6=; 29... g6! 30. Rdf1 (30. h5? hg5 31.
hg6 Rh1 32. g7 Lf6−+; 30. Ka2? e5 31.
Rb1 ef4∓) 0−0∓] **1/2 : 1/2**
G. Kasparov

LEPIHOV − WOLDMO

corr. 1993/97

1. e4 c5 2. Nf3 d6 3. d4 cd4 4. Nd4 Nf6 5.
Nc3 a6 6. Lg5 e6 7. f4 Le7 8. Wf3 Wc7
9. 0-0-0 Nbd7 10. g4 b5 11. Lf6 Nf6 12.
g5 Nd7 13. f5 Nc5 14. f6 gf6 15. gf6 Lf8
16. Rg1 Ld7 17. a3 h5 18. Lh3 Na4 19.
e5! N [19. Na4 ba4 *a)* 20. e5 Rb8! (20...
Rc8 − 48/371) 21. Le6 Le6 22. Ne6 fe6
23. ed6 Wb6!∞; *b)* RR 20. Kb1! N Rb8
21. c3 Wc5 22. Ka1 We5 23. Rd2 Lh6 24.
Rdg2 Kd8 25. Rg7 (25. Wg3 Wg3 26. Rg3
Kc7 27. Rd1±; 25. We2!? Rb6 26. Rg8
Rg8 27. Rg8 Kc7 28. Wc4 Wc5 29. Le6!
Lc1 30. b4 ab3 31. Lf7+−) *b1)* 25... Wh2
26. R1g2 Wh1 27. Ka2 Lg7 (27... Le8
28. Le6 Lg7 29. fg7 Rg8 30. Lf7+−) 28.
fg7+− Becerra Rivero, E. Rodríguez; *b2)*
25... Rf8 26. Rh7 Wh2 27. Rb1 Lc1 28.
Ne2 Lg5 29. Rh5 Lb5 30. Nd4 Wf4 31.
Wg2+− Macchia − Fraga, corr. 1996/97]
Rc8 [19... Rb8 20. ed6 Ld6 21. Ne4 Lh2
(21... Lf8 22. Rg7+−) 22. Wh5!+−; 19...
d5 20. Nd5! ed5 21. e6! fe6 (21... Le6 22.
Ne6 fe6 23. Le6 We5 24. c3+−) 22. Ne6!
Lh6 23. Kb1 We5 24. f7 Le7 25. Nd4
Wf4 26. Rge1 Kd6 27. Ld7 Wf3 28. Nf3
Kd7 29. Rd5 Kc7 30. Rh5 Lg7 31. Rh8
Rh8 32. Rg1 Lf8 33. Rg8+−; 19... Nb6
20. ed6 Ld6 21. Rg7± △ 21... Rc8 22.
Le6! fe6 23. f7 Kf8 24. Rg8!+−; 19...
Lh6 20. Kb1 Nc3 (20... d5 21. Na4 ba4
22. Wh5±) 21. bc3 Rc8 (21... Ra7 22. ed6
Wd6 23. Ne6+−; 21... d5 22. Wh5±) 22.
ed6 Wc5 (22... Wc3 23. Wh5 We3 24.
Le6!+−) 23. Kb2±] 20. ed6 [20. Na4?
de5!∓] Ld6 21. Ne4! [21. Na4 ba4 22.
Kb1 Rb8!? *a)* 23. Rg2 Wb6 24. Wc3
Le5∞; *b)* 23. Le6 fe6 24. f7 Ke7 25.
Rgf1 Le5∞; *c)* 23. Ne6 fe6 24. Wd3 (24.
f7 Ke7 25. f8W Rhf8 26. Wh5 Le5 27.
Wh4 Ke8 28. Wh5 Kd8∓) Rb6 25. Wg6
Kd8 26. Wg7 Rf8∞; *d)* 23. Rg5 (×e5)
Wb6 24. Wc3 Rc8 (24... Lh2!?) 25. Wd3
Rb8 26. Nb5 ab5∞] Lf4? [21... Lh2 22.
Wh5! Rf8 23. Rg2 We5 24. Nd6! Wd6 25.
Ne6! We6 26. Le6 Lf4 27. Kb1 Le6 28.
Re2 Nc5 (28... Rc6 29. Wd5+−) 29.
b4+−; 21... Le5 22. Wh5 Rf8 23. Rg2

♗f4 (23... ♘c5 24. ♘c5 ♕c5 25. ♘e6 ♗e6 26. ♗e6 ♗f4 27. ♔b1 ♕h5 28. ♗d7+−) 24. ♔b1 ♘c5 25. ♘c5 ♕c5 26. ♘e6 − 23... ♘c5; 21... ♗c5 22. ♖g2±; 21... ♗f8 22. ♖g7±; RR 22... ♕e5] **22. ♔b1 ♕e5 23. ♘d6!** [23. c3 ♘c5] **♕d6 24. ♘e6! ♕e5** [24... fe6 25. ♖d6 ♗d6 26. ♖d1+−; 24... ♗d2 25. ♕h5!+−; 24... ♗e6 25. ♖d6 ♗d6 26. ♗e6 fe6 27. ♕b7+−; 24... ♕c6 25. ♘g7 ♔f8 26. ♕c6±] **25. ♘d4! ♗c6** [25... ♗h3 26. ♖ge1 ♗e6 27. ♖e5 ♗e5 28. ♘e6 fe6 29. ♕b7+−; 25... ♗e6 26. ♖ge1 ♕b8 (26... ♕c7 27. ♗e6 fe6 28. ♖e6 ♔f8 29. ♖e7+−) 27. ♘e6 fe6 28. ♖e6 ♔f8 29. ♖e7+−; 25... ♔f8 26. ♗d7 ♖d8 27. ♗b5 ab5 28. ♘e6+−; 25... ♕f6 26. ♗d7 ♗d7 27. ♕b7 ♖c7 28. ♘b5+−; 25... ♕c7 26. ♕h5! ♖f8 27. ♗d7+−]

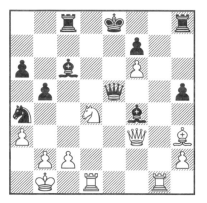

26. ♗d7! ♗d7□ 27. ♖ge1 [27. ♖de1?! ♔d8 28. ♖e5 ♗e5 29. ♖d1 ♗d4∞] **♔f8** [27... ♔d8 28. ♖e5 ♗e5 29. ♘c6+−; 27... 0−0 28. ♖e5 ♗e5 29. ♖g1 ♗g4 30. ♖g4+−; 27... ♗e6 28. ♖e5 ♗e5 29. ♘e6 fe6 30. ♕b7+−] **28. ♖e5 ♗e5** [28... ♗g4 29. ♕f4 ♗d1 30. ♕g5 ♖h7 31. ♕f5+−] **29. ♕d5! ♗g4** [29... ♗d4 30. ♕d7+−; 29... ♗f6 30. ♕d7 ♖d8 (30... ♖e8 31. ♕d6 ♗e7 32. ♘e6+−) 31. ♕c7 ♖d4 32. ♖d4 ♗d4 33. ♕d8+−; 29... ♖e8 30. ♕d7 ♗h2 (30... ♗f6 31. ♕d6 ♗e7 32. ♘e6+−) 31. ♘e6! ♖e6 32. ♕c8 ♖e8 33. ♖d8+−] **30. ♕e5 ♗d1 31. ♕d6 ♔g8 32. ♘c6+− ♗g4** [32... ♗c2 33. ♔c2 ♔h7 34. ♔b1 ♖he8 35. ♘e7] **33. h3 ♗f5** [33... ♗h3 34. ♘e7 ♔h7 35. ♕d3 ♔h6 36. ♕e3 ♔h7 37. ♕g5; 33... ♔h7 34. hg4 ♖he8 35. ♕d5; 33... ♗e6 34.

♕g3] **34. ♘e7 ♔h7 35. ♘f5 ♖hg8□ 36. ♕d3 ♖cd8** [36... ♖g1 37. ♔a2 ♖c5 (37... ♘c5 38. ♕e3 ♖g6 39. ♘e7) 38. ♘d6 ♔g8 39. ♕e3 ♖g2 40. ♕e8] **37. ♕e3 ♖g6 38. ♘e7 ♖d7 39. ♕d7 ♖f6 40. ♘g3 h4 41. ♕d4 1 : 0** *Lepihov*

260. B 99

OLL 2645 − SADLER 2665
Køge 1997

1. e4 c5 2. ♘f3 d6 3. d4 cd4 4. ♘d4 ♘f6 5. ♘c3 a6 6. ♗g5 e6 7. f4 ♗e7 8. ♕f3 ♕c7 9. 0-0-0 ♘bd7 10. g4 b5 11. ♗f6 ♘f6 12. g5 ♘d7 13. f5 ♗g5 14. ♔b1 ♘e5 15. ♕h5 ♕d8 16. ♘e6 ♗e6 17. fe6 0−0! [17... g6 − 44/311] **18. ♖g1 ♗f6 19. ef7 N** [19. ♗h3] **♔h8!** [19... ♖f7 20. ♗h3!] **20. ♘d5 g6 21. ♕h3 ♖f7 22. ♘f4 ♕d7!?** [22... ♕a5! 23. ♕b3 (23. ♘g6 ♘g6 24. ♖g6 ♕b4 25. c3 ♗c3∓; 23. ♘d3!?) ♗g7 24. ♘e6 ♘f3 25. ♕d5∞] **23. ♕b3! ♕c6 24. ♗h3 ♗g7 25. ♖gf1! ♖af8 26. ♘e6 ♖f1** [26... ♖f3 27. ♕b4!] **27. ♗f1 ♖f2 28. a4! b4?** [28... ba4 29. ♕b8 ♗f8 30. ♘f8 ♕c2 31. ♔a2 ♕b3 (31... ♔g7 32. ♘e6 ♔h6 33. ♕b6!) 32. ♕b3 ab3 33. ♔b3 ♖f8 34. ♗a6±] **29. h3 h6?!** [29... h5!] **30. ♘d4± ♕c8** [30... ♕e4 31. ♗a6] **31. ♕e6 ♕b7 32. ♕d5!** [32. ♕d6 ♕e4 △ ♘f3∞] **♕c8 33. ♕d6 b3** [33... ♖f1 34. ♖f1 ♘c4 35. ♕b4+−] **34. cb3 ♘f3 35. ♗c4⊕** [35. ♗a6! ♕a8 (35... ♕h3 36. ♕d8 ♔h7 37. ♗c4+−) 36. ♘f3! ♕e4 37. ♕d3+−] **♘d2! 36. ♖d2 ♖d2 37. e5 ♕e8 38. ♕c6! ♕f8 39. ♕e4 h5?⊕** [39... ♕f2! 40. ♘f3 (40. ♕a8!? ♗f8 41. ♘e2±) ♖b2 41. ♔c1 ♖c2 42. ♔d1!? ♖c4? 43. bc4±; 42... h5!=; 42. ♕c2±] **40. ♘f3!+− ♖g2 41. ♘h4 ♖g1 42. ♔a2 ♕e7** [42... ♔h7 43. ♗a6! ♕e7 44. ♘f3] **43. ♘g6 ♖g6 44. ♕g6 ♕e5 45. ♕g2 a5 46. ♕a8 ♔h7 47. ♗d3 ♔h6 48. ♕g2 ♕f6** [48... ♕g5 49. ♕g5 ♔g5 50. h4!] **49. h4 ♗h8 50. ♕d2?** [50. ♗e4 ♕b2 51. ♕b2 ♗b2 52. ♔b2] **♗g7 51. ♕a5 ♕h4 52. ♕e5 ♔g8 53. ♕e8 ♔g7 54. ♗c4 ♕f6 55. ♕h5 ♔f8 56. ♕e2 ♕d4 57. b4 ♗e5 58. a5 ♔e7 59. ♔b3 ♔d6 60. ♕d3 ♕d3 61. ♗d3 ♔c7 62. b5 ♔b7 63. ♗e4 ♔a7 64. ♔a3 1 : 0** *Oll*

C

A. FEDOROV 2580
— RUSTEMOV 2550

Vilnius 1997

1. e4 e6 [RR 1... c5 2. ♘f3 e6 3. d3 ♘c6 4. g3 d5 5. ♕e2 ♘ge7 6. h4 e5! N (6... de4 — 67/342; 6... b6 — 67/(224)) 7. ♘bd2 f6 8. c3 ♗g4 9. ♗h3!□ ♗h3 10. ♖h3 ♕d7 11. ♖h1 d4 12. c4 ♘c8 13. ♔f1 ♗e7 14. h5 ♘d6 15. ♔g2 0-0-0 16. a3 ♘f7 (16... ♔b8 1/2 : 1/2 Ćertić 2435 — József Horváth 2535, Jugoslavija 1997) 17. ♘h2 g6 18. ♘df3 f5 19. ♗d2 △ b4∞ Ćertić] **2. ♕e2** [RR 2. d3 d5 3. ♕e2 ♘f6 4. ♘f3 de4 N (4... b6 — 69/265; 4... ♗e7 — 69/266) 5. de4 b6!? (5... e5) 6. e5 (Poluljahov 2510 — Ju. Šul'man 2555, Kahovka 1997) ♗a6! 7. c4 ♘fd7 (7... ♘d5?! 8. ♕e4) 8. ♕e4 ♗b4! 9. ♘bd2 (9. ♗d2 ♘c5! △ 10. ♕a8 ♗b7 11. ♕a7 ♘c6—+; 9. ♘c3 ♘c5!) ♘c5! 10. ♕e3! (10. ♕g4?! 0—0 ×d3; 10. ♕c2?! ♗b7) ♗b7 11. a3 ♗d2 12. ♗d2 a5= Poluljahov] **♘f6!?** [RR 2... c5 3. g3 ♘c6 4. c3 g6 5. ♗g2 ♗g7 6. f4 d6 7. ♘f3 ♘ge7 8. 0—0 0—0 9. ♘a3 N (9. d3 — 69/264) ♖b8 10. ♔h1 *a)* 10... ♕d7!? 11. d4?! cd4 12. cd4 ♘d4 13. ♘d4 ♗d4 14. ♘b5 ♗g7 (14... ♗c5? 15. ♖d1±; 15. b4!?) 15. ♖d1 d5 16. ♘a7 ♕a4! 17. ♘b5?! ♗d7! 18. ♘d6 (18. ♘c3?! ♗c3! 19. bc3 ♗b5 20. ♕e1 de4 21. ♖d4□ ♕a6∓ A. Fedorov 2580 — Glejzerov 2545, Vilnius 1997; 21... ♕c2!? △ 22. ♗e4 ♗c6) ♗c6 19. e5 ♘c8∓; ⌐ 17. ♘c8 △ 17... ♖fc8 18. e5=; 11. ♖d1!? Glejzerov; *b)* 10... a6 11. ♘c2 b5 12. d4 cd4 13. cd4 b4 14. b3 a5= Al. Oniščuk 2625 — Shaked

2500, Tilburg 1997] **3. ♘f3** [3. e5 ♘d5 4. d4 d6∞; 3. d3] **d5 4. e5** [4. d3 — 2. d3] **♘fd7** [4... ♘g8?!] **5. d3** [5. d4?! c5 6. c3 b6!?⇆] **c5 6. g3 ♘c6 7. ♗g2 ♗e7 8. h4!** [8. 0—0 g5!⇆] **h6 N** [8... b5!?∞] **9. c4** [9. ♗f4!? b5 10. c4 (10. h5) bc4 11. dc4 ♗a6 12. ♘bd2∞] **dc4 10. dc4 ♘d4! 11. ♘d4** [⌐ 11. ♕e4±] **cd4 12. ♗f4** [12. 0—0!?] **♕b6 13. ♘d2** [13. 0—0 g5 14. hg5 hg5 15. ♗c1 ♕c5; 13. b3] **♘c5** [13... ♕b2 14. ♖b1⊡] **14. ♖b1 a5 15. h5** [15. b3 ♗d7] **♗d7 16. 0—0 0—0 17. b3** [17. a3?! a4∓; 17. ♖fd1 ♖fd8∓] **♖fd8 18. a3 ♗c6 19. b4 ♗g2 20. ♔g2 ♘a4** [20... ab4!? 21. ab4 ♘a4 22. c5 ♘c3 23. ♕f3 ♕b5∓] **21. c5** [21. ba5!?] **♕c6** [21... ♘c3! 22. ♕f3 (22. cb6 ♘e2) ♕b5∓] **22. ♕f3 ♘c3 23. ♖b2?** [23. ♕c6 bc6 24. ♖b3 ab4 25. ab4 ♖db8 26. ♘c4 ♘d5 27. ♖fb1 ♖a4 28. ♗d2 ♗c5; 26. ♔f3∓; 23. ♖b3!?] **♕b5!** [23... ♖d5 24. ♘c4 ab4 25. ab4∞] **24. g4!? ♖d5** [24... ♗c5 25. g5!⇆] **25. ♘e4 ♘e4 26. ♕e4 ♕c6 27. ♕f3** [27. ♖d1!] **ab4 28. ab4 ♖a4! 29. ♖c1 ♕b5 30. ♕b3 d3 31. ♕c4 ♕d7!** [31... ♖c5 32. bc5 (32. ♕b5 ♖b5 33. ♖c8 ♔h7 34. ♖c7 ♗g5—+) ♕c4 33. ♖c4 ♖c4 34. ♔f3∓] **32. ♕b3** [32. c6 bc6 33. ♕c6 ♕c6 34. ♖c6 ♗b4—+; 32. ♕c3 ♗c5!—+] **♗c5!—+ 33. ♖c5** [33. bc5 ♖f4 34. ♕b7 ♖g4 35. ♔f1 ♕b7 (35... ♕a4 36. ♕c8 ♔h7 37. ♖b8) 36. ♖b7 d2 37. ♖d1 ♖c4—+] **♖c5 34. bc5 ♖f4 35. ♕b7 ♖g4 36. ♔f1** [36. ♔f3 ♕d4; 36. ♔h3 ♕d4 37. ♕a8 ♔h7 38. ♖b8 ♖h4 39. ♔g2 ♕g4 40. ♔f1 ♕d1 41. ♔g2 ♕h1 42. ♔g3 ♕h3#] **♕a4 37. ♔e1 ♕a5** [37... ♕f4—+] **0 : 1**   *Rustemov*

262.***   C 01

OHOTNIK 2410 − KERN 2415
Veszprém 1997

1. e4 e6 2. d4 d5 3. ed5 ed5 4. c4 [RR 4.
♘f3 ♗g4 5. h3 ♗h5 6. ♕e2 ♕e7 7. ♗e3
♘c6 8. ♘c3 *a)* 8... 0-0-0 9. 0-0-0 (9. g4 −
53/242) ♕e8 10. g4 ♗g6 11. ♘e5!? N (11.
a3; 11. ♘h4) ♗b4 (11... ♘e5 12. de5 ♕e5
13. f4±→⊞) *a1)* 12. ♘g6 hg6 13. ♘b1 ♘f6!
14. ♗g2 ♘a5 15. c3 ♗d6= Gipslis 2465 −
Mohrlok 2395, corr. 1997; *a2)* 12. ♘b5
♘ge7 (12... a6?! 13. ♘c6±) 13. c3 ♗a5 14.
♘g6 ♘g6 15. h4! ♕e4 16. f3 ♕e7 17. h5
♘f8□ (17... ♖de8 18. hg6 ♕e3 19. ♕e3
♖e3 20. ♖h7!±) 18. ♗d2 ♘e6 (18... ♕e2
19. ♗e2±⌓) 19. f4!±○⌓ Gipslis 2465 −
Kobylkin 2355, Krdzierzum Kozle 1997; *b)*
8... ♗f3 9. ♕f3 ♘d4 10. ♕d1 c5! (10...
♘f5 11. ♕d5! ♘e3 12. ♗b5!+−) 11. ♘d5
♕e5 12. c3!∞ Gipslis] **♗b4 5. ♘c3** [5.
♗d2?! ♗d2 6. ♕d2 ♕e7! 7. ♗e2 dc4 8.
♘f3 ♘f6 9. 0−0 0−0 10. ♗c4 ♘c6 11.
♖e1 ♕d6 12. ♘a3 a6∓] ♘e7!? [5... ♘f6 6.
♗d3 (6. cd5?! ♘d5 7. ♗d2 0−0 8. ♗d3 c5
9. ♘ge2 cd4 10. ♘d4∓; 6. a3 ♗c3 7. bc3
0−0 8. ♗d3 ♖e8 9. ♘e2 ♘c6=; 6. ♗g5
♕e7 7. ♗e2 dc4∞; 6. ♘f3 − 39/339) c5
(6... 0−0 7. ♘ge2 dc4 8. ♗c4 h6!? 9. 0−0
♘c6 10. h3∞) 7. ♘ge2 ♘c6 8. cd5 ♘d5 9.
dc5 ♗g4?! 10. 0−0 ♗c3 11. bc3 ♘c3 12.
♕c2!±; 9... ♕a5!?∞] **6. ♘f3** [6. a3?! ♗c3
7. bc3 0−0 8. ♘f3 ♘bc6 9. ♗d3 dc4 10.
♗c4 ♘d5!; 6. ♗d3 N ♘bc6 7. ♘f3 ♗g4 8.
♗e3 ♕d7 9. h3 ♗h5 10. a3 ♗c3 11. bc3
dc4 12. ♗c4 0−0 13. 0−0 ♘d5 14. ♗d2
♖fe8 15. ♖b1 ♖ab8∞ Ohotnik 2415 −
Barany 2210, Magyarország 1996] **c6** N
[6... 0−0 7. ♗d3 ♗f5!?∞; 6... ♗g4 7. ♗e2
dc4 8. 0−0 ♗c3!? 9. bc3 b5 10. a4 c6∞] **7.
♗d3 0−0 8. 0−0 dc4 9. ♗c4 ♘d7 10.
♕b3! ♗c3 11. bc3 ♘b6 12. ♗d3 ♗f5 13.
c4 ♗d3 14. ♕d3±○ ♘g6 15. ♖b1 ♕d7
16. ♖d1 ♖fd8 17. ♕c2 ♖ab8 18. ♗g5 f6
19. ♗d2** [△ ♗a5] **♘c8 20. ♗e3 b6 21. d5
♘ce7 22. d6! ♘f5 23. c5 ♘e3 24. fe3 bc5
25. ♖b8 ♖b8 26. ♕c5 ♖b5** [26... ♖d8 (△
♘h8-f7) 27. ♕c4 ♔f8 28. ♘g5!+−] **27.
♕c4 ♔h8 28. a4 ♘e5! 29. ♕h4 ♘f3** [29...
♖c5? 30. ♕b4+−; 29... ♖d5?! 30. ♖d5
♘f3 31. gf3 cd5 32. ♕b4+−] **30. gf3 ♖e5**

[30... ♖b2 31. ♕d4!] **31. ♔f2 ♔g8** [31...
♖e6? 32. ♕g4! △ ♕e6, d7+−] **32. ♕c4
♔f8 33. ♖d4 ♖h5 34. h4 g5?!**

35. ♕c3!! [△ ♕a5, ✕f6] **♔g7?!** [35... ♔f7
36. ♕a5 ♖h4 37. ♕c7 ♔e6 38. f4! f5 39.
♖e4! fe4 40. f5+−; 35... gh4 36. ♖f4 (36.
♖h4?! ♖h4 37. ♕f6 ♔e8 38. ♕h4 ♕d6 39.
♕h7 ♕d2 40. ♔g3 ♕e3=) ♖h6□ 37. ♖f6
♖f6 38. ♕f6 ♔g8 (38... ♔e8? 39. ♕h8
♔f7 40. ♕h7 ♔e6 41. ♕h4+−) 39.
e4!+−] **36. ♕a5 ♕h3 37. ♕c7 ♔h6 38. d7**
1 : 0   *Ohotnik*

263.**   C 01

MILES 2550 − NOGUEIRAS 2545
Cienfuegos 1997

**1. d4 e6 2. e4 d5 3. ♘c3 ♗b4 4. ed5 ed5 5.
♗d3 ♘c6 6. a3 ♗c3 7. bc3 ♘ge7** [RR 7...
♕f6 8. ♖b1 ♘ge7 (8... b6 9. ♕h5 ♘ge7
10. ♗g5 ♕e6 11. ♘e2 ♕g4=) 9. ♘e2 *a)*
9... b6 N 10. ♗f4 ♘g6!? 11. ♗c7 ♕e7 12.
♗g3 ♕a3 13. h4! *a1)* 13... h5 14. 0−0 0−0
15. ♖e1! (△ ♖a1) ♗g4 (15... ♖d8 16. ♕d2
△ ♕g5+−) 16. f3 ♗e6 17. ♖a1 (17. ♕d2
♕e7 18. ♗g6 fg6 19. ♘f4+−) ♕e7 18.
♗g6 fg6 19. ♘f4+− Macieja 2470 − Ro-
zentalis 2645, Koszalin 1997; *a2)* 13... 0−0
14. h5 ♘ge7 15. ♖a1+−; *a3)* 13... ♘f8 14.
0−0 ♘e6 15. c4± Macieja; *b)* 9... 0−0!? N
10. 0−0 (10. ♗f4 b6∞) b6 11. ♗f4 ♗f5
12. ♗c7 ♖ac8 13. ♗f4 ♘a5 14. ♗a6!?
♖c6 15. ♗b5 ♖cc8 16. ♕c1 ♕g6 17. ♗g5
(17. ♗d2 ♘c4 18. ♘f4 ♕d6∞) f6 18. ♗d2
♘c4 (18... ♗c2? 19. ♘f4 ♕f5 20. ♖b2
♗b3 21. ♗d3 ♕d7 22. ♕b1±) 19. ♘f4
♕f7 20. ♖e1 ♖c7 21. h3 (21. a4!?) g5!?

(21... ♘g6) 22. ♘d3 ♖fc8 23. ♗a6 ♖d8 24. ♘b4 (24. a4!? Glek) h6 25. a4 ♘c8!∞ Glek 2505 — Masserey 2320, Martigny 1997; *c)* 9... ♘g6 — 62/303] **8. ♕h5!? ♗e6 9. ♘f3 N** [9. ♘e2; 9. ♖b1] **♕d7 10. ♘g5 0-0-0!? 11. 0-0** [11. ♘f7? g6−+; 11. ♘e6 ♕e6 12. ♕e2±⊥] **♗g4 12. ♕f7!?** [12. ♕h4 ♘g6 13. ♕g3 ♗f5] **♖df8 13. ♕g7 h6 14. f3□** [×♘g5; 14. ♘f7 ♖hg8 15. ♕f6 (15. ♕h7 ♗f5 16. ♗f5 ♕f5) ♘d8−+] **♗h5??** [14... ♗f5! *a)* 15. ♘f7 ♗d3 16. ♘h8 (16. cd3 ♘f5 17. ♕h8 ♕f7 18. ♕f8 ♕f8∓) ♖g8 17. ♕h6 ♗f1 18. ♔f1 ♕e8 19. ♕e6 ♔b8 20. ♘f7 ♖g6∓; *b)* 15. ♗f5 ♕f5 16. g4! ♕d7! (16... ♕c2) *b1)* 17. ♘h3? ♖hg8 18. ♕h7 ♕g4!!−+; *b2)* 17. ♘f7 *b21)* 17... ♖hg8 18. ♘e5! ♕f5 (18... ♖g7 19. ♘d7 ♔d7 20. ♗h6±) 19. gf5 ♖g7 20. ♔h1!±; *b22)* 17... ♘f5! 18. ♕h8□ (18. ♕f6 ♖hg8) ♕f7 (18... ♖h8!? 19. ♘h8 ♕g7∞) 19. ♕f8 ♕f8 20. gf5 ♕f5 △ ♘a5-c4, h5∓; *b3)* 17. ♘h7! ♖fg8 18. ♕h6 (18. ♕f7 ♘d8) ♘f5! 19. ♘f6 ♘h6 20. ♘d7 ♔d7∞] **15. ♘h7 ♖fg8 16. ♕h6+− ♗g6** [16... ♗f7 17. ♘f6] **17. ♗g6 ♖g6** [17... ♘g6 18. ♘f6] **18. ♘f8 ♖gh6 19. ♘d7 ♖h2 20. ♘c5 ♘f5 21. ♗f4 ♖2h4 22. g4** [22. ♘d3] **♘e3 23. ♗e3 ♖h1 24. ♔f2 ♖1h2 25. ♔g3 ♖2h3 26. ♔f4 ♖f8⊕ 27. ♔g5 ♖g8 28. ♔f6 ♖f8 29. ♔g7 ♖hh8 30. ♗g5! ♖fg8 31. ♔f6 ♖f8 32. ♔e6 ♖e8 33. ♔d5 1 : 0** *Nogueiras*

264. C 02

SHABALOV 2555 — SEIRAWAN 2630

USA (ch) 1997

1. e4 e6 2. d4 d5 3. e5 b6 4. ♗b5! c6 N [4... ♗d7 — 49/306] **5. ♗a4 b5 6. ♗b3 c5 7. c3 ♘e7 8. ♘f3 ♘ec6 9. 0−0 h6!? 10. ♗e3 ♘d7 11. ♘bd2 c4 12. ♗c2 b4 13. ♗a4!** [13. ♖e1? bc3 14. bc3 ♕a5] **♕c7 14. cb4!** [14. ♖e1 ♘b6 15. ♗c2 a5 16. ♘f1 a4 17. a3 ba3 18. ba3 ♗d7 19. ♘g3 ♘a5 △ ♘b3] **♘b4** [14... ♗b4 15. a3 ♗e7 16. b3±] **15. a3 ♘d3 16. ♕c2?!** [16. b3! c3!? (16... ♘b2? 17. ♗d7; 16... ♗a6 17. bc4 ♘b2 18. ♕c2 ♘c4 19. ♘c4 ♕c4 20. ♖fc1) 17. ♕c2 ♗a6 18. b4 ♖c8 19. b5!? cd2 20. ♕c7 ♖c7 21. ba6 ♘b2] **♗a6! 17. b3 ♗e7! 18. bc4 dc4 19. ♗d7 ♔d7 20. d5**

ed5 21. ♘d4 ♔c8! 22. f4 [22. ♕a4? ♘c5; 22. ♘2f3] **♖b8! 23. ♖ab1 ♖b6 24. ♔h1 ♗c5 25. ♘2f3 ♔b7 26. e6 ♗a8! 27. f5 ♖hb8 28. ♖b6 ♖b6?!** [28... ab6 △ ♔b7] **29. ♕a4 f6 30. h3 c3!?** [30... ♔b7] **31. ♕a5! ♘e5 32. ♖e1?⊕** [32. ♖c1 ♘f3 33. gf3 ♕g3 34. ♕c5 ♕h3=] ♘f3 **33. ♘f3 ♗e3 34. ♕d5 ♖b7?⊕** [34... ♗b7? 35. ♕d7! ♕d7 36. ed7 ♖d6 37. ♖e3 ♗f3 38. gf3; 34... ♔b8!] **35. ♘d4! ♕g3 36. ♘f3 ♕c7 37. ♘d4 ♕g3 38. ♘f3 ♕c7 39. ♘d4 c2! 40. ♘c2 ♗c5 41. ♘b4 ♗b4 42. ab4 ♕e7! 43. ♖d1 ♗b5 44. ♕f3 ♔b8 45. ♕f4 ♖c7 46. ♖d6? ♔c8 47. ♕d2 ♖c4 48. ♕d5 ♖c1 49. ♔h2 ♔c7 0 : 1** *Seirawan*

265.** !N C 02

BLEES 2450 — M. GUREVICH 2620

Gent 1997

1. e4 e6 2. d4 d5 3. e5 c5 4. c3 ♘c6 5. ♘f3 ♘ge7 [RR 5... ♕b6 6. a3 ♘h6 7. b4 cd4 8. cd4 ♘f5 9. ♗e3 ♗d7 10. ♗d3 ♘e3 11. fe3 ♗e7 12. 0−0 ♖c8 13. ♘bd2 0−0 (13... a5) 14. ♘b3 a5 (14... ♘b8 — 51/(261)) 15. ♘c5 (15. b5 ♘a7 16. a4 h6∞) ♗e8 16. ♘a4 ♕d8 17. b5 ♘b8! N (17... ♘a7) *a)* 18. ♖a2 ♘d7 19. ♖af2 ♘b6 (19... ♗a3 20. ♗h7 ♔h7 21. ♕d3 ♔g8 22. ♕a3 ♘b6 23. ♘b6 ♕b6 24. ♘g5 ♗b5 25. ♖f7 ♗f1 26. ♕e7 ♖f7 27. ♕f7 ♔h8 28. ♘e6 ♕e6 29. ♕e6 ♖c1±) 20. ♘b6 ♕b6 21. a4 ♖c3!∞ Miljanić 2475 — Antić 2450, Jugoslavija 1997; *b)* 18. ♕b3 ♘d7 19. ♖ac1 ♖c1 20. ♖c1 f6 21. ef6 (21. e4 de4 22. ♗e4 fe5 23. de5 ♘e5 24. ♕e6 ♘f7∞) ♖f6! *b1)* 22. ♕c3 ♗h5 23. ♕c7 ♗f3 24. ♕d8 ♗d8 25. ♖c8 ♖f8 26. gf3 ♗g5 27. ♖f8 ♔f8 28. f4 ♗e7; *b2)* 22. ♘c5 b6 23. ♘d7 ♗d7 *b21)* 24. ♘e5 ♗d6 25. ♕c2 g6 26. ♘d7 ♕d7 27. ♕c8 (27. ♕c6 ♕d8 28. a4 ♖f8∞) ♕c8 28. ♖c8 ♔f7 29. a4 e5=; *b22)* 24. ♕c2 ♗a3 25. ♕c7 (25. ♗h7 ♔h8 26. ♖a1 ♗d6∞) ♕e7 26. ♖c2 ♗d6 27. ♕b6 a4∞; *b3)* 22. e4 ♖f3! 23. gf3 ♗g5 24. ♖c2 (24. ♖e1 ♗d2 25. ♖e2 ♕g5 26. ♔h1 ♗e3 27. ♖g2 ♕h4 28. ♕d1 ♗h5 29. ♗e2 de4 30. fe4 ♗e2 31. ♕e2 ♕e4∓) ♗e3 25. ♔h1 (25. ♔f1 ♕g5 26. ♖g2 ♕f4 27. ♖g3 ♗d4 28. ed5 ♕e3∓) ♕f6 26. ♗e2 ♕g5 27.

173

♕b1 ♗d4 28. ♖c8 ♘f6∞ Antić] **6. ♘a3 cd4 7. cd4 ♘f5 8. ♘c2 ♗d7 9. ♗d3 ♕b6 N** [9... ♕b4 — 41/(306)] **10. ♗f5** [10. 0-0 a5 11. ♗f5 ef5 12. ♗e3 ♘d8 13. ♖b1 h6 14. h4 ♗e7 15. h5 ♘e6 16. g3 g5 17. hg6 fg6∓ Jonkman 2365 — M. Gurevich 2620, Vlissingen 1997] **ef5 11. 0-0 h6** [11... ♗e7 12. ♗g5∞] **12. a3 a5 13. ♖e1** [13. h4 ♗e7 14. g3 △ ♔g2, ♖h1; 13. ♖b1!? (△ b4⇆≪) a4 14. ♘e3 ♗e6 15. b4∞] **♗e6 14. h4 ♗e7 15. g3** [△ ♔g2, ♖h1] **♕d8!** [△ g5; 15... ♖g8!? 16. h5 (16. ♔g2 g5 17. hg5 hg5 18. ♖h1 f4↑) g5 17. hg6 fg6 18. ♗h6 g5 19. ♔g2 ♖g6 20. ♖h1 ♔d7∞] **16. h5** [16. ♔g2 g5 17. ♖h1 ♔d7!↑] **g5 17. hg6 fg6 18. ♔g2 g5 19. ♖h1 ♔d7! 20. ♕d3 ♕b6!** [△ ♖ag8, f4→] **21. ♗d2 f4! 22. gf4 ♖af8!** [△ ♗f5-e4] **23. ♘g5!?** [23. fg5 ♗f5 24. ♕c3 ♗c2 25. ♕c2 ♖f3-+] **hg5** [23... ♖g8!? 24. fg5 ♗f5 25. ♕c3 ♗e4 26. ♔g1 ♗h1 27. ♔h1 hg5 28. ♔g2 ♘e5∓] **24. ♖h8**

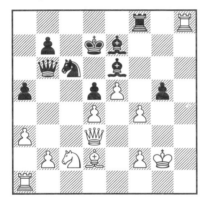

24... ♗f5! [24... ♖h8 25. f5 ♗g8 26. b4!⇆] **25. e6! ♔d6!** [25... ♔e6? 26. ♖h6 ♔d7 27. ♕c3∞; 25... ♔c7 26. ♘e3! ♗d3 27. ♘d5 ♔d6 28. ♘b6 ♖h8 29. d5!?∞] **26. ♕g3 ♖h8 27. fg5** [27. ♘e3 ♔e6 (27... ♗h3 28. ♔g1 ♔e6 29. ♖e1↑) 28. ♖e1 ♗e4 29. f3 ♕b2] **♔e6 28. ♖e1 ♔d7 29. ♘e3 ♗e6**
0 : 1   *M. Gurevich*

266.**   C 02

TOPALOV 2725 — BAREEV 2665
Novgorod 1997

1. e4 e6 2. d4 d5 3. e5 c5 4. c3 ♗d7 5. ♘f3 ♘c6 [5... ♕b6 6. a3 *a)* 6... ♗b5 7. c4 dc4

(7... ♗c4 — 37/302) 8. ♘c3 ♘c6 9. d5 0-0-0 10. d6 f6! 11. ♘b5 N (11. b3) ♕b5 12. ♕c2 ♘e5 13. ♘e5 fe5 14. ♗c4 ♕c6 15. ♗e6 ♔b8 16. 0-0 ♘f6 17. ♗e3 ♗d6 18. ♖fc1 e4 19. h3! (19. g3 h5!) ♖he8 20. ♗c4 ♘d5! (20... ♗e5 21. ♕e2! a6 22. ♗f7±) 21. ♗d5 ♕d5 22. ♗c5 ♗c5 23. ♕c5 ♕c5 24. ♖c5 e3 1/2 : 1/2 Short 2690 — Bareev 2665, Novgorod 1997; *b)* RR 6... cd4 7. cd4 ♗b5 8. ♗b5 ♕b5 9. ♘c3 ♕a6 10. ♗d2 N (10. ♘e2 — 61/266) ♘d7 (10... ♘e7 11. ♕b3 △ ♘b5) *b1)* 11. ♕b3 ♖c8 12. ♖c1 h6! (12... ♕b6 13. ♕a4 ♕b2? 14. 0-0± ♕a3 15. ♘d5! ♖c1 16. ♖c1 ♕a4 17. ♖c8#; 12... ♘e7 13. ♘b5 ♘c6 14. 0-0 ♗e7 15. ♗g5!±) 13. ♖c2 (13. ♘b5 ♖c1 14. ♗c1 ♕b6 15. ♕d3 a6 16. ♘c3 ♘e7=) b2) (13... ♕b6? 14. ♘d5!+-; 13... ♕d3 14. ♔d1!±; 13... ♘e7!?) 14. ♘e2 ♖c2 15. ♕c2 *b11)* 15... ♘e7 16. ♗b4 (16. ♕c7 ♘c6) ♘c6 (16... ♕c4 17. ♕d2) 17. ♗f8 ♖f8 18. 0-0±; *b12)* 15... ♕c4 16. ♗c3 (16. ♕c4 ♘c4∓; 16. ♕d1 ♕b5=) ♘e7 17. b3 (17. 0-0 ♘c6= Oll 2625 — Rustemov 2550, Vilnius 1997) ♕c7 (17... ♕a6 18. ♗b4 ♘c6 19. ♗f8 ♖f8 20. ♕b2∞) 18. 0-0 ♘c6 19. ♗b2 ♗e7=; *b2)* 11. ♖c1!? ♘e7 (11... ♖c8? 12. ♘d5! ♖c1 13. ♕c1 ed5 14. ♕c8 ♔e7 15. ♗b4+-; 11... h6!? 12. ♘e2 ♘e7 13. 0-0 ♘c6 14. ♘g3∞) 12. ♕b3 ♘c6 (12... ♖c8!?) 13. ♘b5 ♕b6 (13... ♖c8 14. 0-0±) 14. ♕d3 a6 15. ♘d6 ♗d6 16. ed6∞ Rustemov] **6. ♗e2 ♘h6?! 7. ♗h6** [7. 0-0 — 69/270] **gh6 8. 0-0 ♕b6 9. ♕d2 ♗g7 10. ♘a3 0-0 11. ♘c2 cd4 12. cd4 f6 13. ef6 ♖f6 14. b4 ♖af8 15. b5 ♘e7 16. ♘e5 ♗e8 17. g3 N** [17. a4] **h5 18. a4 h4 19. ♗d3!± hg3** [19... h5 20. a5 ♕d6 21. a6] **20. hg3 h5 21. ♘e3 ♗h6** [21... h4 22. a5 (22. ♘3g4 hg3 23. ♘f6 ♖f6) ♕d6 23. ♘3g4 hg3 24. ♘f6+-; 21... ♔h8 22. ♗c2 h4 23. ♔g2] **22. a5 ♕d8 23. f4 ♔h8** [23... h4 24. ♘3g4] **24. ♕h2! ♕d6 25. a6 b6** [25... ba6 26. ♖a6 ♕c7±] **26. ♖ab1 ♕c7 27. ♘c2 ♕c5 28. ♖f3 ♕c7 29. ♖bf1 ♘g6⊙** [29... ♘f5 30. ♗f5 ef5 31. ♘b4±] **30. ♕h5 ♕g7** [30... ♘f4□ 31. ♕h4 ♕g7 *a)* 32. ♘g4 ♘h3 33. ♔g2! (33. ♕h3 ♖f3 34. ♕h6 ♕h6 35. ♘h6 ♖g3) ♖f3 34. ♖f3 ♖f3 35. ♔f3 ♘g5 36. ♔e2 ♘f7 37. ♘h6 ♕h6 38. ♕h6 ♘h6 39. ♘b4±; *b)* 32. ♔h2 ♘h5 33. ♖f6 ♖f6 (33...

♘f6 34. ♘b4 ♔g8 35. ♘bc6+−) 34. ♖f6
♘f6 (34... ♕f6 35. ♕f6 ♘f6 36. ♘b4+−)
35. ♘b4 ♔g8 36. ♕h3] **31. ♘g6+− ♗g6**
32. ♗g6 ♖g6 33. ♕e5 ♖c8 34. ♘b4 ♖c4
35. ♘c6 ♔h7 36. ♕g7 ♖g7 37. ♔g2
1 : 0
Bareev

JOEL BENJAMIN 2580 −
L. CHRISTIANSEN 2550

USA (ch-m/3) 1997

1. e4 e6 2. d4 d5 3. e5 c5 4. c3 ♘c6 5. ♘f3
♗d7 6. ♗e2 ♘h6 7. a3 cd4 8. cd4 ♘f5 9.
♘c3 ♖c8 10. 0−0 ♗e7 11. ♗d3!? [11. g4]
♘cd4 N [11... g6] **12. ♘d4 ♘d4 13. ♕g4**
♘b3 14. ♕g7 ♖f8 15. ♖b1 ♘c1 16. ♖fc1
[16. ♖bc1?! ♕b6 ×b2] **♕b6 17. ♕g4** [17.
♗h7 ♖c4!? △ ♖f4, f6 ×f2; 17. ♕h7!? f6
18. ♕h5 ♔d8 19. ef6 ♖f6 20. ♘d1∞] **♔d8**
18. ♖c2 [18. ♗h7 ♖c4⊼] **f6 19. ef6 ♖f6**
[19... ♗f6!?] **20. ♖e1 h6 21. h3** [21. g3!?]
a6 [21... ♕d6!?] **22. ♖ce2 ♖c5** [×d5; △
♔c8-b8] **23. ♕g7** [23. ♘a4 ♗a4 24. ♕a4
♖c6=] **♕d6** [△ ♕f4-g5] **24. ♖e5 ♖c3! 25.**
bc3 ♕a3 26. ♗g6! ♕c3 27. ♖5e3 [27.
♗f7? ♖f2! 28. ♔f2 ♗c5 29. ♔f1 ♗b5−+]
♕d2 28. ♖1e2 [28. ♖3e2? ♕g5−+] **♕d4?**
[28... ♕d1 29. ♖e1 ♕d4!? (29... ♕d2=)
30. ♗f7! (30. ♕h6 ♔c7!⊼) ♕f4 31. ♗e6
♕f2 32. ♔h1 ♗e6 33. ♖e6 ♖e6 34. ♖e6
♕f1 35. ♔h2 ♕f4 36. g3 (36. ♕g3 ♕g3
37. ♔g3 a5!∞) ♕f2=] **29. ♗f7! ♕d1 30.**
♖e1 ♕c2 31. ♖3e2 ♕f5 32. ♗e6 ♗e6 33.
♖e6 ♕f2 34. ♔h1 ♖e6 35. ♕g8! ♔c7 36.
♕e6± ♗g5 37. ♕e5 ♔c6 38. ♕c3 ♕c5 39.
♖e6 ♔b5 40. ♕b3 ♔a5 41. ♕a2 ♔b4 42.
♕b2 ♔a5 43. ♕a2 ♔b4 44. ♕b2 ♔a5 45.
♖e1! b5□ 46. ♕a1? [46. ♕a2 ♔b6 47.
♖a1 d4 48. ♕a6 ♔c7 49. ♕a8! d3 50.
♖a7 ♔d6 51. ♕b8 ♔d5 52. ♖c7!+−]
♔b6 47. ♖e6 ♔b7 48. ♕a6 ♔c7 49. ♖e1
d4 50. ♕e6 [50. ♖f1 ♗f4 51. g3!? (51.
♕f6 ♗d6 52. ♕h6 ♕e5=) ♕d5 52. ♔g1
(52. ♔h2 ♗g3! 53. ♔g1 ♗h2!=) ♗e3
(×a7) 53. ♔h2 d3∞] **♕c4!= 51. ♕e5**
♔b7 52. ♕e4 ♔b6 53. ♕g6 ♔c5 54. ♕f5
♔b6 55. ♕g6   **1/2 : 1/2**
L. Christiansen

WESTERINEN 2410 −
BECERRA RIVERO 2495

Benasque 1997

1. e4 c5 2. c3 e6 3. d4 d5 4. e5 ♗d7 5. ♘f3
♘c6 6. ♗e2 f6 7. 0−0 fe5 8. ♘e5 ♘e5 9.
de5 ♕c7 10. ♖e1 N [RR 10. c4 0-0-0 11.
cd5 ♕e5 12. ♗f3 ed5 13. ♖e1 ♕d6 14.
♘c3 N (14. g3 − 38/378) ♘f6 15. b4 ♗c6
16. bc5 ♕c5 17. ♗d2 ♔b8 18. ♖c1 ♕a3
19. ♖b1 ♗d6 20. ♘b5 ♗b5 21. ♖b5 ♕a2
22. ♗g5 a6 23. ♖b3 ♖he8 24. ♖f1 ♕a5 25.
♗d2 ♕c7 26. ♕a1 ♗h2 27. ♔h1 ♗e5 28.
♕a6 ♖d6 29. ♕a2 ♖ee6 30. ♖fb1 ♖a6 31.
♖b7 ♕b7 32. ♖b7 ♔b7 33. ♗d5 ♔b8 34.
♗e6 ♖a2 35. ♗a2 1/2 : 1/2 Timman 2630
− P. Nikolić 2655, Nederland (ch) 1997]
♘e7 11. ♗h5 g6 12. ♗g5

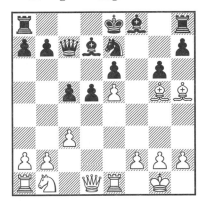

12... ♗g7! [12... gh5!? *a)* 13. ♗f6? ♖g8
14. ♕h5 ♖g6 15. ♕h7 (15. ♗e7 ♔e7 16.
♕h7 ♖g7 17. ♕h4 ♔f7−+) ♖h6∓; *b)* 13.
♕h5 ♔d8 (13... ♘g6 14. ♗f6+−) 14. ♗f6
♕b6□ (14... ♗e8 15. ♕g4 ♕b6 16. ♗h8
♕b2 17. ♕e6 ♕a1 18. ♕d6 ♔c8 19.
♗f6+−) 15. ♗h8 ♕b2 16. ♗f6 ♔c7 (16...
♕a1? 17. ♕f7) 17. ♕h7 ♖e8 18. ♘a3
♕a3∞] **13. ♗f6 ♔f7 14. ♗g7** [14. ♕f3
♖hf8] **♔g7∓ 15. ♕g4** [15. ♗f3 ♖af8 △
♖f5, ♘c6 ×e5] **♖af8 16. ♕g5 ♖f7 17.**
♘d2 ♖hf8 18. ♘f3 ♗c8 19. ♕g4 ♖f4! 20.
♔h3□ h6 21. ♕g3 ♖f3! 22. gf3 g5∓ 23.
♔h1 ♘g6 24. ♗g4 b6! [∕a8-h1] **25. ♖e3**
♖f4 26. ♖g1 ♔h7 27. ♕h3 d4 28. cd4 cd4
29. ♖e4 ♗b7−+ 30. ♗e6 [30. ♖f4 ♘f4 31.
♕f1 ♕e5 32. ♕b1 d3 33. ♖e1 ♕d4] **♗e4**

31. fe4 ♕e5 32. ♗f5 ♖f2 33. ♖c1 [33. ♖g5 ♕h2 34. ♔h2 ♖h2 35. ♔h2 hg5 36. ♔g3 ♔g7] **♔g7 34. ♖c6 ♘h4 35. ♔g1 ♖h2**
0 : 1   *Becerra Rivero*

269. ** **!N**   **C 05**

VAN DER WIEL 2525
− PLIESTER 2365
Vlissingen 1997

1. e4 e6 2. d4 d5 3. ♘d2 ♘f6 4. e5 ♘fd7 5. c3 c5 6. f4 cd4 [RR 6... ♘c6 7. ♘df3 ♕b6 *a)* 8. g3 cd4 9. cd4 ♗e7 10. ♗h3 0−0 11. ♘e2 f6 12. ♖f1 ♔h8 13. ♘c3!? N (13. ♕b3 − 65/262) fe5 14. fe5 ♖f3! (14... ♘d4? 15. ♘d4 ♘e5 16. ♖f8 ♗f8 17. ♘f3!±) 15. ♕f3 ♘d4 *a1)* 16. ♕f7? ♕d8!□ 17. ♕f2 ♘c6 18. ♗f4 (18. ♗e6? ♘de5−+) ♘de5∓; *a2)* 16. ♕h5! *a21)* 16... g6?! 17. ♕h6! ♘f5 (17... ♘c2?? 18. ♔d1 ♘a1 19. ♖f7+−; 17... ♔g8?! 18. ♕f4!) 18. ♗f5 ef5 19. ♘d5 ♕a5 20. ♘c3±; *a22)* 16... ♕d8!□ 17. ♔d1! (17. ♕d1? ♘c6 18. ♗e6 d4 19. ♘d5?! ♘de5 20. ♗c8 ♕d5−+ Krupkova 2275 − Glejzerov 2560, Mariehamn/Öster-åker 1997; 19. ♘e2∓) ♘c6! 18. ♗f4 (18. ♗e6?! ♘de5∓) ♘c5 △ ♗d7∓⊞, ×♔d1 Glejzerov; *b)* 8. h4 cd4 9. cd4 ♗b4 10. ♔f2 f6 11. ♗e3 0−0 12. a3 ♗e7 13. b4 fe5 14. fe5 ♘de5 N (14... ♕d8 − 53/(253)) 15. de5 d4 16. ♗g5 ♗g5 17. hg5 ♘e5 *b1)* 18. ♗d3 g6; *b2)* 18. ♔e1 d3 19. ♕d2 (19. ♗d3 ♕e3 20. ♗e2 ♕c3 21. ♔f2 ♘g4 22. ♔g3 ♕c7 23. ♔g4 ♕f4 24. ♔h3 e5 25. g4 ♗g4 26. ♔g2 e4±; 21. ♔f1 △ 21... ♘g4 22. ♕c1; 19... g6) g6 (Vokarev 2535 − Kotek 2305, Pardubice 1997) 20. ♗d3 (20. ♕f2 ♕c7 21. ♕c5 ♘f3 22. ♘f3 ♕g3 23. ♔d2 a5 24. ba5 ♗d7∞) ♘d3 21. ♕d3 ♖d8 22. ♕e4±; *b3)* 18. ♔g3 ♕c7 19. ♖c1 ♘c6 20.

♔f2 e5 21. b5 e4 22. ♗c4 ♘h8 23. bc6±; 20... ♕f4; 19... ♕b8 Kotek, Dufek] **7. cd4 ♘c6 8. ♘df3 ♕b6 9. a3!?** [△ b4] **a5** [9... ♕a5 − 3/201; 9... ♘a5!?] **10. ♘e2 ♗e7** [10... f6; 10... f5] **11. f5! f6! N** [11... ef5?! 12. ♘f4±; 11... 0−0] **12. ♘f4** [12. ♘c3?! fe5 13. fe6 ♘f6↑; 12. fe6 ♘f8 13. ♘f4 (13. ♘c3 ♗e6 14. ♗b5 ♘d7!) ♗e6 14. ♕a4 fe5 15. de5 (15. ♘e5? ♕d4) g5!? 16. ♘e6 ♘e6 17. ♕g4 (17. ♗d3 ♘c5∓) ♘cd4 18. ♘d4 ♘d4↑⟳] **fe5** [12... ♘f8 13. ♕a4±] **13. ♘e6 ♗f6** [13... ♘f6!? *a)* 14. de5 ♘e4! (14... ♘g4 15. ♕a4!) 15. ♘g7 ♔f8 16. ♕d5 ♕f2 17. ♔d1 ♔g7 (17... ♗f5? 18. ♘f5 ♖d8 19. ♗h6 ♔e8 20. ♘g7 ♔f8 21. ♘e6+−) 18. ♕e4 ♗f5! 19. ♕f5 ♖hd8 20. ♗d3 (20. ♗d2!? ♖d2 21. ♔c1) ♖d3 21. ♕d3 ♖d8 22. ♕d8 ♗d8∞ △ 23. ♗d2 ♗b6 ×g2; 19. ♕e2!?∞; *b)* 14. ♘g7 ♔f8 15. ♘e6 (15. ♗h6∞) ♗e6 16. fe6∞ △ 16... e4 17. ♗h6 ♔e8 18. ♘e5↑; 17... ♔g8!?] **14. ♘fg5!?** [14. ♗b5; 14. ♗e3!?] **g6?!** [14... ♗g5? 15. ♕h5→; 14... ♘e7?! 15. ♕c2±; 14... ♘f8 15. ♘g7!? ♗g7 16. ♕h5∞→; 15. de5; 14... ♘d4! *a)* 15. ♕h5 ♔e7 (15... g6!?) 16. ♕f7 ♔d6 17. ♘d4 ♕d4 18. ♕e6 ♔c7 19. ♘f7 (△ 20. ♕d6#, 20. ♘h8) ♕e4 20. ♔d1 (20. ♗e2 ♖a6!−+; 20. ♔f2 ♕c2=) ♕a4!=; *b)* 15. ♘d4 ♕d4 16. ♕d4 ed4 17. ♘e6±⊥] **15. fg6 hg6 16. ♕d3!** [16. ♗d3 e4; 16. ♕c2 e4; 16. de5 ♘de5 17. ♕d5±⇄] **♘e7** [16... e4 17. ♕g3± ×c7; 16... ♖g8 17. de5 ♘de5 18. ♕d5 (×♖g8) ♘e7 19. ♕b5+; 16... ♘f8 17. ♘f8 e4! 18. ♕g3] **17. ♕c2!** [×c7, g6] **♖b8 18. ♗b5↑** [△ ♖f1-f6; 18. ♗d3 e4 19. ♗e4 de4 20. ♘c7 ♔f8 21. ♕c4 ♔g5∞] **♗g5** [18... ♘f5!? 19. ♘c7 ♔f8 20. ♖f1!? ♔g8 21. ♕b3! ♗g5 22. ♕d5 ♔h7 23. ♗g5 ♕c7 24. ♖f5!+−] **19. ♘c7 ♔f7** [19... ♔d8? 20. ♗g5+− △ 20... ♕c7 21. ♗e7] **20. ♗g5 ♘f5 21. 0-0-0⟳** [21. ♖c1; 21. ♖f1] ♘d4?! [△ 21... ed4 (△ ♘c5) 22. a4± △ ♘d5; 22. ♗f4!?]

(diagram)

22. ♖d4! ed4 [22... ♕d4? 23. ♖f1 ×e6, g6] **23. ♖f1 ♔g7 24. ♖e1!→** [×e6, e7] **♖h2?!⊕** [24... ♖f8?! 25. ♘e6 ♔f7 26. ♖f1! ♔e6 27. ♕g6+−; 24... ♘f6! 25. ♗f6! (25. ♖e7 ♔f8∞ △ 26. ♕g6 ♕c5!□) ♕f6 26. ♘e8 ♖e8 27. ♖e8±] **25. ♗d8!?+− d3! 26. ♕d3?!**

[26. ♘e6+− △ 26... ♕e6 27. ♕c3; 26. ♕c3+−] ♕f2 [26... ♕c5! 27. ♔b1 ♘f8 28. ♘e8! ♔g8 (28... ♔h8 29. ♗e7+−) 29. ♘f6 ♔g7 30. ♗e7 ♗f5 (30... ♕f2 31. ♖f1; 31. ♖e2) 31. ♗c5 ♗d3 32. ♗d3 ♔f6 33. ♗d6+−] 27. ♘e6!⊕ ♔h7 [27... ♔h6 28. ♗g5] 28. ♖f1 ♘e5 29. ♘g5 ♔g7 [29... ♔h6 30. ♘f7!] 30. ♕c3 ♕g2 31. ♕e5 ♔h6 32. ♕h8#   1 : 0   *Van der Wiel*

270.   C 06

L. VAJDA 2445 − KASIMDZHANOV 2545

Zagan 1997

1. e4 e6 2. d4 d5 3. ♘d2 ♘f6 4. e5 ♘fd7 5. ♗d3 c5 6. c3 ♘c6 7. ♘e2 cd4 8. cd4 f6 9. ef6 ♕f6!? 10. 0−0 ♗d6 11. ♘f3 h6 12. ♗e3 0−0 13. ♗b5 [13. ♘c3 ♖d8 △ ♘f8∞] ♘db8 14. ♘g3 N [14. ♖c1 — 67/356] a6 15. ♗a4 ♘e7 16. ♘e5!? ♗e5 17. de5 ♕e5 18. ♗c5 ♕c7 [18... ♕g5 19. f4 ♕h4 20. ♘h5! g6 21. g3±] 19. ♖c1⊼ ♘bc6 20. ♕d3 e5?! [△ 20... ♖f7 21. ♗c2 ♘f5 22. ♕d2! b6 (22... ♘g3?! 23. fg3±→) 23. ♗e3! (23. ♗a3 ♘fd4∞) ♘e3 24. ♕e3⊼] 21. ♗e7 ♕e7 22. ♗c2 g5!? [22... ♕d6 23. ♕h7 ♔f7 24. ♘h5 ♖g8 25. f4 e4 26. f5±; 22... ♖d8 23. ♕h7 ♔f8 24. ♗g6→] 23. ♗b3 ♔h8 24. ♗d5 ♘b4 25. ♕b3 ♖d8 26. ♗e4 ♗e6 27. ♕f3 ♘d5 28. a3 ♘f4 29. ♕c3 ♕g7 30. ♕a5! ♖ac8 31. ♕b6± ♕d7 32. h3 [32. ♖c8?! ♖c8 33. ♕b7 ♕b7 34. ♗b7 ♖b8 35. ♗a6 ♖b6!⊼] h5 [32... ♘d5 33. ♗d5 ♕d5 34. ♘f5!±] 33. ♗f3 g4 34. hg4 ♗g4 35. ♖cd1 ♕e7 36.

♕h6 [△ 36. ♗b7! ♗d1 37. ♗c8 ♗e2 38. ♕h6 ♔g8 39. ♘f5±] ♔g8 37. ♗g4 hg4 38. ♘e4 ♖d1 39. ♖d1 ♖c6 40. ♘d6?!⊕ [40. ♖d6±] ♘e2 41. ♔f1 ♘d4= 42. ♕g6 ♔f8 43. ♕h6 ♔g8 44. ♕g6   1/2 : 1/2
Nisipeanu, V. Stoica

271.*** !N   C 06

GOLOŠČAPOV 2400 − SEFERJAN 2345

Azov 1997

1. e4 e6 2. d4 d5 3. ♘d2 ♘f6 4. e5 ♘fd7 5. ♗d3 c5 6. c3 ♘c6 7. ♘e2 cd4 8. cd4 f6 9. ef6 ♘f6 10. 0−0 ♗d6 11. ♘f3 0−0 12. ♗f4 ♗f4 13. ♘f4 ♘g4 [RR 13... ♕d6 *a*) 14. g3 ♘g4 *a1*) 15. ♗h7 ♔h7 16. ♘g5 ♔g8 17. ♕g4 e5 18. de5 ♕h6! 19. ♕h5 (19. e6 ♘e5 20. ♕h5 ♕g5−+) ♖f4! 20. ♕h6 gh6 21. gf4 hg5 22. fg5 ♘e5 23. ♖fd1 ♗e6 24. f4 ♘f3 25. ♔f2 ♘h4∓; *a2*) 15. ♕d2 − 65/(263); *a3*) 15. ♖e1! N ♖f4□ (15... ♗d7? 16. ♗h7±) 16. gf4 ♕f4 17. h3 ♘f6 18. ♗f1 ♗d7 19. ♗g2 ♘e4 20. ♕c1 ♕f6 21. ♕e3 ♖f8 22. ♖f1 (△ ♘e5, ✕f2) ♗e8 *a31*) 23. ♖ac1?! ♗h5? 24. ♘e5! (de la Paz 2345 − Matamoros 2480, Cienfuegos II 1997) ♘e5 25. de5 ♕e5 26. ♗e4 ♕e4 (26... de4? 27. ♖c5+−) 27. ♕e4 de4 28. ♖c7±; 23... ♘d6!⊼ △ ♗h5, ♘f5; *a32*) 23. ♘e5!? (△ f4) ♘e5 24. de5 ♕e5 25. f3 ♕g3 26. ♖ae1?! ♘g5 27. ♔h1 (△ f4) ♖f4!∓; 26. ♕e1!⊼ Nogueiras; *b*) 14. ♘e2 e5 (14... ♗d7 15. ♘g3±) 15. de5 ♘e5 16. ♘e5 ♕e5 17. ♕b3! N (17. ♕d2 − 15/(200)) *b1*) 17... ♘g4?! 18. ♘g3 ♖f2? 19. ♖f2 ♘f2 20. ♔f2 ♕d4 21. ♔f1! (21. ♔e2 ♗g4 22. ♔d2 ♕f4 23. ♔e1 ♕e3∓) ♗g4 22. ♗e2□ ♗e2 (22... ♖f8 23. ♗f3 ♕d2 24. ♖e1? ♖f3! 25. gf3 ♗h3−+; 24. ♘e2□+−) 23. ♘e2 ♖f8 24. ♔e1 ♗e8 25. ♖d1 ♕g1 26. ♔d2 ♕g2 27. ♖e1!+− Nadyrhanov 2470 − O. Majorov 2405, Rossija 1997; *b2*) 17... ♔h8 18. ♕b4! △ ♕d4± Nadyrhanov] 14. g3 g5 15. ♘g2 ♕f6 16. ♗e2 ♘h6 17. ♕d2 ♘f5 18. ♖ad1 h6! N [18... g4?! − 44/(328)] 19. ♘e3 [19. h4? g4 20. ♘e5 ♘cd4 21. ♘g4 ♕g7 22. ♘4e3 ♘e2 23. ♕e2 ♘d4 24. ♕g4 ♘f3 25. ♔h1 d4!∓ Annakov 2380 − Seferjan 2345, Moskva 1997] a6! [19...

♗d7?! 20. ♘f5 ef5 (20... ♕f5 21. ♕e3±
×e5) 21. ♗b5! f4 22. ♗c6± ×e5; 19...
♕g7 20. ♘f5 (20. ♘g4?! ♗d7 △ ♗e8-h5)
ef5 (20... ♖f5?! 21. ♕e3! e5 22. de5 ♘e5
23. ♘d4±) 21. ♖fe1! f4 22. ♘e5 ♘e7 23.
♗f1!±] **20. ♔g2?!** [20. h4!? gh4 21. ♘f5
ef5 22. ♕f4! (22. gh4? f4!↑; 22. ♘h4 f4!∞)
hg3 23. fg3 △ ♔g2, ♖h1∞ →⇔h] **♕g7!**
[20... ♗d7?! 21. h4!±] **21. h4 g4 22. ♘e1?!**
[22. ♘e5! ♘cd4 (22... ♘e5?! 23. de5 ♕e5
24. ♘g4±) 23. ♘3g4! (23. ♘f5 ♘f5 24.
♘g4 h5 25. ♘h2 ♘h4 26. ♔h1 ♘f5 27.
♗h5∓; 23. ♘5g4 h5 24. ♘f5 ♘f5∓ — 23.
♘f5) ♘e2 (23... h5? 24. ♘h6!□ ♘h6 25.
♕d4 ♘f5 26. ♕f4±) 24. ♕e2 h5 25. ♘h2
♘h4 26. ♔h1 ♘g6∞] **♘cd4 23. ♗g4** [23.
♘g4?! e5∓↑⊞] **♘e3** [23... e5!?] **24. ♕e3 e5**
25. ♗c8 ♖ac8 26. f4!□ ♘f5 [26... ♘c2 27.
♕b3□ ♘e1 28. ♖fe1! ef4 29. ♖d5=] **27.**
♕b3!□ ef4 28. ♖f4 ♕e5! 29. ♘f3!□⊕
♕e2 30. ♔h3 ♘e3 31. ♖g1!□ ♖c1 [31...
♖f4 32. gf4 ♔h8 33. ♘e5=] **32. ♕b6** [32.
♘d4?? ♖g1-+] **♖f4 33. ♕g6 ♔f8 34.**
♕d6 ♔g8 [34... ♔g7 35. ♕f4 ♖g1 36.
♕c7=] **35. ♕g6   1/2 : 1/2   *Seferjan***

272.   ※   **C 07**

RUBLEVSKIJ 2645 —
SE. IVANOV 2515

Rossija (ch) 1997

1. e4 e6 2. d4 d5 3. ♘d2 c5 4. ed5 ♕d5 5.
♘gf3 cd4 6. ♗c4 ♕d6 7. 0—0 ♘f6 8. ♘b3
♘c6 9. ♘bd4 ♘d4 10. ♘d4 a6 [RR 10...
♗d7 11. c3 ♕c7 12. ♗b3 N (12. ♕e2 —
57/(276)) 0-0-0 13. ♕e2 (13. ♕f3?! e5∓)
h5 14. h3 ♗d6 (14... ♔b8; 14... ♗c5) 15.
♗g5 (15. ♗e3? ♘g4!↑; 15. ♘b5 ♗b5 16.
♕b5 ♗h2 17. ♔h1 ♗f4=) ♗h2 16. ♔h1
♗f4 17. ♗f4 (17. ♗f6 gf6∓; 17. ♘f3!?)
♕f4 18. ♕c4 (18. ♖ad1 g5!⇆ Rustemov)
♕c7= Estrada Nieto 2420 — Rustemov
2535, Koszalin 1997] **11. ♖e1 ♕c7 12.**
♗b3 ♗d6 13. ♘f5 ♗h2 14. ♔h1 0—0 15.
♘g7 ♖d8 16. ♕f3 ♔g7 17. ♗h6 ♔g6 18.
c3 ♘h5! 19. ♗e3 N [RR 19. ♗c1 ♗f4 N
(19... f5 — 69/275) 20. g4 ♘g3 21. fg3 *a)*
21... ♗g3?? 22. ♗c2 f5 (22... ♔g7 23.
♗h6 ♔g8 24. ♕f6+−) 23. gf5+− ×♗g3,
♔g6; *b)* 21... ♗c1 22. ♖ac1 ♗d7 23.

♕e3!↑≫ ♗c6 24. ♔h2 (△ ♗c2, ♕g5) ♕e7
25. ♖f1! ♖d7 (25... h6 26. ♖f5 ♖d7 27.
♖h5 ♖h8 28. ♖f1 ♕d8 29. ♔g1 △ ♗c2,
g5) 26. ♖f2! h6 (Supper — Wolna, corr.
1996/97) 27. ♕e5!→ (△ ♗c2) ♔h7 28.
♖cf1 ♕e8 29. g5±; 24... h6!? △ 25. ♗c2
♔g7 26. g5 h5 △ h4⇆ Wolna] **f5 20. g4**
♘f6 [20... b5? 21. gh5 ♔f6 22. ♗d4 e5 23.
♔h2 ed4 24. ♔h3±] **21. gf5 ef5 22. ♕g2**
♘g4 23. f3 ♗d7 [23... f4? 24. ♗d4! ♗g3
25. fg4 *a)* 25... ♗e1 26. ♖e1 ♕c6 27. ♖e4!
(△ 27... ♖f8 28. ♗c2 ♔f7 29. ♕h2 ♔g8
30. ♗b3+−) ♖e8 28. ♗c2 ♔f7 (28... ♔g5
29. ♕h2!! ♖e4 30. ♕h5♯) 29. ♕h2 ♔g8
30. ♕f4+−; *b)* 25... ♗g4 26. ♗e6! ♖d4□
27. ♗g4 *b1)* 27... ♗e1 28. ♖e1 ♖dd8 (28...
♖d6 29. ♕e4 ♔g7 30. ♕e5+−) 29. ♗d7!
♔f6 30. ♖e6 ♔f7 31. ♕g5 ♕d7 32.
♖f6+−; *b2)* 27... ♖dd8 28. ♖e6 ♔g7 29.
♕e4 ♖d7 30. ♖e5 ♖f7 31. ♖g5 ♔f8 32.
♗h5±→; 23... b5 24. ♗d4 (24. fg4?? ♗b7
25. gf5 ♔h5! 26. ♗d1 ♖d1-+) *a)* 24...
♗b7? 25. ♖e6 *a1)* 25... ♔h5 26. ♗e3!!
♔h4 (26... ♗g3 27. ♕h3 ♗h4 28. ♕g4!
fg4 29. ♖h6♯) 27. ♖h6! ♘h6 28. ♕g5
♔h3 29. ♕h6 ♔g3 30. ♕h2 ♔f3 31.
♕c7+−; *a2)* 25... ♔g5 26. ♗f6 ♔f4 (26...
♔h5 27. ♕h3+−) 27. ♖e4! fe4 (27... ♗e4
28. fe4+−) 28. ♕g4 ♔e3 29. ♗g5 ♗f4 30.
♕g1+−; *b)* 24... ♕g3?! 25. fg4 ♕g2 26.
♔g2 ♗d6 27. ♗d5 ♖b8 28. ♗a7 ♖b7
(28... ♗b7 29. ♖ad1 ♖a8 30. ♖e6 ♔g5 31.
♗e3 ♗f4 32. ♗f4 ♔f4 33. ♖f1+−) 29. gf5
♔f5 30. ♗b7 ♗b7 31. ♔h3±; *c)* 24...
♔g5! 25. ♗e3 ♔f6! 26. ♗d4 ♔g5=] **24.**
♗d4 ♕g3□ [24... h5 25. fg4 hg4 26. ♕h2
♖h8 27. ♗h8 ♖h8 28. ♖e6! ♗e6 (28...
♔g7 29. ♖e7 ♔g6 30. ♗f7 ♔g5 31. ♕h8
♗c6 32. ♔g1 ♕g3 33. ♔f1+−) 29. ♕h8
♕c6 30. ♔g1 ♕c5 31. ♕d4+−; 24... ♗g3
25. fg4 ♗c6 26. gf5 ♔g5 (26... ♔f5 27.
♗c2 ♔g5 28. ♗e4+−) 27. ♖e4 ♗e4 28.
♕e4 ♕c6 29. ♕c6 bc6 30. ♖g1 ♔f4 31.
♔g2! ♗h4 32. ♖f1 ♗e4 (32... ♔g4 33.
♗d1 ♔g5 34. ♔h3+−) 33. ♗c2 ♔d5 34.
♖d1+−; 24... ♔g5 25. ♖e7! ♕g3 26. fg4
♗c6 27. ♖g7 ♔h6 28. g5 ♔h5 29. ♗d1
♔h4 30. ♖h7 ♔g5 31. ♖g7 ♔f4 32. ♖g3
♗g3 33. ♗f3 ♔f3 34. ♖f1 ♖h8 35. ♗h8
♖h8 36. ♔g1 ♗h2 37. ♕h2 ♖h2 38. ♔h2
♔e3 39. ♖g1 f4 40. ♖g6+−] **25. fg4 ♗c6?**

[25... ♖e8? 26. gf5 ♗f5 27. ♖g1! ♗e4 28. ♕e4 ♖e4 29. ♖g3 ♗g3 30. ♗c2 ♔f5 31. ♔g2+−; 25... ♕g2 26. ♔g2 ♗d6 27. ♗c2 ♔g5!; 27. ♖ad1± △ 27... fg4 28. ♗c2] **26. ♖e6 ♔g5 27. ♖c6 bc6 28. ♕h2 ♕h2 29.** ♔h2 fg4 [29... c5 30. ♗c5 ♖d2 31. ♔g3 ♖d3 32. ♔f2 fg4 33. ♗e3+−] **30. ♖f1 ♖f8 31. ♗f7+− ♖ab8 32. ♔g3** [32. b3!? ♖b7 33. ♗e3 ♔h4 34. ♔g2 g3 35. ♖h1 ♔g4 36. ♗e6] **♖f7 33. ♖f7 ♖b2 34. a4 h5 35.** ♗e3 ♔g6 36. ♖c7 ♔f5 37. ♖c6 h4 38. ♔h4 ♖h2 39. ♔g3 ♖h3 40. ♔f2 ♖h2 41. ♔g1   **1 : 0**   *Rublevskij*

273.   C 09

AL. ONIŠČUK 2625
− KRAMNIK 2770
Tilburg 1997

1. e4 e6 2. d4 d5 3. ♘d2 c5 4. ed5 ed5 5. ♘gf3 ♘f6 6. ♗e2?! ♘c6 7. 0−0 ♗e7 8. dc5 ♗c5 9. ♘b3 ♗b6 10. ♗g5 N [10. c3 − 57/(278)] **0−0 11. c3** [11. ♖e1? ♗f2] **♖e8= 12. ♗h4** [12. ♘fd4 ♕d6!? 13. ♖e1 ♘e4 14. ♗h4 ♕h6] **h6! 13. ♖e1?** [13. ♘fd4 g5!? (13... ♘d4 14. ♘d4 ♗d4 15. cd4 ♕b6=) 14. ♗g3 ♘e4 15. f4!∞] **g5 14. ♗g3 ♘e4 15. ♘fd4 f5!∓** [15... ♕f6 16. ♗d3 (16. ♗f3 ♗f5! 17. ♘f5 ♕f5) ♗f5 17. ♕f3!?; 16... ♗d7∓] **16. ♗h5** [16. f3 ♘g3 17. hg3 ♕d6] **♖f8 17. h3** [17. f4 g4 18. ♔h1 ♕d6∓ △ ♘f6; 17. f3 ♘g3 18. hg3 ♕d6∓] **♘g3** [17... ♕f6 18. ♗h2 g4?! 19. hg4 (19. f3 g3 20. fe4 gh2 21. ♔h2 de4∓) fg4 20. f3 g3 (20... gf3 21. ♗f3) 21. fe4 ♕h4 (21... ♕f2? 22. ♔h1 ♗h3 23. ♗f3; 21... gh2 22. ♔h1) 22. ♗g3 ♕g3 23. ♕d2∞; 17... f4!? 18. ♗h2 ♕f6∓] **18. fg3 ♕d6 19. ♕d3** [19. ♖e3!?] **♘e5?** [19... ♗d7 20. ♔h1 ♘e5 21. ♕e3 ♗c7∓] **20. ♕e3 ♘c4** [20... ♗c7 21. ♘b5; 20... ♘d7!? 21. ♕e7□ ♕e7 22. ♖e7 ♘f6 23. ♗g6! (23. ♗f3 ♗d8∓ △ 24. ♖e5 ♗c7) ♗d8 24. ♖ee1 ♘e4 25. g4! fg4 26. ♗e4 de4 27. hg4∓] **21. ♕e7! ♕e7** [21... ♗d7 22. ♔h1!; 21... ♗d8 22. ♕d6 ♘d6 23. ♖e5] **22. ♖e7 ♘d6** [22... ♘b2 23. ♗f3∞ △ 23... ♖d8 24. ♖ae1] **23. g4!** [23. ♖e5 ♘e4 24. ♗f3 (24. ♖d5 ♘f6) ♖d8∓] **fg4 24. hg4!** [24. ♗g4 ♗g4 25. hg4 ♖f4∓]

♘e4 25. ♖f1 ♘f6 [25... ♖f1 26. ♔f1 ♘f6 27. ♘e6] **26. a4 a5 27. ♖f3 ♖a6!?** [27... ♗d8 28. ♖e1 ♘h5 (28... ♗g4 29. ♖f6 ♗h5 30. ♖h6∞) 29. gh5∞] **28. ♔h1!** [28. ♔f1? ♗d8 29. ♖e2 ♘e4∓ △ 30. ♘c5 ♘g3] **♗d8 29. ♖e1 ♘h5** [29... ♗g4? 30. ♗g4 ♘g4 31. ♖f8 ♔f8 32. ♘e6 ♔e7 33. ♘c7; 29... ♘e4 30. ♘c5!] **30. gh5 ♖f3 31. gf3! ♔f7 32. ♘c5** [32. ♖e5!?] **♖b6 33. ♘d3** [33. b3] **♗f6 34. ♘e5 ♔g7** [34... ♗e5 35. ♖e5 ♖b2 36. ♖d5] **35. b3= ♖d6 36.** ♔g2 ♖d8 [△ ♖e8] **37. ♘g4! ♗d4 38. cd4 ♗g4 39. fg4 ♔f6 40. ♖e5** [40. ♖c1 ♔e7= 41. ♖c5 b6 42. ♖c6 ♖d6 43. ♖c7 ♖d7 44. ♖c8 ♖d8] **♔f7 41. ♔f3** [41... ♖d6 42. ♔e3 ♖e6]   **1/2 : 1/2**   *Kramnik*

274.   C 09

MILOS 2590 − DE TOLEDO 2395
Paulínia 1997

1. e4 e6 2. d4 d5 3. ♘d2 c5 4. ♘gf3 ♘c6 5. ed5 ed5 6. ♗b5 ♗d6 7. dc5 ♗c5 8. 0−0 ♘e7 9. ♘b3 ♗d6 10. ♗g5 0−0 11. ♗h4 b6 12. ♗d3 h6 N [12... ♘f5? 13. ♗f5 ♗f5 14. ♕d5+−; 12... a5 − 42/348] **13. ♗g3 ♖d8?!** [△ 13... ♗g3 14. hg3 ♗g4 15. ♕d2 ♖fe8] **14. ♕d2!± ♗g3** [14... ♗g4? 15. ♗d6 ♖d6 16. ♕f4+−] **15. hg3 ♗g4 16. ♖fe1 ♗f3 17. gf3 ♖d6?!** [△ 17... a5] **18. ♖e2 ♖ad8 19. ♖ae1 ♔f8 20. a4!± ♘g8** [20... a5 21. ♘a5; 20... a6 21. a5 ♕c7 22. ♘c5±] **21. a5 ♕c7 22. ♗b5! ♘f6 23. ♗c6 ♕c6** [23... bc6 24. ♘c5± △ 24... ♖e8 25. ♖e8 ♘e8 26. ♕b4+−] **24. ♘d4 ♕a6?** [24... ♕c4] **25. ♘f5 ♖d7** [25... ♖e6 26. ♕b4 ♔g8 27. ♖e6 fe6 28. ♕e7+−; 25... ♖c6 26. ♕b4+−] **26. ♖e5!** [26. ♘h6 ♘e4 (26... gh6? 27. ♕h6 ♔g8 28. ♖e5+−) 27. fe4 ♕h6±] **d4** [26... ♔g8 27. ♘h6+−] **27. ♘h6+− d3** [27... ♘e4 28. ♖1e4 ♕h6 29. ♕b4 ♕d6 30. ♖d4] **28. ♘f5 ♘d5** [28... dc2 29. ♕g5] **29. ♕g5** [29. c4?! ♕c4 30. ♕g5 f6 31. ♕h5 ♘c7!] **♕g6** [29... f6 30. ♕h5 fe5 31. ♕h8 ♔f7 32. ♕g7; 29... ♕f6 30. ♕h5 g5 (30... g6 31. ♕h6 ♔g8 32. ♖e8) 31. cd3] **30. ♕h4 f6** [30... ♘f6 31. ♕h8 ♘g8 32. ♖e8 ♖e8 33. ♖e8 ♔e8 34. ♕g8#] **31. ♖d5 d2** [31... ♖d5 32. ♕h8 ♔f7 33. ♖e7#] **32. ♕h8**   **1 : 0**   *Milos*

PEIN 2430 – SPEELMAN 2630
Great Britain (ch) 1997

1. e4 e6 2. d4 d5 3. ♘c3 de4 4. ♘e4 ♘d7
5. ♘f3 [RR 5: ♗d3 ♘gf6 6. ♕e2 c5 7.
♘f6 ♘f6 8. dc5 ♗c5 9. ♗d2 N (9. ♘f3 –
69/277, 278) 0–0 10. 0-0-0 ♕d5!? 11.
♗c3! ♕g5 (11... ♕a2; 11... ♕g2) 12. ♔b1
♘d5 13. ♗e5 ♕g2? 14. ♕h5! f5 15. ♘f3
♕g4 16. ♖hg1! ♕h5 17. ♖g7 ♔h8 (Sadler
2665 – Miles 2600, Great Britain (ch)
1997) 18. ♖dg1!+–; 13... f6!? Conquest]
♘gf6 [RR 5... ♗e7 6. ♗d3 ♘gf6 7. ♘f6
♗f6 8. 0–0 c5 9. c3 cd4 10. cd4 ♘b6 11.
♗f4 ♘d5 12. ♗g3 0–0 13. ♖c1 b6! N
(13... ♕b6 – 67/(363)) 14. ♗e4!? ♗b7 15.
♕e2 ♕e7 16. a3 ♖ac8= Cruz-Lima 2310
– Camacho Martínez 2300, Cuba 1997] 6.
♘f6 [RR 6. ♗d3 c5!? 7. 0–0 a) 7... cd4 8.
♘f6! (8. ♘d4 ♗e7 9. ♘f6 ♗f6!?∞) ♘f6 9.
♘d4 ♗c5 10. ♗e3 ♗b6 (10... ♘d5? 11.
♗b5! ♗d7 12. ♘e6! ♘e3 13. ♕d7+–) 11.
♗b5! N (11. c3 – 67/364) ♗d7 12. ♕e2
0–0 (12... ♘d5 13. ♖ad1! ♘e3? 14.
♘e6+–) 13. ♖ad1 ♘d5 14. ♗d7 ♕d7 15.
♗c1 ♖fe8 16. c4 ♘f6 17. ♗g5?! ♗d4! 18.
♗f6 e5! 19. ♗g5 1/2 : 1/2 Nadyrhanov
2470 – Supatashvili 2480, Rossija 1997;
17. ♗e3± Nadyrhanov; b) 7... ♘e4 N 8.
♗e4 ♘f6 9. ♗g5 cd4 b1) 10. ♘d4 ♗c5 11.
♘b3 (11. ♘b5 ♕b6⇆) ♗d6 12. ♗f6 (12.
♗f3 ♕c7) gf6 13. ♕h5 f5! b11) 14. ♗f5?
ef5 15. ♖fe1 ♗e7 16. ♖e3 f4!∓ (16... 0–0?
17. ♖g3 ♔h8 18. ♖h3+–) 17. ♖e4 (17.
♖e5 0–0 18. ♖d1 ♕c7 19. ♗g5 ♔h8 20.
♕h6 ♖g8 21. ♖h5 ♖g7–+) 0–0 18. ♖d1
♕c7 19. ♘d4 ♗f6 20. c3 ♗d7 21. ♘f5
♗f5 22. ♕f5 ♖ad8!–+ Morozevič 2595 –
Zaharevič 2505, Novgorod (open) 1997;
b12) 14. ♗f3 ♗e5! 15. ♖ad1 ♕c7 16.
♖fe1 0–0⇆; b2) 10. ♕e2!? ♗e7 11. ♖ad1
♘e4 12. ♖d4! b21) 12... ♘d6? 13. ♖fd1
0–0 (13... ♗g5? 14. ♖d6 ♕f6 15. ♕b5+–)
14. ♗e7 ♕e7 15. ♖d6↑ Zaharevič; b22)
12... ♕d4! 13. ♘d4 ♘g5∞ Morozevič 2595
– Zaharevič 2505, Krasnodar 1997] ♘f6 7.
c3!? c5 8. ♗e3! ♘d5!? N [8... ♕c7 N 9.
♘e5 (9. ♗b5!? ♗d7 10. ♗d7 ♘d7 11. d5)
a6 10. ♕a4 ♘d7 11. 0-0-0 ♗d6 12. ♘c4

♗f4 (12... ♗e7 13. dc5 ♗c5 14. ♗c5 ♕c5
15. ♘d6 ♔e7 16. ♘c8 ♕c8±) 13. g3 ♗e3
14. ♘e3 0–0 15. d5 b5 16. d6 ♕b6 (16...
♕c6 17. ♕h4 ♕h1 18. ♗g2 ♕d1 19. ♔d1
♖b8 20. ♕e7!) 17. ♕h4 ♗b7 18. ♗d3 g6
19. ♖he1 ♕d8 20. ♕h6 ♕f6 21. ♘g4 ♕g7
22. ♕f4± h5? 23. ♘e5 ♖fd8 24. ♘g6!+–
Dvojris 2590 – Zaharevič 2505, Novgorod
(open) 1997; 8... cd4 – 68/(248)] 9. ♗b5
♗d7 10. ♗d7 ♕d7 11. ♘e5 ♕c7 12. ♕a4
♔e7 13. 0–0 [13. c4 ♘e3 14. fe3 f6 15.
♘f3 (15. 0–0 fe5 16. de5 ♕e5? 17. ♖f3;
16... ♕c6!) ♔f7 16. 0–0 ♗d6± 17. b4!?]
f6 14. ♘f3 c4? [14... ♔f7 15. c4 ♘e3 (15...
♘b6 16. ♕b3 cd4 17. ♗d4 ♕c4? 18. ♗b6!
Pein) 16. fe3 – 13. c4] 15. ♘d2 ♘b6 [15...
♖c8 16. ♕a7 (16. b3) ♔f7 17. ♕a4
♗d6⊠] 16. ♕b5 [16. ♕a5] ♔f7 [16... ♕d7
17. a4!; 16... a6 17. ♕c5 ♔d8 (17... ♔d7
18. ♕h5 g6 ×♔d7) 18. ♕h5] 17. ♕h5 g6
18. ♕h3? [18. ♕f3!] h5!? 19. ♖ae1? [19.
♕f3 ♘d5? 20. b3!; 19... ♔g7 20. b3!; 19...
♗e7] ♖e8 20. ♘e4 ♘d5 21. ♖e2 b6 22.
♗d2 ♗h6!? 23. ♖fe1 ♗d2 24. ♖d2 g5??
[24... ♔g7 25. b3 ♖d8!] 25. b3! ♘f4 26.
♕e3 ♔g6? 27. bc4 ♕c4 28. h4!+– ♘d5
29. ♕g3 ♖e7 [29... g4 30. ♘d6 ♕c3 31.
♕c3 ♘c3 32. ♘e8 ♖e8 33. d5!] 30. hg5 h4
31. ♕f3! f5 32. ♘d6! ♕c3 33. ♖e6! ♖e6
34. ♕f5 ♔h5 35. ♕e6 ♘f4 36. ♕f7 ♘g6
37. ♘e4 ♕a3 38. ♕f5 ♕c1 39. ♔h2 ♕c7
40. ♔g1 · · · · · · · · · · · · · 1 : 0 · · · · · · · · · · · *Speelman*

276. · C 10

G. M. TODOROVIĆ 2510 –
SLAVO. MARJANOVIĆ 2390
Jugoslavija 1997

1. e4 e6 2. d4 d5 3. ♘d2 de4 4. ♘e4 ♘d7
5. ♘f3 ♘gf6 6. ♘f6 ♘f6 7. ♗g5 h6 8.
♗h4 ♗e7 9. ♗d3 c5 10. dc5 ♕a5 11. c3
[11. ♘d2 – 51/(270)] ♕c5 12. ♕e2 a6?!
N [12... ♗d7±] 13. 0-0-0 b5 14. ♘e5 ♗b7
15. ♖he1 ♗d5 [15... b4 16. c4] 16. ♔b1
♖d8 [16... 0–0? 17. ♗f6 △ ♘d7] 17. g4!
♘d7 [17... 0–0 18. g5 hg5 (18... ♘d7 19.
gh6 ♗h4 20. hg7+–) 19. ♗g5±] 18. ♗e7
♔e7□ [18... ♕e7 19. ♘g6! fg6 20. ♗g6
♔f8 21. ♖d5+–] 19. f4 [19. ♗c2! ♘e5 20.
♕e5±] ♘e5 20. ♕e5 f6 21. ♕e2?! [21.

♕f5! (△ ♕g6) g5!? 22. ♕g6 ♖dg8 23. ♕f5 ♕d6□ 24. ♗c4!! bc4 25. ♖d5 ♕b6 26. ♖c5± ♖d6! **22. g5!?** [22. h4 ♖hd8 23. g5 ♗c4= **hg5 23. fg5 ♖h3?⊕** [23... e5! 24. gf6 gf6 25. ♖g1±] **24. gf6 gf6 25. ♕g4 ♗a2 26. ♔a2 ♖hd3 27. ♖d3 ♖d3 28. ♕e6⊕** [28... ♔d8 29. ♕f6 ♔c7 30. ♖e7 ♖d7 31. ♖d7 ♔d7 32. ♕d4] **1 : 0**

G. M. Todorović

277. C 10

W. ARENCIBIA 2560
− NOGUEIRAS 2545

Cienfuegos 1997

1. e4 e6 2. ♘f3 d5 3. ♘c3 de4 4. ♘e4 ♘d7 5. d4 ♘gf6 6. ♘f6 ♘f6 7. ♗d3 c5 8. 0−0 cd4 9. ♘d4 ♗c5 10. c3 N [10. ♗e3 − 67/364] **0−0 11. ♗g5 h6 12. ♗h4 ♗d4 13. cd4 ♗d7= 14. ♖e1** [14. ♗c2 ♗c6 15. ♕d3 ♕d5∓] **♗c6 15. ♖e5! ♕e7 16. ♗c2** [16. ♖c1 ♖fd8 17. ♖c3 ♖d7 △ ♖ad8; ○ 16. ♕d2 (△ ♖ae1, ♖f5) ♖fd8 17. ♖ae1 ♖d5□ 18. ♗c4] **♖fd8 17. ♕d3 ♖ac8** [17... ♖d7? (△ ♖ad8) 18. ♗f6 ♕f6 19. ♕h7 ♔f8 20. ♕h8+−] **18. ♖ae1** [△ 19. d5! ♗d5 20. ♗f6 ♕f6 21. ♖d5 ♖d5 22. ♕h7 △ ♕h8+−] ♖c7!∓ [△ ♖cd7 ×d4; 18... ♖d7? 19. ♗f6 ♕f6 20. ♕h7+−] **19. h3** [△ ♗f6; 19. ♗f6 ♕f6 20. ♕h7 ♔f8 21. ♖f5 ♕d4□ △ 22. ♖e6? ♕d1; 19. ♖f5 ♕b4!; 19. f4 ♕b4∓ 20. ♗f6 gf6 21. ♕h7 ♔f8 22. ♕h6 ♔e7 ×d4, b2, g2] **g5** [19... ♖cd7? 20. ♗f6 ♕f6 21. ♕h7 ♔f8 22. ♖f5! ♕d4 23. ♖e6+−] **20. ♖g5□** [20. ♗g3 ♖cd7∓ ×d4] **hg5 21. ♗g5 ♔f8!?** [21... ♕b4? 22. ♗f6!+− ♕e1 23. ♔h2 ×h7, g7, ♖d8; 21... ♖d5! a) 22. ♕g3 ♖g5∓; b) 22. ♗h6 ♔h8!□ (△ ♖h5) 23. ♖e5 (△ ♗g5; 23. ♕g3 ♘e8) ♗b5! 24. ♕g3 ♘e8 △ f6∓; c) 22. ♖e5 ♔f8 (△ ♗b5; 22... ♗b5? 23. ♕g3 ♔f8 24. ♖d5 ed5 25. ♗f6 ♕e1 26. ♔h2 ♖c2 27. ♕b8 △ ♕d6-g3+−; 24. ♕h4+−) c1) 23. ♕g3 ♖d4; c2) 23. ♕e3 (△ ♕f4) c21) 23... ♕d8? 24. ♗b3! ♖cd7 (24... ♖d4? 25. ♗f6 ♕f6 26. ♕d4±) 25. ♗d5 ♖d5 26. ♕f4 ♖e5 (26... ♔g7 27. ♖d5 △ ♕h4±) 27. ♗f6 ♖e1 28. ♔h2; c22) 23... ♖cd7□ 24. ♕f4 ♖d4 25. ♕f6 ♕f6 26. ♗f6 ♖7d5!∓;

c3) 23. ♗b3 c31) 23... ♖e5 24. de5 ♕d7 25. ♗h6 (25. ♕g3 ♘g8! 26. ♗f6 ♘f6 27. ef6 ♕d8!−+) ♔e8 (25... ♔e7 26. ef6 ♔f6 27. ♕g3±) 26. ♕g3∞; c32) 23... ♖cd7 24. ♗d5 ♖d5 25. ♕e3 (25. ♖d5 ed5 26. ♕f5 ♕e1 27. ♔h2 ♘g8∓) ♔e8! 26. ♕f4 (26. ♖d5 ♘d5∓) ♖e5 27. de5 (27. ♕e5 ♘d7; 27. ♗f6 ♖e1 28. ♔h2 e5□ 29. de5 ♕c7−+) ♘d5 28. ♕h4 ♕c5 29. ♕h8 ♕f8 30. ♕h7 △ h4-h5-h6∓] **22. ♕g3** [22. ♖e5 ♖cd7; 22. ♕e3 ♖d5! △ ♖g5] **♖d4** [22... ♖cd7 23. ♕h4+−] **23. ♕e5!** [23. ♗f6? ♕f6 24. ♕c7 ♖d2 25. ♕b8 ♗e8−+] **♖d5 24. ♗f6 ♖e5 25. ♗e7 ♔e7 26. ♖e5 ♗g2** [27. ♔g2 ♖c2 28. ♖b5 b6 △ ♔f6-g6=] **1/2 : 1/2**

Nogueiras

278.*** !N C 10

I. HERRERA 2450
− RO. PÉREZ 2385

Santa Clara 1997

1. e4 e6 2. d4 d5 3. ♘c3 de4 4. ♘e4 ♘d7 5. ♘f3 ♘gf6 6. ♗d3 c5 7. ♘f6 ♘f6 8. dc5 ♗c5 9. ♕e2 ♕c7!? 10. 0−0 0−0 11. ♘e5 b6 12. ♗f4 ♗b7 13. ♗g3 ♗d6 [RR 13... ♖ad8!? 14. ♘g4 N (14. ♖ad1 − 67/(364)) ♕c6 15. ♘f6 gf6 16. ♕g4 ♔h8 17. ♕h3 f5 18. ♗e5 f6 19. ♗c3 ♖d7 20. ♔h1□ ♖g7 21. f3∞ Joel Chacón 2145 − José Alvarez 2405, Cuba 1997] **14. ♖ad1 ♖fd8 15. ♖fe1! N** [15. c4 − 67/(364)] **♖ac8 16. c3** [16. ♘f7? ♕f7 17. ♗d6 ♖d6 18. ♗h7 ♔h7 19. ♖d6 ♕g6! 20. ♕d3□ (20. g3 ♘e4 △ ♘g5−+; 20. f3 ♖c2∓) ♕d3∓; 20... ♖c2!?; 16... ♔f7!?; 16. c4 g6!? 17. ♗h4? ♗e5 18. ♕e5 ♕e5 19. ♖e5 ♖c4! 20. ♗f6 (20. ♗c4 ♖d1 21. ♗f1 ♗a6−+) ♖d3 21. ♖ee1 (21. ♖de1 h6 △ ♔h7, g5) ♖d1 22. ♖d1 ♗d5 △ h6∓; ○ 17. ♕e3] **♗d5!? 17. ♗b1** [17. c4 ♗a8 a) 18. ♘f7? ♕b7! (△ 19. ♗e4 ♕f7−+, △ 19. f3 ♗c5) 19. ♘h6 ♔f8 20. ♗e4 ♕e4 21. ♗d6 ♖d6−+; b) 18. ♗h4 ♗e5 19. ♕e5 ♕e5 20. ♖e5 ♖c4∓; c) 18. ♗b1 ♕b7 19. f3 ♗c5 20. ♗f2 (20. ♔h1!?) ♕c7 21. ♗c5 ♕c5 22. ♔h1 g6 23. a3! ♘e4!? 24. ♘g4! (24. ♗e4 ♕e5∓) ♘d6 25. ♘f6?! ♔g7 26. b4 ♕g5 27. ♘e4 ♗e4 28. ♗e4 ♘c4 29. ♖d8 ♕d8 30. ♗b7 ♖c7 31.

181

♗a6 ♘d6 32. ♕e5 ♔g8 33. ♖d1 ♕e7∓
Bruzon − Ro. Pérez 2385, Cuba 1997; ○
27. ♘g4; 25. b4! △ ♕b2±; 17. ♗a6!? ♖b8!
18. c4 ♗e4□ (18... ♗b7 19. ♗b7 ♕b7 20.
♘f7±; 18... ♗a8 19. ♘f7±) a) 19. ♖d6
♖d6 20. ♘g4 (20. f3 ♗b7 21. ♘f7 ♔f7)
♘g4 21. ♕e4 (21. ♕g4?! ♗f5 22. ♗d6
♕d6∓) ♘f6 22. ♗d6 ♕d6 23. ♕f3=; b)
19. ♘g4 ♘g4 (19... ♗g3!? △ 20. ♘f6 gf6
21. hg3 f5) 20. ♕e4 (20. ♖d6 ♖d6 − 19.
♖d6) ♘f6 21. ♕f3±] **♗b7 18. ♘g4!? ♘g4**
[18... ♗g3 19. ♘f6 gf6 20. ♕g4 ♔h8 21.
hg3 (21. ♕g3 ♖g8) ♗g2 22. ♕h4 ♔g7 23.
♕h7 ♔f8 24. ♕h8 ♔e7 25. ♖e6!! ♔e6
(25... fe6 26. ♕g7 ♔e8 27. ♗g6) 26. ♖d8
♖d8 27. ♕d8 ♗h1 (27... ♗h3 28. ♕e8
♔d6 29. ♗e4±) 28. ♕e8 ♔d6 29. ♔f1±]
19. ♕g4 ♗g3 [RR 19... ♗f8!= Alvarez
Pérez] **20. ♕g3 h6?!** [RR 20... ♕c7! 21.
♕h4 (21. ♕c7 ♖c7=) h6 a) 22. ♖d3?!
♗b7 23. ♖ed1 (23. ♖g3? ♕e5!) ♖d5 24.
♖d5 ♗d5 25. h3?! ♕e5= Becerra Rivero
2495 − José Alvarez 2405, Cuba 1997; 25.
♕d4; b) 22. ♖d4!± Alvarez Pérez] **21. ♖d4**
♔f8 [21... ♕c7 22. ♕d3 g6 23. ♖d1±] **22.**
♖ed1 ♖e8 23. h3? [23. ♖g4! a) 23... f6?
24. ♗g6 a1) 24... ♖e7 25. c4 ♗c6 26.
♖gd4 ♗d7 27. ♗e4 (△ ♕g6) ♗c6 28. ♖d8
♖e8 (28... ♖d8 29. ♖d8 ♖e8 30. ♕d6) 29.
♕d6 ♔f7 (29... ♕e7 30. ♖c8 ♖c8 31.
♗c6) 30. ♖e8 ♔e8 31. ♕e6; a2) 24...
♖ed8 25. ♖gd4 e5 (25... ♕e7 26. ♕d3+−)
26. ♖4d2; b) 23... f5□ 24. ♖gd4±] **♗c4 24.**
♖c4 ♗c4 25. ♕d6⊕ [25. ♖d4 ♖c8 26.
♗e4 ♕c7] **♕e7 26. ♕e7 ♔e7=** [♖ 9/k]
27. b3 [27. ♗e4!] **♗d5 28. c4 ♗c6 29. f3?!**
g5!∓ 30. ♔f2 [30. ♗e4 ♗d7!] **f5 31. ♖d2**
[31. ♗d3] **♖g8 32. g3 h5 33. ♔e3 h4 34.**
g4 fg4?!⊕ [○ 34... ♖f8∓] **35. fg4 ♖f8 36.**
♗e4 [36. ♖f2? ♖f2 37. ♔f2 ♔d6−+] ♗e4
37. ♔e4 [♖ 7/h] **♖f4 38. ♔e3** [38. ♔e5
♖f3 39. ♖h2 a5!∓] **♖f1 39. ♖h2 a5** [39...
♔d6] **40. ♔e4 ♖c1 41. ♔d4 ♔d6 42. ♖d2**
♖e1 43. a3?! [43. ♖d3∓] **♖a1 44. a4** [44.
♖d3 ♖a3 45. ♔c3 ♔c5 46. ♔b2 ♔b4−+]
♖e1 45. ♖d3 ♖g1! 46. ♔e4 [46. ♖e3 ♖g3
a) 47. ♖g3 hg3 48. ♔e3□ e5 49. ♔f3 e4
50. ♔g3 ♔e5 51. ♔f2 (51. h4 gh4 52. ♔h4
♔f4 53. ♔h3 ♔f3−+) ♔f4 52. b4 (52.
♔e2 e3 53. ♔e1 ♔f3 54. ♔f1 e2 55. ♔e1

♔e3−+○) ab4 53. c5 e3 54. ♔g2 (54.
♔e2 b3 55. c6 b2 56. c7 b1♕ 57. c8♕
♕b2 58. ♔d3 ♕d2 59. ♔c4 ♕c2−+) e2
55. ♔f2 b3 56. c6 b2 57. c7 e1♕ 58. ♔e1
b1♕−+; b) 47. ♔d3 ♔c5 48. ♔e4 (48.
♖g3 hg3 49. ♔e3 e5 50. ♔f3 ♔d4 51.
♔g3 e4 52. ♔f2 ♔d3 53. ♔e1 e3−+) ♖e3
49. ♔e3 ♔b4 50. ♔e4 ♔b3 51. ♔e5 ♔a4
52. ♔f6 ♔b4 53. ♔g5 a4−+; c) 47. ♔e4
♔c5 48. ♖g3 hg3 49. ♔f3 e5 50. ♔g3 e4
△ ♔d4−+; d) 47. ♖d3! ♖g2! (47... ♔c6
48. ♖e3 ♖e3 49. ♔e3 ♔c5 50. ♔e4 ♔b4
51. ♔e5 ♔b3 52. ♔f6 ♔a4 53. ♔g5 ♔b4
54. ♔h4 a4 55. g5 a3 56. g6 a2 57. g7 a1♕
58. g8♕ ♕d4∓) 48. ♖e3 ♖g1 49. ♖d3 (49.
♔d3 ♖g3) ♖g3 50. ♖e3 (50. ♔e4 ♔c5)
♖e3 51. ♔e3 ♔e5 52. ♔d3 ♔f4 53. b4□
(53. ♔d4? e5 54. ♔d3 e4−+) ab4 54. c5
(54. a5? ba5 55. c5 ♔e5) bc5 55. a5 e5 56.
a6 e4 57. ♔d2 (57. ♔e2 b3 58. a7 b2 59.
a8♕ b1♕ 60. ♕f8 ♔g3 61. ♕f2 ♔h3−+)
e3 58. ♔e2 b3 59. a7 b2 60. a8♕ b1♕ 61.
♕f8 (61. ♕f3 ♔e5−+) ♔g3 62. ♕f3
♔h2∓] ♔c5∓ **47. ♖d8 ♖g3** [47... ♖e1!?
48. ♔f3 ♖b1∓] **48. ♖g8 ♖b3 49. ♖g5 ♔c4**
50. ♖e5 ♖h3 51. ♖e6 ♔c5 52. ♖e5⊕ ♔d6
53. ♖d5 ♔c6 54. ♖d4 ♖g3 55. ♔f4 ♖g1
56. ♖c4 ♔d5 57. ♖c3 ♖a1 58. ♖d3 [○ 58.
g5] **♔c5 59. g5 ♖a4⊕ 60. ♔f5 ♖a1 61. g6**
♖f1 [61... ♖g1−+] **62. ♔e6 ♖g1 63. ♔f7**
a4 64. ♖c3 ♔b4 65. ♖h3 b5 66. ♖h4 ♔a5
67. g7 a3 68. ♖h1 ♖g2 69. ♖h2 ♖g3 70.
♖h3 ♖g7 71. ♔g7 b4 72. ♔f7 a2   0 : 1
Nogueiras

279. ** 　　　　　　　　　**C 10**

TIVJAKOV 2590 −
SPEELMAN 2630

Beijing (open) 1997

1. e4 e6 2. d4 d5 3. ♘d2 de4 4. ♘e4 ♘d7
5. ♘f3 ♘gf6 6. ♘f6 ♘f6 7. ♗d3 c5 8. dc5
♗c5 9. 0−0 0−0 10. ♗g5 b6 11. ♕e2 ♗b7
12. ♖ad1 ♕c7 13. ♗f6 [13. ♘e5 ♘d5? 14.
c4 △ 14... ♘e3 15. ♗h7! ♔h7 16. ♕h5
♔g8 17. ♗e3±; 13... ♖fd8!=] **gf6 14.**
♗e4± [♘f7, f6] **♖fd8** [14... ♖ad8!? (△
♗e4, ♖d7, ♖fd8) 15. ♗b7±; 14... ♗e4!? N
15. ♕e4 ♖fd8 (15... ♖ad8!? △ ♖d7, ♖fd8)

16. c3 ♖ac8 17. g3 ♖d7 1/2 : 1/2 Oll 2645 − Speelman 2630, Beijing (open) 1997; 16. g3!? − 14... ♖fd8] **15. g3** [15. ♗b7!? N ♕b7 16. a3!? (16. ♖d8 ♖d8 17. ♖d1 ♖d1 18. ♕d1 ♕a6 19. a3 ♕b5 20. b4□ ♗e7⇆) ♖ac8 17. c3 (17. ♖d8 ♖d8 18. ♖d1±) ♕c7 18. ♖fe1 (18. g3!?± △ 19. ♖d8 ♖d8 20. ♖d1) ♖d1 19. ♖d1 ♖d8 20. ♖d8 ♕d8 21. ♕d2 ♕c7±⊥ K. Spraggett 2575 − Nogueiras 2545, Winnipeg 1997] ♗e4 N [15... ♖ac8 16. c3 ♔g7 17. ♗b7 ♕b7 18. ♖d8!? (18. ♘d4 − 29/203) ♖d8 19. ♖d1±] **16. ♕e4 f5** [16... ♖ac8!? △ ♖d7, ♖cd8] **17. ♕e2 ♗e7 18. c3 ♗f6 19. ♖d8** [19. a3!?± △ 20. ♖d8 ♖d8 21. ♖d1] **♖d8 20. ♖d1 ♖d1 21. ♕d1** [**♕ 8/f**] **♕c4 22. a3 b5** [22... h5!?] **23. ♘e1 a5 24. ♘d3 e5?** [×f5; ⌒ 24... ♔g7±] **25. ♕d2** [△ ♘e1-g2-e3, ×f5, △ ♘e1, ♕d3, △ ♕e3, ♘c5; 25. ♕e2 ♔g7 26. ♕e3 ♕d5] **♕d5** [25... ♔g7 26. ♘e1 △ 27. ♕d3, 27. ♘c2, 27. ♘g2] **26. ♕e2 ♔g7?** [26... ♕c4 27. ♕e3 ♕d5; 26... ♔f8]

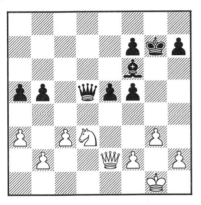

27. **g4!** ♗g5 [27... f4 28. g5 ♗g5 29. ♘e5+−; 27... e4 28. ♘f4+− △ ♘h5, gf5, ♘g3 ×e4; 27... fg4 28. ♕g4 ♔f8 29. ♕f5± △ b4, ♘c5 ×h7, e5; 27... ♔g6 28. gf5 ♔f5 29. ♕h5±; 27... ♕e6 a) 28. g5!? ♗g5 29. ♕e5 (29. ♘e5? f6) ♕e5 30. ♘e5 ♔f6 (30... ♗c1 31. ♘d3) 31. ♘c6 (31. ♘d3 ♔e6 △ ♔d5-c4; 31. ♘f3 ♗c1 32. ♘d4 ♗b2 33. ♘b5 ♔e5) a1) 31... ♗c1 32. c4!? (32. ♘a5 ♗b2 33. c4 ♗c3 34. ♘b7 bc4 35. ♘d6±) ♗b2 (32... bc4 33. ♘a5 ♗b2 34. ♘c4+−) 33. cb5 a4 (33... ♗a3 34. ♘a5±) 34. b6 ♗a3 35. b7 ♗d6 36. b8♕ ♗b8 37.

♘b8 a3 38. ♘d7 ♔e6 39. ♘c5 ♔d5 40. ♘b3 a2 (40... ♔c4 41. ♘c1 ♔c3=) 41. ♔f1 ♔c4 42. ♘a1 ♔c3 43. ♔e2 ♔b2 44. ♔d2 ♔a1 45. ♔c1=; 33. ♘a5± − 32. ♘a5; a2) 31... a4 32. ♘d4 ♗c1 33. ♘b5 ♔e5 (33... ♗b2 34. ♔f1 ♔e5 35. ♔e2 ♔d5 36. ♔d3 ♔c5 37. c4± △ ♘c3) 34. c4 (34. ♔f1 ♔d5 35. ♔e2 ♔c4) ♗b2 35. ♔f1± △ ♔e2-d3, ♘c3; b) 28. ♘c5!? ♕d5 (28... ♕c8 29. ♕b5±) 29. b4±] **28. ♘e5** [28. ♕e5 ♕e5 29. ♘e5 ♔f6] **f6** [28... ♗f6 29. ♘f3 fg4 30. ♘d4 ♗d4 31. ♕g4 ♔f8 32. ♕d4!? ♕g5 33. ♔f1 ♕c1 34. ♔g2 ♕b2 35. ♕d8 ♔g7 36. ♕a5±; 32. cd4±; 29. ♘d3+−; 28... ♕e4 29. ♕e4 fe4 30. ♘c6±] **29. ♘f3□ fg4 30. ♘d4 f5** [30... h5 31. ♘b5] **31. ♘b5** [**♕ 8/g**] **♗f6** [31... f4 32. ♕g4!? (32. ♘c7 f3!⇆; 32. c4 f3!⇆; 32. ♘d4!?) ♕b5 33. h4 h6 34. hg5 hg5 35. b4±; 31... h5!? △ h4-h3] **32. b4 ab4 33. ab4** [33. cb4?! ×d4] **h5 34. c4+−** [△ c5, ♘d6] **♕a8 35. ♘d6 f4** [35... ♕a1 36. ♔g2 f4 37. f3] **36. ♕d1!** [36. c5 ♕a1 37. ♕f1 ♕c3⇆] **♗e5⊕** [36... f3 37. c5] **37. c5 ♕a2** [37... ♗d6 38. ♕d4 ♔f7 39. cd6 f3 40. d7 ♕d8 41. h3] **38. b5 f3 39. ♘f5 ♔f6** [39... ♔f7 40. ♘g3 ♗g3 41. hg3 ♗b5, c5] **40. ♘g3** [40. ♘e3?? ♗h2] **h4** [⌒ 40... ♗g3 41. hg3] **41. ♕d8 ♔f7** [41... ♔g6 42. ♕e8 (42. ♕h4+−) ♔f6 43. ♕h8 ♔f7 44. ♕h5+−; 41... ♔g7 42. ♕h4+−; 42. ♕g5+−] **42. ♕d7 ♔f8 43. ♕f5 ♕f7 44. ♕e5 hg3 45. hg3** [45. ♕b8 ♔g7 46. ♕g3 △ h3] **♕b3** [45... ♕a2 46. ♕f4 ♔e8 47. ♕g4] **46. ♕f4 ♔e7 47. ♕e3** 1 : 0
Tivjakov

280. **C 13**

HECTOR 2470 − GLEJZEROV 2560

Mariehamn/Österåker 1997

1. **e4 e6 2. d4 d5 3. ♘c3 ♘f6 4. ♗g5 ♗e7 5. e5 ♘fd7 6. h4 c5 7. ♗e7 ♕e7 8. dc5!?** N [8. f4 − 68/253] **♘e5 9. ♕d2 ♘bc6 10. 0-0-0** [10. ♕g5?! ♔f8; 10. ♘f3!? ♘f3 11. gf3 ⇔g] **♖e8** [10... ♕a5!? 11. f4 ♘d7 12. ♗b5□ ♔f8! 13. ♘f3 a6!∞] **11. h5!?** [11. ♘b5 ♔f8 12. ♘d6 ♖e7 △ b6] **h6!** [11...

♔f8?! 12. h6 g6 13. ♘b5± ✕h7, ♔f8] 12. f4 ♘d7 13. ♗b5 ♘c5 14. ♕e3? [14. ♘f3 a6! (14... ♔f8? 15. g4 △ g5→) 15. ♗c6 bc6∞] d4∓ 15. ♕e2 [15. ♕f2 ♕b6−+; 15. ♕g3 ♕b6−+] ♗d7 [15... ♕a5? 16. ♗c6 dc3 17. ♗e8] 16. ♕c4 [16. ♗c6? dc3−+] ♕b6 17. ♘a4□ ♘a4 18. ♕a4 [△ ♕a3] ♕c5! 19. ♘f3 ♖ed8 20. ♕c4!? b6! [20... ♕c4 21. ♗c4 ♗e8 22. ♗b5 ✕d4] 21. ♖he1 ♖ac8 22. ♕c5 bc5 23. c3!? ♖b8! [23... dc3 24. bc3⧠] 24. ♗c6? [△ 24. ♗f1] ♗c6 25. ♘e5 ♗g2!−+ 26. cd4 [26. ♖g1 dc3 27. bc3□ (27. ♖g2 ♖d1 28. ♔d1 cb2) ♖d1 28. ♖d1□ ♖b7□ 29. ♖g1 ♗e4 30. ♖g7 ♔f6 31. ♖g8 ♔f5] cd4 27. ♖g1 ♗e4! [27... ♖dc8 28. ♔b1! ♗e4 29. ♔a1∞] 28. ♖g7 ♖dc8 29. ♔d2 ♖b2 30. ♔e1 ♖cc2 31. ♖d4 ♗d5□ [31... ♖h2?? 32. ♖d7+−] 32. ♖f7 ♔e8 33. ♖g7 ♖h2 34. ♖g1 ♖be2 35. ♔d1 ♖a2 [36. ♔e1 ♖he2 37. ♔f1□ (37. ♔d1 ♗b3 38. ♔c1 ♖a1⧣) ♗g2 38. ♖g2 ♖g2] 0 : 1 _Glejzerov_

281.* C 14

KRUPPA 2535 − ULYBIN 2535

Minsk 1997

1. e4 e6 2. d4 d5 3. ♘c3 ♘f6 4. ♗g5 ♗e7 5. e5 ♘fd7 6. ♗e7 ♕e7 7. f4 [RR 7. ♕g4 N 0−0 (7... f5?! 8. ♕h5 g6 9. ♕h6 ♕f8 10. ♕f4±) 8. ♘f3 c5 9. ♗d3 _a)_ 9... f5? 10. ♕g5!±♺ (✕c7, d6, e6) Melão jr. 2175 − P. de Faria 2320, corr. 1997; _b)_ 9... f6!?; _c)_ 9... cd4! _c1)_ 10. h4? f5! (10... dc3? 11. ♗h7+−) 11. ♕d4 ♘c6 12. ♕f4 ♕b4∓; _c2)_ 10. ♗h7 ♔h7 11. ♕h5 ♔g8 12. ♘g5 (12. h4? g6 13. ♕h6 ♘e5−+) ♕g5□ 13. ♕g5 dc3 14. 0-0-0 (14. bc3!?) cb2 15. ♔b1 f6 16. ef6 ♘f6 17. f3∞ Melão jr.] 0−0 8. ♘f3 c5 9. ♕d2 ♘c6 10. dc5 ♕c5 11. 0-0-0 ♘b6 12. h4 f6?! N [12... ♗d7 − 68/(254)] 13. ef6 ♖f6 14. ♗d3 ♗d7 15. ♖he1 ♘c4 [15... ♖c8 16. ♔b1 ♘c4 17. ♗c4 ♕c4 18. g3 b5 19. ♘e5 ♘e5 20. ♖e5 b4 21. ♘e2±] 16. ♗c4 ♕c4 17. g3 ♗e8 18. ♘e5 ♘e5 19. ♖e5 ♗g6 20. b3± ♕b4 21. ♔b2 ♖c8 22. a3 ♕c5 [22... ♕b6 23. g4; 22... ♕a5 23. ♕e1] 23. ♖c1 h6 24. ♘e2 ♕f2 25. ♕d4 ♕d4 26. ♘d4 ♔f7 27. ♘b5± ♖c5 28. c4! ♔e7 29. cd5 ♖d5 30. ♖d5 ed5 31. ♖c7

♔f8 32. ♘d4! ♖b6 33. f5 ♗f7 34. g4 g6 35. ♔c3 gf5 36. gf5 ♔e8 [36... ♔g7? 37. ♔d3 ♔f6 38. ♔e3 ♖a6 39. a4 ♖b6 40. a5 ♖b4 41. ♔d3 ♔e5 42. ♖e7 ♔f6 43. ♖e1 b6 44. a6+−] 37. a4?! [37. ♔d3] a5 38. ♔d3?! [38. ♖c5 ♖a6 39. ♘b5±] ♔f8 39. ♔e3 ♔g7? [39... ♖b4 40. ♖c5 ♔g7 41. ♖a5 ♔f6 42. ♖b5 ♖b5 43. ♘b5±] 40. ♖c5? [40. ♔f4 ♔f6 41. ♖d7 ♗e8 (41... h5 42. ♘b5+−; 41... ♖b4 42. ♖d6 ♔e7 43. ♔e5 ♖d4 44. f6+−) 42. ♖d5±] ♔f6 41. ♖a5 ♔e5 42. ♖b5 ♖b5 43. ♘b5 b6 44. f6! ♗g6 [44... ♗e8 45. ♘c7! d4 46. ♔d2 ♗f7 47. b4 ♔f6 48. b5! (48. a5? ba5 49. ba5 ♗c4) ♔e5 49. ♘a8±] 45. b4 ♔f6 46. ♔d4 ♗e8 47. ♘c3 ♔e6 48. b5 1 : 0 _Kruppa_

282.* C 17

AL-MODIAHKI 2380 − SE. IVANOV 2530

Benasque 1997

1. e4 e6 2. d4 d5 3. ♘c3 ♗b4 4. e5 c5 5. ♗d2 ♘h6 [5... cd4 6. ♘b5 ♗e7?! (6... ♗f8 − 6/293) 7. ♕g4!? (7. ♘f3±) ♔f8 N (7... g6) 8. ♘f3 ♘c6 9. ♘bd4 ♕b6 10. ♘b3 f5 11. ♕f4 ♘h6 12. ♗d3 ♘f7 13. h4 a5 14. a4 ♕c7 15. ♗c3 ♗f6?! 16. ♔f1!± Al-Modiahki 2380 − Barua 2515, Balaguer 1997] 6. ♗d3 ♘c6 7. ♘f3 c4 8. ♗f1 ♘f5 9. ♘e2 ♗e7 10. c3 0−0 N [10... h5 − 61/289] 11. ♘g3 f6 [11... ♘g3 12. hg3 △ ♕c2± ⇔h] 12. ef6 [12. ♘f5? ef5 13. ef6 ♗f6∓□] ♖f6 13. ♗e2 [13. ♗g5 ♖f8 14. ♗e7 ♕e7 15. ♗e2 ♗d7 16. 0−0 ♗e8 17. ♕d2±] h6 14. 0−0 ♗d6 15. ♖e1 ♗d7 16. ♗f1± ♕c7 [16... ♗e8 17. ♘e5 (17. ♘f5?! ♖f5! 18. ♖e6 ♗h5⧉) ♘g3 18. hg3 ♗e5 19. de5 ♖f5 20. g4 (20. b3!?) ♖e5 21. ♖e5 ♘e5 22. ♕e2 ♕f6 23. ♖e1 ♘d3 24. ♕e6 ♕e6 25. ♖e6 ♘b2 26. ♖e7 ♗c6 27. ♗e3±] 17. ♘h5! ♖f7 18. g3 g5? [18... g6 19. ♘f4 ♖f6 20. h4 ♘g7 △ ♖af8, ♗f4, ♖f4±] 19. ♗g5! hg5 20. ♘g5 ♖af8 [20... ♖e8 21. ♘f7 (21. ♕f3!?) ♔f7 22. ♕f3→; 20... ♘d8!?⧉] 21. ♘e6! [21. ♘f7? ♖f7∓ ✕♘h5] ♗e6 22. ♖e6± [✕d5] ♕d7 23. ♕g4 ♘g7 24. ♖ae1 ♘d8 25. ♖g6 ♕g4 26. ♖g4 ♔h7 27. ♘g7 ♖g7 28. ♖h4 ♔g6 29.

♗g2 ♖e7 30. ♖g4 ♔f5 [30... ♔h5 31. ♖e7
♗e7 32. ♖g7+−] 31. ♖f4 ♗f4 32. ♖e7
♗c1 33. ♖e2 ♘f7 34. ♗d5+− ♘d6 35.
♖e5⊕ ♔g6 36. ♖e6 ♖f6 37. ♖e2 ♖f5 38.
♗g2 ♔f7 39. ♖c2 ♗h6 40. f4 ♖a5 41. a3
♖b5 42. ♔f2 a5 43. a4 ♖b3 44. ♖e2 b5 45.
♗d5 ♔f8 46. ab5 ♖b5 47. ♗c6 ♖b6 48.
♗a4 ♔f7 49. ♔f3 ♘f5 50. g4 ♘h4 51.
♔g3 ♘g6 52. ♗e8 ♔g8 53. g5 ♗f8 54.
♗g6 [△ 54. h4] ♖g6 55. ♔g4 a4 56. f5
♖b6 57. f6 ♔f7 58. d5! ♖b5 59. ♖d2 ♗c5
60. d6 ♗b6 61. d7 ♗d8 62. h4 a3 63. ba3
♖b3 64. h5 ♗c3 65. ♖f2 ♖c1 66. g6 ♔f8
67. h6   1 : 0   *A. Kuz'min*

MONOGRAPH

C 18-19
Kortchnoi

283.   **C 17**

Z. ALMÁSI 2595
− LPUTIAN 2615

Pula 1997

1. e4 e6 2. d4 d5 3. ♘c3 ♗b4 4. e5 c5 5.
a3 ♗a5 6. b4 cd4 7. ♘b5 ♗c7 8. f4 ♘h6
9. ♘f3 ♗d7 10. ♘c7 ♕c7 11. ♗d3 a6 12.
a4 ♘f5 13. ♕d2 ♘c6 14. ♗b2 0−0 N
[14... ♕b6 − 63/251] 15. ♗f5! [15. 0−0
♘e3] ef5 16. ♗d4! ♘d4 [16... b6 17.
0−0±; 16... ♘d8 17. ♗c5] 17. ♘d4 f6 18.
♘f3!± [18. e6? ♗e6! 19. ♘e6 ♖ae8 △
♕b6; 18. ef6 ♖ae8 19. ♔f2 ♖f6 △ ♖e4]
fe5 [18... ♕b6 19. a5] 19. ♘e5 d4! 20.
0−0! [20. ♕d4 ♖ad8!; 20. c3 ♖ad8! 21.
cd4 ♗e6 △ ♕b6; 20. c4 ♗c6 △ ♗e4,
♖ad8] ♖ad8 21. ♘f3! d3? [21... ♗c6 22.
♘d4 ♗e4 23. c3] 22. cd3 ♕b6 23. ♔h1
♗c6 24. ♘e5 ♗d5 25. ♖ac1 h6 26. ♖c5
[×♗d5] ♔h7 27. ♕c3 [27. h3!? △ ♔h2,
♖e1-e3-g3] ♕f6 28. h3 ♖fe8 [28... ♕h4
29. ♔h2] 29. ♔h2 ♖e7 30. ♖c7!? ♖c7 31.
♕c7 ♕f8! 32. ♕c5! [32. ♕b6 ♖c8 △ ♖c2]
♕e8?!⊕ [32... ♕c5 33. bc5 ♗c6 34. ♖b1!
(34. a5 ♗b5 △ ♖d4; 34. ♘c6 bc6 35. ♖d1
♖d4) ♖d5! 35. ♘c6 bc6 36. ♖b6 ♖c5 37.
♖a6±] 33. a5 ♗e6?! 34. ♕b6 ♕e7 35.
♖c1+− ♗d5 36. ♖c7 ♕d6 [36... ♕e8 37.
♕f6 ♕f8 38. ♕g6+−] 37. ♕d6 ♖d6 38.
♖d7! ♖d7 39. ♘d7 ♔g8 40. ♘b6! ♗c6 41.
g3 ♔f7 42. ♔g1 ♗b5 [42... ♔e6 43. ♔f2
♔d6 44. ♔e3 △ ♔d4] 43. d4 ♔e6 44. d5!
[44... ♔d6 45. ♔f2 ♗e8 46. ♔e3 ♗f7 47.
♔d4]   1 : 0   *Z. Almási*

284.   **C 18**

G. KASPAROV 2795
− SHORT 2690

Novgorod 1997

1. e4 e6 2. d4 d5 3. ♘c3 ♗b4 4. e5 c5 5.
a3 ♗c3 6. bc3 ♕c7 7. ♕g4 f5 8. ♕g3 cd4
9. cd4 ♘e7 10. ♗d2 0−0 11. ♗d3 b6 12.
♘e2 ♗a6 13. ♘f4 ♕d7 14. h4 ♗d3 15.
♕d3!? [15. cd3] ♘bc6 16. ♖h3 ♖ac8 17.
♖g3 ♖f7? [17... ♘d8! 18. ♘h5 (18. ♔f1
♕c6 19. c3 ♕c4∓; 18. c3!?) ♘g6 19. ♘g7
(19. ♘f6 gf6 20. h5 fe5 21. hg6 e4 22. gh7
♔h8 23. ♕b3 ♘c6 24. 0-0-0 ♖f7 25.
♗g5∞) ♔g7 20. h5 ♘f7 *a)* 21. hg6 hg6
a1) 22. ♖g6? ♔g6 23. ♕g3 ♔h7 24. ♔e2
(24. 0-0-0 ♖c2! 25. ♔c2 ♕a4 26. ♕b3
♕d4! 27. ♖h1 ♔g6−+) f4! (24... ♕b5? 25.
♔f3 f4 26. ♖h1 ♘h6 27. ♕g5+−) 25. ♕f4
♕b5−+; *a2)* 22. ♔e2; *b)* 21. ♔e2 (△ 22.
hg6 hg6 23. ♖g6) ♕d8! 22. ♖h1 ♖h8 23.
c3 ♕e7∞] 18. h5? [18. ♔f1! ♘d8 19.
♔g1± △ 19... ♕a4 20. c3 ♕b3 21. ♘h5
♘g6 22. ♘f6 gf6 23. h5] ♘d8 N [18...
♔h8] 19. c3 [19. h6 g6 20. ♘h5 ♔h8 21.
♘f6 ♕a4∓] ♖f8?! [19... ♕a4∓] 20. ♔f1
♖c4 21. ♔g1 ♘f7 22. a4! ♖fc8 23. ♕b1
♘c6? [23... ♔h8 24. a5 (24. ♕d1 ♘h6∞)
b5 25. a6 (25. ♘d3 a6) b4∞] 24. ♕d1!
♘e7 [24... ♔h8? 25. ♘g6! hg6 (25... ♔g8
26. h6 hg6 27. ♖g6+−) 26. hg6 ♘h6 27.
♕h5 ♔g8 28. ♗h6 gh6 29. g7 ♘d8 30.
♕h6 ♘f7 31. ♕g6 ♖c3 32. f3+−; 24...
♔f8? 25. h6 g6 26. ♘g6 hg6 27. ♖g6 ♘e7
28. ♖g7+−; 24... h6 25. ♖g6 *a)* 25... ♘g5
26. ♘d3! ♘e7 (26... ♘f7 27. ♘b2) 27.
♗g5 ♖g6 28. hg6 hg5 29. ♕h5 ♖c3 30.
a5!! ♖d3 (30... b5 31. ♘c5+−; 30... ♕e8
31. ab6 ab6 32. ♘c5! bc5 33. ♖a7+−) 31.
ab6 ab6 (31... ♖d4 32. ♕h7 ♔f8 33. ♕h8
♔e7 34. ♕g7 ♔d8 35. ♕f8 ♕e8 36.

g7+−) 32. ♕h7 (32. ♖a7+−) ♔f8 33.
♕h8 ♔e7 34. ♕g7 ♖d8 35. ♕f8 ♔c7 36.
♖c1 ♔b7 37. ♕c8+−; b) 25... ♘cd8 26.
g4! ♘h8 27. gf5 ♘g6 28. hg6 ef5 29. ♕f3
♖4c6 30. ♕g2 (30. ♖f1 ♔f8 31. ♔e2 ♘e6
32. ♘d5 ♘g5∞) ♔f8 31. ♖e1± △ 31...
♘e6 32. ♘d5 ♘g5 33. ♗g5 ♖g6 34. e6
♕e8 35. f4 hg5 36. e7 ♔g8 37. fg5+−] 25.
h6 g6 26. ♕h5 ♖a4? [26... ♘h8? 27. ♕h4
g5 (27... ♘g8 28. ♘g6 hg6 29. h7+−) 28.
♖g5 ♘g5 29. ♕g5 ♘g8 30. ♘e6+−; 26...
♔f8 27. ♕h4 a) 27... ♔e8 28. ♕f6 ♖a4 29.
♖a4 ♕a4 30. ♘e6 ♕d1 31. ♔h2 ♕d2 32.
♘g7 ♔f8 (32... ♔d8 33. f4!! ♖c3 34. ♕f7
♖g3 35. ♕e8 ♔c7 36. ♘e6 ♔b7 37. ♕e7
♔a6 38. ♔g3+−) 33. e6 ♕h6 34. ♘h5
♔e8 35. ♖h3 ♔d8 36. ef7 ♔d7 37. ♘g3
♕f8 38. ♖h7 ♖c6 39. ♕h8 ♖c8 40. ♕e5
♖c3 41. ♘e2 ♖c6 42. ♘f4 a5 43. ♕h8 (43.
♘d5+−) ♖c8 44. ♕f6 ♖c6 45. ♕c6! ♘c6
46. ♘g6 ♕d6 47. f4 ♕g6 48. f8♘!+−; b)
27... g5 b1) 28. ♕h5 ♘g8 (28... gf4? 29.
♖g7 ♘g6 30. ♖h7 ♘gh8 31. ♗f4 ♖c3 32.
♗g5 ♕c7 33. ♖d1+−) 29. ♘h3 g4 30.
♘f4 ♔e8; b2) 28. ♖g5! ♘g5 29. ♕g5 ♘g8
30. ♕g7 ♕g7 31. ♘e6 ♔f7 32. ♘g7 ♘e7
33. ♘h5±] 27. ♖a4 ♕a4 28. ♘e6? [28.
♕h4! ♕d1 29. ♔h2 g5 (29... ♕d2 30. ♕f6
♔f8 31. ♘e6 ♔e8+− − 26... ♔f8) 30.
♖g5 ♘g5 31. ♕g5 ♔f7 32. ♗e3! (32.
♘h5? ♖g8 33. ♘g7 ♖g7 34. ♕g7 ♔e8 35.
♗g5 ♕h5=) ♖c3 33. ♕g7 ♔e8 34. ♕h7
♕g4 35. g3!+−] ♕c2? [28... ♖c6! 29. ♘f4
♔f8 30. ♕e2∞] 29. ♕h4 f4 [29... ♕d2 30.
♕f6 ♕c1 31. ♔h2 ♕h6 32. ♖h3+−] 30.
♗f4 ♘f5

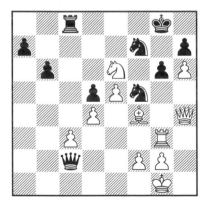

31. ♖g6! [31... hg6 32. h7 ♔h8 33. ♕f6
♔h7 34. ♕f7 ♔h8 35. ♕f6 ♔h7 36. ♘g5

♔h6 37. ♘e4 ♔h7 38. ♕f7 ♔h8 39. ♘f6
♘g7 40. ♗h6] 1 : 0   G. Kasparov

285. !N   C 18

MI. PAVLOVIĆ 2485
− DRAŠKO 2520
Jugoslavija 1997

1. e4 e6 2. d4 d5 3. ♘c3 ♗b4 4. e5 ♘e7 5.
a3 ♗c3 6. bc3 c5 7. ♗d3 ♘bc6 8. ♕g4 c4
9. ♗e2 0−0 10. h4 [10. ♘f3 f6!?] f6! N
[10... f5 − 15/219] 11. ♘f3 fe5 12. ♘e5
[12. de5 ♘g6 13. ♕h5 ♕e8!] ♘e5 13. de5
♕c7 14. f4 ♗d7 15. h5 [△ 15. a4] ♘f5 16.
h6 g6 17. ♕h3 ♗a4 18. ♗d1 ♖ad8∓ 19.
0−0 [19. g4 ♘e7 20. ♗e3 ♕a5 21. ♗d2
♕b6∓] ♕b6 20. ♔h2 d4 21. cd4 ♕d4 22.
♖b1 [22. c3 ♕d7∓; 22... ♕d1!?] ♕e4!?
[22... b6; 22... b5] 23. ♗f3 [23. ♖b2!?]
♕c2 24. ♖b7 ♖d7! [24... ♖d3 25. ♕g4↑]
25. ♖d7 [25. ♖b4!?] ♗d7 26. ♖d1?! [26.
♗g4] ♗a4∓ 27. ♗e3? ♕c3!−+ 28. ♗c5
[28. ♗d4 ♕d4 29. ♖d4 ♕d4 30. ♕e6
♔h8−+ ×f4] ♗d1 29. ♗f8 ♔f8   0 : 1
Draško

286.* !N   C 18

LAUTIER 2660 − POLDAUF 2455
Berlin 1997

1. e4 e6 2. d4 d5 3. ♘c3 ♗b4 4. e5 c5 5. a3
♗c3 6. bc3 ♘e7 7. ♕g4 ♕c7 8. ♗d3 cd4 9.
♘e2 dc3 10. ♕g7 ♖g8 11. ♕h7 ♘bc6 [RR
11... ♕e5 12. ♗f4 ♕f6 13. h4 ♖g2 14.
♔f1 ♖g4 N (14... e5 − 55/(290)) 15. ♗g5
♕f3 16. ♕h8 ♔d7 17. ♖h2 ♘bc6 18. ♘g1
♖g1 19. ♔g1 b6 20. ♕f6± Mi. Pavlović
2485 − Draško 2555, Jugoslavija 1997] 12.
♗f4 ♗d7 13. 0−0 0-0-0 14. ♗g3 d4 15.
♖fe1 ♗e8? 16. ♘f4! N ± [16. ♕h4] ♖g5?!
[16... ♘e5? 17. ♘e6 fe6 18. ♗e5+−; 16...
♔b8 17. ♘h5±; 17. ♗h4! △ ♗f6, h4-h5-
h6] 17. ♕h6 ♖g8 [17... ♖e5? 18. ♘e6! fe6
19. ♗e5 ♘e5 20. ♕e6+−] 18. ♗h7 ♖h8
19. ♕g7 ♗d7 20. ♕f7 ♖hf8 21. ♕g7 ♘f5
22. ♗f5 ♖f5 23. ♖ab1 ♖df8 [23... ♖e5 24.
♘e6+−; 23... ♕a5 24. ♘e6+−] 24. ♘d5!
♕d8 [24... ed5 25. e6+−] 25. ♘f6 b6 26.
h4+− ♖5f6 [26... ♕e7 27. ♕g4+− △ h5]
27. ef6 ♕f6 28. ♕f6 ♖f6 29. ♖b5 ♗e8 30.

♖g5 [⌓ 30. h5 ♖h6 31. ♗f4 ♖h5 32. ♖h5 ♗h5 33. ♖e6+−] ♗g6 31. ♖c1 ♔b7 32. h5 ♗f5 33. ♖g7 ♗a6 34. ♗h4 ♖f8 35. f3 e5 36. g4 ♗e6 37. h6 d3 38. cd3 ♘d4 39. ♔h2 c2 [39... ♘f3 40. ♔g3 ♘d4 △ ♘e2; 40. ♔h3+−] 40. h7 ♗b3 41. ♗f6 [41... ♘e2 42. ♖c2 ♗c2 43. ♖g8] 1 : 0

Lautier

287.**  C 19

ANAND 2765 − IVANČUK 2725
Dortmund 1997

1. e4 e6 2. d4 d5 3. ♘c3 ♗b4 4. e5 c5 5. a3 ♗c3 6. bc3 ♘e7 7. ♘f3 [RR 7. a4 b6 8. ♗b5 (8. a5 ♗a6 9. ♗a6 ♘a6 10. ♕e2!?; 8... ba5!?; 8. ♘f3) ♗d7 9. ♗d3 ♘bc6 10. ♘f3 h6 11. 0−0 *a)* 11... 0−0 12. ♗a3! ♕c7 (12... c4 13. ♗e2± ⫽a3-f8) 13. dc5 ♘e5 14. ♘e5 (14. cb6 ♘f3 15. ♕f3 ♕d8∞) ♕e5 15. c6 ♘c6 16. ♗f8 ♖f8±; *b)* 11... ♕c7 12. ♖e1 0−0 13. ♗f4 (13. ♗a3 ♘a5 14. ♘d2 ♗a4 15. dc5 bc5 16. ♕g4 ♗e8!? 17. ♘f3 ♘ac6! △ 18. ♗c5 ♘e5 19. ♘e5 ♕c5, 18. ♗c1 f5!) ♘g6 (13... c4 14. ♗f1 ♘g6 15. ♗c1!±) 14. ♗g3 (14. ♗e3 cd4 15. cd4 ♘b4; 14. ♗d2 f5) cd4 (14... c4 15. ♗f1 ♘ce7 16. h4 ♘f5 17. h5 ♘g3 18. fg3 ♘h8! 19. g4 f6 20. ♕d2 ♘f7⇆; 16. h3!? △ 16... ♘f5 17. ♗h2) 15. ♘d4 (15. cd4 ♘b4∓ ×♗g3) *b1)* 15... ♘d4?! N 16. cd4 ♕d8 17. ♖e3 ♖c8 18. ♕d2 a5 19. c3 ♕e7 20. ♗c2 ♖c4 21. f4 ♖fc8 22. ♖f3±↑≫ Zontah 2550 − R. Skomorohin 2450, Sankt-Peterburg 1996; *b2)* 15... ♘a5 16. ♕g4 ♕c3 17. ♖ad1 N (17. ♘e2 − 53/285) *b21)* 17... h5 18. ♕h5! (18. ♕g5 ♕d4 19. ♗g6 ♕g4∓) ♕d4 19. ♗b5 (19. ♗g6? fg6−+) ♕c5 20. ♗d7 ♕c2 21. h4∞; *b22)* 17... ♘c6 18. ♘b5 ♕b4 (18... ♘ce5? 19. ♗e5 ♘e5 20. ♕g3 △ 20... ♗b5 21. ♗h7+−) 19. c4 (19. ♕h5 ♘f4) dc4 (19... ♘ce7 20. h4↑) 20. ♗g6 (20. ♗c4 ♘a5) fg6 21. ♖e4 (21. ♖d7?? ♕e1#) ♕g6 22. ♕g6 ♘e7 22. ♕g4 ♘f5∓ Se. Ivanov) ♖ad8 22. ♖c4 ♕b2∞ Gi. Hernández 2525 − Se. Ivanov 2530, Balaguer 1997] h6 8. ♗d3 [8. h4 − 58/328; 8. a4] b6 N [8... c4 9. 0−0 ♗a6 10. ♘h4!? [△ f4-f5] ♗d3 11. ♕d3 ♘bc6 12. f4 ♕d7 13. ♗d2 c4? [13... 0−0 14. g4 (14. ♖ae1 f5) f5 15. ef6 ♖f6∞] 14. ♕h3 g6 15. a4 0-0-0 16. ♘f3 h5?! 17.

♖fb1 ♘f5 18. g3 ♔b7 19. ♕f1 ♗a8 20. ♗c1 ♖b8 21. ♕e1± ♗b7 22. ♗a3 ♕d8 23. ♘g5? [23. ♕d2 △ ♖e1] ♖e8! 24. ♕d2 [24. ♘h7?! ♖h8 25. ♘f6? ♗g7! △ ♘e8=] f6 25. ♘f3 ♘h6± 26. ef6 ♕f6 27. ♖e1 ♘f7 28. ♖e2 ♘e7 29. ♖ae1 ♘f5 30. ♕c1 ♘g7! 31. ♔g2 ♕d8 32. h3 [32. ♕b2 g5 (32... ♕d7 33. ♕b5±) 33. fg5 ♘g5 34. ♘g5 ♕g5; 32. ♕b1 g5 33. ♗c1 g4 34. ♘g5∞] ♕d7 33. ♘h4 ♘h8 34. ♘f3 ♘f7 [34... ♕a4 35. ♘e5! △ g4 ×♘h8, ♘g7] 35. a5 ba5 36. ♗c5 a6 [36... ♕a4!?; 36... ♖eb8 37. ♕a3 (△ ♗f8) ♖b1 38. ♕a5 ♖e1 39. ♖e1 ♘f5 40. ♖a1 ♖b7] 37. ♕a3 ♖b5 38. ♖a1 ♔b7 [38... ♘f5 39. ♗b4 h4!∞] 39. ♖ee1 ♖b8? [39... ♘f5!] 40. ♗f8! ♘e8? [40... ♘f5! 41. g4 hg4 42. hg4 ♘5d6 43. ♗d6 ♘d6 44. ♘e5 ♕c7∞] 41. ♘e5! ♘e5 42. fe5± [×♘e8] g5 43. ♖e2 ♔c6 44. ♖f1 ♕h7 45. ♗e7 g4 46. h4 ♖8b7 47. ♗d8 ♖f7 48. ♖f7 ♕f7 49. ♖f2 ♕g6 50. ♔h2± 1 : 0

Anand

288.  C 19

HELLERS 2585 − CU. HANSEN 2605
Malmö 1997

1. e4 e6 2. d4 d5 3. ♘c3 ♗b4 4. e5 c5 5. a3 ♗c3 6. bc3 ♕c7 7. ♘f3 ♘e7 8. a4 h6 9. ♗d3 b6 10. 0−0 ♗a6 [10... 0−0 − 61/293] 11. ♗a6 N [11. a5; 11. ♗b5; 11. ♗a3] ♘a6 12. ♕d3 ♘b8 13. ♘h4 ♘bc6 [13... ♘d7! 14. f4 cd4 (14... ♖c8 15. f5 ef5 16. ♘f5 ♘f5 17. ♕f5 0−0±; 14... g6!?) 15. cd4 ♖c8 16. ♗a3 (16. f5 ♕c2 17. ♕g3↑; 16... ♕c3!∓) ♕c3∓] 14. f4 0−0 [14... g6 15. ♗a3±] 15. ♗a3 [15. g4? cd4 16. cd4 ♘b4∓; 15. f5 ef5 16. ♘f5 ♘f5 17. ♖f5 ♖ae8!= 18. ♗a3 ♖e6 19. dc5? ♘e5 20. ♕d5 ♖d8 21. cb6 ab6 22. ♕b3 ♘g4−+] ♘a5 16. ♖ae1 [16. g4 ♘c4 17. f5 (17. ♗c1 f6) ♘a3 18. ♖a3 f6!∞] ♕c6! [16... ♘c4 17. ♗c1 f5 18. ef6 ♖f6 19. g4± ♖af8 20. f5 ef5 21. g5!↑] 17. g4 ♕a4 18. ♗c1 cd4 19. f5 ♖ac8!? [19... ♖fc8? (B. Larsen) 20. ♗h6 gh6 21. ♕d2! ♔h7 22. fe6+−; 19... dc3 20. ♖f4 *a)* 20... ♘c4!? 21. f6 ♘c6 (R. Byrne) 22. fg7 (22. g5!?) ♔g7 23. ♘f5 ef5 24. ♕f5 ♖ae8∞; *b)* 20... ♕d7 21. f6∞; 19... ♕c4! 20. ♕g3 ♕c3 21. ♖f3 ♕c2 22.

187

f6 (22. g5!? (R. Byrne) h5!) ♘g6 a) 23. fg7 ♔g7 24. ♘g6 fg6 25. ♗h6 ♔h6 26. ♕h4 ♔g7 27. ♕e7 ♔g8 28. ♕e6 ♔h8!? (28... ♔g7=) 29. ♖h3 ♔g7 30. ♕e7 ♖f7 31. ♕h4∞; b) 23. ♖ef1 ♘c6! 24. fg7 ♔g7 25. ♘g6 fg6 26. ♗h6 ♔h6 27. ♖f8 ♖f8 28. ♖f8 ♕c1! 29. ♔g2 ♕d2 30. ♖f2 ♕g5∞; 30. ♔f1!=]

20. ♗h6! [20. f6 ♖c3 21. fe7 ♖d3 22. ef8♕ ♔f8 23. cd3∞] **gh6 21. f6 ♘ec6??** [21... ♖c3 22. ♕d2 a) 22... ♖e3 23. fe7 ♖e8 (23... ♖c8 24. g5!+−) 24. g5!+−; b) 22... ♕c2! 23. ♕h6 ♕h7 24. ♕h7 ♔h7 25. fe7 ♖e8 26. ♖f7 b1) 26... ♔g8!? 27. ♖ef1 ♖cc8 28. ♘g6 d3! 29. ♘f8 (29. ♖f8 ♔g7 30. ♖8f7 ♔g6 31. h4 ♖c1 32. ♖7f6=) d2 30. ♘e6 ♖c1 31. ♖f8 ♔h7 32. ♖e8 ♖f1 33. ♔g2 ♖g1 34. ♔h3 d1♕ 35. ♖h8 ♔h8 36. e8♕+−; 29... ♘c6!; b2) 26... ♔h6 27. ♖f6 ♔g5! (27... ♔g7 28. ♖e6 d3 29. ♖d1↑) 28. ♘f3 ♖f3 (28... ♔g4 29. ♔h1!) 29. ♖f3 ♖e7 30. h3∞] **22. ♕d2 ♔h7 23. ♖f5!! dc3 24. ♕h6 ♔h6 25. ♖h5#** 1 : 0

Hellers

289. C 19

KLOVANS 2445 − RUSTEMOV 2550

Świdnica 1997

1. e4 e6 2. d4 d5 3. ♘c3 ♗b4 4. e5 ♘e7 5. ♘f3 c5 6. a3 ♗c3 7. bc3 b6 8. ♗b5 ♗d7 9. ♗d3 ♗a4 10. h4 h6 11. 0−0 c4 12. ♗e2 ♔d7 13. h5 ♕g8 14. ♗e3!? N [14. g3 − 58/331] ♕h7 15. ♖c1 ♘a6!? [15... ♘bc6] 16. ♘h4 ♘c7 [16... g5!? 17. hg6 ♘g6 18. ♘g6 ♕g6 19. ♗h5±; 17... fg6∞] **17. f4**

[17. ♗g4 ♖af8 18. g3 ♔c8∞] **g6**□ [17... ♘b5 18. ♕d2; 17... ♘f5 18. ♘f5 (18. ♗f2) ♕f5 19. ♗g4 ♕h7 (19... ♕e4 20. ♖f3) 20. f5!] **18. ♕d2 ♖ag8 19. ♗f3** [19. hg6?! fg6∞ △ g5; 19. ♖f2] ♔c8 [19... gh5?! 20. f5 ef5 21. ♖cf1 ♗g7 22. ♗f5 ♘f5 23. ♖f5 ♖hg8 24. ♖h5±] **20. ♖cf1** [20. hg6 ♘g6 21. ♖h3 ♘h4 22. ♖h4∞] **♗g7** [20... gh5 21. f5] **21. ♖h3** [21. ♖1f2!? ♖hg8 22. ♖g3∞] **gh5! 22. f5! ef5 23. ♗h5 ♘e6** [23... f4?! 24. ♖f4 ♗c2 25. ♖f7!±] **24. ♗d1** [24. ♔h2?! ♘g5 25. ♖g3 ♘e4 26. ♗g7 ♕g7; 25... ♖f2 f4! 25. ♗f4 ♗c2∓] **h5** [24... ♘g5? 25. ♗g5 ♖g5 26. ♕g5!! hg5 27. ♘f5 ♘f5 28. ♖h7 ♖h7 29. ♖f5±] **25. ♖hf3 ♖hg8 26. ♘f5 ♘f5 27. ♖f5 h4 28. ♖1f2**□ ♖g2 [28... h3? 29. ♖h5±] **29. ♖g2 ♖g2 30. ♕g2 ♕f5 31. ♕d5 ♘c7**□ **32. ♕g2** [32. ♕c4?? ♗b5−+] **♗d7 33. ♗f3 h3 34. ♕e2?!** [34. ♕g8 ♘e8 35. ♗d5! ♕c2 36. ♗f7 (36. e6 fe6 37. ♗e6 ♕d1=) ♕d1=; 36... ♕c3=] ♗e6∓ **35. d5?⊕ ♘d5 36. ♕c4 ♘c7 37. ♕e4 ♕e4 38. ♗e4 ♘b5 39. ♗c1 ♘c3 40. ♗d3⊓** [♘9/e] **♔c7 41. ♗d2 ♘a4 42. ♗b5 ♘c5 43. ♗g5 a6 44. ♗e2 ♘e4 45. ♗e3 ♘c3 46. ♗d3** [46. ♗a6 b5−+] **♔c6 47. ♗h2 a5 48. ♗d4 ♘b1! 49. ♗b2 a4 50. ♔g3** [50. c3 ♘d2−+] **♔c5 51. ♗c1 b5 52. c4 ♘a3!−+ 53. ♗a3 b4 54. ♗c1 ♔d4 55. ♗f1 a3 56. c5 ♔c5 57. ♗e3 ♔d5** 0 : 1

Rustemov

290. !N C 19

A. GALKIN 2510 − RYTSHAGOV 2485

Rossija 1997

1. e4 e6 2. d4 d5 3. ♘c3 ♗b4 4. e5 c5 5. a3 ♗c3 6. bc3 ♘e7 7. ♘f3 b6 8. a4 ♗a6 9. ♗a6 ♘a6 10. ♕e2 [10. 0−0 − 42/368] ♘b8 11. dc5 bc5 12. 0−0 0−0 13. c4 ♕c7 14. cd5! N [14. ♗a3] ♘d5 [14... ed5 15. ♗a3 a5 (△ ♘a6; 15... ♘bc6 16. ♗c5 ♘e5 17. ♗e7 ♘f3 18. gf3±) 16. ♖ab1 ♘a6 17. ♖b5± ×a5, c5] **15. ♕e4 h6** [15... ♘e7 16. ♖a3 ♘bc6 17. ♖c3!? ♕a5 18. ♘g5±; 15... ♘c6 16. ♘g5!? g6 17. ♖e1 △ ♖a3↑; 16. ♖a3 △ ♘g5±; 15... ♘d7 16. ♘g5 g6 17. ♖e1 △ ♖a3±] **16. ♕g4** [16. ♖a3!?] **♗h7** [16... f5? 17. ef6 ♖f6 18. ♗b2±; 16... ♔h8 17. ♕h5 ♔g8 18. ♖a3 (△ ♗h6) ♘c6 19. ♗h6 gh6 20. ♕h6 f6 21. ♘h4±↑] **17. ♖a3**

♘e7□ [17... ♘c6 18. ♗h6 gh6 19. ♘g5+−]
18. ♕e4 [18. ♘g5 ♔g8!; 18. ♗h6 gh6 19.
♘g5 ♔h8 (19... hg5? 20. ♖h3 ♔g7 21.
♕g5 ♘g6 22. ♕h6+−) 20. ♕e4 ♘g6 (20...
♘f5 21. ♘f7 ♕f7 22. ♕a8±) 21. ♘e6 ♕c6
(21... fe6 22. ♕g6 ♕g7 23. ♕e6±) 22.
♕c6 ♘c6 23. ♘f8±] ♘g6! [18... ♔h8? 19.
♕a8+−; 18... ♔g8 19. ♖b3 ♕c6 (19...
♘bc6 20. ♗a3±) 20. ♕g4 △ ♖d1±] **19.
h4!? ♕c6** [19... ♔g8 20. h5 ♘e7 21. ♖b3
♘bc6 (21... ♘c6 22. ♕g4 △ ♖d1-d6) 22.
♗a3± ×c5] **20. ♕d3 c4** [20... ♔g8 21.
♖d1!? ♘a6 22. ♕b5!±] **21. ♕d6! ♖c8**
[21... ♕d6 22. ed6±] **22. h5! ♘f8 23. ♕e7
♕d7 24. ♕h4 ♕d5 25. ♖e3 ♘c6 26. ♖e4
♘e7 27. ♖fe1!** [×♖e4] ♘f5 28. ♕f4 [△
g4] ♔g8 29. g4 ♘e7 30. ♗a3!± ♕d7 31.
♗d6!** [31. ♖c4 ♘d5 32. ♕d4 ♖c4 33. ♕c4
♖c8 ×a4, c2] ♘h7 [31... ♘d5 32. ♕g3 △
g5±↑; 32. ♕d2!?] **32. ♕g3 ♕d8 33. ♕h4
♘d5 34. ♕d8 ♖d8 35. ♖c4 ♖ac8 36. ♖c8
♖c8 37. ♖b1 ♘b6 38. a5 ♘c4 39. a6 ♘b6
40. ♘d4** [40. ♖b6? ab6 41. a7 ♖a8 42.
♗b8 ♘f8□ 43. ♘d4 ♘d7 44. ♘c6 ♔f8 45.
♔f1 ♔e8 46. ♔e2 ♘c5 △ ♔d7] ♘f8 41.
♘b5** [41. ♗f8!? ♔f8 42. ♘b5 ♘d7! (42...
♖c4 43. ♘a7 ♖g4 44. ♔f1 ♘d5 45. ♘c6
♖a4 46. a7+−; 42... ♖c2 43. ♘a7 ♘d5 44.
♘b5 △ a7±) 43. ♘a7 ♖a8 44. ♖b7 ♘c5
(44... ♘b8 45. ♘b5 ♘a6 46. ♘d6+−; 44...
♘e5 45. ♖c7!+−) 45. ♘c6 ♘a6!] ♘fd7
42. ♘a7?!** [42. ♖a1!? ♖a8 (42... ♖c2 43.
♘a7±) 43. f4 ♖c4 (43... ♘d5 44. c4 ♘f4
45. c5 ♘d3 46. c6 ♘7e5 47. c7±) 44. ♔f2
f6 (44... ♘d6 45. ed6±) 45. ♔g3 ♔f7 (45...
fe5 46. fe5 ♘de5 47. ♗e5 ♘e5 48. ♖e1±)
46. ef6 gf6 47. ♗c7±] ♖a8 43. ♗c7 [43.
♘b5 ♖a6 △ ♘c4; 43. ♘c6 ♖a6 △ ♘c4]
♖a7 [43... ♘d5 44. ♖b7 ♘c5 45. ♗d6!
♘a6 46. c4±] 44. ♗b6 ♖a6 [♖ 9/i] 45.
♗d4** [45. ♗c7 ♖c6 46. ♗d6 f6 47. f4 fe5
48. fe5 ♘b6 △ 49... ♘c4, 49... ♘d5 ×c2,
g4] ♖c6 46. ♖b7** [46. c3 f6!? 47. f4 (47.
ef6 e5!) fe5 48. fe5 ♘c5] ♘c5 47. ♖b8
♔h7 48. f3?!** [48. ♖f8 ♘e4 49. ♖f7 ♖c2
50. ♗e3±] ♘a4 49. ♖f8 ♖c2 50. ♖f7 ♖d2!
51. ♗f2** [51. ♗e3 ♖e2 52. ♗f4 ♘c5 53.
♔f1 ♖a2] ♘c3 52. ♖e7 ♘d5! 53. ♖e6 ♘f4
[53... ♖d1 54. ♔h2] 54. ♖d6□ ♘h3 55.
♔g2 ♖f2 56. ♔h3 ♖f3 57. ♔g2 ♖e3 58. e6
[♖ 6/b] g5? [58... g6! 59. ♔f2 (59. ♖d7
♔g8 60. e7 gh5 61. gh5 ♔f7=) ♖e5 60.
♔f3 ♔g7 (60... gh5 61. ♔f4 ♖e1) 61. ♔f4

♖e1 62. hg6 ♔g6 63. e7 ♔g7 64. ♖d7
♔f6=] **59. ♖d7 ♔g8 60. e7 ♔f7** [60... ♖e6
61. ♖d6 ♖e7 62. ♖h6±] **61. e8♕!** [61. ♖d6
♔g7! 62. ♖d7 ♔f6 63. e8♕ ♖e8 64. ♖h7
♔e5 65. ♖h6 ♔f4=] ♔e8 62. ♖d6 ♔f7
63. ♖h6± ♖e4 64. ♔f3 ♖f4 65. ♔g3 ♖a4
66. ♖d6!** [66. ♖g6 ♖a5] ♖a3!? [66... ♖b4?
67. ♖d5 ♔f6 68. ♖f5+−] **67. ♔f2 ♖a5**
[67... ♖a4 68. ♔f3 ♖f4 69. ♔g3±] **68. ♔f3
♖e5** [△ 68... ♔e7!] **69. ♖d4 ♔g7⊕ 70.
♖e4 ♖a5 71. ♔e3 ♖d5 72. ♖c4 ♖a5 73.
♔e4 ♔f6 74. ♖c6 ♔f7** [△ 74... ♔e7] **75.
♖d6!+− ♖a4 76. ♖d4 ♖a1 77. ♖d5**
1 : 0   *A. Galkin*

291.***   C 22

DUBINSKIJ 2305 − HAIT 2385
Rossija 1997

**1. e4 e5 2. d4 ed4 3. ♕d4 ♘c6 4. ♕e3 ♘f6
5. ♘c3 ♗b4** [RR 5... ♗e7 6. ♗c4 0−0 7.
♘ge2 ♘e5!? N (7... ♘g4 8. ♕f4!=) 8.
♗b3 ♘fg4! 9. ♕f4 h6! 10. 0−0 (10. ♕d2?
♗c5 11. ♘d1 ♕h4 12. ♘g3 d5!∓ Dubin-
skij 2295 − A. Haritonov 2520, Novgorod
(open) 1997) ♗g5 (10... d6 11. ♕d2!) 11.
♕g3 ♗h4 12. ♕f4 ♗g5= Dubinskij] **6.
♗d2 0−0 7. 0-0-0 ♖e8 8. ♕g3 ♖e4 9. a3
♗d6** [RR 9... ♗c5!? N a) 10. ♘h3?! d5!
11. ♗g5 (11. ♘e4? ♘e4 12. ♕f3 ♗h3 13.
gh3 ♘f2−+) ♖g4 12. ♕d3 ♖d4! 13. ♕e2
♖d1 14. ♕d1 d4 15. ♘e4 ♗e7∓ M. Marić
2305 − Sanja Jovanović 2285, Jugoslavija
(ch) 1997; b) 10. ♗g5!? ♖d4 (10... ♗g4?
11. ♗f6 ♖g3 12. ♗d8 ♖c3 13. ♗c7+−;
10... ♖e8 11. ♘d5 ♗e7 12. ♗f6 ♗f6 13.
♕c7±) 11. ♗d3 (11. ♘d5 ♖d1 12. ♔d1
♗e7 13. ♘e7 ♕e7 14. ♕c7 ♕e6∓) ♗d6!
(11... h6 12. ♗f6 ♕f6 13. ♘ge2 ♗d6 14.
♕e3⊒) 12. ♕e3! (12. f4 h6! 13. ♗h6 ♘h5
14. ♕h3 ♘f4 15. ♗f4 ♗f4 16. ♔b1 ♗h6
17. ♘f3 d6∓) ♗e7 (12... h6?! 13. ♗f6 ♕f6
14. ♘ge2 ♗e5 15. g3!±) 13. ♘ge2 (13. ♘f3
♖d6∓) ♖d6 14. ♕h3 ♘e5□ (14... g6 15.
♗f4 ♖e6 16. ♗c4 d5 17. ♘d5±; 14... h6
15. ♗f4 ♖e6 16. ♗f5±) 15. ♗f5 g6 (15...
♖d1 16. ♖d1 d6 17. ♗f6! ♗f5 18. ♗e7
♕d7! 19. ♕h5 ♘g6 20. ♗d6 cd6±) 16. f4
♘c6 (16... ♘c4 17. ♗d3⊒) 17. ♗f6 ♖f6
(17... ♗f6 18. ♖d6 cd6 19. ♗d3⊒) 18. ♗d7
♖d6 19. ♗c8 ♕c8= Petronić; 9... ♗a5!? N
a) 10. ♗d3? ♖g4 11. ♕h3 ♘e5! 12. ♗e2

d6 13. f4 (13. f3 ♖g6 14. g4 h5!−+) ♖f4
14. ♕g3 ♖d4 15. ♘f3 ♗c3!−+ Zakić 2355
− D. Nestorović 2320, Jugoslavija 1996; b)
10. b4 ♖g4! 11. ♕d3 ♗b6 12. f3 ♖d4 13.
♕e2 ♖d6 △ ♖e6, d5∓; c) 10. f4!? D. Nes-
torović] **10. f4 ♖e8 11. ♗d3 ♗c5 12. ♘f3
d6!?** N [12... d5 − 62/331] **13. ♖de1** [◻
13. f5!? Dubinskij] ♖e1 **14. ♖e1 ♘e7 15.
♘g5** [15. ♘h4 ♗d7∓ R. Byrne, Mednis]
d5!!∓ [×e4; RR 15... ♗f5? 16. ♖e7! △ 16...
♗d3? 17. ♘e6!+−; 15... h6 16. ♘ge4∞;
15... ♘f5 16. ♕h3∞ Dubinskij] **16. b4** [16.
♘a4 ♗d6 17. ♗c3 ♘g6 18. ♗g6 hg6 19.
♕h4 ♘h5 20. ♗e5 (20. g3 ♗d7−+) f6 21.
♘f3 ♗f5∓] **♗d6 17. ♘b5 h6 18. ♘d6
♕d6 19. ♘f3** [◻ 19. ♕e3] **♗f5 20. ♘d4**
[20. ♗f5 ♘f5 21. ♕h3 ♘e7 22. g4 ♘e4
23. g5 ♘d2 24. ♘d2 hg5 25. fg5 a5∓] **♗d3
21. ♕d3 ♘e4 22. ♗e3 a5 23. b5 c5 24. bc6
bc6−+ 25. ♔d1 ♖b8 26. ♕e2 c5 27. ♘f3
c4 28. ♕d4 ♕a3 29. ♕e5 ♘c6 30. ♕c7
♕d6 31. ♕d6 ♘d6 32. ♖d1 ♘e4 33. ♖a1
a4 34. f5 ♖a8 35. ♖a3 ♘d6 36. f6 ♘b5 37.
♖a1 a3 38. ♔d2 d4 39. ♗f4 g5 40. ♗g3
♔h7 41. ♔c1 ♔g6 42. ♘d2 ♖a4 43. ♘e4
♔f5 44. ♘d6 ♘d6 45. ♗d6 a2 46. ♔b2
♔f6 47. ♗a3 ♘b4 48. ♖f1 ♔e6 49. ♖e1
♔d5 50. ♖c1 ♖a3   0 : 1   *Hait*

292.   C 27

ZO. VARGA 2495 − B. LALIĆ 2600
Hrvatska 1997

**1. e4 e5 2. ♘c3 ♘f6 3. ♗c4 ♘e4 4. ♕h5
♘d6 5. ♗b3 ♘c6 6. ♘b5 g6 7. ♕f3 f5 8.
♕d5 ♕e7 9. ♘c7 ♔d8 10. ♘a8 b6 11.
♘b6** [11. d3 − 29/210] **ab6 12. ♕f3 ♗b7
13. ♕d1 ♘d4 14. ♔f1 f4!?** N [14... ♕g5]
15. f3? [15. c3!] **e4!∞ 16. d3** [16. fe4 ♕e4
17. ♘f3 ♘f3 18. ♕f3 ♕f3 19. gf3 ♗f3 20.
♖g1 ♘f5 21. c3 ♗d6∓ △ ♖e8, ×♔f1,
♖g1] **ef3 17. gf3 ♗h6 18. c3 ♘4f5! 19.
♕e2 ♕f6 20. ♕f2 ♔c7 21. ♗d2** [21. a4?
♖e8 22. a5 ♘e3 23. ♗e3 fe3 24. ab6 ♔b6∓
△ e2! ×♔f1] **♗g5!** [△ ♖e8, ♗h4; 21...
♖e8?! 22. ♖e1; 21... ♘e3!? 22. ♗e3 fe3]
22. h4!◻ ♘g3? [22... ♗h4 23. ♖h4 ♘h4
24. c4!∞ △ ♗c3, c5; 22... ♗h6!∓ ×g3]
23. ♔g2 ♗h4 [23... ♘h1 24. hg5 ♘f2 25.
gf6±↑◻ ♘f] **24. ♗f4!** [24. ♖h4 ♕h4 25. ♗f4
♕f4 26. ♕g3 ♕d2 27. ♕f2 ♕g5=] **♘h1**
[24... ♕f4? 25. ♖h4 ♕h4 26. ♕g3±] **25.**

♗d6 ♔d6 26. ♕b6 ♗c6 27. ♔h1 ♖e8!◻=
28. d4 [28. ♗a4 ♗g3 29. ♗c6 ♕h4 30.
♔g2 ♕h2 31. ♔f1 dc6∞] ♗f2! **29. ♕b4
♔c7 30. ♕a5 ♔b7 31. ♕b4 ♔c7** [31... ♔c8
32. d5!=] **32. ♕a5** [32. d5 ♗g1 33. dc6
♕f3 34. ♔g1 ♕g3=] ♗b7 **33. ♕b4 ♔c7**
1/2 : 1/2   *B. Lalić*

293. !N   C 33

MI. ADAMS 2680 − SHIROV 2700
Tilburg 1997

**1. e4 e5 2. f4 ef4 3. ♗c4 d5 4. ed5 ♕h4 5.
♔f1 ♗d6! 6. ♘f3 ♕h6! N** [6... ♕h5] **7.
♘c3 ♘e7 8. ♘e4** [8. d4 0−0 9. ♔f2
♗g4∓] ♘d7 [8... 0−0!?] **9. ♘d6** [9. d3
0−0∓] **♕d6 10. d4 0−0 11. ♔f2 ♘b6 12.
♗b3 ♘bd5∓ 13. ♖e1** [13. c4 ♘e3 14. ♗e3
fe3 15. ♔e3 ♗g4∓] **♗g4 14. h3** [14. c4
♘e3 15. ♗e3 fe3 16. ♖e3 ♘f5∓] **♗h5 15.
♖e5 ♘f6 16. ♗f4 ♘g6!** [16... ♗f3 17. ♕f3
♕d4 18. ♕e3∓] **17. ♖h5 ♕f4?** [17... ♘e4
a) 18. ♔f1 ♕f4! (18... ♘f4? 19. ♖e5 ♕g6
20. ♘h4) 19. ♔g1 (19. ♖b5 ♘h4−+) ♕e3
20. ♔h2 ♘f4−+; *b)* 18. ♔g1 ♘f4 19. ♖h4
(19. ♖e5 ♕g6−+) ♖ae8! (△ g5; 19... g5?
20. ♘g5! ♘g5 21. ♕g4) 20. ♗c4 g5 21.
♘g5 ♘g5 22. ♕g4 (22. ♖g4 h6 23. h4 ♖e4
24. c3 b5 25. ♕f3 ♘g6 26. hg5 ♖g4 27.
♕g4 bc4−+) ♕d4 23. ♔h1 h6 24. ♖h6
♕g7−+] **18. ♖b5∓ ♘h4** [18... b6!?] **19.
♔g1!** [19. ♖b7? ♘e4 20. ♔g1 ♘g2!−+]
**♘f3 20. ♕f3 ♕d4 21. ♔h1! b6 22. ♗f7!
♔f7 23. ♕b3 ♔g6** [23... ♔e7?? 24. ♖e1
♔d8 25. ♕f3+−] **24. ♕g3 ♔f7?!** [24...
♘g4! 25. hg4 (25. c3? ♕c4 26. ♕g4 ♕g4
27. hg4 ♖ae8∓) ♖f4 26. c3 ♕d6∓] **25.
♕b3 ♔g6 26. ♕g3 ♔f7?!**   **1/2 : 1/2**
                                        Shirov

294.   C 37

JU. ŠUL'MAN 2555
− NOTKIN 2515
Kahovka 1997

**1. e4 e5 2. f4 ef4 3. ♘f3 h6 4. d4 g5 5.
♘c3 d6 6. g3 fg3 7. h4** [7. hg3 − 68/271]
**g4 8. ♘g1 g2 9. ♗g2 ♗e7 10. h5 ♗h4
11. ♔e2 ♗g5 12. ♗g5 ♕g5 13. ♕d2 ♕d2
14. ♔d2 ♘c6 N** [14... ♘e7 15. ♘ge2 c6
16. ♖af1 ♘a6 17. ♖f6 ♗e6 18. d5↑; 15...

♘a6!?] **15. ♘b5** [15. ♘d5! ♔d8 16. ♘e2 f5 17. ♖hf1 ♘ge7 18. ♘e3↑] **♔d8 16. ♘e2 ♗d7** [16... f5! 17. ♖hf1 ♘ge7 18. ♖f4∞ △ ♖af1] **17. ♖af1 ♖h7 18. ♘bc3** [18. ♖f4 ♘ce7 19. ♘bc3 c6 20. ♘d1!? f5 21. ♘e3 ♘f6!?⇆] **♖g7 19. ♘d5 ♘ce7 20. ♘e3 c6 21. ♖f4 ♔c7** [21... f5!? 22. ef5 ♘f6⇆] **22. ♘g3∞ f6 23. c4** [23. ♗f1!? △ 23... d5 24. ♗d3±] **♖g5 24. ♗f1 ♖f8** [24... f5!?] **25. ♗e2 ♖f7 26. ♗g4** [26. ♖h4!? ♖fg7 27. b4↑] **♗g4 27. ♘g4** [27. ♖g4?! ♖g4 28. ♘g4 ♖g7 29. ♖h4 ♖g5 30. ♔e3 f5 31. ef5 ♘f5 32. ♘f5 ♖f5⇆] **♖fg7 28. ♖h4 b5!= 29. cb5 ♖b5 30. b3 ♖gg5?!** [30... ♖bg5 31. ♘f5 ♘f5 32. ef5 ♔d8 △ ♘e7=] **31. ♖h3! f5 32. ef5 ♘f5 33. ♘e4 ♖g7**

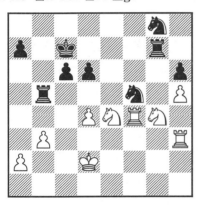

34. a4! [34. ♘c3 ♖b4⇆] **♖a5** [34... ♖d5? 35. ♘ef6+−; 34... ♖b4 35. ♖f5 ♖g4 36. ♔c3 c5 (36... ♖b8 37. ♖f7+−) 37. ♘c5! ♘e7 38. ♘a6 ♔b6 39. ♘b4 ♘f5 40. ♘c2±] **35. ♘c3 ♘fe7** [35... ♘ge7?! 36. b4!] **36. ♘e3 ♖ag5** [36... ♖gg5 37. d5! ♘d5 38. ♘ed5 cd5 39. b4 ♖a6 40. ♖f7 ♔d8 41. b5±] **37. ♖f8 d5?!⊕** [37... ♖g3 38. ♖g3 ♖g3 39. d5!? (39. ♘e4 ♖h3 40. ♖a8 ♔b7 41. ♖d8 ♔c7 42. ♖d6 ♖h4 43. ♖e6 ♖h5±) ♖g5 40. dc6 ♖h5 41. ♖a8±; 37... ♘c8 38. ♘e4 ♖g1 39. ♘f5 ♖7g2 (39... ♖d7 40. d5!) 40. ♔c3 △ 40... a5?! 41. ♖f7 ♔b6 42. ♘ed6+] **38. ♘e2⊙ ♔b7 39. b4!?** [39. ♘f4 a) 39... ♖g3?! 40. ♖g3 ♖g3 41. ♘g6 ♔c7 (41... ♔b6 42. ♖e8+−) 42. ♖f7 ♔d8 43. ♘e7 ♘e7 44. ♖e7!+−; b) 39... ♖g1 40. ♘e6 ♖7g3 41. ♘c5 ♔c7 42. ♖h4→] **♘c8 40. ♘f4 ♖e7** [40... ♖g1 41. ♘e6 ♖e7 42. ♘d8 ♔c7 43. ♘c6!+−] **41. ♘g6+− ♖e4** [41... ♖g7 42. ♘f5 ♖h7 43. ♖f3 ♘ge7 44. ♘fe7 ♘e7 45. ♖8f7] **42.**

♖g8 ♖d4 43. ♔c3 ♖e4 44. ♘c2 a5 45. ♖g7 ♔b6 46. ba5 ♔a5 47. ♘d4 c5 48. ♘b3 ♔b6 49. ♖f3 ♘d6 50. ♖f6 ♖g3 51. ♔b2 ♖g2 52. ♘d2! [52. ♔a3?? ♖a4!] **♖b4 53. ♔c3** [53. ♔c1 ♖g1 54. ♔c2+−] **d4 54. ♔d3 ♖g3 55. ♔e2 ♖e3 56. ♔d1 c4 57. ♖d6 ♔c5 58. ♖a6 d3 59. ♖c7   1 : 0**

Ju. Sul'man, Kapengut

√295.** !N   C 42

AN. SOKOLOV 2585 − JÓZSEF HORVÁTH 2525

Mulhouse 1997

1. e4 e5 2. ♘f3 ♘f6 3. ♘e5 [RR 3. ♘c3 ♗b4 4. ♘e5 0−0 5. ♘d3 ♗c3 6. dc3 ♘e4 7. ♗e2 d5 8. 0−0 c6 9. ♘f4 ♘d6!? (9... ♖e8 − 67/(392)) 10. ♘h5! N (10. ♔h1) a) 10... a5!? (△ ♘a6) 11. ♗d3! ♕h4 (11... ♘a6? 12. ♘g7! ♔g7 13. ♕h5 f5 14. ♗g5! ♖f6! 15. ♖ae1→) 12. ♘g3 (12. ♗f4!? ♘e4±) ♘d7 13. ♖e1 ♘c5 14. ♗e3 ♘d3 15. cd3 ♗e6 16. ♗c5! (Petronić 2490 − I. Marinković 2505, Jugoslavija 1997) ♕d8 17. f4±; b) 10... ♘d7 11. ♗f4 (△ 11... ♘c5? 12. ♘g7!+−) ♘f6± Petronić] **d6 4. ♘f3 ♘e4 5. d4 d5 6. ♗d3 ♗e7 7. 0−0 ♘c6 8. c4 ♘b4 9. ♗e2 ♗e6 10. ♘c3 0−0 11. ♘e5** [RR 11. ♗e3 ♗f5 12. ♕b3 c6 13. c5!? N (13. ♖ac1?! − 39/391; 13. cd5) ♘c3 14. bc3 ♘c2 15. ♖ad1 ♘e3 16. fe3 ♖b8 17. c4 ♗e6 18. ♕c2 ♕c7 19. ♗d3 f5 20. g3 g6∞ de Firmian 2570 − Schwartzman 2515, USA (ch) 1997 **f6 12. ♗g4 ♗c8 13. ♗c8 ♖c8 14. ♘f3 c5!?** N [14... ♘c3?! − 60/301] **15. ♗e3 cd4 16. ♘d4 ♕d7 17. ♘d5 ♘d5 18. cd5 ♕d5 19. ♘b3±** [19. ♕f3 f5∞] **♕d1** [19... ♕b5 20. ♗a7 ♖fd8 21. ♗d4 ♘c5 22. ♕h5 g6 23. ♕g4 f5 24. ♕f4±; 19... ♖fd8 20. ♗a7±] **20. ♖fd1 ♘c5 21. ♔f1** [21.

g3!?] **f5** [21... ♘b3 22. ab3 a6 23. ♖d7±; 21... b6 22. ♘d4 ♖fd8 23. b4 ♘b7 (23... ♘a4 24. b5±) 24. a3±] **22. ♗c5 ♗c5 23. ♘c5 ♖c5 24. ♖ac1 ♖cc8** [⌐ 24... ♖c1 25. ♖c1 ♖f7 26. ♖c8 ♖f8 27. ♖c4 ♖f7 △ ♖d7, ♔f7=] **25. g3 a6 26. b3 f4?** [⌐ 26... h6] **27. ♖c8 ♖c8 28. gf4 ♖c7 29. ♖d6 ♔f7 30. ♔g2 ♔e7 31. ♖b6 ♖d7 32. h4** [32. f5!? ♔d8 33. f6 gf6 34. ♖f6 ♖d2 35. a4 ♖d3 36. ♖b6 ♔c7 37. a5 h5±] **♔d8 33. h5 ♖e7** [33... ♔c7 34. ♖e6±] **34. ♖d6** [34. a4 ♔c7 35. a5 ♖f7 △ ♖f5=] **♔c7 35. ♖d5 ♔c6 36. ♖g5 ♔d6 37. ♔f3 ♖c7** [37... ♔e6 38. ♖e5 ♔f6 39. ♖e7 ♔e7 40. f5 ♔f6 41. ♔g4 h6 (41... ♔e5 42. ♔g5+−) 42. ♔f4 a5 43. a4 b6 44. f3☉ ♔f7 45. ♔e5 ♔e7 46. f6! gf6 47. ♔f5 ♔f7 48. f4+−] **38. ♔e4** [38. h6 gh6 (38... g6 39. f5±) 39. ♖h5 ♖c2 40. ♖h6 ♔d5=] **♔e6 39. ♖e5** [39. h6 g6 (39... gh6 40. ♖h5±) 40. ♖e5 ♔f7 41. ♖d5 ♔e7! 42. f5 ♖c6=] **♔f6 40. ♖d5 ♖c2 41. ♖d6** [41. a4 ♔e7!] **♔e7 42. ♖b6 ♖a2 43. ♖b7 ♔f6 44. ♖b6 ♔f7 45. ♖b7 ♔f6 46. ♖b6 ♔f7 47. h6 gh6 48. ♖h6 ♔g7 49. ♖b6 a5= 50. ♖b7 ♔f6 51. ♖h7 a4 52. b4 ♖b2 53. ♖b7 a3 54. ♖b6 ♔f7 55. ♔f3 a2 56. ♖a6 ♖b4 57. ♖a2 ♔f6 58. ♔g4 ♖b5 59. ♖a6 ♔f7 60. f3 ♖b3 61. ♖a5 ♔f6**
1/2 : 1/2 *An. Sokolov*

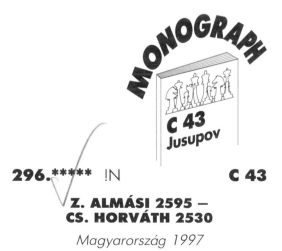

296.*** !N**   **C 43**

Z. ALMÁSI 2595 −
CS. HORVÁTH 2530
Magyarország 1997

1. e4 e5 2. ♘f3 ♘f6 3. d4 ♘e4 4. ♗d3 d5 [4... ♘c6 5. ♗e4 d5 6. ♘e5 ♘e5 7. de5 de4 8. ♛d8 ♔d8 9. ♗g5! N (9. ♗f4; 9. ♘c3 − 69/295) ♔e8 (9... ♗e7 10. ♗e7 ♔e7 11. ♘c3 ♔e6 12. 0-0-0± Lakos 2415

− Gorshkova 2120, Zagan 1997) 10. ♘d2 ♗f5 11. 0−0 ✕e4] **5. ♘e5 ♘d7** [RR 5... ♗e7 6. 0−0 0−0 7. ♘c3 (7. c4 − 21/(207)) ♘c3 8. bc3 ♘d7 9. ♘d7!? N (9. ♗e3) ♛d7 10. ♖e1 ♗f6 11. ♗a3 ♖d8 12. ♛h5 g6 13. ♛f3 ♛g7 14. h3 b6 15. ♗c1 ♛c6 16. ♖b1 a6 17. c4± Keŋgis 2650 − B. Larsen 2520, Århus 1997] **6. ♘d7** [RR 6. ♛e2 ♘e5 7. ♗e4 de4 8. ♛e4 ♗e6 9. ♛e5 ♛d7 10. ♗e3 ♗b4 (10... 0-0-0 − 42/385) 11. c3 ♗d6 12. ♛h5!? N (12. ♛a5; 12. ♛g5) 0-0-0 13. 0−0 f5 14. f4 ♛b5 15. ♘d2 ♛b2 16. c4 ♛c5 17. ♛f3 ♖he8 18. ♖ab1 ♗c4 19. ♘c4 ♛c4 20. ♛b7 ♔d7 21. ♖fc1 ♛a2 22. ♖a1 ♛e2 23. ♗f2+− Rozentalis 2650 − Pe. Nielsen 2525, Århus 1997] **♗d7 7. 0−0 ♛h4** [RR 7... ♗e7 8. c4 ♘f6 9. ♘c3 ♗e6 10. c5 ♛d7 11. ♖e1 0−0 12. ♗f4 c6 13. b4 ♖fe8 14. b5!? N (14. h3 − 67/(393)) ♗f5 15. bc6 bc6 16. ♗a6 ♘e4 17. ♘e4 de4 18. ♛a4 ♖ad8 19. ♖ad1± Hellers 2585 − Rozentalis 2650, Malmö 1997] **8. c4 ♘f6** [RR 8... 0-0-0 9. c5 g5 10. f3 ♘f6 11. ♗e3 ♗g7 12. ♘c3 ♘h5!? N (12... ♖de8 − 50/333) 13. ♘e2 ♘f4 14. g3 ♘e2 15. ♗e2 ♛h6! (15... ♛h5 16. f4 ♛g6 17. fg5 ♛e4 18. ♗f2 ♗h3 19. ♗f3 ♛f5 20. ♗e3±) 16. ♛d2 ♖de8 17. ♖fe1 (17. ♗g5 ♗d4 18. ♛d4 ♛g5 19. f4 ♛e7 20. ♗f3 c6) ♖hg8 18. ♗f1 (Am. Rodríguez 2545 − Borras 2160, Terrassa 1997) ♛f6 19. ♗g2 h5∞⮂ Am. Rodríguez] **9. ♘d2!? N** [9. ♘c3 − 69/296) **♛d4□ 10. ♘f3 ♛b6** [10... ♛c5!?] **11. cd5! ♗e7?!** [11... ♘d5 12. ♗c4! *a*) 12... 0-0-0 13. ♛d5+−; *b*) 12... ♗e6 13. ♗d5 0-0-0 (13... ♖d8 14. ♛a4+−) 14. ♗e6+−; *c*) 12... c6 13. ♗d5 cd5 14. ♘e5!⇅] **12. ♖e1 ♛d6 13. ♗g5! h6** [13... 0−0 14. ♘e5±] **14. ♗h4 ♛d5** [14... 0−0? 15. ♗g3+−] **15. ♖c1! ♗c6?!** [15... ♗e6 16. ♛a4! ♔f8 (16... ♛d7 17. ♗b5 c6 18. ♖c6!+−; 16... c6 17. ♗c4±) 17. ♗c4 ♛d7 18. ♛b3!⇅] **16. ♛e2 ♛d8** [16... 0−0 17. ♗c4 ♛h5 18. ♛e7 ♗f3 19. ♗f6 ♛g4 20. ♗f1 gf6 21. ♖c3+−] **17. ♖cd1! ♔f8□ 18. ♗b5! ♗d6 19. ♗c6 bc6 20. ♛c4! g5 21. ♘e5! ♗e5** [21... ♖h7 22. ♗g3+−] **22. ♖d8 ♖d8 23. ♗g3** [23. ♛c5 ♗d6 24. ♛c3 ♛g7] **♗g3** [23... ♗b2 24. ♛b4+−] **24. hg3 ♛g7 25. ♛c6 ♖d2 26. ♛c3!** [26. ♛c7 ♖b2 27. ♛a7 ♖d8±] **♖hd8 27. ♛c7 ♖e8 28. ♔f1! ♘e4

29. f3 罝b2 30. 罝e4! 罝b1 31. ♔f2 罝e4 32. ♕c3! ♔g6 33. fe4 罝b6 34. g4 f6 35. ♕c8 罝b2 36. ♔f3   1 : 0   *Z. Almási*

297.*   C 45

G. KASPAROV 2820 – LÉKÓ 2635
Tilburg 1997

1. e4 e5 2. ♘f3 ♘c6 3. d4 ed4 4. ♘d4 ♗b4 5. c3 ♗c5 [5... ♗e7 — 63/(264)] 6. ♘c6!? N [6. ♗c4 ♘f6 7. ♘c6 bc6 8. e5 ♕e7 9. ♕e2 ♘d5 10. 0−0 0−0∞; 6. ♗e3 N ♗b6 (Gi. García 2485 — Miles 2550, Úbeda 1997) 7. ♘f5 (7. ♗c4 d6 8. 0−0 ♘f6) ♗e3 8. ♘e3 ♘f6 9. ♘d2 d5=] bc6 7. ♗d3 ♕h4 8. ♕e2 ♘f6 9. h3! [9. ♗e3 ♗e3 10. ♕e3 0−0 11. ♘d2 罝e8 12. 0−0 d5∞] 0−0 [9... d5? 10. ed5 ♔d8 11. g3 ♕a4 12. b3+−; 9... d6?! 10. e5 △ 10... ♗g4? 11. ♕f1+−] 10. g3 ♕h5 11. g4! [11. ♕h5 ♘h5∞] ♕e5 [11... ♕h4? 12. ♘d2 d5 13. ♘f3 ♕f2 14. ♕f2 ♗f2 15. ♔f2 de4 16. g5+−] 12. g5 [12. f4 ♕c7 13. ♘d2 d6 14. g5 ♘d7∞ △ ♗b6, ♘c5]

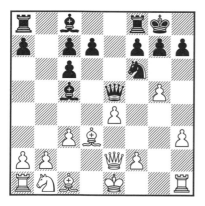

12... ♘e4? [12... ♘e8 13. f4 ♕e7 14. ♘d2 (14. ♗e3 ♗e3 15. ♕e3 d5?! 16. ♘d2±; 15... 罝b8∞) f6 (14... d5 15. e5 g6 16. ♘f3 ♗g7 17. ♗e3±) 15. ♘f3 罝b8 (15... fg5 16. ♘g5 h6 17. ♘f3±) 16. b4 ♗b6 17. ♗d2±] 13. ♗e4 罝e8 14. ♗f3 [14. ♗d3 ♗a6 15. c4 ♕d4 16. ♗e3 ♕h4 17. ♔d2 d5 18. ♕g4 ♗e3 19. fe3 ♕f2 20. ♕e2 ♕g3⇆] ♕e2 15. ♗e2 ♗a6 16. c4 ♗c4 17. ♘c3 罝ab8 [17... d5 18. ♔f1 罝e2 19. ♘e2 罝e8 20. ♗e3 d4 21. 罝c1 ♗e2 22. ♔e2 ♗b6 23. 罝c6 de3 24. f4+−; 17... 罝e2 18. ♘e2 罝e8 19. ♗e3 ♗e3 20. fe3 罝e3 21. 罝h2+−; 17... ♗e2

18. ♘e2 罝e6 19. 罝h2 罝ae8 20. f4+−] 18. ♗f1 ♗e6 19. b3 f6 20. gf6 ♗d4 21. ♗b2 ♗f6 22. ♘a4 ♗h4 23. ♘c5 罝f8 24. 罝h2!+− ♗h3 [24... ♗f5 25. ♗g4] 25. ♔g1 [25. 罝h3? 罝f2 26. ♔e1 罝e8] 罝be8 26. ♘d7! ♗f2 [26... 罝e2 27. ♘f8 罝b2 28. 罝h3 ♗f2 29. ♔f1 ♔f8 30. 罝f3] 27. 罝f2 ♗d7 28. ♗c4 ♗e6 29. 罝f8 ♔f8 30. 罝f1 ♔e7 31. ♗e6   1 : 0   *G. Kasparov*

298.** !N   C 45

VAN DER WIEL 2555 – I. SOKOLOV 2615
Nederland (ch) 1997

1. e4 e5 2. ♘f3 ♘c6 3. d4 ed4 4. ♘d4 ♘f6 5. ♘c6 bc6 6. e5 ♕e7 7. ♕e2 ♘d5 8. c4 [RR 8. ♘d2 g6 9. c4 ♗a6 10. b3 ♗g7 11. ♗b2 ♘b4 12. ♘f3 c5 13. g3 0−0 14. ♗g2 d5 15. 0−0 罝ad8!? N (15... dc4 — 52/(309)) 16. ♘fd1 罝fe8 17. a3 ♘c6 18. ♕c2 d4 19. 罝e1 ♕d7 20. b4 ♘e5 21. b5 ♗c8⊤ Svidler 2660 — Mi. Adams 2680, Tilburg 1997] ♘b6 9. ♘c3 [RR 9. ♘d2 ♗b7 10. b3 a5 11. a4 ♕e6 12. ♗b2 ♗b4 13. 0-0-0 0-0-0 14. ♘f3 ♕h6 15. ♔b1! N (15. ♕e3 — 60/306) d5 (15... 罝he8 16. ♕c2±) 16. ed6 cd6 17. ♕c2! 罝he8 18. h4! c5 (18... f6 19. ♗d3±) 19. ♘g5 罝e7 (19... 罝d7 20. ♕f5±) 20. ♕f5 罝dd7 21. f3! (21. ♕h7? ♗e4; 21. ♔a2!? f6 22. ♘e6 罝f7 23. h5±) d5 22. cd5 ♗d5 (Olenin 2365 — Vi. Ivanov 2390, Rossija 1997) 23. ♗b5 ♗b3 24. 罝d3 ♗a4 (24... c4 25. 罝c1±; 24... ♗e6 25. ♘e6±) 25. 罝d7 罝d7 26. ♗d7 △ ♕f7± Vi. Ivanov] ♕e6 10. ♗d2!? [10. ♕e4 — 65/303] ♗a6 N [10... d6 11. ed6±; 10... ♗b4; 10... a5] 11. b3 ♗c5 [11... 0-0-0 12. a4!? d6∞] 12. ♕e4 [12. f4?! 0-0-0 (12... 0−0!?) 13. ♘e4 ♗d4 (13... ♗a3?! 14. ♕f2! △ c5) 14. 0-0-0 f6 15. ef6 罝he8!↑; 12. 0-0-0 0-0-0 ✕e5, ⤢a1-h8; 12... ♗d4!?] 0-0-0! [12... 0−0 13. ♗d3↑] 13. ♗e2 [13. a4?! f5!; 13. ♗d3!? 罝de8 (13... 罝he8!?) 14. f4 f6 15. a4 fe5! (15... d5 16. cd5 ♗d3 17. de6 ♗e4 18. ♘e4 ♗d4 19. 罝c1 罝e6±; 19. 0-0-0) 16. a5!? (16. f5 ♕f7 17. a5 d5 18. cd5 ♗d3 19. ♕d3 ♘d5 20. ♘e4 ♗d4 21. 罝c1⇆) ef4 (16... d5? 17. cd5) 17. ab6?! ♕g4! 18. 罝a6 ♕g2 19. ♔d1 罝e4 20. ♗e4 ♕g4 21. ♔c2 ♗b6∓; 17. 0-0-0∞] 罝de8 [13... 罝he8!? 14. f4 f6?! 15. ♕h7±;

14... g6⇄ △ 15. a4 d6] **14. f4 f6** [14... d6!?
15. ♕c6! (15. 0-0-0 de5 16. f5 ♕d6∓) ♗b7
16. ♕b5 ♗g2 17. 0-0-0∞] **15. a4! f5** [15...
fe5?! 16. a5 ♘a8 17. f5∞ ×♘a8; 15...
♔b8!? 16. a5 ♘c8 17. b4 ♘d6! (17... ♗b4
18. ♖b1 c5 19. ♘d5→) 18. ♕c2! (18. ♕f3
♗d4 19. b5 fe5! △ 20. fe5 ♕e5 21. ba6
♘c4∞↑ △ 22. ♖c1 ♘d2 23. ♔d2 ♗e3 24.
♔c2 ♗c1 25. ♖c1 ♖hf8 26. ♕g4 ♖f2!?‖)
♗d4 (18... ♗b4 19. ♖b1 c5 20. ♘d5 fe5
21. ♗b4 cb4 22. ♖b4 ♘b7 23. 0-0∞) 19.
b5 cb5 (19... fe5?! 20. ba6 ef4 21. ♔d1±)
20. ed6 ♗c3□ 21. ♗c3 b4 22. ♖b1 (22.
dc7 ♔c8) ♗c4 23. ♖b4 ♔a8 (△ 24. dc7
♗e2 25. ♖b8? ♖b8 26. cb8♕ ♖b8 27. ♕e2
♖b1-+) 24. ♖c4!?∞; 15... d6! a) 16.
♕c6?! ♗b7 17. ♕b5 fe5 ×g2; 17... ♗g2;
b) 16. a5 ♘d7 17. b4 (17. ♕c6? ♗b7 18.
♕b5 a6! 19. ♕a4 fe5∓; 19... ♗g2∓) ♗b4
18. ♖b1! (18. ♕c6?! ♗b7 19. ♕b5 ♗c5)
♘c5! (18... ♗c5?! 19. ♕c6 ♗b6 20. ♖b6!
♘b6 21. ♘d5±; 18... c5 19. ♘d5∞→; 18...
♗c3 19. ♗c3 de5 20. f5 ♕d6 21. 0-0∞)
19. ♕c6 (19. ♕f3 ♗c3 20. ♗c3 ♗c4∓)
♗b7 20. ♕b5 ♗c3 21. ♗c3 ♗g2 22. ♖g1
♕h3!∓; c) 16. b4 ♗b4 17. c5 ♗e2 18.
♕b4 (18. cb6 ♗c3 19. ♕c6!? ab6!∓) dc5
19. ♕c5 ♗d3∓] **16. ♕f3** [16. ♕c2 d6 17.
b4 (17. ed6 ♗d4!∞) ♗b4 18. c5 ♗e2 19.
cb6 ♗a6 20. ba7∞; 17... ♗d4!? ×c4, e5,
♗e2] **d6 17. ed6 ♕d6** [17... ♗d4? 18. ♕c6!;
17... ♗d6?! 18. 0-0] **18. 0-0-0 ♗d4⇄ 19.
♗d3!** [×f5, △ c5+-] **♕c5** [19... ♕a3?!
20. ♔c2 ♔b8 21. ♗f5±; 19... ♕f6!? 20.
♔c2 (20. ♘e2? ♗a1!; 20. c5 ♗d3 21. cb6
♗c3∓) ♗b7 21. ♖he1 c5 22. ♕h3=] **20.
♖he1 g6 21. ♔c2 ♗b7 22. ♖e8 ♖e8 23.
♖e1 ♖e1** [24. ♗e1 ♕e7 25. ♕e2 ♕e2 26.
♘e2 ♗e3 △ c5, ♘d7-f6; 26. ♗e2! △ 26...
c5 27. g4⇄; 23... ♖d8 24. g4!? fg4 25.
♕g4 ♔b8 26. ♕g5↑; 25... ♘d7!?∞]
1/2 : 1/2   *Van der Wiel*

299.** !N   C 45

PALAC 2595 —
G. GIORGADZE 2595

Pula (open) 1997

**1. e4 e5 2. ♘f3 ♘c6 3. d4 ed4 4. ♘d4 ♘f6
5. ♘c6 bc6 6. e5 ♕e7 7. ♕e2 ♘d5 8. c4
♗a6 9. b3** [RR 9. g3 d6?! N (9... g6 —
67/394) 10. ♗g2 (10. ed6?! cd6 11. ♕e7

♘e7=) de5 11. 0-0 e4 (11... g6? 12. b4!
♘b4 13. a3 ♘d5 14. ♕c2+-) 12. ♕c2!
(12. ♗e4 f5 13. ♗f3 ♕e2 14. ♗e2 ♘b4=)
♘b4 13. ♕a4 ♗b7 (13... ♗c4? 14. a3) 14.
♘c3 f5 15. ♗f4 (△ ♘d5) g5 16. ♗e3 ♗g7
17. ♕a5! (17. ♗g5?! ♕g5 18. ♕b4 0-0-0)
♘c2 18. ♗c5 ♕e5 19. ♖ad1 ♗f8 20. ♘a4
♗c8 21. a3! (×♘c2) ♗e6 (21... ♗c5 22.
♕c5 ♕c5 23. ♘c5 ♖b8 24. ♖d2 ♖b2 25.
♖c1+-; 21... f4 22. ♖d2 f3 23. ♗h1 ♗c5
24. ♕c5 ♕c5 25. ♘c5 e3 26. fe3!+- Kra-
senkow) 22. ♖d2 ♗c4 23. ♖c1± Rublev-
skij 2650 — A. Aleksandrov 2660, Polanica
Zdrój 1997] **g5** [RR 9... ♕h4 10. a3 ♗c5
11. g3! N (11. ♗b2 — 64/(293)) ♗f2 12.
♕f2 (12. ♔f2? ♕d4 13. ♔f3 ♕a1 14. ♕c3
♕e5 15. cd5 ♕d5 16. ♕e4 ♕e4 17. ♔e4
♗f1 18. ♖f1 0-0∓) ♕e4 13. ♔d1! ♕h1
14. ♘d2 a) 14... ♘c3?! 15. ♔c2 ♘e4 16.
♘e4 ♕e4 17. ♗d3 ♕g4 18. ♗f5 ♕h5 19.
h4 f6□ 20. ef6 gf6 (Blanco Fernández 2335
— Ale. Moreno 2400, La Habana 1997) 21.
♗b2! 0-0 (21... 0-0-0 22. ♗f6 ♖he8 23.
g4 ♕f7 24. ♗d8 ♗c4 25. bc4 ♕c4 26.
♔d2+-) 22. g4 ♕f7 23. ♖g1±→; b) 14...
0-0! 15. ♘f3 (15. cd5?! ♗f1 16. ♕f1
♕h2! 17. ♕f3 cd5 18. ♗b2 c6 19. ♔c2
♕h6) ♘c3 16. ♔c2 ♘e4 17. ♕e2 d5□ 18.
♗g2! (18. ed6 ♖ae8 19. d7 ♖e6 20. ♗e3
♘f6!∓) ♘g3! (18... dc4 19. b4 c3 20. ♔h1
♗e2 21. ♘d4 ♗d1 22. ♔d1 ♘f2 23. ♔e2
♘h1 24. ♘c6 ♖ae8 25. ♗e3 ♖e6 26. b5±)
19. ♕d2 ♘e4 20. ♗h1 ♘d2 21. ♗d2 dc4
22. b4± Becerra Rivero, Ale. Moreno] **10.
h4!?** [10. ♗a3 — 69/298; 10. g3 — 69/299]
♗g7 11. ♗b2 0-0-0 [11... ♘f4 12. ♕e3 h6
13. ♘d2 ♘g6 14. ♘f3!? (14. hg5 hg5 15.
♖h8 ♗h8 16. 0-0-0 ♗e5 17. ♗e5 ♕e5 18.
♕e5 ♘e5 19. ♖e1 d6 20. ♘e4 g4) g4 15.
h5 gf3 16. hg6 fg6 17. gf3 g5 18. ♗d3±]
12. ♘d2 ♖de8 [12... ♘b4 13. 0-0-0! ♕a2
14. ♔b1 ♘b4 15. ♕e3 c5 16. hg5± △ f4]
13. hg5 [13. 0-0-0 ♘f4 14. ♕e3 ♗e5 15.
♕a7 ♗b2 16. ♔b2 ♕e5 17. ♔b1 ♗b7 (△
c5) 18. c5 ♕f5 19. ♔b2 ♘d3 20. ♗d3
♕d3 21. ♘c4 ♖e2 22. ♔a3 ♕c2 23. ♘a5
♕b2 24. ♔b4 ♖e4 25. ♘c4 g4∞] **♗f4**
[13... ♗e5 14. ♗e5 ♕e5 15. ♕e5 ♖e5 16.
♔d1±⊥ △ ♘f3] **14. ♕g4 ♗e5 15. 0-0-0
f6!** N [15... h5] **16. ♘f3 ♗b2 17. ♔b2 ♘e6**
[17... fg5 18. ♕g5 ♕g5 19. ♘g5 h6 20.
♘h3!±⊥] **18. gf6** [18. ♕f5 fg5 19. ♕a5
♗b7 20. ♕a7 ♕f6 21. ♔b1 g4 22. ♘h4

c5↑] ♕f6 19. ♔b1 ♗b7 20. ♗d3 ♖eg8 21. ♕h4 ♕h4 22. ♘h4 c5 23. ♖h2 ♘f4 24. ♗f5 ♗c6 25. ♖d2 ♖e8 [25... ♘g2?! 26. ♘g2 ♖g2 27. ♖h7±] 26. ♖h1 ♖e7 27. f3 ♖he8?! [△ 27... ♖g8] 28. ♔b2 ♖g8 29. ♗c2 h5 30. g3 ♖e2 31. ♖e2 ♘e2 32. ♘f5!□ ♖g5 33. ♘e7 ♔b7 34. ♘c6⊕ dc6⊕ [34... ♔c6!?] 35. g4 hg4 36. fg4 ♖g4 37. ♗d1 ♖g2 38. ♗e2 ♖e2 39. ♔b1 a5 40. a4 1/2 : 1/2   *G. Giorgadze*

300.*   C 45

A. BELJAVSKIJ 2710 – Z. ALMÁSI 2595

Jugoslavija 1997

1. e4 e5 2. ♘f3 ♘c6 3. d4 ed4 4. ♘d4 ♘f6 5. ♘c6 bc6 6. e5 ♕e7 7. ♕e2 ♘d5 8. c4 ♗a6 9. b3 g6 10. f4 [RR 10. g3 ♗g7 11. ♗b2 0-0 12. ♗g2 ♖fe8 13. 0-0 ♗e5 14. ♗e5 ♕e5 15. ♕e5 ♖e5 16. cd5 ♗f1 17. ♔f1 cd5 18. ♘c3 c6 19. ♖c1!? N (19. ♘a4 ♖b8 — 67/(394)) ♖ae8 20. ♗f3 ♘f8 21. ♘a4 ♔e7 22. ♘c5 ♔d6= Lékó 2600 – Z. Almási 2595, Úbeda 1997; 18. f4± G. Kasparov] f6 11. ef6!? N [11. ♗a3 — 53/297] ♘f6 12. ♗b2 0-0-0 13. ♘d2 d5 [13... ♕f7 14. 0-0-0 ♗g7 15. ♘f3 ♖he8 16. ♘e5 ♕f8 17. ♕f2 ♔b8 (17... ♔b7 18. g3 d6 19. ♘c6! ♔c6 20. ♕a7→) 18. ♗d3↑] 14. 0-0-0 d4 15. ♖e1! ♕e2 16. ♗e2 ♗h6 [16... ♗d6!?] 17. g3 g5 18. ♗f3 c5 [18... gf4 19. ♖e6 ♖d6 20. ♖d6 cd6 21. ♗d4 ♖f8 22. g4±] 19. ♗a3 [19. ♖e5 gf4 20. g4 ♗g7 21. ♖c5 ♘d7 22. ♖a5 ♗b7 23. ♖a7 ♗f3 24. ♘f3 ♔b8 25. ♖a5±] ♗b7 20. ♗b7 ♔b7 21. ♗c5 ♘g4 22. fg5? [22. ♗e7 ♖de8 23. ♗g5 ♗g5 24. fg5 ♘e3 25. h4 ♖hf8 26. ♖h2 ♖f5 27. ♖he2 (△ ♘f1) ♖ef8 28. ♘e4±] ♗g5 23. ♗e7 ♗e7 24. ♖e7 ♖de8 25. ♖he1 ♖e7 26. ♖e7 ♘h2 27. ♘e4 [27. ♖e4 ♖g8 28. ♖h4 ♘g4 29. ♖h7 ♘f2 30. ♘f3 d3⊼] h5 28. ♔c2?! [28. b4 ♖d8 29. ♖h7 d3 30. ♖h5 ♘f1 31. ♖d5 d2 32. ♘d2 ♖d5 33. cd5 ♘g3 34. ♘c4 ♘e4 35. ♔c2 ♘f6 36. ♘e3 c6±] h4 29. gh4 ♖h4 30. ♘c5 ♔b6 31. b4 a5 32. ♘a4 [32. ♖e6!? c6 33. a3 ab4 34. ab4 ♖h7 35. ♘b3 (35. ♔b3 ♘g4 36. b5 ♔a5 37. ♖c6 ♖h3 38. ♔b2 ♘e5) ♘f3 36. b5 ♖c7 37. ♔d3 ♖c8 38. ♖f6 ♘e5 39. ♔d4 ♘d7 40. ♖e6 ♘b8 41. ♔c3 ♔c7] ♔b7 33. b5 ♘f3 34. b6 ♖h2 35.

♔c1 d3 36. ♖c7 ♔b8 37. ♖d7 [37. ♘c5 ♖c2 38. ♔b1 ♘d2 39. ♔a1 ♖c1 40. ♔b2 ♖c2=] ♖c2 38. ♔d1 ♖a2 39. ♖d3 ♖a4 40. ♖f3   1/2 : 1/2   *A. Beljavskij*

301.** !N   C 45

A. MOROZ 2515 – G. TIMOŠENKO 2510

Enakievo 1997

1. e4 e5 2. ♘f3 ♘c6 3. d4 ed4 4. ♘d4 ♗c5 5. ♘c6 ♕f6 6. ♕d2 dc6 7. ♘c3 ♘e7 [RR 7... ♗e6 8. ♘a4 ♖d8 9. ♗d3 ♗d4 10. 0-0 *a)* 10... a6 11. ♕a5 b6!? (11... ♕e7 — 62/340) 12. ♕a6 ♗c8 13. ♕a7 b5 14. ♘c5 ♕e5 15. ♗e3 ♗e3 16. fe3 ♘f6 17. ♗e2! N (17. ♘b7?! ♕g4 18. ♖f4 ♕b2 19. ♖af1 ♗b7 20. ♕b7 ♘e5 21. ♕c7 0-0∓; 17. ♘a6 0-0 18. ♕c7 ♕c7 19. ♘c7 ♖d7 20. ♘a8 ♖b7 21. e5 ♘g4⊼) 0-0 18. ♘d3 ♕e4 19. ♗f3 ♕e6 (19... ♕c4 20. ♖f2 ♖fe8 21. ♕c7±) 20. ♕c7 ♕e3 21. ♔h1 ♗d7 22. ♘e5! ♖c8 23. ♕d6 ♖fd8 24. ♕e7 ♗e6 (24... ♗e8? 25. ♘c6+−) 25. ♘c6 ♖d7 26. ♕b4 ♔h8 (Danil'uk 2425 – Bryzgalin 2400, Rossija 1997) 27. c3±; *b)* 10... b5 11. c3 ba4 12. cd4 ♕d4 13. ♕g5 h6!? N (13... ♘f6?! — 64/(294)) 14. ♕g3 ♘f6□ 15. ♗c2 (15. ♕g7? ♖h7) ♘e4 16. ♕f4 (16. ♕c7? ♕c4↑; 16. ♗e4 ♕e4 17. ♕g7 ♖h7 18. ♕c3 ♖d3 19. ♖e1 ♖c3 20. ♖e4 ♖c4 21. ♖e2±) ♘f6 17. ♗a4 0-0 18. ♕d4 (18. ♗c6?! ♕b6 19. ♗f3 ♖d4) ♖d4 19. ♗c6 ♖c4 20. ♗f3 (1/2 : 1/2 Savenko 2300 – Danil'uk 2425, Rossija 1997) ♖d8 21. ♗e3 ♖c2 22. b3 ♘d5 23. ♖fd1± Danil'uk] 8. ♕f4 ♗e6 9. ♕f6 gf6

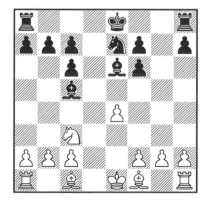

10. ♘a4! N ± [10. f4 — 69/300] ♗b4 [10...
♗d6 11. ♗e3±; RR 11... f5 12. ♗d4 ♖g8
13. e5 ♖g4⇆ A. Moroz] **11. c3! ♗d6 12.
♗e3 f5** [12... ♖g8 13. f4±] **13. ♗d4 ♖g8**
[13... f6 14. ♗f6 ♖f8 15. ♗d4! (15. e5 b5
16. ♗g7 ♖g8 17. ed6 cd6∞) fe4 16. ♘c5±]
14. e5 b5 15. ed6 [15. ♘c5 ♗c5 16. ♗c5
♘g6±] **cd6 16. ♘c5 dc5 17. ♗c5** [△ a4]
a5 18. a4 ba4 [18... b4 19. cb4 ab4 20.
a5±] **19. ♖a4 ♖g4 20. ♖g4!?** [20. f4 ♘d5
(20... ♖b8 21. ♗a3 ♗b3 22. ♖d4 ♗d5 23.
♖g1±) 21. g3 ♔d7±] **fg4 21. h3! gh3 22.
gh3?!** [22. g3! ♖d8 23. ♗h3 ♖d5 (23...
♗d5 24. 0—0±) 24. ♗a3 ♖h5 25. ♗g2
♖h1 26. ♗h1 ♗d5 27. ♗d5±] **♖d8 23.
♖g1 ♖d5 24. ♗e3 ♘f5± 25. ♖g8** [25. ♗g5
♘d6 26. ♗f6 ♖h5=; 25. ♗f4!? ♘h4 26.
♖g3± △ 26... ♖f5?! 27. ♗e3 ♘f3 28. ♔d1
♗b3 29. ♔c1 ♖d5 30. ♗e2±] **♔e7 26.
♗b6 ♖e5 27. ♔d2 ♘d6!= 28. ♖a8 ♘c4**
[28... ♗c4 29. ♗g2 ♖b5 30. ♗d4 ♖b2 31.
♔c1±] **29. ♗c4 ♗c4 30. ♖a5 ♖e2 31. ♔c1
♖e1 32. ♔d2 ♖e2 33. ♔c1 ♖e1**
1/2 : 1/2 *G. Timošenko*

302. C 45

ART. MINASIAN 2545
— NADANIAN 2475
Armenia (ch) 1997

**1. e4 e5 2. ♘f3 ♘c6 3. d4 ed4 4. ♘d4 ♗c5
5. ♘c6 ♕f6 6. ♕d2 dc6 7. ♘c3 ♘e7 8.
♕f4 ♗e6 9. ♕f6 gf6 10. ♗h6!? N ♖g8**
[10... ♗d4!? 11. ♘e2! ♗b2 12. ♖b1 ♗e5
13. f4 (13. ♖b7!?) ♗d6 14. ♗g7 (14. ♖b7
f5! 15. e5 ♗c5∞) ♖g8 15. ♗f6 a) 15...
♗a2?! 16. ♖b7 ♗c4 (16... a5 17. ♘c3±)
17. e5 ♘d5! (17... ♗c5 18. ♖c7±) 18.
♘c3!! ♗f1 (18... ♘c3 19. ♗c4±) 19. ♘d5!
♗g2 20. ♖g1 ♗d5 21. ed6 ♔d7 22.
♗e5!±; b) 15... 0-0-0 16. f5 (16. ♘c3?!
♗f4 17. ♗e7 ♗d2 18. ♔f2 ♗c3 19. ♗d8
♖d8∓) ♗a2 17. ♖a1 ♗c4 18. ♖a7 ♔b8 19.
♖a4 ♗b5 (19... b5!? 20. ♖c4 bc4∞) 20.
♖d4 (△ ♖d6) ♖ge8 21. g4 (21. ♘g3? ♗g3
22. hg3 ♖d4 23. ♗d4 ♘f5∓; 21. ♘c3? ♘f5
22. ♘b5 cb5∓) ♖d7! 22. c4 ♘g8! (22...
c5?! 23. ♖d6! ♖d6 24. e5 ♖f6 25. ef6 ♗c6
26. fe7 ♗h1 27. f6±) 23. ♗h8! ♗b4 24.
♔f2 ♗c5 25. ♔f3 (25. cb5 f6∞) ♗d4 26.

♘d4 ♗a6∞] **11. ♖d1 ♖d8?!** [11... f5! 12.
g3 (12. ef5 ♘f5=; 12. a3!?) ♗b4! 13. ♗d3
fe4 14. ♗e4 ♗a2 15. 0—0 (15. ♗h7? ♗c3
16. bc3 ♖h8—+) ♗c3 16. bc3 ♗d5! (16...
♗e6!? 17. h4! △ ♗g5∞) 17. ♖fe1 ♗e4 18.
♖e4 ♖g6 19. ♖de1 (19. ♗f4?! ♖e6∓) ♖e6
20. ♖e6 fe6 21. ♖e6 ♔f7=] **12. ♖d8 ♔d8
13. g3 ♗d4** [13... f5!?] **14. ♗d3! ♔c8**
[14... ♗c3?! 15. bc3 ♗a2 16. c4±] **15.
♗d2!** [△ b3, ♘e2] **f5 16. b3!±** [16. ef5
♗f5 17. ♗f5 ♘f5 18. 0—0 ♘h4!=] **♗c3!?**
[16... fe4 17. ♘e4±] **17. ♗c3 fe4 18. ♗e4
♗d5 19. f3!** [19. ♗d5 cd5 △ c5=] **f5 20.
♗d3!!** △ **♗f3 21. ♖f1** [21. 0—0?! ♗e4 22.
♗e4 fe4 23. ♖f7 ♘d5⇆] **♗g4** [21... ♗e4
22. ♗e4 fe4 23. ♖f7 ♘d5 24. ♗e5! (△ c4;
24. ♗b2 h5 25. ♖h7 ♖g5) ♖e8 25. ♗b2 h5
(25... e3 26. ♔e2! h5 27. ♖h7 ♖f8 28.
♖h8±) 26. ♖h7±] **22. ♔d2±⌖** [×f5; 22.
♗f6?! ♘d5 △ 23. ♗f5?? ♗f5 24. ♖f5
♖f8—+] **♔d7 23. ♗e5! ♖g6 24. a4! c5?!**
[×≪; 24... ♖e6±] **25. ♖f2 a6 26. ♗c4! ♘c6
27. ♗f4± ♖g7 28. ♔c3!** [△ ♖d2] **♘b4?!**
[⌂ 28... ♔e8] **29. ♔b2!** [29. ♖d2?! ♔c6
♗f3] **♔c6?!** [⌂ 29... ♔e8] **30. ♗f1!!** [△
31. c3 ♘d5 32. ♗g2+—] **♔b6 31. ♗c1!!**
[△ 32. c3 ♘d5 33. h3+—] **♖d7 32. h3
♗d1 33. ♗e3!** [△ a5!; 33. ♗g2?! ♖d3!!⇆]
♖e7 34. a5!+— ♔c6 [34... ♔a5 35. ♗c5
♖e5 36. ♗d4 ♖d5 37. ♗c3] **35. ♗g2 ♔b5
36. ♗f1⊕ ♔c6 37. ♗g5! ♖g7 38. ♗f4** [△
38. h4 ♗g4 39. c3 ♘d5 40. ♗g2 ♔d6 41.
♖d2] **♖d7 39. ♗e3??** [39. ♗g5+—] **♖e7**
1/2 : 1/2 *Nadanian*

303.* !N C 45

WAN WELY 2655 — JE. PIKET 2630
Monaco (m/2) 1997

**1. e4 e5 2. ♘f3 ♘c6 3. d4 ed4 4. ♘d4 ♗c5
5. ♗e3 ♕f6 6. c3 ♘ge7 7. ♗c4 ♕g6** [RR
7... b6 8. 0—0 ♗b7 9. ♘b3 N (J. Pintér; 9.
♘b5 — 60/(312)) ♘e5! 10. ♘c5 bc5 a) 11.
♗d5?! ♘d5 12. ed5 (V. Baklan 2570 —
Macieja 2470, Zagan 1997) ♗a6 13. ♖e1
0—0! 14. ♗c5 ♘d3 15. ♗d4 ♕f5∓↻ Ceš-
kovskij; b) 11. ♗e2 ♗e4 12. ♗c5 (12. f3
♗b1! 13. ♖b1 d6 14. ♕a4 c6∓) ♕g5 13.
g3 0—0= Macieja] **8. 0—0 ♘e5 9. ♗e2 d6
10. ♔h1!?** [10. f3 — 57/316] **♕e4 11. ♘d2**

♕g6 12. ♘b5 0—0 13. ♘c7 ♖b8 14. ♗f4 ♗d7! N [14... ♗f5 15. ♘b3 ♗b6 16. ♘b5±] 15. ♘b3 ♗c6 16. ♗g3 ♗b6 17. ♘b5 ♘f5 18. ♘3d4 ♘g3 19. fg3 ♗e4 [19... ♗d7 20. ♗h5 ♕h6 21. ♘f5 (21. ♗f3 a6 22. ♘a3∞) ♗f5 22. ♖f5 g6 23. ♕d6 ♘c4 (23... ♖bd8 24. ♕e5 gf5 25. ♕f5∞) 24. ♕f4 ♕f4 25. ♖f4 ♘b2 26. ♗e2 ♖bd8∞] 20. ♗h5 ♕h6 21. ♗f3 d5? [21... ♗f3 22. gf3 (22. ♘f3 ♘g4) ♘c4 23. ♕e2 d5∞; 21... ♗d3 22. ♗e2 ♗e4 23. ♘f5 ♕h3 (23... ♕e6 24. ♘bd4∞) 24. ♘h4∞; 21... ♘f3! 22. gf3 ♗c6! (22... ♗g6 23. ♘d6) 23. ♘c6 bc6 24. ♘d6 ♖bd8 25. ♘f5 ♕g5↑] 22. ♗e4 de4 23. ♕e2 e3 24. ♘f5 ♕e6 [24... ♕g5 25. ♘bd6↑] 25. ♘bd4 ♗d4 26. ♘d4 ♕b6 27. ♕e3 ♖be8 [27... ♘c6 28. ♖f2 ♖bd8 29. ♖d1 ♘d4 30. ♖d4 ♖d4 (△ 31. ♕d4 ♕e6) 31. cd4±] 28. ♕f2 g6 29. h3? [×g3; ⌒ 29. b3] ♘d3 30. ♕f3 ♘c5 31. b3 ♘e4 32. ♖ad1 ♕c7 33. ♖d3 f5 34. ♕f4 ♕b6 [△ 35... ♘c3 36. ♖c3 ♖e4] 35. c4 g5 36. ♕c1 ♕a5 37. ♔h2 ♕e5 38. ♖ff3 h5?⊕ [38... f4 39. gf4 (39. g4 ♖d8 40. ♕d1 ♘c5=; 39. ♘e2 fg3 40. ♘g3 ♖f3 41. ♖f3 h5—+) gf4 (△ ♘g5) 40. ♕e1±] 39. ♘f5! h4 40. ♖d5 ♕c7 41. ♕e3 ♖f6 42. ♔g1 hg3 43. ♘g3 [43... ♖f3 44. ♕f3 ♕g3 45. ♕g3 ♘g3 46. ♖g5] 1 : 0 *Van Wely*

304.* C 45

PAVASOVIĆ 2495 — A. BELJAVSKIJ 2710

Krško (m/6) 1997

1. e4 e5 2. ♘f3 ♘c6 3. d4 ed4 4. ♘d4 ♗c5 5. ♘b3 ♗b6 6. a4 a6 [6... ♕h4?! 7. ♕e2 ♘f6 8. a5 ♘d4 9. ♘d4 ♗d4 10. ♖a4 c5!? N (10... ♗c5) 11. c3 ♗e5 12. ♗e3 d5! 13. g3 ♕g4 14. ♕g4 ♗g4 15. ed5 0-0-0!⊼ Pavasović 2495 — A. Beljavskij 2710, Krško (m/4) 1997] 7. ♘c3 ♘f6 8. ♗g5 [8. a5 ♗a7 9. ♕e2 0—0 10. ♗e3∞] h6 9. ♗h4 d6 10. ♗d3!? N [10. ♘d5?? ♘e4!—+; 10. ♕e2 — 12/248] ♗e6 11. ♕e2?! [11. ♘d5!? (Lékó)] ♗d5 12. ed5 ♘e5 13. 0—0 g5 14. ♗g3 ♘d5 15. ♗e4±] ♕e7 12. ♗c4 [12. 0—0 g5 13. ♗g3 h5→] ♘d4 13. ♘d4 ♗d4 14. ♗f6?! [14. f3 △ ♗f2=] ♗f6 15. ♖a3?! [15. 0-0 0—0 16. ♕d3 ♖ae8∓] c6!∓ 16.

0—0 0—0 17. a5 ♖fe8 18. ♗e6 [18. ♗d3!?] ♕e6 19. ♕d3 ♗c3! [19... ♖ad8 20. f3] 20. ♖c3 ♖ad8 21. ♖b3 [21. f3? d5 22. ♖b3 (22. ed5 ♖d5—+) de4 23. ♕e4 ♕b3! 24. ♕e8 ♖e8 25. cb3 ♖e3—+] ♖d7 22. ♕d2 [22. f3 d5 23. ♖e1 (23. ed5 ♖d5 24. ♕c4 ♖d2!) c5 24. ♖b6 ♕e5∓] ♕c4! [22... ♕e4?? 23. ♖e3] 23. ♖g3 [23. f3 f5! 24. ef5 ♖e2!] ♖e6! 24. e5 [24. ♖e1 ♖e4!—+] ♕c5! [24... ♖e5? 25. ♕h6] 25. ed6 ♖dd6 26. ♕c3 ♖e5! 27. ♕b3 ♖d2—+ 28. ♖f3 [28. ♕b7 ♖f2!] ♖e7 29. ♕c3 ♖c2 30. ♕d3 ♖b2 31. ♕d8 ♔h7 32. ♕f8 f6 33. h4 ♖be2 34. ♖g3 ♕a5 0 : 1 *A. Beljavskij*

305.** !N C 47

HECTOR 2500 — I. SOKOLOV 2615

Malmö 1997

1. e4 e5 2. ♘f3 ♘c6 3. ♘c3 ♘f6 4. g3 [RR 4. d4 ed4 5. ♘d4 ♗b4 6. ♘c6 bc6 7. ♗d3 d5 8. ed5 cd5 9. 0—0 0—0 10. ♗g5 c6 11. ♕f3 ♗e7 12. ♖ael (12. h3 ♖b8 13. ♖ab1 h6 14. ♗f4 ♗e6 15. ♖fe1 c5=) *a)* 12... ♖e8 13. h3 h6! N (13... ♖b8 14. ♘d1 ♗e6 15. b3 ♕d7 16. ♘e3 ♘e4 17. ♗e7 ♘d2 18. ♕h5 g6 19. ♕h6 ♕e7 20. ♘f5!±) *a1)* 14. ♗f4?! ♗e6 15. ♘d1 ♗d6 16. ♘e3 (16. ♗d6? ♕d6 17. ♘e3 ♕b4 18. b3 ♕a3!∓ Nadyrhanov 2480 — Malanjuk 2610, Smolensk 1997) ♗f4 17. ♕f4 ♕a5 18. a3 ♖ab8 19. ♖b1=; *a2)* 14. ♗h4!? ♖b8 △ ♖b4; *b)* 12... h6 13. ♗h6! gh6 14. ♕e3 d4! (14... ♖e8 — 10/272; 14... ♗d6 15. ♕h6 ♗g4 16. ♖e3 d4 17. ♘e4! ♘e4 18. ♖e4+—; 14... ♗e6 15. ♕h6 ♗d6 16. ♕g5 ♔h8 17. f4 △ ♖f3±) 15. ♕h6 ♕d6 16. ♕g5 ♔h8 17. f4 ♘g8! 18. ♖e7 dc3 19. ♖e3 ♕f6 20. ♕c5 ♗g4 21. f5 ♔h7 22. bc3∞ Nadyrhanov] ♗c5 5. ♗g2 d6 6. d3 a6 7. 0—0 ♗e6 [⌒ 7... 0—0] 8. ♗e3 [RR 8. h3 h6 9. ♗e3 ♗e3!? (9... ♕d7 — 67/(388)) 10. fe3 ♘e7! N (10... d5) 11. ♘h4 c6 12. ♔h2 ♕c7 13. d4 d5 14. ed5 ♘fd5 15. ♘d5 ♘d5 16. ♕d2 ♘e7 17. de5! ♕e5 18. ♕d4 ♕c7 19. e4 0—0 20. ♘f5 ♘f5 (20... f6!? 21. ♕d6 ♕d6 22. ♘d6 ♖ab8∞ O. Korneev) 21. ef5 ♖ad8 22. ♕f4 1/2 : 1/2 Glek 2505 — O. Korneev 2565, Asti 1997; 11. ♔h2!?] ♗e3 [8... 0—0? 9. d4] 9. fe3 ♕d7 [9... ♗g4 — 68/(267); ⌒

9... 0–0] **10. d4!?** N [10. ♘h4] **♗g4 11. ♕d3± 0–0** [11... ♗f3?! 12. ♖f3 △ 12... 0–0? 13. ♖f6 gf6 14. ♘d5; RR 11... 0-0-0!? A. Beljavskij] **12. ♘h4 ♘e7 13. ♘f5 ♗f5 14. ef5 ed4 15. ed4 c6 16. ♕f3?!** [16. d5?! cd5 17. ♘d5 ♘ed5 18. ♗d5 ♖fe8=; 16. ♖f4 △ g4±↑] **♘ed5 17. ♘d5 cd5= 18. ♕b3 ♕c6 19. ♖f3** [19. ♖ae1=] **b5 20. a4?!** [20. ♖c3 ♕b7 (20... ♕b6 21. ♖d1) 21. ♖e1 ♖fe8 22. ♖ce3=] **♖ab8!∓ 21. ab5** [21. ♖c3 ♕d7; 21. a5 ♖fe8] **♖b5 22. ♕c3 ♕b6 23. b3** [23. ♗f1 ♘e4] **a5! 24. ♖f4?!** [24. ♖e3 ♖b4 25. ♖a4!] **♖b4 25. ♖e1** [25. g4 h6 26. h4 ♖e8 △ ♘e4] **h6 26. g4 a4 27. ba4 ♖c4! 28. ♕d3** [28. a5 ♕c7; 28. ♕b3 ♕a5 29. ♖e2 ♖a4 △ ♖d4↑] **♕a5 29. ♖e2 ♕a4∓↑ 30. h4 ♖fc8 31. g5 ♘h5 32. ♖g4 hg5 33. ♗d5** [33. hg5 ♖c3 34. ♕d1 ♘g3! 35. ♖f2 ♖c2 36. ♔h2 (36. ♖c2 ♖c2–+) ♘f5–+] **♖c2 34. hg5 ♖e2** [35. ♕e2 ♖c1 36. ♔f2 ♖c2] **0 : 1** *I. Sokolov*

306. C 47

G. MOHR 2480 – A. BELJAVSKIJ 2710

Portorož 1997

1. e4 e5 2. ♘f3 ♘c6 3. ♘c3 ♘f6 4. g3 ♗c5 5. ♗g2 d6 6. d3 a6 7. 0–0 0–0 8. ♗e3 [8. ♗g5 h6 9. ♗h4 ♗g4 △ g5] **♗e3** [8... ♗e6 9. ♗c5 – 65/(292); 9. d4±] **9. fe3 ♘e7** [9... ♘g4 10. ♕d2 f5 11. ef5 ♗f5 12. ♘h4±] **10. ♘h4** [10. d4 ♘g6∞] **c6!? N** [10... ♗g4] **11. ♕d2 d5 12. ed5 cd5 13. d4 e4** [13... ed4 14. ed4 ♕b6 15. ♘a4±] **14. ♖f6!?** [14. h3 ♗e6 15. g4 ♘g6∓] **gf6 15. ♖f1 ♗e6 16. ♕e2** [16. ♖f6? ♘g6∓] **♖c8 17. ♕h5 ♘g6** [17... f5?! 18. ♗h3 f4!?; 17... ♖c6!?] **18. ♘f5 ♔h8 19. ♘h6** [19. ♕h6 ♖g8 20. h4 ♖c6∓] **b5 20. ♖f2 ♖c6** [20... b4? 21. ♘a4 ×c5] **21. a3 ♔g7 22. ♘f5 ♔h8 23. ♘h6 ♖c4 24. ♗f1 ♖c7 25. ♗e2?!** [25. ♗g2=] **♕e7 26. ♘f5 ♕d7 27. ♘h6 ♔g7 28. ♘f5 ♗f5 29. ♖f5 ♖c3! 30. bc3 ♕c7 31. c4!□ dc4 32. ♕g4 ♕d6 33. a4?** [33. ♖c5! ♖e8∓] **ba4 34. ♕e4 ♖c8 35. ♖f1 a3 36. c3 ♕b6∓ 37. ♕f5! ♖e8** [37... ♖c7 38. ♖b1] **38. ♗c4 ♖e3 39. ♖b1 ♕c7** [39... ♕c6 40. ♕d5 ♕d5 41. ♗d5 ♖c3∓] **40. ♕d5 ♖c3 41. ♗a2 ♕e7 42. ♔f1 ♖c2**

43. ♖e1 ♕c7 44. ♖e2 ♖b2!? [44... ♖c3!?] **45. ♔f2 ♖b5** [45... a5!?] **46. ♕c4 ♕d7 47. ♔g2 h5 48. h4 ♖b2?** [48... a5! 49. ♔f2 a4–+] **49. ♔f2?** [49. ♖b2 ab2 50. ♕b3 ♕d4 51. ♕f7 ♔h6 52. ♗b1↰] **a5–+ 50. ♔e1 ♖b4 51. ♕c5 ♖d4 52. ♕h5 ♖d1 53. ♔f2 ♕d4 54. ♔g2 ♕g1 55. ♔f3** [55. ♔h3 ♘f4! 56. gf4 ♖d3] **♖d3 0 : 1** *A. Beljavskij*

307. !N C 47

SHAKED 2500 – LÉKÓ 2635

Tilburg 1997

1. e4 e5 2. ♘f3 ♘c6 3. ♘c3 ♘f6 4. g3 ♗c5 5. ♗g2 d6 6. d3 a6 7. 0–0 0–0 8. ♗e3 ♗e3 9. fe3 ♘e7 10. ♘h4 c6 11. d4! N ♘g4! 12. ♕d2 [12. ♕d3!?] **♘h6 13. ♖ad1?** [13. h3!∞] **♗g4 14. ♗f3 ♗e6∓ 15. ♕e2?!** [15. ♔h1] **b5! 16. b3** [16. de5 ♗c4∓] **♕a5 17. ♕d2 ♕c7 18. ♔h1 ♖ad8 19. ♗g2 f6 20. a4!? b4 21. ♘b1 a5 22. ♕e2** [22. c4?! d5!∓] **d5 23. ♘d2 ♖fe8! 24. ♘hf3 ♘f7 25. ♕f2 ♗c8 26. ♖fe1 ♘g6 27. de5?!** [27. ed5 e4 (27... cd5 28. e4 ♗b7!∓) 28. ♘g1 (28. d6!? ♘d6 29. ♘g1 c5) cd5 29. ♖c1 (△ c4) ♖e6! △ ♖c6] **de4! 28. ♘e4 ♘ge5∓ 29. ♘d4!? c5 30. ♘b5 ♕e7** [30... ♕b6!?] **31. h3□ ♗b7 32. ♘d2 ♘g5! 33. e4** [33. ♗b7 ♕b7 34. ♕g2 ♕d7 35. h4 ♘gf7∓] **♖d7 34. h4 ♘gf7 35. ♘f1 c4! 36. ♘e3?!⊕** [36. bc4 ♘c4∓] **cb3 37. ♘f5 ♕d8 38. ♖d7 ♕d7 39. cb3 g6!–+ 40. ♘e3 ♘d3 41. ♕d2 ♗e4 42. ♔h2 ♗g2 43. ♔g2** [43. ♘g4 ♖e1 44. ♘f6 ♔g7 45. ♘d7 ♗f3 △ ♖h1#] **♖e1 44. ♘e1 ♘fe5 0 : 1** *Lékó*

308.* C 49

SMYSLOV 2480 – XIE JUN 2495

København 1997

1. e4 e5 2. ♘f3 ♘c6 3. ♘c3 ♘f6 4. ♗b5 ♗b4 5. 0–0 0–0 6. d3 d6 7. ♗g5 ♗c3 8. bc3 ♕e7 9. ♖e1 ♘d8 10. d4 ♘e6 11. ♗c1 c5 12. a4 ♖d8 [12... ♘c7 13. ♗f1 ♗g4 14. h3 ♗f3 N (14... ♗d7) 15. ♕f3 cd4 16. cd4 ed4 17. e5 ♘d7 18. ♗a3 ♘e5 19. ♕b7 ♕d7 20. ♕e4 ♖fd8 21. ♕d4±↑ Spassky 2550 – Xie Jun 2495, København 1997]

13. &f1 ♘c7 [13... ♘f8 — 41/(371)] 14. h3!? N [14. g3] &d7 15. g3 b5!? [15... ed4 16. cd4 ♘e4 17. ♘h2 ♘d5 18. &b2 △ f3±] 16. ♘h4 ba4 [16... b4 17. dc5 dc5 18. ♕f3] 17. ♘f5 &f5 18. ef5 ♘cd5 19. ♖a3 ♕c7 20. de5 de5 21. ♕e2 ♖ab8 22. &g5 h6 23. &f6 ♘f6 [23... gf6?! 24. ♕h5] 24. ♕e5 ♕e5 [24... ♕a5 25. ♕f4] 25. ♖e5 ♖d2 26. ♖a4 ♖c2 27. ♖c5± ♖bb2? [27... ♖b1 28. ♔g2 ♖bb2 29. ♖c8 ♔h7 30. ♖f4 a5 31. c4 a4 32. ♖a8 ♖a2 33. g4 a3 34. h4 △ g5→] 28. ♖c8 ♔h7 29. ♖a7 ♖f2 30. ♖f7+− h5 [30... ♖f5 31. &d3; 30... ♖f3 31. ♖ff8] 31. ♖ff8 ♔h6 32. h4 ♖f5 33. &d3   1 : 0

Smyslov

309.   C 52

SHORT 2660 — R. HÜBNER 2580

Dortmund 1997

1. e4 e5 2. ♘f3 ♘c6 3. &c4 &c5 4. b4 &b4 5. c3 &a5 6. d4 d6 7. ♕b3 ♕d7 8. de5 &b6 9. ♘bd2 [9. &b5 — 18/258] **♘a5** [9... de5!?] **10. ♕b4** [10. ♕c2 ♘c4 11. ♘c4 d5 12. ed5 ♕d5 13. ♕a4 &d7 14. ♘b6 cb6 15. ♕d4∞] **♘c4!? N** [10... ♘e7] **11. ♘c4 &c5 12. ♕b3 ♘e7** [12... ♕c6?! 13. ♘g5! (13. 0—0 &e6−+) &e6 14. ♘e6 ♕e4 15. &e3 fe6 16. 0—0→] **13. 0—0 0—0 14. ed6 cd6 15. &a3** [15. ♖d1 ♕c6! ×e4; 15. &f4 b5!] **♕c7** [15... b5 16. ♘ce5±; 15... ♕c6 16. ♘d4 ♕e4 17. ♖fe1 ♕h4 18. ♘d6±] **16. ♘d4 &a3 17. ♘a3 ♘c6** [17... &d7 18. ♖ae1 ♖ac8 19. ♖e3±] **18. ♖fe1 ♕e7 19. ♖ab1 ♘e5 20. c4** [20. ♘ac2 ♘d3 21. ♖e3 ♘c5=] **a6! 21. ♘ac2 &e6 22. ♘e3** [22. ♕b7 ♕b7 23. ♖b7 &c4=] **b5 23. ♘d5?** [23. ♘e6 fe6 (23... ♕e6!?) 24. cb5 ab5=] **&d5? 23... ♕a7∓] 24. cd5± ♕f6 25. ♘c6 ♖fe8 26. ♖bc1 g6** [△ 26... h5!?] **27. h3** [△ 27. f3] **h5** [27... ♘c4!? △ 28. a4 ♕b2] **28. ♘e5 ♖e5** [28... ♕e5 △ 29. ♖c6 f5] **29. ♖c6 ♕e7 30. f3 g5?!** [30... f5! 31. ♕b4 fe4 32. fe4 ♖e8 33. ♕d6 ♕d6 34. ♖d6 ♔g7 35. ♖a6 ♖e4 36. ♖e4 ♖e4±] **31. ♕b4 ♖d8 32. ♖a6 f5 33. ♕a5 fe4 34. ♖a7 ♖d7 35. ♖d7 ♕d7 36. fe4± g4 37. hg4 hg4 38. ♕c3?** [38. ♕a3±] **♕a7 39. ♕e3 ♕e3?⊕** [39... ♕a2 40. ♖f1 ♕a8! 41. ♖f6 (41. ♕h6 ♕a7 42. ♔h2 ♕g7 △ 43. ♕d6? g3 44. ♔g1 ♕a7 45. ♔h1 ♖h5#)

♕a1! △ 42. ♔f2 ♖d5, 42. ♖f1=] **40. ♖e3+− [♖ 6/e] ♔f7 41. ♔f2 ♔f6 42. ♖e2 ♖e8 43. ♔e3 g3** [43... ♔e5? 44. ♖f2; △ 43... ♔g5 44. ♖b2 ♖a8 45. e5 ♖a3 (45... de5 46. ♔e4 ♔f6 47. ♖f2 ♔e7 48. ♔e5) 46. ♖b3 ♖a2 (46... ♖b3 47. ab3 de5 48. ♔e4 ♔f6 49. b4 g3 50. ♔f3 ♔e7 51. ♔g3 ♔d6 52. ♔f3 ♔d5 53. ♔e3!) 47. ed6 ♔f6 48. ♖b5] **44. ♔f4 ♖a8 45. ♖b2 ♖a5 46. a3!** [46. ♔g3 ♔e5] **♖a3 47. ♖b5 ♖a2 48. ♖b6 ♔g2** [48... ♔e7 49. ♔g3] **49. ♖d6 ♔f7 50. ♔f3 ♖g1 51. ♖e6   1 : 0**

Short

310.**** !N   C 54

MI. ADAMS 2665 —
PE. NIELSEN 2525

Århus 1997

1. e4 e5 2. &c4 ♘f6 3. d3 &c5 4. ♘f3 ♘c6 5. c3 a6 [RR 5... d6 6. 0—0 a6 7. d4 &a7 8. h3 (8. de5 ♘e5 9. ♘e5 de5=) 0—0 9. ♘e5 de5) 0—0 9. ♖e1 h6 10. &f1!? N (10. &e3 ♕e7 — 31/375) ♖e8 11. d5 ♘e7 12. &e3?! &e3 13. ♖e3 ♘h7 14. ♘bd2 ♖f8 15. c4 f5 16. ef5 ♘f5 17. ♖e1 ♘g5! 18. ♘g5 ♕g5 19. ♘f3 (19. ♘e4?! ♕g6∓ △ ♘d4) ♕f6 20. ♕d2 b6 21. ♖ac1 a5 22. ♖c3 &d7∓ Damljanović 2540 — Matulović 2445, Jugoslavija 1997; △ 12. c4 △ ♘c3 Matulović] **6. &b3 &a7 7. ♘bd2 d6** [7... 0—0 8. h3 d5] **8. h3 h6** [8... 0—0 — 65/311; RR 8... ♘e7 9. ♘f1 ♘g6 10. ♘g3 0—0 11. 0—0 b5!? 12. ♖e1 &b7 *a)* 13. a4 1/2 : 1/2 Movsesian 2555 — Gyimesi 2525, Zagan 1997; *b)* 13. d4 (1/2 : 1/2 Morozevič 2590 — Gyimesi 2525, Zagan 1997) ♖e8∞; *c)* 13. ♘h2! N d5 14. ♕f3 ♘h4 15. ♕e2 h6 16. ♘g4 ♘g4 17. hg4 de4 18. de4 ♘g6?! 19. ♘f5 ♕f6 (19... ♘f4 20. &f4 ef4 21. ♖ad1 ♕g5 22. ♖d7↑) 20. ♕f3 (△ ♘h6) ♘h4□ 21. ♕g3! ♘f5 22. ef5± V. Nevednichy 2530 — Gyimesi 2525, Jugoslavija 1997; 18... ♕e7!? V. Nevednichy] **9. ♘f1 &e6 10. &c2!? N** [10. ♘g3; 10. &e6 fe6 11. &e3±] **♕d7** [10... d5!?] **11. ♘g3 d5** [11... 0—0 12. 0—0 &h3 13. gh3 ♕h3 14. d4 ♘g4⚖; △ 12. d4] **12. ♕e2 de4 13. de4 b5!** [△ &c4] **14. &b3** [14. ♘h4!? &c4 15. ♕f3] **0—0 15. 0—0 &b3?** [15... ♖fd8 16. ♖d1 ♕e8=] **16. ab3 ♕e6 17. b4!± &b6** [17... ♖fd8!?] **18. ♖a3 ♔h7 19. &e3**

199

♗e3 20. ♕e3 a5 [20... ♖fe8 21. ♖fa1±] 21. ba5 [21. ♖fa1 a4 22. b3 ab3! 23. ♖a8 b2=] ♘a5 [21... ♖a5 22. ♖a5 ♘a5 23. ♕c5] 22. ♕c5 ♘d7 23. ♕b5 [23. ♕c7? ♖fc8] ♗fb8 24. ♕e2 [24. ♕d5 ♕d5 25. ed5 ♘c4±] ♖b2 [24... ♘c4 25. ♖a8 ♖a8±] 25. ♕b2 ♘c4 26. ♖a8 [26. ♕b4 ♖a3=] ♘b2 27. ♖b1! ♘d3 [27... ♘c4 28. ♖a7 ♕d6 29. ♖bb7+−; 27... ♕c6! 28. ♖d8 ♘c4 29. ♖d1 ♘d6±] 28. ♖a7! c6 [28... ♕d6 29. ♖bb7 ♕c5 30. ♘h1!+−] 29. ♖bb7 ♘3c5 30. ♖c7 g6 31. h4 f5 [△ 31... ♔g7 32. h5 ♘f6] 32. ♘d4! [32... ed4 33. cd4+−; 32... ♕c4 33. ♖c6 △ ♖d7+−; 32... ♕d6 33. ♖c6 ♕b8 34. ♖ac7 △ ♖c5+−]   1 : 0

Mi. Adams

311.   C 54

SVEŠNIKOV 2570 −
KRASENKOW 2645

Vilnius 1997

1. e4 e5 2. ♘f3 ♘c6 3. ♗c4 ♗c5 4. c3 ♘f6 5. d4 ed4 6. e5 d5 7. ♗b5 ♘e4 8. cd4 ♗b4 N [8... ♗b6 − 39/398] 9. ♘bd2 ♗d7 10. 0−0 0−0 11. ♘e4!? [11. a3=] de4 12. ♘g5 ♘e5 [12... ♗f5!? 13. ♗c6 bc6 14. f3!? (14. ♗e3?! ♗e7 △ 15. ♕h5 ♕d7∓) ef3 15. ♘f3=] 13. ♕a4! [13. de5? ♗b5 14. ♕h5 h6 15. ♖d1 g6! 16. ♖d8 ♖fd8 17. ♕g4 h5−+; 13. ♗d7 ♘d7 14. ♘e4 ♘b6 15. ♘c5 ♕d5 16. ♕b3 (16. ♗e3 ♘c4∓) ♗c5 17. ♕d5 ♘d5 18. dc5 ♖fe8∓] ♗b5 [13... ♗e7? 14. de5 ♗b5 15. ♕b5 ♗g5 16. ♕b7±] 14. ♕b5 ♘d3 15. ♗e3 ♕e7 16. f3 [×♘d3; 16. ♕b7 *a)* 16... f5 17. ♕d5 ♔h8 18. ♘e6 ♖fe8 (18... ♕f7?! 19. ♕c6 ♖fe8 20. d5 △ ♗d4↑) 19. ♘g5 ♖f8=; *b)* 16... ♖ae8!? 17. ♕a7 f5↑] c6 17. ♕c4 b5! [17... ♘b2? 18. ♕b3 ♘d3 (18... ef3 19. ♖f3 h6 20. ♘h3+−) 19. ♘e4+−] 18. ♕c6?! [18. ♕c2 c5 19. dc5□ (19. ♘e4? c4∓; 19. fe4? cd4 20. ♗d4 ♘e1!−+) ♗c5 20. ♗c5 ♕c5 21. ♕c5 ♘c5 22. ♘e4 ♘e4 23. fe4=] ef3 19. ♖f3 [19. ♕f3 ♖ae8 20. ♗f4 ♘b2∓] ♘e1! 20. ♖g3? [20. ♖h3! h6 (20... ♖ac8 21. ♕b5 h6 22. a3! ♘c2 23. ♕d3 g6 24. ♖f1!=) 21. a3! (21. ♕e4 ♕e4 22. ♘e4 ♖fe8−+) hg5 22. ab4 g4 23. ♖g3 ♖ac8 24. ♕b5 ♘c2 (24... ♘f3? 25. gf3 ♕e3 26. ♔h1 gf3 27. ♖ag1→) 25. ♖f1 ♘e3 26. ♖e1 ♕d6

27. ♖ge3 ♕d4 28. ♕e5 ♕b4 29. ♖e4 ♕b6 30. ♕d4∓] ♖ac8 21. ♕b5 [21. ♕e4!? ♕e4 22. ♘e4 f5 23. ♘c3 (23. a3? ♘c2 24. ♖f1 ♗e1−+) f4 (23... ♗c3 24. bc3 ♘c2 25. ♖c1 ♖c3 26. ♗f2 ♖c4∓) 24. ♗f4 ♖f4 25. ♖e1 ♖d4 (△ ♖d2) 26. ♖e2 (26. ♖ge3 ♖d2 27. ♖e8 ♖e8 28. ♖e8 ♔f7−+) ♗c5 27. ♔f1 b4 28. ♘a4 (28. ♘e4 ♖d1 29. ♖e1 ♖e1 30. ♔e1 ♖e8 31. ♖g4 h5−+) ♗d6∓] h6! [21... ♘c2? 22. ♕d3 g6 23. ♖f1 ♘e3 24. ♕e3 ♕e3 25. ♖e3 ♗d2 26. ♖g3 ♖c2 27. ♘e4=] 22. ♘h3 [22. a3 ♘c2 23. ♖d1 ♗d6−+ ×♖g3] ♘c2 23. ♗h6 ♘a1 24. ♕f1 [24. ♖g7 ♔h8 25. ♕f1 ♖c6!−+] g6 [24... ♕e1? 25. ♕e1 ♗e1 26. ♖g7 ♔h8 27. ♘g5=] 25. ♕a1 [25. ♗f8 ♕f8 26. ♕a1 ♕h6 27. ♖g5 (27. ♘g5 ♗d2−+) ♗e7−+] ♖fe8 26. ♗e3 [26. a3 ♕e1 27. ♕e1 ♖e1 28. ♔f2 ♖c2 29. ♔f3 ♗d2−+] ♕e3! 27. ♖e3 ♖e3 28. ♔f2 ♖e1 29. ♕e1 ♗e1 30. ♔e1 ♖c2−+ 31. ♘f4 ♖b2 32. h4 ♖a2 33. g4 a5 34. h5 a4 35. hg6 a3 36. gf7 ♔f7 37. ♘d3 ♖h2   0 : 1

Krasenkow

312.* !N   C 55

MI. ADAMS 2680 −
AL. ONIŠČUK 2625

Tilburg 1997

1. e4 e5 2. ♘f3 ♘c6 3. ♗c4 ♘f6 4. d3 [RR 4. d4 ed4 5. e5 ♘g4 6. ♕e2 ♕e7 7. ♗f4 d6 8. ed6 cd6 9. ♘bd2 ♗f5 10. ♘b3 ♕e2 11. ♗e2! N (11. ♔e2 − 54/311) d3□ (11... ♗c2? 12. ♘bd4 ♗e4 13. ♘b5 0-0-0 14. ♘g5!+−) 12. cd3! ♘ge5 13. ♔d2 ♗e7 (And. Tzermiadianos 2420 − Atalik 2590, Ikaria 1997) 14. ♘bd4! ♘d4 15. ♘d4 ♗d7 16. ♗e3! d5! 17. a3! ♗d6 18. f4 ♘g6 g3 ♘e7 20. ♗f3± And. Tzermiadianos] ♗e7 5. 0−0 0−0 6. a4 d6 7. ♘bd2 ♗e6 8. ♖e1 ♗c4?! N [8... ♕d7 − 62/(352); 8... ♖e8!? △ ♗f8] 9. dc4!? [9. ♘c4±] ♖e8 [9... a5!?; 9... ♘d7!?] 10. ♘f1 ♗f8 [10... h6!?] 11. ♗g5!? [11. a5±] h6 12. ♗f6 [12. ♗h4 ♗e7 △ ♘d7] ♕f6 13. ♘e3 [13. a5 ♘d4!⇆] ♕e6 [△ 13... a5 △ ♘b8-d7, c6] 14. a5!± ♘e7 15. ♖a3 g6 [15... c6 16. ♖d3 ♖ad8 17. ♖e2!?] 16. h4! ♗g7 [16... h5 17. ♘g5] 17. h5 ♖ad8 [17... g5!?] 18. a6 [18. ♖d3!?] b6 19. ♘d5 ♖d7 [19... ♘d5 20. cd5 ♕g4 21. ♘d2±] 20. hg6 fg6 21. ♘h4!

[△ Rg3] **c6** [21... Bf6 22. Nf6 Qf6 23. Qg4 Rdd8 24. Rf3 Qg5 25. Qe6 Kh8 26. g3 △ Rf7+−; 21... Nd5 22. cd5 Qf6 23. Qg4 Rf7 24. Rf3 Qg5 25. Qg5 hg5 26. Rf7 Kf7 27. Nf3±] **22. Ne7 Ree7 23. Rg3 g5 24. Nf5 Rf7 25. Rd3 Bf8 26. b3 d5 27. Qg4! Kh7?** [27... d4 28. Red1 Rf6 29. Rh3 Rdf7 30. Rdd3±] **28. cd5 cd5 29. Nh6!+− Qg4** [29... Qh6 30. Rh3 Bc5 31. Re2] **30. Ng4 Bc5 31. Re2** [31... Rde7 32. Rd5 Bd4 33. Ne3 △ Nf5]

1 : 0

Mi. Adams

313.**** C 63

J. POLGÁR 2670 − IVANČUK 2725

Dortmund 1997

1. e4 e5 2. Nf3 Nc6 3. Bb5 f5 4. d4 [RR 4. d3 fe4 5. de4 Nf6 6. Qd3 Bc5!? N (6... Bb4 − 42/399) 7. Nc3 d6 8. Bg5 0−0 (8... h6?! 9. Bf6 Qf6 10. Nd5 Qf7? 11. b4 Bb6 12. a4 a5 13. Nb6 cb6 14. Qd6+−; △ 10... Qd8) 9. Nd5 Kh8 (9... Be6 10. Nf6 gf6 11. Bh6 Rf7 12. Bc4 Nb4 13. Qe2 Qe8 14. c3 Nc6 15. 0-0-0± △ Nh4, f4) 10. c3 Ne7 (10... Be6!?; 10... a6!?) 11. Nf6 gf6 12. Be3 (Filipek 2410 − Sośnicki 2270, Polanica Zdrój (open) 1997) Be3! 13. Qe3 Be6= Filipek; 4. Bc6 dc6 5. Nc3 Nf6 (5... fe4 6. Ne4 Nf6 7. Qe2 Bg4 8. d3±) 6. Qe2 Bd6 7. ef5 (7. d4 Bb4!=) 0−0 8. d3 Bf5 9. Bg5 Qe7!? N (9... Qe8 − 69/(308)) 10. Ne4 Qf7 11. Bf6 gf6 (Savićević 2350 − V. Milanović 2350, Ulcinj 1997) 12. Nh4 Bd7 13. g4!±; 4. Nc3 Nf6 5. Qe2 Bc5 6. ef5 Qe7 a) 7. d3 0−0!? N (7... Nd4) a1) 8. Bg5?! Nd4! 9. Nd5 Ne2 10. Ne7 Be7 11. Bc4 d5! (11... Kh8 12. Ke2 d6 13. g4±) 12. Bf6 dc4 13. Be7 Re8 14. Ke2 cd3 15. cd3 Re7 16. g4 e4 17. Ng5 ed3 18. Kd3 Bd7∞ Misailović 2390 − V. Milanović 2350, Ulcinj 1997; a2) △ 8. Bc6; b) 7. Bc6! dc6 8. d3 Bf5 9. Bg5± V. Milanović] **fe4 5. Bc6** [5. Ne5!? Ne5 6. de5 c6 7. Nc3!? cb5 8. Ne4 d5 9. ed6 Nf6 10. Qd4 Be7! 11. Bg5 Bf5 12. 0-0-0!? Be4 13. Rhe1∞] **dc6** [5... ef3?! 6. Bf3±] **6. Ne5 Bf5!?** N [6... Qh4 7. Nc3 Nf6 8. h3 Nd5! 9. 0−0 Nc3 10. bc3 Bd6 11. Qe1!? Be5! 12. de5 Bf5 13. c4 c5 14. Qe3 b6 15. f4 h5= Short 2645 −

Je. Piket 2625, Dortmund 1995] **7. 0−0 Bd6 8. Qh5!?** [8. f3? Be5 9. de5 Qd1 10. Rd1 ef3∓] **g6 9. Qe2 Qh4!? 10. Nc3 Nf6 11. f3 Be5! 12. de5 ef3 13. Rf3 Qd4!? 14. Kh1 Ne4!** [14... Ng4?! 15. h3 h5 16. Bg5!±] **15. Ne4 Qe4 16. Rf2 Qe2 17. Re2 Bg4 18. Re1 Rf8 19. Kg1 Be6= 20. Bg5 a5 21. a3** [△ 21. Bf6] **Rf5 22. Bf6 Rf4!? 23. Rad1 b5 24. c3 b4 25. ab4 ab4 26. cb4 Rb4 27. Rd2 Ra2 28. Rd8 Kf7 29. Re2 Rbb2 30. Rb2 Rb2 31. Rh8 h5 32. Rh7 Kf8 33. Rc7 Rc2** [33... Bd5 34. e6! Rb1 (34... Rg2?? 35. Kf1!+−) 35. Kf2 Be6 36. Rc6=] **34. Re7 Bd5 35. e6 Re2 36. Rf7 Ke8 37. Re7 Kf8**

1/2 : 1/2

Matulović

314.* !N C 64

PIKULA 2465 − EHLVEST 2610

Biel (open) 1997

1. e4 e5 2. Nf3 Nc6 3. Bb5 Bc5 4. 0−0 d6 [RR 4... Nd4 5. Nd4 Bd4 6. c3 Bb6 7. d4 c6 8. Ba4 d6 9. Na3 ed4 10. cd4 Ne7 11. Bg5 (11. Nc4!? d5 12. Nb6 ab6 13. ed5 Nd5 14. Re1 Be6 15. Bc2 0−0 16. Qd3 g6 17. Qg3±) f6 12. Bf4 0−0 13. d5! N (13. Nc4 − 21/225) a) 13... Bc5? 14. dc6! bc6? 15. b4!+− R. Berzinsh 2440 − Sakovich 2305, Riga 1996; 14... Nc6±; b) 13... cd5 14. Bb3 (14. ed5 Bc5 15. Nc2 Ng6 16. Be3 Be3 17. Ne3 Bd7 18. Bb3 Qb6= △ 19. Nc2 a5! 20. Qd4 Qd4 21. Nd4 a4 22. Bc2 Ra5!) Be6 (14... Kh8 15. Bd5±) 15. ed5 Bf7 16. Nb5 Bc5 17. Qd2 (17. Re1 Qb6!) a6 18. Nc3 Ng6 19. Be3 Be3 20. Qe3 Re8 21. Qd4 Qe7 22. a4± R. Berzinsh] **5. c3 Bd7 6. d4 Bb6 7. Bg5 f6 8. Be3 Nge7 9. a4!?** N [9. Nbd2 − 60/322] **a6 10. Bc4 Bg4 11. d5 Nb8 12. h3** [12. Bb6! cb6 13. Be2 △ Nfd2-c4±] **Be3** [12... Bh5 13. Bb6! cb6 14. Be2±] **13. hg4** [13. fe3 Bh5=] **Ba7 14. g3 Qd7** [14... Qc8!?] **15. Nh4 h5 16. Nf5**□ [16. gh5? Qh3 17. Qf3 g5!∓] **Kf7** [16... Nf5 17. ef5! (17. gf5? Qf7 △ Nd7, g6∓) e4! 18. Kg2 hg4 19. Qg4 e3 20. fe3 Qf7 △ Nd7-e5∞] **17. Kg2 hg4 18. Ne7** [18. Qg4? g6 19. Ne3 Qg4 20. Ng4 Nd7∓⊥] **Ke7 19. Be2 f5 20. Nd2!** [20. ef5? Qf5 21. Bg4 Qh7 22. Rh1 Qh1 23. Qh1 Rh1

24. ♔h1 ♗f2] **g6 21. ef5** [21. ♖h1 ♖h5!?]
gf5 22. ♖h1 ♘c6! 23. ♕c2 [23. dc6 ♕c6
24. f3 ♕c5∓] ♖af8!? [23... e4 24. ♗g4 fg4
25. dc6 ♕c6 26. ♕e4=] **24. f3 gf3 25. ♘f3**
♘d8 26. ♘h4?!** [26. ♖h8 ♖h8 27. ♘h4
♖h4□ 28. gh4 e4∞] ♖hg8 **27. ♖af1 ♖g5**
28. g4 ♔e8?⊕ [28... f4 29. ♘g6 ♔e8∓
×g4] **29. ♖f5?** [29. ♘f5!+−] ♘f7!□ **30.**
♖hf1 ♖fg8= **31. ♕e4**   1/2 : 1/2
Ehlvest

315.***** !N   C 67

KOSTAKIEV − KIRKOV

corr. 1997

1. e4 e5 2. ♘f3 ♘c6 3. ♗b5 ♘f6 4. 0−0
♘e4 **5. d4** [RR 5. ♖e1 ♘d6 6. ♗c6 dc6 7.
♘e5 ♗e7 8. d4 0−0 9. ♘d2 ♘f5 10. ♘df3
(10. c3!? △ 10... c5 11. dc5 ♗c5 12. ♕f3)
♗e6 *a)* 11. c4?! ♕e8! N (△ ♖d8; 11...
♗f6) 12. b3 (12. ♕b3 b5!∓) ♖d8 13. ♗b2
♗c8! (△ f6; 13... f6?! 14. ♘g6!=; 13...
♘d4?! 14. ♘d4 c5 15. ♕f3 cd4 16. ♕b7∞;
13... c5?! 14. d5 c6 15. de6! ♖d1 16. ef7
♖f7 17. ♖ad1 ♖f6∞) 14. ♕c2 f6! 15. ♘d3
♕f7 16. ♖e2 ♖fe8! 17. ♖ae1 ♗f8∓⊕ ×d4
Kviriashvili 2305 − Nadanian 2475, Yere-
van 1997; *b)* 11. c3 c5= Nadanian] ♘d6 6.
♗c6 dc6 7. de5 ♘f5 8. ♕d8 ♔d8 9. ♘c3
♗e6 [RR 9... h6 10. h3 ♔e8 11. ♗f4 ♗e6
12. g4 ♘e7 13. ♘d4!? N (13. ♗g3 −
59/537) ♘d5 14. ♘e6 fe6 15. ♗d2 ♗c5 16.
♘e4 ♗d4 17. ♖ae1 b6 18. c3 ♗e5 19. f4
♗d6 20. c4 ♘e7 21. ♘d6± Kindermann
2530 − Smejkal 2500, Passau 1996; 9...
♔e8 *a)* 10. ♘e2 ♘e7 11. ♖e1 N (11. h3 −
20/287) ♗g4 12. ♘fd4 c5! 13. ♘b5
♔d7!= Gi. García 2485 − Miles 2550, Li-
nares 1997; *b)* 10. h3 a5 11. ♖d1!? N (11.
b3 − 53/321) a4 12. g4 ♘e7 13. ♔g2 ♘g6
14. ♖d4 ♗e7 15. ♔g3 (15. ♖a4? ♖a4 16.
♘a4 h5 17. ♔g3 hg4 18. hg4 ♗h4 19.
♘h4 ♖h4 20. f3 ♖h1∓) h5 16. ♗g5 hg4
17. hg4 f6 18. ♗f4 f5 19. g5 a3 20. b3
♗e6∞ Z. Almási 2595 − A. Aleksandrov
2615, Pula 1997] **10. ♘g5 ♗c4** [10... ♔e7!?
− 64/(305)] **11. ♖d1** [11. g3? ♗b4∓; 11.
♗f4? ♗b4∓; 11. a3?! ♗f1∞; 11. ♘ce4!?;
11. g4!?; 11. b3!?; 11. ♖e1!?] **♔e8 12. b3!**
[△ ≫; 12. ♗f4 ♗b4] **♗b4** [12... h6 13. bc4
hg5 14. ♖b1 b6 15. ♗g5±] **13. bc4!** [13.

♘a4? ♗e2; 13. ♘ce4? ♗e2] ♗c3 **14. ♖b1**
b6 [14... ♖b8!?; 14... h6!?]

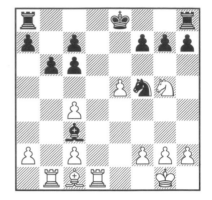

15. g4! N [15. ♖b3?!= Minčev − Kirkov,
corr. 1997; 15. f4!?; 15. ♗f4!?] ♘h4 [15...
♘h6 16. e6; 16. ♖b3; 15... ♘d4 16. ♖d3!?;
16. ♔g2!?; 16. ♘e4!?] **16. ♖b3!** [16. f4?;
16. e6?] ♗a1 [16... h6 17. ♖c3+−; 16...
♗a5 17. ♖bd3+−; 16... ♗e5 17. ♖e1±] **17.**
♗a3! [17. ♗f4? ♗g6∓] **♗e5** [17... h6 18.
♘f3! ♘f3 19. ♖f3+−; 17... f6 18. ef6 gf6
19. ♖e3+−; 17... h5 18. ♖a1+−] **18.**
♖e3!+− f6 19. f4! [19. ♘e6!?] ♖d8 [19...
fg5 20. ♖e5; 19... c5 20. ♘h3] **20. ♖d8**
♔d8 21. ♘f7 ♔c8 [21... ♔d7 22. fe5!] **22.**
fe5 [22... ♖e8 23. ef6! ♖e3 24. fg7 ♖e8 25.
♗f8 ♘g6 26. g8♕]   1 : 0
Kostakiev, Ki. Georgiev

316.**** !N   C 68

KARAKLAJIĆ 2380 −
LIN WEIGUO 2470

Beijing (open) 1997

1. e4 e5 2. ♘f3 ♘c6 3. ♗b5 a6 4. ♗c6 dc6
5. 0−0 ♗g4 [RR 5... ♗d6 6. d4 ed4 7.
♕d4 f6 8. ♗e3 ♗e6 9. ♘bd2 ♘e7 10.
♕c3! N (10. ♖ad1 − 68/(291)) 0−0 (10...
♘g6 11. ♘d4 ♗f7 12. ♘f5 0−0 13. ♘c4
♘e7 14. ♘fd6 cd6 15. ♖ad1 d5 16. ♘b6
♖b8 17. ♗c5 ♖e8 18. ♕b4± Prié) *a)* 11.
♘d4 ♗f7 12. ♖ad1 *a1)* 12... ♕c8 13. ♘c4
b5 14. ♘d6 cd6 15. ♗f4± O. Renet 2505 −
P. Hába 2520, Pula 1997; *a2)* 12... ♕e8!
13. ♘c4 c5 14. ♘b3 ♕c6= Valerga 2445
− H. Van Riemsdijk 2395, Buenos Aires
(open) 1997; *b)* 11. ♘c4 *b1)* 11... ♕e8 12.
♘d6 (12. ♖ad1 ♗c4 13. ♕c4 ♕f7±) cd6

13. ♕b4 ♕d7 14. ♖fd1 (14. ♖ad1!? ×a2)
♘c8 (14... d5 15. ♗c5 ♖fe8 16. c4 ♘g6
17. cd5 cd5 18. ed5 ♗d5 19. ♕d2 ♖ad8
20. ♗b6 ♗g4 21. h3 ♗f3 22. hg4 ♖d2 23.
♖d2 ♗g4 24. ♖c1±) 15. ♗f4 ♖d8 (Prié
2465 — Marcelin 2335, Montpellier 1997)
16. e5! fe5 17. ♘e5 ♕e7 18. ♘f3± △ 18...
d5? 19. ♕e7 ♘e7 20. ♖e1 ♘g6 21. ♖e6
♘f4 22. ♖e7+ Prié; b2) ⌐ 11... ♗c4 12.
♕c4 ♔h8 13. ♖ad1 ♕e8 14. ♗c5± Rozen-
talis 2650 — Wedberg 2480, New York
1997] 6. h3 h5 7. d3 ♕f6 8. ♘bd2 ♘e7 9.
hg4! N [9. ♖e1 — 68/(292)] hg4 10. g3!±
g5?! [×f5; 10... ♕h6 11. ♘h4 g5 12. ♘c4!
♕h5 (12... ♘g6? 13. ♕g4 ♗e7 14. ♔g2+−)
13. ♗g5 ♕g5 14. ♘e3 ♖g8□ 15. ♔g2 △
♖h1, ♘hf5+; 10... gf3!?] 11. ♔g2 gf3 12.
♘f3 ♗h6 13. ♖h1 0-0-0 14. ♘h2!± ♖dg8
15. ♗d2 ♔b8 [15... ♘g6 16. ♘g4 ♕g7 17.
♘h6 ♖h6 18. ♕g4! ♔b8 19. ♕g5! ♖h1
(19... ♖h7 20. ♖h7 ♕h7 21. ♖h1+−) 20.
♖h1+−] 16. ♘g4 ♕e6 17. ♕f3 ♖g6 18.
♗c3! ♗g7 [18... f6 19. ♖h5 △ ♖ah1+−]
19. ♖h8 ♗h8 20. ♗b4!? [20. ♖h1 ♗g7 21.
♗b4 ♘g8 22. ♕f5 △ 22... ♕a2? 23.
b3!+−] ♘g8□ 21. ♕f5 ♘h6 22. ♕e6 [22.
♘h6!? ♖h6 23. ♕g5! ♕h3 24. ♔f3 ♖f6
25. ♔e2 ♕g2 26. ♗c5 b6 27. ♗e3 (27.
♕g8?! ♔b7 28. ♕h8 ♕f3 29. ♔d2 bc5∞)
♕f3 28. ♔d2±] ♖e6 23. ♘h6 ♖h6 24. ♖h1
♖h1 25. ♔h1 [♘△ 7/k] g4□ 26. ♔g2 ♔c8
27. f3 gf3 28. ♔f3 ♔d7 29. ♔g4 ♔e6 30.
♗f8! ♗f6 31. ♔h5 ♗d8 32. g4 b6 33.
b4!!±⊙ b5 34. g5 [×♗d8] c5□ 35. ♗c5 c6
36. ♔g4 a5 37. a3 ♗c7 38. c4 a4 39. ♗f8
♗d8 40. ♔h5 ♗b6 41. c5! ♗d8 42.
♗d6+−⊙ f5□ 43. g6 f4 [43... fe4 44. de4
♗f6 45. ♔h6+−] 44. ♔g4 ♗f6 45. ♗f8 f3
46. ♔f3 ♗g5 47. ♗g7! ♗c1 48. ♗e5 ♗a3
49. ♗c3 ♗c1 50. ♔e2 ♗g5 [50... a3 51.
♔d1] 51. ♔d1 ♗e7 52. ♔c2 ♗d8 53. ♗e5!
1 : 0   *A. Simonović, Karaklajić*

317.*   C 68

MEIJERS 2445 —
V. MIKHALEVSKI 2535

Dieren 1997

1. e4 e5 2. ♘f3 ♘c6 3. ♗b5 a6 4. ♗c6 dc6
5. 0-0 ♕d6 6. d4 [RR 6. ♘a3 ♗e6 7.

♕e2 f6 8. ♖d1 c5 9. c3 ♗g4 10. h3 ♗f3
11. ♕f3 ♘e7 12. d4 cd4 13. cd4 ed4 14.
♗f4 ♕d7 15. ♖ac1 ♘c6 16. ♘c2 ♗e7!? N
(16... ♖d8 — 68/(292)) 17. ♕b3! (17. ♘e3
0-0∞) a) 17... g5?! 18. ♗g3 b5 19. ♘e3
♘a5 20. ♕d5!± Glek 2505 — Naumkin
2410, Porto San Giorgio 1997; b) ⌐ 17...
♖b8 18. ♘e3 ♗d6 19. ♗d6 (19. ♘d5!?)
de3 20. ♗a3±; 18. ♕c4!? Glek] ed4 7.
♘d4 ♗d7 8. ♗e3 0-0-0 9. ♘d2 ♘h6 10. f3
f5 11. ♕e2 fe4!? N [11... ♖e8 — 20/295]
12. ♘e4 ♕e5 [12... ♕g6!?] 13. ♗f2 [13.
♖ad1?! ♘g4! 14. fg4 ♕e4∓] ♗e7 14. c3
[△ b4, a4, b5→; 14. ♖ad1!?] ♖he8 15.
♖fe1 ♕h5 16. b4 ♘g8!! [△ ♘f6⊞] 17. a4
♘f6 18. b5?! [18. g4?! a) 18... ♕e5 19.
♗g3 (19. b5 cb5 20. ab5 ♗b5 21. ♘b5
♕b5 22. ♕b5 ab5 23. ♘g5∓) ♕d5 20.
♖ad1 (20. b5 cb5 21. ab5 ♗b5 22. ♘b5
♕b5 23. ♕b5 ab5∓) ♘e4 (△ 21. fe4 ♕g5)
21. ♕e4∓; b) 18... ♕g6 19. b5 ♘e4 20. ba6
♗g4! (20... ♘f2!? 21. a7 ♗g4!! 22. a8♕
♔d7 23. ♕d8 ♔d8 24. fg4 ♘g4∞) 21. ab7
♔b7 22. ♖ab1 ♔c8 23. fg4 ♘f2 24. ♕f2
♕g4∓; 18. ♘f6 ♗f6∓] cb5 [18... ♘e4!?
19. bc6 (19. ba6 ♘f2 20. ab7 ♔b7 21.
♖ab1 ♔a7 22. ♕f2 ♗c5−+; 19. fe4 ♕e2
20. ♖e2 cb5 21. ab5 ♗b5 22. ♘b5 ab5∓;
19. ♕e4 ♗f6 20. ♕c2 ♖e1 21. ♖e1 cb5 22.
ab5 ♗b5∓) ♘f2 20. cd7 ♖d7 21. ♕f2
♗d6∓] 19. ab5 ♗b5 20. c4? [20. ♘b5
♕b5 21. ♕b5 ab5 22. ♘g5! ♖d3! 23. ♘e6
♗d6 24. ♘g7 ♖e1 25. ♗e1 ♘d5∓] ♘e4
21. cb5 [21. ♕e4 ♗b4−+]

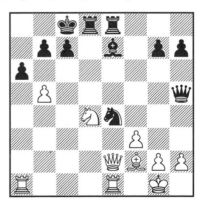

21... ♗d6! [21... ♘f2 22. ba6∞] 22. fe4□
♕h2 23. ♔f1 ♕h1 24. ♗g1 ♖f8 25. ♕f3
[25. ♘f3 ♗c5!−+; ⌐ 25. ♘f5 ♗c5 26.

♕f3□ ♖d2 (26... ♖d3!?) 27. ♖e3□ ♗e3
28. ♕e3 ♕g2 29. ♔e1 ♖e2! (29... ♖e8!?
30. ♘g3 ♖a2) 30. ♕e2 ♕g1 31. ♕f1 ♕f1
32. ♔f1 g6 33. ba6 ba6 34. ♖a6 ♔d7−+]
♖f3 26. ♘f3 ♗c5 27. ba6 ♗g1 28. ab7
♔b7   0 : 1   *V. Mikhalevski*

318.   C 77

JOEL BENJAMIN 2580
− KAIDANOV 2600
USA (ch) 1997

1. e4 e5 2. ♘f3 ♘c6 3. ♗b5 a6 4. ♗a4
♘f6 5. ♘c3 b5 6. ♗b3 ♗e7 7. d3 d6 8.
♘d5 ♘a5 9. ♘e7 ♕e7 10. 0−0 0−0 11.
♗g5!? N [11. ♗d2 − 49/387] h6 12. ♗h4
g5!? 13. ♗g3 ♗g4 14. h3 ♗h5 15. ♕e2
♔g7 [15... ♗g6 16. ♕e3 ♘h5=] 16. ♕e3
♘d7 17. ♘d2 ♘b6 18. c3 ♘b3 19. ab3 a5
20. d4 f6 21. ♕d3 c6 22. f3 ♗f7 23. ♖fd1
♖fb8 24. ♗f2 ♗e6 25. b4 a4 [25... ab4 26.
♖a8 ♘a8 27. cb4±] 26. ♕e2 ♕c7 27. ♗e3
♘c4 28. ♘c4 ♗c4 29. ♕f2 ♕e7 30. ♖d2
♗b3 31. h4± ♗g8 32. de5 fe5 [32... de5!?
33. ♗c5 ♕f7 34. ♖d6 ♖ac8 (34... ♖gd8!?
35. ♖c6 ♖d7) 35. ♕d2±] 33. hg5 hg5 34.
♕g3 ♔f7 35. ♔f2 ♖g7 36. ♖h1 ♕f6 37.
♖h5?! [37. ♕g4! ♗e6 (37... ♔e7 38.
♖h7!+−) 38. ♕h5 ♔e7 39. ♖hd1±] ♖ag8
38. ♗b6?!⊕ [◯ 38. ♔g1] ♔e8 39. ♔g1
♕f4⊕ [39... g4!? 40. ♖f5 ♕h6 41. f4 (41.
♖e5 de5 42. ♕e5 ♗e6−+) ♖h7 42.
♔f2∞] 40. ♕f4 gf4 41. g4 d5? [41...
♖b7□ a) 42. ♖d6 ♖b6 43. ♖e5 ♔f7 44.
♖d7 ♔f6 (44... ♔g6 45. ♖ee7→) 45. ♖f5
♔g6 46. ♖f4 ♖bb8⇆ ✕b2; b) 42. ♗f2 ♖g6
43. ♖h8 ♗g8=] 42. ♖e5 ♖e7 43. ♗e7 [43.
♖f5 (△ 43... ♖f7 44. ♖f7 ♔f7 45. ♖d4+−)
♖h8!?] ♔e7 44. ♖d4 ♔d7 45. e5! [45. ed5
♗d5 46. ♖f4 ♖e8 47. ♔f2 ♖h8 48. ♔g3
♖e8 49. ♗d4 ♖e2 50. c4 (50. g5 ♗c4!) bc4
51. g5 ♖c2 52. g6 c3 53. bc3 a3⇆] ♖f8 46.
e6 ♔e6 47. ♗c7 ♖e8 48. ♗f4+− ♔f6 49.
♔f2 ♖h8 50. ♖d2 ♖h1 51. ♗e3 d4 52.
♗d4 ♔g6 53. ♔g3 ♗d5 54. f4 ♖e1 55.
♖h2 ♖d1 56. f5 ♔f7 57. g5 ♖f1 58. ♖f2
♖g1 59. ♔f4 ♖e1 60. g6 ♔e7 61. f6 ♔e6
62. f7   1 : 0   *Joel Benjamin*

AM. RODRÍGUEZ 2555
− GI. GARCÍA 2485
Yopal 1997

1. e4 e5 2. ♘f3 ♘c6 3. ♗b5 a6 4. ♗a4
♘f6 5. 0−0 ♗c5 6. c3 b5 7. ♗c2 d6 8. a4
[RR 8. d4 ♗b6 a) 9. h3 0−0 10. ♗e3 N
(10. ♗g5 − 68/298) ♗b7 11. ♘bd2 ♖e8
12. d5 ♘e7 13. ♗b6 cb6 14. c4 bc4 15.
♘c4 b5 16. ♘e3 ♘g6= Moróvic Fernán-
dez 2580 − L. Christiansen 2560, New
York 1997; b) 9. a4!? N ♗g4 10. ab5 ab5
11. ♖a8 ♕a8 12. d5 ♘a7 13. h3 ♗h5 14.
♗g5 ♘d7 15. g4 ♗g6 16. ♘h4 h6 17. ♗c1
♕d8 18. ♘f5 ♗f5 19. ef5 ♘f6 20. b3 ♕d7
21. ♕f3 0−0 22. ♘d2 c6 23. dc6 ♕c6 24.
♘e4 ♖c8 25. ♘f6 gf6 26. ♕c6 ♘c6 1/2 : 1/2
Fedorowicz 2510 − Gulko 2580, USA (ch)
1997] ♗g4 9. h3 ♗h5 10. d3 0−0 11.
♘bd2!? N [11. ab5 − 48/(298)] h6 [11...
d5!?] 12. ♖e1 ♖b8 13. ♘f1 d5 14. ab5 ab5
[14... de4? 15. bc6 ef3 16. ♘g3+−] 15.
♘g3 ♗g6 [15... de4? 16. ♘h5±; 15... ♗f3
16. ♕f3 b4 17. ♘f5 bc3 18. bc3 ♔h8 19.
♗a4±] 16. ♘h4!? [16. ed5 ♘d5± △ 17.
♘e5 ♘e5 18. ♖e5? ♗f2!∓] ♖e8? [16... de4
17. de4 ♕d1 18. ♖d1±] 17. ♘g6 fg6 18.
ed5 ♘d5 19. ♘e4 ♗f8 20. ♕g4 ♖b6 21.
♗b3! ♔h7 [21... ♔h8 22. ♗d5 ♕d5 23.
♕g6+−; 21... ♘b8 22. ♗e3 ♖be6 23.
♖a8±; 21... ♘e7 22. ♗e3 ♖c6 23. ♖a5±]
22. ♗d5 ♕d5

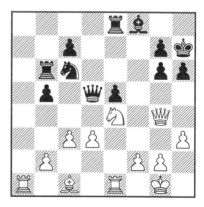

23. ♗h6!! ♗e7 24. ♗e3 ♖bb8 25. ♖a6
♗d8 [25... ♖a8 26. c4!+− ✕♘c6] 26. ♗g5
♖b6 27. ♖a8 [27. ♖b6] ♔g8 28. ♗e3 ♘d4

29. ♗d4 ♖be6 [29... ♕a8 30. ♗b6 cb6 31. ♕g6+−; 29... ed4 30. ♘f6+−] 30. ♖d8 ♖d8 31. ♗e3 ♖a6 32. ♘g5 ♕d3 33. ♕h4 ♕c4 34. ♕h7 ♔f8 35. ♕h8 ♔e7 [36. ♕g7+−]   1 : 0   *Am. Rodríguez*

320.   C 78

Z. ALMÁSI 2595 −
DEGRAEVE 2515

Pula 1997

1. e4 e5 2. ♘f3 ♘c6 3. ♗b5 a6 4. ♗a4 ♘f6 5. 0−0 ♗c5 6. c3 b5 7. ♗b3 d6 8. a4 ♗g4 9. h3!? ♗h5 10. d3 ♖b8 11. ab5 ab5 12. ♖e1!? N [12. ♗e3 − 68/299] h6 13. ♘bd2 g5? [13... b4? 14. ♗a4; 13... 0−0 14. ♘f1 b4 15. ♗a4!±] 14. g4!± ♕c8!? [14... ♗g4 15. hg4 ♘g4 16. d4!+−; 14... ♘g4 15. hg4 ♗g4 16. ♘f1+−; 14... ♗g6 15. ♘f1 △ d4, ♘g3-f5±↑] 15. ♘h2! [15. gh5? ♕h3↑; 15. d4!?] ♗g6 16. ♘df1 ♖d8 17. d4 ♗b6 18. ♘g3 ♘e6 19. ♘f3! ♘f4□ 20. ♗f4 [20. ♔h2 h5!] gf4 [20... ef4 21. ♘f5±] 21. ♘f5 ♘e4? [21... h5 22. de5 hg4 (22... de5 23. ♘e5+−) 23. ef6 gf3 24. ♕f7 ♕d8 25. ♘g7 ♔f8 26. ♕f4+−] 22. ♖e4 ♗f5 23. gf5 ♕f5 24. ♕d3!+− ♔f8 [24... ♕h3 25. ♘e5!] 25. ♔h2 ♖g8 26. ♕e2 b4 27. ♗c2 bc3 28. bc3 ed4 29. cd4   1 : 0
Z. Almási

321.   C 78

LÉKÓ 2600 − GI. GARCÍA 2485

Yopal 1997

1. e4 e5 2. ♘f3 ♘c6 3. ♗b5 a6 4. ♗a4 ♘f6 5. 0−0 ♗c5 6. c3 b5 7. ♗b3 d6 8. a4 ♗g4?! [8... ♖b8] 9. h3 ♗f3!? N 10. ♕f3 0−0 11. d3 [11. ab5 ab5 12. ♖a8 ♕a8 13. d3 b4⇆] ♘a5 [11... b4? 12. a5!±] 12. ♗c2 b4 13. ♘d2 [△ ♘b3] ♖b8 14. ♖e1 [14. ♕d1!? d5!∞] h6?! [14... ♕d7!? 15. ♕d1!±] 15. ♖b1! b3!? [15... ♘h6 16. ♘b3±] 16. ♗d1 ♕d7 17. ♖a1 [17. ♘f1?! ♘h7∞] ♘h7 18. ♕g3! ♔h8 [18... f5? 19. ef5 ♕f5 20. ♘e4+−] 19. ♗g4→ ♕d8 [19... ♕e7 20. ♘f3→; 20. ♘f1!?±] 20. ♘f3 ♘c6! [20... ♘f6 21. ♘h4] 21. ♘h4 ♘e7 22. ♖d1! ♘f6 23. d4 ♗a7 [23... ♘e4? 24. ♕e3] 24. ♕d3!± a5 [24... ed4 25. cd4 ♘c6

26. ♘f5→] 25. ♗e3 ed4 26. cd4 ♘g4 27. hg4 ♕d7 28. ♘f5 ♘f5 29. gf5 ♖b4 30. ♖ac1! [30. f6?! gf6! 31. ♗h6 ♖g8⇆] ♗b6 31. ♖c3 f6 [31... ♕a4?!

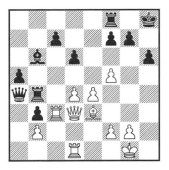

32. ♗h6! (32. f6 ♕b5∞) gh6 (32... ♗d4?! 33. ♗g7! ♗g7 34. ♕h3 ♔g8 35. f6!+−) 33. ♕d2 ♔g7□ (33... ♔h7 34. ♖h3+−) 34. ♖g3 ♔f6 35. ♕h6 ♔e7 36. f6 ♔e8 37. ♖h3!! (△ ♕f8!) ♖g8 38. ♕g7! ♖g7 39. fg7 ♗d4 40. g8♕ ♔e7 41. ♕g5 ♔d7 42. ♕f5±] 32. ♖b3 ♖a4 [32... ♕a4!? 33. ♖b4 ♕b4± 33. d5!± ♗e3 34. ♕e3 ♖e8 35. f3 ♖c4! 36. ♖c1! ♕a4 [36... ♖c1 37. ♕c1±] 37. ♖c4 ♕c4 38. ♕c3! [38. ♖c3 ♕b4] ♕c3 [38... ♕e2 39. ♖b7!+−] 39. ♖c3 ♖c8 [39... ♖b8!? 40. ♖c7 ♖b2 41. ♖a7 ♖a2 42. ♖a6±] 40. b3! ♔g8 41. ♔f2 ♔f8 42. ♔g3!+− g6 [42... ♔e7 43. ♔g4] 43. fg6 ♔g7 44. ♔f4 ♔g6 45. g4 ♖b8 [45... ♔f7 46. ♔f5] 46. ♖c7 ♖b3 47. ♖a7 ♖b8 48. ♖a5 ♖b6 49. ♖a7 ♖b8 50. ♖d7 ♖b6 51. ♖d8 ♖a6 52. ♖g8 [52... ♔f7 53. ♖c8]
1 : 0   *Lékó*

322.**** !N   C 78

E. MORTENSEN 2455
− MI. ADAMS 2680

Køge 1997

1. e4 e5 2. ♘f3 ♘c6 3. ♗b5 a6 4. ♗a4 ♘f6 5. 0−0 b5 6. ♗b3 ♗c5 [RR 6... ♗b7 7. c3 h6 8. d4 d6 9. ♖e1 g6 10. a4 ♗g7 11. de5!? (11. d5 − 69/321) de5 12. ♕d8! N (12. ♕e2) ♖d8 (12... ♘d8 13. ♘e5 ♘e4 14. ♘f7 ♘f7 15. ♘d2 0−0 16. ♘e4 ♖fe8 17. f3) 13. ab5 ab5 14. ♘a3 b4 15. ♘b5 (△ 15... ♖d7? 16. ♘a7!) ♖c8 (M. R. Savić 2430 − V. Vujošević 2430, Jugoslavija 1997) 16. cb4! 0−0 17. ♗d2± V. Vujoše-

205

vić] **7. c3** [7. ♘e5 ♘e5 8. d4 ♗d4 9. ♕d4 d6 *a)* 10. c4 bc4! N (10... c5 — 63/(288)) *a1)* 11. ♗c4?! c5 12. ♕c3 (12. ♕d1?? ♘c4 13. ♕a4 ♗d7 14. ♕c4 ♗b5—+ Hellers 2585 — Mi. Adams 2665, Århus 1997) ♘e4 13. ♕c2∓; *a2)* 11. ♗a4 ♗d7 12. ♗d7 ♕d7 13. f4?! c5 14. ♕c3 ♘d3 15. ♕c4 ♕b5!; 13. ♘c3∞; *b)* RR 10. c3 c5! N (10... ♗b7 — 67/429) 11. ♕e3 (11. ♕d1!? ♗b7 12. f3∞) 0—0 12. ♘d2 ♖e8 13. f3 ♗b7 (△ d5; Holmov 2465 — Lomineshvili 2385, Moskva 1997) 14. ♖d1!? ♕c7 15. ♘f1= Holmov] **d6 8. d4 ♗b6 9. ♗g5** [RR 9. de5 N ♘e5 10. ♘e5 de5 11. ♕d8 ♔d8 12. ♗f7 ♖f8 13. ♗d5 ♘d5 14. ed5 ♗b7 15. a4 ♗d5 16. ab5 ab5 17. ♖a8 ♗a8 18. ♗e3 ♗e3 19. fe3 ♖f1 20. ♔f1 ♔e7 21. ♘d2 ♗d5 1/2 : 1/2 M. Kamiński 2540 — Malanjuk 2615, Polanica Zdrój 1997; 15. ♗e3!?] **h6 10. ♗d5?! N** [10. ♗h4 — 63/(296)] **♗d7 11. ♗f6** [11. ♗h4 g5 12. ♗g3 ed4∓] **♕f6 12. ♘a3** [12. a4!?] **♖d8 13. ♘c2 0—0 14. ♕d3 ♗e7 15. ♗b7?!** [15. ♘e3∓] **a5!** [15... ♘g6 16. ♗a6 ♘f4 17. ♕e3 ♗h3 18. ♘ce1 ♕g6 19. ♘h4 ♕g4 20. ♔h1 ♕h4 21. gh3∓] **16. ♘e3 ed4** [△ 16... a4∓] **17. cd4 a4 18. ♘d5 ♘d5 19. ♗d5** [19. ed5 ♗f5 20. ♕b5 ♖b8→] **c6 20. e5□ de5 21. de5 ♕e7 22. ♗e4 ♗e6 23. ♕c2 c5 24. b3** [24. ♗f5 c4 25. ♗e6 ♕e6∓] **ab3 25. ab3 c4 26. bc4 ♗c4∓ 27. ♖fe1 ♖c8 28. ♖a6?!** [28. ♗d3 ♗d5 29. ♕e2 b4 30. ♗e4∓; 28. ♕b2!?] **♕c5!** [△ b4-b3] **29. ♖aa1** [29. ♗f5 ♖a8 30. ♖a8 ♖a8 31. e6 fe6 32. ♗e6 ♗e6 33. ♕c5 ♗c5 34. ♖e6 ♖a2∓] **b4 30. h3 b3 31. ♕b2 ♗e6!—+ 32. ♖ed1 ♖fd8 33. ♖d8 ♖d8 34. ♖c1 ♕b4 35. ♖e1 ♗d4 36. ♕b1** [36. ♖d1? ♗f2] **♗c3 37. ♖e3 b2 38. ♔h2 ♕a5 39. g3 ♗a2 40. ♕f1 ♕b4 41. ♔g2** [41. ♗b1 ♗c4 42. ♕g1 ♗b3 △ ♖d1] **♕e4! 0 : 1** *Mi. Adams*

323.

N. McDONALD 2490
— B. LALIĆ 2585

London 1997

1. e4 e5 2. ♘f3 ♘c6 3. ♗b5 a6 4. ♗a4 ♘f6 5. 0—0 b5 6. ♗b3 ♗c5 7. ♖e1?! d6 [7... ♘g4!? 8. ♗f1] **8. c3 ♗b6?! N** [△ 8... 0—0 9. d4 ♗b6 10. h3 ♗b7; 8... ♗g4 — 62/368] **9. a4! ♖b8** [9... ♗b7 10. ♘a3] **10.**

ab5 ab5 11. ♘a3 ♘a5□ [11... b4? 12. ♘c4±; 11... ♗a6? 12. d4± ✕♗a6; 11... 0—0?! 12. ♘b5 ♗f2 13. ♔f2 ♖b5±⊞⊞] **12. ♗a2** [12. ♘b5?? ♘b3 13. ♕b3 c6—+] **b4** [12... c6?! 13. b4±] **13. cb4 ♘c6 14. b5 ♘d4 15. h3 ♘f3 16. ♕f3 0—0 17. d3 h6** [△ 17... ♗e6 18. ♗c4 ♗d4 19. ♘c2 ♘d7] **18. ♗e3 ♗e6 19. ♗c4 ♖e8 20. ♖ac1 ♗a5 21. ♖ed1 d5 22. ed5 ♘d5 23. ♗a7?** [23. ♗c5 △ 23... ♘f4 24. b4±] **♖a8 24. ♗c5 ♘f4!⇆ 25. d4!** [25. b4?! ♗b6 ✕♘a3] **♕g5 26. de5 ♘h3 27. ♔f1 ♗g4!□ 28. ♗f7?** [✕e2; 28. ♕f7 ♔h8 29. ♗e3! ♕e5 30. gh3 ♗d1 (30... ♗h3? 31. ♔g1 ♕b2? 32. ♗d4+—; 30... ♖f8 31. hg4! ♖f7 32. ♗f7 ♖f8 33. ♖d7 ♕b2 34. ♘c4 ♕b5 35. ♖d5!+—⊥ N. McDonald) 31. ♖d1 (△ 31... ♖f8? 32. ♕e6 ♕e6 33. ♗e6 ♖ae8 34. ♗c5!) ♗b6!□⊠ ✕♔f1] **♔h8 29. ♕e3?⊕** [29. ♗e3 ♗f3 30. ♗g5 ♗d1 31. ♗e8 ♘g5 32. ♗c6 ♖d8∓⊥] **♖e5!—+ 30. ♘c4** [30. ♕g5 ♗e2#] **♖e3 31. ♗e3 ♘f4 32. g3 ♗d1 33. gf4 ♕f5 0 : 1** *B. Lalić*

324.*　　　　　　C 78

SLAVO. MARJANOVIĆ 2390
— PETRONIĆ 2490

Jugoslavija 1997

1. e4 e5 2. ♘f3 ♘c6 3. ♗b5 a6 4. ♗a4 ♘f6 5. 0—0 b5 6. ♗b3 ♗c5 7. a4 ♗b7 8. d3 0—0 9. ♘c3 ♘a5 [RR 9... b4 10. ♘d5 ♘d5 11. ♗d5 d6 12. a5 ♖b8 13. ♗e3 N (13. c3 — 62/370) ♗e3 14. fe3 ♘e7 15. ♗b3 ♘g6 16. ♕e1 ♗c8 17. h4 ♗e6= Mi. Adams 2680 — Emms 2530, Great Britain (ch-play off) 1997] **10. ♘e5 ♘b3 11. cb3 d5** [11... b4! — 69/(319)] **12. d4!? N** [12. ♗g5 — 51/322] **♗e7** [12... ♗b6 13. ab5; 12... ♗d6] **13. ed5 b4 14. ♘e2 ♘d5 15. ♘g3± f6 16. ♘c4** [16. ♘d3!?] **f5** [16... ♕d7!?] **17. ♘a5! ♖b8 18. ♘b7 ♖b7 19. ♕f3** [19. ♕d3 f4±] **f4 20. ♘e4 ♖b6 21. ♗d2 ♕d7 22. ♖ac1±** [22. ♖fe1] **g5** [22... ♖e6!?] **23. h3 ♖h6** [23... ♖e6; 23... ♕f5 24. ♖fe1] **24. ♖fe1 ♕h4?!** [24... c6] **25. ♘c5 ♗c5 26. ♖c5 c6 27. ♖e5 h6 28. ♕e4** [28. ♕d3] **f3** [28... ♖f6 29. f3] **29. ♕g6 ♔h8 30. ♕c6 ♘f6 31. ♗b4 fg2** [31... ♖d4 32. ♕d7 ♘d7 33. ♗c3 ♖d1 34. ♖e1+—] **32. ♖c3⊕** [32. ♖e6+—] **♖d8?⊕** [32... ♖f7

33. 罩e6+−; 32... 豐d4 33. 罩e6 豐d1 34. 含g2 豐d5 35. 豐d5 Ⓓd5 36. 罩h6+−] 33. 豐f6 含g8 34. 罩e7 豐e7 35. Ⓔe7　1 : 0

Slavo. Marjanović

325.*** !N　C 78

J. POLGÁR 2670 − SHIROV 2700

Tilburg 1997

1. e4 e5 2. Ⓢf3 Ⓢc6 3. Ⓔb5 a6 4. Ⓔa4 Ⓢf6 5. 0−0 b5 6. Ⓔb3 Ⓔc5 7. a4 罩b8 8. ab5 ab5 9. Ⓢe5 Ⓢe5 10. d4 Ⓔd4 11. 豐d4 d6 12. f4 Ⓢc6 [12... c5?! N 13. 豐d1 Ⓢg6 14. e5! Ⓢg4 15. Ⓔf7! 含f7 16. e6! Ⓔe6 17. f5 Ⓢ6e5 18. fe6 含e6 19. Ⓢc3 Ⓢf6 20. Ⓔg5± Bezgodov 2570 − Potapov 2455, Perm' 1997] 13. 豐c3 Ⓢe7 14. 罩a7 [14. 豐d3 N 0−0 15. Ⓢc3 c5 16. Ⓢb5 Ⓢe4 17. 豐e4 罩b5 18. 罩a7 c4 19. Ⓔc4 d5 20. 豐e7 dc4 21. 豐d8 罩d8 22. 罩a8 罩f8 23. 罩a4 Ⓔe6= G. Kasparov 2795 − Topalov 2725, Novgorod 1997; 14. e5 Ⓢe4 15. 豐e1!? N (15. 豐e3 − 69/318) Ⓢc5 16. Ⓔa2!? 0−0 17. b4 Ⓢa4 18. Ⓢc3 de5 19. Ⓢa4 ba4 20. fe5 Ⓢc6 21. c3 豐e7 22. Ⓔd5 Ⓢe5 23. 罩a4± Hjartarson 2605 − Stefánsson 2545, Reykjavík 1997] c5! N [Tkachiev; 14... Ⓔb7 15. f5? − 69/(318); 15. e5!?↑] 15. e5 Ⓢfd5! [15... Ⓢe4 16. 豐d3 Ⓔf5 17. 罩e7! 豐e7 18. Ⓔd5] 16. Ⓔd5 Ⓢd5 17. 豐g3 [17. 豐f3 c4!] 0−0 18. Ⓢc3 [18. f5 de5] Ⓢe7? [18... Ⓢc3 19. bc3 (19. 豐c3 Ⓔf5=) Ⓔf5=] 19. ed6 Ⓢf5 [19... 豐d6? 20. 罩d1 豐f6 21. f5! (21. Ⓢe4 豐e6 22. Ⓢc5 豐b6) 罩b7 22. 罩b7 Ⓔb7 23. Ⓔg5 Ⓢf5 24. Ⓔf6 Ⓢg3 25. Ⓔe7 b4 26. Ⓔf8 含f8 27. hg3 bc3 28. bc3±] 20. 豐f2 豐b6? [20... 豐d6 21. Ⓢe4 豐g6±] 21. 罩c7 Ⓢd4 [21... 豐d6 22. 豐c5 豐g6 23. Ⓢb5 Ⓔb7 24. 罩f2 Ⓢh4 25. 豐g5±] 22. f5 b4? [22... Ⓔf5 23. Ⓔf4 Ⓔe6 24. Ⓢe4±] 23. f6 g6 [23... bc3 24. fg7+−] 24. Ⓢd5 豐d6 25. Ⓢe7 含h8 26. Ⓔh6　1 : 0

J. Polgár

326.　C 78

LÉKÓ 2635 − SHIROV 2700

Tilburg 1997

1. e4 e5 2. Ⓢf3 Ⓢc6 3. Ⓔb5 a6 4. Ⓔa4 Ⓢf6 5. 0−0 b5 6. Ⓔb3 Ⓔc5 7. a4 罩b8 8.

ab5 ab5 9. Ⓢe5 Ⓢe5 10. d4 Ⓔd4 11. 豐d4 d6 12. f4 Ⓢc6 13. 豐d3!? N 0−0 14. Ⓢc3 Ⓢb4! [14... 罩e8 15. e5! (Lékó) de5 16. 豐d8 Ⓢd8 (16... 罩d8 17. fe5 Ⓢe5 18. Ⓔf4 罩e8 19. 罩ae1±) 17. fe5 罩e5 18. Ⓔf4 罩e7 19. Ⓢb5! Ⓢe6 (19... 罩b5 20. 罩a8±) 20. Ⓔe6 fe6 21. c4±] 15. 豐g3 [15. 豐e2!?] c5 16. e5 Ⓢh5! [16... c4? 17. ef6 豐f6 18. f5! cb3 19. Ⓔg5 豐e5 (19... 豐d4 20. Ⓔe3 豐f6 21. 罩ad1 豐e5 22. Ⓔf4 豐c5 23. 含h1 bc2 24. 罩de1+− △ 24... 罩d8 25. Ⓔd6) 20. Ⓔf4 豐c5 (20... 豐d4 21. 含h1±) 21. 含h1±] 17. 豐f3 [17. 豐f2!? c4 18. Ⓔa2 de5 (18... Ⓔf5?! 19. Ⓔb1±) 19. fe5 f6∞] c4 18. 豐h5 [18. Ⓔa2 g6∞] cb3 19. cb3 [19. f5 de5! 20. f6 豐d4 21. 含h1 (21. 罩f2 gf6!) 豐g4 22. 豐g4 Ⓔg4∓] de5 20. 豐e5? [20. fe5 豐d4 21. 含h1 Ⓢd3 22. 豐f3 Ⓢe5 23. 豐f4=] Ⓔb7!∓ 21. 罩d1 豐c8! [21... 豐b6 22. Ⓔe3 豐c6 23. 罩d2∞] 22. 豐e2 [22. 豐d6? 豐g4! 23. 罩d2 (23. 豐d2 罩bd8−+) 罩be8 24. 豐b4 罩e1 25. 含f2 罩fe8!−+] 罩e8 23. Ⓔe3 豐e6? [23... 豐f5! 24. 罩d2 罩e6 (24... h5!?) 25. g4 (25. 罩ad1 h5 26. 豐f2 罩g6 27. 豐f1 含h7∓) 罩g6 26. h3 h5 27. 豐b5 (27. Ⓔa7 hg4 28. Ⓔb8 gh3 29. 含f1 Ⓔg2 30. 含f2 h2−+) 罩g4 28. 含h2 罩f4∓] 24. Ⓔa7□ 豐c6 25. 豐f3! [25. 豐f2? 罩bd8∓] 豐e6! [25... 豐f3 26. gf3±] 26. 豐e2 [26. 豐f2 罩bd8∞] 豐c6　1/2 : 1/2　*Shirov*

327.***** !N　C 83

Z. ALMÁSI 2595 − KORTCHNOI 2635

Linz 1997

1. e4 e5 2. Ⓢf3 Ⓢc6 3. Ⓔb5 a6 4. Ⓔa4 Ⓢf6 5. 0−0 Ⓢe4 6. d4 b5 7. Ⓔb3 d5 8. de5 Ⓔe6 9. Ⓢbd2 Ⓢc5 10. c3 Ⓔe7 11.

♗c2 ♗g4 [RR 11... d4 12. ♘b3!? N (12. ♘e4 — 66/292) d3 13. ♗b1 ♘b3 14. ab3 ♗f5 15. ♗e3 0—0 a) 16. ♘d4 ♘d4 17. cd4 c5 18. ♗d3 cd4 19. ♗d4 ♕d4 20. ♗f5 ♕b2∞ Ulybin 2555 — Danil'uk 2410, Krasnodar 1997; b) 16. ♗d4 ♕d5 17. ♖e1 ♖fd8 18. ♖e3 ♘d4 19. cd4 c5 20. ♗d3 cd4 21. ♖e2 ♕e6 22. h3! ♕d5? 23. ♘e1! a5 (23... ♖e5? 24. ♖e5 ♕e5 25. ♕f3+−) 24. ♗f5 ♕f5 25. ♘d3± Topalov 2745 — Je. Piket 2630, Antwerpen 1997; 22... ♗b4!=]
12. ♖e1 0—0 13. ♘b3 [RR 13. ♘f1 a) 13... ♗h5 14. ♘g3 ♗g6 15. ♗e3 ♕d7 16. ♗g6!? N (16. h4 — 58/(360)) hg6 17. ♕c2 ♘e6 18. b4 a5 19. a3 ♖fb8 20. ♖ad1 ab4 21. ab4 ♘cd8 22. h4 ♕c6 23. ♕b3 ♕c4 24. ♕c4 dc4 25. ♘e4 ♔f8 26. g3 ♖a3 27. ♔g2± Svidler 2640 — I. Sokolov 2615, Pula 1997; b) 13... ♖e8 b1) 14. ♘e3 ♘e5 15. ♗h7 ♔h7 16. ♕c2 ♔g8 17. ♘e5 ♗h5!? N (17... ♗e6 — 50/369) 18. ♕f5 ♗f6 19. ♘c6 ♗g6 20. ♕g6 fg6 21. ♘d8 ♖ad8= Lékó 2600 — Kortchnoi 2635, Úbeda 1997; b2) 14. h3 ♗h5 15. ♘g3 ♗g6 16. ♘f5 (16. ♗e3 — 57/342) ♘e4!? N (16... ♗f8) 17. ♘e7 ♖e7 18. ♗f4 ♕d7 19. ♘h4 ♘c5 20. ♘g6 hg6∞ Van den Doel 2440 — Timman 2630, Nederland (ch) 1997]
♘e4 14. ♗f4 f6? [14... ♖e8 — 57/343] **15. ef6 ♘f6** [15... ♖f6 16. ♗c7!±] **16. ♕d3 ♕d7 17. ♘e5! N** [17. ♘g5] **♘e5 18. ♗e5 g6□ 19. ♕d4! c6□ 20. f3!** [20. ♘c5 ♗c5 (20... ♕a7 21. b4±) 21. ♕c5 ♖ac8± ♗f5 [20... ♗e6 21. ♘c5±] **21. ♗f5 ♕f5 22. ♕b6! ♕d7 23. a4!** [23. ♘d4 ♖fc8; 23. ♘c5 ♕a7] **♖fc8□ 24. ♕f2!?** [△ ♗d4-c5; 24. ♘d4? ♗d8 25. ♕c5 ♗e7=; 24. ab5 ab5 25. ♖a8 ♖a8 26. ♘d4 ♖c8 27. ♖a1 (27. ♘b5? cb5 28. ♗f6 ♗c5−+) ♕e8!; 24. ♘c5 ♕a7 25. ♕a7 ♖a7 26. ♗d4 ♗c5 27. ♗c5 ♖d7; 24. ♗d4!? ♖cb8 (24... ♖ab8 25. ♘c5±; 24... ba4 25. ♘c5±) 25. ♖e7 ♖b6 (25... ♕e7 26. ♕c6+−) 26. ♖d7 ♘d7 27. ♗b6 ♘b6 28. ab5±] **♖f8 25. ♕d4** [△ ab5] **♕c8 26. ♗g3!** [×c7] **c5?** [26... ♗d8±] **27. ♕e3 ♖f7 28. ab5 d4** [28... ab5 29. ♖a8 ♕a8 30. ♘c5+−] **29. ♕e6!** [29. cd4 c4] **ab5** [29... ♕e6 30. ♖e6+−]

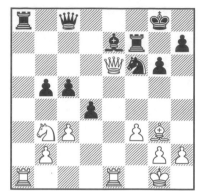

30. ♖a7!!+− dc3 [30... ♕e6 31. ♖a8; 30... ♖a7 31. ♕c8; 30... ♕f8 31. ♖e7] **31. bc3 c4 32. ♘d4 ♘d5 33. ♖ea1!** 1 : 0
Z. Almási

328. !N C 83

TOPALOV 2745 — I. SOKOLOV 2635

Antwerpen 1997

1. e4 e5 2. ♘f3 ♘c6 3. ♗b5 a6 4. ♗a4 ♘f6 5. 0—0 ♘e4 6. d4 b5 7. ♗b3 d5 8. de5 ♗e6 9. ♘bd2 ♘c5 10. c3 ♗e7 11. ♗c2 ♗g4 12. ♖e1 0—0 13. ♘b3 ♖e8 14. ♘c5! N [14. h3 ♘b3 15. ♗b3 (15. ♕d3? ♗f5! 16. ♕f5 g6) ♗e6] **♗c5 15. ♗f4± ♕d7** [15... ♗h5?! 16. ♗b3!] **16. h3 ♗f3** [16... ♗h5? 17. ♗h7! ♔h7 18. ♘g5 ♔g6 19. ♕d3! (19. g4 ♗g4 20. hg4 ♘e5!∞) ♕f5 20. ♕g3+−] **17. ♕f3 ♘d8 18. ♖ad1 c6 19. h4 ♘e6 20. ♗c1 ♖f8 21. ♕g4?!** [21. ♗f5↑] **f5! 22. ef6** [22. ♗f5? ♖f5 23. ♕f5 ♖f8] **♖f6 23. ♗e3 ♖af8 24. ♗c5 ♘c5 25. ♕d7 ♘d7= 26. ♖d2 ♘c5 27. ♖de2 a5 28. g3 ♖f3 29. ♖d1 a4 30. a3 ♘b7 31. h5 ♘d6 32. ♗b1 ♖8f6 33. ♔g2 ♖f8 34. ♖f1 ♘c4 35. ♖fe1 ♘d6 36. ♔g1** 1/2 : 1/2
I. Sokolov

329.* !N C 87

ANAND 2765 — SHORT 2660

Dortmund 1997

1. e4 e5 2. ♘f3 ♘c6 3. ♗b5 a6 4. ♗a4 ♘f6 5. 0—0 ♗e7 6. ♖e1 d6 7. c3 [RR 7. ♗c6 bc6 8. d4 ed4 9. ♘d4 ♗d7 10. ♘c3

0—0 11. h3!? N (11. ♕f3 — 67/436, 437)
c5 12. ♘f3 ♖e8 13. e5 de5 14. ♘e5 ♗d6
15. ♗f4 ♗f5 16. ♖c1 ♖e6 17. ♕f3 ♕e8
18. ♘d3 c4 19. ♖e6 ♗e6 20. ♘e5 ♖b8 21.
♖e1 ♕f8 22. b3 cb3 23. ab3 ♖e8 24. ♘d3
c5 25. ♗d6 ♕d6 26. ♕f4 ♕f4 27. ♘f4
♗f5 28. ♖c1 (Topalov 2725 — Short 2690,
Madrid 1997) ♖d8=] ♗g4 8. d3 ♘d7 9.
♗e3 [9. ♘bd2 — 67/439] ♗f3! N [9...
0—0?! 10. ♘bd2] 10. ♕f3 ♗g5 11. ♘d2
0—0 12. ♗c2 h6?! 13. ♖f1 ♘b6? 14.
♖ad1! [△ ♗b6] ♗e3 15. fe3 g6 16. ♕g3
[16. ♕h3 ♔g7 △ ♘d7] ♕g5 17. ♕h3 ♔g7
18. ♖f3 ♖g8! 19. ♖df1 ♖af8 20. ♗b3 [20.
♖f6 h5! (△ ♕g4) 21. ♕f3 ♘d8 △ ♘d7]
♘d8 21. ♘c4 [21. ♖f6 h5! (△ ♕g4; 21...
♕f6? 22. ♖f6 ♔f6 23. ♕h4! ♔g7 24.
♕e7+−) 22. ♘c4 ♘c4 23. ♗c4 ♕g4 24.
♕g4 hg4 25. g3 (△ ♗b3-d1) ♘e6! 26.
♗e6 fe6= △ 27. ♖e6?? ♖f1 28. ♔f1
♔f7−+] ♘c4 22. ♗c4 ♕e7 23. ♖f6 ♖e8
[23... ♘e6!? a) 24. ♕h4 ♕d8! (△ ♘f4) 25.
♕f2 ♕e7; b) 24. ♗e6 fe6 25. ♖f8 ♖f8 26.
♖f8 ♕f8 27. ♕e6±] 24. ♕h4 ♖gf8 25. b4
[△ a4-a5 ✕b7] ♕d7 [25... ♘e6? 26. ♗e6
fe6 27. ♖f8+−] 26. ♗d5! c6 27. ♗b3
[✕d6] ♘e6 28. ♕g3 ♕d8 [28... ♘f4? 29.
ef4 ♔f6 30. fe5 ♔g7 31. ed6 a) 31... ♖d8
32. ♕e5 ♔h7 (32... f6 33. ♕e7 ♔h8 34.
♖f6+−) 33. ♖f6+−; b) 31... f6 32. c4 △
c5±] 29. ♕f3 ♘g5? [29... ♕e7! 30. h4 ♖d8
(30... ♘f4?! 31. ♖f7 ♖f7 32. ♗f7 ♕f7 33.
ef4) 31. ♕g4? ♕f6! 32. ♖f6 ♔f6; 31. d4±]
30. ♕g4! d5□ [30... ♕f6 31. ♖f6 ♔f6 32.
♕d7 ♖e7 33. ♕d6 ♘e6 34. d4+−; 30...
♖e7 31. h4 ♘h7 32. ♗f7!+−] 31. ed5 cd5
32. h4 ♘h7 33. ♖6f5! f6 34. h5 ♘g5 35.
hg6 ♕d6 36. d4? [36. e4! a) 36... de4 37.
de4 ♔g6 (37... ♕c6 38. ♗d5 ♕c3 39.
♖f6!) 38. ♗d5±; b) 36... d4 37. ♗f7] ♘e4!
37. de5 ♖e5 38. ♖e5 ♕e5 39. ♖f5 [39.
♕d7 ♔g6] ♕c3 40. ♖d5 ♕e3?? [40... ♕e1
41. ♔h2 ♕h1 42. ♔h1 ♘f2 43. ♔h2 ♘g4
44. ♔g3 ♘e5 (44... ♘e3 45. ♖d7 ♔g6 46.
♖b7±) 45. ♖d6! ♔g6 46. ♖b6±] 41. ♔h2
♘g5 42. ♕d7+− [42. ♗c2 ♖e8 43. ♖d7
♖e7 44. ♗e4 ♕e4 45. ♕e4 ♖d7] ♔g6 43.
♗c2 ♔h5 [43... f5 44. ♖d6 ♔h5 45. ♗d1
♔h4 46. ♖h6#] 44. ♕f5! ♔h4 45. ♖d3
[45. ♖d4?? ♕d4 46. g3 ♔h5=] ♕e5 46. g3
♔h5 47. ♗d1 ♕e2 48. ♗e2   1 : 0
Anand

330.   C 87
ČABRILO 2485 — IVKOV 2445
Jugoslavija 1997

1. e4 e5 2. ♘f3 ♘c6 3. ♗b5 a6 4. ♗a4
♘f6 5. 0—0 ♗e7 6. ♖e1 d6 7. c3 0—0 8. d4
♗d7 9. a3 ♖e8 10. ♘bd2 ♗f8 11. ♗c2 a5
12. ♘f1!? N [12. h3 — 5/207] h6 [12...
a4?! (△ 13. ♗a4? ♘d4) 13. ♗g5! △ 14.
♗f6 ♕f6 15. ♗a4±] 13. b3 g6 14. ♘g3
♗g7 15. ♗b2 ♘h7 [15... ♕e7!? △ ♖ad8,
♗c8] 16. h3 ♘g5 17. ♖e3! [✕d4] h5 18.
♘e2 ♗h6 19. ♘g5 ♗g5 20. ♖f3± ♕e7 21.
♗c1 ♖ad8?! [21... ♗c1 △ ♖ad8, ♗c8±]
22. ♗e3 ♗c8 23. ♕d2 ♗e3 24. fe3!± [⇔f,
✕f7, f6] ♖f8 25. ♖af1 ♔g7 26. c4 [△ d5,
♕a5] b6 27. ♘c3 ♕g5 28. ♕f2 h4 29.
♘d5! [29. ♖f7 ♖f7 30. ♕f7 ♔h6⇆ ✕d4,
e3, h3] ♖d7 30. b4! [△ ♗a4] ♘d8 31.
♗a4 c6 32. ♘b6+− ♖c7 33. ♘c8 ♖c8 34.
♖f6 ab4 35. ab4 ♖a8 36. ♗d1 ♖a3 37.
♖d6 ♕e3⊕ 38. ♕e3 ♖e3 39. d5 ♖e4 40.
dc6 ♖c4 41. b5 ♘e6 42. ♗b3 ♖c5 [42...
♖d4 43. ♖e6! fe6 44. ♖f8 ♔f8 45. c7] 43.
♗e6 fe6 44. ♖d7!   1 : 0   *Čabrilo*

331.** !N   C 88
TIMMAN 2630 — HECTOR 2500
Malmö 1997

1. e4 e5 2. ♘f3 ♘c6 3. ♗b5 a6 4. ♗a4
♘f6 5. 0—0 ♗e7 6. ♖e1 b5 7. ♗b3 ♗b7
[RR 7... d6 8. a3 0—0 9. d3 h6!? 10. h3
♗e6!? N (10... ♖e8 — 69/331) 11. ♗e6 fe6
12. ♘bd2 ♕e8 13. a4 ♘d7= Mi. Adams
2680 — Je. Piket 2630, Tilburg 1997] 8.
d4 ♘d4 9. ♗f7 [RR 9. ♘d4 ed4 10. e5
♘e4 11. ♕g4 (11. ♕f3 — 17/317) ♗g5!?
N (11... c5) 12. ♗f4 ♗f4 13. ♕f4 ♘g5 14.
♕d4 ♘e6!? (14... 0—0) 15. ♕d2 ♕h4 16.
♘c3 0—0 17. ♗d5 ♗d5 18. ♕d5 ♕b4 19.
♖ab1 ♖ad8 20. ♘e4 ♘f4= Hellers 2585
— Hector 2500, Malmö 1997] ♔f8 10.
♗d5! N [10. ♗h5?! — 8/253; 10. ♗b3]
♘f3?! [10... c6 11. ♗b3 ♘b3 12. ab3
♕c7±; 10... ♘d5 △ 11. ed5 ♗f6∞] 11.
♕f3 ♗d5 12. ed5 ♗d6 13. ♗g5± ♔f7?!
[△ 13... h6] 14. ♘d2 h6 15. ♗f6 ♕f6 16.
♕h3!+− ♕e7 17. ♘e4 ♖he8 18. c3 ♔g8
19. ♕d3 ♖ab8 20. b4 [△ a4] ♕f7 21. a4

♗f8 22. ab5 ab5 [22... ♖b5 23. ♖ed1] 23.
♖a7 d6 24. ♖ea1 ♖ec8 25. h3 ♔h8 26.
♖1a6 ♕d7 27. ♖c6 ♗e7 28. c4 bc4 29.
♕c4 ♖b6 30. b5 ♖c6 31. dc6 ♕d8 32.
♘c3 [△ ♘d5] ♖a8 33. b6   1 : 0
Timman

332.*** !N   C 88

MI. ADAMS 2680 – KOSTEN 2530
Great Britain (ch) 1997

1. e4 e5 2. ♘f3 ♘c6 3. ♗b5 a6 4. ♗a4
♘f6 5. 0–0 ♗e7 6. ♖e1 b5 7. ♗b3 0–0 8.
h3 [RR 8. a4 ♗b7 9. d3 d6 10. ♘bd2
♘d7 11. c3 ♘c5 *a)* 12. ♗c2?! ♘a4 13.
♗a4 ba4 14. ♕a4 ♔h8 15. d4?! N (15.
♘c4 – 66/301) ed4 16. cd4 (16. ♘d4 ♘d4
17. cd4 f5 18. e5 de5 19. de5 ♗c5∓↑) d5!?
17. e5 ♘b4 18. ♘f1 (O. Korneev 2590 –
G. Giorgadze 2595, Linares 1997) c5!? 19.
dc5 ♗c5 20. ♗e3 d4 21. ♘d4 (21. ♗d4
♗d4 22. ♕b4 ♗f3 23. gf3 ♖b8∓) ♗d4 22.
♕b4 ♕d5 23. f3 ♗e5 24. ♖a5 ♗d6 25.
♗c5 ♗c7! 26. ♗b6 ♕d6 27. ♕d6 (27.
♗c5? ♗a5 28. ♕a5 ♕d5) ♗d6 28. ♗c5
♗c7 29. ♖a3 ♖fe8 30. ♖ae3 ♗c6 31. ♖e7
♔g8 32. ♔f2 ♖e7 33. ♖e7 ♗d8∓⊥⊡ G.
Giorgadze; *b)* 12. ab5 ab5 13. ♖a8 ♕a8 14.
♗c2 b4 N (14... ♗f6 – 68/313) 15. ♘c4
♕a2 16. ♗e3 ♘d7 17. ♗a4 bc3 18. ♖e2
♖a8 19. b3 c2 20. ♖c2 ♖a4 21. ♖a2 ♖a2
22. ♕b1± Svidler 2640 – G. Giorgadze
2595, Pula 1997] ♗b7 9. d3 d6 10. a3
♕d7 [RR 10... ♘b8 11. ♘bd2 ♘bd7 12.
♘f1 h6!? N (12... c5 – 68/311) 13. ♘g3
♖e8 14. ♘f5 ♗f8 15. ♘h2 d5 16. ♘g4
c6= Shirov 2690 – Topalov 2725, Madrid
1997] 11. ♘c3 ♖ae8 12. ♘d5! N [12.
♘e2=; 12. ♗a2 – 68/312] ♘a5?! [12...
♘d5 13. ♗d5 ♘d8±; 12... ♗d8 13. ♗d2
♘d4 14. ♘f6 ♗f6 15. ♗d4 ed4 16. ♕g4±]
13. ♘e7 ♕e7 [13... ♖e7 14. ♗a2 d5 15.
♗g5±] 14. ♗a2 c5 [14... ♗c8!? △ ♗e6]
15. ♘h4! ♘c6 [◻ 15... ♗c8 16. ♗g5 ♗e6
17. ♘f5 ♗f5 18. ef5±] 16. c3 [◻ 16. ♗g5
♗c8 17. ♖e3 ♘d4 18. c3 ♘e6 19. ♘f5
♕d8 20. ♗f6 gf6±] ♗c8 17. ♗g5 ♔h8
[17... h6? 18. ♘g6+–; 17... ♗e6 18. ♘f5
♗f5 19. ef5 ♕d7? 20. ♗f6 gf6 21. ♕g4
♔h8 22. ♕h4 ♕f5 23. ♗d5+–; 19... ♘b8

△ ♘bd7±] 18. ♗d5! ♘d8! [18... ♘b8 19.
♖e3 h6 20. ♗f6 ♕f6 21. ♕h5±→≫] 19.
♘f5 ♕c7? [19... ♗f5 20. ef5 h6 21. ♗h4
g5 22. fg6 fg6 23. ♗b3 ♘e6±] 20. ♗f6 gf6
21. ♕f3 [21. a4!?] ♖g8 22. g3 ♘e6 23.
♔h2 ♘g5 [23... ♖g6!? △ ♘g7] 24. ♕e3
[24. ♕h5 c4] ♖g6 25. a4 ba4 26. ♖a4
♖eg8 [26... ♗f5 27. ef5 ♕d7 (27... ♖h6 28.
♖h4+–) 28. fg6 ♕a4 29. h4+–] 27. ♖ea1
♘e6 28. ♘h4 [◻ 28. ♗c4 △ 28... ♘f4 29.
gf4 ♗f5 30. ef5 ♖g2 31. ♔h1 ♕b7 32.
♕e4+–] ♖g5 29. ♕f3 ♕e7 [29... ♕d8] 30.
♘f5 ♕f8 31. ♖a6! [31. ♗c4 ♘c7] ♘c7?⊕
[◻ 31... ♗a6 32. ♖a6 ♘c7 33. ♘d6 ♘d5
34. ed5+–] 32. ♘d6!+– ♘d5 [32... ♘a6
33. ♕f6 ♖5g7 34. ♘f7 ♕f7 35. ♗f7 ♖f8
36. ♕e5] 33. ♘c8 ♕c8 34. ed5 ♖f5 35.
♕e2 ♕d8 36. c4 ♕f8 37. ♖a8 ♕h6 38.
♔g2 ♖h5 39. d6   1 : 0   *Mi. Adams*

333.*** !N   C 89

Z. ALMÁSI 2615 –
CEŠKOVSKIJ 2500
Jugoslavija 1997

1. e4 e5 2. ♘f3 ♘c6 3. ♗b5 a6 4. ♗a4
♘f6 5. 0–0 ♗e7 6. ♖e1 b5 7. ♗b3 0–0 8.
c3 d5 9. ed5 ♘d5 10. ♘e5 ♘e5 11. ♖e5 c6
[RR 11... ♗b7 12. d4 ♗f6 13. ♖e1 ♖e8
14. ♘a3 b4 15. ♘c4 bc3 16. ♘a5 ♗d4 17.
♖e8! N (17. ♘b7 – 49/402) ♕e8 18. ♘b7
cb2 19. ♗b2 ♗b2 20. ♗d5 ♗a1 21. ♕a1
♕b5 22. ♕d1! ♖e8 23. g3 g6 24. a4 ♕e2
25. ♕b3± Cu. Hansen 2605 – Hector
2500, Malmö 1997] 12. ♖e1 ♗d6 13. d3
♕h4 14. g3 ♕h3 15. ♖e4 ♕d7 16. ♘d2
♗b7 17. ♖e1 [RR 17. ♕f1 c5 18. ♖e1
♔h8 19. ♗d1!? N (19. a4 – 69/332) f5 20.
♗f3 f4 21. g4 ♖ae8∞ Lékó 2635 – Mi.
Adams 2680, Tilburg 1997] c5 18. ♘e4

♗e7 19. a4 b4 20. ♗g5 ♗g5 [20... f6? 21. ♗e3!±] **21.** ♘g5 bc3 **22.** bc3 h6 [22... ♘c3 23. ♕h5 h6 24. ♘e6! ♕c6 25. f3±; RR 22... ♖ad8!? N 23. ♘e4 ♕c6 24. ♕h5 ♘c3 25. ♕c5 ♖d3 26. ♗c4 ♕c5 27. ♘c5 ♖d4 28. ♗f1 ♗c8 29. ♖a3 ♘d5 30. a5 ♘c7 31. ♖c1± J. Polgár 2670 − Mi. Adams 2680, Tilburg 1997] **23.** ♘e4 ♕c6 **24.** ♕h5 ♖ad8

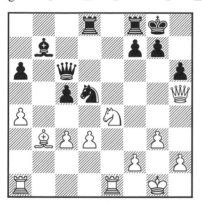

25. ♕f5! N [25. a5 − 69/333] ♘c3?! [25... ♔h8 26. ♖ac1 g6 27. ♕f3±] **26.** ♕c5 ♖d3? [26... ♘e4 27. ♕c6 ♗c6 28. de4 ♖d4 29. e5 ♖b8 30. ♖e3±] **27.** ♗c4!± ♕c5 **28.** ♘c5 ♖d4 **29.** ♗f1! ♗c6 **30.** ♖ec1! [30. a5 ♗b5 31. ♘a6 (31. ♗b5 ab5) ♗f1 32. ♔f1 ♖c4!] ♘a4 [30... ♘e4!? (L. Juhasz) 31. ♘e4 ♗e4 32. ♗a6±] **31.** ♘e6 [31. ♘b3 ♖d6 32. ♖c6 ♖c6 33. ♖a4±] fe6 **32.** ♖c6 ♖f6! **33.** ♗a6! [33. ♗c4 ♘b2 34. ♗e6 ♔h7 35. ♖a5 (△ ♗f5 L. Juhasz; 35. ♖aa6 ♖d1 36. ♔g2 ♖d2) ♖a4 36. ♖aa6±] ♘b2 **34.** ♗c8! ♖d1?!⊕ [◯ 34... e5 L. Juhasz] **35.** ♖d1 ♖d1 [♖ 9/i] **36.** ♖c2! [×♘d1] ♔f7 [36... e5 37. ♗g4 ♖d6 38. ♔f1+−] **37.** ♔g2 ♖f5 **38.** ♗a6! ♖a5?! **39.** ♗e2 ♖a1 **40.** ♗g4! ♔f6 **41.** ♖c6+− ♘b2 **42.** ♖e6 ♔f7 **43.** ♖e3!? [43. ♖b6 ♘d3 44. ♗h5 ♔e7 45. ♖b7 ♔f6 46. ♗f7 ♔g5 47. ♗e2 ♔g6] ♖c1 **44.** ♗e6?! [44. ♗h5!? ♔f6 (44... g6 45. ♗f3+−) 45. ♖f3 ♔e6 46. ♖f7 ♖c5 47. ♗g6+−] ♔f8 **45.** ♖f3 [45. ♖b3 ♘c4] ♔e7 **46.** ♗g8 ♔e8 **47.** ♗f7 [47. ♖f7 ♘d3 48. ♖g7 ♔f8 49. ♗g4 ♖c2 50. ♗h7 ♖f2 51. ♔g1 ♖d2] ♔e7 **48.** ♗d5 ♖d1 **49.** ♗g8 ♖d7 **50.** ♖e3 ♔f8 **51.** ♗e6 ♖d6 **52.** ♖f3 ♔e8 **53.** ♗f7 ♔d8 **54.** ♖e3 ♘d3 **55.** ♗h5 ♘c5 **56.** ♖e8 ♔d7 [56... ♔c7 57. ♗g4] **57.** ♖g8 g5 **58.** ♖g7 ♔e6 **59.** ♖h7

♔e5 **60.** ♗g4 ♘e4 **61.** ♖e7 ♔d4 **62.** ♗f5 ♘f6 **63.** ♖e1 ♖b6 **64.** ♖e3 ♖c6 **65.** ♖a3 ♔e5 **66.** ♖a5 ♔d6 **67.** ♖a8 ♔e5 **68.** ♗g6 ♘d5 **69.** ♗f7 ♘e7 **70.** ♗h5 ♖c8 **71.** ♖a7 ♔f6 **72.** ♗f3 ♖c4 **73.** ♖a6 ♔g7 **74.** ♖e6 ♘g8 **75.** ♗h5 ♖c7 **76.** ♖g6 ♔h7 **77.** h3 ♖a7 **78.** ♖b6 ♔g7 **79.** ♗g4 ♘f6 **80.** ♗f5 ♖f7 **81.** ♖e6 ♖a7 **82.** ♖b6 ♖f7 **83.** ♖a6 ♖b7 **84.** ♔f3 ♖b3 **85.** ♔e2 ♖b7 **86.** ♔d3 ♖c7 **87.** ♔d4 ♖e7 **88.** ♖b6 ♔f7 **89.** h4 gh4 **90.** gh4 ♖a7 **91.** ♖b4 ♖e7 **92.** ♖b5 ♖a7 **93.** ♗d3 ♖d7 **94.** ♔c3 ♘d5?? **95.** ♖d5 ♖d5 **96.** ♗c4 ♔e6 **97.** ♗d5 [97. f4?? ♔f5!=] ♔d5 **98.** ♔d3 ♔e5 **99.** ♔e3 ♔f5 **100.** f4!+− ♔g4 **101.** ♔e4 ♔h4 **102.** f5 ♔g5 **103.** ♔e5 **1 : 0** *Z. Almási*

334. ** !N **C 91**

SUTOVSKIJ 2590 − CH. GABRIEL 2575

Bad Homburg 1997

1. e4 e5 **2.** ♘f3 ♘c6 **3.** ♗b5 a6 **4.** ♗a4 ♘f6 **5.** 0−0 ♗e7 **6.** ♖e1 b5 **7.** ♗b3 d6 **8.** c3 0−0 **9.** d4 ♗g4 [RR 9... ed4 10. cd4 ♗g4 11. ♗e3 ♘a5 12. ♗c2 ♘c4 13. ♗c1 c5 14. b3 ♘a5 15. d5 ♘d7 16. ♘bd2 ♗f6 17. ♖b1 ♗c3 18. h3 ♗f3 19. ♕f3 b4 20. ♖d1 ♖e8 21. ♘f1 c4! N (21... ♕f6 − 16/251) 22. ♘e3 cb3 23. ab3 ♘b7∞⇆ △ a5-a4↑ Klundt 2370 − Skembris 2450, Bolzano 1997] **10.** d5 ♘a5 **11.** ♗c2 c6 [RR 11... ♕c8 12. ♘bd2 c6 13. h3 ♗d7 14. dc6 ♗c6 15. ♘f1 (15. b4 − 46/452) ♘c4 16. ♘g3 g6 17. ♕e2 N (17. ♘h2) ♕b7 18. a4 ♖fc8 19. b3 ♘b6 20. a5 ♘bd7 21. ♗d2 d5! 22. ed5 ♘d5 23. ♖ad1∞ Mi. Adams 2665 − Ivančuk 2740, Linares 1997] **12.** h3 ♗c8 **13.** dc6 ♕c7 **14.** ♘bd2 ♕c6 **15.** ♘f1 ♘c4 **16.** ♘g3 g6 **17.** a4 [17. b3!? ♘b6 18. ♗h6 ♖e8 19. ♕d2 ♗e6 (19... ♔h8 20. ♘g5 ♗e6 21. ♘e6 fe6 22. ♗g5 ♕c7 23. ♖e3 ♖ad8 24. ♖f3 ♘g8 25. ♖d1 ♗g5 26. ♕g5±) 20. ♖ac1 ♔h8 21. ♗d3 ♘g8 22. ♗e3±] ♗b7 [17... ♘d7 18. b3 ♘a5 (18... ♘b6? 19. a5) 19. ♗d2±; 17... ♗e6 18. ♘g5 ♗d7 19. b3±] **18.** ♕e2!? N [18. b3 ♘b6 19. a5 ♘bd7 20. ♗d2 d5∞] ♖fc8 [△ b4] **19.** ab5 [19. ♗d3? ba4] ab5 **20.** ♖a8 ♖a8 **21.** ♗d3± [×b5, →⟫] ♗c8

22. b3 ♘a5 [22... ♘b6 *a)* 23. ♗b2 ♗d7 24. ♖a1 (24. ♘f1 ♗h5) ♖a1 25. ♗a1 ♕a8; *b)* 23. ♗b5! ♕c3 24. ♕e3! ♕c7 25. ♗b2 △ ♖c1±] **23. b4 ♘c4 24. ♘d2 ♗e6 25. ♘c4 bc4 26. ♗b1 d5 27. ♗g5** [27. ed5 ♘d5 28. ♘e4∞] **d4 28. cd4 ed4 29. ♕f3** [29. e5? d3!] **♗d7** [29... ♔g7! 30. ♕f4 (30. b5 ♕b7) d3 *a)* 31. ♕h4 ♕b7! *a1)* 32. ♘f5 ♗f5 33. ef5 ♕b4∓; *a2)* 32. f4 ♕b4 33. ♖f1 ♖a1 34. e5 ♘d5 35. f5 (35. ♗e7 ♕e7 36. ♕e7 ♘e7 37. ♗d3 ♖a3−+) ♖b1 36. f6 ♗f6 37. ef6 ♔g8 38. ♕h6 ♖f1 39. ♘f1 ♕f8−+; *a3)* 32. b5 ♖a1 33. ♖f1!? (△ ♗d3!) ♖a5! 34. f4 ♖b5 35. e5 ♖b2! 36. ef6 ♔g8 37. ♖f2 ♗c5 38. ♕h6 ♗f2 39. ♔h1 ♖b1 40. ♔h2 ♗g1 41. ♔h1 ♗c5−+; *a4)* 32. e5 ♘g8! 33. ♘e4 ♕b4∓; *b)* 31. e5 ♘d5 32. ♕h4 ♗b4 33. ♖c1!? (33. ♘e4 ♗f5 34. ♘f6 ♘f6 35. ♗f6 ♔g8−+) d2!? (33... ♗c3? 34. ♖c3 ♘c3 35. ♕h6 ♔g8 36. ♗f6+−) 34. ♕h6 ♔h8 35. ♗d2 ♗f8 36. ♕h4 c3∓; *c)* 31. ♗h6 ♔g8 32. ♗g5 ♔g7 33. ♗h6=] **30. b5! ♕e6 31. e5 ♖e8! 32. ♕d1! ♗b4** [32... ♘h5 33. ♗e7 ♘g3 34. ♗d6 ♘f5 35. ♗f5 ♕f5 36. b6!+−] **33. ♕d4!** [33. ♗f6? ♕f6! 34. ♕d4 ♕e6 35. ♖d1 ♗b5 36. ♘e4 ♗e7∞] **♗e1 34. ♗f6 ♗b5**

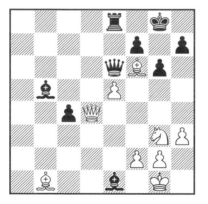

35. ♘f5! ♗b4 [35... gf5? 36. ♕f4 ♗f2 37. ♔h2!+−; 35... c3? 36. ♘h6 ♔f8 37. ♕c5+−] **36. ♕b2** [36. ♘h6 ♔f8 37. ♕b2 ♗e7! *a)* 38. ♗e7? ♖e7 39. ♕b5 ♕e5∓ △ 40. ♕c4 ♕e1 41. ♔h2 (41. ♕f1 ♕b4 42. ♔h2 ♖e1 43. ♕d3 ♕f4−+) ♕b1 42. ♕d4 ♕b8 43. f4 ♖b7; *b)* 38. ♕b5 ♗f6 39. ef6 ♕d6! 40. ♕a5! ♕f6!? (40... ♖e2 41. ♕a8 ♖e8 42. ♕a5 ♖e2=) 41. ♕b4 ♔g7 (41... ♕e7 42. ♕c4 ♕e1 43. ♔h2 ♕f2 44.

♘g4±) 42. ♘g4 ♕a1 43. ♘e3 c3∞] **gf5** [36... ♗f8!? *a)* 37. ♕b5 gf5 *a1)* 38. ♗f5 ♕f5 39. ♕e8 ♕b1 40. ♔h2 ♕f5 41. ♔g3 (41. ♗h4 c3⇆) ♕g6= △ 42. ♔f4? ♕g2 43. ♗e7 ♕f2 44. ♔e4 ♕e2 45. ♔d5 ♕f3 46. ♔d6 ♕a3−+; *a2)* 38. ♗c2! *a21)* 38... ♗g7? 39. ♗f5!+−; *a22)* 38... c3 39. ♕a4! h6 40. ♕f4+−; *a23)* 38... ♖a8 39. ♕b1 ♗g7 40. ♗f5 ♕a6 41. ♗h7 ♔h8 42. ♕e4 ♕a1 43. ♔h2 ♖a6 44. ♗g7 ♔g7 45. ♗f5±; *a24)* 38... f4 39. ♗f5! ♕f5 40. ♕e8 ♕b1 (40... ♕e6 41. ♕a8 c3 42. ♕f3+−) 41. ♔h2 ♕b7 42. e6 fe6 43. ♕e6 ♕f7 44. ♕g4 ♗g7 45. ♗g7 ♕g7 46. ♕c8 ♕f8 47. ♕c4 ♔g7 48. ♕e6±; *a25)* 38... h6! 39. ♗f5 (39. ♕b1 ♗g7 40. ♗f5 ♕d5∓) ♕f5 40. ♕e8 ♕b1 41. ♔h2 ♕f5 42. ♔g1 ♕b1=; *b)* 37. ♘d4 ♕d5 38. ♕b5 (38. ♘b5? ♖b8) ♕b5 39. ♘b5 ♖b8 40. ♘c3 ♖b3 41. e6 fe6 42. ♗a2 ♖b4 43. ♔f1 ♗g7 44. ♗g7 ♔g7 △ ♖b2; *c)* 37. ♕c1!? ♗c5 38. ♕h6 ♗f8 39. ♕g5 ♗c5 40. ♕h6=] **37. ♕b4 ♕d5 38. ♕c3!** [38. ♕e1? ♗c6! 39. f3 ♕d4 40. ♔h1 ♕f4!] **f4** [38... ♕d1 39. ♔h2 *a)* 39... f4 40. ♗c2! ♕h5 (40... ♕e2 41. ♕b2! c3 42. ♕b1 ♕c4 43. ♗h7 ♔f8 44. ♕d1 ♖e6 45. ♗f5! ♖f6 46. ef6 ♕b4 47. ♕h5 ♔e8 48. ♕f3+−) 41. g4! ♕h6 42. ♗f5! (42. ♕f3 ♗d7□ 43. g5 ♕h3 44. ♕h3 ♗h3 45. ♔h3 ♖a8) ♗a6 43. ♕f3 ♗c8 44. g5 ♕f8 45. ♗h7 ♔h7 46. ♕h5 ♔g8 47. ♕h8#; *b)* 39... ♕h5 40. ♕g3 ♕g6 41. ♕f4 ♗c6 (41... ♗d7 42. g4!+−) 42. f3 (42. g4? ♗e4!) ♗d7 43. ♕c4±] **39. ♕e1! ♕d4?** [39... ♗c6 40. f3 h6 41. ♔h2 ♕b5□ 42. ♕c1! ♕b3 43. ♗f5! ♕e3 44. ♕c4+−; 39... c3 40. ♗e4 ♕c4 (40... ♕c5 41. ♕d1 ♔f8 42. ♕g4 ♖e6 43. ♗h7 ♔e8 44. ♗f5 c2 45. ♗c2! ♖f6 46. ef6 ♕c2 47. ♕g8 ♔d7 48. ♕f7 ♔c8 49. ♕g8+−) 41. f3 ♕c5 42. ♔h2 ♔f8 43. ♕h4 ♖e5 44. ♕h5 45. ♕g7 ♔e8 46. ♕g8 ♕f8 47. ♕g4 ♕c5 48. ♕f4 ♗d7 49. ♕b8 ♗c8 50. ♕g3+−→; 39... ♗a4 40. ♔h2□ ♖e6 41. ♖f6 42. ef6 *a)* 42... h5 43. ♕e7 c3 (43... ♕e6 44. ♕d8 ♕e8 45. ♕d5+−) 44. ♗e4! ♕e6 45. ♕d8 ♗e8 (45... ♕e8 46. ♕c7+−) 46. ♕b8! ♔f8 47. ♕f4+−; *b)* 42... h6 43. ♕e7 ♕e6 44. ♕d8 ♗e8 (44... ♕e8 45. ♕c7± △ 45... ♕e1?? 46. ♕c8 ♗e8 47. ♕g4) 45. ♗a2 ♕d7 46. ♕b8±; 39... ♖e6!

(Ch. Gabriel) 40. ♕e2 (40. ♗e4 ♕d4 41. ♕b1 ♖e5 42. ♗h7 ♔f8) ♖f6 41. ef6 h5! 42. ♕c2 (42. ♗e4 c3! 43. ♕f3 ♕e5; 42. ♗c2 c3 43. ♕e7 ♗c6 44. f3 ♕e6 45. ♕d8 ♕e8 46. ♕d6 ♕e1 47. ♔h2 ♕g3 48. ♔h1 ♕e1=) ♕d3 43. ♕a2 ♕d5 44. ♕c2 (44. ♔h2 ♗c6 45. f3 ♕d4 46. ♕a6 ♕f6 47. ♗e4 ♕g5 48. ♕c6 ♕g3 49. ♔h1 ♕e1 50. ♔h2=) ♕d3=] 40. ♕e2 ♔f8 41. ♕g4
1 : 0   *Sutovskij*

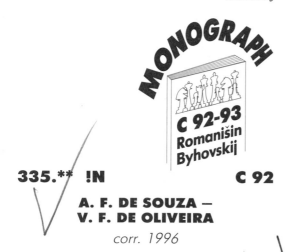

MONOGRAPH

C 92-93
Romanišin
Byhovskij

335. ** !N   **C 92**

A. F. DE SOUZA —
V. F. DE OLIVEIRA

corr. 1996

1. e4 e5 2. ♘f3 ♘c6 3. ♗b5 a6 4. ♗a4 ♘f6 5. 0—0 ♗e7 6. ♖e1 b5 7. ♗b3 d6 8. c3 0—0 9. h3 ♗e6 [RR 9... ♘d7 10. d4 ♗f6 11. a4 ♖b8 12. ab5 ab5 13. ♗e3 ♘e7 14. d5 ♘c5 15. ♗c2 b4 N (15... c6 — 47/432) 16. c4 ♘a6 17. ♘bd2 c5 18. dc6 ♘c6 19. ♗a4 ♘a5 20. ♗b5 ♘c5 21. ♗c5 dc5 22. ♕a4± Svidler 2640 — Yudasin 2600, Sankt-Peterburg 1997] 10. d4 ♗b3 11. ab3 [RR 11. ♕b3 ♕b8 12. ♘bd2 ♕b6 13. d5 ♘a5 14. ♕c2 c6 15. dc6!? N (15. b4 — 46/(455)) ♕c6 16. ♘f1 ♖fc8 17. ♗g5 b4 18. ♘e3 bc3 19. b3± J. Polgár 2670 — Je. Piket 2630, Tilburg 1997] ed4 12. cd4 d5 13. e5 ♘e4 14. ♘c3 f5 15. ef6 ♗f6 16. ♘e4 de4 17. ♖e4 ♕d5 18. ♖g4 ♘e7 19. ♗h6 ♘f5 20. ♗g5 h5 21. ♖f4 ♗g5 22. ♘g5 ♘d4 23. ♖f8 ♖f8 24. ♕h5 ♕f5 25. ♕h4! N [25. f4 — 46/457] ♘e2 [25... ♘b3 26. ♖a6 ♕b1 27. ♔h2 ♘d2 28. ♖a1!] 26. ♔h1! [26. ♔h2 ♕e5 27. ♔h1 ♖f2!! 28. ♖d1! (28. ♕f2 ♘g3 29. ♔g1 ♘e2 30. ♔f1 ♘g3=) ♖f1! 29. ♖f1 ♘g3 30. ♔g1 ♕e3 31. ♖f2 ♕e1 32. ♔h2 ♘f1

33. ♔g1=] ♖e8 [26... ♖f6 (△ ♖h6) 27. ♘e4!±; 26... ♕c2 27. ♕e4 (27. ♔h2!?) ♕e4 28. ♘e4±; 26... c5 27. f3 ♕c2 28. ♕f2 ♕b2 29. ♖e1 ♕e5 (29... ♖e8 30. ♘e4+−) 30. ♕e2 ♕g5 31. ♕e6 ♔h7 32. ♕a6 ♕d2 33. ♕e6 ♖f6 34. ♕e5±] 27. f3 ♘d4 [27... c5 28. ♘e4 ♕e5 29. ♕e1 ♘d4 (29... ♕b2 30. ♖d1!) 30. ♕c3+− ×a6, c5; 27... ♕c2 a) 28. ♔h2 ♕b3 (28... ♕b2 29. ♕h7 ♔f8 30. ♕f5 ♗e7 31. ♕e6 ♔d8 32. ♘f7#) 29. ♖a6±; b) 28. b4!?; ♕g6 28. ♘e4 ♘d4 29. ♕f2 ♘f5 (29... ♘b3 30. ♖a3!) 30. ♖d1±] 28. ♖a6 ♕b1 [28... ♘b3!? 29. ♕e4±] 29. ♔h2 ♘e2 30. ♖a1!! [30. ♕f2 (△ 30... ♕b2?? 31. ♕e3!) ♕f5∞] ♕f5 [30... ♕a1 31. ♕h7 ♔f8 32. ♕f5 ♗e7 33. ♕e6 ♔d8 34. ♘f7#; 30... ♕g6 31. ♖d1 c5 32. ♘e4 ♘d4 33. ♖d3 (33. ♘c5?? ♘f3!) ♘e6 (33... ♕b6 34. b4 c4 35. ♘f6 ♕f6 36. ♕f6 gf6 37. ♖d4 ♖e2 38. ♖d5 ♖b2 39. ♖b5+−) 34. ♖d5+−] 31. ♕e4! [31... ♕e4 32. ♘e4+−; 31... ♖e4 32. ♖a8 ♕f8 33. ♖f8 ♔f8 34. ♘e4+−]   **1 : 0**
da Costa Júnior

336.   **C 92**

HJARTARSON 2585 —
ALEXA. IVANOV 2600

Las Vegas 1997

1. e4 e5 2. ♘f3 ♘c6 3. ♗b5 a6 4. ♗a4 ♘f6 5. 0—0 ♗e7 6. ♖e1 b5 7. ♗b3 d6 8. c3 0—0 9. h3 ♗b7 10. d4 ♖e8 11. ♘bd2 ♗f8 12. ♗c2 g6 13. d5 ♘e7 14. b3 c6 15. c4 ♗g7 16. ♗b2 N [16. ♘f1 — 24/293] cd5 [16... ♘h5!?] 17. cd5 ♘h5 [17... ♘d7!? △ f5] 18. b4 ♕d7?! [18... ♘f4!? a) 19. g3?! ♘h3 20. ♔g2 ♕d7 21. ♖h1 ♗c8; b) 19. h4 f5 20. g3 fe4 21. ♘e4 (21. gf4?! ef3 22. fe5 ♗d5) ♘fd5 22. ♗b3 ♖c8!? (22... ♔h8? 23. ♘fg5±) 23. ♘c3 ♖c4∞; c) 19. ♘b3 f5 20. ♘a5 ♗c8!? (20... ♕d7?! 21. ♘b7 ♕b7 22. g3!±) 21. ♘c6 (21. h4 fe4 22. ♗e4 ♗f5; 21. ♖c1!?) ♘c6 22. dc6 d5∞] 19. ♘b3 ♗c8 [19... f5? 20. ef5 gf5 21. ♘e5 de5 22. ♘c5!+−; 19... ♘f4 20. ♘a5 (20. ♘e5? de5 21. ♘c5 ♕c8 22. d6 ♖d8∓; 20. ♘c5? dc5 21. ♘e5 ♕d6∓) ♗c8± 20. a4 ♘b6 21. ab5 ab5 22. ♘a5 ♖ec8 23. ♘d2 ♗h6 24. ♘db3 ♘a4 [24... ♘c4 25. ♘c4 (25. ♗c1 ♗c1 26. ♖c1±)

Ξa1 (25... bc4 26. ♘a5 c3 27. ♗a4! ♕c7
28. ♗c1 ♗c1 29. Ξc1±) 26. ♗a1! (26.
♕a1 Ξc4!) bc4 27. ♘a5±↑] 25. ♗c1 ♘c3?!
[25... ♗c1 26. Ξc1± △ 26... ♘c3?! 27.
♕d2] 26. ♕f3?! [26. ♕g4! f5 27. ef5 ♗c1
28. fg6 ♕g4 29. gh7 ♔g7 30. hg4 ♘f4
(30... ♗b2 31. gh5 ♗a1 32. ♘a1+−) 31.
♘b7! (31. ♘c1 ♗d5∞) Ξa1 32. ♘a1±]
♗c1 27. Ξec1 [27. Ξac1? ♘a2∓] ♘f4 28.
♗d1 ♘d1 29. ♕d1 f5 30. f3 Ξc1 31. ♘c1
[31. Ξc1 Ξc8] fe4 32. fe4 ♗c8 33. ♘e2?
[33. ♘d3? ♘g2! 34. ♔g2 ♕h3 35. ♔f2
(35. ♔g1 ♕g3 36. ♔h1 ♗g4−+) ♗g4−+;
33. ♕d2!?=] ♘g2!∓ 34. Ξa3 [34. ♔g2
♕h3 35. ♔f2 (35. ♔g1 ♕e3−+) ♗g4−+]
♘f4 35. ♘f4 ef4 36. ♔h2?! [36. ♕d4
♕a7∓] ♕g7−+ 37. ♕d2 ♗d7 38. Ξf3 [38.
♕f4? ♕b2] g5 39. Ξc3 Ξe8 40. Ξc7 Ξe4
41. ♘c6 f3   0 : 1   *Alexa. Ivanov*

337.* !N   C 92

I. HERRERA 2450 −
R. VÁZQUEZ 2260
Cuba (ch) 1997

1. e4 e5 2. ♘f3 ♘c6 3. ♗b5 a6 4. ♗a4
♘f6 5. 0−0 ♗e7 6. Ξe1 b5 7. ♗b3 d6 8.
c3 0−0 9. h3 ♗b7 10. d4 Ξe8 11. ♘bd2
h6 12. a4 ♗f8 13. ♗c2 ed4 14. cd4 ♘b4
15. ♗b1 c5 16. d5 ♘d7 17. Ξa3 c4 18.
♘h2!? N [RR 18. ab5 ab5 19. ♘d4 Ξa3
20. ba3 ♘d3 21. ♗d3 cd3 22. Ξe3 ♘c5
23. ♗b2 ♕a5 24. ♘f5! N (24. ♘4f3 −
64/(330); 24. Ξg3 g6 25. ♕h5 ♕d2 26.
Ξg6 fg6 27. ♕g6 ♗g7 28. ♘f5 ♕b2 29.
♘h6 ♔h8 30. ♘f7=) g6 (24... ♗c8 25.
♘g7! ♗g7 26. Ξg3 Ξe5 27. ♗e5! de5 28.
♕c1!? ♕b6 29. ♘b3! d2 30. ♘d2 ♗b7
31. ♕d1±) 25. ♘g3 ♗g7 (25... b4 26.
♘h5! ♗e7 27. ab4 ♕b4 28. ♗f6± △ 28...
♗d8 29. ♗d8 Ξd8 30. ♕a1 gh5 31. ♕f6
♕a5 32. Ξg3 ♔f8 33. Ξg7 △ Ξh7+−) 26.
♗g7 ♔g7 27. ♘b3 ♕a3 (27... ♕a4 28.
♕a1 f6 29. ♘c5 dc5 30. Ξd3+; 27... ♘b3
28. ♕b3 d2 29. ♘f1±) 28. ♘c5 ♕c5 (28...
dc5 29. Ξd3 ♕a5 30. ♕c2 c4 31. ♕b2± △
31... ♔h7 32. ♕f6!) 29. Ξd3 (Kotronias

2585 − Gligorić 2470, Jugoslavija 1997)
Ξa8 30. ♕b1 b4 31. ♕b2 ♔g8 32. Ξb3
Ξa4 33. ♕d2 ♕c4 34. Ξb1± Jovičić] ♘c5
19. ♗g3 ♘bd3 [△ 19... ♘cd3] 20. ♘g4 g6
[20... ♔h8 21. b4!] 21. b4! ♘b4 [21... ♘e1
22. bc5 ♘d3 23. ♗d3 cd3 24. ♗b2 ♗g7
25. ♕a1 ♗b2 26. ♕b2 dc5 27. ♘f6 (27.
♘h6 ♔f8 28. Ξf3) ♔f8 28. ♘e8 ♕e8 29.
Ξd3; 21... ♘c1 22. bc5 ♘d3 23. ♗d3 cd3
24. c6 ♗c8 25. Ξd3] 22. ♗b2 ♗g7 23.
♗g7 ♔g7 24. ♘c4! bc4 25. ♕d4 ♔f8 26.
♘h6! ♘d5 [26... ♘bd3 27. ♗d3 ♘d3 28.
Ξg6 ♘e5 (28... fg6 29. ♕h8 ♗e7 30.
♕g7#) 29. Ξg8 ♔e7 30. ♘f5 ♔d7 31.
Ξe8 ♕e8 32. Ξb1+−]

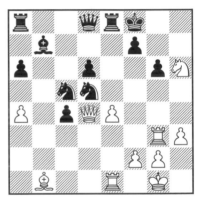

27. Ξg6! [27. ♕h8? ♔e7 28. ed5 ♔d7∓]
fg6 28. ♕h8 ♔e7 29. ♕g7 ♔e6 30. ♕f7
[30. ed5 ♔d5] ♔e5 31. Ξd1!! [31. ed5
♔d4 32. ♕f4 (△ 32... ♔c3? 33. Ξc1 ♗b4
34. ♕d2) ♔d5−+] ♘d3□ 32. ♕b7 ♕e7
[32... ♔e4 33. ♗d3 cd3 34. ♕b3] 33. ♕d5
♔f6 34. ♕c4?!⊕ [34. ♕d4 ♔g5 (34... ♘e5
35. f4+−) 35. ♘g4 ♕e4 36. ♕f6 ♔h5 37.
♕g7 ♔g5 (37... ♕f4 38. g3+−) 38. f4 ♕f4
(38... ♔f4 39. ♕f6 ♕f5 40. Ξf1+−) 39.
♕h6 ♔f5 40. ♗d3 cd3 41. Ξf1 ♕f1 42.
♔f1 Ξab8 43. ♘e3 ♔e4 44. ♘d1 ♔d4 45.
♕f4 ♔c5 46. ♕c1 ♔d5 47. ♕c3+−] ♘e5
35. ♕d4 ♔g7 36. ♘g4 ♔h7 37. ♕d6
Ξad8?⊕ [37... ♕d6 38. Ξd6 ♘g4 39. hg4
Ξab8 40. ♗d3±] 38. ♕e7   1 : 0
                              I. Herrera

D

338.   D 01
S. GALKIN – VOLŽIN 2505
Perm' 1997

1. d4 ♘f6 2. ♘c3 d5 3. ♗g5 ♘bd7 4. ♘f3
h6 5. ♗h4 e6 6. e4 g5 7. ♗g3 ♘e4 8. ♘e4
de4 9. ♘d2 ♗g7 10. h4 ♗d4 11. c3 ♗e5!?
N [11... gh4? – 7/83; 11... e3?! 12. cd4
ed2 13. ♕d2∞↑; 11... ♗g7 12. hg5 hg5 13.
♖h8 ♗h8 14. ♕h5 △ ♘e4, 0-0-0→⟳] 12.
♘e4 [12. ♗e5 ♘e5 13. hg5 e3 (13... ♕g5
14. ♘e4 ♕f4 15. ♕d4±) 14. ♘e4 (14. fe3
♕g5∓) ef2 15. ♔f2 ♕d1 16. ♖d1 ♔e7∓]
♗g3 13. fg3 gh4 14. ♖h4 ♕e7 15. ♕d2
[15. ♕d4 e5 16. ♕d2 f5!?; 16... ♘f6!?]
f5!□ 16. ♘g5 [16. ♘f2 ♘f6 17. ♖h6 ♖h6
18. ♕h6 ♗d7 (△ 0-0-0) 19. ♕h8 ♕f8 20.
♕f8 ♔f8 21. 0-0-0 ♔e7∓ △ ♖g8, ♗c6
×g2, g3] ♘f6 17. 0-0-0 ♗d7 18. ♘f3 0-0-0
19. ♖h6 ♘e4 20. ♕e3 ♖h6 21. ♕h6 [21.
♕a7 c5 22. ♗a6 ♗c6–+] ♘g3∓ 22. ♕e3
♔b8 23. ♗d3 [23. ♗c4 ♘e4∓] ♗a4! 24.
♖e1 [24. ♖d2 ♖h8! 25. ♘e1 ♖g8∓] ♕d6!
25. ♘d4 [25. ♘e5? ♘e4 26. ♗e4 ♕d1 27.
♖d1 ♖d1⩲] f4! [25... c5? 26. ♘e6 ♕d3
27. ♕e5] 26. ♕e6 [26. ♕e5 c5 27. ♕d6
♖d6 28. ♗c2 (28. ♗b5 ♖d4; 28. ♖e6 ♖d8
– 26. ♕e6) ♗c2 29. ♘c2 ♔c7∓] ♕e6 27.
♖e6 [27. ♘e6 ♖d3 28. ♘c5 ♘e2! 29. ♔b1
♖d1–+] c5 28. ♗b5 [28. ♗c2 ♗d7!–+;
28. ♘b5 c4!–+] ♖d4 29. cd4 ♗b5–+ 30.
d5 [30. dc5 ♗c6 31. ♖f6 ♗g2 △ 32. ♖f4?
♘e2] ♗f1 31. d6 ♗c8 32. ♖e8 ♔d7 33.
♖e7 ♔d6 34. ♖b7 ♗g2 35. ♖a7 f3 36. ♖f7
♘e4 37. ♔d1 ♔e5 38. a4 f2 39. ♔e2 f1♕
40. ♖f1 ♘g3 41. ♔f2 ♗f1 42. ♔g3 ♔d4
43. a5 ♗a6 44. ♔f3 ♔d3 45. ♔f4 ♔c2
0 : 1   *Volžin*

339.   D 02
KRAMNIK 2740 – SHORT 2690
Novgorod 1997

1. ♘f3 d5 2. d4 a6 3. ♗g5 ♗g4 4. e3 ♘f6
5. c4 [5. ♗f6 – 66/312] dc4 N [5... ♗f3;
5... ♘e4!? 6. ♗h4 g5 7. ♗g3 e5] 6. ♗c4
e6 7. ♘c3 [7. ♕b3 ♗f3 8. gf3 ♘c6] ♗e7
[7... ♘bd7!?] 8. h3 ♗h5 9. ♗f6!? [9. 0-0
0-0 10. ♗e2 ♘bd7 11. ♖c1 c5=] ♗f6 10.
g4 ♗g6 11. h4 h6 [11... h5? 12. g5 ♗e7
13. ♘e5] 12. ♗d3! ♗d3 13. ♕d3 ♘d7 [13...
c5!? 14. 0-0-0 cd4 15. ed4↑] 14. 0-0-0 ♕e7
[14... g6±] 15. g5!? [15. e4 g6; 15. ♔b1
0-0-0 16. ♖c1 ♔b8 17. ♘e4±] hg5 16. hg5
♖h1 17. ♖h1 ♗g5 18. ♖h8 ♘f8 19. ♖f8
♕f8? [19... ♔f8 20. ♕h7 ♕f6 (20... ♔e8?
21. ♘g5) 21. ♘g5 (21. ♕h8? ♔e7 22.
♕a8 ♕f3) ♕h6!±] 20. ♘g5 0-0-0 21. f4±
♕e7 22. ♕h7 f6 23. ♘ge4 b6 [23... c6 24.
♘c5 ♔b8 25. ♕e4± ♖e8 26. b4!?] 24. a3
♔b8 25. ♔b1 ♔a7 26. ♘f2 [△ ♘d3-b4]
♕d7 27. ♕e4 [27. ♘d3 c5] ♕d6 28. ♕g2
[28. ♔a2!? c5 29. dc5 ♕c5 30. ♘d3] ♕d7
29. ♘a2 [29. ♘fe4! ♖c8 30. ♕e2 △ ♕c4,
b4, a4→] ♖c8 30. ♘b4?! [30. ♘c3] c5 31.
dc5 bc5 32. ♘a2 ♖b8⇆ 33. ♕g4 ♕d2 34.
♘d1 ♕d3 35. ♔c1 ♕c4 [35... ♖d8 36.
♘ac3] 36. ♘ac3 g5 37. ♕f3 gf4 38. ef4
♖g8 39. ♔c2 ♖d8 40. ♘f2 ♕d4 41. ♘d3
♔b6 42. ♘c1 c4 43. ♔b1± ♔c7 44. ♘3e2
♕d5 45. ♕e3 ♖d6 46. ♕c3 [×f6] e5 47.
fe5 fe5 48. ♔a1 ♖f6 49. ♕e1 ♕e4 50.
♔a2 ♖b6?! [50... ♔d7!? △ ♔e7-f7] 51.
♕a5 ♔b7 52. ♕d2 ♔c8 53. ♘c3 ♕d4 54.
♕g5!+– ♖c6 [54... ♕f2 55. ♘1e2] 55.
♘1e2 ♕c5 56. ♘e4 ♕b5 57. ♘2c3→ ♕b3
58. ♔b1 [58... ♖b6 59. ♕g8 ♔c7 60. ♘d5
♔c6 61. ♕e6]   **1 : 0**   *Kramnik*

340.   D 02

TUKMAKOV 2575 − RAECKIJ 2405

Biel (open) 1997

1. ♘f3 d5 2. g3 ♘c6 3. d4 ♗g4 4. ♗g2 ♕d7 5. c4!? [5. h3 − 67/(451)] dc4 6. d5 ♗f3 7. ♗f3 ♘e5 8. ♗g2 e6 9. ♘c3 [9. ♕d4; 9. ♗f4] 0-0-0 [9... ed5 10. ♗f4 ♘g6 11. ♕d5 ♕d5 12. ♗d5 c6 13. ♗c4 ♘f4 14. gf4±] 10. 0−0 N [10. ♗f4 ♘g6 11. de6 (11. ♗e3) ♕d1 (11... ♕e6? 12. ♗b7) 12. ♖d1 ♖d1 13. ♔d1 ♘f4 (13... fe6!?) 14. gf4 fe6 15. ♔h3 ♔d7 16. ♔c2∞] ♘f6 [10... ed5 11. ♕d4 (11. ♗f4 ♘g6 12. ♕d5 ♕d5 13. ♗d5 ♘f4 14. gf4 ♘h6=) ♘c6 12. ♕d5 ♕d5 13. ♗d5 ♘e5 14. ♗f4 c6 15. ♗g2!∞] 11. ♗f4 [11. ♕d4? ♘c6 △ ed5] ♘g6 [11... ♗d6 12. ♕d4] 12. ♗g5 ♗c5!? [12... ed5 a) 13. ♗f6 gf6 14. ♕d5 (14. ♗d5 ♘e5; 14. ♘d5 c6) ♕d5 15. ♗d5 ♘e5∞; b) 13. ♘d5 ♕e6□ 14. e4 c6 15. ♗f6 gf6 16. ♕h5 ♔b8 17. ♘e3∞; 12... ♗e7 13. de6 (13. ♕d4? c5!) ♕e6 (13... ♕d1 14. ♖fd1 fe6 15. ♗h3 ♘f8 16. ♘b5±) 14. ♕a4 a6 15. ♖fd1∞] 13. ♕c2! h5!? [13... ed5 14. ♗f6 gf6 15. ♘d5±] 14. h4 [14. ♗f6 gf6 15. ♕e4 e5 16. ♕c4 ♗d6∞] ♔b8 [14... e5 15. ♘e4 ♗e7 16. d6! cd6 17. ♕c4 ♔b8 18. ♕f7±] 15. ♖ad1 ♘e5? [15... e5 16. ♘a4 ♗d6 17. ♕c4] 16. ♘e4 ♗e7□ 17. ♗f4! ♗d6 [17... ♘g6 18. de6 (18. d6 cd6 19. ♗d6 ♗d6 20. ♘d6±) ♕e6 19. ♘g5±] 18. de6 ♕e6 19. ♘g5! ♕e7 20. ♗e5 ♗e5 21. ♕c4+− [△ 22. ♘f7, 22. ♕b3] ♘g4 22. ♕b3 c6 23. ♗c6 ♗d4 24. ♗d5 ♖d5 25. ♕d5 ♖d8 26. ♕f7 ♗f2 [26... ♕e2 27. ♖d4 ♖d4 28. ♕f8 ♔c7 29. ♘e6] 27. ♔g2 ♘e3 28. ♔h3 ♕f7 29. ♖d8   1 : 0   *Tukmakov*

341.   D 03

JE. PIKET 2630 − VAN WELY 2655

Monaco (m/5) 1997

1. d4 ♘f6 2. ♘f3 e6 3. ♗g5 c5 4. e3 d5 5. ♘bd2 ♘c6 6. c3 ♗d6 7. ♗d3 [7. ♗b5!?] 0−0 8. 0−0 [8. ♕e2!?] h6 9. ♗h4 ♖e8 N [9... e5?! − 29/114] 10. dc5 ♗c5 11. e4

de4 12. ♗e4! [12. ♘e4 ♗e7 13. ♗f6 ♗f6 14. ♗b5 ♗e7] ♗e7 [12... ♗d7 13. ♘b3 ♗e7 14. ♗f6 ♗f6 15. ♘c5] 13. ♗c6 bc6 14. ♘e5 ♕d5 15. ♘df3± ♖b8! [15... ♗a6 16. ♖e1 ♖ad8 17. ♕a4; 15... ♗b7 16. ♕e2 △ ♖fd1] 16. b3 [16. ♕a4 ♖b2 (16... ♕b5!?) 17. ♕a7∞; 16. ♕c2 c5 17. ♖fd1 (17. ♖ad1 ♕a2 18. ♘c6 ♖b2 19. ♘e7 ♖e7 20. ♖d8 ♖e8 21. ♕d1!) ♕b7 18. b3 a5] c5 17. c4 ♕a8?! [17... ♕d1 18. ♖ad1 ♗b7±; 17... ♕b7 18. ♕e2 a5] 18. ♕e2 a5 [18... ♗b7 19. ♘e1 △ f3±] 19. ♘e1! [△ ♘1d3 ×c5] ♗f8 [19... a4 20. ♘1d3 ab3 21. ab3 ♕b7 22. f3 (22. ♖a3; 22. ♖a5!?) ♕b3 23. ♘c6↑] 20. ♗f6! gf6 21. ♘g4 ♗g7 22. ♕e3 f5 [22... ♕c6 23. ♕g3; 22... e5 23. ♘h6 ♔h7 (23... ♔f8 24. ♕c5 ♖e7 25. ♘g8) 24. ♘f7 ♕c6 25. ♕d3 (25. ♖d1 ♗e6 26. ♘d6 ♖ed8) e4 26. ♕g3!; 22... h5 23. ♘h6 ♔h7 24. ♘f7 ♕c6 25. ♖d1+−] 23. ♘h6 ♔h7 [23... ♔f8? 24. ♕c5 ♖e7 25. ♖d1 △ ♘g8+−] 24. ♘f7 ♗a1 25. ♕h6 ♔g8 26. ♕g6 ♔f8 [26... ♗g7 27. ♘h6] 27. ♘f3+↑ ♗g7?!⊕ [27... ♕a7 28. ♘3g5 (28. ♘d6 ♖d8 29. ♘c8 ♕g7!) ♗d4 29. ♖d1! (△ ♖d4, ♕f6) ♔e7 30. ♘e5 ♕b7 31. ♖d4 cd4 32. c5!?↑; 31. h4; 27... ♗c3 28. ♖c1 ♗b2 29. ♘3g5 ♖b7 30. ♖e1!?↑] 28. ♘3g5 ♖e7 29. ♖d1!+− ♗b7 30. ♘h7 ♔g8 31. ♘f6 ♔f8 32. ♘g5 [32. ♘h6]   1 : 0   *Je. Piket*

342.**   D 07

BAREEV 2665 − MOROZEVIČ 2595

Rossija (ch) 1997

1. d4 d5 2. c4 ♘c6 3. e3 [RR 3. cd5 ♕d5 4. e3 e5 5. ♘c3 ♗b4 6. ♗d2 ♗c3 7. bc3 ♘f6 8. c4 ♕d6 9. d5 ♘e7 10. ♕a4 N (10. ♕b1 − 64/339) ♗d7 11. ♕b3 a5! (11... ♘e4? 12. ♗b4±) 12. ♗d3 e4 (12... 0−0? 13. e4±) 13. ♗c2 b5!? (13... 0−0 14. ♘e2 c6=) 14. cb5 ♘ed5 15. ♘e2 ♘b4 16. ♘d4 c5!? (16... 0−0 17. a3! ♘c2 18. ♕c2 ♖fe8 19. a4 ♘g4 20. ♖c1± Rogozenko 2490 − J. Fries-Nielsen 2415, Hamburg 1997) 17. bc6 ♗c6= Rogozenko] e5 4. de5 d4 5. a3 [RR 5. ed4 ♕d4 6. ♕d4 ♘d4 7. ♗d3 ♗g4 8. h3! ♗e6 N (8... ♗h5) 9. ♘c3 0-0-0 10.

Surely not! 19 Te8:+ wins
What about 18... Lf5 connecting
rooks & hitting white queen?

♗f4! (10. ♗e3?! ♘c6∓; 10. ♗g5 f6! 11.
ef6 gf6⊙⊙) ♘f3! (10... ♗c4? 11. ♗c4 ♘c2
12. ♔e2 ♘a1 13. ♗d3 △ ♘f3+−) 11. ♘f3
(11. ♔e2 ♘d4 12. ♔f1 ♘c6!⊙) ♖d3 12.
♘d2 (12. ♘d5?! ♗d5 13. cd5 ♖d5 14.
♔e2 ♘e7 15. ♖hd1 ♘g6! 16. ♗g3 ♖b5!=
Lputian 2585 − Nadanian 2475, Armenia
(ch) 1997; 14. ♖c1!?) ♗b4 13. ♔e2 ♖d4
14. ♗e3 ♗c3 (14... ♗c4? 15. ♔e1) 15.
bc3± Nadanian] **a5 N** [5... ♘ge7 − 4/589]
6. ♘f3 ♗c5 7. ed4 ♗d4 [7... ♘d4 8. ♗e3
♗g4 9. ♗e2±] **8. ♗e2 ♘ge7 9. 0−0 0−0
10. ♘c3** [10. ♗g5 ♗b2! 11. ♖a2 f6=]
♗c3!? [10... ♗e5 11. ♘e5 ♘e5=] **11. bc3
♘g6 12. ♗g5 ♕e8** [12... ♕d1 13. ♖fd1
♘ge5 14. ♖ab1±] **13. ♖e1 a4!** [13... ♘ce5
14. ♘d4±] **14. ♗e3** [14. ♖b1 ♘a5 △ ♗e6,
♘b3-c5⊙⊙] ♕e7 15. ♕c2 ♖e8! [15... ♘ce5
16. ♘d4] **16. ♗f1** [16. ♗d3 ♗g4 17. ♘d4
♘ce5] ♘ce5 [16... ♗d7?! 17. ♖ad1; 16...
♗e6 17. ♖ab1 b6 18. ♘d4 ♘ce5 19. ♘e6
♕e6 20. c5; 16... ♗g4 17. ♘d4 ♘ce5 18.
f4!] **17. ♘e5 ♕e5** [17... ♘e5 18. ♗d4 △ f4]
18. ♕b2 [18. ♗d2 ♕f5] **♕e4! 19. ♕b5**
[19. ♗d2!? ♕c6 20. ♖e8 ♕e8 21. c5±]
♖e5 [19... ♕c6 20. ♕c6 bc6 21. ♗f4!] **20.
c5 ♗e6** [20... ♕c6 21. ♕c6 bc6 22. ♗f4]
21. ♖ad1 h6 [21... ♗b3 22. ♖d4 ♕c6 23.
♖b4 ♗d5 24. c4=; 21... ♕c6!=] **22.
♗d3!?** [22. ♖d4 ♕c6 23. ♖b4 ♗d5 24.
c4] **♕g4?** [22... ♕c6! 23. ♕c6 bc6 24.
♗g6 fg6 25. ♗h6 ♖e1 26. ♖e1 a) 26...
gh6 27. ♖e6+−; b) 26... ♔f7 27. ♗g7 ♖b8 28.
♗d4 ♖b3 29. ♖a1!; c) 26... ♗d5 27. ♗f4
♖b8 28. h4!? (28. f3 ♖b3 29. ♖e7 ♖a3 30.
♗e5 ♖a1 31. ♔f2 a3 32. ♖g7 ♔f8 33. c4
♖a2) ♖b3 29. ♖e7 (29. ♖e8!? ♔h7 30.
♖e7 ♖a3 31. ♗e5 ♖a1 32. ♔h2 ♗c4! 33.
♖g7 ♔h6 34. ♖c7 a3 35. ♗f6 g5!) ♖a3 30.
♗e5 ♖a1 31. ♔h2 a3 32. c4; 31... ♗c4!; d)
26... ♗c4! 27. ♗f4 ♖b8 28. f3 ♖b3 29.
♖e7 ♖a3 30. ♗e5 ♖a1 31. ♔f2 a3−+; 29.
♖a1=] **23. h3 ♕h5 24. ♗e2 ♕h4 25. ♕b7
♖e8 26. ♕c7** [26. ♖d4+−] **♖e3 27. fe3
♕g5** [27... ♘h3 28. gh3 ♘e5 29. ♔g2 ♕g5
30. ♔h2 ♕e3 31. ♕b7] **28. ♗f1?⊕** [28.
♔h2! ♘e5 (28... ♗b3 29. ♕d7? ♕e5; 29.
♖c1 ♗d5 30. ♕g3; 29. ♗b5!) 29. ♗f1
♕h4 30. ♔h1; 28. ♔h1!+−] **♗h3 29. ♕c6
♖c8?⊕** [29... ♖e3 30. ♖e3 ♕e3 31. ♔h1

♗g4∞] **30. ♕a4 ♗e6?** [30... ♖c5⊙⊙] **31. c6
h5** [31... ♕c5 32. ♕b4 ♕c6 33. ♖d6 ♕c3
(33... ♕a8 34. ♖ed1 ♔h7 35. ♖e6 fe6 36.
♗d3+−) 34. ♖d8 ♔h7 35. ♖c8+−] **32.
♖d2 h4 33. ♕e4! ♕c5** [33... h3 34. ♖ed1
hg2 35. ♗g2 ♘h4 36. c7+−] **34. ♖ed1
♖c6 35. ♖d8 ♔h7 36. ♗d3 f5** [36... ♔h6
37. ♗e2 ♔h7 (37... ♕c3 38. ♖h8+−) 38.
♖f1 ♕c3 39. ♗d3 ♔h6 40. ♖h8] **37. ♕f3
♔h6 38. ♗e2 ♔g5 39. ♖8d5 ♕c3 40. ♖f1
♔f6** [40... ♘e7 41. ♕h5 ♔f6 42. ♕h4 ♔f7
43. ♖d3 ♕c2 44. ♕f2+−] **41. ♖f5 ♔e7 42.
♖f7 ♔d6 43. ♖d1 ♔c5 44. ♖b7** **1 : 0**
Bareev

343. D 07

NENASHEV 2585 − SKEMBRIS 2470

Aegina 1997

**1. d4 d5 2. c4 ♘c6 3. ♘f3 ♗g4 4. cd5 ♗f3
5. dc6 ♗c6 6. ♘c3 e6 7. e4 ♗b4 8. f3 ♕h4
9. g3 ♕f6 10. ♗c4!? N** [10. ♗e3] **0-0-0 11.
♗e3 ♗c5!?⇆** [11... ♗a5!?] **12. e5□ ♕e7**
[△ ♘h6-f5; 12... ♕f3 13. ♕f3 ♗f3 14.
0−0 ♖d4!↑; 14. ♖f1!+−] **13. ♕d2!** [△
♕f2 ×g5, h6] **f6?** [×e6; 13... ♘h6 14.
♗g5±; 13... ♗f3 14. 0−0 ♗h5 (14... ♗c6
15. ♕f2↑ △ a4) 15. ♕f2⊙↑; 13... ♗b6!?
(×f3, △ 14... h5, 14... ♕b4) 14. 0−0 ♘h6!?;
14... h5!?⇆] **14. ♕f2! ♗b6 15. 0-0-0± fe5**
[15... ♘h6 16. ♗h6 gh6 17. ♖he1±↑] **16.
de5 ♖f8 17. ♗b6! ab6** [17... ♖f3 18. ♕d4
ab6 19. ♗e6+−] **18. ♖d3 ♘h6 19. ♖hd1
♖f5** [△ 19... g5±] **20. ♕d2** [20. f4!? g5 21.
♕d2↑] **♘f7** [20... ♖e5 21. f4 ♖c5 22. ♗e6
♔b8 23. ♖d8 ♖d8 24. ♕d8 ♕d8 25. ♖d8
♔a7 26. ♔d2 △ ♖h8 ×♖c5; 20... ♖f3!? 21.
♗e6 ♔b8±] **21. f4 g5 22. ♘e2** [△ ♘d4+−]
gf4 23. gf4 ♖h5 24. ♘d4 ♗d7?! [24...
♘d8 25. ♘e6+−; 24... ♗d5±] **25. ♕e2!±
♕h4 26. ♘e6!** [26. ♗e6!?] **♖e5 27. ♖a3!
♖a5□ 28. ♖a5 ba5 29. ♕d2! ♗d6□** [29...
♗c6 30. ♕a5 b6 31. ♕a7+−] **30. ♕a5!** [30.
♕d4?! ♖e8!□ △ 31. ♘c7 ♖e4−+] **♗e6
31. ♕a8** [31. ♗e6 ♔b8] **♔d7 32. ♗e6 ♕e6
33. ♕h8 ♕f4 34. ♔b1 ♕h2 35. ♖e1
♔d5?⊕** [35... ♔d7±] **36. ♕c3+− c6** [36...
c5 37. ♕f3] **37. b4 b6 38. ♕d3⧻** **1 : 0**
Skembris

344. D 08

VOLŽIN 2505 — REWITZ 2310

Århus (open) 1997

1. d4 d5 2. c4 e5 3. de5 d4 4. ♘f3 ♘c6 5.
a3 ♗e6 6. ♘bd2 [6. e3 — 62/401] ♕d7
[6... ♘ge7!?] 7. b4 ♘ge7 8. ♘b3!? N [8.
♗b2] ♘g6 [8... ♗c4 9. ♘c5! (9. ♘bd4
0-0-0↑) ♕c8 (9... ♕d5? 10. e4!+− △ 10...
de3 11. ♗c4 ef2 12. ♔f2 ♕c4 13. ♕d7♯)
10. e6! ♗e6 11. ♘d4 ♘d4 12. ♕d4 ♘c6
13. ♕e3↑] 9. ♘bd4 ♗c4 [9... ♘ge5 10.
♘e6 (10. ♘e5? ♕d4!↑) ♘f3 11. gf3 ♕e6
12. ♕d5±] 10. ♘c6 ♕c6 11. ♗b2!? [11.
e3 ♗f1 12. ♔f1 a5∞] a5 12. ♘d4! [12.
♖c1 ab4 13. e3 (13. ♘d2? ba3! 14. ♖c4
♕c4! 15. ♘c4 ♗b4 16. ♘d2 ab2−+) b5
14. ♗c4 bc4 15. 0-0 ba3 16. ♗a1⊡] ♕a6
[12... ♕d5 13. ♕c2! △ e4+−] 13. b5! [13.
♗c3?? ab4 14. ab4 ♕a1−+] ♗b5 14.
♖c1→ [14. ♘b5 ♕b5 15. ♕c2!?] ♗c4
[14... ♘e5? 15. ♕b3 △ ♕e3+−; 14... ♖c8
15. ♕b3 ♗d7 16. e3±] 15. ♕c2 b5 16.
♕e4!± [16. g3 ♕b7∞] ♗e7 [16... ♖d8 17.
e6! fe6 18. e3 ♗f1 (18... ♗d5 19. ♘b5+−)
19. ♘e6+− △ ♘c7; 16... ♗c5 17. ♘f5
0-0 18. e3! ♗f1 19. ♖f1 ♗b6 (19... ♕b6
20. ♕c2) 20. e6+−→≫] 17. h4! 0-0-0 [17...
0-0 18. h5 ♘h8 (18... ♘e5 19. ♕e5 ♗f6
20. ♕c5+−) 19. ♘f5 ♗g5 20. ♕g4 h6 21.
f4+−] 18. h5 ♘f8 19. ♘c6 ♖d7 [19... ♖e8
20. g3+− ✕♔c8]

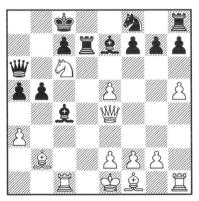

20. ♖c4! [20. g3 ♗g5 △ ♗d5] bc4 21. e3
♗c5 [21... ♕b6 22. ♗c4! △ 22... ♕b2?
23. ♗a6] 22. ♗c4 ♕b7 23. 0-0 [23.
♗d4!?+−] ♘e6 [△ 24... ♘d8, 24... ♘g5]
24. a4!+− ♘d8 [24... ♘g5 25. ♕f5 ♕c6

26. ♗b5 ♕e6 27. ♗d7 ♕d7 28. ♕g5] 25.
♗b5 ♖d2? [25... ♘c6 26. ♗c6 ♕b2 27.
♗d7 ♔d7 28. ♕d5] 26. ♗c3 ♖d7 27. ♖b1
♗b6 28. ♕c4 [△ ♗a6] ♘c6 29. ♗c6 ♕a7
30. ♗d7 ♔d7 31. ♕f7 ♔c8 32. e6 ♕b7
33. ♗g7   1 : 0   *Volžin*

345. D 12

BAREEV 2665 — SHORT 2690

Novgorod 1997

1. d4 d5 2. c4 c6 3. ♘c3 ♘f6 4. e3 a6 5. b3
♗f5 6. ♗d3 ♗g6 [6... ♗d3 7. ♕d3 e6 8.
♘f3 ♗b4=] 7. ♘f3 e6 8. 0-0 N [8. a3]
♘bd7 9. ♕c2 b5?! [9... ♗b4 10. ♗d2
a5=] 10. ♗g6 hg6 11. e4 dc4 [11... de4
12. ♘e4±; 11... ♗b4 12. ed5 cd5 13. c5
0-0 14. ♗f4±; 11... b4 12. ed5 cd5 (12...
bc3? 13. de6 fe6 14. ♘g5↑; 12... ed5 13.
♘e2 ♗e7 14. c5 0-0 15. ♗d2 a5 16.
♘g3±) 13. ♘e2 dc4 14. bc4 ♗e7 15. a3 a5
16. ♗d2±] 12. bc4 bc4 13. ♕a4? [13.
♖b1!±] ♗e7? [13... ♕c7 14. ♕c4 (14.
♖b1 ♘b6 15. ♕a5 ♘bd5) c5 15. d5 ed5
16. ♘d5 (16. ed5 ♗d6 17. ♖e1 ♔f8=)
♘d5 17. ♕d5 ♘b6 18. ♕d3=] 14. ♕c6
♕c8 15. ♕a4 0-0 16. ♖b1 ♕c7 17. ♗g5!
♖fe8 [17... ♘b6!? 18. ♖b6 ♕b6 19. e5
♕b4 20. ef6 gf6 21. ♗d2±] 18. ♖fc1 ♗f8
[18... ♘b6 19. ♕a5 ♘bd5 20. ♕c7 ♘c7
21. e5 ♘fd5 22. ♗e7 ♘e7 23. ♘e4±] 19.
g3! ♖ec8? [19... ♘b6 20. ♕a5 ♘bd5 21.
♕c7 ♘c7 22. e5! ♘fd5 23. ♘e4 ♘b5 24.
a4 ♘a3 25. ♖a1 ♖eb8 26. ♘fd2±] 20. ♗f4
♕c6 [20... ♕d8 21. ♖b7+−] 21. ♕c6 ♖c6
22. ♖b7 ♖d8 [22... ♖b6 23. ♖c7 ♗a3 24.
♖c2 ♖b2 25. ♖b2 ♗b2 26. ♘a4+−] 23.
♗c7! [23. ♗g5 ♖b8 24. ♖cb1 ♖cc8 25. e5
♘d5 26. ♖d7 ♘c3] ♖c8 24. ♗a5 ♗a3
[24... ♖b8 25. ♖cb1 ♖cc8 26. e5+−] 25.
♖d1! ♖b8 [25... ♘f8 26. ♘e5 ♖d6 27.
♗c7+−] 26. ♖db1 ♖cc8 [26... ♖b7 27.
♖b7 ♘f8 28. ♘e5 ♖c8 29. ♘f7+−] 27.
e5+− ♘d5 28. ♖d7 ♖b1 29. ♘b1 ♗b2 30.
♘g5 c3 [30... ♗d4 31. ♘a3 c3 32. ♘c2
♗e5 33. ♖d8 ♖d8 34. ♗d8 ♗f6 35. ♗f6
gf6 36. ♘e4 f5 37. ♘c5] 31. ♘c3 ♗c3 32.
♗c3 ♘c3 33. ♘f7 ♘a2 [33... ♘e2 34. ♔g2
♘d4 35. ♘g5 ♘c6 36. f4] 34. ♘d6 [34. d5
ed5 35. ♘d6 ♖c1 36. ♔g2 ♖e1 37. e6 ♖e6
38. ♖d8 ♔h7 39. ♘f7] ♖c1 35. ♔g2 ♘b4

36. ♖d8 ♔h7 37. ♘f7 g5 38. ♘g5 ♔g6 39. ♘e6 1 : 0 *Bareev*

346. !N   D 15

GLEK 2505 – V. BAKLAN 2570

Berlin 1997

1. d4 ♘f6 2. ♘f3 c6 3. c4 d5 4. ♘c3 ♕b6 5. ♕a4! N e6 6. e3 ♘bd7 7. ♕c2 ♗e7 8. ♗d3 0–0 9. 0–0 ♕c7 10. ♗d2 [10. e4!?] b6 11. cd5 cd5 [11... ed5 12. b4±; 12. e4!?↑] 12. ♖fc1 [△ ♘d5] ♔h8?! [12... ♕b8 13. a4! a6 14. a5 b5 15. ♘a2 ♗b7 16. ♕b3 △ ♘b4±] 13. ♘b5!± ♕c2 14. ♖c2 a6 15. ♘c7! ♖a7 16. ♖ac1 ♗b7 17. a3! g6?! [17... h6 18. ♗b4 ♗g8 19. h4!? △ g4-g5±] 18. ♗b4 ♘g8 [○ 18... ♗b4 19. ab4 △ ♖a1±] 19. ♗e7 ♘e7

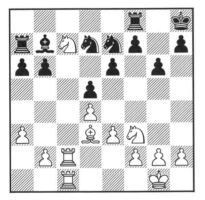

20. ♘e6!+– fe6 21. ♖c7 ♖d8 [21... ♖c8 22. ♖1c3!] 22. ♘g5 ♔g8 23. ♖1c3! [23. ♘e6 ♖c8∞] ♘f5 24. ♘e6 ♖e8 25. ♖d7 ♖e6 26. ♗f5 gf5 27. ♖cc7 ♔f8 28. ♖h7 ♔g8 29. ♖b7⊕ ♖b7 30. ♖b7 f4 31. ♔f1 fe3 32. fe3 ♖e3 33. ♖b6 ♖d3 34. ♖a6 ♖d4 35. ♖b6 ♖d2 36. a4 d4 37. a5 d3 38. ♔e1 ♖g2 39. a6 ♔f7 40. a7 ♖g1 41. ♔d2 ♖a1 42. ♖b7 ♔f6 43. ♔d3 1 : 0 *Glek*

347.   D 15

KRAMNIK 2740 – GEL'FAND 2700

Novgorod 1997

1. ♘f3 d5 2. d4 ♘f6 3. c4 c6 4. ♘c3 a6 5. a4 e6 6. ♗g5 ♘bd7 7. cd5 ed5 N [7... cd5 – 67/463] 8. e3 ♗e7 9. ♗d3 0–0 10. ♕c2 ♖e8 11. 0–0 ♘f8 [11... a5!?] 12. ♖ae1 [12. a5] ♗e6 [12... a5!? 13. ♘e5 ♘g4 14. ♗e7 ♖e7 15. f4 (15. ♘g4 ♗g4 16. f3) f6 16. ♘g4 ♗g4 17. f5 ♘h5 18. ♕f2; 12... ♘e4 13. ♗e7 ♕e7 14. ♗e4 de4 15. ♘d2 f5 16. f3 ef3 17. ♘f3] 13. ♘e5 ♘6d7 14. ♗e7 ♕e7 15. ♘d7 [15. f4 f6 16. ♘d7 ♗d7 17. a5 (17. f5 a5) ♕b4! (17... ♖ad8 18. ♘a4) 18. ♕a4 ♕b2! 19. ♘d1 ♕d2 20. ♕a3 (△ ♖e2) a) 20... ♗g4 21. ♘f2 ♗h5 (21... ♖e3 22. ♖e3 ♕e3 23. ♗h7) 22. g4+– ♗f7 23. ♖e2; b) 20... c5! 21. ♖e2 (21. dc5 ♗b5) ♕b4 22. ♕b4 cb4 23. ♖b2 ♗b5 (23... ♗a4 24. ♖b4 ♗d1 25. ♖d1 ♖e3 26. ♖b7±) 24. ♗b5 ab5 25. ♖b4 ♖a5∞] ♕d7?! [15... ♗d7 16. a5±] 16. f4 f6 17. a5 ♕c7 18. b4 ♖e7 [18... ♕d6 19. ♕b2 ♖e7 20. ♘a4] 19. ♘a4 ♖ae8 20. f5 ♗f7 21. ♕d2 ♕d6 [21... ♘d7 22. ♘c5!? (22. g4 g5) ♘c5 23. bc5±] 22. ♘c5 g5!? [22... h6 23. ♕f2 ♘h7] 23. ♗c2 [23. fg6?! ♗g6=] ♔g7 24. g3 [△ ♔f2; 24. e4? de4 25. ♘e4 ♕d5 26. ♘c3 ♕c4] h5! 25. ♔f2 ♘h7 [△ g4, ♘g5; 25... h4 26. ♔g2] 26. ♔g2 ♔h8 [26... g4 27. h4!] 27. ♕f2 ♔g8 28. h3 ♔h8 29. ♖e2 ♖g8 30. ♗b3 ♖ge8 [30... h4 31. g4] 31. ♖fe1 h4 32. g4□ ♘f8 33. ♔g1! [△ 34. e4, 34. ♕h2] ♘d7 [33... ♔g7 34. ♕h2 ♕h2 (34... ♕d8!?) 35. ♔h2±] 34. e4!? [34. ♕h2 ♕h2 35. ♔h2 ♘c5 36. bc5± ♘c5 [34... de4? 35. ♗f7 ♖f7 36. ♘e4 ♕b4 37. ♘g5+–] 35. bc5 ♕c7 36. e5! ♕a5 [36... fe5? 37. de5+– ♖e5 38. ♕d4] 37. e6 ♗g8 38. ♖a2 ♕c3⊕ [38... ♕d8 39. ♕h2] 39. ♕e3 ♕e3 40. ♖e3 ♔g7 41. ♔f2 ♔f8 42. ♔e2 ♖a8 43. ♔d2 ♖e8 44. ♔c3 ♖d8 45. ♔b4 ♔c7 46. ♖c3 [46. ♔a5 ♗f7!? △ ♗e8] ♖ee8? [46... a5!! 47. ♖a5 ♖a5 48. ♔a5 ♖e8± Dolmatov] 47. ♔a5± ♖a7 48. ♖b2 ♖d8 49. ♗a4 ♖e8 50. ♖e3 ♖c8 51. ♖b6 ♖e8 52. ♗b3 ♖d8! [52... ♗h7 53. ♖c3 ♗g8 54. ♗d5 cd5 55. c6] 53. ♗d1 [53. ♗d5!? ♖d5 (53... cd5 54. e7 ♖e8 55. ♖f6+–) 54. e7 ♗f7 55. e8♕ (55. ♖e6? ♔d7) ♗e8 56. ♖e8 ♖d4 57. ♖e7 ♔b8! (57... ♖d7 58. ♖d7 ♔d7 59. ♖b3!± Dolmatov) 58. ♖b3 (58. ♖b4?! ♖b4 59. ♔b4 a5 60. ♔a3 b5; 58. ♖eb7!? ♖b7 59. ♖b7 ♔b7=; 58. ♖f7!?) b5 (58... ♖a4? 59. ♔a4 b5; 59. ♔b6) 59. ♖be3 ♖e7 60. ♖e7∞] ♖aa8 54. ♖eb3 ♖a7 55. ♗f3 ♔c8 56. ♖e3

♔c7 57. ♖b4 ♖aa8 58. ♗g2!⊙ ♔b8!?
[58... ♗h7 59. e7 ♖e8 60. ♗d5 cd5 61.
♖b6 ♔d7 62. ♖d6 ♔c7 63. ♖f6+−; 58...
♖a7 59. ♗d5! cd5 (59... ♖d5 60. e7 ♗f7
61. e8♕ ♗e8 62. ♖e8+−) 60. ♖b6 △ e7,
♖f6; 58... ♖ab8 59. ♖eb3! ×♖b8; 58...
♖e8 59. ♖eb3! ♖a7 60. ♗d5 cd5 61. ♖b6
♖e7 62. ♖d6!?; 62. c6±] 59. ♗d5 ♖d5
[59... cd5 60. e7 ♖e8 61. ♖b6+−] 60. e7
♗f7 61. e8♕ [61. ♔b6? ♗e8] ♗e8 62.
♖e8 ♗a7 63. ♖e7 ♖b8 64. ♖f7 ♖dd8□ 65.
♖f6 ♖e8 66. ♖e6? [66. ♖b3!± ♖e1 67. ♖f7
♖a1 68. ♔b4] ♖e6 67. fe6 ♖e8 68. d5 cd5
69. ♖b6 ♖c8! [69... ♔b8? 70. c6 ♖e6 71.
c7; 69... d4?! 70. ♔b4 d3 71. ♔c3 ♖c8 72.
♔d3 ♖c5 73. ♖b4! ♖c8 (73... ♔b8 74. e7
♖c8□ 75. ♖d4! ♔c7 76. ♖c4+−) 74.
♔e4±] 70. ♔b4 a5 [70... ♔b8? 71. c6 ♔c7
72. cb7] 71. ♔b5 a4! 72. c6! bc6 73. ♖c6
♔b7! [73... ♖c6 74. ♔c6 a3 75. e7 a2 76.
e8♕ a1♕ 77. ♕d7 ♔a6 78. ♕b7 ♔a5 79.
♕b5#; 73... ♖e8 74. ♔c5! a3 75. ♔d6 a2
76. ♖c1+−] 74. ♖b6 ♔c7 75. ♖c6 ♔b7
[75... ♔d8?? 76. e7] 76. ♖b6   1/2 : 1/2
                                          Kramnik

348.   D 15

KNAAK 2530 −
ROGOZENKO 2530

Deutschland 1997

1. d4 d5 2. c4 c6 3. ♘f3 ♘f6 4. ♘c3 a6 5.
h3 e6 N [5... b5 − 69/342] 6. c5 [6. e3?!
♘bd7; 6. ♗g5?! dc4] b6 7. cb6 ♘bd7 [7...
♕b6? 8. ♘a4 ♗b4 9. ♗d2 ♕a5 10. a3
♗d2 11. ♘d2±] 8. g3 ♕b6 [8... ♘b6 9.
♗g2 c5 10. 0−0 ♗e7 11. b3±] 9. ♗g2 c5
10. 0−0 ♗d6 11. ♖b1 0−0 12. ♘a4 ♕b5
13. b3 ♖b8 [13... ♗b7 14. dc5 ♘c5 15.
♘d4 ♕a5? 16. b4 ♕a4 17. bc5+−; 15...
♕e8± △ ♕e7] 14. ♗a3 ♘e4 15. ♕c2±
♕a5 16. dc5 ♘dc5 17. ♘g5! [17. ♗c5
♘c5 18. ♘c5 *a)* 18... ♗c5? 19. ♘e5 *a1)*
19... ♗b7? 20. ♘d7 ♖bc8 21. b4 (21. ♕b2
♗a3) ♗b4 22. ♕b3+−; *a2)* 19... ♕b6 20.
e4±; *b)* 18... ♕c5 19. ♕c5 ♗c5 20. ♖bc1
♗a3=] ♘g5 18. ♗c5 ♗c5 19. ♕c5 [19.
♘c5?! e5 20. f4 (20. ♗d5?! ♗h3 21. ♖fc1
♖fc8⇆; 20. h4 ♘e6=) ef4 21. gf4 ♘e4!?
22. ♘e4 de4 23. ♗e4 ♗h3 24. ♗h7 ♔h8
a) 25. ♖f3 ♕b6 26. e3 (26. ♔h2 ♗g4 27.

♖g3 f5) ♗g4 27. ♖g3 f5; *b)* 25. ♖f2 f5 26.
♖h2 ♕b6 27. ♔h1 ♕b7 28. e4 ♖bc8 29.
♕e2 (29. ♕d3? ♖c3! 30. ♕c3 ♕e4 31.
♔g1 ♕b1 32. ♔f2 ♕f1−+) ♔h7 30. ♖h3
♔g8=] ♖b5 [19... ♕c5 20. ♘c5 e5 21.
♗d5± ×♘g5, a6] 20. ♕e3 h6 21. ♖fd1
♕b4 [21... ♖b7 22. ♖bc1 ♖c7 23. ♖c7
♕c7 24. ♖c1±] 22. ♖bc1 ♕d6 23. f4 ♘h7
24. ♖c2 ♘f6 25. ♕d4 ♕b8 26. ♘c5 ♖b4
27. ♕f2 a5 28. ♖dc1 ♖b5 29. ♕e3 ♕a7
[△ 29... h5±] 30. ♔f2 ♗b7 [30... h5±] 31.
♘b7 ♕b7 32. ♖c7 ♕b8 33. ♕a7 ♕d8
[33... ♕a7 34. ♖a7+−] 34. ♕a6 ♖b8 35.
♕a5 ♖a8 36. ♕d2 ♕b8 37. ♖7c2 ♕b6 38.
♕e3 d4 39. ♕d3 ♖a3 40. ♖c6 ♕a7 41.
♖c7 ♕b6 42. ♖1c6 ♕b8 43. ♖c2 ♖d8 44.
♗b7 ♖f8 45. ♗f3 [45. ♕d4 ♖a2±] ♖d8
46. ♔g2 h5 47. ♕c4 h4 48. ♕c5 ♖a6 49.
♖b7 ♕d6 50. ♕d6 ♖dd6 51. a4+− hg3
52. ♖d2? [52. ♖cc7+−] ♘d7 53. ♖b4 ♘c5
54. ♖bd4 ♖d4 55. ♖d4 ♘b3 56. ♖d8 ♔h7
57. ♖a8 ♖d6 58. a5 ♘d4 59. ♗e4?⊕ [59.
♔g3 ♘f3 60. ♔f3 ♖d2 61. a6 ♖a2 62. h4
♔g6±] f5 60. ♗d3 ♘e2!= 61. ♗e2 ♖d2
62. ♔g3 ♖e2 63. a6 ♖e3 64. ♔g2 ♖e4 65.
a7 ♖a4 66. ♔f3 ♖a3 67. ♔e2 g6
1/2 : 1/2   *Rogozenko*

349. !N   D 15

HAUCHARD 2485 − PRIÉ 2465

France (ch) 1997

1. d4 d5 2. c4 c6 3. ♘c3 ♘f6 4. ♘f3 a6 5.
♗g5 ♘e4 6. ♗f4 ♘c3 7. bc3 dc4 8. g3 b5
9. ♗g2 ♘d7! N [9... ♗b7 − 69/(343)] 10.
0−0 [10. ♘e5!? ♘e5 11. de5 △ 11... ♕d1
12. ♖d1 ♗b7 13. e6 fe6∞] ♗b7 11. ♕b1
g6! [11... e6 12. ♘d2 ♕c8 13. ♘e4 c5 14.
♗d6 (14. ♘d6?? ♗d6 15. ♗d6 ♗g2 16.
♔g2 ♕c6−+; 14. a4!?) ♗e4 15. ♕e4 ♖a7
16. ♗f8 ♔f8 17. a4±] 12. ♘d2 [△ ♘c4]
♕c8 13. a4 ♗g7 14. ♕b4 c5 [14... 0−0 15.
♕e7 ♖e8 16. ♕h4 (16. ♕b4 ♖e2 17. ♘e4
c5∓) ♖e2 17. ♘e4!↑] 15. dc5 ♗g2 16. ♔g2
♕c6 [16... 0−0? 17. ab5 ab5 18. ♕b5
♗c3 (18... ♖a1 19. ♖a1 ♗c3 20. ♖a7! △
20... ♗d2? 21. ♗d2 ♘c5 22. ♕c4 ♕c6 23.
f3 e6 24. ♗h6 ♖c8 25. ♕f4 ♘d7 26. ♖d7
♕d7 27. ♕f6+−) 19. ♖a8 ♕a8 20. ♘f3±;
16... ♕c5 17. ♕c5 ♘c5 18. ab5 ♗c3 19.

Ξa2 (19. Ξab1 ♗d2 20. ♗d2 ♘b3 21. ♗c3 0–0∓) ♗d2 20. ♗d2 ♔d7 21. ♗b4 Ξhc8 22. Ξd1 ♔e6 23. ♗c5 (23. Ξd4? ♘b3 24. Ξe4 ♔d5 25. Ξe7 ab5 26. Ξa8 Ξa8 27. Ξf7 Ξa4–+; 23. ♔f3? a5! 24. Ξa5 Ξa5 25. ♗a5 ♘b3 26. ♗c3 Ξb8∓) Ξc5 24. Ξa6 Ξa6 25. ba6=] **17. f3 Ξc8** [17... 0–0 18. ab5 ab5 19. Ξa8 Ξa8 20. Ξb1 ♘c5 (20... e5 21. ♗e3 Ξb8 22. ♘c4! bc4 23. ♛b8 ♛b8 24. Ξb8 ♗f8 25. ♗h6 ♛c5 26. f4 f6!=) 21. ♛b5 ♛b5 22. Ξb5 ♘a4 (22... Ξc8 23. ♘c4 ♘e6 24. ♘e5 ♘f4 25. gf4 f6 26. ♘d3=) 23. Ξb8! (23. Ξb4 e5 24. ♗e3 ♘c3∓) Ξb8 24. ♗b8 ♘b2 (24... ♘c3 25. ♔f1=) 25. ♘b1=] **18. ab5 ab5 19. Ξa5 ♘c5 20. Ξb5 ♘d7! 21. Ξb7! 0–0** [21... ♛e6 22. ♛b5! ♛e2 23. Ξf2 ♛e6 24. ♘c4 0–0 25. ♘b2±] **22. ♘c4! ♗c3** [22... ♛e6 23. Ξd7! ♛d7 (23... Ξc4? 24. ♛e7) 24. ♘b6 ♛e6 25. ♘c8 Ξc8 26. ♛b5 ♗c3=] **23. ♛c3 ♛b7 24. ♗h6 f6 25. ♗f8 ♔f8** [25... ♘e5? 26. ♗e7 ♛e7 27. ♛a3] **26. ♛d3 ♛b5 27. Ξd1 ♛c4**   **1/2 : 1/2**
Prié

MONOGRAPH
D 16-19
Ribli

350.   D 16
LAUTIER 2660 – V. MILOV 2635
Biel 1997

1. d4 d5 2. c4 c6 3. ♘f3 ♘f6 4. ♘c3 dc4 5. a4 ♘a6 6. e4 ♗g4 7. ♗c4 ♗f3 8. gf3 e6 9. ♗e3 [9. ♗a6 − 67/(467)] **♘b4 10. f4 N** [10. a5?! b5 11. ab6 ab6=; 10. 0–0 ♗e7 (10... ♛a5 11. ♔h1 ♗e7 12. Ξg1±) 11. ♔h1 0–0 12. Ξg1±] **♛a5 11. 0–0 0-0-0** [11... ♗e7 12. ♔h1 0–0 13. Ξg1 Ξad8 (13... ♛h5 14. f3± △ 14... ♘c2?? 15. ♛c2 ♛f3 16. ♛g2+−) 14. Ξg5 ♛c7 15. ♛e2±] **12. ♛e2** [12. ♔h1? c5 ×d4] **♗e7 13. ♔h1 g6 14. Ξac1** [14. Ξg1?! (△ Ξg5) ♛h5= △

15. f3?! ♘c2!] **♔b8 15. Ξg1 ♘h5** [15... ♛h5 16. f3±] **16. ♛f3** [△ f5] **♘g7 17. Ξgd1** [△ d5] **♛h5?!** [17... f5? 18. d5 a) 18... fe4? 19. ♛e4 cd5 20. ♛e5 ♛c7 (20... ♗d6 21. ♛g7 dc4 22. Ξd6+−) 21. ♗a7 ♔c8 22. ♘d5+−; b) 18... ed5 19. ed5 (△ ♗d4) c5 20. ♘b5 ♘e8 21. ♗b3±; 17... ♔a8±] **18. ♛g2 ♛a5 19. d5?!** [19. ♗e2 (△ ♗f3) f5=; 19. ♗b3! △ 19... ♔a8?! 20. d5 ed5 21. ed5 c5 22. ♘e4± ×c5] **ed5 20. ed5 c5**□ [20... cd5? a) 21. ♘d5 ♘d5 22. ♗d5 ♗d7 23. ♗f7 Ξd1 24. Ξd1 Ξd8 (24... ♛a4 25. b3 ♛b5 26. ♗c4±) 25. Ξd8 ♗d8 (25... ♛d8 26. ♗d5 ♘f5±) 26. ♛e4 ♘f5±; b) 21. ♗d5! ♘d5 (21... Ξd7? 22. ♘b5 a6 23. ♗a7 ♔a8 24. ♗b7 Ξb7 25. Ξd7+−) 22. ♘d5±] **21. ♘e4 ♘f5= 22. d6?!** [22. b3=] **♗d6 23. ♘g5 ♗e7?!** [23... ♗c7! 24. ♘f7 Ξd1 25. Ξd1 Ξe8∓] **24. ♘f7 Ξd1 25. Ξd1 Ξc8 26. b3 ♘c6= 27. ♗e6 Ξc7 28. ♛e4 ♛c3 29. Ξc1 ♛f6 30. ♗d5 ♘cd4 31. ♘e5 ♛a6 32. ♗c4 ♛d6** [32... ♛f6=] **33. Ξd1 a6?!⊕** [33... ♛b6=] **34. b4!↑ ♛b6 35. bc5 ♗c5 36. ♛d5?!⊕** [△ ♘d7; 36. Ξb1 ♛a5?! 37. ♛d5↑; 36... ♛d6±] **♘e3! 37. fe3 ♘f5 38. ♛d8** [38. ♘d7 Ξd7 39. ♛d7 ♘e3∓ ♔a7] **39. a5?!** [39. ♘d7 ♛c6 40. Ξd5 Ξc8 41. ♘e5 ♛c7 (41... ♛e6? 42. Ξc5 ♛c4 43. ♘c6! Ξc6 44. Ξc4 Ξc4 45. ♛d3 Ξa4 46. e4±) 42. ♛c7 Ξc7 43. e4 ♘e3∓] **♛a5 40. Ξb1 ♗d6??** [40... ♘e7!?∓; 40... ♗b6! 41. ♘d7 Ξd7 42. ♛d7 ♘e3+] **41. ♘c6!+− Ξc6** [41... bc6 42. ♛b8#] **42. ♛a5**
1 : 0
Lautier

351.** !N   D 17
EHLVEST 2610 – MANNINEN 2365
Jyväskylä 1997

1. d4 d5 2. c4 c6 3. ♘c3 dc4 4. ♘f3 ♘f6 5. a4 ♗f5 6. ♘e5 e6 7. f3 ♗b4 8. e4 ♗e4 9. fe4 ♘e4 10. ♗d2 ♛d4 11. ♘e4 ♛e4 12. ♛e2 ♗d2 13. ♔d2 ♛d5 14. ♔c3 0–0 [RR 14... ♘a6 15. ♘c4 0-0-0 16. ♔e3 ♛c5! N (16... ♘c5 17. a5 − 65/369; 17. ♗e2!±) 17. ♗e2 ♛e3 18. ♘e3 ♘c5 19. Ξhd1 e5!? 20. a5 ♔c7 21. ♔b4 ♘e4 22. Ξac1 (22. a6!? b6 23. Ξac1 Ξd4!=) a6 23. Ξd8 (23. ♗f3?! ♘f2! 24. ♘d5 ♔b8 25. Ξd2 cd5 26. Ξf2 f5 27. ♗d1 g6∓ Du. Rajković 2465 −

Matulović 2445, Jugoslavija 1997) ♖d8 24.
♖d1= Matulović] **15. ♕e3 b5 16. ♗e2
♘d7** [16... f6 — 57/373] **17. ♘d7 ♕d7 18.
♕c5 a6** [18... ♕d8! N 19. ♖hf1 a6 20.
♖ad1 ♕a5 21. ♔c2 ♖ad8! 22. ♔b1 ♕c7
23. ♗f3 (1/2 : 1/2 M. Sorokin 2560 — Ehl-
vest 2635, Buenos Aires (open) 1997) ♕h2!
△ ba4=] **19. ♖hd1 ♕c7 20. ♗f3 ♖ab8**
[20... ♕h2 21. ab5 ab5 22. ♖a8 ♖a8 23.
♗c6 ♖f8 24. ♕b5±] **21. h4! ♖fd8 22. ♔c2±
h6?** [22... b4! 23. ♖d8 ♕d8 24. ♖d1 ♕h4
25. ♕d4 ♕e7 26. ♕c4 a5 27. ♕c6 g6±]
**23. h5!± ♕f4 24. ♖d8 ♖d8 25. ♖d1 ♖d1⊕
26. ♔d1+− c3 27. ♕c3 ♕a4 28. ♔e2 ♕f4
29. ♗c6** [△ 29. b4] **b4 30. ♕c5 e5 31. ♗d5
e4 32. ♕c8 ♔h7 33. ♕d7 e3 34. ♕f7 ♕f7
35. ♗f7 a5 36. b3   1 : 0**   *Ehlvest*

352.   D 18

CHUCHELOV 2540
— KUPREJČIK 2500

Deutschland 1997

**1. d4 d5 2. c4 c6 3. ♘f3 ♘f6 4. ♘c3 dc4 5.
a4 ♗f5 6. e3 e6 7. ♗c4 ♗b4 8. 0-0 0-0 9.
♘h4 ♗g4 10. f3 ♘d5 11. fg4 ♕h4 12. ♕f3
♘d7 13. e4?!** [13. ♗d2 — 32/468] **♘5b6
14. ♗b3 N** [14. ♗e2] **c5! 15. ♘a2** [15. d5
c4∓] **♗a5!** [15... a5!?] **16. ♗e3 cd4** [16...
♖ac8!?] **17. ♗d4 ♕g5! 18. ♖ad1 ♘e5 19.
♕g3 ♘c6** [×♘a2] **20. ♗e3 ♕e5 21. ♕f3!?**
[21. ♕e5∓] **♕b2! 22. ♗c5 ♘e5 23. ♕g3**
[△ 24. ♖f2, 24. ♖b1]

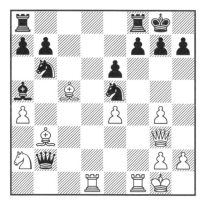

23... ♘bc4! 24. ♖b1 [24. ♖f2 ♘d2! 25.
♗f8 ♖f8∓ ×♘b3; 24. ♗d4 ♗b6∓; 24.
♗f8 ♖f8 △ 25... ♘d2, 25... ♘e3⊼↑] **♕e2!**

[△ ♕e4] **25. ♗f8 ♖f8 26. ♗c4 ♘c4 27.
♘c3 ♕d2 28. ♖fd1 ♕c3 29. ♕c3 ♗c3 30.
♖b7** [30. ♖bc1 ♘b2; 30. ♖dc1 ♘d2] **♗a5
31. ♔f2 ♗b6 32. ♔e2 g5 33. ♖c1 ♘d6 34.
♖d7 ♘e4—+ 35. a5⊕ ♘c5 36. ♖d6 ♘b7
37. ♖d7 ♘a5 38. h3 ♘b3 39. ♖c4 ♘c5 40.
♖d1 ♔g7   0 : 1**   *Kuprejčik*

353.**   D 20

L. CHRISTIANSEN 2550
— JOEL BENJAMIN 2580

USA (ch) 1997

1. d4 d5 2. c4 dc4 3. e4 [RR 3. e3 c5 4.
♗c4 cd4 5. ed4 ♕c7 6. ♗b3 ♗g4 7. ♘f3!
(7. f3 — 61/397) ♗f3 (7... ♘f6 8. 0-0 e6
9. h3 ♗h5 10. ♘c3 △ d5↑) 8. ♕f3! ♕c1 9.
♔e2 *a)* 9... ♕h1? N 10. ♕f7 (10. ♗f7 ♔d8
11. ♕b7 e6! 12. ♗e6 ♘f6; 10. ♕b7 e6! 11.
♕c8 ♔e7 12. ♕c5=) *a1)* 10... ♔d7?! 11.
♗e6 ♔c7 (11... ♔d6? 12. ♘d2 ♕a1 13.
♘c4 ♔c7 14. ♕e8!+−) 12. ♕f4 ♔b6 13.
♘c3! (13. d5 ♘a6! 14. ♘d2!? ♕a1 15.
♘c4 ♔b5 16. a4∞) ♕a1 14. ♘d5 ♔a6
(14... ♔a5? 15. ♕c7 b6 16. ♕c3+−) 15.
♘c7 ♔b6 16. ♘a8 ♔a6 17. ♘c7 ♔b6 18.
♘d5 ♔a6 (I. Zajcev 2450 — Vi. Ivanov
2390, Moskva 1997) 19. ♕d2! ♕b1 (19...
b6 20. ♕c3+−; 19... ♘c6 20. ♕d3+−) 20.
♕c3! ♕e4 21. ♔d2+−; *a2)* 10... ♔d8 11.
♕f8 ♔d7 12. ♗a4! ♘c6 (12... ♗e6 13.
d5+−; 12... ♔c7 13. ♘c3! ♕a1 14. ♘d5
♔d6 15. ♕f4+−; 12... b5 13. ♕f5!→) 13.
♕a8 ♕g2 14. ♕b7 ♔d6 15. ♗c6 ♕c6 16.
♕b8±; *b)* 9... ♕b2 10. ♘d2 ♘c6 (10...
♘d7 11. ♖ab1 ♕d4 12. ♗f7 ♔d8 13.
♖hd1 ♘gf6 14. ♖b7 ♖c8 15. ♘e4! ♕e5
16. ♔f1 ♖c7 17. ♖b8 ♖c8 18. ♘f6
♕b7+−) 11. ♕f7 (11. ♗a4!?) ♔d7 *b1)* 12.
♗e6 ♔d6 13. ♖hb1 ♕d4; 13... ♘d4!; *b2)*
12. ♕d5 N ♔c7 13. ♖hc1 e6 14. ♕a5 ♔d6
15. ♕c5 ♔c7 1/2 : 1/2 Matamoros 2430 —
Sermek 2535, Cannes 1996; *b3)* 12. ♖hd1!?
b31) 12... ♔c7 13. d5 ♕e5 14. ♔f1 ♘d4
(14... ♘h6 15. ♕f3 ♘d4 16. ♕c3→) 15.
♖ac1 ♔d7 16. ♘f3!? (16. ♘c4 ♕e2 17.
♔g1 ♘h6 18. ♗a4 b5 19. ♕f4→) ♕e2 17.
♔g1 ♘h6 18. ♕f4 ♘f3 19. gf3→; *b32)*
12... ♘f6 13. d5?? ♘d8—+; 13. ♖ab1∞ Vi.
Ivanov] **♘c6 4. ♗e3 ♘f6 5. f3 e5 6. d5**

♘e7 7. ♗c4 [△ 7. ♘c3] a6 [7... c6! P. Wolff] 8. ♘e2 ♘g6 9. 0−0 ♗d6 10. ♕d2 N [10. ♘d2; 10. ♘bc3] ♕e7 11. ♗b3 [11. ♘bc3] ♗d7 12. ♘bc3 [12. ♘g3!?] 0−0?! [12... ♘h5! Joel Benjamin] 13. ♘g3 ♖fd8 14. ♔h1?! [14. ♖ac1; 14. ♖ad1; 14. ♖ae1] ♗c5 15. ♖fe1 [15. ♖ac1] ♗e3 16. ♕e3 ♘e8 17. ♘f5!? [17. ♖ac1±] ♕f8? [17... ♕f6! 18. g4!? (18. d6 ♗f5 19. ♘d5 ♕d6 20. ef5 ♘e7=) ♘f4 19. ♘e2±] 18. ♖ac1 ♘d6 19. ♘d6 ♕d6 [19... cd6 20. ♕b6±] 20. ♖ed1 ♖dc8 21. ♖d2± [×c7] b5 22. ♘d1 a5 23. ♘f2 h5!?⊕ 24. ♘d3 ♖ab8 25. a3 h4 26. g3 hg3 27. hg3 ♔f8 28. ♔g2 ♔e7 29. ♘c5 ♗h3 30. ♔f2 [30. ♔h3?? ♘f4 31. ♔h2 (31. gf4 ♕g6) ♕h6 32. ♔g1 ♘h3−+] ♕f6 31. ♘d3 ♕b6?! 32. ♖dc2? [32. ♕b6 cb6 33. g4! ♖c1 34. ♘c1 ♘f4 35. ♘d3+−] ♗d7 33. ♖c7! ♕e3 [33... ♕c7 34. ♖c7 ♖c7 35. ♕g5+−; 33... ♖c7 34. ♕b6+−] 34. ♔e3 ♔d6 35. ♖c8? [35. ♖a7! ♖c1 36. ♘c1 a4 37. ♗d1 ♖h8 38. ♘d3 ♖h2 39. ♗e2 ♖g2 40. ♖a6 ♔e7 41. ♘c5+−] ♖c8 36. ♖h1 ♖h8□ 37. ♖h8 ♘h8 38. f4 f6 39. ♗d1 ♘g6 40. b4 ab4 41. ab4 ♘f8?! [41... f5 42. ♘c5 ef4 43. gf4 fe4 44. ♗c2!+−] 42. ♗e2 ♗e8 43. ♘f2 ♔e7 [43... ♔c7 44. ♘d1 ♔b6 45. ♘c3 ♗d7 46. ♔f3 ♘h7 47. d6+−] 44. fe5 fe5 45. ♘d1 [×b5] 1 : 0   *L. Christiansen*

354.   **D 20**

W. ARENCIBIA 2550 − ILLESCAS CÓRDOBA 2585

España 1997

1. d4 d5 2. c4 dc4 3. e4 ♘c6 4. ♗e3 ♘f6 5. f3 e5 6. d5 ♘e7 7. ♗c4 a6 8. a4 N [8. ♘c3 − 60/375] ♘g6 9. ♘e2 ♗b4 10. ♘d2 0−0 11. 0−0 ♗d7 12. ♘b3 c6 13. dc6 ♗c6 14. ♘c5 ♕b6?! 15. ♕b3□ ♕a5 [15... ♗a5 16. ♘d7 ♕b3 17. ♘f6 gf6 18. ♗b3±] 16. ♘d3 ♗d6 17. ♗b6 ♕d2 18. ♖ad1 ♕g5 19. ♘f2 ♘e8 20. ♗d5 ♖c8 21. ♗e3 ♕e7 22. ♘g3?! [22. ♗c6 ♖c6 23. ♘c3±] ♘h4⇆ 23. ♗c6 ♖c6 24. ♖c1 ♖c1 25. ♖c1 h6 26. ♘g4 ♔h7 27. ♖c8 [27. ♗f2!?↑] ♕d7 28. ♖a8 ♕c6!⇆ 29. ♖a7 ♗c5 30. ♕b7 [30. ♖b7 ♘d6 31. ♖b8 ♖b8 32. ♕b8 ♘c4⊼] ♗e3??⊕ [30... ♕d6 31. ♖a6 ♕d2 32. ♗f2

♘f6! (32... h5 33. ♖c6! hg4 34. ♖c5 gf3 35. ♘f1 ♕e2 36. ♕b5±; 32... ♗f2 33. ♘f2 ♕c1 34. ♘f1 ♕g5 35. ♘g4 h5 36. ♘ge3 ♘f3 37. ♔h1 ♘d2 38. ♕b4! ♘f1 39. ♘f1±) *a)* 33. ♕b5 ♘g4 34. ♕c5 ♖c8−+; *b)* 33. ♖f6 gf6 34. b4 ♗f2 35. ♘f2 ♕c1 36. ♘f1 ♕b2 37. ♘e3 ♕c1 (37... ♕a1 38. ♘f1 ♕a4 39. ♕e7⊼) 38. ♘f1 ♕b2=; *c)* 33. ♘f1 ♗f2 34. ♘f2 ♕g5 35. g3 (35. ♘g3? ♘h5! 36. ♕d7 ♖b8 37. ♕g4 ♕c1 38. ♘f1 ♘f4−+) ♘f3 36. ♔g2 (36. ♔h1 ♘g4 37. ♔g2 ♘e1 38. ♔g1 ♘f2 39. ♔f2 ♘d3 40. ♔g1 ♕g4⊼) ♘e1 37. ♔g1=] 31. ♘e3 ♕c5 [△ 31... ♕a4±] 32. ♘f1+− ♘d6 33. ♕c7 ♗c7 34. ♖c7 ♖b8 35. ♖c6 ♘e8 36. ♘c4 ♖b4 37. a5 f5 38. ♘fd2 ♘f6 39. b3 fe4 40. fe4   1 : 0   *Illescas Córdoba*

355.   **D 20**

ILINČIĆ 2545 − D. BLAGOJEVIĆ 2480

Jugoslavija 1997

1. d4 d5 2. c4 dc4 3. e4 ♘c6 4. ♗e3 ♘f6 5. f3 e5 6. d5 ♘e7 7. ♗c4 a6 8. a4 ♘g6 9. ♘e2 ♗d6 N 10. ♕d2 ♗d7 11. ♘bc3 0−0 12. 0−0 ♕e7 13. ♔h1 [13. ♖fc1 ♗c5 14. ♘d1 b5 15. ab5 ab5 16. ♗d3± ♗c5 [13... ♖ab8 14. a5 ♖fc8 15. ♖fc1 ♗b4 16. ♕c2 △ ♘d1-f2±] 14. ♖fc1 ♖fc8 15. ♖c2 [15. ♗c5 ♕c5 16. ♘d1 b5 17. b4 ♕d6 18. ♗b3±] ♘e8 [15... c6 16. dc6 ♗c6 17. ♘d5 ♘d5 18. ♗c5 ♕c5 19. ♗d5±] 16. ♖ac1 [16. b3! ♖ab8 17. a5 ♗e3 18. ♕e3 ♘d6 19. ♗d3±] ♗e3 17. ♕e3 ♕b4 [17... ♘d6 18. ♗b3 b5 19. ab5 ab5 20. ♘d1! ♗e8 21. ♘f2±] 18. b3 [18. ♘a2 ♕a4 19. b4 (19. ♖c3 ♕a5 20. ♖b3 b5∓) a5! 20. ♘ec3 (20. ♗b3 ♕a3 21. d6 ab4 22. dc7 ♗e6 23. ♖b1 ♖c7∓) ♕a3 21. b5 ♕e7∓] ♘d6 [18... b5 19. ♗d3! ♕b3 (19... ba4 20. ba4 ♗a4 21. ♖b1 ♕a3 22. ♖a2+−) 20. ♕c5! ♘d6! 21. ♖b1 ♘b7 22. ♕g1! ♕a3 23. ab5 ab5 24. ♗b5 ♗b5 25. ♘b5 ♕a5 26. ♕c1±] 19. ♘a2 ♕a3 [19... ♘c4 20. ♖c4 ♕d6 21. ♕c3±] 20. ♕d2! b5 [20... ♘c4 21. ♖c4 ♕b3 22. ♖b4 ♕a3 23. ♖c3+−] 21. ♗d3 ♕b3 [21... ba4 22. b4 △ ♖c3+−] 22. ♖c7 [22. ♘b4 a5 23. ♖b2 ♕a3 (23... ♕a4 24. ♘c3 ♕a3 25. ♘b1 ♕a4 26. ♘c3=) 24.

♖c3 ♕a4 25. ♗c2 ab4 26. ♗a4 bc3 27.
♘c3 ba4−+; 22. a5 ♕a3 23. ♖c7 ♘c4 24.
♖c8 ♖c8 25. ♗c4 ♖c4 26. ♖c4 bc4=] ♖c7
23. ♖c7 ♘f8 24. ab5 [24. a5 ♖c8 25. ♖c8
♗c8 △ ♘b7∓] **♘b5** [24... ♗b5 25. ♘ec1
♕a3 26. ♘b4±] **25. ♖c1** [25. ♗b5 ab5 26.
♘ec1 ♕b1 27. ♘b4 ♖a1=] ♘**d6** [25...
♘a3 26. ♘b4 a5 27. ♘c6 ♗c6 28. dc6±]
26. ♘b4 ♗b5 27. ♖b1 ♕a3 28. ♗b5 ab5
[28... ♘b5 29. ♘c6 f6 30. h3±] **29. h3 f5?!**
[29... ♘d7 30. ♘c6 h6±] **30. ef5 ♘f5 31.**
♘**c6 ♕a2** [31... ♕e3 32. ♕e3 ♘e3 33.
♘c3±] **32. ♕a2 ♖a2 33. ♘c3 ♖d2?!⊕**
[33... ♖c2 34. ♘b5 ♘e3 35. ♘e5 ♘d5 36.
♘d4 ♖d2 37. ♘dc6±] **34. ♘e4 ♖d3** [34...
♖d5?? 35. g4+−] **35. ♖b5 ♘d7 36. ♖b7??**
[36. ♔g1 △ ♔f2+−] ♖**d5 37. g4 ♖d1 38.**
♔**g2 ♘h4 39. ♔g3 ♘g6 40. h4 ♖c1?** [40...
h6 41. h5 ♘gf8 42. ♖b5±] **41. ♖c7! ♖d1**
[41... ♔h8 42. ♖d7 ♖c6 43. ♖d8 ♘f8 44.
♖f8#; 41... ♔f8 42. ♖c8 ♔f7 43. ♘e5+−]
42. ♘g5! [42. h5 ♘gf8 43. ♘g5 h6 44.
♘e7 ♔h8 45. ♘f7 ♔h7 46. ♖c8±] **h6**
[42... ♘gf8 43. ♘e7 ♔h8 44. ♘f7#; 42...
♘df8 43. h5+−; 42... ♔h8 43. ♖c8 ♘gf8
44. ♘e6 ♔g8 45. ♘e5+−] **43. ♖c8** [43...
♘gf8 44. ♘e7 ♔h8 45. ♘e6+−; 43... ♘df8
44. h5! hg5 45. hg6 ♖d7 46. ♔f2 ♖b7 47.
♔e3 ♖d7 48. ♔e4 ♖b7 49. ♔f5+−]
1 : 0   *Ilinčić*

356.* !N   D 20

AN. KARPOV 2745
− V. MILOV 2635

Biel 1997

**1. d4 d5 2. c4 dc4 3. e4 ♘c6 4. ♘f3 ♗g4
5. d5** [RR 5. ♗e3 ♗f3 6. gf3 e6 7. ♗c4
♕f6 8. e5 ♕h4 9. ♗b5 ♗b4 10. ♘c3 ♘e7
11. ♕a4 0−0 12. 0-0-0 ♗c3 (12... a6 13.
♗c6 ♘c6 14. ♘e4⇆) 13. bc3 ♘d5 (13...
a6!? 14. ♗c6 ♘c6 15. ♖dg1 ♘e5! 16.
♗g5 ♘d3 17. ♔d2 ♘b2 18. ♕c2 ♕f2 19.
♔c1 ♕c2 20. ♔c2 ♘c4 21. ♗h6 g6 22.
♗f8 ♔f8∓) 14. ♕c2 f6 15. ♖dg1 fe5! N
(15... ♘e3?! − 41/439) 16. ♖g4 ♕h5 17.
♖hg1 ♖f7 18. ♗c6 bc6 19. de5 (19. ♖e4
♕h2−+; 19. h4 ♖b8 20. ♖g5 ♕f3 21. ♖e5
♖f5 22. ♖e6 ♔f7−+) ♘e3 20. fe3 ♕e5 21.
♖e4 ♕f5 22. ♖g3 ♖b8 23. ♖b4 ♖b4

(Baquero − Baburin 2560, Los Angeles
1997) 24. ♕f5□ ef5 25. cb4 f4 26. ef4 ♖f4
27. a3 ♔f7∓ Baburin] ♘e5 6. ♗f4 ♘g6 7.
♗e3 e5 [7... ♘f6 − 53/364] 8. ♗c4 ♘f6 9.
♘c3 a6 10. 0−0 ♗d6 11. ♗e2 0−0 12.
♘d2 ♗d7 N [12... ♗e2 13. ♕e2 ♕e7
(13... ♕d7) 14. ♘b3±] **13. ♖c1 ♕e7 14. a3**
[14. g3!?] **b5 15. ♘b3 ♘f4** [15... c6?! 16.
dc6 ♗c6 17. ♘a5! ♗e4 18. ♘e4 ♘e4 19.
♗f3±] **16. ♗f3 ♘h8 17. ♘a2** [17. g3 g5
(17... ♘h3 18. ♖e1±) 18. gf4 gf4 19. ♗d2
♖g8 (19... ♘g4 20. ♗g4 ♗g4 21. f3!?
♗h3 22. ♔h1 ♖g8 23. ♖g1 ♖g1 24. ♕g1
♖g8 25. ♕f2±) 20. ♔h1∞] **g5 18. ♘c5**
♖**g8 19. ♘b4 ♖g6 20. ♕c2** [20. g3!? g4
21. ♗e2] **g4 21. ♗e2 ♖ag8 22. ♖fd1 ♘6h5**
[22... ♘g2?! 23. ♔g2 ♘h5 24. ♘d7 (24.
♔f1 g3 25. ♗h5 gh2 26. ♔e2 ♖g1 27.
♖g1 ♖g1 28. ♗f3 ♗g4 29. ♗g4 h1♕ 30.
♖g1 ♕g1 31. ♗f5±) g3 25. ♗h5 gh2 26.
♗g6 ♕h4 27. ♔f3 ♖g6 28. ♔e2±] **23. g3**
[23. ♘d7!? ♕d7 (23... g3 24. fg3 ♘g3 25.
♗f4!±) 24. g3±] ♗**c8! 24. ♘c6** [24.
♔f1!?] ♕**g5 25. ♗f1** [25. ♔f1 f5 26. ♗d3;
26. ♘e6∞] ♘**h6!? 26. ♕c3 ♘f6 27. ♘d3!**
♕**h5?!** [27... ♖h2 28. ♘f4 ef4 (28... ♘e4
29. ♘e5 ♗e5 30. ♕e5 ♕e5 31. ♗d4) 29.
♗f4 ♗f4 30. ♔h2+−; 27... ♘e4 28. ♘ce5
(28. ♗f4 ♕h5 29. ♗e5 f6 30. ♗f6 ♘f6 31.
h4 gh3∞) ♘c3 29. ♘f7 ♔g7 30. ♘g5
♘ce2! 31. ♗e2 ♘e2 32. ♔g2 ♘c1 33.
♖c1⊠] **28. h4 gh3 29. ♘de5! ♖g7 30.**
♗**f4+− ♘e4 31. ♕e3 ♕f5 32. ♗h6 h2 33.**
♔**h2 ♘f2 34. ♗g7 ♔g7 35. ♖d4   1 : 0**
An. Karpov

357.   D 20

M. GUREVICH 2620 −
H. ÓLAFSSON 2505

Mariehamn/Österåker 1997

1. d4 d5 2. c4 dc4 3. e4 ♘f6 4. e5 ♘d5 5.
♗**c4 ♘b6 6. ♗d3 ♘c6 7. ♗e3 ♗e6 8. ♘c3**
♕**d7 9. ♘ge2** [9. ♘f3 − 61/400, 401] ♗**c4**
10. ♗e4!? N [10. ♗c4] **e6** [10... f5!? 11.
♗f3 0-0-0] **11. 0−0 0-0-0 12. b3 ♗d5**
[12... ♗e2 13. ♕e2!? ♘d4 14. ♗d4 ♕d4
15. ♘b5↑] **13. ♘d5 ♘d5 14. a3!? f6 15.
ef6 gf6 16. b4 ♘ce7 17. ♕b3 h5 18. ♖ac1**
♗**h6?!** [18... ♘f5!? (△ 19... ♘fe3 20. fe3
♗h6⇆) 19. ♗f5 ef5 20. ♘f4 ♗h6 21. ♘d5

♕d5 22. ♕d5 ♖d5 23. ♖c5!?±] **19. ♗h6**
♖h6 **20. ♖c5!±** ♔b8 **21. ♖fc1 ♕d6 22. b5**
h4 23. a4 f5 24. ♗f3 ♖h7 25. a5 ♖g7 26.
♔h1 ♖dg8 **27. ♕b2** [27. ♘c3!? *a)* 27...
♘f4 28. b6! cb6 29. ♘b5 ♕d8 30. ♘a7!
(30. ♖c7 ♘ed5 31. ab6 a6∞) ♔a7 31. ab6
♔b8 32. ♖a5 ♘c6 33. ♗c6 bc6 34.
♖ca1+−; *b)* 27... ♘c3 28. ♕c3 ♘d5 29.
♕c4↑] ♖d8 **28. ♕d2 ♖g6 29. ♗h5 ♖gg8**
30. ♗f3 ♖h8?! [30... ♖g6 31. ♕b2 ♖dg8 32.
♘c3↑] **31. ♕b2 ♖hg8 32. h3 ♖gf8** [△ 32...
♖g7] **33. ♘c3! ♘c3 34. ♕c3 ♖c8** [34...
♕d4 35. ♖c7 ♕c3 (35... ♘c6 36. ♖b7+−)
36. ♖b7+−] **35. ♕e3!?** [×e6] **♘g6?** [35...
♖f6 36. ♕e5!? ♕e5 37. de5 ♖h6 38. a6 b6
39. ♖5c2 (△ ♗b7) ♘d5 40. ♖d2±] **36. a6**
[36... b6 37. ♖c6+−] **1 : 0**

M. Gurevich

358. D 20

AN. KARPOV 2745
— ANAND 2765

Dortmund 1997

1. d4 d5 2. c4 dc4 3. e4 e5 4. ♘f3 ed4 5.
♗c4 ♘c6 **6. 0–0 ♗e6 7. ♗e6 fe6 8. ♕b3**
♕d7 **9. ♕b7 ♖b8 10. ♕a6 ♘f6 11. ♘bd2**
♗b4 **12. ♘c4 0–0 13. a3 ♗c5 14. b4 ♗b6**
15. b5 ♘e7 16. ♘fe5 ♕c8 17. a4!? N [17.
♖e1 — 69/358] **♘e4 18. ♗a3 ♘d5!**□ [18...
♖d8 19. ♖ae1 ♘c5 20. ♗c5 ♗c5 21.
♕e6+−; 18... ♖f6 19. ♖ae1 ♘c5 20. ♗c5
♗c5 21. ♘g4 ♖g6 22. ♘ce5 ♖b6 23. ♕a7
♖b5 24. ♕a6 ♖b6 25. ♕c4±] **19. ♗f8 ♔f8**
[19... ♕f8 20. ♘d7 ♕d8 21. ♘b8 ♕b8 22.
a5 ♘c5 23. ab6! ♘a6 24. ba7 ♕a7 25.
ba6±] **20. ♘d3 ♘d6!?** [20... ♘b4 21. ♘b4
♘c5 22. a5 ♘a6 23. ♘a6 ♗c5 24. ♘c5
♖b5 25. ♘d3±; 20... c5 21. a5 ♘c7 22.
ab6 ♘a6 23. ba7 ♖a8 24. b6 ♕c8 25. f3
♘c3 26. ♘d6±] **21. ♘d6?!** [21. ♖ac1!?]
cd6 22. ♖ac1 [22. ♖fc1!? ♕d7 23. a5 ♗d8
24. ♖c6 ♗e7 25. ♖a4 e5 26. ♖ac4 ♔f7∞]
♕d8! 23. a5 ♗a5 24. ♕a7 ♗c3 25. ♕a2
[25. ♖b1 ♖a8 26. ♕b7 ♖b8=] **♖b5 26.**
♕e2 [26. ♖b1!?] **♕e8! 27. ♖b1 e5 28.**
♖b5 ♕b5 **29. f4 ♘e3 30. fe5 ♘f1 31. ♕f1**
♔e7 **32. ed6 1/2 : 1/2** *An. Karpov*

359. D 21

ANAND 2765 — R. HÜBNER 2580

Dortmund 1997

1. ♘f3 d5 2. d4 e6 3. c4 dc4 4. e4 b5 5. a4
♗b7 **6. ab5 ♗e4 7. ♗c4 ♘f6 8. ♘c3 ♗b7**
9. 0–0 ♗e7 10. ♕e2 N [×a6; 10. ♘e5 —
46/(510)] **0–0 11. ♖d1 ♘d5?!** [11... c6?!
12. bc6 ♗c6 (12... ♘c6 13. d5 ed5 14.
♘d5 ♘d5 15. ♗d5 ♕c7 16. ♕c4 △ ♗f4±)
13. ♘e5 ♗b7 (13... ♗d5 14. ♘d5±) 14.
♘f7 ♖f7 15. ♕e6 ♕f8 16. ♗f4±; 11...
♘bd7 12. ♘e5 ♘b6 13. ♗d3±] **12. ♘e5**
c6? [12... ♘d7 *a)* 13. ♘c6 ♗c6 14. bc6 *a1)*
14... ♘7b6 15. ♗a6 (15. ♗d3 a5) ♖b8 16.
♘e4±; *a2)* 14... ♘7f6 15. ♗a6 ♖b8 16.
♗b7 a5=; *b)* 13. ♘d5 ed5 14. ♗d3 ♘f6±]
13. ♘d5! [13. bc6 ♘c6 14. ♗a6 ♗a6=]
cd5 [13... ed5 14. ♗d3 cb5 15. ♕h5 g6 16.
♘g6 fg6 17. ♗g6 hg6 18. ♕g6 ♔h8 19.
♖d3 ♗h4 (19... ♗c8 20. ♕h6 ♔g8 21.
♖g3+−) 20. ♖h3 ♕f6 21. ♕g3 ♖f7 22.
♗g5 ♕g6 23. ♗h4 ♔g7 (23... ♕g3 24.
♗f6 ♔g8 25. ♖h8#) 24. ♕e5 ♘f8 25.
♗d8+−] **14. ♗d3 ♗d6** [14... ♘d7 15. ♘c6
♗c6 16. bc6 *a)* 16... ♘b8 17. ♕c2 ♕c7
18. ♗h7 ♔h8 19. ♖d3 ♖c8 20. ♖h3 ♗f6
(20... ♗d6 21. ♗g5) 21. b3 ♘c6 22. ♗a3
△ ♗g8+−; *b)* 16... ♘f6 17. ♗a6± ×a7; *c)*
16... ♘b6 17. ♗a6±; 14... ♕b6 15. ♕h5 f5□
(15... g6 16. ♘g6) 16. ♕e2 ♗f6 (16... a6?
17. ba6 ♗a6 18. ♗a6 ♖a6 19. ♘d7+−) 17.
♗d2±] **15. ♗f4 ♕e7** [15... ♗e5 16. de5 △
♕h5→; 15... ♕b6 16. ♕h5 f5 (16... g6 17.
♕h6+−) 17. ♕e2 ♗e5 18. ♕e5 ♘d7 19.
♕d6±] **16. ♖dc1 ♘d7?** [16... g6] **17.**
♘c6+− **♗c6 18. ♗d6 ♕d6 19. bc6 ♘b6**
20. ♕c2 g6 21. ♕c5 [21. c7] **♕c5** [21...
♕c7 22. ♗a6 ×a7] **22. ♖c5?!** [22. dc5
♘c4 (22... ♘c8 23. ♗a6 ♘e7 24. ♗b7) 23.
♗c4 dc4 24. ♖c4 ♖fb8 (24... ♖fc8 25.
♖a6; 24... a5 25. ♖ca4) 25. b4 a5 26. c7]
♖fc8 23. b4? [23. c7 a5 (△ 24... ♖a7 25.
♖ac1 ♘a8) 24. ♖c6 ♘c4 25. b4 (25. b3
♘d2∞; 25. ♗c4 dc4 26. ♖c4 ♖a7 27. b4 —
25. b4) ♖a7 26. ♗c4 dc4 27. ♖c4 a4 (27...
♖ac7 28. ♖c7 ♖c7 29. ba5+−) 28. ♖ac1
a3 29. ♔f1 a2 30. ♖a1 ♖cc7 31. ♖c7 ♖c7
32. ♖a2 ♖c4 33. ♖b2 ♖d4 34. b5 ♖d7 35.
b6 ♖b7 36. ♔e2 ♔f8 37. ♔d3 ♔e7 38.
♔c4+−] ♖c7 **24. b5?** [24. ♗a6 ♖b8 25.

♗b7 ♘c8 26. b5 *a)* 26... ♘d6 27. ♖a7 ♘b7
a1) 28. b6? ♘c5–+ △ 29. bc7 ♖b1‡; *a2)*
28. ♖c1? ♖bc8∓; *a3)* 28. cb7 ♖cb7 29.
♖b7 ♖b7 30. ♔f1 ♖a7=; *a4)* 28. ♖c2 △
29. b6 ♖e7 30. c7+–; *b)* 26... ♔f8 27. ♔f1
♔e7 28. ♔e2± △ 28... ♘d6 29. ♖a7 ♘b7
30. ♖c1+–] ♔f8= **25. ♖c2 ♔e7 26. ♖ca2**
[26. ♔f1 ♔d6 27. ♔e2 a5 28. ba6 ♖c6=;
26. ♖a6 ♔d6 (26... ♖b8 27. ♖ca2 ♘c8 28.
♔f1 ♖b6 29. ♖6a5± △ 29... ♔d8 30. ♔e2
♖e7 31. ♔d2 ♔c7 32. ♔c3 ♔b8? 33. ♔b4
△ ♔c5) 27. ♖ca2 ♘c4 *a)* 28. b6 ♖c6 29.
♖a7 (29. ba7 ♖a6 30. ♖a6 ♔c7=) ♖b8 30.
♖f7 ♖cb6 31. ♖h7 (31. g3 ♖8b7 32. ♖a7
♖f7 33. ♖f7 ♖b3=) ♖b1 32. ♗f1 ♖d1 33.
♖a6 ♖b6 34. ♖b6 ♘b6 35. g3 ♘c4 36.
♔g2 ♖d4 37. ♖g7 ♘e5=; *b)* 28. ♔f1 ♖b8
29. ♗c4 dc4 *b1)* 30. ♖2a5 ♖b6 31. ♖a7
(31. ♔e2 ♖a6 32. ♖a6 e5 33. ♔e3 ♔d5 34.
de5 ♔c5∓) ♖b5 32. ♖c7 ♖a5 33. ♖f7 ♔c6
34. ♖h7 ♔d5↑; *b2)* 30. ♖6a5 ♖b6 (30... a6
31. ba6 ♖c6 32. a7 ♖a8 33. ♔e2 ♔c7 34.
♔d2 c3=) 31. ♔e2 a6 32. ba6 ♖a7=]
♔d6 27. ♔f1 ♘c4 28. ♔e2 [28. ♗c4 dc4
△ 29. b6?! ♖c6 30. ba7 (30. ♖a7 ♖b8 31.
♖f7 ♖cb6∓) ♔d5∓] **♖b8 29. ♖b1** [29.
♗c4 dc4 30. ♖a5 a6 (30... ♖b6 31. ♖1a4±)
31. ba6 ♔c6=] **♖b6 30. ♔d1 e5?!** [30... a6
31. ba6 (31. ♖a6 ♖cc6) ♖b1 32. ♗b1 ♖a7
33. ♗d3 ♖c6 34. ♗c4 dc4 35. ♔c2 ♔b5
36. ♔c3 ♖a6 37. ♖a6 ♔a6 38. ♔c4 ♔b6
39. d5 e5 (39... ♔c7=) 40. f3 f5 41. g3
♔c7 42. ♔c5 ♔d7=] **31. ♗c4 dc4 32. de5
♔e5 33. ♔c2 ♔d4 34. ♖a4 ♔c5** [34... h5
35. h4 ♔c5 36. ♖a5 ♔d4 37. ♖b4 a6 38.
ba6 (38. ♖a6 ♖cc6=) ♖b4 39. a7 ♖a7 40.
♖a7 ♖b6 41. ♖d7 ♔e5 42. c7 ♖c6 43. ♖f7
c3=] **35. ♖a5 ♔d4 36. ♖b4 a6?** [36... h5
37. h4 a6= — 34... h5] **37. ba6+–** [37.
♖a6? ♖cc6=] **♖b4 38. a7 ♖a7 39. ♖a7
♖b6 40. ♖d7 ♔e5 41. c7 ♖c6 42. ♖f7 h5
43. ♔c3 h4** [43... g5 44. h4 gh4 45. ♖h7
♔f5 46. ♖h5 ♔g4 47. ♖h7 ♔g5 48. ♖d7
♔f5 49. f3○; 43... ♔e6 44. ♖h7 ♔f6 45.
h4 (45. f3!?; 45. h3!?) *a)* 45... ♔f5 46. f3
a1) 46... ♔e5 47. g4 ♔f4 (47... hg4 48. fg4
♔f4 49. ♖d7) 48. ♖f7 ♔g3 49. gh5 gh5
50. f4 ♔f3 (50... ♔h4 51. ♖g7) 51. f5 ♔f4
52. f6 ♔f5 53. ♖d7; 53. ♖h7; *a2)* 46... ♔f4
47. ♖g7 ♔f5 (47... ♔g3 48. ♖g6) 48. g4;
b) 45... ♔e6 46. f3 ♔f5 47. g3○ ♖c5 48.

♔d4 c3 (48... ♖c6 49. ♔d5) 49. ♔c5 c2
50. c8♕] **44. ♖g7 ♔f5** [44... ♔f6 45. ♖h7
♔g5 46. ♖d7] **45. ♖d7** [45. ♖h7 g5 46. h3
♔e5 (46... ♔g6 47. ♖d7 ♔f5 48. ♖d5 ♔e6
49. ♖g5) 47. g4] **h3 46. g3 ♔e6** [46... g5
47. ♖d5] **47. ♖h7 ♔e5 48. f3 ♔e6 49. ♖h3
♖c7 50. ♖h4 g5 51. ♖c4?!** [51. ♖e4 ♔f5
(51... ♔d5 52. ♖g4; 51... ♔d6 52. ♖g4) 52.
♖c4] **♖f7 52. ♖e4** [52. f4? ♖h7=] **♔d5 53.
♖e3 ♖a7** [53... ♖h7 54. ♖e2 ♖f7 55. ♖f2
△ ♔d3] **54. ♔d2?** [54. ♔b2? ♖h7 55. ♖e2
♖f7 56. ♖f2 ♔d4 △ ♔e3=; 54. ♔d3 ♖a3
(54... ♖a2? 55. ♖e8+–) 55. ♔e2 ♖a2 56.
♔f1 ♖h2 57. ♖e2 ♖h8∞; 54. ♔b4! *a)* 54...
♖b7 55. ♔a5 ♖f7 (55... ♖h7 56. ♖e8+–;
55... ♔d6 56. ♖e4+–) 56. ♔b6 ♖h7 57.
♖e8+–; *b)* 54... ♖f7 55. ♔b5 (55. ♖d3
♔e5 56. ♔c5 ♖c7 57. ♔b6 ♖h7 58. ♖d2
♖f7 59. ♖f2 ♔d4=) ♖f6 (55... ♖b7 56.
♔a6 ♖f7 57. ♔b6 — 54... ♖b7) 56.
♖c3+–] **♖a2= 55. ♔e1 ♖h2 56. ♔f1 ♖a2
57. ♖e2 ♖a4 58. ♔g2 g4 59. fg4 ♖g4 60.
♖e8 ♖g7**   1/2 : 1/2   *R. Hübner*

360.   D 23

JE. PIKET 2630 — KORTCHNOI 2610

Antwerpen 1997

**1. d4 d5 2. ♘f3 ♘f6 3. c4 dc4 4. ♕a4
♘bd7 5. ♘c3 a6 6. e4** [6. ♗f4!? b5 (6...
e6 7. ♕c4 ♗d6) 7. ♘b5 ab5!? (7... ♘d5
8. ♕c4)] 8. ♕a8 c5!?∞↑] **b5** [6... e6
59/(422), (478)] **7. ♘b5 ♘e4 N** [7... ♗b7
8. ♘c3 ♘e4 9. ♗c4 e6 10. ♘e5] **8. ♗c4 e6**
[8... ab5 9. ♕a8 bc4 10. ♕e4] **9. ♘c3 ♘d6
10. ♗b3** [△ 10. ♗e2 △ ♘e5, ♗f3±] **♗e7!
11. ♘e5** [11. d5 0–0 12. de6 ♘c5 13. ef7
♘f7 14. ♕d4 ♘b3∓; 14... ♗d6!?↑] **0–0
12. ♘c6 ♕e8 13. ♘e7 ♕e7 14. 0–0** [14.
♕a3!? △ 14... ♗b7 15. 0–0] **♗b7** [14...
a5!? 15. ♕a3!?∞] **15. ♕a5 ♘b6 16. ♕c5
♖fc8! 17. ♗g5?!** [17. ♖e1 ♕f6! △ ♕g6!;
17. ♗f4!±] **♕d7 18. ♖fe1 ♘b5 19. ♖ad1
♕c6!∓ 20. f3 ♘c3 21. bc3** [21. ♕c3 ♕c3
(21... a5) 22. bc3 a5∓] **a5 22. a3 a4 23.
♗c2 ♕c5** [23... ♘c4 24. ♕c6 ♗c6 25.
♗e7] **24. dc5 ♘c4 25. ♖d4!** [25. ♗c1
♖a5] **♗d5 26. ♗d3 ♘a5** [26... ♘a3 27.
♖a1] **27. ♖a4 ♘b3 28. ♖a8 ♖a8 29. c4**

♗c6 [29... ♘c5?! 30. cd5 ♘d3 31. ♖e3; 30. ♗h7! △ cd5±] **30. ♗c2 ♘c5** [30... ♖a3 31. ♖b1 ♖a1 32. ♖a1 ♘a1 33. ♗d1; 30... ♘d4!? 31. ♗e4=] **31. ♗e7= ♘d7 32. ♗b4 g6 33. ♔f2 ♗a4 34. ♗a4** [34. ♗e4 ♖b8 (34... ♖d8) 35. ♖b1!?] **♖a4 35. ♖d1 c5**
1/2 : 1/2   *Je. Piket*

361.*   **D 26**

D. KOMAROV 2595 – GODENA 2550

Reggio Emilia 1996/97

1. d4 d5 2. c4 dc4 3. ♘f3 ♘f6 4. e3 e6 5. ♗c4 c5 6. ♕e2 a6 7. dc5 ♗c5 8. 0–0 ♘bd7 9. e4 b5 10. ♗d3 ♗b7 11. a4 ba4 12. ♘c3 a3 [12... ♗d6 — 66/330] **13. ba3 0–0 14. ♗f4** [△ 14. ♖b1 ♗c6 15. ♗f4] **♘h5!? N** [14... ♕a5 15. ♖ab1 (15. ♗d2 ♕c7) ♗c6 16. ♖fc1 e5 17. ♗d2 ♖fb8 18. a4 N (18. ♘d5) ♖b1 19. ♖b1 ♘g4 20. ♗c4! ♖f8 (20... ♘f2 21. ♔f1 △ 22. ♘d1, 22. ♘g5) 21. h3 ♘f2 22. ♔h2 ♕c7 23. ♖f1± Schandorff 2485 – Borge 2455, København 1996] **15. ♗d2 ♕c7= 16. ♖ab1?!** [16. g3 ♘e5 17. ♘e5 ♕e5; 16. e5] **♖a7** [×a3; 16... ♗a3!? 17. e5 ♗f3 18. ♕f3 g6 19. ♖b7 ♕d8] **17. e5 ♗f3 18. ♕f3 g6□** [18... ♕e5? 19. ♖fe1; 18... ♘e5 19. ♗h7 ♔h7 20. ♕h5 ♔g8 21. ♘e4→] **19. ♗e2** [19. ♕e2 ♘e5 △ 20. ♗a6? ♖a6 21. ♕a6 ♘g4 22. g3 ♘g3–+] **♘e5 20. ♕h3 ♘f6 21. ♖bc1** [21. ♖fc1 ♖b8!; 21. ♗f4 ♗d4 22. ♖bc1 ♕a5 Godena] **♘ed7! 22. ♘a4 ♕e5!** [22... ♕d6 23. ♗h6±] **23. ♘c5 ♕e2 24. ♗e3 ♖c7 25. ♗d4** [25. ♖fe1 ♕g4] **♖fc8** [25... ♕g4?? 26. ♘d7; 25... e5 26. ♘d7 ♖d7 27. ♖fe1 ♕g4 28. ♕g4 ♘g4 29. ♗e5 ♘e5 30. ♖e5 ♖fd8=] **26. ♘d7** [26. ♖fe1? ♖c5 27. ♗c5 ♖c5–+] **♘d7** [26... ♖c1?? 27. ♘f6 ♔f8 28. ♕h6 ♔e7 29. ♖c1] **27. ♖c7 ♖c7 28. ♕h4! ♖c8 29. ♕e7 ♕b5 30. h4 e5** [30... ♕d5! 31. ♗e3 (31. ♗b2 ♖b8 32. ♗c3 ♕c5; 31. ♗a1 e5∓) ♘e5∓ Godena] **31. ♗e3 ♕d5 32. ♖b1 h5 33. ♖b2!⨀** [△ ♖d2] **♘f8 34. ♖b6 a5?⊕** [34... ♘e6 35. ♖a6 ♘f4 36. ♗f4 ef4=] **35. a4?⊕** [35. ♗h6! (Godena) a) 35... ♘h7 36. ♖g6; b) 35... ♕d1 36. ♔h2 ♕d8 37. ♕e5 ♕h4 38. ♔g1+–; c) 35... ♘e6 36. ♕f6 ♔h7

(36... ♕d1 37. ♔h2 ♕d7 38. ♖e6 fe6 39. ♕g6 ♔h8 40. ♗g5+–) 37. ♖e6 (37. ♕f7 ♔h6 38. ♖e6 ♕e4!) ♔h6 38. ♖e5 ♕d1 39. ♔h2 ♖f8 40. ♖a5+–; d) 35... ♕d8 36. ♕e5 ♖c1 37. ♗c1 ♕b6 38. ♗b2 f6 39. ♕f6 ♕f6 40. ♗f6+–] **♖d8?** [35... ♘e6 △ ♘f4] **36. ♖b5?** [36. ♗g5! ♖d7 (36... ♖c8 37. ♗h6) 37. ♕e8] **♕d1 37. ♔h2 ♕a4 38. ♖e5** [38. ♖b7 ♖d7; 38. ♕d8 ♕b5 39. ♗h6 ♕b4 40. ♕f6 ♘e6–+] **♕d7 39. ♕d7 ♖d7 40. ♖a5 ♘e6**   1/2 : 1/2   *D. Komarov*

362.   **D 26**

D. GUREVICH 2580 – SCHWARTZMAN 2510

Las Vegas 1997

1. ♘f3 d5 2. c4 dc4 3. e3 ♘f6 4. ♗c4 c5 5. d4 cd4 6. ed4 e6 7. 0–0 ♗e7 8. ♕e2 0–0 9. ♘c3 ♘c6 10. ♖d1 ♘b4 11. ♘e5 ♘bd5 12. ♗g5 [12. ♕f3! Kudrin] **♘c3 13. bc3 ♘d5 14. ♗d2!? N** [14. ♗e7 — 15/673] **♗g5 15. ♗b3!** [15. ♗d3 ♗d2 16. ♕d2 ♘f6 17. c4 b6] **♗d2 16. ♕d2 ♕f6** [16... b6 17. c4 ♘f6 18. d5±; 16... b5 17. a4 ba4 18. ♖a4±] **17. c4 ♘f4 18. ♕e3 ♘g6 19. g3 ♖d8?!** [19... ♘e5!? 20. de5 ♕e7 21. c5 ♗d7 22. ♖d6 ♗c6 23. ♖ad1] **20. f4 ♘e7** [20... ♘e5 21. fe5 ♕e7 22. d5±] **21. ♖d2 ♘f5 22. ♕e4 ♘d6 23. ♕f3 ♖b8 24. ♖ad1 ♘f5 25. c5! ♘e7 26. ♕g4 ♕f5 27. ♘e3 ♕f6 28. ♘g4 ♕f5 29. ♗c2 ♕d5 30. ♗e4 ♕d7** [30... ♕c4? 31. ♘e5 ♕a4 32. ♗h7+–] **31. ♘e5 ♕e8?!** [31... ♕c7!? 32. ♗h7! (32. ♘c4?∞) ♔h7 33. ♕h5 ♔g8 34. ♕f7 ♔h7 35. ♘f3! (Serper) a) 35... ♘d5 36. ♘g5 ♔h6 (36... ♔h8 37. ♕h5 ♔g8 38. ♕h7 ♔f8 39. ♕h8 ♔e7 40. ♕g7 ♔e8 41. ♕g8 ♔e7 42. ♕f7#) a1) 37. g4 g6 38. ♖d3 ♕f7 (38... ♕f4 39. ♖f1 ♕g4 40. ♖g3 ♕g5 41. ♖g5 ♔g5 42. ♖f3+–) 39. ♘f7 ♔g7 40. ♘d8 ♗d7; a2) 37. ♕c7! ♘c7 38. ♘f7 ♔g6 39. ♘d8 ♗d7 40. f5! ef5 41. ♘b7 ♖b7 42. d5 ♗a4 43. c6 ♖b6 44. ♖c1+–; 43. ♖c1+–; b) 35... ♕d7 36. ♘g5 ♔h8 37. d5! (37. g4 ♕e8 38. ♖d3 ♕f7 39. ♘f7 ♔g8 40. ♘d8 ♗d7) ed5 38. ♖d5 ♕d5 (38... ♘d5 39. ♕h5 ♔g8 40. ♕h7 ♔f8 41. ♕h8 ♔e7 42. ♕g7 ♔e8 43. ♕g8 ♔e7 44. ♕f7#) 39. ♖d5 ♖d5 (39... ♘d5 40. ♕h5

Bishop controls
c1

♔g8 41. ♕h7 ♖f8 42. ♕h8 ♖e7 43. ♕g7 ♖e8 44. ♕f7#) 40. ♕h5 ♖g8 41. ♕e8#] **32. ♕a3! a6** [32... ⊞a8 33. ♘c4 ♘c6 34. ♘b6 ⊞b8 35. ♗c6 ♕c6 36. ♕a7; 32... ♗d7!? 33. ♕a7 ♗c6 34. ♗c2!] **33. ♕a5 f6 34. ♘c4 ♘d5 35. ♘d6 ♕f8 36. ⊞e1 ♗d7 37. f5! ♖h8 38. ♗d5 ed5 39. ♕c7+− ♖g8 40. ⊞de2 g6 41. ⊞e7 ♗f5 42. ⊞h7 ♗e4 43. ♘f7! ♖h7** [43... ⊞bc8 44. ♘h6] **44. ♘d8** [44. ♘g5??=] **1 : 0** *D. Gurevich*

363.**   D 27

GEL'FAND 2695 – R. HÜBNER 2580

Dortmund 1997

1. d4 d5 2. ♘f3 e6 3. c4 dc4 4. e3 ♘f6 5. ♗c4 c5 6. 0−0 a6 7. ♗d3 cd4 [RR 7... ♘bd7 8. ⊞e1 *a)* 8... ♗e7 9. e4 cd4 10. e5 ♘d5 11. ♗c4 ♘c5 12. ♘d4 0−0 13. b3 ♘b6 N (13... ♕d7 — 65/378) 14. ♗f1 ♕d7 15. ♗b2 ♘d5 16. ♘d2 b5 17. ⊞c1 ♗b7 18. ♕g4 ⊞ac8 19. ♘2f3± Je. Piket 2630 − Svidler 2660, Tilburg 1997; *b)* 8... b5 N 9. a4 ba4 10. e4 cd4 11. e5 ♘d5 12. ⊞a4 ♗b4 13. ♗d2 ♗d2 14. ♘bd2 ♘c5 15. ♗b5 ♗d7 16. ♗d7 ♘d7 17. ⊞d4 0−0 18. ♘c4 ⊞b8 19. ⊞g4 ♕e7 20. ♕d2 ⊞b4 21. h3 1/2 : 1/2 Gel'fand 2695 − Rublevskij 2650, Polanica Zdrój 1997] **8. ed4 ♗e7 9. ♘e5 ♘c6 10. ♘c6 bc6 11. ♗e3** [11. ♕c2 — 65/(379)] **0−0 12. ♕c2 ♕c7 13. ♘d2 g6!? N 14. ⊞ac1 ♗b7** [14... ♗d7] **15. ♘e4 ♘d5** [15... ♘g4 16. g3 ♘e3 17. fe3±] **16. a3 a5 17. ⊞fd1** [17. ♕e2!?] **⊞fb8** [17... ♗a6 18. ♕c6 ♕c6 19. ⊞c6 ♗d3 20. ⊞d3 ⊞fc8 21. ⊞c8 ⊞c8 22. ♗h6 f5 23. ♘c5 ♗c5 24. dc5 ⊞c5 25. ⊞b3±] **18. ♗c4 ♘e3** [18... ♗a6 19. ♗d5!? (19. ♗a2) ed5 20. ♘c5 ♗d6 21. h3 ♗c8 22. ♕d2 ♗f5±] **19. fe3 ♗a6 20. ♗a2 ⊞b5!⇄ 21. ♘c3** [21. d5 ed5 22. ♗d5 (22. ♘c3 ♗g5!) *a)* 22... ⊞d8 23. ♗c4 (23. ♕c6 ♕c6=) ⊞d1 24. ⊞d1 ⊞b6 25. ⊞f1±; *b)* 22... ♕b6! 23. ♕c6 ♕e3 24. ♖h1 ⊞c8] **⊞h5 22. g3 ⊞b8 23. ♕f2** [23. ♕g2!?] **♕b7 24. ⊞d2 c5** [24... ⊞f5 25. ♕g2 ♗g5 26. ⊞e1 ♗f1 27. ♕e4 ♗h3 28. ♗c4!] **25. d5 ⊞f5 26. ♕g2** [26. ♕e1 ⊞f1 27. ♕f1 ♗f1 28. ⊞f1 ⊞d8 29. ⊞df2 ♗g5; 28... c4!?] **♗g5 27. ⊞e1 ed5 28. ♘d5** [28... c4? 29. h4

⊞d8 30. ♗c4!; 28... ⊞e8! 29. h4 ♗d8 30. ♗c4 ♖g7∓; 28. ♗d5 ♕e7∓] **1/2 : 1/2** *Gel'fand*

364. !N   D 27

GEL'FAND 2695 – ANAND 2765

Biel 1997

1. d4 d5 2. ♘f3 e6 3. c4 dc4 4. e3 ♘f6 5. ♗c4 c5 6. 0−0 a6 7. ♗d3 cd4 8. ed4 ♗e7 9. ♘e5 ♘c6 10. ♘c6 bc6 11. ♗e3 0−0 12. ♕c2 ♕c7 13. ♘d2 h6 14. ⊞ac1 ♗b7 15. ♘e4! N [15. ♗e2] **♘d5 16. ♕e2 ⊞fd8** [16... a5 17. ♘c5 ♗c5 (17... ♘e3 18. ♕e3) 18. ⊞c5 ♘b4; 17. ⊞fd1±; ♘f4 17. ♗f4 ♕f4 18. g3 ♕c7 19. ♘c5±] **17. ⊞fd1** [17. ♘c5 ♗c5 18. ⊞c5 ♘f4] **a5 18. ♘c5 ♘e3 19. fe3** [19. ♕e3 ♗g5 20. ♕e4 ♗c1 21. ♕h7 ♖f8 22. ⊞c1 ♕f4 23. ⊞e1 ♗c8∓] **♗d6** [19... e5 20. ♗c4] **20. h3** [20. ♕h5 ♗c5 21. ♕c5 ⊞d5 22. ♕c3±; 20. g3!? (Huzman) f6] **a4 21. ♗e4** [21. ♘e6 fe6 22. ♕g4 *a)* 22... ♕e7 *a1)* 23. ⊞f1 ♗a6 (23... g5 24. ♕e4 ⊞e8) 24. ♗b1 ♗f1 25. ⊞f1 ⊞f8−+; *a2)* 23. ♕e4 g5 24. ♕g6 ♕g7 25. ♕e6 ♖h8 26. ⊞f1 ♗c8∓; *a3)* 23. ♕g6 ♕g5 24. ♕h7 ♖f8 25. ♗g6 ⊞d7!∓; *b)* 22... ♗a6 23. ♕e6 ♕f7 24. ♗h7 ♖f8 25. ⊞f1 ♗f1 26. ⊞f1 ♗h2!−+; 21. ⊞f1 ♗c5 22. ⊞c5 ⊞d5±] **♗a5 22. ♘b7 ♕b7 23. ⊞c6?!** [23. ♗c6! (Anand) ♕a7 (23... ♕b8 24. ⊞c4 ∆ 24... a3 25. b4±) 24. ⊞c4± ∆ ♕c2, ♖h1, e4] **♕b8 24. ⊞dc1** [24. ⊞c4 e5!?] **g6** [24... ⊞b5?? 25. ⊞d6+−] **25. ⊞1c2** [25. ♗g6 fg6 26. ♕g4 ♕g7 27. ♕e6 ⊞f5−+] **⊞a7 26. ♕c4 ♖g7 27. ♗f3 ♗e7 28. ⊞c7** [28. ⊞c8 ⊞c8 29. ♕c8 ♕g3 30. ♕c3 ♗d6⇄] **♗g5 29. ♖f2** [29. ♕e6 ⊞c7 30. ♕e5 ♖g8 31. ⊞c7 ♗e3 32. ♖h1 ⊞e8− ♗h4 30. ♖g1** [30. g3? ♗g3 31. ♖g3 ⊞d7−+; 30. ♖e2 ⊞c7 31. ♕c7 ♕b5 32. ♕c4 ♕a5⇄] **♗g5 31. ♖f2 ♗h4 32. ♖g1 1/2 : 1/2** *Gel'fand*

365.   D 27

I. NOVIKOV 2590 – B. LALIĆ 2600

Slough 1997

1. d4 d5 2. c4 dc4 3. ♘f3 a6 4. e3 e6 5. ♗c4 ♘f6 6. 0−0 c5 7. b3 cd4 8. ♘d4 ♗d6

[△ 8... ♗d7= △ ♘c6, ♗e7] **9. ♗b2 0−0
10. ♘d2!±** ♗d7 [10... ♗c7 — 49/(456)]
11. ♗e2 ♘c6 12. ♘c4 ♗c5 N [12... ♗b4]
**13. ♗f3 ♖c8 14. ♖c1 ♕e7 15. ♘c6 ♗c6
16. ♗c6 ♖c6 17. ♘a5 ♖d6** [17... ♗c7?! 18.
♗f6 gf6 (18... ♕f6? 19. ♘b7!) 19. ♕f3 b6
20. b4! ba5 21. bc5 ♖c5 22. ♖c5 ♕c5 23.
♕f6± ×≫] **18. ♕f3 ♗b4!?** [18... b6? 19.
♘c6; 18... ♖d5!? △ 19. ♘b7? ♗b6! ×♘b7
I. Novikov] **19. ♗f6 ♕f6 20. ♕f6 gf6 21.
♘b7 ♖d2** [21... ♖d5? 22. ♖fd1+−] **22.
♖c4 a5 23. a3 ♗a3 24. ♘a5 ♖b8!□ 25.
♖b1** [25. ♖g4 ♔f8 26. ♘c4 ♖a2=] **♖b5!
26. ♖g4** [26. ♖a4 ♖b2! 27. ♖c1 ♗b4=]
♔f8 27. ♘c4

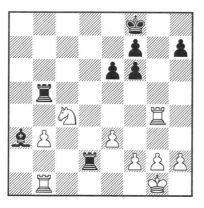

27... ♖d3!!□= [27... ♖a2? 28. ♘a3 ♖a3
29. b4±⊥] **28. ♘a3 ♖bb3 29. g3** [29. ♖c1
♖bc3=] **♖b1 29...** [29... ♖a3? 30. ♖b8±] **30.
♘b1 ♖d1** [31. ♔g2 ♖b1=]   **1/2 : 1/2**
B. Lalić

366.   D 27

I. SOKOLOV 2635 −
KORTCHNOI 2610

Antwerpen 1997

**1. d4 d5 2. c4 dc4 3. ♘f3 ♘f6 4. e3 e6 5.
♗c4 c5 6. 0−0 a6 7. ♗b3 cd4** [7... b5 —
69/365; 7... ♘bd7 — 69/(363)] **8. ed4 ♘c6
9. ♘c3 ♗e7 10. ♖e1 0−0 11. a3!? N** [11.
♗g5] **♕a5** [11... b5 12. d5 ed5 13. ♘d5
♘d5 14. ♗d5 ♗b7 15. ♗f4±] **12. ♗d2
♕h5 13. ♗g5!** [△ ♘e2-g3] **h6□ 14. ♗f6
♗f6 15. ♘e4 ♗e7 16. ♖c1** [△ 17. d5 ed5
18. ♘g3 ♕g6 19. ♖c6; 16. d5!? ed5 17.
♘g3 ♕g6 18. ♗d5↑] **♕a5□ 17. ♖c3! ♖d8**

18. ♖d3 ♗d7 19. ♗c2 [19. ♘c3! ♗f6 20.
d5 (20. ♘e4 ♗e7) ed5 (20... ♗c3?? 21. dc6
♗e1 22. cd7) 21. ♘d5 ♗b2 22. ♘d2! ♗d4
23. ♕h5! △ ♖d4, ♘e7, △ ♕e7→] **♗e8 20.
b4 ♕b6 21. d5** [21. ♘c5? a5] **ed5 22. ♖d5
a5** [22... ♖d5 23. ♕d5 ♖d8 24. ♕f5 g6
25. ♘f6↑ ♔g7 26. ♘h5 ♔g8 27. ♕f4!] **23.
♕d3** [23. b5 ♖d5 24. ♕d5 ♖d8 25. ♕f5 g6
26. ♘f6 ♗f6 27. ♕f6 ♕b5 28. ♗g6 fg6 29.
♖e8 ♖e8 30. ♕g6 ♔f8 31. ♕f6 ♔g8=] **g6
24. ♗b3 ab4 25. ♘d6** [25. ♘f6? ♗f6 26.
♖d8 (26. ♖d7 ♘e7) ♕d8 27. ♕g6 ♗g7]
♔g7 26. ♘e8 [26. ♕c4? ♗d6 *a*) 27. ♖e8
♖e8 28. ♖f5 (28. ♖d6 ♕c7) ♖e7 29. ♖f7
♔h8 30. ♕h4 ♖f7; *b*) 27. ♖d6 ♖d6 28.
♖e8 ♖d1! 29. ♘e1 ♕c7!−+] **♖e8 27. ♕c4
♕a6 28. ♖b5 ♖f8 29. ab4 ♖ac8 30. ♕f1!**
[△ ♖a1] **♗f6 31. ♗c4 ♕a7 32. ♗d5 ♖c7
33. g3 ♘d4 34. ♘d4 ♗d4= 35. ♔g2⊕
♖d8⊕ 36. ♖c1 ♖cd7 37. ♗f3 b6** [37...
♗f2? 38. ♕f2 ♖d2 39. ♗e2 ♕a2 40. ♖e5
♕b2 41. ♖cc5; 37... ♕a2 38. ♕e2=] **38.
♖c2 ♕a4 39. ♕c4 ♕a1 40. ♖d5 ♖d5 41.
♗d5 ♖d7 42. ♖d2 ♗f6 43. ♕b5 ♕a7 44.
♖c2 ♖d6 45. h4 ♕e7**   **1/2 : 1/2**
I. Sokolov

367.   D 27

✓
G. KASPAROV 2820
− JE. PIKET 2630

Tilburg 1997

**1. d4 d5 2. c4 dc4 3. e3 ♘f6 4. ♗c4 e6 5.
♘f3 c5 6. 0−0 a6 7. ♗b3 b5 8. a4 b4 9.
♘bd2 ♗b7 10. e4 cd4 11. e5 ♘d5?! 12.
♘c4 N** [12. ♘e4 — 64/362] **♘c6 13. ♗g5**
[13. ♘d4!? ♗e7 (13... ♖c8 14. a5) 14.
♘c6 ♗c6 15. ♕g4±] **♕d7** [13... f6? 14.
ef6 gf6 15. ♖e1 fg5 16. ♖e6 ♔d7 17. ♖c6
♗c6 (17... ♔c6 18. ♘d4+−) 18. ♘ce5
♔c7 19. ♘c6 ♔c6 20. ♘d4 ♔b6 21.
a5+−; 13... ♕c7?! 14. ♖c1 ♗c5 15. ♘d6
♗d6 16. ♗d5 ed5 (16... ♗e5 17. ♗c6 ♗c6
18. ♖e1 f6 19. ♘d4 ♗d4 20. ♖e6 ♔d7 21.
♕g4 h5 22. ♕f5 g6 23. ♕h3+−) 17. ed6
♕d6 18. ♖e1 ♔f8 19. ♘d4↑] **14. ♖c1!** [14.
♘d4 h6 15. ♗h4 ♘f4∞] **h6? ** [14... ♗c5
15. ♘cd2!? (15. ♘fd2 0−0 16. ♘e4 ♗e7
17. ♕h5) *a*) 15... ♗b6 16. ♘e4 0−0 17.

♛d2↑ ♞a5 (17... ♞de7? 18. ♞f6+−) 18.
♗d5 ♛d5 19. ♞f6 gf6 20. ♗f6 ♛e4 21.
♖fe1 ♛g4 22. h3 ♛h5 23. g4 ♞b3 24. ♛f4
♛g6 25. ♞h4 ♞c1 26. ♖c1±; *b)* 15... ♗e7
16. ♗e7 *b1)* 16... ♛e7 17. ♗d5 ed5 18.
♞b3 0−0 19. ♖e1±; *b2)* 16... ♞ce7 17.
♞e4 ♞e3 18. ♞d6 ♛d6 19. ed6 ♞d1 20.
♖c7! ♗f3 (20... ♞f5 21. d7 ♔e7 22. ♖b7
♞b2 23. ♞e5+−) 21. ♖e7 ♞f8 22. gf3
♞b2 23. ♖c1 g6 24. ♖cc7 ♔g7 25. ♖e6
b21) 25... ♖ac8 26. ♖ee7 ♖c7 27. dc7 ♔h6
(27... d3 28. ♔f1 d2 29. ♖f7 ♔h6 30.
♔e2+−) 28. ♔f1+−; *b22)* 25... d3 26.
♖e4±; *b3)* 16... ♞de7!? 17. ♞e4 0−0 18.
♞c5 ♛c7 19. ♖e1! (19. ♞d4 ♛e5!) ♖ad8
20. ♞g5 ♗c8 21. ♛d3 ♞g6 (21... g6 22.
f4±) 22. ♛h3 h6 23. ♞ge6 ♞ge5 (23... ♛a5
24. ♞d8 ♗h3 25. ♞cb7 ♖d8 26. ♖c6!+−)
24. ♞c7 ♗h3 25. gh3 ♞f3 26. ♔f1±] **15.
♗h4 ♗c5 16. ♞fd2! 0−0** [16... ♞e3? 17.
fe3 de3 18. ♞e4 e2 19. ♞c5 ed1♛ 20.
♖cd1+−] **17. ♞e4 ♗e7 18. ♗g3!± ♛d8**
[18... f5 19. ef6 gf6 20. ♞cd6 ♗d6 21.
♞d6 ♞a5 22. ♗c2 e5 23. ♛h5+−] **19.
♞cd6 ♞a5** [19... ♛b6 20. ♗d5 ed5 21.
♞f6 gf6 22. ♞f5 fe5 23. ♛g4 ♗g5 24. ♞h6
♔h7 25. ♛g5+−] **20. ♗c2 b3 21. ♗b1
♛b6 22. ♛d3 g6 23. ♞c5 ♗c8** [23... ♗c6
24. ♛d4] **24. h4 ♞c6** [24... h5 25. ♛d4]

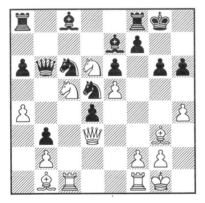

25. a5! ♛a5 [25... ♞a5 26. h5 ♗d6 27. ed6
♞b7 28. hg6 ♞c5 29. gf7 ♖f7 30. ♛g6
♔f8 31. ♛h6 ♔e8 32. ♗g6+−] **26. ♞f7!
♖f7 27. ♛g6 ♔f8 28. ♞e6 ♗e6 29. ♖c6
♗d7** [29... ♞c7 30. ♛h6 ♔e8 31. ♖c7
♛c7 32. ♛e6+−] **30. ♛h6** [30... ♔e8 31.
e6 ♗c6 32. ef7 ♔d7 33. ♗f5+−]   **1 : 0**

G. Kasparov

368.*   D 27

ILLESCAS CÓRDOBA 2635 − ANAND 2765

León (m/6) 1997

**1. d4 d5 2. c4 dc4 3. ♞f3 ♞f6 4. e3 e6 5.
♗c4 c5 6. 0−0 a6 7. ♗b3 ♞c6 8. ♞c3 cd4
9. ed4 ♗e7 10. ♖e1 0−0 11. ♗f4!? N** [RR
11. ♗g5 b5 12. ♛d3 N (12. ♛d2) ♗b7 13.
♖ad1 ♞b4 14. ♛e2 ♞bd5 15. ♞e5 ♞c3
16. bc3 ♞d5 17. ♗e7 ♛e7 18. ♛d2 ♖ac8
19. ♖c1 ♖fd8 20. ♞d3 ♞f6 21. ♛b2 ♛d6
22. ♞c5 ♗d5 23. a4 ♗b3 24. ♛b3 ♛d5
1/2 : 1/2 Illescas Córdoba 2635 − Anand
2765, León (m/4) 1997] ♞a5 [11... b5 12.
d5 ed5 13. ♞d5±] **12. ♗c2 b5 13. d5! ed5
14. ♛d3 g6** [14... ♞c6 15. ♗c7! ♛d7 (15...
♛c7?? 16. ♞d5) 16. ♞e5 ♞e5 17. ♗e5 g6
18. ♖ad1∞ Illescas Córdoba] **15. ♖e7!
♛e7 16. ♗g5 ♛d6□ 17. ♛d4 ♞h5! 18.
♞d5 ♞c6! 19. ♛d2** [19. ♞e7? ♛e7!; 19.
♞f6? ♛f6!] **f6! 20. ♗b3** [20. ♗h6 ♖d8
(20... ♖f7? 21. ♗b3 ♔h8 22. ♞b6±) 21.
♛c3! ♗b7 22. ♗b3 (22. ♖d1 b4!) ♔h8 23.
♞g5 (23. ♖d1 b4) ♞e5 24. ♛e5 ♛e5 25.
♞f7 ♔g8 26. ♞e7 (26. ♞e5 ♗d5) ♛e7 27.
♞d8 ♔h8 28. ♞f7 ♔g8=; 24... ♗d5!∓]
♔h8 21. ♗e3 ♗g4 22. ♞b6 [22. ♞d4!∞
X♞h5] **♛d2 23. ♞d2 ♖ad8 24. h3 ♗e2?**
[24... ♗c8! 25. ♖c1 ♞d4 26. ♖c8! ♖c8 27.
♗d4; 25... ♗b7∓] **25. ♖c1 ♞d4** [25... ♞e5
26. ♞e4] **26. ♖c7! ♞g7 27. ♞e4 ♞b3 28.
ab3 ♔g8 29. ♗h6?** [29. ♞d7? ♞e8!; 29.
♖a7!∓] **♞e8 30. ♖e7 ♖f7 31. ♖e6 ♗d3 32.
♞c5 ♞g7∓ 33. ♖c6?!** [33. ♖e1!] **♞f5 34.
♞d3** [34. ♗f4 ♞d4!] **♛h6 35. ♞c5 ♞f5
36. ♞e6? ♖d1 37. ♔h2 ♞e7** [△ ♖d6]
0 : 1

Anand

369.   D 27

VOLŽIN 2495 − HARTMAN 2320

Ålborg 1997

**1. ♞f3 d5 2. d4 ♞f6 3. c4 dc4 4. e3 e6 5.
♗c4 c5 6. 0−0 a6 7. ♗b3 ♞c6 8. ♞c3
♗e7 9. dc5 ♛d1 10. ♖d1 ♗c5 11. ♗d2
♗a7 12. ♖ac1 ♔e7 13. ♞g5!? N** [13. ♗e1;
13. ♞e2 − 68/(351)] **♗d7 14. ♞ce4 ♞e4
15. ♞e4 b6?!** [15... ♖hc8?! 16. ♗c3 f6 17.

♘d6 ♖c7 18. ♗b4! ♔d8 19. ♘b7 ♖b7 20. ♖c6 ♖b4 21. ♖cd6 ♖b7 22. ♗e6+−; 15... ♖hd8 16. ♗c3!? (16. ♘c5 ♗c5 17. ♖c5±) f6 17. ♘d6±]

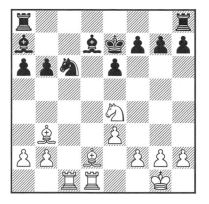

16. ♖c6! ♗c6 17. ♗b4 ♔e8 18. ♘d6 ♔e7□ [18... ♔f8? 19. ♘f5 ♔g8 (19... ♔e8 20. ♘g7#) 20. ♘e7+−] 19. e4!!∞→ [△ 20. ♘f5 ♔f6 21. ♗c3; 19. ♘e4=] ♗b8 [19... f6 20. ♘f5 ♔f7 21. ♖d6 ♗e4 22. ♗e6 ♔g6 23. ♘e7 ♔h6 24. ♗d2 g5 25. h4±→ ×♔h6] 20. e5! [20. ♘c4 ♔f6 21. ♘b6 ♖a7] ♗d5 [20... ♗d6 21. ♖d6 a5 (21... ♗d7 22. ♖e6 ♔d8 23. ♖b6±) 22. ♖e6 ♔d8 (22... ♔d7 23. ♖e7 ♔d8 24. ♗d6+−) 23. ♖c6 ab4 24. ♖b6±] 21. ♘c8 ♔e8 [21... ♔d8 22. ♘b6 ♖a7 23. ♘d5 ed5 24. ♖d5 ♖d7 25. ♖d7 ♔d7 26. f4+−] 22. ♘b6! ♖a7 [22... ♗b3 23. ♖c1!!+−] 23. ♘d5 ed5 24. ♖d5 [△ ♗a4]   1 : 0   *Volžin*

370.   D 27

ILLESCAS CÓRDOBA 2635 − ANAND 2765

León (m/2) 1997

1. d4 d5 2. c4 dc4 3. ♘f3 a6 4. e3 ♘f6 5. ♗c4 e6 6. 0−0 c5 7. ♗b3 ♘c6 8. ♕e2 cd4 9. ♖d1 ♗e7 10. ed4 ♘a5 [10... b5? 11. ♘c3 ♘a5 12. d5!] 11. ♗c2 b5 12. ♘c3 ♗b7 13. ♘e5 N [13. ♗g5] ♖c8 14. a3?! [14. ♖d3!? b4 15. ♗a4 ♔f8 16. ♘d1∞] 0−0 15. ♖d3 ♘c4 16. ♖g3? [16. ♖h3 ♕d4! 17. ♗h7 ♘h7 18. ♕h5 ♗e4 19. ♘f3 ♕d3 20. ♘g5 ♗g6−+; 16. ♗g5 ♘d5=] ♕d4! 17. ♗h6? [17. ♘c4 ♕c4 18. ♗d3 ♕c5 19. ♗h6 g6!? 20. ♗f8 ♗f8∞; 19...

♘e8∓; 17... ♖c4∓] ♘e5!−+ [17... ♕e5 18. ♖g7! (18. ♗g7 ♕g3! 19. hg3 ♔g7−+) ♔h8 a) 19. ♕d3 ♕f5 20. ♕e2 ♗f3! 21. ♖g3 (21. gf3 ♕h3) ♗e2 (21... ♕g6 22. ♖g6 ♗e2 23. ♗g7 ♔g8 24. ♗f6 hg6 25. ♗e7 ♘b2∓) 22. ♗g7 (22. ♗f5? ♖g8) ♔g8 23. ♗f6 ♕g4 24. ♗e7 ♕g3 25. hg3 ♘b2∓; b) 19. ♖g5 ♖g8! 20. ♖e5 ♖g2 21. ♔f1 b1) 21... ♖cg8 22. ♖g5 ♖8g5 23. ♗g5 ♖g5 24. ♕d3! (24. h4 ♗g2 25. ♔g1 ♖g7!−+; 24. f3 ♗c5−+; 24. ♘d1 ♗g2 25. ♔e1 ♗h3! △ ♖g1−+; 24. b3 ♘g4! 25. ♔e1 ♘h2−+) ♗g2 25. ♔e1; 24... ♖g2∞; b2) 21... ♖h2! 22. ♖g5 ♖h6∓] 18. ♖g7 [18. ♗g7 ♘g6] ♔h8 19. ♖d1 ♕c5 20. ♖d5 [20. ♖g5 ♖g8 21. ♖e5 ♖g2] ♗d5 21. ♕e5 ♗e4!   0 : 1
Anand

371.   D 27

JU. ŠUL'MAN 2555 − R. ŠČERBAKOV 2580

Kahovka 1997

1. d4 d5 2. c4 dc4 3. ♘f3 e6 4. e3 a6 5. ♗c4 c5 6. 0−0 ♘f6 7. e4 b5 8. ♗d3 ♗b7 [8... ♘bd7!? 9. d5 (9. e5 − 24/541) ed5 (9... ♘b6; 9... c4) 10. ed5∞] 9. ♗g5 cd4 10. a4!? N [10. ♘d4 − 33/509] ba4 [10... b4!?] 11. ♖a4 ♗e7 12. ♖d4 [12. ♕b3!?] ♘fd7 13. ♕b3 ♕b6 14. ♕c3 f6?! [14... ♘c6! 15. ♖d7!? ♔d7 a) 16. ♖d1?! ♖hg8 17. ♘a3 ♔e8! (17... ♕b4?! 18. ♗b5 ♔c7 19. ♗f4 ♔b6 20. ♗e3 ♗c5 21. ♗c6+−) 18. ♘c4 ♕b4 19. ♕c1 f6∓; b) 16. ♗e3 ♕b4 17. ♕g7 ♖hg8 18. ♕h7 ♖h8 19. ♕f7 ♖af8 20. ♕g6 ♖fg8 (20... ♕b2∞) 21. ♕f7 ♖f8=] 15. ♗e3 ♗c5 16. ♖c1 [16. b4?! ♗d4 17. ♘d4 ♕d6 18. ♘a3 ♘c6 19. ♘c4 ♕b4∓; 16. e5?! ♗d4 17. ♗d4 ♕c6 18. ♕d2 fe5 19. ♖c1 ♕d6 20. ♗e4 ♘c6!; 16. ♗c4! a) 16... e5 17. ♖dd1 ♗e4 (17... ♗e3 18. fe3 ♗e4 19. ♘bd2 ♗b7 20. ♗a2↑) 18. ♘bd2 ♗b7 19. ♘c5 ♕c5 (19... ♘c5 20. ♘e5!) 20. ♖fe1↑; b) 16... 0−0!? 17. b4 (17. ♘bd2 ♔h8∞) ♗b4 (17... ♗d4 18. ♘d4→) b1) 18. ♖d7 ♗c3 19. ♗b6 ♘d7 20. ♗e6 ♔h8 (20... ♗f7 21. ♘c3 ♘b6 22. ♖b1 ♖c8 23. ♗f7 ♔f7 24. ♖b6+−) 21. ♘c3 (21. ♗d7 ♗b4⇄) ♘b6 22. ♖b1 ♖fc8 23. ♗c8 ♖c8 24. ♘e2 ♖d8=; b2) 18. ♕b3! ♘c5 19. ♗e6 ♕e6 20. ♕b4 ♖c8 (20... ♘bd7? 21.

♖d7!) 21. ♖fd1± **0–0 17. ♗c4!?** [17. ♖d7!? ♘d7 (17... ♗e3?! 18. ♖b7 ♗f2 19. ♔f1 ♕b7 20. ♔f2±) 18. ♗c5 ♘c5 19. ♕c5 ♕b2 20. ♕a3=] **♔h8!** [17... ♗d4? 18. ♘d4→] **18. ♖dd1 ♗e4 19. ♘bd2 ♗e3!?** [19... ♗b7 20. ♗e6 ♕e6 21. ♗c5 ♘c5 22. ♕c5 ♘d7 23. ♕c7↑; 19... ♗f5 20. ♘d4⊠] **20. ♕e3 ♗d5 21. ♗d5 ♕e3 22. fe3 ed5 23. ♘b1= ♘b6 24. ♘c3 ♖a7 25. ♘d5 ♘d5 26. ♖d5 ♖b7 27. ♖c2 ♘d7 28. ♘d4 ♖e8 29. ♖d6 h6 30. ♔f2 ♘e5 31. h3 ♖b2! 32. ♖b2 ♘d3 33. ♔f3 ♘b2 34. ♖a6 ♘c4 35. ♘f5 ♘e5 36. ♔f2 ♖d8 37. ♖a7 ♖d7**
1/2 : 1/2   *Ju. Šul'man, Kapengut*

372.   D 27

BAREEV 2665 –
G. KASPAROV 2795

Novgorod 1997

1. ♘f3 d5 2. d4 ♘f6 3. c4 e6 4. ♘c3 dc4 5. e3 a6 6. a4 c5 7. ♗c4 ♘c6 8. 0–0 ♗e7 9. dc5 ♕d1 [9... ♗c5 10. ♕d8 ♔d8 11. e4 ♔e7 12. e5 ♘d7 13. ♗g5 f6∞; 10. ♕e2!?] **10. ♖d1 ♗c5 11. h3** [11. ♗d2 – 47/473] **b6 12. e4 ♘a5** [12... ♗b7!? 13. e5 (13. ♗f4!?) ♘d7 14. ♗f4 g5 15. ♘g5 (15. ♗g5 ♘ce5 16. ♘e5 ♘e5 17. ♗f6 ♘c4! 18. ♗h8 ♘b2∓) ♘ce5 16. ♗e2∞] **13. ♗d3 N** [13. ♗a2?!] **♘b3 14. ♖b1 ♘c1 15. ♖bc1** [15. ♖dc1 a5!] **♗d7** [15... ♗b7?! 16. a5! 0–0 17. ♘a4 ♘e4 18. ♗e4 ♗e4 19. ab6 ♗e7 20. ♖d7 ♗f6 21. ♖cc7 ♖ab8 22. ♘d2 ♗d5 23. ♘c4±; 15... 0–0 16. e5 a) 16... ♘d7 17. ♗e4 (17. ♘e4 ♗b7 18. b4 ♗b4 19. ♖c7 ♘c5 20. ♘c5 ♗f3! 21. gf3 bc5 22. ♗c4 ♗c3 23. f4 ♗d4 24. ♖b1 a5 25. ♖bb7=) ♖a7 (17... ♖b8? 18. ♗c6) 18. ♘e2! f5!? 19. ef6 ♘f6 20. ♗c2=; b) 16... ♘d5 17. ♗e4 ♘c3 18. ♖c3 ♖b8 (18... ♖a7 19. a5!) 19. ♘d4 ♗b7=] **16. e5 ♘d5 17. ♗e4 ♘c3 18. ♖c3 ♖d8** [18... ♗a4 19. b3+–; 18... ♖a7 19. a5 ♔e7 20. b4 ♗b4 21. ab6+–; 18... ♖b8 19. b3! △ 19... ♔e7 20. b4+–; 18... a5 19. ♖cd3+–; 18... ♖c8! 19. a5 (19. ♗b7 ♖c7 20. ♗a6 ♗a4 21. b3 ♗c6) ♔e7 20. ♗b7 ♖c7 21. ♗a6 ba5 22. ♖dc1 ♖a8 23. ♗e2 ♖ac8 24. ♗a6=] **19. a5! ♗b5** [19... ♔e7 20. b4 ♗b4 21. ♖c7+–] **20. ♖d8 ♔d8 21. ♘g5 ♔d7!** [21... ♔e7 22.

b4; 21... ♖f8 22. ♘h7] **22. ab6 ♗b6 23. ♖f3 f5 24. ef6 gf6 25. ♖f6 ♗d4! 26. ♖f7** [26. ♖e6? ♖g8; 26. ♖h6! (G. Kasparov) ♗c4! (26... ♖f8 27. ♗f3!?; 26... ♗g7 27. ♖e6; 26... ♗b2 27. ♘e6) a) 27. b4 ♗g7 28. ♖h7 (28. ♖h4 ♗f6) ♖h7 29. ♘h7 ♗c3; b) 27. ♘f7 ♖e8 b1) 28. ♖h7 ♖e7 29. b4 e5! 30. ♗f5 ♔c7 31. ♗g6 (31. ♘g5 ♖h7 32. ♘h7 ♗c3=) e4! 32. ♘g5 ♖h7 33. ♘h7 e3 34. fe3 ♗e3 35. ♔h2 ♔b6 36. ♗e8=; b2) 28. b4!! ♖e7 (28... ♗c3 29. ♖h7 ♖e7 30. ♖h4 ♖f7 31. ♗g6+–) 29. ♘g5! ♗c3 (29... ♖g7 30. ♘h7 ♗c3 31. ♘f6 ♔e7 32. ♘g4±) 30. ♖h4 (30. ♗h7 ♗d2 31. h4 ♗b4∞) h6! 31. ♖h6 (31. ♗c6? ♔c6 32. ♖c4 ♔b5 33. ♖c3 hg5 34. ♖b3 ♖d7) ♗b4 32. ♖h4±] **♔d6 27. b3 h6 28. ♘f3 ♗c3 29. g4 ♖b8 30. ♖h7** [30. g5!? hg5 31. ♘g5 ♗d7 32. ♗c2=] **♗d7 31. ♖h6 ♖b3 32. ♘g5 ♖b6** [32... ♗d4!? 33. ♗f5! (33. ♘e6? ♗e6 34. ♗f5 ♖e3–+) ♖b2 34. ♗e6 ♗f2 35. ♔f1 △ 35... ♗b5 36. ♗c4] **33. ♗d3 ♗d4** [33... ♔e5! 34. ♘f3! (34. ♘e4? ♔d4; 34. ♖h7 ♗c6 35. ♖a7 a5) ♔d5 35. ♖h5 e5 36. ♘e5 ♗e5 37. f4; 34... ♔d6=] **34. ♘e4 ♔c7** [34... ♔d5 35. ♘f6 ♗f6 36. ♖f6 △ g5-g6] **35. ♖h7 a5 36. g5=** [36. ♗c2 ♖b4 (36... ♔d8!?) 37. g5 a4 38. ♘f6 ♗f6 39. gf6 ♖f4 40. f7 a3 41. ♗b3 ♔d6] **a4 37. ♘f6 ♗f6 38. gf6 ♖b8 39. ♗c4 ♔d6 40. ♖h4 ♔e5** [40... ♖f8 41. ♖d4 ♔c7 42. ♖f4=] **41. ♖h7 ♔d6 42. f7** [42... ♖f8 43. ♔f1 ♔c5 44. ♗a2 ♗b5 45. ♔e1 ♗c4 46. ♖h5!? ♗d5 47. ♗d5 ed5 48. ♖f5 a3 49. ♖f3 ♔b4 50. ♖f6 a2 51. ♖a6=]
1/2 : 1/2   *Bareev*

373.   D 29

YUSUPOV 2640 – ANAND 2765

Dortmund 1997

1. d4 d5 2. c4 dc4 3. e3 ♘f6 4. ♗c4 e6 5. ♘f3 c5 6. 0–0 a6 7. ♕e2 b5 8. ♗b3 ♗b7 9. a4 b4 10. ♘bd2 ♗e7 11. ♘c4 0–0 12. ♖d1 ♕c7 13. ♗d2 ♘bd7 14. ♘fe5 N [14. a5] **♖fd8 15. ♖ac1 a5 16. ♗e1 ♘e5! 17. de5** [17. ♘e5 ♗d6=] **♘d7 18. f4 ♗a6** [18... ♘b6 19. ♖d8 ♕d8 20. ♖d1 ♕c7 21. ♘b6 ♕b6 22. f5!? (22. ♗c4 ♖d8) ef5? 23. ♖d7 ♖e8 24. ♕c4+–; 18... ♗d5 19. e4

(♜g1-a7, ✕c5) ♗c4 20. ♕c4 ♘b6 21. ♕b5 c4 22. ♗f2!] **19. ♕c2** [19. e4?! ♘b6] ♗c4! **20. ♕c4?** [20. ♗c4! ♘b6 21. b3 ♘c4 22. ♕c4] ♘b6 **21. ♖d8 ♕d8** [21... ♖d8 22. ♕a6 c4 23. ♗c4 (23. ♕a5 ♖d5 24. ♕a6 ♗c5∓) ♘a4] **22. ♕b5 g6?** [22... c4! 23. ♗d1 (23. ♗c4 ♖c8 24. b3 ♖c5 25. ♕a6 ♕c7∓) ♕d5! 24. ♕d5 ed5∓] **23. ♗d1 c4 24. ♗f3 ♖b8** [24... ♖a7±] **25. ♕a5 c3 26. bc3?** [26. b3! ♕d3 27. ♔f2! ♘d5 28. ♕a7!; 26... ♕c7⩲ ♘c] **b3 27. ♖b1** [27. ♕b5 ♘d7! 28. ♕d3 ♕c7 △ ♘c5] ♕d3! **28. ♖b3 ♕e3 29. ♔f1 ♗c5 30. ♕b5 ♖d8 31. c4 ♖d3! 32. ♕e8 ♔g7⊕** [33. ♖d3 ♕d3 34. ♗e2 ♕d4 35. ♗f3 ♘c4−+]   **0 : 1**
Anand

374.***   **D 30**

ILINČIĆ 2545 −
G. M. TODOROVIĆ 2510

Jugoslavija 1997

1. d4 d5 2. c4 e6 3. ♘f3 c5 4. cd5 ed5 5. g3 [RR 5. ♗g5 f6 6. ♗f4 ♘c6 7. ♘c3 g5 8. ♗g3 g4 9. ♘d2 cd4 10. ♘b5 ♔f7 11. ♘c7 ♖b8 12. ♘b5 ♖a8 13. ♘c7 ♖b8 1/2 : 1/2 Draško 2555 − Z. Stamenković 2415, Jugoslavija (ch) 1997] **♘f6 6. ♗g2 ♗e7 7. 0−0 0−0** [7... ♘c6 8. ♗e3 c4 9. b3 cb3 10. ♕b3 0−0 11. ♘e5 ♘a5 12. ♕d3 g6 N (12... ♗e6 − 59/(427)) 13. ♘c3 ♗f5 14. ♕b5 a6 15. ♕b2 b5 16. g4! a) 16... ♘g4?! 17. ♘g4 ♗g4 18. ♘d5± b) 16... ♗g4 17. ♗h6! ♖e8 18. ♘d5 ♘d5 19. ♘g4 ♘c4 20. ♕b3 ♖c8 21. e4! (21. ♖ad1 g5!? △ ♘f4; 21. ♕f3 ♘b4!?) ♘f6 22. ♘f6 ♗f6 23. e5 ♗g5 24. ♗g5 ♕g5 25. f4 ♕h5 26. ♖f2 ♖cd8 27. ♕c3! (27. ♖d1?! ♘e3!) f6 (Četverik 2380 − Antošík 2255, Karviná 1997) 28. ♖e1±; c) 16... ♗e6!? 17. h3 △ f4± Četverik] **8. dc5 ♗c5 9. a3!** [RR 9. ♕c2 ♗b6 10. ♘c3 ♘c6 11. ♗g5 ♗e6 12. ♘a4 N (12. ♕a4 − 43/484; 12. ♖ad1 − 43/485) h6 13. ♘b6 ab6 14. ♗f4 ♕e7 15. ♖fd1 ♖fc8 16. a3 b5 17. ♕b1 ♗g4 18. ♗e3 b4 19. ab4 ♕b4 20. ♖a8 ♖a8 21. h3 ♗h5 22. ♔h2 ♕c4 23. ♖d2 ♘e4 24. ♖d3 ♗g6 25. ♕d1 ♖a5∞ Malanjuk 2610 − R. Ponomarjov 2565, Krasnodar 1997] **♗g4 N** [9... ♘c6 − 26/534] **10. b4 ♗e7** [10... ♗b6 11. ♘c3 △ ♘a4±] **11. ♘c3** [11. ♗b2 ♘e4

12. ♘c3 ♗f6 13. ♘d4±] ♘c6 12. ♗b2 ♖e8 [12... ♖c8 13. h3 ♗e6 (13... ♗h5 14. g4 ♗g6 15. g5 ♘e4 16. ♘d5 ♗g5 17. ♘g5 ♕g5 18. f4±) 14. ♘g5 ♕d7 15. ♘e6 fe6 16. e4±] **13. h3 ♗e6** [13... ♗f5 14. ♘d4 ♘d4 15. ♕d4 ♗e6 16. ♖fd1±] **14. ♘d4 ♔h8** [14... ♘e5? 15. ♘e6 fe6 16. ♘d5! ed5 17. ♗e5+−; 14... ♘d4 15. ♕d4 ♕d7 16. ♔h2 ♖ed8 17. ♖fd1±] **15. ♘e6 fe6 16. e4 d4** [16... de4 17. ♘e4 ♘e4 18. ♗e4 ♕d1 (18... ♗f6 19. ♕h5+−) 19. ♖ad1 ♖ad8 20. ♖fe1±] **17. ♘e2 e5 18. f4** [18. ♘c1 ♕b6 19. ♘d3 a5∞] **♗d6** [18... d3 19. ♘c1 d2 20. ♘b3 ♕b6 (20... ♕d3 21. ♖f3 ♕e4 22. ♘d2 ♕d5 23. fe5±) 21. ♔h2 ef4 22. gf4 ♖ad8 23. ♕e2±] **19. ♕d3 ♕e7?!** [19... ♕b6 20. b5 a) 20... ♘d7 21. bc6 ♘c5 22. ♗d4! (22. ♕b1 d3 23. ♘c3 ♘e4 24. ♔h2 ♘d2 25. ♕a2 ♘f1 26. ♖f1 bc6∞) ♘d3 23. ♗b6 ab6 24. cb7±; b) 20... ♘a5 21. fe5 ♗e5 22. ♖ad1 ♖ad8 23. ♘f4±] **20. b5 ♘a5 21. fe5 ♗e5 22. ♗d4 ♖ad8** [22... ♗d4 23. ♘d4 ♘e4 24. ♗e4 ♕e4 25. ♖f8+−] **23. ♖ad1 ♗d4 24. ♘d4 ♕c5 25. ♔h2 ♘c4** [25... ♖d7 26. ♖f5 ♕d6 27. ♕c3 b6 28. e5! ♖e5 29. ♘f3 ♖d5 (29... ♖c5 30. ♖d6 ♖c3 31. ♖ff6+−; 29... ♕d1 30. ♘e5 ♖e7 31. ♕c8 ♘g8 32. ♘f7+−) 30. ♖dd5! ♘d5 31. ♕c8 ♖d8 32. ♘e5! ♖c8 33. ♘f7 ♔g8 34. ♘d6 ♘e3 35. ♗d5! ♔h8 36. ♖e5 ♖c2 37. ♔g1 ♖c1 38. ♔f2 ♘d1 39. ♔e1 g6 40. ♔d2 ♖b1 41. ♖e1+−; 25... ♖e7 26. ♗f5 ♕d6 27. ♖d5! ♘d5 28. ♘f5 ♕e5 29. ♘e7 ♕e7 30. ed5±] **26. ♕c3 ♕h5** [26... b6 27. ♘e6+−; 26... ♖c8 27. ♘f5! ♘a3 (27... ♕b5 28. ♘g7 ♘e5 29. ♕d2+−) 28. ♕c5 ♖c5 29. ♘d6 ♖f8 30. e5 ♖e5 31. ♘f7 ♖f7 32. ♖d8 ♖e8 33. ♖e8 ♘e8 34. ♖f7+−] **27. ♕c4! ♘g4 28. ♔g1** [28. ♔h1 ♘f2 29. ♔g1 ♘d1∓] ♘e3 **29. ♕c7** [29. ♕b3 ♘d1 30. ♖d1 ♖d7 31. ♔h2 ♖ed8 32. ♕c2 h6∓; 29. ♕a4! ♘d1 30. ♖d1 ♖d7 31. ♔h2 (31. ♘f3 ♖d1 32. ♕d1 ♖e4±; 31. b6 ed8 32. ba7 b5! 33. ♕c2 ♖a7 34. ♘f3 ♖d1 35. ♕d1 ♕c5 36. ♔h2 ♕f8±) ♖ed8 32. ♖f1!±] **♕g6** [29... ♘d1 30. ♘e6+−; 29... ♖d4 30. ♖d4 ♕e2 31. ♖f2 ♕e1 32. ♗f1 ♘f1 33. ♕f7!+−; 29... ♖c8 30. ♕b7 ♕c5 (30... ♘d1 31. ♘f5 ♖g8 32. g4 △ ♖d1+−) 31. ♘b3 ♕a3 (31... ♕c3 32. ♖c1+−) 32. ♖d7 ♕b3 33. ♖g7+−] **30. ♖d2 ♘f1** [30... ♘g2

233

31. ♖g2! ♖d4 32. ♕b7 ♕b6 (32... ♖de4 33. ♕a7±) 33. ♕b6 ab6 34. ♖e2 ♔g8 35. ♖fe1 ♖d3 36. ♖e3±] **31. ♗f1** [31. ♔f1 ♖d4! 32. ♖d4 ♕f6−+] **♖c8** [31... ♕e4 32. ♘f5+−] **32. ♕f4 ♖e4 33. ♕f2 ♖e5 34. ♘f3 ♖ee8 35. ♗d3 ♕f6 36. h4 g6 37. ♔g2 ♖c3?⊕** [37... b6 38. ♘g5 ♕f2 39. ♖f2 ♖c3 40. ♗e4±] **38. ♕a7 ♖f8 39. ♕b7 ♖a3 40. ♘g5   1 : 0**   *Ilinčić*

375.   D 30

V. MILOV 2635 − PELLETIER 2465
Biel 1997

1. b3 b6 2. ♗b2 ♗b7 3. e3 ♘f6 4. ♘f3 e6 5. c4 c5 6. ♗e2 ♗e7 7. 0−0 0−0 8. d4 cd4 9. ed4 [9. ♘d4 − 36/15] **d5 10. ♘bd2 ♘c6 11. ♗d3?!** [11. ♖c1 ♖c8 12. ♗d3 dc4 13. bc4 ♕d6 14. ♕e2±; 14. ♖e1±] **♘b4 N** [11... ♖c8] **12. ♗b1 ♖c8 13. ♘e5** [△ 13. a3 ♘c6 14. ♗d3 dc4 15. bc4 ♕d6 △ ♖fd8, ♕f4⇆] **dc4 14. bc4 ♘c6! 15. ♘ef3** [15. ♘df3 ♘a5 16. ♗d3 (16. ♕e2?! ♗f3 17. gf3 ♘d7) ♗e4!=] **♕c7 16. ♗d3 ♘b4 17. ♗e2** [17. ♗b1 ♖fd8] **♖fd8 18. ♕b3 ♘c6 19. ♖ac1 ♕f4 20. ♖fd1** [20. ♖fe1] **h6** [20... ♘e4 21. ♘f1 (△ ♘e3) ♘a5 22. ♕d3 ♘d6 23. ♘1d2!?] **21. h3** [21. ♘f1 ♘a5 22. ♕c2 ♗e4 23. ♕c3?! ♘c4 24. ♗c4 b5; 21. ♕e3 ♕e3 22. fe3 ♘g4 23. ♘f1 (23. e4 e5!) f5!?∞] **♘e4 22. ♘e4** [22. ♘f1?! ♗h4! 23. g3 ♗g3 24. fg3 ♘g3 25. ♔f2 (25. ♘g3 ♕g3 26. ♔f1 ♘a5 27. ♕e3 ♘c4!) ♘e2 (25... ♘d4 26. ♗d4 ♘e2 27. ♔e2 ♗f3 28. ♕f3 ♖d4 29. ♕f4 ♖f4∞; 25... ♘f5 26. d5!? ♘a5 27. ♕c3 △ ♕e5⇆) 26. ♔e2 ♘a5 27. ♕e3 ♗f3 28. ♕f3 ♕f3 29. ♔f3 ♘c4∓; 27... ♕f5!→; 22. ♕e3=] **♘a5** [22... ♕e4?! 23. ♗d3 △ ♗b1, ♕d3] **23. ♕b5 ♕e4 24. ♗f1** [24. ♖e1 ♗f6; 24. ♗d3 ♕c6 25. ♕h5 ♗f6!? △ 26. d5?! ed5 27. cd5 ♕d5! 28. ♕d5 (28. ♗h7? ♔h7 29. ♖d5 ♖c1 30. ♗c1 ♖d5∓) ♗d5 29. ♖c8 ♖c8 30. ♗f6 gf6∓] **♗f6** [24... ♕c6 25. ♕h5 △ 25... ♗f6? 26. d5] **25. ♗c3** [25. c5?! ♕c6! 26. cb6 ♕b5 27. ♗b5 ♗f3 28. gf3 ab6∓; 25. ♕h5 ♕f4! △ 26. ♘e5 g6 27. ♕e2 (27. ♘g6? fg6 28. ♕g6 ♔h8) ♗e5 28. de5 ♖d1 29. ♖d1 ♘c4∓] **♕c6** [△ 25... ♘c6 △ 26. c5 ♕f5 (26... ♕d5? 27. ♗c4 ♕h5 28.

♔h2! △ g4) 27. ♗d3 ♕h5] **26. ♕c6** [26. ♗a5 ♕b5 27. cb5 ba5∓] **♗c6** [26... ♘c6? 27. d5!] **27. c5?** [27. ♗a5 ♗f3 (27... ba5 28. ♘e5 ♗a4 29. ♖d3) a) 28. gf3 ba5 29. c5 (29. d5 ed5 30. cd5 ♖c1 31. ♖c1 ♖d5 32. ♖c2 a4∓) ♖d4 30. ♖d4 ♗d4 31. c6 g5 32. ♗a6 ♖c7 33. ♗b7 ♔f8∓; b) 28. ♗b6 ab6 29. gf3 ♗d4↑] **♗f3 28. gf3 ♘c6 29. cb6** [29. ♗a6 ♖b8 (29... ♖c7? 30. cb6 ab6 31. d5! ed5 32. ♗f6 gf6 33. ♗b5 ♖dc8 34. ♗a6 ♖a8 35. ♗b5=) 30. ♗b5 (30. cb6 ♖b6; 30. d5 ♖d5 31. ♖d5 ed5 32. ♗f6 gf6 33. ♗b5 ♘d4) ♘d4 31. ♗d4 ♖d4 32. ♖d4 ♗d4 33. c6 ♖c8∓] **ab6 30. d5** [30. ♗a6 ♘d4! 31. ♗c8 (31. ♗d4 ♖c1) ♘e2 32. ♔f1 ♘c1∓] **♗c3 31. ♖c3 ♘e7!** [31... ed5? 32. ♗a6 ♖a8 33. ♗b7] **32. d6** [32. ♖c8 ♘c8 33. ♗c4 ♘e7 34. d6 (34. ♖b1 ed5 △ ♖d6) ♘f5 35. d7 ♔f8 36. ♖b1 ♖d7 37. ♖b6 ♖d1 38. ♔h2 g5∓] **♖d6!** [32... ♖c3?? 33. de7 ♖e8 34. ♖d8 ♖c8 35. ♖c8 ♖c8 36. ♗b5+−] **33. ♖d6 ♖c3 34. ♖b6** [♖ 9/i]

34... g5!∓ [34... ♖c1? 35. ♖b8 ♔h7 36. ♖b7 ×f7; 34... ♖a3? 35. ♖b8 ♔h7 36. ♖b7=; 34... ♖f3 35. ♗g2! ♖a3 36. ♖b8 ♔h7 37. ♖b7 ♘f5 38. ♖f7 ♖a2 (38... ♘d4 39. ♖f8! △ 40. ♖a8, 40. ♗e4) 39. ♗e4 ♔g6 40. ♖b7 △ ♗f5=; 35... ♖f4!∓] **35. a4 ♖a3 36. ♖a6?!⊕** [36. ♗b5 ♖a1 37. ♔h2 ♖a2!?∓] **♖a1 37. ♔g2** [37. a5 ♘g6 38. ♖a8 ♔g7 39. a6 ♘f4 40. a7 ♘h3 41. ♔g2 ♘f4 42. ♔g3 h5−+] **♘g6 38. ♗b5 ♘h4 39. ♔h2 ♘f3 40. ♔g2** [40. ♔g3 ♘d4 41. ♔h2 e5!−+ [△ e4, ♘f3, ♖g1♯; 41... ♔g7 42. ♖a7 △ ♗e8⇆] **42. ♗c6** [42. ♖h6 e4 43. ♗e2 ♖a2] **f5 43. f3□ ♖a3 44. ♖a7** [44. ♗d5 ♔g7 45. ♖a7 ♔f6 (45...

♔f8!?) 46. ♖a6 ♔e7 47. ♖h6 (47. ♖e6 ♔d7 △ 48. ♖e5? ♔d6) ♖a4 △ 48. ♖e6 ♔d7 49. ♖e5 ♔d6 50. ♗b3 ♔e5 51. ♗a4 ♔f4—+; 51... f4 △ ♔d4-e3—+] ♘f3 **45. ♔g2 ♘d4 46. ♗d5 ♔h8 47. a5** [47. ♖a8 ♔g7 48. ♖a7 ♔f6 49. ♖a6 ♔e7—+] **e4 48. a6 e3 49. ♗c4** [49. ♖e7 ♖a6—+; 49. ♖a8 ♔h7 50. a7 e2 51. ♔f2 ♖a1] **f4 50. h4 f3 51. ♔h3 e2   0 : 1   Pelletier**

DALY 2310 — SERMEK 2575
Pula 1997

1. d4 ♘f6 2. ♘f3 c5 3. dc5 [RR 3. e3 e6 4. c4 d5 5. cd5 ed5 6. ♗b5 ♗d7 7. ♗d7 *a)* 7... ♕d7?! *a1)* 8. ♘e5 ♕c7 9. ♕a4 ♘c6 10. ♘c3 ♗e7 11. ♘c6 1/2 : 1/2 Vaïsser 2565 — Speelman 2625, España 1996; *a2)* 8. 0—0! N ♘c6 *a21)* 9. ♘c3 ♗e7 10. dc5 ♗c5 11. b3 0—0 12. ♗b2 ♖fd8 13. ♖c1 ♕e7 14. ♘b5 ♘e4 15. ♘bd4 ♘d4 16. ♘d4 g6 17. ♖c2± A. Haritonov 2540 — Filippov 2535, Soči 1997; *a22)* 9. b3 cd4 10. ♘d4 ♗c5 11. ♗b2 0—0 12. ♘c6 ♕c6 13. ♘d2 ♗b6 14. ♖c1 ♕e6 15. ♘f3 ♘e4 16. ♘d4 ♕g6 17. ♕d3 ♖fe8 (17... ♖ac8) 18. ♖fd1 ♖ad8 19. ♖c2 ♕h5 (19... h6!? Malanjuk) 20. ♖dc1± Malanjuk 2615 — Vojcehovskij 2480, Soči 1997; *b)* 7... ♘bd7 8. dc5 ♘c5 9. 0—0 ♗d6 10. ♗d2! N (10. ♘c3 — 35/489) 0—0 11. ♗c3 ♘fe4 12. ♗d4 ♘e6 13. ♘c3 *b1)* 13... ♕a5 14. ♘e2 ♖ac8 15. ♕b3 ♖c4 16. a3! ♕a6 17. ♕d3 *b11)* 17... ♖fc8?! 18. ♗c3± ♘4g5?! 19. ♘g5! *b111)* 19... ♗h2 20. ♔h1! (20. ♔h2? ♖h4) ♖h4 (20... ♘g5 21. f4 ♕h6 22. fg5 ♕h5 23. ♘g1! ♗g3 24. ♘h3) 21. ♕a6 ♗d6 22. ♘h3+—; *b112)* 19... ♘g5 20. ♕d5! ♖4c5 (20... ♗h2 21. ♔h2 ♕h6 22. ♔g1 ♖h4 23. ♘g3 ♘e4 24. ♕e4!+—) 21. ♕d4 ♗e5 22. ♕g4 ♘e6 23. ♗e5 ♖e5 24. ♘c3 ♕b6 25. ♕b4! ♕c6 26. ♖ad1± Malanjuk 2610 — Zelčić 2455, Nova Gorica 1997; *b12)* 17... ♖d8!? ✕d5; *b2)* 13... ♘d4!? 14. ♕d4 ♘c3 15. ♕c3 ♕b6± Mihal'čišin] **e6 4. e3 ♗c5 5. c4 d5 6. a3 a5?!** N [6... 0—0 — 3/549] **7. cd5 ed5 8. ♗e2** [8. ♗b5!?] **0—0 9. 0—0 ♕e7 10. ♗d2!?** [10. ♘c3 ♘c6 11. ♘b5 ♖d8 12. ♗d2 d4=; 12... ♗g4=] **♘c6 11.**

♗c3 ♖d8 12. ♗d4! ♘d4 [12... ♗d6 13. ♘c3 ♘d4 *a)* 14. ♘d4 ♕e5 15. ♘f3 ♕e7 (15... ♕h5 16. ♘b5 ♗b8 17. ♖e1±) 16. ♘b5±; *b)* 14. ♕d4 ♗e6 15. ♖fd1±] **13. ♘d4 ♘e4 14. ♘c3 ♕e5?!** [14... ♘c3 15. bc3 ♗a3 16. ♕b3 ♗c5 17. ♖fb1 ♗d4 18. cd4 ♗f5 19. ♕b7? ♕b7 20. ♖b7 a4⇆; 19. ♖b2⯑] **15. ♘e4 de4** [15... ♕e4 16. ♗f3 ♕e5 17. ♕d2! ♗d4 (17... ♗d6 18. g3 ♗h3 19. ♖fd1±) 18. ed4 ♕f6 (18... ♕d6 19. ♖fe1 ♗e6 20. ♖ac1 ♕b6 21. ♖c5±) 19. ♖fe1 ♗e6 20. ♖ac1±] **16. ♘c6 ♖d1□ 17. ♘e5 ♖d5** [17... ♖a1 18. ♖a1 ♗e6 19. ♖d1±] **18. ♖fd1! ♖d1?** [18... ♖e5 19. ♖d8 ♗f8 20. ♖c1 g6 21. ♖cc8 ♖c8 22. ♖c5 (22... ♔g7 23. ♗c4 ♖c5 24. ♖c5 ♗c5 25. ♗d5 b6 26. ♗e4±) 23. ♖c5 ♗c5 24. ♗c4 ♔f8 25. ♗d5 b5 26. ♗e4±] **19. ♖d1± ♗e6 20. ♗c4 ♗c4 21. ♘c4 ♔f8** [21... b5 22. ♖d5 bc4 23. ♖c5 g6 24. ♖c4 ♖b8 25. b4 ab4 26. ab4 f5 27. h4 ♖b7 28. ♔h2 ♔f7 29. g4 ♔e6 30. ♔g3 ♔d5 31. ♖d4] **22. ♖d5 b6 23. g4!** [23. a4 f6 *a)* 24. ♔f1 ♔e7 25. ♘d2 ♗b4 26. ♘e4 ♖c8 27. ♖b5 ♖c1 (27... ♖c2 28. ♖b6 f5 29. ♘g3 g6⇆) 28. ♔e2 ♖c2 29. ♔f3 ♖b2⇆; *b)* 24. ♘d2 ♖c8 25. ♘e4 ♗e7⇆; *c)* 24. ♖d7 ♖c8 25. b3 h5±] **a4 24. ♖e5?** [24. ♘d2 ♖e8 25. ♘b1±] **f6** [24... ♖d8 25. ♖e4 (25. ♔g2 f6 26. ♖e4 b5 27. ♘a5 ♖d2 28. ♘b7 ♗e7⇆) b5 26. ♘e5 ♖d2⇆] **25. ♖d5! ♖e8 26. ♘d2 ♖e7 27. ♖d8 ♔f7 28. ♖a8 h5 29. h3** [29. ♖a4 hg4 30. ♖e4 f5!⯑] **hg4 30. hg4 ♖d7 31. ♘c4 ♖d1 32. ♔g2 ♖b1 33. ♖a4?!** [33. ♘c5! bc5 34. ♖b8 ♔g6 (34... c4 35. ♖b4 ♔g6 36. ♖c4 ♖b2 37. ♖a4+—) 35. ♖b7 ♖c1 36. f4 ♖c4 37. ♔f3+—] **♖b2 34. ♖a7** [34. ♘c5 bc5 35. ♖c4 ♖b5 36. a4 ♖b4 37. ♖b4 (37. ♖c5 ♖a4±) cb4 38. a5 b3 39. a6 b2 40. a7 b1♕ 41. a8♕±] **♔g6 35. ♔f3 ♗f8 36. ♖a8 ♔f7 37. a4 b5 38. ♖a7 ♔g6 39. ab5 ♖b5 40. ♘g3! ♖b1?! 41. ♖d7 ♖a1 42. ♘h5 ♖a6 43. ♘f4 ♔h6 44. ♖f7?** [44. ♖d8! g5 (44... ♗a3 45. ♖h8 ♔g5 46. ♖h5#) 45. ♖f8 gf4 46. ♔f4+—] **♗c5 45. ♘h5 ♖a7 46. ♖a7 ♗a7 47. ♘f4 g6 48. ♘h3 ♔g7** [48... f5 49. gf5 gf5 50. ♔f4 ♔g6 51. ♔e5 ♗b8 52. ♔e6+—] **49. ♔e4 ♔f7 50. ♔d5 ♗b8 51. ♘f4 f5** [51... ♗f4 52. ef4 ♔e7 53. g5! fg5 54. fg5 ♔d7 55. ♔e5 ♔e7 56. f3 ♔f7 57. ♔d6+—] **52. g5 ♗c7 53.**

♘h3 ♗b8 54. ♔c6 f4!? 55. e4 [55. ef4 ♔e6=; 55. ♘f4 ♗f4 56. ef4 ♔e6=; 55. ♔d5 fe3 56. fe3 ♔e7 57. ♘f4 ♔f7 58. ♘e6 ♔e7=] ♔e6 56. f3 ♗d6 [♘♗ 4/g]

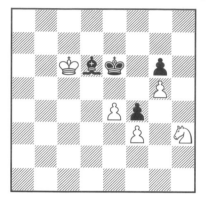

57. ♔b5! ♔e5 58. ♔c4 ♗e7 59. ♔d3 ♗c5 60. ♔e2 ♗e7 61. ♔f1 ♗d8 62. ♔g2 ♗e7 63. ♘f2 ♔d4 [63... ♗g5 64. ♔h3 ♗h6 65. ♔g4 ♔f6 66. ♔h4 ♗g5 67. ♔g4 ♗h6 68. ♘d3 g5 69. ♔h5 ♗f8 70. ♘f2+−] 64. ♘d1! ♔d3 [64... ♗g5 65. ♔h3 ♔d3 66. ♔g4 ♗h6 67. ♘f2 ♔e3 68. ♘h3 g5 69. e5+−] 65. ♘b2 ♔e2 [65... ♔d4 66. ♔h3 ♗g5 67. ♔g4 ♗h6 68. ♘d1 ♔e5 69. ♘c3 ♔d4 70. ♘e2 ♔e5 71. ♘g1 ♔d4 72. ♘h3 ♔e5 73. ♘g5 ♗g7 74. ♘f7 ♔f6 75. ♘d8 ♔e5 (75... ♗h6 76. ♘c6 ♔e6 77. ♘b4 ♔e5 78. ♘d3+−) 76. ♘c6 ♔d6 77. ♘b4+−] 66. ♘c4   1 : 0   *Daly*

377.   D 31

BABURIN 2560 − P. BLATNÝ 2540

Los Angeles 1997

1. d4 d5 2. c4 e6 3. ♘c3 ♗b4 4. a3 ♗c3 5. bc3 ♘c6 N [5... ♘e7 − 63/(353); 5... c5 − 64/498] 6. e3 ♘a5 7. cd5 ed5 8. ♗d3 ♘e7 9. f3 c6 [9... c5!?] 10. ♘e2 h6 [10... ♗f5 11. e4 ♗g6 12. 0−0 0−0 13. ♘f4!?↑] 11. e4 [11. 0−0!? ♗f5 12. e4 ♗h7 13. a4↑] 0−0 12. 0−0 f5! 13. ed5 [13. e5 ♘c4⇄] ♘d5! 14. ♕c2 [14. c4!? ♘c3 15. ♘c3 ♕d4 16. ♖f2 ♕c3 17. ♗b2 ♕b3 18. ♕e2⯈] b5! [×c4] 15. ♘f4 ♘f4 16. ♗f4 ♗e6 17. ♖fe1 ♕d7= 18. a4 ♗b3? [18... a6=] 19. ♕b1 b4? [19... ba4 20. ♖e5±; 19... ♗a4 20. ♕b4 (20. ♖e5? ♘b3) ♕d8□ (20... ♘b3 21. ♖a4 ba4 22. ♕a4+−) 21. ♖e7 ♖f7 22.

♖ae1→] 20. ♖e5!+− bc3 21. ♖a5 ♕d4 22. ♔h1 ♗c4!? 23. ♗c4 ♕c4 24. ♕a2 ♕a2 25. ♖a2 ♖ad8 [25... ♖ab8? 26. ♗b8 ♖b8 27. ♖a1 c2 28. ♖g1 (28. ♖e5+−) ♖b1 29. ♖c5+−] 26. h4! ♖d4!? 27. ♗e5 ♖d2 28. ♖a1 c2 29. ♔h2 [29. ♖c5 ♖fd8 30. ♔h2 ♖8d5 31. ♗f4 ♖d1 32. ♖d5 cd5 33. ♖c1+−] ♖fd8 30. ♖c1 ♖e2 [30... ♖8d5 31. ♖d5 cd5 32. ♗c3 ♖e2 33. ♔g1+−] 31. ♗f4 ♖d5 32. ♖a7??⊕ [32. ♖d5! cd5 33. ♔g1 d4 34. ♔f1 d3 35. ♖e1 d2 36. ♔e2 c1♕ 37. ♖c1+−; 32. ♖a6+−] ♖d1= 33. ♖c7 ♖c1 34. ♗c1 ♖e1 35. ♗f4 c1♕ 36. ♗c1 ♖c1 37. h5 ♖a1 38. ♖c6 ♖a4 39. ♔g3   1/2 : 1/2   *Baburin*

378.***** !N   D 31

PRIÉ 2470 − VAN DER VORM 2405

Andorra 1997

1. d4 d5 2. c4 e6 3. ♘c3 c6 4. ♘f3 [RR 4. e4 de4 5. ♘e4 ♗b4 6. ♗d2 ♕d4 7. ♗b4 ♕e4 8. ♘e2 ♘a6 9. ♗c3 ♘e7 10. ♗g7 ♖g8 11. ♕d4 ♕d4 12. ♗d4 c5 13. ♗c3 ♘b4 14. ♔d2 b6 (14... ♘bc6 15. ♘g3 f5 16. ♖e1 ♔f7 17. ♘h5±; 14... e5!? 15. ♗e5 ♗f5⯑) 15. a3 ♘bc6 16. ♖d1 (16. b4 ♗b7 △ 0-0-0) ♗a6! N (16... e5 − 60/(387)) 17. b3 (17. ♘g3 0-0-0 18. ♔c1 ♖d1 19. ♔d1 ♖d8 20. ♔c2 ♘d4 21. ♗d4 ♖d4 22. b3 ♗b7 23. f3 ♘g6 24. ♖g1=) 0-0-0 18. ♔c2 ♖d1 19. ♔d1 ♘f5 20. g3 (20. ♘g3 ♘fd4) ♖d8 21. ♔c1 (21. ♔c2 ♗b7 22. ♖g1 ♘cd4 23. ♘d4 ♘d4 24. ♗d4 ♖d4= Vul') ♘cd4 22. ♘d4 ♘d4 23. ♗d4 ♖d4 24. ♗g2 ♗b7= Junusov 2365 − Vul' 2395, Rossija 1997; 4. cd5 ed5 5. ♕c2 *a)* 5... ♘a6 6. ♗f4 ♘f7 7. a3 ♗d6 N (7... ♘c7) 8. ♗d6 ♕d6 9. e4 de4 10. ♗a6 ba6 11. ♘e4 ♕e6 12. f3 0−0 13. ♘e2 ♘e4 14. fe4 ♖e8 15. e5 f6 16. ♘f4 ♕f5 17. ♕c6 ♗b7 18. ♕c4 ♔h8 19. 0−0 fe5 20. de5 ♕e5 21. ♕c3 1/2 : 1/2 Seirawan 2630 − Kaidanov 2600, USA (ch) 1997; *b)* 5... g6 6. ♗f4 ♗f5 7. ♕d2 (7. ♕b3 ♕b6) ♘f6 8. f3 (8. e3 ♘bd7 9. h3 ♗e7 10. ♗d3 ♗d3=) ♗g7 N (8... ♗d6 9. g4 ♗e6 10. 0-0-0 ♗f4 11. ♕f4 ♘bd7 12. h3 ♕a5 13. ♔b1 0-0-0 14. e4∞; 8... ♘bd7 − 51/404) *b1)* 9. 0-0-0?! b5! 10. g4 ♗e6 11. ♔b1 ♘bd7 12. e4 (12. ♗d6? ♘b6) b4

13. ♘a4 de4 14. fe4 0–0! (14... ♘e4 15.
♕c2 ♗d5 16. ♗g2 ♘df6 17. ♖e1) 15. ♗g2
♕a5 16. b3 (16. ♕c2 ♘b6) ♗g4∓ Plüg
2375 − V. Bagirov 2495, Berlin 1997; b2) 9.
e3 0–0 10. ♘ge2 ♘fd7 11. ♘g3 ♗e6 12.
e4= V. Bagirov] dc4 5. a4 [RR 5. ♗g5 f6 6.
♗f4 b5 7. e4 ♘e7?! N (7... a6 − 43/(487))
8. ♗e2 ♘g6 9. ♗g3 ♗b7 10. 0–0 ♗e7 11.
a4 a6 12. d5! b4 13. d6 bc3 14. ♗c4!± Bu-
turin 2445 − F. Levin 2475, Lviv 1996; ◯
7... ♘d7 A. Beljavskij] ♗b4 6. e3 b5 7.
♗d2 a5 8. ab5 ♗c3 9. ♗c3 cb5 10. b3
♗b7 11. bc4 b4 12. ♗b2 ♘f6 13. ♗d3
♘bd7 14. 0–0 0–0 15. ♖e1! ♖e8 N [15...
♕c7 16. e4 e5 17. c5 a) 17... ♗a6 18. ♖c1
♗d3 19. ♕d3 a1) 19... ed4 20. e5 ♘h5
(20... ♘c5 21. ♕d4 ♘fd7 22. e6 ♘e6 23.
♖e6) 21. c6! ♘b6 22. ♘g5 g6 23. e6 f6 24.
e7! ♖fe8 25. ♕b3 ♔h8 26. ♕f7+−; a2)
19... ♖fd8 20. c6 ♘f8 21. ♘e5± Huzman
2575 − Reefat 2465, Yerevan (ol) 1996; b)
17... ed4 18. ♖c1 ♘e5 (18... ♖ac8 − 68/359)
19. c6 ♗a6 20. ♗a6! (20. ♘e5 − 68/360)
b1) 20... ♖a6 21. ♘d4 b11) 21... ♘c6 22.
e5 ♘d7□ (22... ♘e8 23. ♕a4+−) 23. ♘f5!
(23. e6±) ♖e8 24. e6 ♖e6 25. ♕g4 g6
(25... ♖g6 26. ♖e8 ♘f8 27. ♗g7) 26. ♖e6
fe6 27. ♘h6 ♔f8 28. ♕e6+−; b12) 21...
♖d8 22. ♕e2 ♖b6 (22... ♕b6 23. ♘f5+−)
23. ♘b5 ♕e7 24. c7 ♖c8 25. ♘a7! ♖c7 26.
♘c8±; b2) 20... ♘f3 21. ♕f3 ♖a6 22. e5
♘e8 23. ♗d4 a4 24. ♗c5 ♖c6 25. ♕e3 b3
26. ♗f8 ♔f8 27. ♕f4! (△ 28. ♕b4, 28.
♕a4 ×♘e8) ♖c1 28. ♖c1 ♕a7 (28... ♕a5
29. e6 f6 30. ♕d4+−) 29. e6 b2 30. ♕b4
♕e7 31. ♕b2 ♕e6 32. ♕b4 ♔g8 33.
♕a4±] 16. c5 [16. e4? e5 17. c5 ed4 ×e4]
♗c6?! [16... ♘e4? 17. ♕c2 f5 (17... ♘df6
18. c6 ♖c8 19. ♗e4+−) 18. c6 ♖c8 19.
cd7 ♖c2 20. de8♕ ♕e8 21. ♗c2+−; 16...
e5 17. ♘e5 ♘e5 18. de5 ♘d5 (18... ♘d7
19. ♗b5) 19. ♕h5 g6 20. ♕f3 ♕c7 21.
♗e4±; 16... ♕c7 17. e4 (△ e5, ♗h7) a)
17... e5? 18. ♖c1 ed4 (18... ♗a6 19. c6
♘f8 20. ♗a6 ♖a6 21. d5+−) 19. c6 ♗c6
20. ♘d4 ♘e5 21. ♗b5 ♖ad8 22. ♗c6 ♖d4
23. ♗d4 ♘c6 24. ♗f6 gf6 25. ♖e3+−; b)
17... h6 18. e5 (18. ♘d2 e5 19. ♘c4 ed4
20. ♘d6 ♘c5 21. ♘e8 ♖e8 22. ♗d4∞)
♗f3 (18... ♘d5 19. ♘d2 ♗c6 20. ♘e4 a4
21. ♗c1 △ ♕h5, ♘d6, ♖e4 ×h6) 19. ♕f3
♘d5 20. ♗c2! (20. ♖e4!?→) ♖eb8 (20...

♘b8? 21. ♕d3 f5 22. ef6 ♘f6 23. d5+−)
21. ♗b3 ♕c6 22. ♗a4 ♕c7 23. ♖a2±;
16... ♗e4 17. ♗b5 ♕c7 18. ♘d2 ♗c6 19.
♗c6 ♕c6 20. ♕a4±; 16... ♖a7!? △ ♕a8]
17. ♗c2 [17. e4!? a4 (17... e5 18. d5 ♘c5
19. ♘e5) 18. e5 (18. ♗c1? e5) ♗f3 19. gf3
(19. ♕f3 ♘d5 20. ♖e4 ♘f8∓) a) 19... ♘d5
20. ♖a4 ♖a4 21. ♕a4 ♕g5 (21... ♘f4 22.
♗f1) 22. ♔h1 ♕d2 23. ♖d1 ♕f2 24. ♗e4
♘e3 25. ♖g1±; b) 19... a3!∓] ♕b8 18. e4
h6 [18... b3 19. ♗b1] 19. ♘d2 ♕a7 20.
♗a4 ♕a6

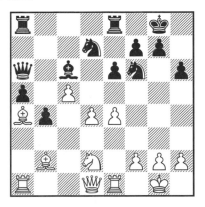

21. ♕e2! ♕e2 22. ♖e2 ♘b8 [22... ♗a4 23.
♖a4 e5 24. f3 ♖ec8 25. ♘b3 ed4 26.
♗d4±] 23. ♘b3? [23. ♘c4±] ♖d8 24. f3
♔f8 25. ♔f2 ♘e8 26. ♗c1 ♗a4 27. ♖a4
♘c6 28. ♔e3 ♘c7 29. ♖ea2 ♖a6 30. ♗b2
♘b5 31. ♖a1 ♖a7 32. ♖d1 ♘c7 33. ♖d3
h5 34. ♘d2 g6 [34... ♘a6 35. ♘c4 e5 36.
♘a5 ed4 37. ♗d4 ♖d4 38. ♖d4 ♘c5 39.
♘c6 ♖a4 40. ♖d8#] 35. ♘c4 ♔e7 [35...
♘a6 a) 36. ♘a5 ♘c5 37. dc5 (37. ♘c6
♘a4) ♖d3 38. ♔d3 ♖a5 39. ♖a5 ♘a5 40.
♗c1±; b) 36. ♖d2! ♘c7 37. ♘b6 ♘a6 38.
♖a1 e5 39. d5 ♘c5 40. dc6 ♖d2 41. ♔d2
♘b3 42. ♔d3 ♘a1 43. ♗e5 b3 44.
♔c3+−; 35... ♔e8 36. ♖d2 ♘b5 37. d5
ed5 38. ed5 ♘c3 39. ♘d6 ♖d6 (39... ♔f8
40. ♖a1 ♘e7 41. ♗c3 bc3 42. ♖d3+−) 40.
cd6 ♘a4 41. dc6 ♘b2 42. ♖b2 ♖a6 43.
♖c2 ♖a8 44. ♔d4 b3 45. ♖e2 ♔d8 46.
♔c5 a4 47. c7 ♔d7 48. ♖e7 ♔c8 49.
♖e8+−] 36. ♘b6? [36. ♖d2] ♘a6 37. ♘c4
♘c7 [37... e5 38. ♘a5 ♘d4 39. ♗d4 ed4
40. ♖d4 ♖c8 41. ♘b3+−] 38. ♖d2 ♖d7?⊕
[38... f6 39. ♘b6 ♘a6 40. ♖a1 a) 40... ♖b7
41. d5 (41. ♖c1 ♘a7 42. ♘a4 ♖bd7) a1)
41... ♘e5 42. d6 ♔f8 43. ♗e5 fe5 44. ♘a4

♘b8 45. ♔d3 (45. c6 ♘c6 46. ♘c5+−)
♘c6 46. ♔c4 ♖c8 47. ♘b6 ♖b6 48. d7
(48. cb6?? ♘d4 49. ♔d3 ♖c3♯) ♖bb8 49.
dc8♕ ♖c8 50. ♖d7+−; a2) 41... ♘a7 42.
d6 ♔f7 (42... ♔f8 43. ♗f6) 43. ♖a5 ♘c5
44. ♖c5 ♖b6 45. ♖c7+−; a3) 41... ed5 42.
ed5 ♘c5 43. dc6 ♖b6 44. ♗f6 ♔f6 45.
♖d8 ♖c6 46. ♖a5 ♘b7 47. ♖f8 ♔g7 48.
♖aa8+−; a4) 41... ♘cb8 42. ♔d4 (△ ♔c4;
42. ♘a4±) ♖c7 43. ♖a5! ♘c6 44. ♔e3
♘a5 45. d6 ♔e8 46. dc7 ♘c7 47. ♖d8
♔d8 48. ♗f6+−; b) 40... e5 41. d5 ♘c5
42. dc6 ♖d2 43. ♔d2 ♘b3 44. ♔d3 ♔d8
45. ♖d1 ♔c7 46. ♘d5 ♔c6 47. ♔c4 ♘c5
48. ♘f6+−; 38... ♔e8 a) 39. ♘b6 ♘b5!
(39... ♘a6 40. ♖a1 e5 41. d5 ♘c5 42. dc6
♖d2 43. ♔d2 ♘b3 44. ♔d3 ♘a1 45. ♗e5
♔d8 46. ♘d5 ♖a6 47. c7 ♔d7 48. ♘e7+−)
a1) 40. ♖a1 ♖c7 41. ♖ad1 (41. ♘c4 ♖cd7)
e5 42. d5 ♘cd4 43. ♘c4? ♘b3; a2) 40. d5
ed5 41. ed5 ♘c3 42. ♗c3 bc3 43. ♖da2
♖e7 44. ♖e4 ♘b4 45. ♖a5 c2 46. ♖e7 ♔e7
47. ♔d2 ♘d5 48. ♘d5 ♖d5 49. ♔c2±; b)
39. d5! ed5 40. ♘d6 ♔f8 41. ed5 ♘e7 42.
♔e4 ♘a6 43. ♗d4 ♘c7 44. ♗f6 ♘e8 45.
♘e8 ♖e8 46. ♗e7 ♖ee7 47. ♔d4 ♖e1 48.
d6± ♔e8 49. ♔d5 ♖a6 (49... ♖c1 50. ♖e2
♔d8 51. c6 ♖d1 52. ♔c5 ♖c1 53. ♔b6+−;
49... ♔d8 50. ♔c6!+−) 50. ♔c4 ♖a8 51.
♔b5 b3 52. ♖a5 ♖b8 53. ♔c6 b2 54.
♖b2+−] 39. ♘b6+− ♖d8 40. d5 ed5 41.
ed5 ♘a6 42. dc6 ♘c5 43. ♖a2! ♖e8 [43...
♖d2 44. ♘c8 ♔d8 45. ♘a7 ♖d3 46. ♔e2
♖d5 47. ♖a5 ♔c7 48. ♖b5 b3 49. f4 ♘d3
50. ♗e5 ♘e5 51. ♖d5] 44. ♔f2 ♘e6 45.
♘d5 ♔f8 46. ♘b4 ♖c8 47. ♖c2 ♖aa8 48.
♘d5 ♖a6 49. ♗a3 ♔e8 50. ♘f6 ♔d8 51.
♖d2 ♔c7 52. ♘d5 ♔b8 53. ♖ab2   1 : 0
Prié

379. ** !N**   **D 31**

A. ALEKSANDROV 2660
− A. HARITONOV 2540
Soči 1997

1. d4 d5 2. c4 e6 3. ♘c3 ♗e7 4. cd5 ed5
5. ♗f4 c6 6. e3 [RR 6. ♕c2 ♗d6 7. ♗g3
♘e7 8. e3 ♗f5 9. ♕b3 ♘c8! N (9... b5?! −
59/430) 10. ♘f3 (10. ♕b7?? ♘b6 11. ♗d6
♕d6 12. ♗a6 0−0−0+−) ♕b6= 11. ♗e2
♘a6 12. 0−0 ♕b3 13. ab3 ♘c7 14. b4

♗g3 15. hg3 ♘d6 16. ♘d2 h5! 17. ♘b3 a6
a) 18. ♘c5 1/2 : 1/2 Baburin 2560 − R.
Vaganian 2585, Los Angeles 1997; b) 18.
f3 0−0−0 19. ♘c5 ♖de8 20. ♔f2= Baburin]
♗f5 7. g4 [RR 7. ♘ge2 ♘d7 8. h3 ♗g6 9.
♘g3 ♘f8! N (9... ♘gf6 − 58/433) 10. ♗e5
♘e6 11. ♘ge2 ♗d6 12. ♗d6 ♕d6 13. ♘c1
♘f6 14. ♗d3 ♗d3 15. ♘d3 0−0 16. 0−0
♘e4 17. ♖c1 ♘c3 18. ♖c3 ♖fe8 19. ♕c2
♖e7 20. ♖b1 ♘g5 21. ♘c5 ♘e4 22. ♘e4
♖e4= Sadler 2645 − Ch. Lutz 2555, Pula
1997] ♗e6 8. ♗e5!? N [8. h4 − 60/390]
♘f6 [8... f6!? 9. ♗g3 ♗d6 △ ♘e7∞; 8...
♗f6 9. ♗g3∞] 9. g5 ♘e4 [9... ♘g4? 10.
♗b8 ♕b8 11. h3] 10. h4 [10. ♗g7 ♖g8 11.
♗e5 (11. ♘e4? de4 12. ♗e5 ♗b4 13. ♔e2
♗c4−+) ♖g5∞] 0−0 11. ♗d3 ♕a5 12.
♕c2?! [12. ♘e2 ♗g4∞; 12. ♕b1!? ♗b4
13. ♘e2 ♗g4∞; 12. ♕c1 c5 13. f3 ♘c3 14.
♕c3∞] ♘a6! 13. ♕c1 [13. ♗e4 de4 14.
♕e4 ♗d5−+] ♘b4 14. ♗b1 c5! 15. f3?
[15. ♘ge2 ♘c6 16. ♗f4 cd4 17. ed4
♖ac8∓] cd4! 16. ♗d4 [16. ed4 ♘c6! 17.
fe4 (17. ♗f4 ♘c3 18. bc3 ♘d4) ♘e5 18.
de5 d4−+; 16. fe4 dc3∓] ♘g3 17. ♖h2
♘c6∓ 18. ♔f2 ♘d4 19. ed4 [19. ♔g3 ♘c6
20. ♘ge2 ♖fd8∓] ♗d6 20. ♖g2 ♘h5 21.
♘ge2 g6! 22. ♗d3 [22. f4 f6 23. f5 fg5 24.
♕g5 ♔h8−+] ♖ae8 [22... f6? 23. gf6 ♘f6
(23... ♖f6 24. ♕h6 ♘g7 25. h5) 24. ♕h6→]
23. ♕d2 ♕d8 24. ♖h1 [24. ♖ag1 ♗h3]
f6−+ [×♔f2] 25. ♕c2 ♔g7 26. ♔e1 [26.
♖hg1 ♗f7] ♘f4! 27. ♘f4 ♗f4 28. ♘e2 fg5
29. hg5 ♗g8 [×h7] 30. ♔d1 ♗e3⊕ [30...
♗g5? 31. f4 ♗f4 32. ♗g6] 31. ♕b3 ♕a5
[31... ♖e7−+] 32. ♔c2 ♖f3? [32... ♖e7−+]
33. ♔b1?⊕ [33. ♕b7 ♖f7 34. ♕b3 ♕d2
35. ♔b1 ♗g5∓] ♕b6 34. ♕a4 ♖ef8 35. a3
a6 36. ♔a2 ♕d6 37. ♕b3 ♖8f7 38. ♖e1
♖e7 39. ♘g1 ♗g1? [39... ♖g3 40. ♖g3 (40.
♖ge2 ♖g1 41. ♖e3 ♖e1−+) ♕g3 41. ♕b4
♖f7−+] 40. ♖gg1∓⊕   0 : 1
A. Haritonov

380. ** !N**   **D 32**

ABRAMOVIĆ 2500
− PETRONIĆ 2490
FYROM 1997

1. d4 ♘f6 2. ♘f3 e6 3. c4 a6 4. ♘c3 c5 5.
e3 d5 6. cd5 ed5 7. ♗e2 ♘c6 8. 0−0 ♗d6

9. dc5 ♗c5 10. b3 0−0 11. ♗b2 ♗a7 12. ♖c1 [RR 12. ♘a4 ♘e4 13. ♖c1 ♖e8 N (13... ♕d6) 14. ♘d4 ♕d6 (△ ♗b8) 15. ♘c6 bc6 16. ♗f3! ♘g5 17. ♗g4 f5!? (17... ♖e4 18. ♗c8 ♖c8 19. ♘c3 ♖ee8 20. ♕g4 ♗b8 21. g3 f6 22. ♖fd1± Vyžmanavin 2585 − Seitaj 2405, Cappelle la Grande 1997) 18. ♗h5 g6 19. ♗f3 f4∞ Vyžmanavin, B. Arhangel'skij] **♖e8** [RR 12... ♕d6 13. ♘b1 ♖d8 14. ♘d4 ♗b8 N (14... ♘e4 − 47/487) 15. g3 ♗h3 16. ♖e1 ♗a7 17. ♗a3 ♕d7 18. ♗c5 ♗c5 19. ♖c5 ♘e4 20. ♖c1 ♖ac8 1/2 : 1/2 Cifuentes Parada 2515 − Sosonko 2515, Nederland (ch) 1997] **13. ♕d3** [13. ♖c2 − 42/508]

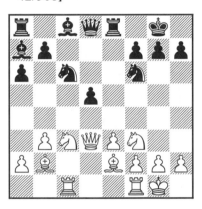

13... d4! N [13... h6] **14. ed4 ♘d4 15. ♘d4 ♕d4□** [15... ♗d4?! 16. ♖fd1 ♗g4 (16... ♗b6 17. ♘a4 ♕d3 18. ♗d3±) 17. ♕d4 ♕d4 18. ♖d4±] **16. ♕d4** [16. ♘a4!?] **♗d4 17. ♗f3** [17. ♖fd1 a) 17... ♗c3 18. ♗c3 ♖e2 19. ♖d8 (19. ♗f6? ♗e6∓) ♖e8 (19... ♘e8 20. ♖e1 ♖e1 21. ♗e1 f6 22. ♖e8 ♔f7 23. ♖d8 b5 24. ♗b4 ♔g6=) 20. ♗f6□ ♖d8 21. ♗d8 ♗e6=; b) 17... ♗e5=] **♖b8! 18. ♖fd1** [18. ♖fe1 ♖e1!? (18... ♗e6 19. ♘a4 ♗b2 20. ♘b2 ♗d5=) 19. ♖e1 ♗g4! 20. ♗g4 ♘g4 21. ♘d1 (21. ♖e4? ♖d8!∓) ♗b2 22. ♘b2 ♖d8 23. h3 ♘f6=] **♗e5 19. h3** [19. ♘a4 ♗b2 20. ♘b2 ♗g4 21. ♗g4 ♘g4=] **♗f5= 20. g4!? ♗g6** [20... ♗e4? 21. ♘e4 ♗b2 22. ♘f6 ♗f6 23. ♖c7±] **21. ♘a4** [21. g5? ♘e4∓] **♗b2 22. ♘b2 h6 23. ♘c4 ♗e4 24. ♗e4 ♖e4 25. ♘e3 ♖e6 26. ♖c7 g6 27. ♔g2 ♔f8 28. ♘c4⊕ ♖e7 29. ♖e7 ♔e7 30. ♖e1 ♔f8□ 31. ♘d6?!** [31. ♖d1=] **b5! 32. ♖c1 ♖b6 33. ♘c8?!** [33. ♖d1 ♖c6 34. ♖d4 ♔e7 35. ♘e4=] **♖e6∓** [×♘c8] **34. ♖c2 ♘d5! 35. ♖d2 ♘f4 36. ♔g3 g5⊕ 37. h4 ♖e2! 38. ♖d8** [38. ♖e2 ♘e2 39. ♔f3 ♘c1 40. hg5 hg5∓ ♔g7 [38... ♖e8!? 39. ♖e8□ ♔e8 40. ♘d6 ♔f8 41. ♘f5 ♘e2 42. ♔f3 ♘c1∓] **39. hg5 hg5 40. ♘d6 ♖a2∓ 41. ♖d7 ♖b2 42. ♖f7 ♔g6 43. ♖a7 ♖b3 44. ♔h2 ♖h3??** [44... ♖a3∓ △ 45. ♘b5?? ♖h3 46. ♔g1 ab5−+] **45. ♔g1 ♖a3 46. ♘b5= ♖a1 47. ♔h2 ♘d3 48. ♘c7 a5 49. ♖a6 ♔f7 50. ♘e6 ♘f2**
1/2 : 1/2   *Petronić*

381. !N   D 34

P. CRAMLING 2545 −
R. PONOMARJOV 2550
Pamplona 1996/97

1. d4 d5 2. c4 e6 3. ♘f3 c5 4. cd5 ed5 5. g3 ♘f6 6. ♗g2 ♗e7 7. 0−0 0−0 8. ♘c3 ♘c6 9. dc5 ♗c5 10. ♗g5 d4 11. ♘a4 ♗e7 12. ♖c1 ♗e6 13. a3! N [13. ♗f6 − 51/(405)] **♗d5 14. ♘c5 ♖e8!?** [△ 15. ♗f6 ♗f6 16. ♘b7 ♕e7 17. ♘c5 ♕e2] **15. b4 b5?!** [×c6, c5; 15... b6!?] **16. ♘b3 a5** [16... h6 17. ♗f6 ♗f6 18. ♖c5!±] **17. ♘bd4 ♘d4 18. ♕d4± ab4 19. ab4 h6** [19... ♗f3 20. ♕d8 ♖ad8 (20... ♖ed8 21. ♗f3 ♖a4 22. ♖c7 ♗b4 23. ♖b7±) 21. ♗f3 ♖d4 22. ♖b1±; 19... ♖a4!? 20. ♗f6 ♗f6 21. ♕c5±] **20. ♗f6 ♗f6 21. ♕c5 ♗c4** [21... ♖e2? 22. ♖fd1+−] **22. ♖fd1 ♕e7 23. ♘d4** [23. ♕e7!? ♖e7 24. ♘d2] **♖a4 24. ♕e7 ♖e7** [24... ♗e7? 25. ♗c6!+−] **25. e3! ♗d4 26. ed4 ♖b4 27. d5** [27. ♗c6 ♖e6] **♖d7 28. d6 ♖a4** [28... ♗e6 29. ♖c8 ♔h7 30. ♖b8; 28... ♖b2!?] **29. ♗c6 ♖d8 30. d7** [△ 31. ♗b5 ♗b5 32. ♖c8] **♔f8 31. ♖e1 ♗e6 32. ♗b5 ♖b4 33. ♖c8 ♔e7□ 34. ♖e5** [34. ♗c6! f6? [34... g5!±] **35. ♖e6!+− ♔e6 36. ♖d8 ♖b5 37. ♖g8 ♔d7 38. ♖g7 ♔e6 39. ♖h7 h5 40. ♔g2** [△ ♔h3-h4 ×h5] **♖f5 41. f4 ♔d5 42. ♔h3 ♔e4 43. ♔h4 ♖a5 44. ♖h5 ♖a2 45. ♔g4 ♖a8 46. ♖h6 ♖g8 47. ♔h5 f5 48. ♖e6 ♔f3 49. ♖g6 ♖h8 50. ♔g5 ♖h2 51. ♔f5 ♖a2 52. ♖g5 ♖a6 53. ♔e5 ♖a5 54. ♔f6 ♖a6 55. ♔g7 ♖a7 56. ♔g6 ♖a6 57. ♔h5 ♖a1 58. f5 ♖a6 59. ♖g8   1 : 0**   *P. Cramling*

382.* D 34
DRAŠKO 2555 – KOSIĆ 2515
Jugoslavija (ch) 1997

1. ♘f3 d5 2. g3 ♘f6 3. ♗g2 c5 4. c4 e6 5. 0–0 ♗e7 [5... ♘c6 6. cd5 ed5 7. d4 c4 8. b3 cb3 9. ♕b3 ♗e7 10. ♖d1!? N (10. ♗a3) 0–0 11. ♘e5 ♘a5 12. ♕a4 a6 13. ♗d2 ♘c4 14. ♘c4 b5 (Draško 2500 – Radulov 2395, Kranevo 1996) 15. ♕a5±; 15. ♗a5±] 6. cd5 ed5 7. d4 0–0 8. ♘c3 ♘c6 9. dc5 ♗c5 10. ♗g5 d4 11. ♗f6 ♕f6 12. ♘d5 ♕d8 13. ♘e1!? [13. ♘d2 – 61/428] ♖e8 [13... ♗e6 14. ♘f4 ♗b6 15. ♘e6 fe6 16. ♘d3 ♕d6 17. ♕a4 ♖ac8 18. ♖ac1 ♖c7 19. ♖c4 ♖fc8 20. ♖fc1 ♔f8 21. ♕b5 ♘d8 22. b3!±] 14. ♘d3 ♗b6 N [◻ 14... ♘f8 15. a3 *a)* 15... ♗f5 16. b4 ♗e4 17. ♗e4 (17. ♘5f4 ♗g2 18. ♔g2 a5 19. b5 ♘e5=) ♖e4 18. ♘5f4 △ 18... a5 19. b5 ♘e5 20. f3 ♖e3 21. ♘g2 ♘c4 22. ♖c1 ♖c8 23. ♘e3 (23. ♕a4 ♖d3 24. ed3 ♘d2!?) ♘e3 24. ♖c8 ♕c8 25. ♕c1!±; *b)* 15... ♗h3 16. ♗h3 ♕d5 17. ♗g2 ♕b5 18. b4 a5 19. a4 ♕b6 20. b5 ♘b4=; 17. ♖c1!?] 15. b4 ♗f5 16. a4 ♗e4 17. ♗e4 ♖e4 18. ♕b3!± a6 [18... ♖e2 19. a5 ♗c7 20. a6 △ ♖fc1±; ◻ 18... ♘e7] 19. ♖a2 ♗a7 [19... ♘e7] 20. ♖c2 ♕d6 21. b5 ♘a5 [◻ 21... ♘e7] 22. ♕a2 ♖d8 23. ba6 ba6 24. ♖fc1 h5?! [24... h6] 25. ♘5f4± h4 26. ♖c7 ♖d7 27. ♖c8 ♔h7 [◻ 27... ♖d8 28. ♖1c7 ♖e7 29. ♖e7 ♕e7 30. ♘g6!±] 28. ♕c2! g6 29. ♘c5 ♖f4 [29... d3 30. ♘e4] 30. gf4 ♖e7 [30... ♗c5 31. ♕c5 ♕f4 32. ♕f8+–] 31. ♘d3 ♗b6 [◻ 31... ♕e6] 32. ♘e5 ♕f6 33. ♕e4 [△ ♘g4] h3⊕ 34. ♕f3!+– [34. ♘g4 ♕h4] ♕f5 35. ♘g4 d3 36. ♕h3 ♕h5 37. ♘f6
1 : 0 *Draško*

383. D 34
GAVRIKOV 2590 – SUTTER 2355
Neuchâtel 1997

1. c4 e6 2. g3 ♘f6 3. ♗g2 c5 4. ♘f3 ♘c6 5. 0–0 d5 6. cd5 ed5 7. d4 ♗e7 8. ♘c3 0–0 9. ♗g5 cd4 10. ♘d4 h6 11. ♗e3 ♖e8 12. ♖c1 ♗f8 13. ♘c6 bc6 14. ♘a4 ♗d7 15. ♗c5 ♗c5 16. ♘c5 ♗g4 [16... ♗f5 17. e3±] 17. ♖e1 ♕a5 18. h3 ♗f5 [18... ♗h5]

19. ♘a4 N [19. ♕d4 – 65/(392)] ♘e4 20. e3 [20. ♖c6?? ♗d7] ♖ab8!? [20... ♖ac8] 21. b3 ♖bc8 22. g4 ♗g6 23. f3!? ♘g5! 24. ♖e2 ♕c7! [△ ♕g3] 25. f4 ♘e4 26. b4 ♕e7 27. ♕d4 h5?! [27... ♘g3 28. ♖ee1 ♗e4 29. ♘c5 ♗g2 30. ♔g2 ♘e4=; 27... f5!?] 28. f5! ♗h7 29. ♘c5±○ ♕h4?!⊕

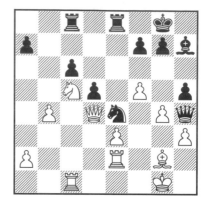

30. ♗e4! de4 31. ♖g2 [×g7] ♖cd8 32. ♘d7! ♔h8 33. ♖c6± hg4 [33... f6] 34. ♖g4 ♕e1 35. ♔h2 ♖g8 36. f6 g5◻ [36... g6? 37. ♘e5!+–] 37. ♘e5?!⊕ [37. ♖c5] ♕e2? [37... ♗g6! 38. ♘g6 fg6 39. ♖g1! (39. ♕e4?! ♖ge8! 40. ♖e6 ♖d2=) ♖d4 40. ♖e1±] 38. ♖g2 ♕h5 39. ♕a7+– ♖gf8 40. ♕c5! [△ 40... ♗f5 41. ♘f7] ♖g8 41. ♖c7
1 : 0 *Gavrikov*

384.* D 35
MILADINOVIĆ 2500 – SR. CVETKOVIĆ 2420
Kavala 1997

1. d4 ♘f6 2. c4 e6 3. ♘c3 d5 4. cd5 ed5 5. ♗g5 c6 6. e3 ♘bd7 7. ♗d3 ♗d6 8. ♘f3 ♘f8 9. ♕c2 ♘g6 10. 0-0-0 [10. h3 h6 11. ♗g6 hg5 12. ♘g5 fg6 13. ♕g6 ♔d7 14. ♘f7 ♕f8 15. ♘h8 ♕h8 16. 0-0-0 N (16. 0–0 – 44/489) ♔c7 17. ♕c2 a6 18. g4 ♗e6 19. f3 ♖e8 20. ♔b1 ♔b8 21. ♔a1 ♗c8∞ Kočovski 2345 – Sr. Cvetković 2420, Korinthos 1997] h6 11. ♗f6 N [11. ♗g6 – 33/(522)] ♕f6 12. e4 ♘f4 13. ♔b1 [13. e5 ♘d3 14. ♕d3 ♕f4∞; 13. ♖he1 ♘d3 14. ♕d3 0–0 15. e5 ♕f4∞] ♘d3 [13... ♘g2? 14. ♘e1!!+–] 14. ♕d3 [14. ♖d3 ♗e7∞] ♗e7 [14... ♗b4? 15. ♘d5!] 15.

240

♔a1 [15. ed5? ♗f5 16. ♘e4 ♕g6 △ cd5−+; 15. ♖he1!? 0−0 16. ed5 ♗b4!∞] de4 [15... 0−0 16. ed5±] 16. ♘e4 ♕f5! [16... ♕g6 17. ♘e5 ♕h7± ✕♕h7] 17. ♘e5 0−0 18. ♕e3 [△ f4, g4±] ♗g5□ 19. ♘g5 ♕g5 [19... hg5?! 20. h4±] 20. f4 ♕d8 21. ♖hf1 [△ f5± ✕♗c8] f6! 22. ♘g6 ♖e8 23. ♕d3 [23. ♕b3 ♕d5=; 23... ♗e6!?∞] ♗e6 24. f5 ♗f7 25. ♘f4 ♕a5 26. a3 ♖e7!∓ [△ ♖ae8 ⇔e] 27. ♕c3 ♕c3 28. bc3 ♖ae8 29. ♔b2 ♗c4 30. ♖f2 a5∓ 31. ♔c2 a4 32. ♔d2 ♔f7 33. ♖b1 b5 34. g4 ♖e3 [34... ♖e4!? △ ♖f4, ♖e2] 35. ♖g1 ♖8e4 36. h4

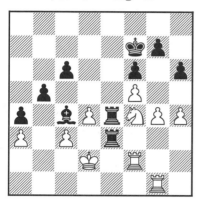

36... ♖f4?? [36... b4!!−+] 37. ♔e3 ♖f2 38. ♔f2 ♔e7 39. ♖e1 ♔d6 40. ♖e8 c5 41. dc5 ♔c5 42. ♖e7 ♗a2 43. ♖c7 ♔d5 44. ♔e3
1 : 0   *Sr. Cvetković*

385.*   D 36
H. ÓLAFSSON 2500 − BABURIN 2560
Las Vegas 1997

1. c4 e6 2. ♘c3 d5 3. d4 ♘f6 [RR 3... ♗e7 4. ♘f3 ♘f6 5. cd5 ed5 6. ♗g5 c6 7. ♕c2 ♗g4 (7... g6 − 68/(364)) 8. ♘e5! ♗e6 N (8... ♗h5) 9. e3 ♘g4?! a) 10. ♗f4 ♘d7 11. ♘d7 ♕d7 12. ♗d3 ♗d6 13. h3 a1) 13... ♗f4 14. hg4 ♗d6 (14... ♗h6 15. ♗f5± ✕♗h6) 15. g5± ✕h7; a2) 13... ♘f6 14. ♗e5! ♕e7 15. 0-0-0! ♗e5 16. de5 ♘d7 17. f4± S. Volkov 2480 − Landa 2570, Novgorod (open) 1997; 15. f4!±; b) 10. ♗e7! ♕e7 11. ♘g4 ♗g4 12. h3! ♗e6 (12... ♗h5 13. ♘d5! cd5 14. ♕c8 ♕d8 15. ♗b5 ♔e7 16. ♕b7 ♘d7 17. 0−0! △ ♕d5±) 13.

♗d3± ✕♗e6 S. Volkov] 4. cd5 ed5 5. ♗g5 c6 6. ♕c2 ♗e7 7. e3 0−0 8. ♗d3 ♘bd7 9. ♘ge2 ♖e8 10. 0−0 ♘f8 11. a3 ♘h5 [11... ♘g4 − 54/401] 12. ♗e7 ♕e7 [12... ♖e7!?] 13. b4 ♕g5 N [13... a6] 14. ♖ae1 [14. b5 ♘h3 15. ♘g3 ♘g3 16. hg3 ♗d7 17. bc6 ♗c6 18. ♘e2 ♖ac8⇆] ♗h3 15. ♘g3 ♘g3 16. hg3 ♗d7 17. e4!? de4 18. ♘e4 ♕e7 19. ♕c3 [19. ♘c5!? ♕e1 (19... ♗e6!?) 20. ♖e1 ♖e1 21. ♔h2 ♖ae8 22. ♘b7 a) 22... ♗g4?! 23. ♘c5 a1) 23... ♖a1 24. ♗e4 (24. ♘e4? ♖e6−+) f5 25. ♕c4 ♔h8 26. ♕f7+−; a2) 23... ♘e6 24. ♘b3 (24. f3) ♘g5 25. ♕c6 ♖1e6 26. ♕b5? ♖h6 27. ♔g1 ♖e1! 28. ♗f1 ♖f1 29. ♕f1 ♘f3 30. gf3 ♗f3−+; 26. ♕c3!±; 23. ♗c4!?; b) 22... ♖a1! 23. ♘c5 ♖ee1 24. g4 ♗g4∞] ♗e6 20. ♘c5 ♕c7 21. ♗e4 ♖ad8 22. ♖e3 ♖d6 23. ♗f5 ♖ed8 24. ♗e6 ♘e6 25. ♘e6 ♖e6 [25... fe6!?] 26. ♖e6 fe6 27. ♖e1 ♕d6 [27... ♖d6!] 28. ♖e4 ♕d5 29. ♕e3 h6 30. f3 [30. ♖e6 ♕d4 31. ♕d4 ♖d4 32. ♖e7 ♖d3 33. a4 b5=] a6 31. g4 ♖d6 32. ♔f2 ♔f7 33. ♔g3 ♖d8 34. ♕c3 ♖d7 35. a4 g5 36. a5 ♕d6 37. ♔f2 ♕e7 38. ♖e5 ♖d5 39. ♖d5 [39. ♕d3 ♖e5?? 40. ♕h7 ♔e8 41. ♕e7 ♔e7 42. de5 ♔d7 43. ♔e3 c5 44. bc5 ♔c6 45. ♔d4 ♔b5 46. g3+−; 39... ♔g7] ed5 40. ♕c5 ♕c5 41. bc5 ♔f6   1/2 : 1/2
Baburin

386.   D 36
BABURIN 2560 − SAIDY 2415
Hawaii 1997

1. d4 ♘f6 2. c4 e6 3. ♘c3 d5 4. cd5 ed5 5. ♗g5 c6 6. ♕c2 ♗e7 7. e3 0−0 8. ♗d3 ♘bd7 9. ♘ge2 ♖e8 10. 0−0 ♘f8 11. f3 ♘h5 12. ♗e7 ♖e7 13. ♕d2 f5!? N [13... ♘e6 − 66/349] 14. e4! fe4 15. fe4 de4 16. ♘e4 ♗g4 [16... ♗e6!? 17. ♕g5 g6 18. ♕h6∞] 17. ♔h1!? [17. ♗c4?! ♗e6=; 17. ♖ae1!?] h6?! [17... ♗e2! 18. ♕e2 ♕d4 19. ♖ad1 ♕e5 20. ♗c4 (20. ♕g4!? g6 21. ♕h4; 20. ♕f3!?) ♔h8 21. ♕f2⟳] 18. ♖ae1 ♕c7?! 19. ♘2c3± ♖d8 20. ♗e2! [20. ♗c4!? ♔h8 21. d5] ♗e2 21. ♕e2 ♘f4□ 22. ♘f6 ♔f7 23. ♕e7 ♕e7 24. ♖e7 ♔e7 25. ♘g8 ♔f7 26. ♘h6 gh6 27. ♖f4 ♔g6 [♖ 9/h]

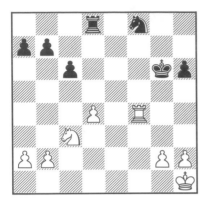

28. d5?? [28. h3 ♘e6 29. ♖g4 ♔f5 30. ♘e2±] cd5 29. ♖d4 ♔f5 30. ♖d5 ♖d5 31. ♘d5 ♔e4 32. ♘b4 a5?!⊕ [32... ♘e6! 33. g4! (33. ♔g1? ♘d4 34. a3 a5 35. ♘a2 ♔d3∓) ♔f3=] 33. ♘c2 ♔d3 34. ♘a3 ♘d7! [34... ♘e6 35. g4 ♘c7 36. h4 b5 37. g5 hg5 38. h5 ♘d5 39. ♘b5±] 35. g4 ♘e5 36. h3 ♔d2 37. b3 ♔c1?? [37... ♔c3! 38. ♔g2 ♔b2 39. ♘c4 ♘c4 40. bc4 ♔a2 41. h4 a4=] 38. ♘c4 ♘c6 39. h4 ♔b1 40. g5 hg5 41. h5!+− ♘e7 42. h6 ♘g6 43. a4 b6 44. ♘b6 ♔c2 45. b4 ab4 46. a5 b3 47. ♘a4   1 : 0   *Baburin*

387.   D 36

ILLESCAS CÓRDOBA 2585 — NOGUEIRAS 2535

España 1997

1. d4 d5 2. c4 c6 3. ♘c3 ♘f6 4. ♘f3 e6 5. ♗g5 ♘bd7 6. cd5 ed5 7. e3 ♗e7 8. ♗d3 0−0 9. ♕c2 ♖e8 10. h3 ♘f8 11. ♗f4 ♘e6 [11... ♗e6 − 69/376] 12. ♗h2 g6 N [12... ♗d6] 13. 0-0-0 c5!? 14. ♗b5 ♖f8!? [14... ♗d7 15. ♗d7 ♕d7 16. ♘e5±] 15. ♘e5?! [15. dc5 ♘c5 16. ♘d4±] c4! 16. ♕e2? [16. ♗a4∞] ♗b4! [16... a6 17. ♗a4 b5 18. ♘c6 ♕d7 19. ♘e7 ♕e7 20. ♗c2±] 17. ♘d5! ♘d5 18. ♗c4∓ ♘b6 [18... f6∓ 19. ♘d3 ♗d6!] 19. ♗b3 ♗d6 20. ♔b1 ♕e7 21. f4 ♗e5 [21... f6!∓] 22. fe5 ♗d7 23. d5∞ ♘c5 24. ♗c2 ♘ca4?! 25. ♖d4!± ♕c5 26. e6 ♗b5?! [△ 26... fe6] 27. ♕g4!± f5 [27... ♖ac8 28. ef7 ♖f7 29. ♗g6+−→; 27... ♘d5 28. ef7 ♖f7 29. ♗g6 ♘dc3 30. ♔a1 ♖g7 31. ♕e6 ♔h8 32. ♗e5+−; 27... ♘b2 28. ef7 ♖f7 29. ♗g6+−; 27... ♗e8!□]

28. ♕d1 ♘b2 [28... ♖fe8 29. ♗b3 ♖ac8 30. d6 ♘c4 31. d7 ♘ab2 32. de8♕ ♖e8 33. ♕c1+−; 28... ♖ac8 29. d6 ♘b2 30. ♔b2 ♕c3 31. ♔b1 ♘c4 32. ♖c4 ♗c4 33. e7 ♖f7 34. d7+−] 29. ♔b2 ♘c4 30. ♖c4 ♗c4 31. ♗b3 ♖fd8 [31... ♖ac8 32. d6 ♗b3 33. ♕b3 ♕c6 34. e7 ♖f7 35. ♖d1 ♕g2 36. ♔a1 ♕h2 37. d7 ♕e5 38. ♖d4+−; 31... ♖fe8 32. ♕d4 ♕d4 33. ed4 ♗b3 34. ♔b3 ♖ad8 35. ♗c7!+− △ 35... ♖d5 36. ♔c4] 32. d6 b5 [32... ♕b6 33. ♕d4 ♗b3 34. ♕b6 ab6 35. ♔b3+−; 32... ♕b5 33. e7 ♖d7 34. ♕f1 ♕b3 35. ab3 ♗f1 36. ♖f1 ♔f7 37. e4 ♔e6 38. ef5 gf5 39. g4+−] 33. ♕d4!+− ♕c6 [33... ♕d4 34. ed4 ♗b3 35. ♔b3+−] 34. ♖c1 ♖ac8 [34... ♕g2 35. ♖c4 ♕e4 36. ♕e4 fe4 37. ♗c4 bc4 38. ♖c4+−] 35. e7 ♖d7 36. ♖c4   1 : 0
                              Illescas Córdoba

388.*   D 37

KRAMNIK 2770 — YUSUPOV 2640

Dortmund 1997

1. ♘f3 d5 2. d4 ♘f6 3. c4 e6 4. ♘c3 ♗e7 5. ♗f4 0−0 6. e3 c5 7. dc5 ♗c5 8. ♕c2 [RR 8. cd5 ♘d5 9. ♘d5 ed5 10. ♗d3 ♗b4 11. ♔e2 ♘c6 12. ♕c2 g6 13. a3 N (13. ♖hd1 − 33/(533)) ♗e7 14. h3 ♗f6 15. ♖ac1 a5 16. ♖hd1 ♗e6 17. ♔f1 a4 18. ♗b5 ♕b6 19. ♗c6 bc6 20. ♗e5 ♗e5 21. ♘e5 ♖fc8 22. ♕c5 ♕b2 23. ♘c6 ♔g7 24. ♕d4 ♕d4 25. ♘d4 ♗d7 26. ♔e1 ♖ab8= I. Sokolov 2615 − Van der Sterren 2515, Nederland (ch) 1997] ♘c6 9. a3 ♗d7 10. ♖d1 ♖c8 11. ♗e2 dc4 12. 0−0 [12. ♗c4 ♕a5!?] a6?! N [12... ♕a5? 13. ♘d2! b5 14. ♘de4+−; 12... ♘a5?! 13. ♘e5↑; 12... ♗e7 − 17/549] 13. ♗c4 ♘h5 14. ♗g5! g6 15. ♘ge4 ♗e7□ [15... ♘f4 16. ♖d7] 16. ♗d6?! [16. ♗h6! ♘g7 17. ♗e2± ♕c7 18. ♗f4!] ♗d6 17. ♖d6 [17. ♘d6!?] ♘b8! [17... ♘e5 18. ♗e2 f5 19. ♗h5 gh5 20. ♘g3±] 18. ♗e2 ♘g7 19. ♖d3 [19. ♖fd1 ♖c7] ♕e7 20. ♕d2 [20. ♘d6 ♖c7 21. b4!?±] ♖c7 [20... ♗c6 21. ♘d6 ♖cd8 22. e4± ♘d7 23. ♕h6] 21. ♖d1 ♗c6 22. ♘d6 ♘e8 23. e4 ♘d7 24. ♘e8 ♖e8 25. ♖d6 ♖ec8?! [25... ♘f6! 26. ♕f4 (26. e5 ♘e4) ♖d7] 26. ♕f4 ♕f6?!⊕ [26... ♘f8±]

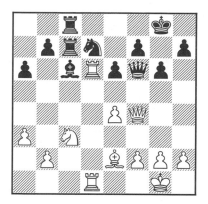

27. ♕g3 ♘f8 [27... ♕g7? 28. ♖c6! bc6 29. ♗a6] 28. h4 ♖d7 29. e5 ♕g7 30. ♗f3!± ♖d6 31. ed6 ♘d7 32. ♗c6 ♖c6 33. ♕g5! ♕f8? [33... f6□ 34. ♕e3± ♕f7 35. ♕a7!?] 34. ♕e7! ♕c8□ 35. ♖d4 [35. ♘e4 ♖c1 36. ♖c1 ♕c1 37. ♔h2 ♕f4; 35. h5!+−] ♖c5 [35... h5? 36. ♖f4] 36. ♘e4 ♖f5 37. ♔h2 h5 38. f3 ♔g7 39. ♖d3! ♕c6 40. ♖c3 ♕b5 41. ♖c8!+− ♕b2 [41... ♕e5 42. ♔h1 (42. ♘g3!?) ♕b2 (42... ♖f4 43. ♕d8 ♔h7 44. ♕g8 ♔h6 45. ♕h8 ♕h8 46. ♖h8 ♔g7 47. ♖d8 ♖h4 48. ♔g1 ♘b6 49. d7 ♘d7 50. ♖d7+−) 43. ♕d7 ♕a1 44. ♔h2 ♕e5 45. ♘g3 ♖f4 46. ♕d8!] 42. ♕d7 ♖f3 43. ♕d8 ♕e5 44. g3 ♕b2 45. ♔h3   1 : 0
Kramnik

389.**** !N   D 37

VAN WELY 2655 − PIGUSOV 2560

Beijing (open) 1997

1. d4 ♘f6 2. c4 e6 3. ♘f3 d5 4. ♘c3 ♗e7 5. ♗f4 0−0 6. e3 c5 7. dc5 ♗c5 8. a3 ♘c6 9. ♕c2 ♕a5 10. 0-0-0 ♗e7 [RR 10... dc4?! 11. ♗c4 a6 12. ♘g5! ♗e7 13. ♗d3! N (13. h4 − 67/(494)) *a)* 13... g6?! 14. h4 ♘e5 15. h5 ♘d3 16. ♖d3 e5 17. ♘h7 (17. ♗g3 e4 18. ♘ce4 ♘e4 19. ♘e4 ♗f5) ef4 18. ♘f8 *a1)* 18... ♗f5 19. ♘g6 ♗a3 20. e4 (20. ba3 ♕a3 21. ♕b2 ♕b2 22. ♔b2 ♗d3 23. ♘f4 ♗c4 24. g4 b5 25. g5 ♘g4 26. ♘e4±) ♘e4 21. ba3+−; *a2)* 18... ♗f8 19. hg6 *a21)* 19... ♗f5? 20. gf7 ♔f7 21. ♕b3 ♔g6 22. e4+−; *a22)* 19... fg6? 20. ♖d5! ♕c7 (20... ♘d5 21. ♕g6 ♗g7 22. ♕e8 ♗f8 23. ♖h5 ♗f5 24. ♖g5 ♔h7 25. ♕h5 ♗h6 26. ♖f5+−) 21. ♖g5 ♗g7 22. ♕g6 ♕f7 (22...

♕e7 23. e4+−) 23. ♖h8 1 : 0 B. Alterman 2615 − Liang Jinrong 2425, Beijing (open) 1997; *a23)* 19... ♗e6□±; *b)* 13... h6 14. ♘ge4 (14. ♘h7 ♖d8 15. ♘f6 ♗f6 16. ♗h7 ♔h8 17. ♖d8 ♕d8 18. ♖d1 ♗d7) ♖d8 15. ♔b1 ♗d7 16. ♘d6 ♗d6 17. ♗d6± B. Alterman] 11. ♔b1 [RR 11. ♘d2 ♕b6! N (11... e5 − 59/444) 12. ♘b3 ♘a5 13. ♘a5 ♕a5 14. e4 de4 15. ♘e4 ♘e4 16. ♕e4 ♗a3 17. ba3 ♕c3 18. ♕c2 ♕a1 19. ♕b1 ♕c3 20. ♕c2 1/2 : 1/2 Ch. Gabriel 2575 − Ch. Lutz 2590, Bad Homburg 1997] a6 [11... ♖d8 N 12. ♘d2 dc4 13. ♗c4 ♗f5 14. ♘de4 ♘e4 15. ♖d8 ♗d8 16. ♘e4 e5 17. ♗g3 ♕g6 18. ♗d3 ♕h6 19. ♖d1 ♗e7 20. h4 ♗g4 21. f3 ♗e6 22. ♗f2 ♖d8 23. g4 ♗d5 24. ♘d2 g6 25. h5 ♗g5 26. ♖e1 gh5 27. ♖h1 ♗e3 28. ♖h5 ♕f4 29. ♗h4 *a)* 29... ♖d6 30. ♗h7 ♔f8 *a1)* 31. ♗f5?⊕ ♖h6!−+ Van Wely 2655 − Liang Jinrong 2425, Beijing (open) 1997; *a2)* 31. ♗e4!± △ 31... ♗a2 32. ♔a2 ♖d2 33. ♕b3 ♗d4 34. ♖f5; *b)* 29... ♗d2 30. ♗d8 ♘d8 31. ♗h7 ♔g7 32. ♕d3 ♗f3=; 32... ♕f3=; ◯ 29. ♗e4; *b)* 19. f4!↑] 12. ♘d2 ♕b6 13. ♘b3 ♘a5 14. ♘a5 ♕a5 15. cd5 ed5 16. ♗e5 ♗e6 17. ♗d3 ♖ac8 18. ♕d2 ♔h8 [18... ♘d7 19. ♗d4 ♘b8 20. ♘e2 ♕d2 21. ♖d2 ♘c6 22. ♗c3 ♖fd8 23. ♖hd1 b5 24. ♘f4 ♗g5 25. ♗c2 ♗f4 26. ef4± Van Wely 2655 − Van der Sterren 2555, Antwerpen 1997] 19. f3!? N [△ ♘e2-f4, △ g4, h4; 19. ♘e4 − 67/494] ♘d7 20. ♗d4 f6 [△ ♘e5] 21. ♕c2 ♗g8 22. ♗f5 ♖c7 [22... ♖fd8 23. h4 △ g4-g5, △ h5, ♘e2-f4-g6] 23. ♕c1! ♘e5 24. b4 ♗b4 25. ab4 ♕b4 26. ♕b2 ♕e7 [△ b5, ♘c4↑] 27. ♘a2 [△ ♕b4] a5 28. ♔a1 ♘c4 29. ♕b5 ♘d6 30. ♕b1 b5 31. ♖c1 b4 [31... ♖c4 32. ♗d3 b4 33. ♗c4 dc4± △ 34... c3 35. ♘c3 bc3 36. ♗c3] 32. ♖c7 ♕c7 33. ♗c2 ♘c4 34. ♗a4 [◯ 34. ♕d1] ♘e3 35. ♗e3 [35. ♕c1!? ♕c1 36. ♖c1 ♘g2 37. ♖c7 ♘h4 38. f4 ♘f5 39. ♗c5 ♖d8∞] ♕e5 36. ♕b2 ♕e3 37. ♖d1 ♖c8 38. ♗b3 a4 [38... ♖c5 △ h6=] 39. ♗a4 d4 40. ♘c1 ♖c3?⊕ [40... ♖a8 41. ♕b4 ♕c3 42. ♕c3 ♖a4 43. ♔b2 dc3 44. ♔c3=] 41. ♗c2 [41. ♔b1!? b3!] ♗c4 42. ♗e4?! [42. ♔b1 d3 43. ♗a4∞] ♖a3 43. ♔b1 ♗a2! 44. ♘a2 ♖b3 45. ♖c1 g6 46. ♖c8 ♔g7 47. ♘c1 ♖b2 48. ♔b2 f5 49. ♗d3 ♕g1 50.

♖c2 ♕h2= 51. ♘a2 ♕d6 52. ♔b3 h5 53. ♘b4 h4 54. ♔c4 [△ ♘d5] ♕c7 55. ♔d4 [55... h3]   1/2 : 1/2   *Van Wely*

390.** !N   D 38

GEL'FAND 2695 — BAREEV 2670
Polanica Zdrój 1997

1. d4 ♘f6 2. c4 e6 3. ♘f3 d5 4. ♘c3 ♗b4 5. cd5 ed5 6. ♗g5 h6 7. ♗h4 g5 8. ♗g3 ♘e4 9. ♘d2 ♘c3 10. bc3 ♗c3 11. ♖c1 ♗a5?! [RR 11... ♗b2 12. ♗c7 *a)* 12... ♕e7 13. ♖b1 ♗c3 N (13... ♗a3 — 62/(457)) 14. ♗b8 ♖b8 15. ♕c2! (15. ♕a4 ♗d7 16. ♕a7 0-0∞; 15. e3 0-0 16. ♗e2 ♗f5⇆♔) ♗d2 16. ♕d2 ♗f5 17. ♖b2 (17. ♖c1? 0-0 18. e3 ♖bc8 19. ♗e2 ♖c1 20. ♕c1 ♖c8∓) 0-0 18. e3 ♗e4 19. f3 ♗g6 20. ♗d3 ♗d3 21. ♕d3 ♖bc8 22. 0-0 ♖c6 (22... f5? 23. ♖b5 △ ♕b3±) 23. e4 ♖fc8 24. ed5 (24. e5!?) ♖d6 (24... ♖c1 25. ♖b1 ♖1c2 26. ♖fe1 ♕d7 27. ♕b3±) 25. ♖e2 (25. f4!? ♖d5 26. fg5 hg5 27. ♖bf2±) ♕d7 (1/2 : 1/2 Umanskaja 2315 — Matveeva 2470, Rossija (ch) 1997) 26. f4! ♖d5 27. fg5 hg5 28. ♖ef2 ♖d4 29. ♕e3±; *b)* 12... ♕d7! N *b1)* 13. ♗e5?! ♗c1 14. ♗h8 ♕c7 15. e3 ♕c3 16. ♗g7 (16. ♗e2 ♘c6 △ ♘b4∓) ♘c6 17. ♗h6 ♘b4 18. ♗b5 ♔e7 19. ♗g5 f6 20. ♗f4 a6∓; *b2)* 13. ♖b1 ♗c3 (13... ♗d4? 14. ♗b8 △ e3+— Umanskaja) 14. ♗b8 ♖b8 15. e3 0-0 16. h4 g4 17. ♖b3 ♕c7 18. ♗e2 ♗d7 19. 0-0 f5 20. ♗b5 ♗e6 1/2 : 1/2 Ftáčnik 2610 — Landa 2570, Beijing (open) 1996] **12. e3 c6 13. h4** [13. ♗e2 ♗c7!; 13. ♗d3 — 32/502] **g4 14. ♗e2 ♗e6** [14... ♗c7 15. ♗c7 ♕c7 16. ♗g4±] **15. 0-0** [15. ♗g4? ♗d2 16. ♔d2 ♕a5=] **h5?** [15... ♘d7 16. ♘b3 ♗c7=] **16. e4!± ♗b6!** [16... ♗d2 17. ♕d2 de4 18. ♕f4→; 16... ♘d7 17. ed5 cd5 18. ♘b3 ♗b6 19. f3!?; 19. ♕d2!?] **17. ed5 cd5 18. ♘b3 ♘c6 19. ♕d2** [19. ♗b5 ♖c8 20. ♘c5±] **♖c8 20. ♗b5 ♔f8! 21. ♘c5** [21. f3! gf3 22. ♖f3 ♘d4 23. ♘d4 ♖c1 24. ♔h2→] **♗c5 22. ♖c5?** [22. dc5!±] **f6! 23. ♗c6** [23. f3 ♔g7 24. fg4 ♗g4 25. ♗c6 ♖c6=] **bc6** [23... ♖c6 24. ♖c6 bc6 25. ♖b1↑] **24. f3 ♔g7 25. fg4 ♗g4 26. ♖a5 ♕e7 27. ♖e1** [27. ♗e5 fe5 28. ♖a7 ♕a7 29. ♕g5 ♔h7 30. ♖f6 ♕g7-+] **♕d7= 28.**

♖a3⊙ ♖he8 29. ♖ae3 ♗f5 30. ♖e8! ♖e8 31. ♖e8 ♕e8 32. ♕f4 ♔g6 33. ♕b8 ♕f7 34. ♗f2 ♗e4 35. ♗e3 ♔h7 [35... ♕e6 36. ♕g3 ♔f7 37. ♕c7=] **36. ♗f4**   1/2 : 1/2   *Bareev*

391.*** !N   D 38

A. BELJAVSKIJ 2710 — ZVJAGINCEV 2635
Portorož 1997

1. d4 ♘f6 2. ♘f3 d5 3. c4 e6 4. ♘c3 ♗b4 5. ♗g5 ♘bd7 6. e3 [RR 6. cd5 ed5 7. ♖c1 h6 8. ♗h4 c6 9. ♘d2 0-0! N (9... ♘f8 — 43/506) 10. e3 ♖e8 11. ♗d3 ♗d6 12. 0-0 ♘f8 13. e4!? de4 14. ♘de4 ♗e7 15. ♗f5 ♗f6 16. ♘f6 ♕f6 17. d5 ♗d7 18. ♕b3 ♖ab8 19. ♖ce1 ♘g6 20. ♖e8 ♗e8 21. ♖e1 ♘f4 22. ♗e4 ♗d7 23. dc6 ♗c6 24. ♗c6 ♕c6= I. Novikov 2590 — Je. Piket 2630, Antwerpen 1997] **c5 7. cd5 ed5 8. ♗d3** [RR 8. ♗e2 ♕a5 9. 0-0 ♗c3 10. bc3 c4 11. ♕c2 ♘e4 12. ♖ac1 ♘b6 13. ♗f4 ♕a4! N (13... 0-0 — 46/547) 14. ♕b2 0-0 15. ♘e1 ♕c6 16. f3 ♘d6 17. e4 ♖e8 18. e5 ♘b5 19. g4 ♘a4 20. ♕d2 ♕a6 21. ♗d1 ♘bc3 22. ♖c3 ♘c3 23. ♕c3 ♕a2 24. ♘c2 ♕a4 25. ♘e3 ♕c6 26. ♗c2 a5∞ Izeta Txabarri 2525 — G. Giorgadze 2625, Ampuriabrava 1997] **c4 9. ♗f5 ♘b6** [9... ♕a5 — 60/(405)] **10. ♗c8** [10. ♕c2 ♗f5 11. ♕f5 ♕d7 12. ♕e5 ♕e6=; 10. ♗c2!?] **♖c8 11. 0-0 0-0 12. ♘e5! N** [12. a4 a5; 12. ♕c2 ♗e7 13. ♘d2 (13. ♘h4 h6 14. ♗f4? g5∓; 13. ♖fe1 ♘e4=) ♘g4! 14. ♗e7 ♕e7= Murugan 2395 — Zvjagincev 2610, Calcutta 1997] **♗e7 13. ♗f6** [13. ♕c2 ♘fd7 14. ♗e7 ♕e7 15. ♘d7 ♕d7=; 13. ♕f3! ♘g4 (13... ♘e4? 14. ♗e7 ♕e7 15. ♘d5±; 13... ♕d6!?) 14. ♕g4 (14. ♗e7 ♘e5 15. de5 ♕e7 16. ♘d5 ♕e5=) ♗g5 15. f4±] **♗f6 14. a4 a5 15. f4 ♕e7** [15... ♗e7!? 16. f5 (16. ♕c2?! f6 17. ♘f3 ♗b4∓; 16. ♕g4!?) ♗f6!= A. Beljavskij] **16. ♕f3 ♖cd8 17. ♖f2** [17. ♘g4 ♕d6=; 17. ♖ad1!? ♕b4 18. ♖f2± ×d5] **♗e5 18. de5** [18. fe5 f6=] **f6 19. ef6 ♕f6** [19... ♖f6? 20. ♖d1 ♖e6 21. ♘d5 ♘d5 (21... ♖d5? 22. ♖d5 ♖e3 23. ♖d8+—) 22. ♖d5 ♖e8 23. ♖e5! ♖e5 24. fe5±] **20. ♖d1 ♕c6!** [20... d4 21. ♘e4±] **21. ♖fd2 ♘a4** [21... ♔h8?! 22. e4 ♘a4 (22... ♕c5?! 23.

♕f2 ♕f2 24. ♔f2 ♖f4 25. ♔g3±) 23. ♘a4
♕a4 24. ed5 c3 25. ♕c3 ♕f4 26. h3±] **22.**
♘a4! [22. ♘d5?! ♔h8 23. e4 ♖de8∓] **♕a4**
23. ♖d5 ♖d5 24. ♕d5 ♔h8 25. ♔f2 h6 26.
♖d2 ♕b4 27. ♔e2 c3! [27... b5? 28. ♕e5±;
27... ♖e8!? 28. ♕d7 ♖f8 (28... ♖e7? 29.
♕c8 ♔h7 30. ♖d8↑) 29. ♕d6 ♕d6 (29...
b5? 30. ♕e5±) 30. ♖d6 b5=] **28. bc3 ♕c3**
29. ♕b7 ♖e8 30. ♕b6 a4 31. ♕d4 ♕d4
32. ♖d4 ♖a8= 33. ♖d2 a3 34. ♖a2 ♔g8
35. ♔d2 ♔f7 36. ♔c2 ♔e6 37. ♔b1 ♔f5
38. ♖c2 ♔e4 39. ♖c7 ♔e3 40. ♖g7 ♔f4
41. ♖g6 h5 42. h4 a2 43. ♔a1 ♖a3 44.
♖g5 ♖g3   1/2 : 1/2   *Zvjagincev*

392. IN   D 38

GREENFELD 2540 – SOSONKO 2505

Mariehamn/Österåker 1997

1. d4 ♘f6 2. c4 e6 3. ♘f3 d5 4. ♘c3 ♗b4
5. ♗g5 h6 6. ♗f6 ♕f6 7. e3 c5 8. ♖c1 [8.
cd5 — 67/(497)] **cd4** [RR 8... dc4 9. ♗c4
cd4 10. ♘d4 0–0 11. 0–0 ♗d7! N (11...
♖d8 — 66/352) 12. ♕b3 (12. ♘e4 ♕h4
13. f4 ♘c6 14. ♘f3 ♕e7 15. a3 ♗a5=)
♘c6 13. ♘c6 ♗c3 14. ♘a7 ♗b2 15. ♖cd1
♗e8! 16. ♘b5 (1/2 : 1/2 Bareev 2670 – A.
Aleksandrov 2660, Polanica Zdrój 1997)
♗e5 17. f4 ♗b8 18. a4 ♗c6 19. ♗e2=
Bareev] **9. ♘d4 ♘c6!? 10. cd5 N** [10.
♕a4] **ed5** [10... ♘d4 11. ♕a4] **11. ♗b5**
[11. ♕a4?! 0–0 12. ♘c6 ♗c3 13. ♖c3 bc6
14. ♕c6 ♗e6↑] **0–0 12. ♗c6 bc6**

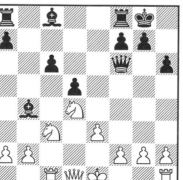

13. a3! [13. ♕a4? ♗c3 14. ♖c3 ♕g6∓; 13.
0–0 ♗a6 14. ♖e1 (14. ♘d5? cd5 15. ♖c6

♗d6 16. ♖a6 ♗h2) ♖ab8 △ ♗c3, ♖b2
✕f2] **♗a5 14. 0–0 ♗a6 15. ♖e1?!** [⌐ 15.
♘d5! ♕g5□ 16. ♘c6 ♗f1 17. ♕f1± △ b4-
b5 ✕♗a5, a7] **♖ab8?!** [15... ♖fb8! *a)* 16.
b4 ♗b6 17. ♕a4 (17. ♘a4 ♗c4) ♗d4 18.
ed4 ♗c4 △ a5; *b)* 16. b3!? △ ♕g4, ♖ed1]
16. b4 ♗b6 17. ♕a4! ♗b7? [17... ♗d4 18.
ed4 ♗c4 (18... ♖b6 19. ♕a5 △ ♘a4±) 19.
♕a7 (19. ♖e5 a5! 20. ♕a5 ♕f4 21. ♖d1
♖a8) ♖a8 20. ♕c5 ♖a3 21. b5 ♖b3! △ 22.
bc6 ♖b2 23. ♘d1 ♖b5] **18. ♘ce2+−**
[✕♗b7, c6] **♖fe8** [18... ♖bc8 19. ♘b3 △
♘c5, ♘d4] **19. ♘c6** [19. ♘b3] **♗c6 20.**
♕c6 ♕c6 21. ♖c6 d4 22. ed4 ♗d4 23.
♔f1 ♗b6 24. ♘c3 ♖e1 25. ♔e1 ♖e8 26.
♔f1 ♖d8 27. ♔e2 ♖e8 28. ♔f3 ♖d8 29.
♔e2⊕ ♖e8 30. ♔f3 ♖d8 31. a4! ♖d7 [31...
♖d2 32. a5! (32. ♘e4 ♖d3⇆) ♗d4 (32...
♖f2 33. ♔e4+−) 33. ♘e4 ♖b2 34. ♖c4
♗e5 35. ♘c5+−] **32. a5 ♗d8 33. ♔e4**
♗e7 34. ♘d5 ♗d6 35. b5 ♗h2⊕ 36. g3 h5
37. b6 [37. ♖c8! ♔h7 38. ♖c1 △ ♖h1] **ab6**
38. ab6 h4 39. ♖c7 f5!? 40. ♔d4! hg3 41.
fg3 [41. b7 g2 42. b8♕ ♔h7 43. ♕b1 ♖c7
44. ♕f5 ♔g8 45. ♕e6 ♖f7 (45... ♔f8 46.
♘c7; 45... ♔h7 46. ♕h3) 46. ♕e8 ♔h7 47.
♕f7] **♖d8** [41... ♗g1 42. ♔c4 ♖d5 43. b7
♖d4 44. ♔c3] **42. b7 ♗g3** [42... ♗g1 43.
♔c4 ♗a7 44. ♖c8 ♖f8 45. ♘e7 △ ♘c6]
43. ♖c8 ♖f8 44. ♘c7! [44... ♗c7 45. ♖c7;
44... ♗f2 45. ♔d5 ♗a7 46. ♘e6; 44. ♘e7?
♔f7 45. ♘g6 ♖e8 46. ♖e8 ♔e8 47. ♘e5
♗f2 48. ♔d5 ♗a7 49. ♘c6 ♔d7]   **1 : 0**
          Greenfeld

393.   D 38

I. SOKOLOV 2615 – SOSONKO 2515

Nederland (ch) 1997

1. d4 ♘f6 2. c4 e6 3. ♘f3 d5 4. ♘c3 ♗b4
5. ♗g5 h6 6. ♗f6 ♕f6 7. e3 c5 8. ♖c1 [8.
cd5 — 67/(497)] **cd4 9. ♘d4 N** [9. ♕a4]
♗c3 [9... ♘c6 10. cd5 ed5 11. ♗b5 0–0
12. 0–0 ♗c3 (12... ♘d4? 13. ♘d5 ♕g5
14. ♕d4 ♗h3 15. ♕e4) 13. ♖c3±; 9... 0–0
10. cd5±] **10. ♖c3 dc4 11. ♘b5!?** [11.
♗c4] **♘a6 12. ♘d6 ♔e7 13. ♗c4 ♗c5!**
[13... ♖d8? 14. ♖d3 △ ♘f5] **14. ♗e2** [14.
♖c2!? ♖d8 15. ♖d2 ♖d6! (15... ♗d7?! 16.
♕h5! b6 17. b4!↑) 16. ♖d6 ♘e4 17. ♖d2

♘d2 18. ♕d2 ♔f8! 19. 0−0 b6=] **b6** [14...
♖d8 15. ♖c5 (15. ♘c8 ♖ac8 16. ♕c2 b6
17. 0−0±) ♖d6 16. ♖c7 (16. ♕c2 ♗d7 17.
♗f3 ♖b6 18. ♖c3±) ♗d7 (16... ♖d7 17.
♕c2) 17. ♕b3 ♖c8 (17... ♖b6? 18. ♗b5
♖d8 19. 0−0) 18. ♖c8 ♗c8 19. ♕a3! △
0−0↑] **15. ♘b5!?** [15. 0−0 ♖d8 16. ♘c8
♖ac8 17. ♕c2±] **♖d8 16. ♕c2** [△ ♖c5]
♕g5 17. ♗f3 [17. b4? ♕g2] **♗a6 18. a4**
[18. ♗a8? ♗b5] **♖ac8 19. 0−0! ♘a4 20.**
♕a4 ♕b5 21. ♕a3 ♔f6 22. ♖a1 ♖c3?
[22... ♕a5 23. ♕a5 ba5 24. ♖a5 ♖c3 25.
bc3 ♖d6 26. h3 ♔e7 27. ♖a4 ♖b6 28. c4
♔d6 29. ♖a5 ♗c4 30. ♖a7 e5=] **23. ♕c3**
♔g6 24. h4!↑ ♔h7 25. ♕c7 ♖f8 26. ♕a7
♗c8 27. ♕e7! ♔g8 [27... ♕b2 28. ♖a8!
(28. ♕f8? ♕a1 29. ♔h2 ♕e5 △ ♕c7; 28.
♗e4 ♔g8 29. ♖b1 ♕a2! 30. ♖d1 f5 31.
♖d8 ♕a1 32. ♔h2 ♕f6) ♕c1 (28... ♔g8
29. ♗b7 ♕c1 − 28... ♕c1) 29. ♔h2 ♔g8
(29... ♕c5 30. ♕c5 bc5 31. ♗b7 c4 32.
♖c8 ♖c8 33. ♗c8 c3 34. ♗a6 c2 35. ♗d3)
30. ♗b7! △ ♕f8, ♖c8] **28. b4± ♕d7 29.**
♕d7 ♗d7 30. ♖a7 ♖d8 31. ♖b7 b5 32.
h5! ♗e8 33. ♗e2 f5 [33... ♖d5? 34. ♖b8
♔f8 35. e4 ♖e5 36. f4+−] **34. g4 ♖d2**
[34... ♖d5!?] **35. ♔f1 ♖b2 36. ♖b8 ♔f7**
37. gf5 ef5 38. ♗b5 ♗b5 39. ♖b5 ♔f6 40.
♔g2 ♖b1 [40... ♔g5 41. ♔f3 ♖b3 42.
♔g3] **41. ♖b7 ♔g5 42. ♖g7 ♔h5 43. ♖b7**
♔g4 44. b5 h5 [44... f4 45. ♖g7 ♔h5 (45...
♔f5 46. ♖f7) 46. e4 ♖b5 47. ♔f3+−] **45.**
b6 h4 46. f3 ♔h5 47. ♖b8 [47... ♔g6 48.
b7 ♔g7 49. e4+−] **1 : 0** *I. Sokolov*

394. D 38

GEL'FAND 2695 − V. MILOV 2635

Biel 1997

1. d4 ♘f6 2. ♘f3 e6 3. c4 d5 4. ♘c3 ♗b4
5. ♗g5 h6 6. ♗f6 ♕f6 7. e3 0−0 8. ♖c1
♖d8 9. a3 ♗c3 10. ♖c3·dc4 11. ♖c4 c6 12.
♗d3 ♘d7 13. 0−0 [13. ♘e5 ♘e5 14. de5
♕e7 △ ♗d7-e8] **♖e8 N** [13... e5?? 14. de5
♘e5 15. ♘e5 ♕e5 16. ♗h7; 13... g6 −
30/525] **14. ♗b1 e5 15. de5 ♘e5 16. ♘e5**
[16. ♖f4 ♘f3 17. ♕f3 ♕e7 18. ♗a2
♗e6=] **♖e5 17. ♖f4 ♕e7 18. ♖d4 ♗e6 19.**
e4 [19. ♕d3 g6 20. f4 ♖b5! (20... ♖d5 21.
e4 ♖d4 22. ♕d4 ♕d8 23. ♕c3↑) 21. ♕d2

(21. b4 a5 22. e4 ab4 23. f5 gf5 24. ef5
♗f5=) c5 22. ♖d6 (22. ♖e4 ♖d8 23. ♕c3
♕d6 24. ♕f6 ♖b6 25. ♖e6+−; 23... ♕d7)
♖b6 23. ♖b6 ab6 24. e4 (24. ♖d1 ♗g4)
♖d8 △ ♖d4=] **g5! 20. ♕d2 ♕f6** [20...
a5!?=] **21. ♖d6 a5 22. ♕c3± ♔g7 23.**
♖e1 a4 [23... g4!? 24. ♗a2 ♖e8] **24. ♗a2**
♖e8 [24... ♖aa5? 25. ♗e6] **25. f3 h5 26.**
♖e2 ♔g8 27. ♕d4 g4 28. fg4 hg4 29. ♗e6
♖8e6 30. ♖e6 ♖e6 31. e5!? [31. ♕a4
♕e5∓] **♕g5 32. ♖e4⊕ ♖g6 33. ♖f4 g3 34.**
h3 ♕e7 35. ♖g4 ♕e6 36. ♕d8 ♔g7 37.
♖h4 ♖h6 38. ♖g4 ♖g6 39. ♖h4 ♖h6 40.
♖g4 ♖g6 1/2 : 1/2 *V. Milov*

395.** D 39

A. MAKSIMENKO 2515
− GYIMESI 2525

Jugoslavija 1997

1. ♘f3 d5 2. c4 e6 3. d4 ♘f6 4. ♘c3 dc4 5.
e4 ♗b4 6. ♗g5 c5 7. ♗c4 cd4 8. ♘d4
♗c3 9. bc3 ♕a5 10. ♗b5 ♘bd7 [RR 10...
♗d7 11. ♗f6 gf6 12. ♕b3 a6 13. ♗e2
♘c6 14. 0−0 ♕c7 *a*) 15. ♗h5 N 0−0 16.
♖ad1 ♔h8 17. f4 ♖ac8 18. ♔h1 ♘d4 19.
cd4 ♗b5 20. ♖f2 ♕c3 1/2 : 1/2 I. Sokolov
2635 − Van Wely 2655, Antwerpen 1997;
b) 15. ♖fd1 0−0 16. ♕b2 N (16. ♖ab1; 16.
♘c2) ♘e5 17. ♖ab1 b5 18. ♕d2 ♘g6 19.
♖bc1 ♖fd8 20. ♕e3 ♕f4 21. ♕f4 ♘f4 22.
♗f1 ♖ac8 23. ♘b3 ♗e8 24. ♖d8 ♖d8 25.
f3 ♔f8 26. c4 ♘d3 27. ♖c3 ♘e5 28. cb5
ab5 29. ♔f2 ♖a8 1/2 : 1/2 Sakaev 2590 −
A. Beljavskij 2710, Jugoslavija 1997; *c*) 15.
♖ad1 − 69/383] **11. ♗f6 ♕c3 12. ♔f1 gf6**
13. h4 a6 14. ♖h3 ♕a5 15. ♗e2 ♘e5?! N
[15... ♘c5 16. ♘b3 ♘b3 17. ♕b3 b6!? △
♗b7∞; 15... 0−0 − 67/498] **16. ♕b3!?**
[16. f4 ♘g6! 17. ♘b3 ♕b4; 16. ♖c1!? ♗d7
17. ♘b3↑] **b5** [16... ♔e7 17. a4±] **17. ♕g3**
[17. ♖c1 ♗d7 △ ♘c4] **♗d7** [17... ♔f8 18.
♕f4 ♔e7 19. ♕e5+−] **18. ♕g7 ♔e7 19.**
♘c6 20. ♘c6 [⌐ 20. e5 fe5 21. fe5 ♖hf8
22. ♘c6 ♗c6 23. ♕f6 ♔e8 24. ♖d3±]
♗c6 21. ♗h5 ♖hf8 22. e5 fe5 23. fe5
♗d5∞ [✕♔f1] **24. ♕f6** [24. ♖f3 ♕d2□
25. ♖f7 ♖f7 26. ♕f7 ♔d8∞; 24. ♔g1!?]
♔e8 25. ♖g3 ♖a7 26. ♔g1 ♕b6 27. ♔h2
♕d8 28. ♕f4 ♖c7 29. ♖d1 ♕e7 [29... ♖c4

246

30. &f7 &d7 31. &e6 &c7 32. ♕e3+−]
30. a4 ♖c4 [30... b4!? 31. ♖d5 ed5 32.
e6∞] **31. ♖d4 ♖d4 32. ♕d4 b4 33. &e2
f6?** [33... ♕b7 34. ♕c5 b3 35. ♖g4!? b2
36. ♖b4 b1♕ 37. ♖b1 ♕b1 38. ♕c8 &e7
39. ♕c7 &e8 40. &a6 ♖g8 41. ♕c8±] **34.
&h5 &d8 35. ♕b6 &c7 36. ♕b4 ♕e7**□
**37. ♕b8 &d7 38. ♕a7 &d8 39. ♕a6 fe5
40. ♕b6 &d7 41. ♕b5 &d8 42. &h3 e4
43. ♕b8 &d7 44. ♕b2+− ♕d6** [44... e5
45. ♕b5+−] **45. ♖g7 &d8 46. a5 e3 47. a6
e2 48. &e2** [48. a7? ♖g2! 49. &g2 (49.
♖g2 ♕d3) ♕d5=] **♖f4 49. ♖g8 &d7 50.
♕g7 &c6 51. ♕b7 &c5 52. ♕b5 &d4 53.
♕d3 &c5 54. ♕a3 ♖b4 55. ♖g4   1 : 0**

A. Maksimenko

396. ✓   D 39

AN. KARPOV 2745
− LAUTIER 2660

Biel 1997

**1. d4 ♘f6 2. c4 e6 3. ♘f3 d5 4. ♘c3 dc4 5.
e4 &b4 6. &g5 c5 7. &c4 cd4 8. ♘d4
&c3 9. bc3 ♕a5 10. ♘b5 ♘e4 11. &f4
0−0 12. 0−0 &d7 N** [12... ♘d7 − 59/451]
13. a4 [13. ♘c7 e5 14. ♘a8 ef4 15. ♕d5
♘c5! 16. &b5 ♖c8] **&c6 14. ♕g4** [14.
♕d4 ♘a6 △ ♖ad8⇄; 14. &e5 ♘d7 15.
&c7 b6∞] **♘f6** [14... ♘d7? 15. &h6] **15.
♕e2 a6** [15... ♘a6 16. &e5 ♘d7 17.
&d6∞] **16. ♘c7 ♖a7 17. ♕e3! b6** [17... e5
18. ♕e5 (18. ♕a7 ef4 19. ♘b5!?) ♕e5 19.
&e5±]

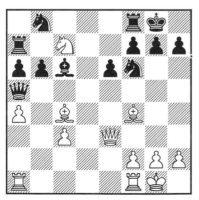

18. ♘e6! ♘d5 [18... ♖e7 19. &d6! ♘d5
20. ♕g3 *a)* 20... ♖e6 21. &f8 &f8 (21...

♖g6 22. ♕b8 ♖g2! 23. &g2?? ♘f4 24.
&g3 ♕g5♯; 23. &h1!+−) 22. ♕b8+−; *b)*
20... fe6 21. &d5!±; 18... fe6 19. &b8 ♖b8
20. ♕e6 &h8 21. ♕c6±] **19. ♕g3 fe6 20.
&b8 ♖af7 21. &d6 ♖e8** [21... ♖c8 22.
&b4! ♘b4 23. cb4 ♕f5□ 24. &a6±] **22.
♖fe1 &h8 23. &e5 ♘f6** [23... ♖ef8!?] **24.
&d4** [24. &d3 ♕d5 (24... ♘h5 25. ♕h4
♕d5 26. &e4+−) 25. c4±] **♘e4 25. ♕h4!
♘d6 26. &d3** [26. ♖e5!? ♘c4 27. ♖a5 ba5
28. ♖e1 (28. &g7? ♖g7 29. ♕c4 &g2)
&d5 29. f3+−] **♘f5 27. ♕h5 &g8! 28.
♖e5 b5 29. ♖ae1** [29. &f5 ef5 30. ♖e8
&e8 31. ♖e1? ♕e7!; 31. ♕e2±] **g6 30.
♕e2 ♘d4 31. cd4 ♕d8** [31... ♖ef8!?] **32.
ab5 ab5 33. ♕e3 ♖ef8 34. ♖e2!** [34. f3?
&f3 35. gf3 ♖f3 36. ♕e2 (36. ♕e4? ♖8f4)
♕d4 37. ♖e3 b4=] **♖f4 35. ♖e6! ♖d4 36.
&c2! ♖d6 37. &b3+− &h8** [37... &g7 38.
♖e7 (38. ♕c3 ♖f6 39. ♖d6 ♕d6 40. ♖e6
♕f4!) &h8 39. ♕h6 ♖f7!! 40. &f7? ♕e7!;
39. h3] **38. ♕c3! ♖f6 39. ♖d6 ♕d6 40.
♖e6   1 : 0**

An. Karpov

397.   D 39

ŠIPOV 2540 − KVEINYS 2545

Århus (open) 1997

**1. d4 e6 2. c4 ♘f6 3. ♘f3 d5 4. ♘c3 dc4 5.
e4 &b4 6. &g5 c5 7. &c4 cd4 8. ♘d4
♘bd7 9. 0−0 &c3 10. bc3 0−0 N** [10...
♕a5 − 60/406] **11. ♖e1** [11. &e6 fe6 12.
♘e6 ♕e7 13. ♘f8 ♘f8 14. ♖e1 h6∞] **♕c7**
[11... ♘e5 12. &b3! (12. &f1 h6 13. &h4
♘g6 14. &g3 e5!=) h6 13. &h4 ♘g6 14.
&g3 e5 15. ♘f5±] **12. &b3** [12. &e6 fe6
13. ♘e6 *a)* 13... ♕c3? 14. ♖c1 *a1)* 14...
♕a3 15. ♘f8 ♕f8 (15... ♘f8 16. &f6 gf6
17. ♖c8+−) 16. e5 ♘e8 17. ♖c8; *a2)* 14...
♕e5 15. ♕b3 &h8 (15... ♘b6 16. ♘c7
&h8 17. ♕b4! △ f4 ×♕e5) 16. f4 ♕a5 17.
♘f8 ♘f8 18. &f6 gf6 19. ♕f7 ♕b6 20.
&h1 &d7 21. f5±; *b)* 13... ♕e5! 14. ♕b3
♘b6! 15. ♘f8 &f8 16. &f6 gf6∞] **♕c5**
[12... b6 13. e5 △ 13... ♘e5? 14. &f4
♘fd7 15. ♕e2+−; 12... ♕c3 13. e5 ♘d5
14. &d5! ed5 15. ♘f5 ♘c5 (15... ♘b6 16.
♘g7!→) 16. ♖c1 (16. ♘g7!?) ♕a3 17. ♘e7
&h8 18. ♖e3 ♕a4 19. ♕d5±; 12... h6 13.
&f6 (13. &h4) ♘f6 14. e5±] **13. ♕d2 b6**

[13... h6 14. ♗h4 ♕h5 (14... ♖e8 15. ♗a4!?) 15. ♘f3 (△ e5) ♘e5 16. ♘e5 ♕h4 (16... ♕e5 17. ♕d4±) 17. ♘f3 ♕g4 18. e5±; 13... ♖e8 14. ♖ad1 b6 15. ♗a4↑]

14. ♗e6! fe6 15. ♘e6 ♕e5 [15... ♕c6!? 16. ♘f8 ♘f8 (16... ♔f8?! 17. e5 ♘d5 18. e6 ♘7f6 19. c4!↑) 17. ♗f6 gf6 18. ♕d5 ♕d5 19. ed5±; 17. f3!? △ a4-a5±] 16. ♘f8 ♘f8 17. f3 [17. ♗f6± ♗b7 18. a4! [△ ♗e3, a5 ×b6, a7] ♘e6 [18... ♖c8 19. a5!? (19. ♖ec1) ♕c3 20. ♕c3 ♖c3 21. ab6 ab6 22. ♖a7 ♗c6 23. ♗f6 gf6 24. ♖d1↑] 19. ♗e3 ♗c6 [19... ♘c5 20. a5 ♘b3 21. ♕a2] 20. a5 b5 [20... ba5 21. ♕a2± △ 21... a4? 22. ♗d4 ♕d6 23. e5] 21. a6!± [×a7] ♕c7 22. ♖ad1 [⌓ 22. ♖ed1] ♘e8□ 23. ♕a2 ♕f7 24. ♖d2 ♖c8 25. c4 [25. ♖ed1!?] ♘6c7 26. ♖c1 [26. ♗a7?! ♖a8 27. cb5 ♕a2 28. ♖a2 ♗b5 29. ♗d4 ♖a6±} b4?! [×b4; 26... bc4 27. ♕c4 ♕c4 28. ♖c4 ♗b5 29. ♖c5 ♗a6 30. ♖dc2 ♗d3 31. ♖2c3 ♖d8 32. ♗c7 ♘c7 33. ♖c7±] 27. ♖b2 ♖b8 28. ♕a5 b3 29. ♖c3 [29. ♗a7 ♖a8 30. ♗d4 (30. ♕b6 ♗a4) ♖a6 31. ♕c3 ♗a4±; 29. h3!] ♕d7! 30. ♖c1?! [30. ♖cb3? ♗b3 31. ♖b3 ♕d1; 30. ♔f2! ♕f7!?±] ♘e6 31. ♕e5 ♖b4 [31... ♘8c7 32. ♖d2 ♕e8 33. ♗a7 ♖a8 34. ♗b6 ♘a6 35. ♖a1↑] 32. ♕c3 ♖a4 33. ♖b3 ♖a6 34. ♖a3 ♘8c7? [34... ♗a4? 35. ♖ca1 △ ♕b4; 34... ♗b7□ 35. ♖a6 ♗a6 36. ♕a3 ♕c6 (36... ♕b7 37. ♕a4! △ ♖a1) 37. ♕e7↑] 35. ♖a6 ♘a6 36. ♕a5 [36. ♕a3!] ♕d3 37. ♗a7+− ♘f4! 38. ♔h1 [38. ♕a6? ♕d2 39. ♕c8 ♔f7 40. ♕f5 ♔g8=; 38. ♖a1! ♕e2 39. ♕a2+−] ♗d7 [38... ♕e2 39. ♕d8 ♔f7 40. ♕g5] 39. ♕d8?!⊕ [39. ♕a6! ♕e2 (39... ♗h3 40. ♕b5!+−) 40.

♖g1 ♗h3 41. ♗f2 ♕f2 42. ♕a8 ♔f7 43. ♕b7 ♔f6 (43... ♔e6 44. ♕c8) 44. e5 ♔e6 45. gh3+−] ♔f7 40. ♕g5 ♕d2 [40... ♘e2 41. ♖e1 ♕c4 42. ♕h5 ♔f8 (42... ♔g8 43. ♖e2! ♕e2 44. ♕d5 △ ♕d7) 43. ♕h7+−] 41. ♖a1 ♘b4 [41... ♘c7 42. ♖a2! ♕e1 43. ♗g1 ♘ce6 44. ♕a5+−] 42. ♗d4 [42. ♗b8!?] ♕d4 43. ♕f4 ♔e7? [43... ♔g6! ×c4] 44. ♕g5 ♔f7 45. ♕a5! ♘c2 [45... ♕c4 46. ♕h5; 45... ♘d3 46. ♕d5] 46. ♕h5 ♔e7 47. ♖c1 ♘e3 48. ♕h7 ♕b2 [48... ♘g2 49. ♖g1+−] 49. ♕h4 ♔e8? 50. ♕h5
1 : 0
Šipov

398. D 43

I. SOKOLOV 2635 — I. NOVIKOV 2590
Antwerpen 1997

1. d4 d5 2. c4 e6 3. ♘f3 ♘f6 4. ♘c3 c6 5. ♗g5 h6 6. ♗h4 dc4 7. e4 g5 8. ♗g3 b5 9. h4!? N g4 [9... ♗b4!?] 10. ♘e5 h5 [10... ♗b4 11. f3!↑] 11. ♗e2 ♗b7 12. 0-0 ♘bd7 [12... ♗g7 13. b3! (13. ♕c2 ♕d4 14. ♖ad1 ♕c5) cb3 14. ♕b3↑] 13. ♕c2 ♗g7 14. ♖ad1 ♕b6 [14... ♘e5 15. ♗e5⊠] 15. ♘a4! ♕a5?! [15... ba4 16. ♘c4 ♕b4 17. e5 (17. ♗d6? c5) ♘d5 18. a3 ♕b3 19. ♕b3 ab3 20. ♘d6 ♔e7 21. ♘b7 a5±] 16. ♘c5 ♘c5 17. dc5 ♕b4 [17... ♕a2? 18. ♗c4! bc4 19. ♘c4 △ 20. ♘d6, 20. ♖a1] 18. ♖d6! ♕c5 19. ♖fd1± 0-0 [19... ♕b6 a) 20. ♘f7!? ♔f7 21. e5 ♘d5 22. ♖d7 ♘e7 23. ♖e7 ♔e7 24. ♕g6 ♖ag8 (24... ♖hg8 25. ♕g5 ♔e8 26. ♕h5 ♔e7 27. ♕g5 ♔e8 28. ♗g4+−) 25. ♗f4 ♗c8! (25... g3 26. ♗g5 ♔f8 27. ♖d8 ♕d8 28. ♗d8 ♖h6 29. ♕g5+−; 25... ♗e5 26. ♗g5 ♔f8 27. ♕e6 ♖g5 28. hg5 ♗d4 29. g6+−) 26. ♗g5 ♔f8 27. ♖d8 ♕d8 28. ♗d8 ♗e5 29. ♕e4 ♔f7 30. ♗g5⊠; b) 20. ♘d7 ♘d7 21. ♖d7 ♗c8 22. ♖d8 (22. ♗c7 ♗d7 23. ♗b6 ab6∞) ♕d8 23. ♖d8 ♔d8 24. ♕d2 ♔e8 25. ♕g5→] 20. ♘d7! ♘d7 21. ♖d7 ♕b6 [21... ♗c8 22. ♗d6 ♕b6 23. ♗f8 ♔f8 24. ♖d8 ♗b7 25. ♖a8 ♗a8 26. ♕d2! ♔e7 27. ♕d7 ♗h4 28. g3 ♗g3 29. ♕d8+−] 22. ♕c1!+− ♗c8 [22... f6 23. ♗c7 ♕a6 (23... ♕c5 24. b4 ♕b4 25. ♗d6) 24. ♗e5! (△ ♖g7, ♕g5) ♖f7 25. ♖f7 ♔f7 26. ♖d7 ♔g6 27. ♕g5!

fg5 28. ♖g7 ♔h6 29. hg5‡] **23. ♕g5!**
♗d7 24. ♖d7 ♔h7 25. ♕h5 ♔g8 26. ♗c7
♕a6 [26... ♕b7 27. ♕g5 △ ♗e5] **27. ♕g4**
♔h7 28. ♕h5 ♔g8 29. ♕g5 ♔h8 [29...
♔h7 30. ♗h5 ♕a2 31. ♗f7] **30. ♗e5 ♗e5**
31. ♕e5 ♔h7 32. ♕h5 ♔g7 33. ♕g5 ♔h7
34. ♗h5   1 : 0   *I. Sokolov*

399.   D 43

R. ŠČERBAKOV 2580
— A. GALKIN 2510
Novgorod (open) 1997

1. d4 d5 2. c4 c6 3. ♘f3 ♘f6 4. ♘c3 e6 5.
♗g5 h6 6. ♗h4 dc4 7. e4 g5 8. ♗g3 b5 9.
♗e2 ♗b7 10. 0-0 ♘bd7 11. a4 b4 12. e5
♘h5 13. ♘e4 c5 14. ♘d6 ♗d6 15. ed6
♘g3 16. hg3 ♕b6 17. dc5 ♕c5 18. ♖c1
♗d5 19. ♗c4 ♗c4 20. ♘d2!? N [20. b3 —
69/387] **♖d8!** [20... ♕d6 21. ♘c4 ♕d1 22.
♖fd1⊼↑] **21. ♖c4** [21. ♘c4!? a) 21... ♘e5
22. ♘e5 ♕e5 23. ♖c6 ♕b2 (23... 0-0 24.
♕d2±) 24. ♖c7⊼⊼ a5 25. ♖e7!? ♔f8 26.
♕f3 ♖h7 27. ♖e6↑; b) 21... ♘b6 22. ♘b6
(22. ♘a3 ♕d6 23. ♕d6 ♖d6 24. ♘b5 ♖d7
25. a5 ♘d5 26. ♖c8 ♖d8 27. ♖d8 ♔d8 28.
♘a7 ♔d7 29. ♘b5 ♖a8 30. ♖a1 ♔c6 31.
♘d4 ♔c5 32. ♘b3 ♔c4∓; 22. ♘e3 ♕d6
23. ♕f3 ♘d5!?; 22. b3 ♘c4 23. ♖c4
♕d6∞; 22. ♕b3!? ♘c4 23. ♖c4 ♕d6 24.
♖b4 0-0 △ ♖b8∞⇆) ♕b6 b1) 23. a5 ♕d6
24. ♕f3 (24. ♕a4 ♔e7 25. ♖fd1 ♕b8)
♔e7!? 25. ♖fd1 ♕b8; b2) 23. ♕h5 ♖d6!?
24. ♖c8 ♖d8 25. ♖d8 ♕d8 26. ♖d1 ♕b6
△ ♔e7; b3) 23. d7 ♖d7 24. ♖c8 ♖d8; b4)
23. ♕f3 ♖d6 b41) 24. ♖c8 ♖d8 25. ♖d8
(25. ♕f6 0-0 26. ♖d8 ♖d8 27. ♕h6
♕c5⇆) ♕d8 26. ♕b7 a5!?; b42) 24. ♖fd1
♖d1 25. ♖d1 ♔e7!?; b43) 24. ♕f6 0-0 25.
♕h6 (25. ♔h2 ♕d4; 25. ♖fd1 ♔h7!? 26.
♕e7 ♖d1 27. ♖d1 ♔g7) ♖d5 (25... ♕a5)
26. ♖c4 (26. ♔h2 ♕d4!? 27. ♖fd1 ♕g7=;
26. ♖fd1 ♖f5!? 27. ♖d2 ♖d8 28. ♖cd1
♖d2 29. ♖d2 ♕c7 30. ♔h2 ♕e7⇆) ♖fd8!?
27. ♔h2 (27. ♖g4 ♕c5 28. ♔h2 ♖f5 — 27.
♔h2; 27. ♖fc1 ♖f5 28. ♖1c2 b3!?⇆; 27.
b3!? a5!? 28. ♖fc1 ♖f5 29. ♖1c2 ♕d6∞)
♖f5 b431) 28. g4 ♖c5 29. ♖fc1 ♖dd5 30.
♖c5 (30. f4 ♕c7 31. ♖c5 ♕f4 32. ♔h1
♖c5 33. ♖c5 ♕f1 34. ♔h2 ♕f4=) ♖c5 31.

♖d1 ♕b8!? 32. g3 ♕a8 33. ♖d7 ♖d5 34.
♖c7 ♕d8; b432) 28. ♖g4 ♕c5 29. f4 ♖d2
30. ♖g5 ♖g5 31. fg5 ♕c2!? 32. ♕h3 ♕g6
33. ♖f6 ♕g5 34. ♖h6 ♖g2!? 35. ♔g2 ♕d2
36. ♔g1 ♕c1 37. ♔f2 ♕d2 38. ♔f3 ♕d3
39. ♔f4 ♕d4 40. ♔g5 ♕d5 41. ♔h4
♕d8=; 31... ♕d5!?⊼⊼] **♕d6 22. ♘e4 ♕d1**
23. ♖d1 ♗e5! [23... 0-0? 24. ♖d7 ♖d7 25.
♘f6+−; 23... ♘b6 24. ♖d8 ♔d8 25. ♖b4
♔c7 26. a5 ♘d5 27. ♖c4 ♔d7 28. ♘c5
♔d6 29. ♘b7 ♔d7 30. b4 ♖b8 31. a6] **24.**
♖d8 ♔d8 25. ♖b4 [25. ♖c5 ♘d3 26. ♖a5
♔c7 27. ♖a7 ♔b6 28. ♖f7 ♘b2] **♔c7 26.**
f4?! [△ 26. ♔f1=] **gf4** [26... ♘c6? 27.
♖c4 gf4 28. b4!↑] **27. gf4 ♘c6 28. ♖b3**
[28. ♖c4 ♖b8] **♖d8 29. ♖e3 ♖d4** [29...
♘e7 30. ♖c3] **30. f5!** [30. b3 ♘e7∓] **ef5**
31. ♘c3 ♔d7 [32. ♖h3 ♖d6∓ (32... ♖b4
33. ♖h6 ♖b2 34. ♖f6=) 33. ♖h5 ♘d4 34.
♘b5 (34. ♔f2 ♖e6) ♘b5 35. ab5 ♖f6]
1/2 : 1/2   *A. Galkin*

400.   D 43

TIMMAN 2630 —
I. SOKOLOV 2615
Nederland (ch) 1997

1. d4 d5 2. c4 c6 3. ♘f3 ♘f6 4. ♘c3 e6 5.
♗g5 h6 6. ♗f6 ♕f6 7. ♕b3 dc4 8. ♕c4
♘d7 9. ♖d1 g6 N [9... ♕e7 — 64/(388)]
10. g3 ♗g7 11. ♗h3 [11. ♗g2 0-0 12.
0-0 e5] **0-0 12. 0-0 ♕e7 13. ♘e4 ♖b8**
[13... e5!? 14. ♗d7 ♗d7 15. ♘e5 ♗h3
(15... ♗e5 16. de5 ♗h3 17. ♖d6!→) 16.
♖fe1 ♗e5 17. de5 ♕e5 18. f4∞; 13...
♔h7!? △ f5, e5] **14. a3** [14. b4 ♖e8 (14...
b6? 15. ♕c6 ♗b7 16. ♕d6) 15. a3 — 14.
a3] **♖e8 15. b4 a5= 16. ♘c5 ab4 17. ab4**
♖a8 18. ♕b3 ♖d8 19. ♖d2 e5!? [19... b6
20. ♘d7 ♗d7 △ ♗e8=] **20. ♗d7 ♗d7 21.**
de5 [21. ♘e5 ♗e5 22. de5 ♗h3] **♗h3 22.**
♖d8 ♖d8 23. ♖c1 ♗g4! [23... ♗e5 24.
♕e3 a) 24... ♕d6? 25. ♖e1 (25. ♘b7?!
♕d1 26. ♘e1 ♗b2!=) ♗d4 26. ♕h6; b)
24... ♖e8 25. ♕h6; c) 24... ♗f6 25. ♕e7
♗e7 26. ♘b7 ♖b8 27. ♘a5 ♗b4 28. ♘c6
♖c8 29. ♘fe5±] **24. ♕e3 ♖d5 25. ♘d3**
♗f3 26. ef3 ♗e5 27. ♖e1 ♗d6 28. ♕e7
[28. ♕h6 ♕d8 29. ♕e3 (29. ♘f4? ♗f8)
♗g3] **♗e7 29. ♖e7 ♖d3 30. ♖b7**
1/2 : 1/2   *I. Sokolov*

401. !N   **D 43**

TIMMAN 2630 –
CU. HANSEN 2605

Malmö 1997

1. d4 ♘f6 2. c4 e6 3. ♘f3 d5 4. ♘c3 c6 5. ♗g5 h6 6. ♗f6 ♕f6 7. ♕b3 ♘d7 8. g3?! ♘b6! N = [8... dc4 – 64/(388)] **9. c5** ♘d7?! [9... ♘c4! 10. ♘d1=] **10.** ♗g2 b6?! [△ 10... e5] **11. cb6 ab6 12. 0–0 ♕d8 13. e4** ♗e7 **14. ed5 ed5** [△ 14... cd5 15. ♖fc1 △ ♘b5±] **15. ♖fe1 0–0 16. ♖ac1** ♗b7 **17. ♗h3+–** ♘f6 **18. ♘e5** ♗d6 **19. ♘a4 b5 20. ♘c5** ♗c5 **21. ♖c5 ♕b6** [21... ♕a5 22. ♖a1] **22. ♗f5! ♖a4 23. ♕c3 ♖a2 24. ♘c6 ♖e8 25. ♖e8 ♘e8 26. ♘e7 ♔f8 27. ♘c8 ♕a5 28. b4! ♕a3** [28... ♖a1 29. ♔g2 ♕a3 30. ♕d2+–] **29. ♕a3?** [29. ♕e1 ♖a1 30. ♗b1 g6 31. ♔g2 △ 31... ♕b2 32. ♕e5+–] ♖a3 **30. ♖b5** ♗c8 **31. ♗c8 ♘d6 32. ♖d5 ♔e7 33. ♖c5 ♖b3± 34. ♖c7 ♔f6 35. ♖c6 ♔e7 36. ♖c7 ♔f6 37. ♖c6 ♔e7 38. ♗a6 ♖b4 39. d5 ♖d4 40. ♖c5**   **1/2 : 1/2**

Timman

402.**   **D 43**

A. BELJAVSKIJ 2710
– PAVASOVIĆ 2495

Krško (m/3) 1997

1. d4 d5 2. c4 e6 3. ♘c3 c6 4. ♘f3 ♘f6 5. ♗g5 h6 6. ♗f6 ♕f6 7. e3 ♘d7 8. ♗d3 dc4 9. ♗c4 g6 10. 0–0 ♕e7 [RR 10... ♗g7 11. b4 0–0 12. a4 ♕e7 13. ♖b1 a5 14. b5!? N (14. ba5 – 65/411) ♘b6 (14... c5? 15. b6±) 15. ♗b3 c5 (15... ♘d5!?) 16. ♕c1! *a)* 16... cd4 17. ed4 ♖d8 18. ♕e3 ♕a3 (18... ♗d7 19. d5 ♗c3 20. ♕b6±; 18... ♕f8 19. ♘e5 ♗d7 20. d5±) 19. ♘e5 ♕e7 20. ♖fe1 ♕f6 21. ♖bc1 ♕g5 22. ♕e4 ♕f5 23. ♕e3 ♕g5 24. ♘e4 ♕e7 (24... ♕e3 25. fe3± Sakaev 2590 – Rogozenko 2490, Pardubice 1997) 25. ♘c5 ♘d5 26. ♗d5 ♖d5 (26... ed5 27. ♕b3 ♕d6 28. b6±) 27. b6 ♕d8 28. ♕f3±; △ 20... ♕g5; *b)* 16... ♖d8 17. ♕a3 ♗f8 18. ♕a2± Sakaev] **11. ♖c1** [11. e4 ♗g7 12. e5 0–0 13. ♖e1 ♖d8 14. ♗d3 N (14. ♖c1 – 67/504) b6 15. ♕e2 ♗b7 (15... a5? 16. ♖ac1 ♗b7 17. ♗e4 ♗a6 18. ♕e3 ♖ac8 19. h4± A. Beljavskij 2710 – Pavasović 2495, Krško (m/1) 1997)

16. ♗e4 ♖ab8=] ♗g7 **12. ♗b3** [RR 12. e4 0–0 13. e5! (13. ♖e1 b6! 14. e5 ♗b7 15. ♕e2 a6!=) ♖d8 (13... b6!?) 14. ♕e2 b6 15. ♖fe1 ♖b8 16. ♗d3! ♕f8 17. h4!→ (17. ♖cd1 ♗b7 18. ♗e4±) c5 (17... ♗b7 18. h5 c5 19. d5 – 17... c5) 18. d5 *a)* 18... ♗b7 19. h5! ed5 20. hg6 *a1)* 20... ♖e8 21. gf7 ♕f7 22. e6 ♕f6 23. ♗c2! (△ ♕d3; 23. ♗b5? – 69/(389)) ♘f8 (23... d4? 24. ♕c4! ♘f8 25. e7+–; 23... c4 24. ♖cd1! ♘c5 25. ♘d5 ♗d5 26. ♖d5 ♖e6 27. ♕c4 ♖e1 28. ♘e1+–) 24. e7 ♘g6 25. ♕d3 ♘e7 26. ♕h7 ♔f8 27. ♘e5 ♖bd8 (27... ♖ed8 28. ♖e3) 28. ♖e3 d4 29. ♘e4 ♗e4 30. ♖e4 ♖d6 31. ♖ce1+–→; *a2)* 20... fg6 21. e6 ♖e8 22. ♗g6 ♖e7 23. ♕c2 d4 (23... ♘f6 24. ♘e5+–) 24. ♗h7 ♔h8 25. ♘h4+–; *b)* 18... ed5 19. e6 fe6 20. ♕e6 ♕f7 21. ♕d6 ♗f8 (21... ♗b7 22. ♗g6 ♕f6 23. ♖e6 ♕f8 24. ♘d5 ♕d6 25. ♖d6 ♗b2 26. ♖d1 ♔f8 27. ♘b6 ab6 28. ♖d7 ♖d7 29. ♖d7 ♗f3 30. ♖f7 ♔g8 31. ♖f3±; 24. ♕g3!?) 22. ♕g3 (22. ♕d5 ♗b7=) ♗b7 23. ♗g6 ♕g7 24. h5 (△ ♘h4-f5) ♘f6 (24... d4 25. ♘b5+– △ ♘c7-e6) 25. ♘h4 ♗d6 26. ♕h3 ♗c8 27. ♘f5±→ Dautov] **0–0 13. ♘a4!? N** [13. ♘e4; 13. ♖e1; 13. ♕d3] **b6!** [13... e5 14. d5±] **14. ♖c6 b5! 15. ♘c3 ♘b8 16. ♖c5 ♘d7 17. ♖b5!?** ♗a6 **18. ♖a5** [18. a4!? ♗b5 19. ab5⨂] ♗f1 **19. ♕f1 ♖fc8 20. h4 ♕d8** [20... e5? 21. ♕d3 ×g6] **21. ♖a6 ♘b8 22. ♖a4 a5 23. h5** [23. d5!? ♗c3? 24. bc3 ed5 25. ♖d4↑] **g5 24. ♕d3 ♘d7 25. ♗c2 ♘b6?** [25... ♘f6! 26. ♘e5 ♖ab8 △ ♖b4!] **26. ♕h7 ♔f8**

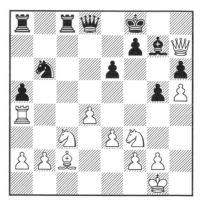

27. ♘e5! [27. ♖a3 ♘c4 28. ♖b3 ♖ab8∓] ♘a4 **28. ♗a4 ♖c7 29. ♘g4 ♖ac8 30. ♘e4!±** ♖c1 [30... f5 31. ♘h6 fe4 32.

♕g8+–] **31. ♔h2 ♕c7 32. ♘g3** [32. g3? f5 33. ♘h6 ♗h6 *a*) 34. ♕h6 ♕g7–+; *b*) RR 34. ♕h8! ♔f7□ (34... ♔e7?? 35. ♕f6#) 35. ♕h7 ♗g7 36. ♘g5+–; 35... ♔f8□= M. Mihajlović; 32. f4!? f5 (32... gf4 33. ♘h6 f3 34. g3 ♖h1 35. ♔h1 ♕c1 36. ♔h2 ♕b2 37. ♔h3 ♕g2 38. ♔g4→) 33. ♘h6 ♗h6 34. ♕h6 ♕g7 35. ♕g7 ♔g7 36. ♘g5 ♔f6∞] **f5?!** [△ 32... f6 33. ♗d7!! ♕d7 34. ♘h6 ♖e8 35. ♕g8 ♔e7 36. ♕g7 ♔d8 37. ♘f7 ♔c7 (37... ♔c8 38. ♘e4!→) 38. ♕f6 ♖f8 39. ♕e5±] **33. ♘h6 ♗d4 34. ♕g8** [34. ♗d7! ♗g7 35. ♕g8 ♔e7 36. ♕e6 ♔d8 37. ♕e8#] ♔e7 **35. ♕f7 ♔d6 36. ed4 ♕f7 37. ♘f7 ♔e7 38. ♘g5 ♖8c4 39. ♘e2 ♖e1 40. ♗b3 ♖b4 41. ♘f4 ♖b1 42. h6** **1 : 0**

A. Beljavskij

403.*   D 43

A. BELJAVSKIJ 2710 – PAVASOVIĆ 2495

Krško (m/5) 1997

1. d4 d5 2. c4 c6 3. ♘f3 ♘f6 4. ♘c3 e6 5. ♗g5 h6 6. ♗f6 ♕f6 7. e3 ♘d7 8. a3 g6 9. e4 [9. b4!? ♗g7 10. ♕b3 N (10. cd5 – 68/378) 0–0 11. ♖c1 ♕e7 12. cd5 ed5 13. ♗d3 ♘b6 14. 0–0 ♗e6 15. a4± Van Wely 2655 – Ivančuk 2725, Monaco (blindfold) 1997] **de4 10. ♘e4 ♕f4 11. ♗d3 ♗g7 12. 0–0** [12. c5!? 0–0 13. 0–0 e5 14. g3 ♕g4 15. ♖e1 ed4 16. ♗c4⟍] **0–0 13. ♖e1 c5 14. ♗f1!?** N [14. ♘c5 – 66/(360)] **cd4** [14... b6!?] **15. g3 ♕c7 16. ♘d4 a6** [16... ♕b6 17. ♘b5 ♗b2 18. ♖b1 ♗g7 19. ♘bd6 ♕c7 20. ♗g2⟍↑] **17. ♕d2 ♘c5** [17... b6 18. ♖ad1 ♗b7? 19. ♘e6+–] **18. ♘c5 ♕c5 19. ♖ad1 e5** [19... ♖d8 20. ♘b3 ♖d2 21. ♘c5 ♖d1 22. ♖d1 ♗b2 (22... ♗f6 23. b4±) 23. ♖d8 ♔g7 24. ♘a4 ♗f6 25. ♖e8 ♗d4 26. c5! △ ♘b6±] **20. ♘b3 ♕b6 21. ♕b4!± ♕b4 22. ab4 ♗f5 23. ♘c5 e4** [23... b6 24. ♘b7! ♖fb8 25. ♘d6 △ c5±] **24. ♖d2 ♖fd8 25. ♖ed1** [25. ♖d8 ♖d8 26. ♘e4 ♗b2=] **♖d2 26. ♖d2 b6** [26... ♗f8 27. ♗g2 a5 28. ♘e4 ♗b4 29. ♖d4±] **27. ♘b7 a5?** [△ 27... ♖b8 28. ♘d6 ♗f8 29. c5 bc5 30. bc5±] **28. ba5 ♖a7 29. c5!+– bc5** [29... ♖b7 30. a6 ♖c7 (30... ♖a7 31. cb6 ♖a6 32. b7) 31. cb6 ♖c1 32. b7 ♗h3 33. b8♕ ♔h7 34. ♕b5] **30. a6 ♗d4 31. ♘d6! ♖e7** [31... e3 32.

♖d4! cd4 33. ♘f5 gf5 34. fe3 de3 35. b4] **32. ♘f5 gf5 33. b4! e3 34. ♖d4 cd4 35. fe3** **1 : 0**

A. Beljavskij

404.*   D 44

NEN. RISTIĆ 2475 – SAVANOVIĆ 2415

Jugoslavija 1997

1. d4 d5 2. c4 c6 3. ♘f3 ♘f6 4. ♘c3 e6 5. ♗g5 dc4 6. e4 b5 7. a4 ♗b4 8. e5 h6 9. ♗h4 [9. ef6 hg5 10. fg7 ♖g8 11. g3 ♗b7 12. ♗g2 ♘d7 13. 0–0 a6 14. ♕e2 N (14. ♘e5 – 69/392) ♗c3 15. bc3 ♖g7 (1/2 : 1/2 Du. Rajković 2470 – Savanović 2415, Jugoslavija 1997) 16. ♘e5 ♕c7!? 17. ♘c6!? ♗c6 18. d5 ♗b7 19. de6 ♘f6 20. ab5 ♗g2 21. ef7 ♔f7 22. ♔g2 ♕b7 23. ♕f3=] **g5 10. ef6 gh4 11. ♘e5 ♗b7** N [11... c5 – 48/(558)] **12. ♗e2 c5!** [12... ♕f6? 13. ♗f3] **13. ♗f3 ♗f3 14. ♕f3 cd4!** [14... ♕d4? 15. 0–0 ♗c3 16. ♕a8 ♕e5 17. bc3] **15. ♕a8?** [15. ♖d1? ♕c7 16. 0–0 dc3 17. ♕a8 ♗d6; 15. ♕h5 ♕c7 16. 0-0-0 ♗c3 (16... dc3 17. ♖d7 ♕d7 18. ♘d7 ♔d7 19. ♕b5 cb2) 17. bc3 d3 18. ab5 ♖f8; 15. 0-0-0! ♕c7 (15... ♗c3 16. bc3 d3 17. ♕a8 ♕d6 18. ♖he1+–) 16. ♘b5 ♕e5 17. ♕a8] **dc3 16. 0–0 cb2** [16... ♕c7? 17. ♘c6 ♗d6 18. ab5+–] **17. ♖ad1 ♕c7 18. ♘c6** [18. ♕e4 a5! 19. ab5 c3] **♗d6 19. ♘b8** [19. ab5 0–0 20. ♖d4 ♘c6 21. ♕c6 ♕c6 22. bc6 c3 23. ♖c4 ♗e5–+] **0–0 20. ♕f3** [20. ♕c6 ♖b8! 21. ♖d6 ♕c6 22. ♖c6 ba4–+] **♖b8 21. ♕g4 ♔f8 22. ♖fe1** [22. ab5 ♖b5?! 23. ♖d6 ♕d6 24. ♕c4; 22... c3] **♖b6** [22... c3 23. ♕g7 ♔e8 24. ♕g8 ♗f8 (24... ♔d7 25. ♕f7 ♔c6 26. ♕e6 c2 27. ab5 ♖b5 28. ♖d6 ♕d6 29. ♕c8) 25. ♖e6 fe6 26. ♕e6 ♗e7 27. ♕g8=] **23. a5 ♖c6 24. ♕h4** [24. f4] **c3 25. ♕h6 ♔e8**

26. ♕h5 c2?! [26... ♗f8?! 27. ♕b5 c2 28.
♕b2 cd1♕ 29. ♖d1; 26... ♗c5!] **27. ♖e6
♔d7 28. ♖e7 ♔c8 29. ♕f5** [29. ♖c7 ♔c7
(29... ♖c7? 30. ♕f5 ♔b7 31. ♕b5 ♔c8=;
29... ♗c7 30. ♕f5 ♔b7 31. ♕b5 △ 31...
♗b6?? 32. ♖d7 ♔b8 33. ♖d8 ♔b7 34. a6
♔c7 35. ♖c8 ♔c8 36. ♕c6) 30. ♕f7 ♔b8
31. ♕e8 ♔b7−+] **♔d8** [29... ♔b8 30. ♕b5
(30. ♖e8 ♔b7 31. ♕b5 ♖b6?? 32. a6♯;
31... ♕b6!) ♕b6!] **30. ♖de1 ♗e7 31. fe7
♕e7 32. ♕d5 ♕d7 33. ♕g5 ♔c8 34. ♕g8
♔b7 35. a6 ♔a6   0 : 1**   *Savanović*

405.   D 44

ROGOZENKO 2490
− ANTUNES 2490

Cairo 1997

**1. d4 d5 2. c4 c6 3. ♘f3 ♘f6 4. ♘c3 e6 5.
♗g5 dc4 6. e4 b5 7. e5 h6 8. ♗h4 g5 9.
♘g5 hg5 10. ♗g5 ♘bd7 11. g3 ♗g8 12.
h4 ♖g5 13. hg5 ♘d5 14. g6 fg6 15. ♕g4
♕e7 16. ♗g2 ♕f7 17. ♗e4 ♘e7 18. ♖h8
♘b6 19. ♗c2!?** N [19. ♔e2 − 62/472]
♘f5 20. ♘e4 ♔d7□ 21. ♖h7 [21. 0-0-0
♔c7∞] **♗g7 22. ♘d6 ♘d6 23. ♗g6?** [23.
♕g6 ♕g6 24. ♗g6 ♘e8 (24... ♘f5 25. g4!
♘d4? 26. ♖g7 ♔d8 27. 0-0-0 c5 28.
♖h1+−) 25. ♗e8 ♔e8 26. ♖g7 ♔f8± △
♗d7] **♕f8 24. ed6 ♔d6 25. ♗c2** [25. ♗e4
♗d4!] **♖h8 26. 0-0-0 ♗d7!?** [26... ♘d5
27. ♗e4 ♗d7 28. ♗d5 cd5 29. ♖dh1∞ △
29... ♗f6 30. ♕f4 ♔c6 31. ♖1h6↑] **27.
♖dh1 ♕f2** [27... ♕f6 28. ♖7h6 ♕f2 (28...
♕g7? 29. ♕h5+−) 29. ♖h8 − 27... ♕f2]
28. ♖h8 ♖h8 29. ♖h8 ♕e1⊕ [29... ♘d5!∓]
30. ♗d1 ♕e3 31. ♔b1 ♕d3 32. ♔c1 [32.
♔a1 ♕d2! 33. a3 (33. ♕f4 ♕f4 34. gf4
♘d5∓ ×d4, f4) c3!; 32. ♗c2 ♕f1 33. ♕d1
♕f2 (33... ♕g2? 34. ♕e1±) 34. g4 ♘d5∞]
♕e3 33. ♔b1 ♕d3 34. ♔c1   1/2 : 1/2
                                   Rogozenko

406.*   D 45

KRAMNIK 2770 − IVANČUK 2725

Dortmund 1997

**1. ♘f3 ♘f6 2. c4 c6 3. ♘c3 d5 4. d4 e6 5.
e3 ♘bd7 6. ♕c2 b6** [RR 6... a6 7. b3 ♗d6
(7... b5!? 8. ♗e2 ♗b7 9. 0−0 ♖c8 10. c5

g6 11. b4±) 8. ♗e2 0−0 9. 0−0 ♕e7 (9...
e5 − 69/(395)) *a)* 10. ♖d1 ♖e8 11. a4 N
(11. ♗b2) a5?! 12. ♗b2 dc4 13. bc4! (13.
♗c4 h6 △ e5) e5 14. h3 e4 (14... ed4 15.
ed4 ♘f8 16. ♖e1±) 15. ♘d2 ♘f8 (15...
c5!?) 16. c5! ♗c7 17. ♘c4 ♘g6 (17... ♗f5
18. ♗a3 △ ♘d6±) 18. ♘d6! ♗d6 19. cd6
♕d6 20. d5! ♘d5 (20... cd5 21. ♘b5 ♕c6
22. ♕c6 bc6 23. ♘c7 ♗d7 24. ♘e8 ♖e8 25.
♖dc1±) 21. ♘e4 ♕e7 22. ♘g3◯ V. Bagi-
rov 2495 − Rantanen 2345, Mariehamn/
Österåker 1997; *b)* 10. e4!? de4 11. ♘e4
♘e4 12. ♕e4±; *c)* 10. ♗b2 dc4 (10... e5
11. cd5 cd5 12. de5 ♘e5 13. ♘d4±) 11.
bc4 e5 12. a4 ♖e8 13. ♖fe1± V. Bagirov]
7. ♗d3 [7. ♗e2 − 67/511] **♗b7 8. 0−0
♗e7 9. b3 ♖c8 10. ♗b2 c5** [10... dc4 11.
bc4 c5 12. d5!; 10... 0−0 11. ♖ad1±] **11.
cd5! cd4?** N [11... ♘d5 12. ♘d5 cd4 13.
♕e2 ♗d5 14. ♘d4 0−0 15. ♗a6±; 11...
ed5 12. ♘e5!? cd4 13. ed4 ♘e5 14. de5
♘e4; 12. ♗f5±] **12. de6 dc3 13. ed7 ♕d7**
[13... ♕d7 14. ♗f5] **14. ♗c3 ♗b4** [14...
♗f6 15. ♗f6 ♕f6 16. ♕e2] **15. ♗c4** [15.
♗b4 ♖c2 16. ♗c2∞] **♗f3** [◯ 15... ♗c2
16. ♕c3 0−0 (16... b5 17. ♕g7) 17. ♕d4±]
16. gf3 [16. ♗b4? ♕g5 17. g3 b5] **♗c3 17.
♕c3 ♕g5** [17... b5 18. ♕g7] **18. ♔h1 b5
19. ♕a5!** [19... ♖c4 20. bc4 ♕h5 21. ♖g1
♕f3 22. ♖g2+−; 19. ♖g1? ♕h6 20. ♖g7
bc4]   **1 : 0**   *Kramnik*

407.**   D 45

M. GUREVICH 2620
− SVEŠNIKOV 2570

Mariehamn/Österåker 1997

**1. d4 d5 2. c4 e6 3. ♘c3 ♘f6 4. ♘f3 c6 5.
e3 ♘bd7 6. ♕c2 ♗d6 7. ♗e2 0−0 8. 0−0
♖e8 9. ♖d1 ♕e7 10. h3** [RR 10. a3 b6 11.
e4 ♘e4 12. ♘e4 de4 13. ♕e4 ♗b7 14.
♗f4 ♗f4 15. ♕f4 e5 N (15... c5 − 67/513)
16. ♘e5 ♘e5 17. ♕e5 ♕e5 18. de5 ♖e5
19. ♗f3 ♘f8 20. ♖d7 ♖ae8 21. h4 ♖8e7=
R. Åkesson 2515 − Cu. Hansen 2605,
Malmö 1997] **h6 11. a3 dc4 12. ♗c4 e5 13.
♘h4 ♘f8** [13... e4? 14. ♘g6 ♕d8 15.
♕b3+−] **14. de5 ♗e5 15. ♘f3 N** [15. ♗d2
− 64/397] **♗c3** [◯ 15... ♗c7] **16. ♕c3
♘e4 17. ♕c2 ♗f5 18. ♘d4 ♗g6 19. f3 c5**

[19... ♘d6 20. e4 ♘c4 21. ♕c4±] **20. ♘b5**
♘d6 [20... a6 21. ♘c3 ♘c3 22. ♕c3 ♖ad8
23. ♗d5± Tibenský 2440 − Svešnikov
2535, Bratislava 1996] **21. e4 ♘c4 22. ♕c4**
♖ed8 23. ♗e3± [×♗g6, ♘f8] **b6 24. ♘c3**
♔h8 [△ f5] **25. ♘d5 ♕b7 26. b4! cb4 27.**
ab4 ♖d7 [27... f5 28. ♕c7! ♕c7 29. ♘c7
♖d1 30. ♖d1 ♖c8 31. ef5 ♗f5 (31... ♖c7
32. ♖d8±) 32. ♘b5 a5 33. ♘d6 ♗c2 34.
♖d2 ♖c3 35. ♗b6 (35. b5) ab4 36. ♗a5±;
27... f6 28. ♕c7] **28. ♕a6** [28. ♗h6?! gh6
29. ♕d4 f6 30. ♕f6 ♔h7 31. ♕e5 ♖f7 32.
♘f6 ♔g7 33. ♖d6 ♕e7 34. ♘h5 ♔h7 35.
♘f6=] **♖b8 29. ♕b7 ♖bb7 30. ♖dc1 ♘e6**
[30... f5 31. ♖c8 ♔g8 32. ♘f4±] **31. ♖c6**
♘c7 32. ♘f4 ♗h7 33. g4! [△ h4, g5↑≫]
♗g8 34. ♖ac1 ♔h7 35. h4 f6 36. g5! ♘e8
[36... hg5 37. hg5 fg5 a) 38. ♔f2 ♗f7; b)
38. ♘h3 ♗f7 (38... g6 39. ♘g5 ♔g7 40.
♗f4 ♘e8 41. ♗e5 ♔h6 42. ♔f2 ♔g5 43.
f4 ♔g4 44. ♖g1 ♔h4 45. ♖h1 ♔g4 46.
♖g6#) 39. ♘g5 ♔g8 40. ♗f4 ♘e8; c) 38.
♘g6! ♖d8 (38... ♘e6 39. ♖e6 ♗e6 40.
♘f8; 38... ♖b8 39. ♔f2; 38... ♖f7 39. ♖1c2
♖f6 40. ♘f8!!+−) 39. ♔f2 ♘e6 (39... ♗e6
40. ♘e7) 40. ♘e5 g6 41. ♗g5! ♖e8 (41...
♘g5 42. ♖h1 ♔g7 43. ♖g6 ♔f8 44. ♖g5)
42. ♗f6 ♘f4 43. ♖c7 (43. ♔e3 ♘g2 44.
♔d2 ♘f4) ♖c7 44. ♖c7 ♘h6 45. ♘g4 ♔h5
46. ♗e7+−] **37. g6 ♔h8 38. ♖c8 ♘d6 39.**
♖a8 ♖bc7 40. ♖c7 ♖c7 41. ♖d8± ♘b7 42.
♖a8 ♘d6 43. ♘d5 ♖c8 [43... ♖d7 44. ♗d4
(44. ♗h6 gh6 45. ♖g8 ♔g8 46. ♘f6 ♔g7
47. ♘d7 ♔g6) ♘f5 45. ♗c3 ♘e7 46. ♘f6
♖d3 47. ♗e5 ♖f3 48. ♖f8+− △ ♘e8; 43...
♖b7 44. ♗d4+−] **44. ♖a7 b5 45. h5 ♘f5**
46. ♗c5 ♘g3 [46... ♗d5 47. ed5 ♘g3 48.
d6+−] **47. ♘f4**   **1 : 0**   *M. Gurevich*

408.   **D 45**

D. GUREVICH 2580
− TUKMAKOV 2575

Genève 1997

1. ♘f3 d5 2. c4 c6 3. e3 ♘f6 4. ♘c3 e6 5.
d4 ♘bd7 6. ♕c2 ♗d6 7. b3 0−0 8. ♗e2 b6
9. 0−0 ♗b7 10. e4 de4 11. ♘e4 ♘e4 12.
♕e4 ♘f6! 13. ♕h4 c5 14. ♗b2 [14. dc5 −
58/476] **♘e4! 15. ♕h5!? N** [15. ♕h3 ♘g5
16. ♘g5 ♕g5 17. dc5 ♗c5 18. ♕g3 ♕g3
19. hg3=] **cd4 16. ♘d4 ♕f6! 17. ♖ad1!□**

[17. f3? ♘d2 (17... ♘c5∓) 18. ♖f2 (18.
♖fd1 ♗f4∓) ♗f4∓] **♖ad8** [17... ♖fd8 18.
♗d3!□ ♗c5 19. ♘c6! (19. ♗e4!? ♗e4 20.
♘c6 ♕b2 21. ♘d8 ♕f6 22. ♕e2 ♕g6 23.
g3 ♕f5 24. ♖d7 ♗f3 25. ♕d3 ♕d3 26.
♖d3 ♗e2 27. ♖d7 ♗f1 28. ♔f1 ♕f8 29.
♘c6 a5 30. ♔e2±) ♖d3 20. ♗f6 ♘f6 21.
♕e5! (Fishbein; 21. ♕e2? ♖d1 22. ♖d1
♗c6−+; 21. ♕c5? bc5 22. ♖d3 ♗c6∓)
♖d1 (21... ♗f2 22. ♔h1 ♖d1 23. ♖d1 ♗c6
24. ♕c7+−) 22. ♖d1 ♗c6 23. ♕c7! ♗e4
(23... ♗e8? 24. ♕b7+−) 24. ♖d8 ♖d8 25.
♕d8 ♗f8 26. ♕c7±; 17... ♗e5! a) 18. f3
♘c5 (18... g6 19. ♕h6 ♗f4 20. fe4 ♕d4
21. ♗d4 ♗h6 22. ♗f3 ♖fd8 23. ♗f6) 19.
f4 ♗f4 20. ♗c1 e5 21. g3 ed4 22. ♖f4 ♕e6
23. ♖fd4? g6! 24. ♕g4 f5−+; 23. ♗g4; b)
18. ♗f3 ♖ad8 19. ♘c6 ♖d1 20. ♖d1 ♗b2
21. ♗e4 g6=; c) 18. ♗d3 ♗d4 19. ♗e4
♗b2 20. ♗b7 ♖ad8=] **18. ♗d3!□ ♗c5?!**
[18... ♗e5 19. ♘c6!; 18... ♕g6 19. ♕g6
hg6 20. ♘b5±]

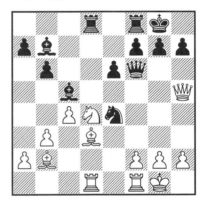

19. ♘c6!! [19. ♗e4? ♗e4 20. ♘c6 ♕b2
21. ♘d8 ♕f6! 22. ♕e2 ♗a8 23. ♕d3 (23.
♕d2 ♕g6! 24. g3 ♕e4−+) ♗e7−+] **♕b2**
[19... ♗f2 20. ♔h1 ♕b2 21. ♘d8 g6 22.
♕e2 ♕e2 23. ♗e2 ♗a8 24. ♗f3 ♗c5 25.
♗e4 ♗e4 26. ♖d7+−; 19... ♖d3 20. ♗f6
♘f6 21. ♕c5!!□ bc5 (21... ♖d1? 22. ♘e7
♔h8 23. ♘g6) 22. ♘e7 ♔h8 23. ♖d3 ♖e8
24. ♖fd1 ♖e7 25. ♖d8 ♖e8 (25... ♘e8? 26.
♖1d7+−; 25... ♘g8 26. ♖b8+−) 26. ♖1d7
♗c6 27. ♖e8 ♘e8 28. ♖a7⊙ ♔g8 29.
♖a5+−] **20. ♘d8 g6** [20... ♗f2 21. ♔h1;
20... ♖d8 21. ♗e4 ♖d1 22. ♕h7 ♔f8 23.
♕h8 ♔e7 24. ♖d1+−; 20... ♗a8 21. ♗e4
♗e4 22. ♖d7 ♕a2 23. b4! (Serper) ♕a4
24. ♖fd1] **21. ♕e2!□** [21. ♕h4? ♘f2 22.

♖f2 ♗f2 23. ♕f2 ♕f2 24. ♔f2 ♖d8−+;
21. ♕f3? ♘f2−+] ♘f2 [21... ♕e2 22. ♗e2
♗a8 23. ♗f3⊙ a5 24. ♗e4 ♗e4 25.
♖d7+−] 22. ♖f2 ♗f2 23. ♔f1!+− ♗g2
[23... ♕e2 24. ♗e2] 24. ♔g2 ♕f6 25. ♕f2
♕d8⊕ 26. ♗e2 ♕g5 27. ♕g3 ♕a5 28. a4
♖c8 29. h4⊕ ♖c5 30. ♕f4 ♔g7 31. ♖f1
♖f5 32. ♕d4 e5 33. ♖f5 gf5 34. ♕d3 e4
35. ♕d4 ♔g8 36. h5 ♕e1 37. ♕d8 ♔g7
38. ♕d4 [38. h6! ♔g6 39. ♕d6 ♔g5 40.
♕g3 ♕g3 41. ♔g3 f4 42. ♔f2 f3 (42... a5
43. b4 ab4 44. c5 b3 45. ♗c4 b2 46. ♗a2
bc5 47. a5 ♔g4 48. a6 e3 49. ♔e2 f3 50.
♔e3 ♔g3 51. a7 f2 52. ♔e2 ♔g2 53. a8♕)
43. ♗f1 (43. ♗d1 ♔f4 44. b4 e3 45. ♔e1
e2 46. ♗e2 fe2=) ♔f4 44. b4 e3 45. ♔e1
e2 46. ♗e2 fe2 47. c5 ♔e5 48. cb6 ab6 49.
a5 ba5 50. ba5 ♔d5 51. ♔e2 ♔c5 52. ♔e3
♔b5 53. ♔e4 ♔a5 54. ♔e5 ♔b5 55. ♔f6
♔c6 56. ♔g7 f5 57. ♔h7 f4 58. ♔g7 f3
59. h7 f2 60. h8♕ f1♕=; 48. c6!+−] ♔g8
39. ♕f2 ♕d2 40. ♗f1⊕ [40... ♕d7 41. h6
♕e6 42. ♕g3; 40... ♕g5 41. ♕g3 f6 42.
♕g5 fg5 43. b4 ♔f7 (43... h6 44. c5 bc5
45. b5 ♔f7 46. a5 ♔e7 47. b6 ab6 48. a6)
44. c5 bc5 45. b5 ♔e7 46. a5 ♔d7 47. b6
ab6 48. a6 ♔c6 49. ♗b5 ♔c7 50. h6! g4
51. ♔f2 ♔b8 52. ♗c4 b5 53. ♗b5 (53.
♗g8? c4 54. ♗h7 c3) ♔a7 54. ♗c4 ♔b6
55. ♗g8 ♔a6 56. ♗h7 c4 57. ♗f5]

1 : 0 *D. Gurevich*

409. D 45

AVRUKH 2550 − M. GUREVICH 2620

Antwerpen (open) 1997

1. d4 d5 2. c4 c6 3. ♘c3 ♘f6 4. e3 e6 5.
♘f3 ♘bd7 6. ♕c2 ♗d6 7. ♗d2 0−0 8.
0-0-0 c5 9. cd5 ed5 10. ♘g5 h6!? N [10...
cd4 11. ♘d5 g6 12. ♘e4 ♘d5 13. ♘d6
♘7f6 14. ♕c5∞; 10... g6 − 59/(473)] 11.
h4!? ♖e8! [11... cd4 12. ♘d5 ♖e8 13. ♘f6
♘f6 14. ♗c4 hg5 15. hg5 ♘e4∞; 12.
ed4∞ △ 12... hg5?! 13. hg5 ♘e4 14. ♘e4
de4 15. ♕e4→] 12. ♗d3!? [12. ♘d5 hg5
(12... ♘d5 13. ♕h7 ♔f8 14. ♕h8 ♔e7 15.
♕g7 hg5∓) 13. hg5 (13. ♘f6 ♘f6 14. hg5
♘e4∓) ♘d5 14. ♕h7 ♔f8∓] ♘f8!? [△
hg5; 12... c4?! 13. ♗h7 ♔f8 14. ♘f7 (14.

♗f5!?) ♔f7 15. ♗g6 (15. ♕g6 ♔f8 16.
♘d5↑) ♔f8 16. ♗e8 ♕e8 17. f3↑; 12... hg5
13. hg5 ♘g4 (13... ♘e4 14. ♗e4 de4 15.
♘e4∞) 14. ♗h7 (14. ♗e2 ♘f8) ♔f8 15.
♗f5 ♘b6 16. dc5!? ♗c5 17. ♘e4! (17.
♘d5 ♕d5 18. ♗b4 ♗f5 19. ♖h8 ♔e7 20.
♗c5 ♔e6∓) ♗f5 (17... ♗d6 18. ♘d6 ♕d6
19. ♗c3→) 18. ♖h8 ♔e7 19. ♕c5 ♔d7 20.
♕d6 ♔c8 21. ♕d8 ♖d8 22. ♘d6 ♔d7 23.
♖d8 ♖d8 24. ♘f5∞] 13. dc5 ♗c5 14. ♘f3
[14. ♘h3 ♗g4! (△ ♖c8⇆) 15. f3 ♗h3 16.
♖h3 ♗e3∓] ♗e6?! [14... ♗g4 15. ♔b1
♖c8 16. ♗f5 ♗f5 17. ♕f5 ♕d7∞] 15.
♘d4!? [△ f3, g4-g5↑»] ♖c8 16. f3 ♘6d7!?
17. ♔b1 [17. g4!? ♘e5 18. ♗e2 ♗d4 (18...
♘c4 19. ♗c4 ♗d4 20. ♗b5 ♗c3 21.
♗c3±) 19. ed4 ♘c4∞] a6 [△ b5-b4⇆«]
18. ♘e6 [18. g4 ♘e5 19. ♗e2 b5 20. g5 h5
21. f4 ♗d4 22. ed4 ♗g4!∓] fe6 19. f4!? [△
f5 ×d5] b5 20. f5 ♘f6 [20... b4 21. fe6
♘f6 22. ♘e2 ♗e3 23. ♕b3 ♗d2 24. ♖d2↑]
21. ♕b3 ♔h8!? [21... e5 22. e4±] 22. fe6
♘e6 23. ♗f5?! [23. ♗g6! a) 23... ♖e7 a1)
24. ♘e2 ♗d6∞; a2) 24. ♗c1 ♗b6 (24...
♖d7 25. g4↑) 25. ♘d5 ♖c1!? 26. ♖c1!?
(26. ♔c1 ♘c5 27. ♕c2 ♘d5 28. e4 ♖c7
29. ♔b1 ♘d7∓) ♘d5 (26... ♕d5 27. ♖c8
♘d8 28. ♕d5 ♘d5 29. ♖d1↑) 27. ♖hd1
♖d7∞; a3) 24. g4! a31) 24... ♘g4 25. ♘d5
♖d7 26. ♗f5! ♖c6 (26... ♖d5 27. ♗e6+−)
27. ♗g4 (27. ♘f4 ♘f4 28. ♗d7 ♕d7 29.
ef4 ♘f2∓) ♖d5 28. ♗f3 ♖d3 29. ♗a5!
♖b3 30. ♗d8+−; a32) 24... d4 25. g5 dc3
26. gf6± b) 23... ♖f8 24. ♗c1± △ 24...
♗b6 25. ♘d5 ♖c1 26. ♔c1 ♘c5 27. ♕c2
♘d5 28. e4±] ♗f8! [△ ♗c4, ♘c5⇆«] 24.
♗c1 [24. g4 ♘c5 25. ♕c2 b4 26. ♗c8 bc3
27. ♗c3 ♕c8 28. g5 ♘g4 29. gh6 ♘h6 30.
♖d5 ♘e4∞] ♖c4! [△ ♘c5↑] 25. ♗e6 [25.
♗d3 ♘c5 26. ♕c2 ♘d3 27. ♕d3 ♖e5∓]
♖e6∓ 26. ♘e2 [△ ♘f4-g6⇆»] ♗d6 27.
♕d3 ♗e5 28. ♕f5 ♕e8!? 29. g3 ♗c7! [△
♖e5, ♗b6 ×e3] 30. ♖hf1 [30. ♘f4 ♗f4 31.
gf4 (31. ef4 h5∓) a5!? (31... ♖ec6 32. ♖hg1
♕e4 33. ♕e4 ♖e4↑) 32. ♖hg1 a4↑] ♖ce4
31. ♘d4 ♖6e5 32. ♕f3 ♕g6 33. ♔a1 ♔h7?!
[33... ♗b6! 34. ♘f5 ♔h7∓ △ ♘g4] 34.
♘e2 ♗b6 [34... ♖c4!?] 35. ♘c3 ♖g4 36.
♖g1? [36. ♘d5 ♘d5 (36... ♖d5? 37. ♖d5
♖g3 38. h5!+−) 37. ♖d5 ♖g3 38. ♕h1 (38.
♖e5 ♖f3 39. ♖f3 ♕g4!∓ 40. ♖f4 ♕g1 41.

&b1 &c7—+) &e7 39. h5 &e4∓] &f5 37.
&g2 d4! 38. e4 [38. &e2 de3 39. &b7
&h5 40. &a6 &g3 41. &e3 (41. &g3 &g3
42. &g3 &g3 43. &b6 e2—+) &e3 42.
&g6 &g6 43. &g3 &g3 44. &g3 &f3∓]
&e5 39. &d5 &d5 40. ed5 d3 41. &ge1
&g3 42. &h1 &e1 43. &e1 [43. &e1 &g1
44. &d2 &d1 45. &d1 &e4—+] &a5!—+
44. h5 &g4 45. &d1 [45. &e4 &g1] d2 [46.
&d2 &d2 47. &d2 &g1]   0 : 1
                                M. Gurevich

410.*   D 46

AN. KARPOV 2745
— GEL'FAND 2695

Biel 1997

1. d4 d5 2. c4 c6 3. &c3 &f6 4. e3 e6 5.
&f3 &bd7 6. &c2 &d6 7. &d3 0—0 8.
0—0 dc4 9. &c4 b5 [RR 9... a6 10. &d2
c5 11. dc5 &c5 12. &e2 N (12. a4 —
55/434) b5 13. b4 &cd7 14. &e4 &e7 15.
&f6 &f6 16. &c3 &b7 17. &f6 &f6 18.
&b2 &e7 19. &fc1 &d5 20. a3 &fc8=
An. Karpov 2745 — Anand 2765, Biel
1997] 10. &d3 &b7 11. &d2 b4!? N [11...
&e7 — 65/424; 11... a6; 11... a5] 12. &e4
[12. &a4 c5! 13. &c5 &c5 14. dc5 &c8 15.
&b4 &f3! 16. gf3 &d5 17. &a3 &g5 18.
&h1 &h5 19. f4 &f4!! (19... &f3 20. &g1
&f4 21. &h7 &h8 22. &e4 &e3! 23. &f3
&c2 24. c6□) 20. f3 (20. ef4 &f3 21. &g1
&f4—+) &e3∓] &e4 13. &e4 &f6 14. a3
[14. &g5?! h6 15. &h7 &e4—+] ba3 15.
ba3 [15. b4 a5 (15... &e4 16. &e4 &e7 17.
&d3 a5 18. ba5 c5) 16. ba5 &e7⇆] &e4
16. &e4 &e7 17. &fb1 &ab8 18. &g4 [18.
&c2 c5 19. dc5 &c5 20. &b4 &b4 21.
ab4 &f3∓] c5 19. dc5 &c5 20. &c3 f6 [21.
&d4 &d5 22. e4 &d4 23. &d4 &a8=]
1/2 : 1/2   *An. Karpov*

411.   D 46

GRANDA ZUÑIGA 2625 —
ILLESCAS CÓRDOBA 2585

España 1997

1. d4 d5 2. c4 c6 3. &c3 &f6 4. &f3 e6 5.
e3 &bd7 6. &c2 &d6 7. &d3 0—0 8. 0—0

dc4 9. &c4 b5 10. &d3 &b7 11. &e2 N
&c8 [11... c5!?] 12. &b1

12... c5! [12... a6 13. b4± ; 12... b4 13. a3±]
13. &b5 cd4 14. ed4 [14. &fd4? &h2! 15.
&h2 &g4 16. &g3 (16. &h3 &g5—+ 17.
e4 &h5 18. &g3 &h2 19. &g4 &e5 20.
&g5 f6#) &g5 17. f3 (17. f4 &h5 18. e4
&c5 19. &d3 f5∓→) &e3 18. &f2 &g2
19. &e3 &f1 (19... e5 20. &g1 ed4 21.
&d2 &h3) 20. &d7 &c7 21. &b5 e5∓→;
14. &ed4 &e5⊠] &e4! 15. &d3 &f3 16.
gf3 &a5⊠ 17. &g3 &d5 18. &a6!? &b8
[18... &f3?! 19. &c8 &c8 20. &e3 &g4
21. &d1 &h2 22. &f3 (22. &h2!? &g3
23. &h3) &f3 23. &g2 &h4 24. &h3±]
19. &d3 &b4 20. &c3! [20. &d1 &b8!∓]
&b8!? [20... &a4 21. &e2 &b6⊠] 21.
&d3 [21. &e2 &c6 22. &e3 &d4 23.
&ad1? &e2! 24. &e2 &f3! 25. &d6 &g4
26. &g3 &e4∓ 27. &c6 h5! 28. &e1 (28.
&d4 h4 29. &e4 hg3—+; 28. &fd1 h4 29.
&d8 hg3 30. &f8 &h7 31. hg3 &g3 32.
fg3 &e3—+; 28. &d3 h4 29. h3 hg3 30.
hg4 g2!—+) h4 29. &c5 h3 30. &f1 &d2
31. &g1 &e4—+; △ 23. &fd1] &d4 22.
&d1! [22. &e4 &e4 23. fe4 &c4 24. &e3
&c3 25. bc3 &a4∓] &g3 [22... &e5!? 23.
&e3 &h4 24. &c5 &c5 25. &c5 &c8 26.
&a7 &a4⊠] 23. &h7□ &h7 24. &d4 &e5
25. &d5 &c3 26. &b5! &f6 [26... &d4 27.
&e3±] 27. &e3 &c6 28. &d1! [28. &c1?
&d4∓] &a8!? [△ &f8; 28... e5] 29. f4!
[29. &d6 &e5∓] e5 [29... a6 30. &b6 &e7
31. &dd6 a5 32. &a6±; 29... a5!?] 30. fe5
&e5 31. &dd5?! [31. b3! *a)* 31... &f8 32.
&a5 &c6 (32... a6 33. &d6) 33. &a6 &b4
34. &a4 a5 35. &b6 &e6 36. &a5 &c6 37.

♗b6 ♖a4 38. ba4±; b) 31... ♘g4! 32. ♗f4
♗h4! (32... ♗d8 33. h3 ♘gf6 34. ♗e3±)
33. ♗g3 ♗d8! (33... ♗g3 34. hg3 ♖e8 35.
♖a5±) 34. h3 ♘gf6 35. ♖b8 ♖b8 36. ♗b8
♗b6=] a6! 32. ♖b7 ♘f8= 33. ♗f4 ♘fg6
1/2 : 1/2   *Illescas Córdoba*

412. ** !N   **D 47**

DOUVEN 2425 –
P. BOERSMA 2350
Nederland 1997

1. d4 d5 2. c4 c6 3. ♘c3 ♘f6 4. e3 e6 5.
♘f3 ♘bd7 6. ♗d3 dc4 7. ♗c4 b5 8. ♗b3
[RR 8. ♗e2 a6 9. e4 b4 10. e5 bc3 11. ef6
a) 11... ♘f6 12. bc3 ♗d6 13. ♕a4 ♗d7 14.
♘e5 c5 15. ♘d7 ♕d7 16. ♕d7 ♔d7 17.
♗f3 ♖a7! N (17... ♖ab8 – 68/394) 18. dc5
(18. ♗e3!?) ♗c5 19. ♗f4 ♔e7 20. ♔e2!?
♗d6 21. ♗d2 (21. ♗e3 ♖c7) ♘d7 22.
♖hb1 ♖c7! (22... ♖c8?! 23. ♖b7 ♖c7 24.
♖ab1±) 23. ♖b3 (23. ♖b7 ♖b7 24. ♗b7
♘c5) ♘e5 24. ♖ab1 ♘f3 25. ♔f3 ♖c5!?
26. ♖b6!? (26. g4 h5; 26. ♖b7 ♔f6 △ 27.
♖1b6? ♖f5 △ ♗c5 ×f2 O. Korneev) ♖a8
27. ♖d1 ♗e5= Rausis 2470 – O. Korneev
2590, Metz 1997; b) RR 11... cb2 12. fg7
♗g7 13. ♗b2 ♕a5 14. ♘d2 ♖b8 15. ♕c1
♖b2!? N (15... ♕g5 – 36/518) 16. ♕b2 c5
17. ♖c1 b1) 17... ♗d4 18. ♕c2 (18. ♕d4?
cd4 19. ♖c8 ♔e7 20. ♖h8 d3∓) ♗b7 19.
0–0 ♖g8 20. ♗f3±; b2) 17... 0–0 18. 0–0
cd4 19. ♕c2 ♗b7! (19... ♘f6 20. ♘b3
♕d8 21. ♖fd1 e5 22. ♗d3± Pál Kiss 2480
– Szuhanek 2395, Makó 1997) b21) 20.
♕c7 ♕d2 21. ♕b7 (21. ♖c2 ♗e5) ♕e2 22.
♕d7 ♕a2 23. ♖a1 ♕c4 24. ♕a4=; b22)
20. ♗f3 d3! 21. ♕c7 (21. ♕d3 ♘e5△⌖;
21. ♕d1 ♗f3 22. ♘f3 ♘c5△) ♕d2 22.
♗b7 ♘e5△; b23) 20. ♗d3 ♘f6!△⌖ ♦d
Szuhanek] b4 9. ♘e2 c5 10. 0–0 ♗d6 11.
♘f4 0–0 12. ♖e1 ♗b7 13. ♘g5 N [13. d5
– 25/612] ♕b6 14. ♘fe6 fe6 15. ♘e6 ♔h8
[15... cd4 16. ♘f8 ♔f8 17. ed4 ♕c6 18.
d5!?] 16. d5! [16. ♘f8 ♖f8 17. d5 ♘e4 18.
f3 ♗h2 19. ♔h2 ♕h6 20. ♔g1 ♘g3–+ 21.
e4 ♕h1 22. ♔f2 ♕h4 23. ♔g1 (23. ♔e3
♘e4) ♘e5] ♖fe8 17. e4 ♘e5! 18. ♗c2?
[18. f4? ♘e6 19. de6 c4 20. ♗e3 ♗c5–+;
18. ♗g5?! ♘e4 19. ♖e4 ♖e6 20. de6 ♗e4

21. e7 ♖e8 22. ♗a4 ♖e7!∓; 18. ♗f4∞]
♘eg4! 19. g3 [19. h3 ♗h2 20. ♔f1 ♗a6
21. ♗d3 c4 22. hg4 cd3–+] c4 20. ♖f1
♖e6 21. de6 ♗c5 22. ♕e2 ♕e6 23. ♔g2
[23. h3 ♘f2 24. ♖f2 ♕h3–+] ♘e4 24. f3
♘g5! [24... ♘h2 25. ♔h2 ♗c8! 26. ♕g2
(26. g4 ♘g3 27. ♕e6 ♘f1 28. ♔g2 ♗e6
29. ♔f1 ♗d5–+) ♕e5–+; 24... ♘gf6] 25.
♕e6 ♘e6 26. ♗f5 ♘e5 27. ♗e6 ♖e8 28.
♗f5 ♘f3! 29. ♔h3 ♖e2 30. ♖f3 ♗f3 31.
♗f4 h5! 32. ♖c1 ♗e7 33. g4 ♗g2 34. ♔g3
h4#   0 : 1   *P. Boersma*

413.   **D 48**

VOLŽIN 2505 – KUPREJČIK 2500
Århus (open) 1997

1. d4 d5 2. c4 c6 3. ♘c3 ♘f6 4. e3 e6 5.
♘f3 ♘bd7 6. ♗d3 dc4 7. ♗c4 b5 8. ♗d3
a6 9. e4 c5 10. d5 c4 11. de6 cd3 12. ed7
♕d7 13. 0–0 ♗b7 14. ♖e1 ♖d8!? N [14...
♗e7 – 66/(385)] 15. e5 ♘d5 16. ♘e4 [16.
♕d3?! ♘c3 17. ♕c3 ♗e7? 18. e6; 17...
♖c8⊼] ♗b4□ [16... ♗e7 17. ♕d3 0–0 18.
♘eg5±] 17. ♗g5! [17. ♘d6 ♗d6! (17...
♔f8 18. ♘b7 ♕b7 19. ♗d2↑ ×♔f8) 18.
ed6 ♔f8 19. ♕d3 ♕d6 △ f6, ♔f7∞]
0–0!□ [17... ♗e1 18. ♘d6 ♔f8 19. ♘d8
♗f2 (19... ♕d8 20. ♘e1±) 20. ♔f2 ♕d8
21. ♕d3 ♕b6 22. ♔g3±; 22. ♕d4!?] 18.
♗d8 ♖d8 [18... ♗e1 a) 19. ♘e1 ♕d8!
(19... ♖d8 20. ♘c5 ♕c6 21. ♘b7 ♕b7 22.
♕d3 ♕e7 23. ♘f3±) 20. ♕d3 ♕e7! 21.
♕g3 f6 22. ♘f6 ♘f6 23. ef6 ♕f6 24. ♘d3
♗e4 25. ♘e5! ♖e8 26. ♕b3±; 24...
♕d4!⊼; b) 19. ♗g5! ♗b4 (19... ♘b4? 20.
♘c5 ♗f3 21. ♘d7 ♗d1 22. ♖d1+–) 20.
a3! ♗e7 21. ♕d3±] 19. ♕d3 ♗e1 20. ♖e1
♕g4 [△ ♕g2] 21. ♕d4!± ♕g6 [21... ♖d7
(△ ♘f4, △ 22. ♘f6 ♘f6 23. ef6 h5!⊼) 22.
h3 △ ♘c5+–] 22. h3 h6 23. ♘d6 ♗a8 24.
♘h4 [24. ♔h2!?] ♕g5 [24... ♕e6 25. ♘hf5
△ ♕g4→] 25. ♖e4!? [△ ♖g4→ ×g7] f5!?
[△ 26. ♘hf5 ♘f4; 25... f6!? 26. ♖g4! (26.
♘hf5? ♘f4; 26. ♘f3? fe5 27. ♖e5 ♕c1 28.
♖e1 ♕f4∞) a) 26... fe5 27. ♕c5 ♕f6 28.
♖g6! ♕h4 (28... ♕f4 29. ♘hf5+–) 29.
♖g7 ♔h8 30. ♕a7 ♕f6 (30... ♘f6 31.
♕e7+–) 31. ♖h7 ♔g8 32. ♘f5! ♘e7 33.
♕e7 ♕e7 34. ♖e7+–; b) 26... ♕e5 27.

♘df5! ♖d7 (27... ♕d4 28. ♖g7 ♔f8 29. ♘g6 ♔e8 30. ♘d4+−; 27... g5 28. ♘h6 ♔h7 29. ♕e5 fe5 30. ♘f7+−) 28. ♘h6 ♔h7□ 29. ♕d3+−; *c)* 26... ♘f4!? 27. ♕a7!!□ (27. ♕f4? ♕f4 28. ♖f4 fe5) ♘h3 (27... ♘e2 28. ♔h2 ♕e5 29. f4+−) 28. gh3 ♕c1 29. ♔h2 ♕h1 30. ♔g3 ♕g1 31. ♘g2! ♕g2 32. ♔h4 g5 33. ♔h5 ♕h3 34. ♔g6 ♕d3 35. ♘f5 ♕d7 36. ♖d4!? ♕e8 37. ♔h6 ♕f8 38. ♔g6 ♕e8 39. ♔f6 ♕f8 40. ♔g6 ♕e8 41. ♔g5+−] 26. ♘f3! ♕g6 27. ♖e1+− ♘c7 28. ♕e3 ♗d5 29. ♕d2 ♘b6 30. ♕f4 ♕e6 31. ♘d4 ♕d5 32. f3 ♖f8 33. e6

1 : 0   *V. Mikhalevski, Volžin*

414.   D 48

ZAHARSTOV 2430
− A. GALKIN 2540

Rossija 1997

1. d4 d5 2. ♘f3 ♘f6 3. c4 c6 4. ♘c3 e6 5. e3 ♘bd7 6. ♗d3 dc4 7. ♗c4 b5 8. ♗d3 ♗b7 9. 0−0 a6 10. e4 c5 11. d5 c4 12. ♗c2 ♕c7 13. de6 fe6 14. ♕e2 ♗d6 15. ♘g5 ♘c5 16. f4 e5 17. a4 ♕c6?! N [17... ♕b6 − 49/502] **18. ab5 ab5 19. ♖a8 ♗a8 20. ♘d5** [20. fe5 ♗e5 21. ♘f3 ♗c3 22. bc3 0−0 23. e5 ♖e8∞; 20. ♘f3!?] **♘cd7□ 21. ♘e6?!** [21. fe5 ♗e5 22. ♖f5 g6!?; 22. ♘f3±; 21. ♔h1] **♘d5!** [21... ♔f7 22. ♘g5±; 21... g6 22. f5±] **22. ed5** [22. ♘g7 ♔d8] **♕d5 23.** ♘g7 [23. f5 ♘f6 24. ♘g7 ♔f7 25. ♘e6 ♖g8 26. ♘g5 ♔e7⇆ ×g2;] 23. ♕h5 g6! (23... ♔e7 24. ♕g5 ♔e6 25. ♕g4! ♔f7 26. ♕d7±) 24. ♗g6 ♔e7! (24... hg6 25. ♕h8 ♔e7 26. ♕g7 ♔e6 27. f5 gf5 28. ♕g6 ♔e7 29. ♗g5+−) 25. ♕g5 ♘f6 26. fe5 ♕e5] **♔d8 24. ♖d1** [24. fe5 ♕e5; 24. f5 ♖g8 25. ♗g5 (25. f6 ♘f6 26. ♗g5 ♗c5 27. ♔h1 ♕g2 28. ♕g2 ♗g2 29. ♔g2 ♖g7∓) ♗e7 26. f6 ♘f6 27. ♖f6 ♖g7 28. ♖f8 ♔c7] **♗c5 25. ♔h1** [25. ♔f1 ♕g2□ 26. ♕g2 ♗g2 27. ♔e2?! e4 28. ♘e6 ♔e7 29. ♖d7 ♔e6∓; 27. ♔g2 − 25. ♔h1] **♕g2! 26. ♕g2 ♗g2 27. ♔g2 ♖g8 28. fe5 ♖g7 29. ♔f3 ♔e7 30. ♗f4 ♔e6** [30... ♘f8?! 31. ♖d5 ♘e6 32. ♗f5] **31. ♗e4 ♖g1! 32. ♗d5** [32. ♖g1 ♗g1 33. ♗h7 ♘e5=; 32. ♖d5 ♖f1 33. ♔g3 ♖g1=; 32. ♖d2 ♖f1 33. ♔g3 ♘e5] **♗f5 33. ♗e4** [33.

♖g1 ♗g1 34. e6 ♘f6 35. e7 (35. ♗c6 ♔e6 36. ♗b5 ♔d5=) ♗c5 36. ♗c6 ♗e7 37. ♗b5 ♘h5!? 38. ♗d2 (38. ♗c1 ♗d6 39. h3 ♗f4 40. ♗f4 ♘f4=) ♗d6 39. h3 ♗e5 40. ♗c3 ♗c3 41. bc3 ♘f4=] **♔e6**

1/2 : 1/2   *A. Galkin*

415. !N   D 48

GEL'FAND 2700 − BAREEV 2665

Novgorod 1997

1. d4 d5 2. c4 c6 3. ♘c3 ♘f6 4. ♘f3 e6 5. e3 ♘bd7 6. ♗d3 dc4 7. ♗c4 b5 8. ♗d3 ♗b7 9. 0−0 a6 10. e4 c5 11. d5 ♕c7 12. de6 fe6 13. ♗c2 c4 14. ♘d4 ♘c5 15. ♗e3 e5 16. ♘f3!! N [Kramnik; 16. ♘f5 − 67/523] **♘ce4 17. ♘e4 ♘e4 18. ♖e1! ♗d6** [18... ♗b4? 19. ♗e4 ♗e4 20. ♗d2! ♗d2 21. ♖e4±] **19. ♗e4 ♗e4 20. ♘g5 ♗d3! 21. ♕f3 0-0-0 22. ♕a8** [22. ♘f7 *a)* 22... ♖hf8 23. ♕a8 ♔d7 24. ♘d8 ♖d8 25. ♕a6+−; *b)* 22... ♕b7!? 23. ♕b7 (23. ♕h3 ♔b8 24. ♘h8 ♖h8⊼) ♔b7 24. ♗g5!+−; *c)* 22... e4 23. ♕h3 ♔b7 24. ♘h8 ♖h8 25. ♗d4 ♖d8 26. ♕h7 ♗e5∞; *d)* 22... ♔b8!? (Huzman) 23. ♘h8 ♖h8⊼] **♔d7 23. ♕a6 ♖b8! 24. ♘f7 ♖hf8 25. ♘d6 ♕d6 26. ♕a5± ♔e6?!** [26... ♕c6 27. a4] **27. f4! ♖a8** [27... e4 28. a4 ba4 29. ♕h5→] **28. fe5** [28. ♕b5 ♖fb8 29. fe5 ♕c7 30. ♕c5 ♕c5 31. ♗c5 ♖b2=; 28. ♕d2!? ♔f7 (28... e4 29. ♕f2) 29. ♕f2→] **♖a5 29. ed6 ♔d6 30. ♗d2** [30. b4!? (B. Alterman) ♖aa8 (30... cb3 31. ♖ad1 ba2 32. ♖d3+−) 31. ♗c5 ♔d5 32. ♗f8 ♖f8 33. ♖e7 (33. a4 ba4 34. ♖a4 c3) ♔d4 34. ♖b7 *a)* 34... c3 35. ♖d7 ♔c4 36. ♖d1 ♖f4 (36... c2 37. ♗c7 ♔d4 38. ♖c2) 37. ♖c7 ♔d4 38. a3+−; *b)* 34... ♔c3! 35. ♖b5 *b1)* 35... ♔b2 *b11)* 36. ♖d1 ♔c2 (36... ♔a2 37. ♖d5 ♔b3 38. b5±) 37. ♖e1 ♔d2; *b12)* 36. ♖e1 c3 (36... ♔a2 37. ♖d5±) 37. ♖d5 ♖g6 38. b5 c2 39. ♖c5 ♖b8!? (39... ♖d8 40. b6±) 40. a4 ♔b3; *b2)* 35... ♔d2 36. ♖c5 c3 37. b5 c2⇆] **♖a4 31. a3 ♖f7 32. ♗b4 ♔d5 33. ♗c3?!** [33. ♖e8! ♖a6 34. ♖ae1 (34. ♖d8 ♔c6 35. ♖e1 ♔c7) ♖af6 35. ♖1e5 ♔c6 36. h3! ♔d7 37. ♖5e7±] **♖aa7 34. ♖e5 ♔c6 35. ♖ae1** [35. ♖e6 ♔d5 36. ♖ae1 ♖f1=] **♖ad7 36. h3 ♖f5?** [⌒ 36... g6] **37. ♖e6 ♔b7 38. ♖e7**

♖f7 [38... ♖f1 39. ♔h2] **39. ♖7e5 ♔c6 40. ♖g5±** ♗de7 **41. ♖e7 ♖e7 42. ♗g7 ♖e2** [♖ 9/j] **43. ♗d4** [43. ♗c3!?] ♗e4 **44. h4 h6 45. ♖g7** [45. ♖c5 ♔d6 46. ♖b5 ♖g2 47. ♔f1 c3=] ♔d5 **46. ♗c3 h5 47. ♖g5 ♔c6 48. ♔h2** [48. ♖h5 ♖g2 49. ♔f1 ♖h2±] ♗d5 [48... ♗f3 49. ♔g3! △ 49... ♗g4 50. ♖g4 hg4 51. h5+−] **49. ♖h5 ♖g2 50. ♔h3** ♖g6 **51. ♖h8** [51. ♖e5 ♗g2 52. ♔h2 ♗f3±] ♗e6 **52. ♔h2 ♔d5 53. ♖h5 ♔c6 54. ♖h8** [54. ♖e5 ♗f7!± △ 55. ♗d4 ♖d6 △ ♖d5] ♔d5 **55. h5?** ♖g8 **56. ♖h7** ♖g4 **57. h6 ♔e4 58. ♖h8** [58. ♗d2 ♔f3 59. ♖e7 ♖g2 (59... ♖h4 60. ♔g1 ♖g4 61. ♔f1 ♖h4=) 60. ♔h1 ♗d5 61. ♗e1 (61. ♗e3 ♔g3 62. ♖g7 ♔h3 63. ♖g2 ♗g2 64. ♔g1 ♗e4 65. ♔f2 ♔g4 66. ♗d2 ♔h5 67. ♗e3 ♗c2 68. ♔d4 ♔g6=) ♖e2 62. h7 (62. ♖e2 ♔e2 63. ♔h2 ♔g8 64. ♗c3 ♔f3=) ♖e7 63. h8♕ ♖e1 64. ♔h2 ♖e2=; 58. ♖b7 − 58. ♖h8] ♖g8 **59. ♖h7** ♖g6 **60. ♖h8** ♖g8 **61. ♖h7** ♖g4 [61... ♖g6=] **62. ♖b7** ♖h4 **63. ♔g2** ♖h6 **64. ♖b5** ♗d5 **65. ♔f2** ♖a6 **66. ♖c5** ♖a7 **67. ♖c8** ♗e6 **68. ♖e8** ♔d5 **69. ♔e3** ♖h7 **70. a4** ♗d7 **71. ♖a8** ♖e7 **72. ♔f4** ♖e4 **73. ♔g5** ♗c6 **74. ♖a7** ♖e8 **75. a5** ♔c5 **76. ♖c7** ♔b5 **77. ♔f6** ♖f8 **78. ♔e5** ♖e8 **79. ♔d6** ♖d8 **80. ♔e7** ♖e8 **81. ♔f7** ♖d8 **82. ♔g6** ♖g8 **83. ♔h6** ♖d8 **84. ♖e7** ♖e8 **85. ♖f7** ♖e6 **86. ♔g5** ♖d6 **87. ♖f8** ♖d7 **88. ♔f4** ♖a7 **89. ♖f5** ♔a6 **90. ♔e3** ♖d7 **91. ♖c5** ♗b5 **92. ♔e4** ♖d8 **93. ♖c7** ♖d7 **94. ♖c8** ♔b7 **95. ♖c5** ♔a6 **96. ♖g5** ♗c6 **97. ♔e3** ♖d3 **98. ♔e2** ♖d5 **99. ♖g6** ♔b5 **100. a6** ♖d7   1/2 : 1/2
Gel'fand

416.   D 48

B. ALTERMAN 2615 − CH. GABRIEL 2575

Bad Homburg 1997

1. d4 d5 2. c4 c6 3. ♘c3 e6 4. e3 ♘f6 5. ♘f3 ♘bd7 6. ♗d3 dc4 7. ♗c4 b5 8. ♗d3 a6 9. e4 c5 10. d5 ♕c7 11. de6 fe6 12. 0−0 ♗b7 **13. ♗c2 c4 14. ♘d4 ♘c5 15. ♗e3 e5 16. ♘f3 ♖d8 N 17. ♕e2 ♗e7 18. a4!** [18. ♘g5 h6 19. ♗c5 hg5 20. ♗e3 g4 21. a4 b4 22. ♘d5→] ♘ce4□ [18... b4 19. ♕c4 bc3 20. b4 ♘fe4 21. bc5 ♘c5 22. ♖ad1→C] **19. ♘e4 ♗e4 20. ♗e4 ♘e4 21. ab5 ab5 22.**

♖a7 ♕d6 [22... ♕b8 23. ♘h4!±] **23. ♗d4!** [23. ♗f4 ♕d3! (23... ef4 24. ♕e4+−) 24. ♕d3 cd3 25. ♗e5 d2 26. ♖d1 ♗c5!; 23. ♗h6 gh6 24. ♕e4 0−0 25. ♘e5 ♕e6!±] ♘g5 [23... ♘d2 24. ♕d2 ed4 25. ♖e1 ♖d7 26. ♖a8 ♖d8 27. ♖d8 ♕d8 28. ♕g5 ♔f8 29. ♕b5+−; 23... ed4 24. ♕e4 ♖d7 (24... ♕c5 25. ♖b7 ♖f8 26. ♖e1 ♖d7 27. ♖b8 ♖d8 28. ♖b5+−) 25. ♖a8 ♖d8 26. ♖d8 (26. ♖e1?? 0−0) ♕d8 27. ♘d4+−] **24. ♘e5 0−0 25. ♘c6!** ♘f3 **26. ♕f3** [26. gf3!? ♕g6 27. ♔h1 ♕c6 28. ♖e7 ♖d4 29. ♖g7! ♔g7 30. ♕e7 ♔g8 31. ♖g1 ♕g6 32. ♕e6 ♖f7 33. ♖g6 hg6 34. ♕e8! ♖f8 35. ♕g6 ♔h8 36. ♕h5 ♔g8 37. ♕b5 ♖df4 38. ♔g2+−] ♖f3 **27. ♘e7 ♔f8 28. ♗g7 ♔e8**

29. ♘c6!+− ♕e6 **30. ♘d8 ♔d8 31. gf3** ♕g6 **32. ♔h1** ♕d3 **33. ♖fa1** ♕f3 **34. ♗g1** ♕g4 **35. ♔f1** ♕h3 **36. ♔e1** ♕e6 **37. ♗d2** ♕d5 **38. ♔e3** [38. ♔c3 ♕d3 39. ♔b4 ♕d2 40. ♔b5 ♕d5 41. ♔b4 ♕d2 42. ♔c4 ♕c2 43. ♔d5 ♕b3 44. ♔e4 ♕c2 45. ♔e3 ♕c5 46. ♗d4] ♕d3 **39. ♔f4** ♕d2 **40. ♔e5** ♕b2 **41. ♔d6** ♕d2 **42. ♔c6**   1 : 0
B. Alterman

417.**   D 48

BANDZA 2395 − RUŽELÉ 2525

Plunge 1997

1. d4 d5 2. c4 c6 3. ♘f3 ♘f6 4. ♘c3 e6 5. e3 ♘bd7 6. ♗d3 dc4 7. ♗c4 b5 8. ♗d3 a6 9. e4 c5 10. d5 c4 11. de6 fe6 12. ♗c2 ♕c7 13. 0−0 ♗b7 [RR 13... ♗c5 14. e5 ♘e5 15. ♗f4 ♗d6 16. ♘e5 ♗e5 17. ♗e5 ♕e5 18. ♖e1 ♕c5 19. ♘e4 ♘e4 20. ♗e4

♖a7 21. b4 ♕c7!? N (21... ♕g5 — 68/400)
22. ♕h5 ♕f7 23. ♗c6 (23. ♕c5?! ♖c7 24.
♗c6 ♗d7 25. ♗d7 ♕d7 26. ♖e6 ♕e6 27.
♕c7 0−0∓ ♔c; 23. ♕h3!? ♖c7 24. ♖ad1
h6!? △ 0−0) ♔f8 24. ♕h3 (24. ♕c5 ♕e7
25. ♕b6 ♔f7 26. ♖ad1 ♖c7 △ ♖d8) ♖c7
25. ♖ad1 a) 25... ♕f6?! 26. ♗e4 ♔f7 (26...
♔e7 27. ♕g3) 27. ♖e3 ♖d8 28. ♖de1 Vi.
Ivanov; b) 25... ♔e7 26. ♕e3!□ ♖c6 27.
♕a7 ♔f6 28. ♕d4 ♔e7= Vi. Ivanov 2390
− Mitenkov 2450, Moskva 1997] 14. ♘d4
♘c5 15. ♗e3 0-0-0 16. ♕e2 e5 17. ♘f3
♘e6 18. ♖ad1 [18. ♖fd1] ♗c5! 19. ♘d5□
♕d5 20. ed5 ♘f4 N [20... ♖d5? 21. ♗f5
♕f7 22. ♖d5+−; 20... ♗d5 21. ♗f5±; 20...
♘d4 − 69/409] 21. ♗f4 ef4 22. ♗f5 [22.
♘g5 ♗d5 (22... ♖d5? 23. ♕e6 ♕d7 24.
♗f5! ♖d1 25. ♕e5+−) 23. ♖d5 ♖d5 24.
♕e6 ♕d7 25. ♕a6 ♔b8 26. ♗e4 (26. ♘e6
♗a7) ♗a7! (26... ♖d1? 27. ♕a8 ♔c7 28.
♕b7 ♔d8 29. ♕b8 ♔e7 30. ♕e5+−; 26...
♖g5 27. ♕a8 ♔c7 28. ♕h8↑) 27. ♗d5
♕d5] ♔b8 23. ♗e6 ♖he8 24. ♕c2 [△
♖fe1, ♘e5, △ ♕h7; 24. ♕e4!?] ♗e7!□
[RR 24... g6 25. a4 ♖d6 26. ♘g5 ♗a7 27.
ab5 ab5 28. ♕c3 ♖a6 29. ♖fe1± P. Lukács
2475 − G. Siegel 2475, Budapest 1997] 25.
a4! [25. ♕h7 ♗f6 26. ♖d2 b4⇆ ♗f6 26.
ab5 ab5 27. ♖fe1 g6! [✕f5] 28. ♖e4 [28.
h4!?] ♖d6! 29. b3! c3□ 30. ♘d4 ♕b6 31.
♘e2?⊕ [⊙ 31. ♕c3! ♗d5 32. ♗d5 ♖e4
33. ♘c6! (33. ♗e4 ♗d4∓) ♕c6 (33... ♔c7
34. ♕c2!) 34. ♕c6 ♖c6 35. ♗c6=] g5 32.
b4 ♖ed8 33. ♕b3? [33. ♘c3? ♗c3 34.
♕c3 ♖e6−+; ⊙ 33. h4] ♕c7 34. h3 c2 35.
♖c1 ♖d5⊕   0 : 1   *Bandza*

418.   D 53
IVANČUK 2725 − GEL'FAND 2695
Dortmund 1997

1. d4 ♘f6 2. c4 e6 3. ♘f3 d5 4. ♘c3 ♗e7
5. ♗g5 h6 6. ♗h4 0−0 7. ♖c1 dc4 8. e3 c5
9. ♗c4 cd4 10. ♘d4 ♗d7 11. ♗g3 a6 12.
e4 ♘c6 13. ♘b3 b5!? N [13... ♕b6 −
64/417] 14. ♗d3 [14. ♗e2 a) 14... b4 15.
♘d5! ed5 (15... ♘e4 16. ♗c7±) 16. ed5
♕b6 17. dc6 ♗c6=; b) 14... e5 15. ♗f3
♗e6 16. ♘d5 ♘b4 17. ♗e5 ♘bd5 18. ed5
♗b4 19. ♔f1 ♗d5 20. ♗d5 (20. ♗f6 ♗c4

21. ♔g1 ♕f6 22. ♗a8 ♖a8∞) ♘d5] b4
[14... e5!? a) 15. 0−0 ♗e6 16. ♗h4 (16.
♘b5? ♘b4!) ♖c8=; b) 15. ♘d5 ♘b4! 16.
♘e7 (16. ♘f6=) ♕e7 17. ♗b1 (17. a3?!
♘d3 18. ♕d3 b4! △ ♗b5∓) ♗e6! 18. ♗e5
♘e4! 19. ♗e4 ♗b3 20. ♕b3 ♕e5 21. ♕b4
♖ae8=; 14... ♗e8!?] 15. ♘a4 ♘e5!? 16.
♗e5 ♗a4 17. ♕e2 [17. 0−0 ♗d6 18. ♗d6
♕d6 19. ♕e2 ♘d7 20. ♖fd1 ♖fd8=] ♕b6
[17... ♗b5 18. ♗b5 ab5 19. 0−0! (19. ♘d4
b3 △ 20. ♘c6 ba2!) ♖a2 20. ♘d4±↑] 18.
♗d4 ♕b8 19. e5 ♘d5 [19... ♘d7 20. ♕e4
g6 21. h4 ♖c8 22. h5! ♗b3 23. ♖c8 ♕c8
24. ab3 ♕c1 25. ♔e2±] 20. ♕e4 g6 21.
h4! [21. ♘c5 ♖c8 22. 0−0 ♗c5 23. ♖c5
♖c5 24. ♗c5 ♗b5=] ♖c8 [21... ♗b5!?]

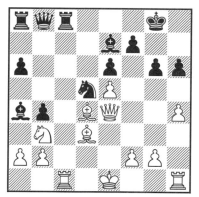

22. ♔d2!? [22. ♖d1! a) 22... ♗c6 23. h5!
♘c3 24. ♕g4 ♘d1 25. hg6→; b) 22... h5
23. g4 ♗c6 24. ♘a5! (24. gh5 ♘f6! 25. ef6
♗e4 26. ♗e4 ♗f6! 27. ♗f6 ♕f4 28. ♗a8
♕f6∞) ♗a4 25. gh5 ♗d1 26. ♔d1→; c)
22... ♗b3 23. ab3 ♗c5 24. h5 ♗d4 25.
♕d4 g5 26. g3±] ♗b5 23. ♗b1 ♖c1?!
[23... ♖d8 24. ♖hd1 △ ♔e1; 23... a5! a)
24. g3? (△ 25. h5 ♗g5) a4 25. h5 (25. ♘c5
♘c3!∓) ab3 26. hg6 ♖c1 27. gf7 ♔f8-+;
b) 24. ♖c8 ♕c8 25. ♔c1 ♖d8 26. ♔e1!
(26. g3 a4 27. ♘c5 ♘c3!) ♗h4 27. ♘c5!∞
△ 27... ♖c8 28. ♖d1 ♕e7 29. ♘e6!] 24.
♖c1 ♕d8 25. g3 ♗f8 [25... h5!?] 26. ♔e1
h5 27. ♗c5! ♖c8 [27... ♗h6 28. ♖d1 (28.
f4 ♖c8 △ 29. ♗b4? ♖c1 30. ♘c1 ♕b6→)
♖c8 29. ♗d6±] 28. ♗f8 ♖c1 29. ♘c1 ♕f8
30. ♕d4 ♕b8 31. ♘b3 ♕c7? [31... ♘e7
32. ♘c5 ♕c6? 33. ♕d6!±; 32... ♘f5±] 32.
f4 a5?! [✕a5; 32... ♔f8 33. ♕c5 ♕c5 34.
♘c5±] 33. ♕c5 ♕c5 [33... ♕b7 34. ♘a5?!

♕a6⇆; 34. ♗e4±] **34. ♘c5** [♘♗ 9/c] **♘e3
35. ♗e4 ♔f8 36. ♗f3 ♔e7 37. ♔f2 ♘f5
38. ♗e4?!⊕** [38. ♘b7 a4 39. a3! ×a4]
♘d4 39. ♘b7?! [39. a3!] **a4?** [39... ♗c6!
40. ♘c5 (40. ♗c6 ♘c6 41. ♔e3 f6! 42.
♔e4±) ♗e4 41. ♘e4±] **40. ♘d6 ♗a6 41.
a3!+− ba3 42. ba3 f6** [42... ♘e2 43. ♗b7!
♗b7 44. ♔e2] **43. ♔e3! ♘e2 44. ♗g6 ♘g3
45. ♘e4 ♘f1 46. ♔f2 f5 47. ♘c5 ♗c4 48.
♘a4 ♘d2 49. ♘c5   1 : 0   *Ivančuk***

419. !N   D 53
JE. PIKET 2630 −
VAN DER STERREN 2555
Antwerpen 1997

**1. d4 ♘f6 2. c4 e6 3. ♘f3 d5 4. ♘c3 ♗e7
5. ♗g5 h6 6. ♗h4 0−0 7. ♖c1 dc4 8. e3 c5
9. ♗c4 cd4 10. ♘d4 ♗d7 11. ♗g3 ♘c6! N
12. ♘db5** [12. ♘b3 ♘a5=] **a6 13. ♘d6 b5
14. ♗e2** [14. ♗b3; 14. ♗d3 ♕b6 15. 0−0
♘b4 △ ♘bd5] **♕b6 15. a4!** [15. 0−0?
♖ad8 16. ♕d2 ♗e8 17. ♖fd1 e5!; 15. ♖c2
△ ♖d2] **b4** [15... ba4?! 16. ♘c4 ♕b3 17.
0−0; 16. 0−0!?±] **16. ♘b1?!** [16. ♘c4
♕a7 17. ♘b1 ♖fd8 18. ♗f3 ♗e8 19.
♘bd2 a5 20. 0−0 ♖ac8 21. ♕e2 ♘b8=]
♘a5!? [16... ♖fd8?! 17. ♘d2 ♘a5 18.
♘f7±] **17. ♘f7!?** [17. 0−0 ♗c6] **♗c6!**
[17... ♖f7 18. ♗c7 ♕b7 19. ♗a5 ♕g2 20.
♗f3; 17... ♖ac8 18. ♖c8 ♖c8 19. ♘e5
♗a4 20. ♕a4 ♖c1 21. ♗d1 ♖b1 22.
♕c2↑] **18. ♘e5 ♗g2 19. ♖g1 ♖ad8 20.
♘d2 ♘e4!?** [20... ♗e4 21. ♘g6! ♗g6 22.
♗c7] **21. ♗d3 ♘d2** [21... ♘g3? 22. ♖g2↑;
22. hg3±] **22. ♖g2 ♕b7** [22... ♖d3!? 23.
♘d3 ♕b7 24. ♕d2 (24. ♔d2 ♕g2 25.
♗c7∞) ♘b3 (24... ♕g2 25. ♖c7) 25. ♖c7
♕g2 26. ♕c2 ♕h1 27. ♔e2 ♕f3=] **23.
♖g1?!** [23. ♕g4!? *a)* 23... ♘f3 24. ♘f3
♖d3 25. ♗e5 ♗f6 26. ♖c7 ×g7; *b)* 23...
♖d3 24. ♕e6 ♔h7 (24... ♔h8 25. ♘g6
♔h7 26. ♘f8 △ ♕f5) 25. ♕g6 ♔g8 26.
♕d3 ♕g2 27. ♔d2 ♖d8 28. ♘d7 △ ♖c7,
♔e2±; *c)* 23... ♖f5! 24. ♗f4 (24. e4!?)
♗f6 25. ♗f5 (25. ♖d1!?; 25. ♖c2) ef5 *c1)*
26. ♕g6 ♗e5 27. ♗e5 ♘f3 28. ♔e2 ♘e5
(28... ♖d2 29. ♔f1 △ ♕e8) 29. ♕e6 ♘f7
(29... ♔h8 30. ♕e5 ♕g2 31. ♕a5∞) 30.
♖cg1 g5!−+; *c2)* 26. ♕g3 g5!∓] **♘ab3**

[23... ♖d3 24. ♘d3 ♘f3 25. ♔f1 (25. ♔e2
♘g1 26. ♕g1 ♕f3−+) ♘b3 26. ♖c7∞)
25... ♕d5; 25... ♕e4!? △ ♖d8, ♘b3] **24.
♕g4 ♖d3!** [24... ♖f5 25. ♗f5 ef5 26. ♕f5
♘c1 27. ♕f7 ♔h7 28. e4 ♘d3 29. ♔d1
♘f2 30. ♔e2+−; 24... ♘f3 25. ♘f3 ♘c1
26. ♕e6 ♔h8 27. ♗e4⨵↑ ♖f6 28. ♕c4
♕c8 29. ♕c8 ♖c8 30. ♗e5] **25. ♕e6 ♔h7
26. ♕g6 ♔h8** [26... ♔g8 27. ♕e6=] **27.
♖c6!?** [27. ♕d3 ♘f3!!□ (27... ♘c1? 28.
♘g6 ♔g8 29. ♕d2 ♘b3 30. ♕d5!+−) 28.
♘f3 ♘c1 29. ♕d1 ♕f3 30. ♕c1 b3!∓↑ △
31. ♕c3 ♖d8 32. ♗d6 ♗f8−+] **♖d5 28.
♕e6** [28. e4?! *a)* 28... ♖d4?! 29. ♗f4 ♖e4
30. ♔d1 ♗f6 31. ♗h6!?↑ ♗e5 32. ♗g7
♗g7 (32... ♕g7 33. ♕h6 ♔g8 34. ♕e6) 33.
♕h5 ♔g8 34. ♖h6 ♖e1 35. ♔e1 ♘f3−+;
b) 28... ♖d6! 29. ♖d6 ♗d6 30. ♕d6 ♕e4
31. ♔d1 ♖c8! 32. ♘d3 ♘c4−+] **♖e5 29.
♗e5 ♘f3 30. ♔d1 ♗g5!** [30... ♖d8 31.
♔c2; 30... ♗f6 31. ♖g7!! ♗g7 (31... ♕g7
32. ♗f6 ♖f6 33. ♕f6+−) 32. ♕h6 ♔g8
33. ♗g7↑ ♕g7 34. ♖g6 ♖d8 35. ♔e2! (35.
♔c2 ♖d2 36. ♔b3 ♖b2 37. ♔c4 ♘e5)
♘g1 36. ♔f1 (36. ♔e1 ♘f3) ♖d1 37. ♔g2
♖d7↑] **31. ♖g5 ♘g5** [31... hg5 32. ♕h6
♔g8 33. ♗g7∞] **32. ♕h6 ♘h7 33. f4?⊕**
[33. ♔e2!?∓; 33. ♔e1!?∓] **♘a5 34. ♕g7
♕g7 35. ♗g7 ♔g7 36. ♖a6 ♘c4 37. ♖a7
♖f7??⊕** [37... ♔g6−+] **38. ♖f7 ♔f7** [♘♗
8/a] **39. ♔c2 ♘a5 40. ♔d3 ♔e6 41. ♔d4
♔d7 42. ♔c5 ♔c6 43. a5! ♘f6 44. a6 ♘e4
45. ♔d5** [45. ♔b6? ♘d6] **♘c3 46. ♔c4**
[46. ♔c5 ♘a4 47. ♔b5 ♘b2 48. a7 ♘a7
49. ♔b4 ♔d6] **♘d1 47. a7 ♘a7** [47... ♘e3
48. ♔d3 ♘a7 49. ♔e3 ♘c6 50. f5=; 47...
♘b2 48. ♔b3 ♘a7 49. ♔b2 ♔d6 50. e4 △
h4=] **48. ♔b4 ♘b2** [48... ♘e3 49. ♔c5
♘c6 50. h4! (50. b4? ♘f5 51. b5 ♘cd4
♘e6) ♘e7 51. h5 ♘7f5 52. h6 ♘h6 53. f5
△ b4=] **49. h4 ♔e6** [49... ♘d1!? 50. e4?
♘f2 51. h5 ♘g4 52. e5 (52. h6? ♘h6 53. f5
♘c6 △ ♘e5−+) ♘h6 53. ♔c5 (53. f5
♘c6−+) ♘c6 △ ♘e7; 50. h5!=] **50. h5
♘c6 51. ♔b5 ♘d8** [51... ♘e7 52. e4 ♘g8
(△ ♘h6) 53. h6 ♘h6 54. e5 ♘f5∓; 52. h6!
△ 52... ♘g6 53. e4 ♘f4 54. h7 ♘g6 55.
e5=] **52. h6 ♔f5** [52... ♘f7 53. h7 ♘d3 54.
♔c4 ♘f2 55. e4 ♘g4 56. e5 △ f5=] **53. e4
♔f4 54. h7 ♘f7 55. e5 ♔e5   1/2 : 1/2**
Je. Piket

420. **   **D 55**

B. ALTERMAN 2615 −
LIANG JINRONG 2425

Beijing (open) 1997

1. d4 d5 2. c4 e6 3. ♘c3 ♗e7 [RR 3... ♘f6
4. ♗g5 ♗e7 5. e3 0−0 6. ♘f3 h6 7. ♗f4
c5 8. dc5 ♗c5 9. cd5 ♘d5 10. ♘d5 ed5
11. ♗d3 ♗b4 12. ♔e2 ♘c6 13. ♗c2 ♖e8
14. ♕d3 g6 N (14... ♕f6 − 63/397) 15.
♗h6 ♗g4 16. a3? ♘e5 17. ♕d4 ♗c5∓ Ci-
fuentes Parada 2515 − Je. Piket 2640,
Nederland (ch) 1997; 16. ♖hg1; 16. ♔f1
Je. Piket] **4. ♘f3 ♘f6 5. ♗g5 h6 6. ♗f6
♗f6 7. e3 0−0 8. ♕d2** [RR 8. ♖c1 c6 9.
♗d3 ♘d7 10. 0−0 dc4 11. ♗c4 e5 12. h3
ed4 13. ed4 ♘b6 14. ♗b3 ♖e8 15. ♖e1
♗f5 16. g4 ♗e6 17. ♗e6 ♖e6 18. ♖e6 fe6
19. ♕e2 ♕e7 20. ♖e1 ♖e8 N (20... ♖d8 −
45/(518)) 21. ♕c2 ♕f7 22. ♘e4 ♖d8 23.
♘c5 ♗d4 24. ♘d4 ♖d4 25. ♘e6 ♖d6 26.
♕e4 ♖d5 27. f4 ♘d7 28. ♘d8 ♕f6 29.
♕e8 ♔h7 30. ♕e4 ♔g8= Gel'fand 2695
− Kramnik 2770, Dortmund 1997] **c6 9.
h4 ♘d7 10. 0-0-0 g6 11. h5 g5 12. ♔b1 N**
[12. e4] **♗g7 13. ♗d3!?** [13. e4 de4 14.
♘e4 ♕e7 15. ♗d3 b6] **dc4** [13... f5 14.
g4!? (14. cd5) fg4 15. ♘h2 ♘f6 16. e4] **14.
♗c4 c5! 15. ♕c2** [15. dc5!? ♕c7 16. b4
♘e5 (16... a5 17. ♘b5 ♕b8∞ 18. ♘d6
♖d8 19. ♘g5! hg5 20. h6 ♗f6 21. h7 ♔g7
22. ♕e2±) 17. ♘b5 ♕b8 (17... ♘c4 18.
♘c7 ♘d2 19. ♖d2±) 18. ♘d6 ♘f3 19. gf3
a5⧫] **cd4 16. ♘d4 ♕e7** [16... ♕b6 17.
♘a4 △ 17... ♕a5? 18. ♘e6 fe6 19. ♗e6
♖f7 20. ♖d5 ♕d8 21. ♗f7 ♔f7 22.
♖hd1+−] **17. f4 ♘b6 18. ♗b3 e5?** [18...
♗d7! 19. ♕e4 ♖fc8 20. ♘f5 ♕f6 21. ♘g7
♗c6 22. ♕d4 ♕d4 23. ♖d4 ♔g7∞] **19.
♘f5 ♗f5 20. ♕f5 ef4 21. ef4 gf4 22. ♕f4
♖ad8 23. ♖d8 ♖d8 24. ♖f1 ♖f8 25.
♕e4!?±** [25. ♘e4 ♔h8 (25... ♘c8 26. g4±)
26. ♘d6±] **♘c8** [25... ♕e4 26. ♘e4 ♘c8
27. g4±] **26. ♕e7 ♘e7 27. ♘e4 ♘c6 28.
♘d6 ♘d8 29. ♖d1! ♗f6** [29... ♔h8□ 30.
♘e4+− ♔g7 31. ♖d7 ♖e8 32. ♗d5 a5
[32... ♖e7? 33. ♘f6] **33. a4?!** [33. a3] **♗e7
34. g4 ♘c6! 35. ♘g3!** [35. ♖b7 ♘b4⇆]
**♘b4 36. ♘f5 ♔f6 37. ♘e7 ♖e7 38. ♖e7
♔e7 39. ♗b7 ♔f6** [39... f6 40. ♔c1 ♔d6
41. ♔d2 ♔e5 42. ♔c3 ♘a2 43. ♔c4 ♘b4

44. ♔b5 ♔d6 45. b3 ♘d3 46. ♔a5 ♔c5
47. ♗f3 ♔b4 48. ♗e4 ♘a2 49. ♔a6 ♘b4
50. ♔b7] **40. ♔c1 ♘d3 41. ♔c2 ♔c5 42.
♗c6 ♔g5 43. ♔c3 ♔g4 44. ♔c4 ♘a6 45.
♔b5 ♘b4 46. ♗d7 f5 47. ♔a5 ♘d3 48.
♔b5 ♘e5 49. ♗f5 ♔f5 50. a5 ♘f7 51. a6
♘d6 52. ♔c6 ♘c8 53. ♔b7 ♘d6 54. ♔b8**
1 : 0   *B. Alterman*

*Just like karpov in his pomp! He
exploits the novelty
18... a5 in the endty*

421. .18... a5 in the endty   **D 56**

AN. KARPOV 2745
− YUSUPOV 2640

Dortmund 1997

**1. d4 ♘f6 2. c4 e6 3. ♘f3 d5 4. ♘c3 ♗e7
5. ♗g5 h6 6. ♗h4 0−0 7. e3 ♘e4 8. ♗e7
♕e7 9. ♖c1 c6 10. ♗d3 ♘c3 11. ♖c3 dc4
12. ♗c4 ♘d7 13. 0−0 b6 14. ♗d3 c5 15.
♗e4 ♖b8 16. ♕a4 ♗b7 17. ♗b7 ♖b7 18.
♕c2 a5 N** [18... ♖c8 − 68/402] **19. a3
♖e8!?** [△ 20... e5 21. ♕e4 ed4 22. ♕b7
dc3 23. bc3 ♘e5=] **20. ♖d1 ♖bb8 21. h3**
[21. dc5 ♘c5 22. b4 ab4 23. ab4 ♘a6 24.
b5 ♘c5 25. ♘e5 ♖a8 26. ♘c6 ♕f6⇆]
♖bd8 [21... e5 22. de5 ♘e5 23. ♘e5 ♕e5
24. ♖cd3±] **22. ♖cd3 ♖c8** [22... cd4 23.
♖d4 ♘c5 24. b4 ab4 25. ab4 ♘a6 26.
♕c4!±] **23. d5 ed5** [23... e5 24. d6 ♕e6
25. e4 △ ♖d5±; 24. e4±] **24. ♖d5 ♘f6 25.
♖e5!** [25. ♖5d3 b5=] **♕c7 26. ♖e8 ♖e8
27. a4!±** ♖d8 [27... ♘d7 28. ♘d4!±] **28.
♖d8 ♕d8** [♕ 8/c] **29. ♘e5 ♕d5 30. ♘c4
♘d7 31. b3 f5 32. ♔f1** [32. g4 g6 (32... fg4
33. hg4 △ 33... ♕f3 34. ♕f5!±) 33. gf5
gf5 34. ♕c3±] **♔f7 33. f3 ♔e7 34. ♔e2
♕e6 35. ♕c3 ♘f6 36. ♔f2 ♘d7 37. g4!
♔c6?** [37... fg4 38. hg4±; 37... g6 38.
♕e5!±] **38. ♕e5! ♕e5□ 39. ♘e5 ♔d5 40.
♘c4 fg4 41. ♘b6 ♔c6 42. ♘c4 gf3 43.
♔f3 ♔d5 44. ♘a5** [♘♗ 2/f] **g5 45. ♘c4
h5 46. ♘d2! ♔e5 47. e4** [47. a5 ♔d5 48.
e4 ♔c6 49. e5 ♘e8 50. ♔e4 ♘g7 51. ♘c4
♔b5⇆] **♘e8** [47... ♔d4 48. a5 ♘d7 49. a6
♘e5 50. ♔e2 ♘c6 51. ♘f3+−] **48. ♔e3
♘c7 49. ♘c4 ♔f6 50. ♔f2 ♘a6 51. ♔g3
♔b4 52. h4 ♘c6 53. a5 ♘b4 54. ♘d2 ♘c6
55. a6 gh4 56. ♔h4 ♔e6 57. ♔h5 ♔d7 58.
♔g6 ♔c7 59. ♘c4 ♔b8 60. ♔f6 ♔a7 61.
e5 ♔a6 62. e6 ♔b5 63. e7** [63... ♘e7 64.
♔e7 ♔b4 65. ♘d2 ♔c3 66. ♔d6+−]
1 : 0   *An. Karpov*

422. !N D 62

A. KUZ'MIN 2525
– UBILAVA 2520

Benasque 1997

1. d4 d5 2. c4 e6 3. ♘c3 ♗e7 4. ♘f3 ♘f6 5. ♗g5 0–0 6. e3 ♘bd7 7. ♕c2 c5 8. cd5 ♘d5 9. ♗e7 ♕e7 10. ♘d5 ed5 11. ♗d3 g6 12. dc5 ♘c5 13. 0–0 ♗d7 [13... ♗g4 — 69/416] 14. ♖ac1 ♖ac8 15. ♕d2 b6 [15... ♘e4?! 16. ♕a5 ♗c6 17. ♕a7 ♖a8 18. ♕d4 (18. ♕b6 ♖a2 19. ♘d4±) ♖a2 19. ♘e5!?± △ 20. ♘c6, △ 20. ♗e4 de4 21. ♘g4] 16. ♗e2 ♖fd8 [16... ♗e6 17. ♕d4!? (△ 18. b4 ♘e4 19. ♗a6; 17. b4 ♘e4 18. ♕d4 ♖c1 19. ♖c1 ♖c8 20. ♖c8 ♗c8 21. a3±) a5 18. ♖c3 ♖c7 19. ♖fc1 ♖fc8 20. ♕f4±; 18... ♕b7±] 17. b4! N [17. ♕b4] ♘e4 [17... ♘e6 18. a3 ×d5] 18. ♕d4 [18. ♕d5? ♘c3 19. ♖c3 ♖c3 20. ♖d1 ♖cc8∓] ♗e8?! [18... ♖c1 19. ♖c1 ♖c8 20. ♖c8 ♗c8 21. ♕d5?! ♘c3 22. ♕c4 (22. ♕a8? ♘e2 23. ♔f1 ♕d8 24. ♔e2 ♗a6–+) ♘e2 23. ♕e2 ♕b4=; 21. a3±] 19. a3 ♖c7 20. ♗d3!± ♘d6 [20... ♖c1 21. ♖c1 ♘f6 22. ♘e5±] 21. ♖c7 [21. ♕d5?! ♘c4 22. ♕e4 ♕e4! 23. ♗e4 ♖dc8 24. ♖c3 ♘d6∓] ♕c7 22. ♕d5 ♕c3 [22... ♘b5 23. ♕b3 ♕c3 24. ♕c3 ♘c3 25. ♘d4±] 23. ♕d4! ♕a3 [○ 23... ♕d4 24. ♘d4 ♖c8 25. ♗a6 ♖c3 26. ♖a1 △ ♔f1±] 24. ♕f6!+– ♖d7 [○ 24... ♘b7 25. ♗e4 ♖d7 a) 26. ♕e5 ♘d6□ (26... ♔f8 27. ♘g5) 27. ♗c6 ♖d8 28. ♕e7 ♖c8 29. ♗e8 ♘e8 30. ♘e5 ♕a2 31. f4±; b) 26. ♘e5! ♖c7□ (26... ♖d6 27. ♕f4 ♕a6 28. b5) 27. ♘g4! ♕b4 28. ♕e5 ♘d6 (28... ♖e7 29. ♘h6 ♔f8 30. ♕h8#) 29. ♘f6 ♔f8 30. ♘d5!] 25. ♘e5 ♕b4 26. ♘d7 ♗d7 27. ♕d8 ♗e8 28. ♖b1 ♕c5⊕ 29. ♗b5? [29. ♗g6 hg6 30. ♖d1] ♕f5! 30. ♖d1 ♕b5 31. ♖d6 ♕e5 32. ♖d5 ♕e6 33. ♖d6 ♕e5 34. ♖d7 ♕a1 35. ♖d1 ♕e5 36. ♕a8 a5 [36... ♕e7 37. ♕b8 △ ♖a1+–] 37. ♕d8 ♕b5 38. h4 a4 39. ♖d6 ♕b1 40. ♔h2 ♕e4 41. ♖b6+– ♕e5 42. g3 h6 43. ♖b8 ♔f8 44. ♖a8 ♕e4 45. ♕c8 h5 46. ♕b8 ♕c6 47. ♔g1 ♕c1 48. ♔g2 ♕c6 49. ♔h2 ♕e7 [49... ♕e4 50. ♕c8⊙; 49... ♕e6 50. ♕c8 ♕e4 51. ♔g1 ♕b1 52. ♔g2 ♕e4 53. ♔h2⊙] 50. ♕b4 ♔f6 51. ♕d4 ♕e7 52. ♖a7 ♗d7 53. e4 ♕b5 54. ♔g2 ♔e6 55. ♕d5 ♕d5 56. ed5 ♔d6 57. ♔f3 ♗f5 58. ♖a5 ♔e5 59. ♔e3 ♗c2 60. f4 ♔f5 61. ♔d4 ♗b3 62. d6 ♔e6 63. ♔c5 1 : 0

A. Kuz'min

423.*** !N D 76

D. IPPOLITO 2390 –
YERMOLINSKY 2650

Orlando 1997

1. d4 ♘f6 2. ♘f3 g6 3. c4 ♗g7 4. g3 d5 5. cd5 ♘d5 6. ♗g2 0–0 7. 0–0 ♘b6 8. ♘c3 ♘c6 9. e3 [9. d5 ♘a5 10. ♕c2 a) 10... c6 11. dc6 ♘c6 12. ♖d1 ♗f5 13. e4 ♗d7 14. ♕e2?! (14. ♗f4 — 69/(421)) ♕c8 15. ♗e3 (△ ♖ac1±) ♗c3! N (15... ♗g4) 16. bc3 ♗g4 (△ ♘e5) 17. ♕b5 (17. ♗h6 ♖e8 18. e5 ♕f5; 17. ♗d4 ♕e6) ♕e6 18. ♘d4 (18. ♖d5? ♗f3 19. ♗f3 ♘d5 20. ed5 ♕f5 21. ♗g2 ♘e5∓) ♕c4 19. ♖db1□ (19. f3 ♘d4 20. ♕c4 ♘f3! 21. ♗f3 ♘c4–+) ♕b5! 20. ♘b5 (20. ♖b5 ♗d7 21. ♘c6 ♗c6 22. ♖b4=) ♘c4 21. ♗h6 ♖fc8 22. h3 ♗d7 23. ♘d4 1/2 : 1/2 A. Gol'din 2595 – Yermolinsky 2650, Orlando 1997; b) RR 10... ♘d5 11. ♖d1 c6 12. ♘e1 ♗d7 13. ♘d5 cd5 14. ♖d5 e6 15. ♖d3 ♖c8 16. ♕d1 ♖c7 17. ♗f4 e5 18. ♖c1 N (18. ♗g5 — 64/423) ♘c6 19. ♗c6 bc6 20. ♗e3 ♕c8 21. ♕d2 ♗f5 22. ♖d6 ♕a6 23. b3 ♖e8 24. ♘d3 ♗f8 25. ♘c5 ♕c8 26. ♖d1 h5 27. ♗h6 ♗d6 28. ♕d6 f6 29. ♕f6 ♖f7 30. ♕d6∞ Pigusov 2560 – Ye Jiangchuan 2530, Beijing 1997] ♖e8 10. ♕e2 [RR 10. d5 ♘a5 11. ♘d4 ♗d7 12. ♕e2 ♕c8!? (12... c6 — 46/(602)) 13. ♗d2!? N (13. ♖d1; 13. a4) ♘ac4 14. ♗e1 ♗d4 15. ed4 ♗h3 16. a4 ♗g2 17. ♔g2 a5 18. b3 ♘d6 19. g4 e6 20. de6 ♕e6 21. ♕e6 ♖e6 22. f3= Va. Salov 2665 – Sakaev 2580, Sankt-Peterburg 1997] e5 11. ♘e5 ♘e5 12. de5 ♗e5 13. ♖d1 [13. e4 ♗e6 14. ♖e1 ♕c8] ♕e7 14. e4 h5 [△ h4 ×g4] 15. h3 [15. f4? ♗c3 16. bc3 ♗g4–+] h4! N [15... c6 — 66/(393)] 16. g4 [16. f4? ♗c3 17. bc3 hg3 △ ♕h4] g5!? 17. a4 [17. ♕c2 c6 (17... ♗e6 18. ♘d5) 18. ♘e2 (△ f4) ♗e6 19. f4 gf4 20. ♘f4 ♖ad8] c6 18. a5 ♘d7 19. ♕d2 ♗f4 [19... f6 20. a6 (20. ♘e2 ♘c5∓) b6 21. ♘d5 ♕d6 22. ♘e3∞ ×f5] 20. ♕d4 ♘e5!? [20... ♗c1 21. ♖ac1 ♘e5 22. ♘e2±; 20...

♗e5 21. ♕d2=] **21. ♘e2 ♕f6 22. ♗e3?!**
[22. ♘f4 gf4 23. ♕d2 ♕g6 (23... ♗g4?!
24. hg4 ♖ad8 25. ♕c2 h3 26. ♗f1±) 24.
♖a3 ♗e6∞ △ 25. ♖d3? ♘e5 26. ♖d4
c5−+] **♗e6 23. ♕c3 ♗e3 24. ♕e3⊕ ♘c4
25. ♕d4** [25. ♕c5 ♘b2 (25... ♕b2 26.
♘d4) 26. e5 ♕e7 27. ♕e7 ♖e7 28. ♖db1
♘d3 29. a6 ba6∓] **♕d4 26. ♘d4 ♘e5 27.
♖ac1** [△ a6] **♖ad8∓ 28. b4 f6** [28... ♔g7
29. b5 cb5 30. ♘e6 fe6 31. ♖c7 ♔f6 32.
♖d8 ♖d8 33. ♖b7⇆] **29. ♔h1? ♖d6?** [29...
♖d7 30. ♘e6 ♖d1 31. ♖d1 ♖e6 32. ♖d8⇆;
29... ♔f7 30. a6 b6 31. ♘f5; △ 29... a6] **30.
♘e6?** [30. a6 b6 31. ♘f5 ♖d1 32. ♖d1
♔f8] **♖ee6 31. ♗f1 a6!∓ 32. ♔g2 ♔f8 33.
♗e2 ♔e7 34. ♗f1?** [34. ♔f1∓] **♖d1 35.
♖d1 ♖d6 36. ♖d6 ♔d6 37. f3 c5−+ 38.
b5 ab5 39. ♗b5 c4 40. ♔f2 ♔c5 41. a6
ba6 42. ♗a6 ♔d4 43. ♗b5 ♘d3**   0 : 1
Yermolinsky

424.** !N   D 78
ROMANIŠIN 2550
− MACIEJA 2470
Koszalin 1997

**1. d4 ♘f6 2. ♘f3 g6 3. g3 ♗g7 4. ♗g2 d5
5. c4 c6 6. 0−0 0−0 7. ♗f4** [RR 7. ♘bd2
a) 7... a5 8. b3 a4 9. ♗b2 ♕a5!? N (9...
♗f5 − 53/441) 10. ♕c1 ♗f5 11. ♗c3 ♕a6
12. ♘e5 ♘bd7 13. ♘d7 ♘d7 14. e4 de4 15.
♘e4 e5 16. de5 ♗e4 17. ♗e4 ♘e5= P.
Nikolić 2655 − I. Sokolov 2615, Nederland
(ch) 1997; *b)* 7... ♗f5 8. b3 ♘e4 9. ♗b2
♘d7 10. ♘h4 ♘d2 11. ♕d2 ♗e6 12. cd5
(12. e4 − 3/643, 644) cd5 13. ♕b4 ♖b8!?
N (13... a5) 14. ♖fc1 ♖e8 15. e3 ♗f8 16.
♕a4 a6 17. ♗c3 ♘f6 18. ♘f3 ♗d7 19.
♕a5 e6 20. ♕d8 ♖ed8= An. Karpov 2745
− Topalov 2745, Dortmund 1997] **dc4! N**
[7... ♘e4 − 53/(440)] **8. ♕c1** [8. a4?! ♘d5
9. ♗d2 c5] **b5 9. ♗h6 ♗b7 10. ♗g7 ♔g7
11. ♘c3 ♘bd7** [11... ♕b6!? *a)* 12. e4 c5
(12... b4? 13. e5±) 13. e5 (13. d5 b4∓)
♘e4!∓; *b)* 12. a4 a6 13. e4 c5 14. ♕e3!?∞
Romanišin] **12. e4∞ b4□ 13. e5! bc3 14. ef6
♘f6** [14... ef6?! 15. ♕c3 ♘b6 16. ♘d2±]
**15. ♕c3 ♗a6 16. ♘e5 ♘d5 17. ♕a3 ♗b5
18. ♖fc1 ♘b6! 19. ♕c3?!** [19. ♘c6 ♗c6
20. ♗c6 ♖c8 21. d5 ♖c7±] **♕d6 20. ♘c6
♘a4! 21. ♕a3** [△ 21. ♕b4=] **♕a3 22. ba3**

---

e6 23. ♘e5 ♖ad8 [23... ♖ac8!? 24. ♖ab1
(24. ♗f1 ♖c7!∓ Romanišin) a6 25. ♖b4 (△
26. ♗b7 ♖c7 27. ♗a6!) ♖c7 26. ♗c6!=]
24. ♘c4=   1/2 : 1/2   *Macieja*

425.   D 82
VAN WELY 2655 − SVIDLER 2660
Tilburg 1997

**1. d4 ♘f6 2. c4 g6 3. ♘c3 d5 4. ♗f4 ♗g7
5. e3 c5 6. dc5 ♕a5 7. ♕a4 ♕a4 8. ♘a4
♗d7 9. ♘c3 ♘e4!? N** [9... dc4 − 68/410]
10. ♘d5 [10. ♘ge2 *a)* 10... ♘a6 11. cd5
♘ac5 *a1)* 12. ♘e4 ♘e4 13. ♘d4 (13. f3
♗b2 14. ♖b1 ♘c5) ♖c8 14. ♖d1 (14. ♗d4
♗d4 15. ed4 ♘f6 16. ♗e5 ♖c2∞) ♗d4
(14... ♗a4!? 15. b3 ♗d7∞ △ ♘c3) 15.
♖d4 ♖c1 16. ♔e2 f5 (16... ♗b5 17. ♔f3
♗f1 18. ♖e4 ♗e2 19. ♔e2 ♖h1 20. d6 e6
21. ♖c4+−) 17. ♖b4 ♖c2 18. ♔d1 ♖c5∞;
a2) 12. ♘d4 ♘c3 13. bc3 ♖c8∞; *a3)* 12.
♖d1! ♖c8 13. ♘e4 ♘e4 14. f3 ♘c5 15.
b3±; *b)* 10... ♘c5!? 11. ♘d5 ♘d3 12. ♔d2
♘f2 13. ♘c7 ♔d8 14. ♘a8 e5 15. ♗g5
f6∞ ╳♘a8] **♘a6 11. f3** [11. ♖b1!? ♗f5!∞]
♘ec5 12. 0-0-0 [12. ♗g5 ♗b2 13. ♖b1
f6=; 12. ♖b1!? *a)* 12... ♖c8 13. ♗g5! f6
14. ♗h4 g5 15. ♗g3 e6 16. ♘c3 ♘b4 (16...
f5 17. ♖d1 ♘a4 18. ♘a4 ♗a4 19. b3 ♗c6
20. ♗d6±) 17. ♖d1 f5 18. ♖d2!±; *b)* 12...
e6 13. ♘c7 ♘c7 14. ♗c7 ♘a4!∞] **e6** [12...
♖c8 13. ♗g5 f6 14. ♗h4 g5 15. ♗e1±] **13.
♘c7** [13. ♘c3 ♗c3 (13... ♖c8 14. e4! ♗c3
15. bc3 f6 16. e5±) 14. bc3 f6⊠ △ e5, ♗e6,
♖c8] **♘c7 14. ♗c7 ♖c8 15. ♗d6 b5! 16.
b3□ bc4 17. ♗c4 ♘a4! 18. ♖d2□ ♗b5
19. ♖c2 ♗c4 20. bc4 ♔d7 21. c5** [21. ♗a3
♖c6 22. ♘e2 ♖hc8 23. ♖d1 ♔e8=] **♖c6!
22. ♘e2** [22... ♘c5! 23. ♖d1! (23. ♗c5
♖hc8 24. ♖d1 ♔e8 25. ♔d2 ♖c5 26. ♖c5
♖c5∓) ♖d6 24. ♖c5= △ ♖a5]   1/2 : 1/2
Svidler

426. !N   D 84
VOLŽIN 2495 −
V. MIKHALEVSKI 2535
Ålborg 1997

**1. d4 ♘f6 2. c4 g6 3. ♘c3 d5 4. ♗f4 ♗g7
5. e3 0−0 6. cd5 ♘d5 7. ♘d5 ♕d5 8. ♗c7**

♘c6 9. ♘e2 ♗g4 10. f3 ♖ac8 11. ♘c3 ♕e6 12. ♗f4 ♘d4 13. fg4 ♖fd8 14. ♗d3 ♘c6 15. ♕b1 ♕b4?! [15... ♘e5 — 36/541] 16. ♗e2! [16. ♗e4 ♕c4! △ 17. a3 ♘a6] ♖c3!□ 17. bc3 ♗c3 18. ♔f2 ♖d2 19. ♖d1! ♘d3!□ N [19... ♖b2 20. ♗h6! ♕f6□ 21. ♕f5!!+−] 20. ♔f1□ [20. ♔f3? ♘f4 21. ♖d2 ♗d2 22. ♕b3 ♕f6!−+; 20. ♕d3? ♖d3 21. ♗d3 ♗a1 22. ♖a1 ♕f6! △ g5] ♘f4!□ [20... ♖d1? (△ 21. ♗d1? ♘f4 22. ef4 ♕f6) 21. ♕d1+−] 21. ♖d2 ♕e3 22. ♖d8 [22. ♖c2? ♗d4] ♔g7 23. ♕d1? [23. ♗c4! ♘h3!□ (23... ♗a5? 24. ♕b2+−; 23... b5 24. ♗b5 ♕e5 25. ♖d1 ♘d5 26. ♖d5! ♕d5 27. a4!+−; 23... ♕e5 24. ♖d1! ♕f6 25. ♔g1! ♗d4 26. ♔h1 ♘h3! 27. ♖f1 ♘f2 28. ♖f2 ♕f2 29. ♕f1+−) 24. gh3 ♕h3 (24... ♕f3 25. ♔g1 ♕e3 26. ♔g2+−) 25. ♔e2! a) 25... ♕g4 26. ♔d3 ♗f6 (26... ♕f3 27. ♔c2 ♗f6 28. ♕e1!+−) 27. ♕f1!+−; b) 25... ♕g2 26. ♔d1 (26. ♔d3?? ♕d2 27. ♔e4 ♕d8) ♕g4 27. ♗e2 ♕a4 28. ♕b3!+−; c) 25... ♕h2 26. ♔d1! (26. ♔f3 ♕h3 27. ♔e4 ♕g2 28. ♔e3 ♕g3 29. ♔e2 ♕g4 30. ♔d3 ♗f6!!⯄) ♕c7 (26... ♕e5 27. ♗f7!) 27. ♕d3! ♗a1 28. ♖d7±] ♘e2 24. ♕e2 [24. ♖d3!? ♕g1! (24... ♕e5±) 25. ♔e2 ♕g2 26. ♔e3 ♕h3 27. ♔e4 f5!! (27... ♕g2 28. ♖f3 ♕g4 29. ♔e3 ♕e6 30. ♔f2 ♕b6 31. ♔f1 ♗a1 32. ♕a1 f6±) 28. ♔d5 (28. gf5 ♕f5 29. ♔e3 ♕e5 30. ♔f3 ♗a1∓) ♕g2 29. ♔c4 (29. ♖f3!? fg4 30. ♔c4! ♗e5!!⯄) ♕c6 30. ♔b3 ♗f6!! 31. ♖b1 ♕b5 32. ♔c2 (32. ♔a3 ♕a6!=) ♕c6! 33. ♔d2 (33. ♔b3 ♕b5∓) ♗g5 34. ♔e1 (34. ♖e3?! ♕d5 35. ♔c2 ♕d1 36. ♖d1 ♗e3∓) ♗h4 (34... ♕h1!?=) 35. ♔d2 (35. ♖g3? ♕h1−+) ♗g5=] ♕f4! 25. ♕f3 ♕c4! 26. ♕d3=   1/2 : 1/2   *V. Mikhalevski*

427.** D 85

GLEJZEROV 2545 − RYTSHAGOV 2485

Vilnius 1997

1. d4 ♘f6 2. c4 g6 3. ♘c3 d5 4. cd5 ♘d5 5. e4 ♘c3 6. bc3 ♗g7 7. ♗b5 [RR 7. ♗a3 b6!? N (7... 0−0 — 69/(427))] 8. ♗c4 ♗b7 9. ♕f3 0−0 a) 10. h4 h6 11. ♘e2 c5 12. ♕e3 ♕d7 13. ♗b3 cd4 14. cd4 ♘c6 15. ♖d1 ♘a5! 16. d5 ♖ac8 17. h5 g5 18. 0−0 ♘c4 19. ♗c4 ♖c4 20. f3 ♖fc8 21. ♕b3 ♖c2∓ Granda Zuñiga 2620 − Sión Castro 2440, León 1997; b) 10. ♘e2 c5 11. 0−0 ♘c6 12. ♗d5 e6 13. ♗c6 ♗c6 14. dc5 ♕e7 15. ♘d4 ♗a4 16. ♕e3 ♖ac8 17. ♘b3 ♖fd8 18. ♖fd1 ♖d1 19. ♖d1 bc5= Granda Zuñiga 2620 − Yermolinsky 2630, Wijk aan Zee 1997] c6 8. ♗a4 b5 9. ♗b3 b4 10. ♘e2 bc3 11. ♗e3 ♗a6 12. ♖c1 ♘d7 13. e5 ♕a5 14. ♕c2 c5 15. ♗f7!? N [15. f4 — 66/398] ♔f7 [15... ♔f8? 16. ♗e6! cd4 17. ♕e4!+−] 16. e6 ♔e8!? [16... ♔e6? 17. ♕e4 a) 17... ♔f6? 18. ♗g5!+−; b) 17... ♔d6? 18. ♗f4 e5 19. de5 ♘e5 20. ♖d1 ♔e6 (20... ♔e7 21. ♗e5 c2 22. ♗c3+−) 21. ♕d5 ♔f5 (21... ♔e7 22. ♗g5+−) 22. ♗e5 ♗e5 (22... c2 23. ♗c3+−) 23. ♘g3 ♔f6 24. ♕c6 ♔g7 25. ♖d7 ♔h6 26. ♘f5 ♔g5 27. h4 ♔f5 28. ♖f7 ♔g4 29. ♕f3#; c) 17... ♔f7□ 18. ♕d5 e6□ 19. ♕d7 ♔f8 c1) 20. dc5?? ♖d8−+; c2) 20. ♕d6 ♔f7 21. ♕d7 (21. ♘c3? ♖hc8! 22. ♕d7 ♔g8! 23. ♕e6 ♔h8∓; 21. ♕c5? ♕c5 22. dc5 ♖ab8↑) ♔f8 22. ♕d6=; c3) 20. ♘f4 ♗c4 (20... ♖e8 21. ♘e6 ♖e6 22. ♕e6 cd4 23. ♗f4+−) 21. d5! c2 (21... ♗d5? 22. ♘d5 ed5 23. ♕d6+−) 22. ♗d2 ♗c3 23. ♖c2 ♗d2 24. ♖d2 ♗d5 (24... ♕c3!?±) 25. 0−0!±; c4) 20. d5!? ♖e8 (20... ed5?? 21. ♕d6+−; 20... c2 21. ♔f1! ♗e2 22. ♔e2 ♕a6 23. ♔f3+−) 21. de6 ♖e7 22. ♕d6 ♖e2 23. ♔f1 ♕b5 24. ♖c2 ♕b1 25. ♖c1 ♗e2 (25... ♕a2? 26. ♕d8 ♖e8 27. ♗c5+−) 26. ♔e2 ♕a2 27. ♔f1 ♕e6 28. ♗c5+−; 16... ♔f8! 17. ed7 ♖d8 18. ♘f4!? (18. dc5!? ♖d7 19. ♘c3 ♖d3 20. ♗d2 ♕c5 21. 0−0∞) cd4! (18... ♖d7? 19. ♘e6 ♔f7 20. ♘c5±) 19. ♘e6 ♔f7 20. ♘g5 ♔f8 21. ♕b3!? (21. ♘e6=) c2□ 22. ♗d2 ♕e5□ 23. ♗e3 ♕a5□ 24. ♗d2 ♕e5=] 17. ed7 ♔d7 18. dc5 [18. 0−0!? ♖ab8! (18... ♗e2? 19. ♕e2 cd4 20. ♗d4 ♗d4 21. ♕g4±; 18... cd4? 19. ♗d4 ♗d4 20. ♖fd1±) a) 19. ♕e4?! ♕a2! (19... ♗e2?! 20. ♗g5!∞) 20. ♗g5 ♕e6!; b) 19. ♖fd1 ♖b2 20. dc5 (20. ♕c3!? ♕c3 21. ♘c3 c4±) ♔e8= − 18. dc5] ♖ab8! [18... ♕b5? 19. ♕d1 ♔e8 20. ♘c3; 19. ♘d4!±] 19. 0−0 [19. ♘c3?! ♖hd8↑] ♖b2□ 20. ♖fd1 ♔e8□ [20... ♔c7 21. ♕e4+−; 20... ♔c8? 21. ♕e4+−] 21. ♕e4□ ♖e2 [21... ♗e2=] 22. ♕a8 ♔f7 23. ♕d5 ♔e8 24. ♕a8 [24. ♗d4?? c2!−+] 1/2 : 1/2   *Glejzerov*

I. SOKOLOV 2615 − TIMMAN 2630

Malmö 1997

1. d4 ♘f6 2. c4 g6 3. ♘c3 d5 4. cd5 ♘d5
5. e4 ♘c3 6. bc3 ♗g7 7. ♗b5 c6 8. ♗a4
b5 9. ♗b3 b4 10. ♕f3 0−0 11. h4 bc3
[11... h5 12. ♕g3±] **12.** ♘e2 [12. h5?
♕d4] **h5** [12... ♗a6? 13. h5] **13.** ♕c3 ♗b7
14. 0−0!? N [14. g4? c5; 14. e5 − 57/(454)]
c5 [14... ♗a6!? 15. ♕d2!? (15. ♕c2 c5;
15. ♗c4 c5 16. ♗e3 ♕c8 17. ♖ac1 ♘c6
18. ♕a3 ♗c4 19. ♖c4 cd4 20. ♘d4 ♗d4
21. ♗d4 ♕e6 22. ♖fc1 ♘d4=) ♘d7 (15...
c5 16. ♗d5; 15... ♗e2 16. ♕e2 ♕d4 17.
♗g5⊡↑) 16. ♖d1 ♘c5! (16... c5 17. ♗b2±)
17. ♘f4! ♘b3 (17... e5? 18. ♘g6; 17...
♘e4? 18. ♕e3 △ ♘g6; 17... e6 18. ♗a3 △
18... ♘e4? 19. ♕c2 ♘d6 20. ♕c6) 18. ab3
♗b5∞] **15.** ♕c5 ♗e4 **16.** ♗g5 ♘d7 **17.**
♕a3 [17. ♕e7?? ♕e7 18. ♗e7 ♖fe8 19.
♗d6 ♗d3] ♗f6! [17... ♘f6 18. ♘f4 ♕d4
19. ♖ad1 ♕e5 (19... ♕b6 20. ♕e7) 20.
♖fe1±↑] **18.** ♖fe1 ♗g5? [18... e6 19. ♘f4
♗f5 20. d5 ed5 21. ♗d5 ♖c8 22. ♕g3
♗g5 23. hg5 ♖e8=] **19. hg5 e6** [19... ♘b6
20. ♘f4 ♗d5 21. ♘d5 ♘d5 22. ♖e5±] **20.**
♘f4 ♗f5 **21. d5! ed5** [21... ♕g5 22. ♘e6!;
21... e5 22. ♘e6!] **22.** ♗d5 ♖c8 **23.** ♖e7±↑
♕b6 **24.** ♖ae1 ♖c2 **25.** ♕f3 ♕c5 [25...
♘c5 26. ♗f7! ♖f7 27. ♕a8 ♖f8 28. ♕f8
♔f8 29. ♖e8 ♔f7 30. ♖1e7#; 25... ♗g4
26. ♕g3]

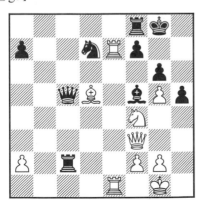

26. ♖d7! ♗d7 [26... ♗g4 27. ♗f7 ♖f7 28.
♖e8+−] **27.** ♘g6 ♕c3 [27... ♖c1 28.

♕f6!! ♖e1 29. ♔h2 ♔h7 30. ♘f8 ♕f8 31.
g6 ♔g8 (31... ♔h6 32. g7+−) 32. ♗f7+−]
28. ♕h5!! [28... ♕e1 29. ♔h2 ♕c3 (29...
♔g7 30. ♕h6) 30. ♘e7 ♔g7 31. ♕h6#]
1 : 0   *I. Sokolov*

ATALIK 2590 − B. ALTERMAN 2615

Beijing 1997

1. d4 ♘f6 2. c4 g6 3. ♘c3 d5 4. cd5 ♘d5
5. e4 ♘c3 6. bc3 ♗g7 7. ♗b5 c6 8. ♗a4
a5 9. ♘e2 b5 10. ♗b3 0−0 11. 0−0 a4 12.
♗c2 ♗a6?! N [12... c5 − 66/(399)] 13.
♖e1 ♘d7 [13... c5!?] 14. e5! e6 15. ♘g3 c5
16. ♘e4 ♕c7 [16... ♕a5 17. ♗d2±] 17.
♗a3 ♖fd8 18. ♗c5 ♘c5 [18... ♗e5 19.
de5 ♘c5 20. ♘f6 ♔g7 (20... ♔h8 21. ♕c1
♘d7 22. ♕h6 ♘f6 23. ef6 ♖g8 24.
♖e3+−) 21. ♕g4 ♘d7 22. ♕g5! (22. ♘h5
♔h8) ♕c3 23. ♖ac1 ♘f6 24. ♕f6 ♔g8 25.
♗e4 ♕a5 26. h4+−; 18... ♘e5! 19. ♗d6
♖d6 20. ♘d6 ♕d6 21. de5 ♗e5 22. ♕d6
♗d6 23. ♖ad1 ♗f8 24. ♖d7 ♖b8±] 19.
♘c5 ♕a5 20. ♕d2 ♖ac8 21. ♕e3 ♗f8 22.
♘e4 ♗b7 [22... b4 23. ♖ab1!] 23. ♘f6
♔h8 [23... ♔g7 24. ♕h3 h6 25. ♖e3 b4
26. ♕h6! ♔h6 27. ♖h3 ♔g5 28. f4 ♔f4
29. ♖f1 ♔g5 30. ♘h7 ♔g4 31. ♗d1 ♗f3
32. ♗f3 ♔f5 33. ♗e2 ♔e4 34. ♘f6#] 24.
♕h3 h6 25. ♖e3 ♖d4 [25... b4 26. ♗g6
fg6 27. ♖g3 ♕c7 28. ♖g6+−] 26. ♗g6!
♖dc4 27. ♗d3 ♕c3 28. ♖f1 ♗g7 29. ♕h5
♖f8 30. ♖h3 [△ ♕h6] ♕d2 31. ♗c4+−
bc4 32. ♖d1 ♕c2 33. ♖g3 [33. ♕g4+−]
♗e4 34. h4 ♗g6 [34... ♗f5!?] 35. ♕f3
♖b8 36. h5 ♗f5 [36... ♕d1 37. ♕d1 ♖b1
38. ♕b1 ♗b1 39. a3 ♗d3 40. f4] 37. ♖d7
♖f8 38. ♖g7 ♕c1 39. ♖d1 ♕d1 40. ♕d1
♔g7 41. ♕d4 ♖c8 42. ♕c3   **1 : 0**
                                            B. Alterman

ŠTOHL 2565 − BEREBORA 2395

Hrvatska 1997

1. c4 g6 2. ♘c3 ♘f6 3. d4 d5 4. cd5 ♘d5
5. e4 ♘c3 6. bc3 ♗g7 7. ♗b5 c6 8. ♗a4
0−0 9. ♘e2 ♗e6 10. 0−0 b5!? N [10...

&c4 11. &b3! &a6 (11... &b3 12. ab3⊞)
12. e5↑; 10... ♕a5 − 68/(411)] **11. &b3
&b3 12. ab3** [12. ♕b3 ♘d7 13. &g5
♘b6= △ ♘c4] **♘d7 13. e5!?⊞○** [13. ♖a6
c5⇆ △ 14. ♕d3? cd4 15. cd4 ♘c5!−+;
13. &e3 a5 14. ♖a2 (14. c4 bc4 15. bc4
c5=) ♘b6⇆ △ a4 ✕c4; 13. &g5 a5∞; 13.
b4 a5=] **♕c7** [13... c5 14. e6! (14. f4!?
cd4 15. ♘d4±) fe6 15. ♘f4 ♕b6 16. ♖e1
(16. ♕e2?! e5) e5 (16... cd4 17. ♘e6 dc3
18. ♘f8 ♖f8 19. &e3±) 17. de5 ♕c6 (17...
♘e5 18. ♖e5!±) 18. ♘d5↑] **14. ♕d3** [14.
&g5 f6 15. ef6 ef6 16. ♘f4 ♕b6 17. &d6
♖fe8 18. ♘f4 &f8=; 14. &a3 c5 15. f4
e6⇆] **a6?!** [14... ♖fd8 15. ♕h3 e6 16. &g5
♖e8 17. ♘g3 c5⇆⊞] **15. f4 e6** [15... c5 16.
f5↑] **16. c4! ♖fd8 17. &a3** [17. &d2! (△
&a5) ♘c5 (17... ♕b7 18. &a5 ♖dc8 19.
♘g3± △ ♘e4-d6; 17... c5 18. &a5 ♘b6
19. cb5±) 18. ♕c2 ♘b7 19. ♖fc1↑] **bc4 18.
bc4** [18. ♕c4 ♘b6 19. ♕c2 ♘d5⇆] **c5!□**
[18... &f8 19. &f8 ♘f8 20. c5± △ ♘g3-e4
✕d6, f6] **19. d5** [19. ♖ad1 cd4 20. &d6
♕a7!? 21. ♘d4 ♘c5 22. ♕e3 ♖dc8∞; 19.
♖ac1!? ♘e5!? (19... ♘b6? 20. &c5 ♕c5
21. dc5 ♖d3 22. cb6±; 19... ♕a7 20. d5
ed5 21. cd5 c4 22. ♕d4±; 19... cd4 20.
&d6↑ △ c5, ♘d4, ∂c) 20. fe5 &e5 21. d5
&h2∞] **f6 20. ♘c3** [20. d6? ♕c6∓ ✕⊞;
20. ef6 ♘f6 (20... &f6 21. ♖ab1±) 21.
♘c3 ♘h5∓; 21... ♘g4!? △ ♘e3] **fe5 21.
de6 ♘f6** [21... e4!? a) 22. ♕e4 &c3 23.
ed7 ♕d7!∓; b) 22. ♘e4 ♘f6! (22... &a1
23. ♖a1→ ✕♔g8) 23. ♕e2 (23. ♘f6 &f6
24. ♕e4 − 23. ♕e2) ♘e4 24. ♕e4 &a1
25. ♖a1 ♕d6 26. &b2 (26. ♖e1 ♕d4 27.
♕d4 ♖d4∓) ♖e8 27. ♖e1 ♖ab8∓; c) 22.
♕c2 &d4 23. ♔h1 ♘f6∓; d) 22. ♘d5!?
ed3 23. ♘c7 &d4! 24. ♔h1 &a1 25. ♖a1
(25. ed7 ♖a7 26. ♘e6 ♖dd7 27. ♖a1 d2 28.
♖d1 ♖e7∓) ♖ac8 26. ♘d5!? (26. e7 ♖e8
27. ♘e8 ♖e8∓) ♘b8 27. ♖d1!⊠↑] **22. ♘d5
♘d5?!** [22... e4? 23. ♘c7 ed3 24. e7 ♖dc8
25. ♘a8 ♖a8 26. &c5 ♘e4 27. ♖a6!+−;
22... ♕a7! 23. ♔h1 (23. ♘f6 &f6 24. ♕c2
♕e7 25. fe5 &g7=) e4 24. ♘f6 &f6 25.
♕e4 &a1 26. e7 (26. ♖a1?! ♖d4) &d4! 27.
ed8♕ ♖d8=] **23. cd5** [∂d, e] **ef4** [23... e4
24. ♕e4 &a1 25. ♖a1± →⫽a1-h8; 23... c4
24. ♕e4 ef4 25. d6! ♕b6 26. ♔h1 &a1 27.
♖a1±] **24. ♖ac1± ♕e5** [24... &f8 25.
&b2!±] **25. ♖fd1!□** [25. ♖c5?? ♕d4−+;

25. &c5 ♖d5 26. ♕f3 (26. ♕c4? ♖c5!−+)
♕e6 27. ♕f4 a5∓] ♕e3 [25... ♕d4 26.
♕d4 &d4 27. ♖d4 cd4 28. d6 (△ d7, &e7)
♖a7 29. ♖d1+−; 25... &f8 26. ♖e1! ♕d5
27. ♕d5 ♖d5 28. e7+−] **26. ♕e3 fe3 27.
&c5 e2 28. ♖d3 ♖ac8 29. ♔f2+− &h6**
[29... &f8 30. &e3] **30. ♖c4 &f8⊕ 31. e7!
&e7 32. &e7 ♖f8** [32... ♖c4 33. &d8] **33.
&f8 ♖c4 34. &h6**   **1 : 0**   *Štohl*

431.   D 85

R. ÅKESSON 2515
− TIMMAN 2630

Malmö 1997

**1. d4 ♘f6 2. c4 g6 3. ♘c3 d5 4. cd5 ♘d5
5. e4 ♘c3 6. bc3 &g7 7. &e3 c5 8. ♕d2
♕a5 9. ♖b1 b6 10. &b5 &d7 11. &d3
♘c6 12. ♘e2!?** N [12. ♘f3 − 55/(458)]
0−0 13. h4 [RR 13. dc5 ♘e5 14. cb6 ab6
15. 0−0 ♕a2 16. ♖b2 ♕a3 17. ♖b6 ♖fd8
18. ♘d4 ♖ac8⊞ Martín González] **♖fd8**
[13... h5!?] **14. h5 cd4 15. cd4 ♖ac8 16.
♕a5 ♘a5 17. &g5** [△ 17. ♖c1=] **f6 18.
&d2 ♘c4 19. &b4 e5 20. hg6** [20. ♖c1?
♘b2!; 20. d5 &f8∓] **hg6 21. de5 ♘e5 22.
&a6 ♖c2 23. f4** [23. ♖d1! ♖e8 (23... ♖a2
24. f4 ♖a6 25. fe5±) 24. f4 ♘c6∞] **♘c6
24. &c3 &g4 25. &c4 ♔f8 26. ♖b2□** [26.
♖c1 ♖c1 27. ♘c1 ♖d1−+]

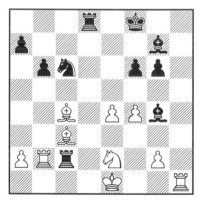

26... ♖c3! [26... &e2 27. ♖c2 &c4 28.
&f6±] **27. ♘c3 f5 28. e5 ♘e5! 29. fe5 &e5
30. ♖c2** [30. ♖d2 ♖c8! (30... &c3? 31.
♖h8!+−) 31. &e2 &c3 32. &g4 ♖c4!∓]
**&c3 31. ♔f2 &d4 32. ♔g3 &e5 33. ♔f2
f4 34. ♖h7 ♖d1 35. g3?⊕** [35. ♖f7 ♔e8

36. ♖e2! ♗e2 37. ♔e2∓] ♗d4 [36. ♔g2
♖g1−+] **0 : 1** *Timman*

432. !N   D 85

SHAKED 2500 −
G. KASPAROV 2820

Tilburg 1997

1. d4 ♘f6 2. c4 g6 3. ♘c3 d5 4. cd5 ♘d5
5. e4 ♘c3 6. bc3 ♗g7 7. ♗e3 c5 8. ♕d2
♕a5 9. ♖b1 b6 10. ♗b5 ♗d7 11. ♗e2
♗c6 12. ♗d3 ♘d7 [12... 0−0 − 58/511]
13. ♘e2 ♖d8! N 14. f3 [14. 0−0 cd4 *a)* 15.
cd4 ♕d2 16. ♗d2 ♘c5 17. ♖bc1 ♘d3 18.
♖c6 0−0 19. ♖c7 (19. ♗g5 ♖c8∓) ♖c8∓;
b) 15. ♘d4 ♗a4 (15... ♗b7!?) 16. ♗b5
♗b5 17. ♘b5 0−0 18. ♖fd1 h5∞; 14. d5
♘e5∞] **0−0 15. h4 h5** [15... cd4 16. cd4
♘e5 17. ♕a5 ♘d3 18. ♔d2 ba5 19. ♔d3
a6 20. ♘c3 ♗d4 21. ♗d4 e5 22. ♘e2 f5∞]
16. ♗g5 [16. ♔f2 cd4 17. cd4 ♘e5 18.
♗b5 ♕d2 19. ♗d2 ♗b5 20. ♖b5 ♘c4∓;
16. ♖b2!? *a)* 16... cd4 17. cd4 ♘e5 18.
♕a5 ♘d3 19. ♔d2 ba5 20. ♔d3 a6 21.
♘c3 ♖d6 (21... ♗d4 22. ♗d4 e5 23. ♘d5
♗d5 24. ♗b6±) 22. ♖hb1?! ♗d4; 22. d5±;
b) 16... ♗a4! 17. ♔f2 ♘e5 18. de5 c4 19.
♘d4 cd3 20. e6 ♗c2 21. ef7 ♔f7 22. ♘c6
♕c3 23. ♘d8 ♖d8↑] **♖fe8 17. ♖c1 ♗b7 18.
d5** [18. 0−0 ♘e5] **♘e5 19. ♗b1?!** [19.
0−0 (△ 19. ♘d3 20. ♕d3 ♗a6 21. c4⇆)
♖d7! △ e6∓] **♘c4 20. ♕f4??** [20. ♕d1
e6!? 21. ♗d8 ♖d8 22. ♗d3 ♘e3 23. ♕d2
♗h6 24. f4 ♘g2 25. ♔f2 ♘f4 (25... ed5?
26. ♗b1∞) 26. ♘f4 e5 27. ♖cg1 ♗f4 28.
♕b2 c4−+; 20. ♕d3 ♗a6 21. 0−0 ♘a3
22. ♕d2 ♘b1 23. ♖b1 ♗e2 24. ♕e2
♕c3∓] **♗e5**   **0 : 1**   *G. Kasparov*

433.   D 85

GEL'FAND 2700 −
CEŠKOVSKIJ 2510

Jugoslavija 1997

1. d4 ♘f6 2. ♘f3 g6 3. c4 ♗g7 4. ♘c3 d5
5. cd5 ♘d5 6. e4 ♘c3 7. bc3 0−0 8. ♗e2
c5 9. 0−0 b6 10. ♗g5 ♗b7 11. ♕d3 h6 12.
♗h4?! [12. ♗e3] ♕d7 13. ♖ad1 [13. ♗d3
e6 14. ♖ad1 ed5 15. ed5 f5!?∞; 15...
♕a4∞] **cd4 14. cd4 e6 15. ♕e3 N** [15. d5

ed5 (15... ♘a6 − 24/608) 16. ed5 ♗a6 17.
♕c2 ♖c8 18. ♕d2 ♖e8 19. ♖fe1 ♗e2 20.
♖e2 ♘a6 21. ♖de1 (21. d6 g5 22. ♗g3
♖e2 23. ♕e2 ♘c5∞) ♖e2 22. ♖e2 ♖e8∞]
**♕a4 16. ♖d2 ♗d7 17. ♗d1?! ♕a5 18.
♗b3 ♖ac8** [18... g5 19. ♗g3 (19. ♗g5 hg5
20. ♘g5 ♘f6 21. e5 ♗h6 22. ♗c2 ♖fc8∞)
♘f6 20. e5□ ♘d5 (20... ♘e4 21. ♖c2 ♖fc8
22. ♖fc1 ♖c2 23. ♖c2 ♘g3 24. hg3 ♖c8
25. ♖c8 ♗c8 26. ♕e4±) 21. ♕e4 ♖ab8 22.
♗c2 ♖fc8∞] **19. ♖fd1 g5 20. ♗g3 ♘f6 21.
d5□ ed5 22. e5!? ♖fe8 23. h3** [△ 23. ♖d4
♖c3 24. ♖1d3 ♘e4 25. ♖a4 (25. ♗d5?!
♗d5 26. ♖d5 ♕d5! 27. ♖d5 ♖e3∓) ♕c5
26. ♖a7 ♖d3 27. ♕d3 ♕c1 28. ♕f1 (28.
♕d1? ♕d1 29. ♗d1 ♖c8!∓) ♕f1 29. ♔f1
♘c5∓ △ ♗a6-c4] ♖c3 24. ♖d3 ♘e4 25.
♔h2⊕ ♖d3 26. ♕d3 ♘c5 [26... ♘g3?! 27.
fg3 ♗e5?! 28. ♘e5 ♖e5 29. ♗c2→] 27.
♕f5!? ♗c8□ 28. ♕c2 ♘b3 29. ab3 ♕c5!?
[29... ♗e6 30. ♘d4 ♖c8 31. ♕b1∞] 30.
♕d2? [30. ♕c5□ bc5 31. ♖d5 ♗f8 32.
♘d2∓] d4!⊕ 31. ♕d4 ♕d4 32. ♘d4 ♗d7!
33. ♖e1 h5∓ 34. ♔g1 a5 35. f4 h4 36.
♗h2 ♗f8 37. ♘f3 ♗c5 38. ♔h1 gf4 39.
♗f4 ♗e6 40. ♗g5 ♗b3 41. ♔e4 ♗e7 42.
♗e3 b5 43. ♘d4 ♗c4 44. ♘c6 a4 45. ♘e7
♖e7 46. ♗c5 ♖e6 47. ♖g4 ♔h7 48. ♖h4
♔g6 49. ♖f4 ♖e5−+ 50. ♗b4 ♖e3 51.
♗c5 ♖d3 52. ♖f3 ♖f3 53. gf3 ♔f5 54.
♔g2 ♔e5 55. ♔f2 ♔d5 56. ♗b4 ♗d3 57.
♔e3 ♔c4**   **0 : 1**   *Ceškovskij*

434.   D 85

DAUTOV 2595 −
B. ALTERMAN 2615

Bad Homburg 1997

1. d4 ♘f6 2. ♘f3 g6 3. c4 ♗g7 4. ♘c3 d5
5. cd5 ♘d5 6. e4 ♘c3 7. bc3 c5 8. ♗e3
♕a5 9. ♕d2 ♘c6 10. ♖b1 0−0 11. ♖b5
cd4 12. ♖a5 de3 13. ♕e3 ♘a5 14. ♘d4
♗d7 15. e5!? N [15. ♗e2 − 67/(539)]
♖fc8 16. f4 e6 [RR 16... ♖c7!? *a)* 17. ♗e2
♖ac8 18. 0−0 (18. e6 fe6 19. ♘e6 ♖c3)
♖c3 19. ♕d2 ♖a3∓; *b)* 17. ♘b5 ♗b5 18.
♗b5 e6 19. ♔e2 ♗f8 20. ♖d1 b6 21. ♗a6
♘b7= B. Alterman] **17. ♗e2 ♖c7 18. 0−0
♖ac8 19. ♕d2** [19. ♗b5!? a6 20. ♗d7 ♖d7
21. ♕h3 ♖e8 △ ♘c4⇆] **♗f8** [19... ♖c3?!
20. ♗b5 ♗b5 21. ♘b5 ♖3c5 22. ♕d7↑] **20.**

267

Rf3? [20. Nb3 Nb3 21. ab3 a5 22. Ra1 Be8 (22... b6!?) 23. Ra5 Rc3 24. Ra8 Bc5 25. Kf1 Rf3 (25... Ra8 26. Qc3 b6±) 26. Bf3 Bb5 27. Re2 Be2 28. Ke2 Ra8±] Nc4 21. Bc4 Rc4 22. h3 [22. Rd3 Bc5 23. h3 Bc6 24. Kh2 Be4 (△ 25. Re3? Bd4 26. Re4 Bg1∓) 25. Rg3] b5!? [22... Bc5! 23. Rg3 (23. Kh2 Bd4 24. cd4 Rc2 25. Qa5 Bc6 26. Rg3 Bd5 27. a3 Rf2∓; RR 25. Qb4!? B. Alterman) Bc6 24. Kh2 Bd4 25. cd4 Rd8 26. Rd3 Be4 27. Rc3 Rcd4 28. Qe3=] 23. Kh2 a6 24. Rd3 Bc6 [24... Be8? 25. f5 ef5 26. Nf5±] 25. Nc6 R4c6= 26. Qe3 h5 27. g4!? hg4 28. hg4 Bh6 29. Qg3 [29. Qd2 Rc4 30. g5 Bf8=] Rc4 30. Rf3 Ra4 31. f5 [31. Kh3 Rcc4] ef5! [31... Rcc4? 32. fe6 fe6 33. Qh4 Ra2 34. Kh3 Bg7 35. Qe7±] 32. gf5 Rcc4 33. Qf2 [33. Kh3? g5∓] Rh4 [33... Bf4 34. Kg1 Be5 (34... gf5 35. Qg2 Kf8 36. Qh3±) 35. fg6 Rg4 36. Kf1 fg6 37. Qc5 Rgf4=] 34. Kg2 gf5 35. Rg3 [35. Rf5? Rag4 36. Kf1 Rf4-+] Kh8 36. Qf5 Ra2 37. Kg1 Ra1 38. Kg2 Ra2 39. Kg1 Ra1 40. Kg2 1/2 : 1/2 *Dautov*

435. D 85

DAUTOV 2590 – RYTSHAGOV 2485

Pula 1997

1. d4 Nf6 2. c4 g6 3. Nc3 d5 4. Nf3 Bg7 5. cd5 Nd5 6. e4 Nc3 7. bc3 c5 8. Be3 Qa5 9. Qd2 Nc6 10. Rb1 a6 11. Rc1 cd4 12. cd4 Qd2 13. Kd2 f5 14. e5 Be6 15. Bc4 Bc4 16. Rc4 0-0 17. g3 [17. Ke2 f4 18. Bd2 Rad8=] Rfd8 N [17... h6 18. Ne1 — 56/(539); 18. Rb1!±] 18. Rb1 Ne5 [18... Rd7!?] 19. Ne5 Be5 20. Rb7 Bf6 21. Rb6± [Xa6] g5 [21... Rd5 22. Kd3 (22. Rc5? Rd4 23. Bd4 Bd4∓) Bb5 23. Rbc6 Kf7 24. Ra4 a5 25. Rc5 Rc5 26. dc5±; 21... Kf7 22. h4±] 22. Kd3 Kf7 23. f3! [23. Ra4?! e5 △ f4; 23. f4 gf4 24. Bf4 (24. gf4 Rg8⇆) Rd5= △ Rad8] Rd7 [△ e5; 23... Rd5? 24. Rc5±; 23... Rd6! 24. Rd6 ed6 25. d5±] 24. Ra4? [24. g4 fg4 25. fg4 h5 26. gh5 (26. h3 hg4 27. hg4 Rh8 28. Ra6 Rh4) Rh8 27. Ra6 Rh5 28. Rc2 Rh3⇆; 24. Bf2! a5 25. Rb5 e5 26. Ra4 Ke6 27. Raa5 Ra5 28. Ra5 ed4 29. Ra6

Kf7 30. a4±] e5 25. Raa6 Ra6 26. Ra6 ed4 27. Bf2 h5⊕ [27... Rb7! 28. Bd4 Bd4 29. Kd4 Rb2 30. h3 (30. Ke5 Rb5 31. Kd6 Rb2=; 30. h4 f4=) Rf2 31. Ke3 Rh2=] 28. Ra4 [28. a4!? Rb7 29. Bd4 Bd4 30. Kd4 *a)* 30... Rb2? 31. Ke5 Rh2 32. Kf5 (32. Rf6 Ke7 33. Rf5 Re2) Rh3 33. Ra7 Ke8 (33... Kf8 34. Kf6!+-) 34. Kg5 Rg3 35. Kf4 h4 36. a5 Rg1 37. a6+-; *b)* 30... Rb3!□ 31. f4 (31. Ke5 Rf3 32. Rf6 Kg7 33. Rf5 Ra3 34. Rg5 Kh6=) gf4 32. gf4 Rh3 33. Ke5 Rh2 34. Kf5 Rg2 35. Ra7 Kg8 36. a5 h4 37. a6 h3=] Rb7 29. f4 [29. Bd4 Bd4 30. Kd4 Rb2=] gf4 30. gf4 Rb2= 31. Bd4 Bd4 32. Kd4 Rh2 33. Ke5 h4 34. Kf5 Rg2 35. Ra7 Kg8 36. Ra3 h3 37. Rh3 Ra2 38. Kg5 Kg7 39. Rb3 Rg2 40. Kf5 Rf2 41. Rb7 Kf8 42. Kg5 Ra2 43. Rb6 Kf7 44. Rb7 Kf8 45. f5 Ra6 46. f6 1/2 : 1/2 *Dautov*

436.* D 85

MILES 2550 – LÉKÓ 2600

Yopal 1997

1. Nf3 Nf6 2. d4 g6 3. c4 Bg7 4. Nc3 d5 5. cd5 Nd5 6. e4 Nc3 7. bc3 c5 8. Rb1 0-0 9. Be2 cd4 [RR 9... Nc6 10. d5 Ne5 11. Ne5 Be5 12. Qd2 e6 13. f4 Bc7 14. 0-0 ed5 15. ed5 Ba5 16. Ba3 (16. g4!? Qh4 17. f5) b6 (16... Qd6 17. Rb5 b6 18. Bc5) 17. Bf3!? N (17. Rbd1 — 51/464; 17. Rb5!? Ba6 18. Ra5 Be2 19. Qe2 ba5 20. Bc5 Qd5! 21. Bf8 Rf8=) Bf5 18. Rbe1 (18. Rbd1 Qf6! 19. Bb2 c4) Qd7! (18... Qf6 19. Re5±) 19. Bb4 Bb4 20. cb4 Rac8 21. bc5 bc5 22. Be4 (1/2 : 1/2 R. Vera 2530 — Kudrin 2535, North Bay 1997) Be4 23. Re4 c4 24. Rc1 c3= R. Vera] 10. cd4 Qa5 11. Bd2 Qa2 12. 0-0 a5 13. Bg5 a4 14. Be7 Re8 15. Bd6 Be4 16. Rc1 Nc6 17. Bc4 Qb2 18. Bf7!? [18. Rb1 — 62/501] Kf7□ 19. Ng5 Kg8 20. Ne4 Qd4 21. Qe2 Bf5! 22. Rc4! Qb2 [22... Qd5? 23. Ra4!!± △ 23... Ra4 24. Nf6 Bf6 25. Qe8 Kg7 26. Qf8#] 23. Qd3 a3! 24. Rc2! [24. Rb1? Qb1 25. Qb1 a2-+; 24. Qd5?! Kh8 25. Ng5 h6 26. Nf7 Kh7∓] Qb6! [24... Qd4!? 25. Qb3 Kh8 26. Qb7 Rg8! 27. Rc6 Be4 28. Ba3 Bg2!=] 25. Ba3

25... ♘d4! [25... ♗e4? 26. ♕e4 ♖a3 27. ♕e6+−; 25... ♖a3 26. ♕a3 ♗e4 27. ♕a2! ♔f8 28. ♖e2→] 26. ♗c5□ ♕e6 27. ♗d4 ♗e4 28. ♕c4 ♗d5 [28... ♕c4 29. ♖c4 ♗d3 30. ♖b4=] 29. ♕d3 ♗e4   1/2 : 1/2
                                                                                      Lékó

437.*   D 85

SAKAEV 2580 — CEŠKOVSKIJ 2510

Jugoslavija 1997

1. d4 ♘f6 2. ♘f3 g6 3. c4 ♗g7 4. ♘c3 d5 5. cd5 ♘d5 6. e4 ♘c3 7. bc3 c5 8. ♖b1 0−0 9. ♗e2 cd4 10. cd4 ♕a5 11. ♗d2 ♕a2 12. 0−0 ♗g4 13. ♗e3 ♘c6 14. d5 ♖fd8!? N [RR 14... ♗f3 15. ♗f3 ♘e5 16. ♖b7 e6 17. de6 ♕e6 18. ♖a7 ♖a7 19. ♗a7 ♘f3 20. ♕f3 ♖e8 21. ♖e1 f5 (− 65/(452)) 22. ♕e3 N fe4 23. f3 ♕c4 24. fe4 ♖e7 25. ♔h1 ♖f7 26. h3 ♖f1 27. ♖f1 ♕f1 28. ♕g1 ♕d3 29. ♕e1 ♗c3 30. ♕e3 ♕b1 31. ♕g1 1/2 : 1/2 A. Chernin 2640 − Azmaiparashvili 2645, Portorož 1997] 15. ♖b7 e6 16. ♖c7 [16. ♖f7 ed5 17. ♗g7 ♔g7 18. e5 d4 19. ♗g5 ♘e5 20. ♘e5 ♗e2 21. ♕c1 ♕e6 (21... ♗f1? 22. ♕c7 ♔g8 23. ♗f6+−; 21... ♖ac8 22. ♕f4 △ 22... ♗f1? 23. ♕f6 ♔g8 24. ♘g4 h5 25. ♘h6 ♔h7 26. ♕e7 ♔h8 27. ♗f6‡) 22. ♕c7 ♔g8 23. ♗d8 ♗f1 (23... ♖c8 24. ♕e7 ♕e7 25. ♗e7 ♗f1 26. ♔f1 a5 27. ♘d3 a4 28. ♗c5 a3 29. ♔e2 a2 30. ♗d4 ♖a8 31. ♗a1 ♖b8 32. ♘e1 ♖b1 33. ♘c2±) 24. ♘d7 ♗b5 25. ♘f6 ♔f8 26. ♘h7 ♔g8 27. ♘f6 ♔f8 28. ♘h7=; 16. ♗g5!? f6 (16... ♖d6!?) 17. ♕c1!?; 16. d6∞] ♗f3! [16... ♘e5 17. ♖c2! ♕a4 18. ♘e5 ♗e2 19. ♕e2 ♗e5 20. de6 ♕e4 (20...

fe6 21. ♖c4±) 21. ef7 (21. ♗g5 ♕e2 22. ♖e2 ♖d5 23. e7 ♖e8=; 21. e7!?) ♔f7 22. ♖c4 ♕d5±] 17. gf3!? [17. ♗f3 ♘e5=] ♘b4 18. ♗g5 [18. ♗c4 ♕b2; 18. d6!? ♗e5 19. ♗c4! ♕b2 (19... ♕c2 20. ♗e6 ♕c7 21. dc7 ♖d1 22. ♖d1 ♗c7 23. ♗f7 ♔f7 24. ♖d7 ♔e6 25. ♖c7 a5 26. ♗c5±; 23. ♗b3!?) 20. ♗c5 a5∞] ed5 19. ♗d8 ♖d8︶ 20. ed5 ♗e5! [20... ♘d5? 21. ♖c5+−; 20... ♖d5 a) 21. ♗c4 ♖d1 22. ♖d1 ♕a5 23. ♖d8 (23. ♗f7 ♔h8 24. ♖d8 ♗f8 25. ♖f8 ♔g7 26. ♖fc8!∞) ♗f8 24. ♖f7 ♕g5 25. ♔f1 ♕c1 26. ♔g2 ♕g5=; b) 21. ♖c8 ♗f8 22. ♕e1!±] 21. ♗c4 ♕a5 22. ♖b7?! [22. ♖e7! ♗d6 23. ♖e4±] ♕c5 23. ♕b3 ♗d6 24. ♖e1 a5!︶ [24... ♗h2 25. ♔g2! (25. ♔h2 ♕f2 26. ♔h3 ♕e1=) ♗d6 26. ♖b5] 25. ♔g2 a4?? [25... ♕c8 26. ♖a7 ♕c5! (26... ♕f5?! 27. ♖e4±) 27. ♖b7=] 26. ♕a4 ♖f8 [26... ♕c4 27. ♖e8 ♖e8 28. ♕e8 ♔g7 29. ♖f7 ♔h6 30. ♕e3+−] 27. ♖e4 ♘d5 28. ♖b5 ♘c3 29. ♖c5 ♘a4 30. ♖c6
1 : 0   *Sakaev*

438.* !N   D 89

TIMMAN 2630 — HELLERS 2585

Malmö 1997

1. d4 ♘f6 2. c4 g6 3. ♘c3 d5 4. cd5 ♘d5 5. e4 ♘c3 6. bc3 ♗g7 7. ♗c4 c5 8. ♘e2 ♘c6 9. ♗e3 0−0 10. 0−0 ♗g4 11. f3 ♘a5 12. ♗d3 cd4 13. cd4 ♗e6 14. ♖c1 [RR 14. d5 ♗a1 15. ♕a1 f6 16. ♔h1 ♗d7 (16... ♖c8 — 39/571) 17. e5 ♗f5! N (17... ♖c8) 18. ♗f5 gf5 19. ♖d1 (19. ♘h6 ♕d5!∓; 19. ♘f4 ♘c4∓; 19. ♕d4 fe5 20. ♕e5 ♕d6∓) fe5 (19... ♘c4 20. ♗h6 fe5 21. ♗f8 ♕f8 22. ♕c1 ♖c8 23. ♕g5 ♕g7 24. ♕f5 ♕g2∓⊥) 20. ♕e5 ♕d6 21. ♕c3 b6 (21... ♘c6? 22. ♗c5 ♕d7 23. ♘f4) 22. ♗f4 (Joh. Eriksson 2315 − Winsnes 2385, Sverige 1997) ♕g6 23. ♕c7 (23. g4 fg4 24. ♖g1 h5 25. fg4 ♕e4 26. ♖g2 h4−+) ♖f7∓ Winsnes] ♗a2 15. ♕a4 ♗b3 16. ♕b4 b6 17. ♖c3 N [17. d5 — 59/512] ♗e6 18. ♗g5 [18. ♖fc1 ♕d6; 18. ♗f4!? ♖c8 19. ♖fc1 ♖c3 20. ♖c3 ♗d7 21. ♗c7 ♕e8∞] ♖e8 [18... f6?! 19. ♗f4↑] 19. ♗b5 ♗d7 20. ♗a6?? [20. ♗d7! ♕d7 21. ♖fc1 ♖ad8!= Timman] ♘c6 21. ♕c4 b5!!−+ 22. ♕c5 [22. ♗b5 ♘a5 23. ♕a4 ♗b5 24. ♕b5 ♗d4 25. ♘d4 ♕d4 26. ♖e3 ♘c4 27.

♕a4 ♕c5!] ♕b6 23. ♕b6 ab6 24. ♗b7
♘d4! 25. ♘c1 ♖a7 26. ♗d5 ♘e6 27. ♗d2
♗c3 28. ♗c3 ♘c5 29. ♗a2 ♗e6 30. ♗b1
♖d8   0 : 1   *Hellers*

439.*   D 89

P. CRAMLING 2545
– HELLERS 2585

Malmö 1997

1. d4 ♘f6 2. c4 g6 3. ♘c3 d5 4. cd5 ♘d5
5. e4 ♘c3 6. bc3 ♗g7 7. ♗c4 c5 8. ♘e2
♘c6 9. ♗e3 0–0 10. 0–0 ♗g4 11. f3 ♘a5
12. ♗d3 cd4 13. cd4 ♗e6 14. ♖c1 ♗a2 15.
♕a4 ♗e6 16. d5 ♗d7 17. ♕b4 e6 18. ♘c3
ed5 19. ♘d5 ♗e6 20. ♖fd1 ♗d5 21. ed5
♖e8 22. ♗f2 ♗f8 23. ♕a4 [RR 23. ♕b2!?
N ♗g7 24. ♕a2 a6 25. d6 ♘c6 26. ♗e4
♕d7 27. ♗b6 ♖ac8 28. ♗c7 ♖c7 29. dc7
♕c7 30. ♗c6 bc6 31. ♕a6 ♗e5 32. h3 c5
33. ♕b5 ♖d8 34. ♖d8 ♕d8 35. ♔h1
♗d4∞ Yusupov 2665 – Lékó 2600, Úbeda
1997] a6 [23... ♗d6 – 56/552] 24. d6 ♗d6
25. ♗e4 ♖e6! [V. Neverov] 26. ♗d5 [26.
♖c2!? ♘c6! (26... b5 27. ♕a2 ♘c4 28.
♗a8 ♕a8∞) 27. ♗d5 ♖f6 △ 28. ♗h4?
♕b6 29. ♔h1 ♖f4–+] ♖e2 27. ♖a1 N [27.
♗e4? b5! 28. ♕d4 ♘b3 29. ♕d5 (29. ♕d6
♕d6 30. ♖d6 ♖e4 31. ♖b1 ♖c4!–+) ♘c1
30. ♕a8 ♕a8 31. ♗a8 ♗a3∓; 27. ♗h4
♕b6 28. ♔h1 ♕b5 29. ♕b5 (29. ♕g4!?
Timman) ab5 30. ♗f7 ♔f7 31. ♖d6 ♘c4∓]
♘c6 [27... ♖f2? 28. ♔f2 ♕b6 29. ♔f1
♗h2 30. ♕a5 ♕g1 31. ♔e2 ♕g2 32.
♔d3+–] 28. ♗c6 bc6 29. ♕c6 ♖e6 30.
♗g3 ♗g3! 31. ♖d8 ♖d8   1/2 : 1/2
                                    Hellers

440.*   D 91

A. SORÍN 2460 –
G. KASPAROV 2820

Buenos Aires 1997

1. d4 ♘f6 2. c4 g6 3. ♘c3 d5 4. ♘f3 ♗g7
5. ♗g5 ♘e4 6. ♗h4 [RR 6. ♕c1 ♘g5!? N
(6... c5 – 51/(475)) 7. ♕g5 dc4 (7... c6!?
8. cd5 h6 9. ♕g3 cd5 10. e3) 8. e4 (8.
e3!?) 0–0 9. 0-0-0 (9. ♗c4 e6) e6 10. ♕e3
c5 (Bašagić 2350 – Tukmakov 2585, Ljub-
ljana 1997) 11. dc5 ♕a5 12. ♗c4 ♘d7 13.
♗b5! ♗c3 14. ♗d7 ♗b2 (14... ♗d7 15.

♕c3 ♕c3 16. bc3 ♗c6 17. ♖d4±) 15. ♔b2
♗d7 16. h4 (16. ♕h6 ♗a4!) ♗a4 17. ♖d4
♖ad8 18. h5 ♖d4 19. ♕d4 ♖d8 20. ♕f6 e5
21. ♕e5 ♖e8 22. ♕f6 ♕c5 23. h6 ♕f8∞
Tukmakov] ♘c3 7. bc3 dc4 8. e3 b5 9. a4
c6 10. ♗e2 a6 11. ♘d2 0–0 12. ♗f3 ♖a7
13. 0–0 ♗f5 14. ♖e1 N [14. e4?! ♗d7 –
41/(545); 14... ♗c8] ♗d3 15. ♘b3 ♗f5 16.
♘d2 [16. ♘c5?! ♘d7∓] ♗d3 17. g4? [17.
♘b3=]

17... ♖c7! 18. ♘b3 [18. ♗g3 e5∓] cb3 19.
♕d3 c5 20. ♗g3 [20. ab5 c4 21. ♕e4 ab5
22. ♖a5 b4! (22... ♕d7 23. ♕d5) 23. cb4
♘c6! (23... c3 24. ♕b1 c2 25. ♕b2 ♘c6
26. ♗c6 ♖c6 27. ♖c1 ♕d7 28. h3 h5 29.
♕b3 hg4 30. hg4 ♕g4 31. ♗g3∞) 24. ♖d5
(24. ♖c5 ♘b4; 24. ♖a4 c3 25. b5 ♘d4 26.
ed4 c2–+) ♕c8 25. ♖b5 c3 26. ♗g3 e5
27. de5 (27. d5 ♘a7) c2 28. e6 ♘e5 29.
♗e5 c1♕ 30. ♖c1 ♖c1 31. ♔g2 b2–+] e5
21. ab5 c4 22. ♕e4 ab5 23. ♖a8 [23. ♗e5
♖e7; 23. de5 ♘d7 (23... ♕e7!?) 24. e6
♘c5 25. ♗c7 ♕c7 26. ♕c6 ♕c6 27. ♗c6!
(27. ef7 ♔h8 28. ♗c6 ♗c3 29. ♖a8 ♖a8
30. ♗a8 ♔g7 31. ♖d1 b2 32. ♗c6 ♗d2 33.
♗b5 c3–+) ♗c3 28. e7 ♗a1 (28... ♗e1
29. ♖a8) 29. ♖a1 b2 30. ♖a8 b1♕ 31. ♔g2
♖a8 32. ♗a8 ♔g7 33. e8♕ ♘e6 34.
♗d5∓] ♕e7 24. de5 [24. ♖a5 b4 25. ♗e5
♗e5 26. ♖e5 ♕d6∓] ♘d7 25. e6 ♘c5 26.
ef7 ♕f7 27. ♖f8 ♗f8 28. ♕a8? [28. ♕d5
a) 28... ♖d7 29. ♕c6!? (29. ♕f7 ♔f7 30.
♗c6 ♖d3 31. ♗e5 ♗g7 32. ♗d4 ♗d4 33.
ed4 ♘a4 34. ♗b5 ♘b6 35. ♖c1 ♖d2–+)
♘d3 30. ♖d1 b4 31. cb4 b2 32. ♗e4 ♗b4
33. h4⇆; b) 28... ♘d3 29. ♖a1 (29. ♗c7?
♘e1 30. ♗e4 ♕d5 31. ♗d5 ♔h8–+) ♖c5
30. ♕a8 b2 b1) 31. ♖b1 b4 32. cb4 (32.

♗d6 bc3 33. ♗c5 c2 34. ♗d5 cb1♕ 35. ♔g2 ♘c5−+) c3 33. bc5 c2 34. ♗d5 cb1♕ 35. ♔g2 ♔g7 36. ♗f7 ♕a1 37. ♗a2 b1♕ 38. ♕a7 ♕h8−+; *b2)* 31. ♖f1 ♘c1 32. ♗d6 ♖c8 33. ♕c8 ♕f3 34. ♕e6 ♕f7−+; *b3)* 31. ♖d1! ♘c1 32. ♗d6 *b31)* 32... ♖c8 33. ♕c8 ♕f3 34. ♗f8 ♕d1 35. ♔g2 ♕d5 36. f3 h5 (36... ♔f7 37. ♗a3) 37. ♗c5 ♔h7 38. ♕c7=; *b32)* 32... b1♕ 33. ♗c5 ♕a2 34. ♕a2 ♘a2 35. ♗d5 ♗c5 (35... ♘c3 36. ♗f7 ♔f7 37. ♖d7 ♔e6 38. ♖c7) 36. ♗f7 ♔f7 37. ♖d5∓] ♖a7 29. ♕c6 [29. ♕b8 b4 30. cb4 ♘d3 31. ♖f1 b2 32. ♗d5 ♕d5 33. ♕a7 ♘c1−+] ♖a6 30. ♕d5 b2   0 : 1   *G. Kasparov*

JE. PIKET 2640 −
I. SOKOLOV 2615

Nederland (ch) 1997

1. d4 ♘f6 2. c4 g6 3. ♘c3 d5 4. ♘f3 ♗g7 5. ♗g5 ♘e4 6. cd5 ♘g5 7. ♘g5 c6 8. dc6 ♘c6 9. d5 ♘e5 10. e3 0−0 11. ♗e2 e6 12. ♘ge4! N [12. ♘f3 − 38/(613)] ed5 13. ♕d5 ♗f5! [13... ♕b6 14. ♕b5] 14. ♖d1 [14. ♘g3?? ♘d3 △ ♗c3; 14. ♕b7? ♖b8 △ ♘d3, ♖b2; 14. ♘d6!? ♗e6 15. ♕c5 (15. ♕d2 ♕b6 △ ♖ad8) b6 16. ♕a3±] ♕h4?! [14... ♕d5! 15. ♖d5 ♗e6 △ ♖ac8⧾ ×c4] 15. 0−0 ♖ad8?! [15... b6 16. ♘g3; 16. ♘d6±] 16. ♕b7 ♖b8 17. ♕a7 ♖b2 [17... ♗e4 18. g3] 18. ♘g3 ♘g4 19. ♗g4 ♗g4

20. ♖d4!!± h5 [20... ♗d4 21. ♕d4 ♖fb8 22. ♘d5+−] 21. h3 ♗e5! 22. ♘d1 [22. hg4? ♗g3 23. fg3 ♕g3−+; 22. ♘ce2 ♗d4

23. ♕d4 ♖a2 24. hg4 hg4 25. ♘f4±] ♖f2 [22... ♗d4 23. ♕d4 ♖a2 24. hg4 (24. ♘c3 ♖d8) ♕g4±] 23. ♖f2 [23. ♘f2 ♕g3 24. ♘g4 hg4 25. ♖g4 ♕h2 26. ♔f2 ♖b8⧾] ♕g3 24. hg4+− hg4 25. ♔f1 ♕h4 26. ♖e4 ♗g3 27. ♖e8! ♕h1 28. ♔e2 ♗f2 29. ♖f8 ♔f8 30. ♕a8 ♔g7 31. ♘f2 ♕h5 32. ♘d3 ♕b5 33. ♕e4 ♕b1 34. ♕d4 ♔g8 35. ♕c4 g3 36. ♔f3 ♕f1 37. ♔g3 ♕e2 38. ♘e5 ♕e3 39. ♘f3 g5 40. ♕c8   1 : 0   *Je. Piket*

Z. FRANCO 2480 −
ILLESCAS CÓRDOBA 2585

España 1997

1. d4 ♘f6 2. ♘f3 g6 3. c4 ♗g7 4. ♘c3 d5 5. ♗g5 ♘e4 6. cd5 ♘g5 7. ♘g5 e6 8. ♘f3 ed5 9. e3 0−0 10. b4 c6 11. ♖c1 a6!? N [11... ♗e6 − 38/(613)] 12. ♗e2 ♕e7 13. ♕b3 [13. a3] ♗e6!? [13... ♗g4=] 14. 0−0 ♘d7 15. a4 [15. ♘a4 ♖ae8 16. ♘c5 ♘c5 17. bc5 ♗c8⧾] ♖fe8 [15... ♘f6 16. ♘d2 ♖fc8 17. ♗d3 ♗f8 18. ♖b1 b5 19. a5 ♘e8] 16. ♘e1?! [16. ♖fd1=] ♘b6 17. ♘d3 ♘c4⧾ 18. ♖fe1! [×e3] ♗f5 19. ♗b2? [19. ♘f4 ♘e3! 20. ♗d3 ♗d4 21. ♗f5 ♕g5! 22. ♗d7 ♕f4 23. ♗e8 ♘g4 24. ♗f7 ♔g7−+; 19. ♘d1 ♗f8⧾; 19. ♗f1!⧿ △ 19... ♘d2 20. ♕c2 ♘f1 21. ♖f1 ♗d3 22. ♕d3 ♕b4 23. ♖b1 ♕e7 24. ♖b6!⊠] ♘e3!⧿ 20. ♗d3?! [20. ♗f1 ♗d4 21. ♔h1 ♕f6 22. fe3 ♗e3 23. ♖cd1 ♗g4⧾; 20. ♗f3 ♕g5 21. fe3 ♖e3⧾] ♕g5! 21. fe3 ♖e3 22. ♗f5 ♗d4 23. ♔h1□ ♖ae8! 24. ♖f1 [◯ 24. ♖e3 ♕e3 (24... ♖e3 25. ♗d3 ♖h3 26. gh3 ♕c1 27. ♘bd1 ♗c3 28. ♕c3 ♕d1 29. ♔g2 ♕a4⧾) 25. ♕d1□ ♗c3 26. ♘d3 ♗d2 27. ♖c2 ♗b4 28. ♖c1 ♗a3 29. ♖a1 ♗d6−+] gf5−+ 25. g3 [25. a5 ♖8e6 26. ♘ba4 ♖h6] ♕g4   0 : 1   *Illescas Córdoba*

BAREEV 2670 −
KRASENKOW 2645

Polanica Zdrój 1997

1. d4 ♘f6 2. c4 g6 3. ♘c3 d5 4. ♘f3 ♗g7 5. ♕b3 dc4 6. ♕c4 ♘c6 7. e4 ♗g4?! 8.

d5! N [8. ♗e3 — 45/587] ♗f3 9. gf3 ♘e5
10. ♕e2 [10. ♕a4 ♘fd7 11. ♗e2 0–0 12.
f4 ♘b6 13. ♕c2 ♘ed7∞] c6 11. f4 ♘ed7
12. ♗g2 cd5?! [12... ♘b6 13. dc6 bc6 14.
0–0±; RR 12... 0–0± Krasenkow] 13. e5
♘e4 14. ♘d5 f5□ [14... ♕a5 15. b4 ♕d5
16. ♗e4 ♕d4 17. ♖b1±] 15. ♗e4 fe4 16.
♘c3 [16. ♕e4 ♘c5 17. ♕c4 ♖c8⩲] ♖c8
17. 0–0 [17. ♘e4] 0–0 18. ♖d1 [18. ♘e4
♗h6 19. ♖d1 ♕c7!?] ♕e8 19. ♘e4 ♗h6
20. ♕g4 ♘c5! 21. ♘g3 [21. ♘c5 ♖c5 22.
♗e3 (22. ♕h4? ♗f4!) ♖b5 23. b3 ♖b4 △
24. a3? ♖b3 25. ♖d7 ♗f4] ♔h8 22. ♗e3
♕f7 23. ♖ac1 b6 [23... ♘e6 24. ♖c8 ♖c8
25. f5 ♗e3 26. fe3 gf5 27. ♕f5 ♕f5 28.
♘f5 ♖c5 29. ♖d7 ♖e5 30. ♖e7?! ♖f5 31.
♖e6 ♖a5 32. a3 ♖b5 33. b4 a5; 30. ♘e7±]
24. b4 [24. ♖d4!? ♘e6 25. ♖c8 ♖c8 26.
♖e4±] ♘e6 25. ♖c8 ♖c8 26. f5 ♗e3 27.
fe3 gf5 28. ♕f5 ♕g8!? [28... ♕f5 29. ♘f5
♖c7 30. ♔g2 ♔g8 31. h4 ♔f7 32. ♔f3±]
29. ♖f1 ♖c3 30. ♕e4 b5 31. ♔h1 ♘g5 32.
♕f4 ♖c4 [32... ♕a8 33. e4] 33. e4 ♘e6
[33... ♖b4? 34. e6 ♘e6 35. ♕e5 ♘g7 36.
♘f5+−] 34. ♕f7 ♖c7! 35. ♕f5 ♕g6 [35...
♖c2 36. a3 ♕g6; 36. ♖f2±] 36. ♘h5 ♕h6
[36... ♖c2 37. ♖g1 ♕f5 38. ef5 ♘d4 39.
♖d1 (39. f6 ♘f3) ♖c4 40. e6! ♔g8 a) 41.
f6? ef6 (41... ♘e6 42. ♖d8 ♔f7 43. ♖d7
♖c7) 42. ♘f6 ♔f8 43. ♘d7 ♔e8 (43...
♔e7? 44. ♘e5 ♖b4 45. ♖d4) 44. ♘e5 ♖b4
45. e7 ♖a4=; b) 41. a3! ♔f8 42. ♖d3±]
37. ♕f7 ♖c1 [37... ♕g6!? 38. ♕g6 hg6 39.
♘f4 ♘f4 40. ♖f4 ♔g8=] 38. ♕e8 ♘f8 39.
♖c1 ♕c1 40. ♔g2 ♕d2 [40... ♕g5 41.
♔f3 ♔g8 42. e6 ♕g6 43. ♕g6 hg6 44.
♘f4 ♔g7 45. ♔e3±] 41. ♔h3 ♕h6 [41...
♕e3 42. ♘g3 ♕h6 43. ♔g4 ♕g7 44.
♔f3±] 42. ♔h4 [42. ♔g4 ♕e6 43. ♔f4
(43. ♔f3 ♔g8 44. ♕b5 ♕f7 45. ♘f4 ♘e6
46. ♕b8 ♔g7−+; 43. ♔h4 ♕g8! 44. ♕b5
♕g2!=) ♔g8 (43... ♕h6 44. ♔f3 ♔g8 45.
♘f4 ♕h2 46. e6 ♕h1 47. ♔g4 ♕g1 48.
♔f5 ♕g7 49. ♘d5 ♕g6 50. ♕g6 ♘g6 51.
♘c7±) 44. ♕b5 ♕h6 45. ♔g4 ♕g6 46.
♔h4 ♕g2=] a6! [42... ♔g8 43. ♕b5+−]
43. e6 ♔g8 44. ♕f7 ♔h8 45. ♔g4 ♕e6 46.
♕e6 ♘e6 [♘♗ 2/j] 47. ♘f4 [47. ♔f5 ♘d4
48. ♔e5 ♘f3 (48... ♘c6? 49. ♔e6 ♘b4 50.
♔e7 ♘a2 51. e5 ♘c3 52. e6 ♘e4 53. ♔f8
b4 54. e7 ♘d6 55. ♘g7 b3 56. ♘f5+−) 49.

♔e6 ♘g5! (49... ♘h2 50. ♔e7+−) 50.
♔d5 e6!=] ♘d4 48. ♘d5 e6 49. ♘c7 ♔g7
50. ♔f4 ♔f6 51. e5 ♔f7! [51... ♔g6 52.
♔e4 ♘e2 53. a3 ♘c3 54. ♔d4 ♘b1 55.
♔c5 ♘a3 56. ♔d6 ♘c2 57. ♘e6 ♘b4 58.
♘f4+−; 51... ♔e7 52. ♔e4 ♘e2 53. ♘a6
♘c3 54. ♔d4 ♘a2 55. ♔c5 ♔d7 56. ♘b8
♔c7 57. ♘c6 ♘c3 58. ♘d4] 52. ♘a6 ♘e2
53. ♔e3 ♘c3 54. ♔d4 [54. ♔d3 ♘a2 55.
♔c2 ♔g6 56. ♔b2 ♘b4 57. ♘b4 ♔f5 58.
♘d3 ♔e4 59. ♔c3 h5 60. ♔d2 h4 61. ♔c3
♔d5=] ♘a2 55. ♔c5 ♘c1 [55... ♔g6 56.
♘c7 (56. ♔b5 ♔f5 57. ♔c4 ♘e5 58. b5
♔d6 59. ♘c5 ♘c3!=) ♔f5 57. ♘b5 ♔e5=]
56. ♔d6 ♘d3 57. ♘c7 ♘b4 58. ♘e6 ♘c2!
59. ♘c7 [59. ♘g5 ♔g6 60. e6 ♘d4=] ♘d4
60. ♘d5 [60. e6 ♘e6 61. ♘e6 ♔f6=] ♘f3
61. ♘b5 ♘h2 62. ♔d6 ♘g4! 63. e6 ♔f8
[64. e7 ♔f7 65. ♘c7 ♘f6=; 64. ♔d7 ♘e5
65. ♔d8 ♘c6=]   1/2 : 1/2   *Bareev*

444.* !N   D 97

JE. PIKET 2640 — TIMMAN 2630
Nederland (ch) 1997

1. d4 ♘f6 2. c4 g6 3. ♘c3 d5 4. ♘f3 ♗g7
5. ♕b3 dc4 6. ♕c4 0–0 7. e4 a6 8. e5 b5
9. ♕b3 ♘fd7 10. ♗e3 c5 11. e6 cd4! N
[RR 11... c4 12. ef7 ♖f7 13. ♕d1 ♘b6 14.
a4!? N (14. ♘e5 — 69/439) ♗b7! 15. ♘g5
(15. ab5 ab5 16. ♖a8 ♗a8 17. ♘b5 ♗f3
18. gf3 ♘c6 19. ♗h3 ♕d5 20. ♘c3 ♕d6∞)
♖f5 16. h4 ♘d5 (16... ♕d6!?) 17. ab5
♘c3 (17... ab5? 18. ♘b5 ♖a1 19. ♕a1
♘e3 20. fe3± △ 20... ♖b5 21. ♗c4 ♖d5
22. e4 ♕c7 23. ♕a4 ♕g3 24. ♔d1+−) 18.
bc3 ab5 19. ♘e6 (19. ♖a8 ♗a8 20. ♘e6
♕a5∓) ♖a1 20. ♕a1 ♕d6 21. ♘g7 ♔g7
(St. Pedersen 2420 — M. Hoffmann 2440,
London 1997) 22. h5 gh5 23. ♕b1 ♕d5 24.
♖h2∞ St. Pedersen] 12. ef7 [12. ed7 ♕d7
13. ♖d1 e5∓; 12. ♗d4!? ♗d4 13. ♘d4
♘c5 14. ♕d5 ♕d5 15. ♘d5 ♘e6=] ♖f7
13. ♗d4 [13. ♘d4 ♘c5 14. ♕b4 ♕d6 15.
♘c2 ♘d3 16. ♗d3 ♕d3 17. ♘d4 ♗g4 18.
h3 ♘c6!!−+; 13. ♘g5 e6!∓] ♗d4 14. ♘d4
♘c5 15. ♕d5 ♕d5 16. ♘d5 ♘bd7 [16...
♗b7?! 17. ♘b6 ♖a7 18. ♖c1±] 17. b4?
[△ 17. ♖c1] ♗b7 18. ♘c3 e5! 19. ♘db5
ab5 20. bc5 b4 21. ♘b5 [21. ♖b1 bc3 22.

🖳b7 ♘c5 23. 🖳f7 ♔f7 24. ♗c4 ♔e7∓; 21.
♘d1!?] 🖳f4!∓ **22. 🖳c1 🖳e4 23. ♔d1 ♗c6
24. f3 🖳f4 25. ♘d6 🖳a2!** [25... ♔g7 26.
♗c4] **26. ♗c4 🖳c4 27. 🖳c4 b3?** [27... ♗a4
28. ♔e1 (28. ♔c1 🖳a1 29. ♔b2 🖳h1 30.
c6 ♗c6 31. 🖳c6 🖳h2 32. 🖳c8 ♘f8−+)
🖳a1 (28... b3 29. 🖳a4 🖳a4 30. c6!∓) 29.
♔f2 🖳h1 30. c6 ♗c6 31. 🖳c6 b3 32. 🖳c8
♔g7 33. 🖳c7 b2 34. 🖳d7 ♔f8 35. 🖳b7∓]
28. 🖳e1 🖳g2 29. ♔c1 🖳h2 30. f4?⊕ [30.
🖳e3 △ 🖳b3∞] **ef4 31. 🖳e8 ♔g7 32. 🖳e7
♔f6−+ 33. 🖳f7 ♔e6 34. 🖳ff4 ♘e5 35.
🖳cd4 🖳h3** [△ 35... 🖳c2 36. ♔b1 ♘f3] **36.
🖳f1 🖳c3 37. ♔b2 🖳c5 38. ♘c8 ♗d5 39.
🖳f8 ♘c4 40. ♔b3 ♘d6**   **0 : 1**

Timman

445. !N ✓   **D 97**

LAUTIER 2660 — LÉKÓ 2635

Tilburg 1997

**1. d4 ♘f6 2. c4 g6 3. ♘c3 d5 4. ♘f3 ♗g7
5. ♕b3 dc4 6. ♕c4 0−0 7. e4 a6 8. ♕b3
b5 9. e5 ♘fd7 10. h4 c5 11. e6 fe6?** [11...
c4] **12. h5 cd4 13. hg6! N** [13. ♕e6 −
39/577] **♘c5**

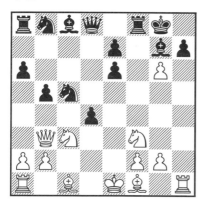

14. ♕c2!? [14. gh7! ♔h8 15. ♘h4! 🖳f6 16.
♕d1 (△ ♗g5) ♕d6 17. ♕h5 *a)* 17... ♗d7
18. ♗g5 ♕e5 (18... dc3 19. ♗e2!!+−) 19.
♗e2 ♘d3 20. ♔f1 ♘f2 21. ♗f6 ♕h5 22.
♗g7 ♔h7 (22... ♔g7 23. ♘f5!+−) 23.
♔f2+−; *b)* 17... ♘bd7 18. ♕e8! (18. ♘g6
🖳g6 19. ♕g6 ♗b7) ♘f8 19. ♘g6 🖳g6 20.
♕f7 ♕e5 21. ♘e2 ♘d3 22. ♔d2+−]
🖳f3!?** [14... dc3? 15. gh7 ♔h8 16. ♘h4
🖳f6 17. ♗g5+−; 14... h5!? 15. 🖳h5 🖳f5

---

16. 🖳f5 ef5 17. ♘b5!±] **15. gh7?** [15. gf3!
d3 (15... dc3 16. gh7 ♔h8 17. 🖳g1!+−) 16.
♕d2! hg6 17. ♕g5 ♘bd7 18. ♕g6 ♘f8 19.
♕g3+−] **♔h8 16. gf3 d3!** [16... dc3? 17.
🖳g1!+−] **17. ♕d1 ♘c6 18. ♗h6?!** [18.
♘e4? ♘e4 19. fe4 ♘b4 20. ♕g4 ♘c2 21.
♔d1 e5! 22. ♕g6 ♘a1 23. 🖳g1 ♕f8−+;
18. ♗e3! ♘d4 19. ♗d3 ♘d3 20. ♕d3 ♘f3
21. ♔e2 ♕d3 22. ♔d3 ♗b7⊠] **♗h6 19.
🖳h6 ♗b7→ 20. ♗g2 ♘e5! 21. 🖳h3** [21. f4
♗g2! (21... d2 22. ♕d2 ♕d2 23. ♔d2 ♘c4
24. ♔e2 ♗g2 25. 🖳g1) 22. fe5 ♕d4! 23.
♕d2 b4→] **♕d4** [21... b4!?] **22. 🖳g3** [22.
♕d2!? ♘c4 23. ♕g5 d2 24. ♔f1 ♘d3 25.
♘d1 ♘f4! 26. 🖳h6 🖳e8!→ ×♔f1] **♘c4 23.
♔f1 🖳f8 24. ♔g1 🖳f4! 25. ♕c1 e5 26.
♘d1 ♔h7 27. 🖳b1 ♗c8!? 28. ♘e3?!⊕** [28.
b3 d2 29. ♕c3 ♗f5 30. 🖳a1 ♘c3 31. ♘c3
♘b2 32. ♘d1 ♘d1 33. 🖳d1 🖳d4; 28.
♗h3!∓] **d2 29. ♕c2 ♕d3!−+ 30. ♕d3**
[30. 🖳d1 ♕c2 31. ♘c2 ♘d3 32. b3 ♘db2]
♘d3 31. ♗f1 [31. b3 ♘e3 32. fe3 ♘c1!]
**♘c1 32. ♗c4 bc4 33. 🖳g5 ♗f5 34. 🖳a1
🖳f3 35. ♘d1 ♗c2 36. ♔g2 ♗d1 37. 🖳h5
♔g6**   **0 : 1**   *Lékó*

446.   **D 97**

VAN DER STERREN 2515
— TIMMAN 2630

Nederland (ch) 1997

**1. d4 ♘f6 2. c4 g6 3. ♘c3 d5 4. ♘f3 ♗g7
5. ♕b3 dc4 6. ♕c4 0−0 7. e4 ♘a6 8. ♗e2
c5 9. d5 e6 10. 0−0 ed5 11. ed5 🖳e8 12.
♗e3 ♗f5 13. 🖳ad1 ♕b6 14. b3 ♘g4** [14...
🖳e3!?] **15. ♗d2 ♘e5!? N** [15... 🖳ad8?! −
38/619] **16. ♘e5 ♗e5 17. ♗e3** [17. ♗f3!?
Je. Piket] **♕a5 18. 🖳c1 🖳ac8 19. 🖳fd1 ♘b4
20. d6 🖳ed8 21. ♗f4 ♗d4 22. a3! ♘c6**
[22... ♕a3? 23. ♘b5] **23. ♘b5 ♗b2□ 24.
♗g5 🖳d7 25. ♕c5 🖳e8 26. b4 ♕a4!** [26...
♕b6 27. ♗f1±] **27. ♗f1 ♗c1?** [27... 🖳e5
28. ♘c3 🖳c5 29. ♘a4 🖳c1 30. ♗c1 ♗c1
31. 🖳c1 🖳d6=] **28. ♕c1 ♕c2 29. ♕a1+−
h5 30. ♘c7 🖳e4 31. ♗d3?** [31. ♘d5 🖳d6
32. ♘f6 🖳f6 33. ♗f6+−] **♕d1!∞ 32. ♕d1
🖳d6 33. h3 🖳d3** [33... 🖳ed4!?∞] **34. ♕d3=
🖳e1 35. ♕f1 🖳f1 36. ♔f1 ♘d4 37. ♗f6
♘b5** [38. ♘b5 ♗d3=]   **1/2 : 1/2**

Timman

E

447. !N E 01

GLEJZEROV 2560 —
M. GUREVICH 2620

Marienhamn/Österåker 1997

1. d4 d5 2. c4 c6 3. ♘f3 ♘f6 4. ♘c3 e6 5. g3 dc4 6. ♗g2 b5 7. ♘e5 ♘d5 8. e4 ♘b4! N [Kortchnoi; 8... ♘c3 — 67/(560)] **9. 0—0** [9. a3 ♕d4! 10. ab4 ♕e5 11. ♗f4 ♕f6 12. ♘b5 ♗b4 13. ♔f1 cb5 14. e5 ♕e7 15. ♗a8 ♗b7⊒ Kortchnoi] **♘d7 10. f4 ♘e5! 11. fe5 ♘d3 12. ♗e3 ♗e7** [12... ♘b2!? 13. ♕f3 ♕d7 14. d5 ♗b7] **13. b3 ♗g5** [13... ♕a5!?] **14. ♕f3 0—0 15. a4** [15. bc4 bc4 16. ♖ab1 c5∓] **♗e3 16. ♕e3 ♘b4!∓** [16... ♗a6 17. ab5 ♗b5 18. ♖ad1⊒] **17. ♖ad1 cb3?!** [17... ♘c2! 18. ♕f2 (18. ♕e2 cb3 19. ab5 ♕b6∓) cb3 19. ab5 cb5∓] **18. ab5 cb5 19. ♘e2⊒ b2 20. ♕b3 a5 21. ♕b2 ♗d7 22. ♘f4!** [△ ♕e2-g4↑≫] **♖c8 23. ♕e2 ♕g5** [23... ♖c2 24. ♕g4→] **24. ♕f3 ♘c2 25. h4 ♕h6 26. ♕f2! b4 27. d5 g5?!** [27... ♗b5 28. ♗h3 ♗f1 29. ♖f1 b3∓ 30. de6 fe6 31. ♗e6 ♕e6! 32. ♘e6 ♖f2—+] **28. hg5 ♕g5 29. ♕a7 ♗b5 30. ♖f2 ♕d8?!** [30... a4 31. de6 fe6 32. ♘e6 ♕g4 33. ♖d7∞] **31. d6 b3 32. ♘h5 ♕g5 33. ♘f6 ♔h8 34. ♕a5** [34. d7! ♖cd8 35. ♕c5!± △ 36. ♕b5, 36. ♕f8]

(diagram)

34... ♘e3! 35. ♖e1 ♖c2! 36. ♖c2 [36. ♕b5 ♕g3 37. ♖fe2 (37. ♖ef1 ♖g8! 38. ♘g8 ♘g4!—+) ♘g2—+] **♘c2 37. ♖b1** [37. d7 ♗d7 38. ♘d7 ♘e1—+] **♘d4 38. ♖b3** [38. d7 ♘e2—+] **♘b3 39. ♕b5 ♘d4** [39... ♕g3—+] **40. ♕b4 ♘e2 41. ♔f2 ♕g3 42. ♔e2 ♕g2—+ 43. ♔e3 ♕g3 44. ♔d4 ♕f2**

45. ♔d3 ♖a8! 46. d7 ♔g7 47. ♕d6 ♕e1! [47... ♕f1 48. ♔d4 ♖a4 49. ♔c5 ♕c4 50. ♔b6 ♖a6 (50... ♖b4 51. ♕b4 ♕b4 52. ♔c7 ♕c5 53. ♔b7∞) 51. ♔b7 ♕b5 52. ♔c7 ♖d6 53. ed6 ♕a5 54. ♔c8∞] **48. ♘d5** [48. d8♕ ♖d8 49. ♕d8 ♕d1—+; 48. ♔c4 ♕c1 49. ♔b5 ♖b8! 50. ♔b8 ♕b2 51. ♔c6 ♕b8—+] **♕d1 49. ♔c3** [49. ♔c4 ed5—+] **♕a1 50. ♔b4 ♕a3 51. ♔b5 ♕d6 52. ed6 ed5 53. ed5 ♔f6 54. ♔c6 ♔e5**
0 : 1 *M. Gurevich*

448.* !N E 04

V. MIKHALEVSKI 2535
— MURREY 2420

Israel 1997

1. d4 ♘f6 2. c4 e6 3. ♘f3 d5 4. g3 dc4 5. ♗g2 c5 [RR 5... ♗b4 6. ♗d2 ♗e7 7. 0—0 (7. ♕c2 — 37/(544)) ♗d7! N (7... 0—0) a) 8. ♘e5 ♘c6 9. ♘d7 (9. ♘c6 ♗c6 10. ♗c6 bc6∓) ♕d7 10. e3 ♖b8 11. ♕c1 e5 a1) 12. ♖d1 ed4 (12... ♕e6 13. ♗c3 ed4 14. ♗d4∞) 13. ♗e1 (Hudeček 2275 — Verdihanov 2405, Pardubice 1997) ♕e6! 14.

♗c6 (14. ed4 ♖d8∓) ♕c6 15. ♖d4 b5 16. b3 ♘e4∓; *a2)* 12. de5 ♘e5 13. f4 ♘d3 14. ♕c4 ♘b2 15. ♕c2 ♘a4∓; *b)* 8. ♕c2 ♗c6⇄ Verdihanov] **6. 0—0 cd4 7. ♘d4 ♕b6?! 8. ♘c3!** [8. ♕a4!? ♗d7 9. ♕c4 ♘a6 10. ♕b3!±] **♗d7 9. ♗e3!** N [9. e4 — 56/565] **♗c5?!** [9... ♘g4!?]

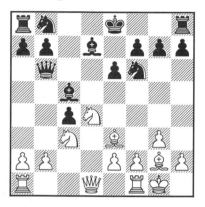

10. b4!! [10. ♘a4 ♗a4 11. ♕a4 ♘bd7 12. ♕c4± **cb3 11. ♖b1!±** [×b7] **♗d4** [11... b2 12. ♕d2] **12. ♗d4 ♕c7 13. ♕b3 ♗c6** [13... ♘c6 14. ♘b5] **14. ♕a3!** [∥a3-f8] **♗g2 15. ♘b5! ♕d7** [15... ♕e7 16. ♗c5] **16. ♘d6 ♔f8□ 17. ♔g2!** [17. ♘f5?! ♔g8 18. ♘e7 ♔f8 19. ♘g6 ♔e8] **♕c6** [17... ♕e7 18. ♖b7 ♘bd7±] **18. ♔g1** [18. e4] **♕a6 19. ♕a6 ba6 20. ♗f6! gf6 21. ♖b7+— ♘c6 22. ♖c1??** [22. ♖f7+—] **♘d8 23. ♖d7 ♔g7 24. ♖b1 ♖f8 25. ♖b4 f5 26. ♖a4 ♘c6 27. ♖c7!** [27. ♖a6?? ♘b8!—+] **♘e5 28. ♖a6 ♖ad8 29. a4 ♖d7 30. ♖d7 ♘d7 31. ♖a7 ♖d8 32. f4! ♔g6 33. a5 f6 34. ♖c7 ♘b8 35. ♘c8 ♖d1 36. ♔g2 ♖a1 37. ♘e7 ♔h6 38. ♖c8 ♘d7+—⊕**   **1 : 0**
V. Mikhalevski

449.*   E 04

TUKMAKOV 2585 — PALAC 2595

Ljubljana 1997

1. d4 ♘f6 2. c4 e6 3. g3 d5 4. ♗g2 dc4 5. ♘f3 c5 6. 0—0 ♘c6 7. ♘e5 ♗d7 8. ♘a3 ♘d5!? 9. ♘d7 N [9. ♘c6 — 68/(426)] **♕d7 10. dc5 ♗c5** [10... c3 11. ♘b5!±] **11. ♘c4 ♖d8** [RR 11... 0—0! 12. ♗e3 ♗e7 13. ♕b3 ♘e3 14. ♕e3 ♖fd8 15. ♖ac1 ♗f6 16. a3 h6 17. h4 ♖ac8 18. ♗c6 ♖c6 19.

♘e5 ♗e5 20. ♕e5 a6 21. b4 b5 22. ♖c5 ♕d6 23. ♕d6 1/2 : 1/2 Je. Piket 2630 — Al. Oniščuk 2625, Tilburg 1997] **12. ♗d2** [12. ♗g5!?] **0—0** [12... b5 13. ♘a5 ♘a5 14. ♗a5 ♗b6 *a)* 15. ♗b6 ♘b6 16. ♕d7 ♔d7 17. ♖ac1 (17. ♖fd1 ♔e7=) ♖c8=; *b)* 15. ♕d2±] **13. ♖c1 ♕e7 14. a3** [14. ♕b3 ♘d4; 14. ♕a4 ♘d4; 14. e3!?] **a6?!** [14... b5! 15. ♘a5 ♘a5 16. ♗a5 ♘e3! (16... ♗b6 17. ♗b6 ♘b6 18. ♕b3±) 17. ♗d8 ♖d8⇄ 18. fe3 ♖d1 19. ♖cd1 ♗e3 20. ♔h1] **15. b4 ♗a7 16. e3! e5 17. ♕b3 e4 18. b5 ab5 19. ♕b5 ♗c5 20. ♖b1** [20. ♗e4!? ♕e4 21. ♕c5 ♖fe8 22. ♘d6? ♖d6 23. ♕d6 ♘e5⊼] **♖d7** [20... ♗a3 21. ♕b7±] **21. ♖fc1?** [21. a4?! ♘db4; 21... ♗b4!?; 21. ♕b3!] **♘a7?** [21... ♗a3! 22. ♘a3 ♕a3 23. ♗e4 ♘f6 24. ♗c6=] **22. ♕b3 b5 23. ♘e5 ♖dd8 24. ♗a5! ♘b6** [24... ♗b6 25. ♗b6 ♘b6 26. ♘c6 ♘c6 27. ♖c6 ♘c4→; 27. ♕b5!] **25. ♗b6 ♗b6 26. ♘c6 ♘c6 27. ♖c6 ♗c5 28. ♕b5 ♗a3 29. ♕c4 ♖fe8 30. ♖c7 ♖d7** [30... ♕e6 31. ♕e6! (31. ♗e4 ♕c4±) ♖e6 (31... fe6 32. ♗e4±) 32. ♖bb7 ♖f8 33. ♗f1±] **31. ♖d7 ♕d7 32. ♗e4 ♖c8 33. ♕a2! ♕e7 34. ♗d5 ♗d6 35. ♖b7 ♖c1** [35... ♗c7] **36. ♔g2 ♗c7 37. ♖a7! h5 38. ♕b2 ♖c5 39. ♕d4 ♖b5** [39... ♖c1 40. ♖a8 ♔h7 41. ♗e4+—] **40. ♕c4 ♖c5 41. ♗f7**
1 : 0   *Tukmakov*

450.*   E 04

JE. PIKET 2630 — VAN WELY 2655

Monaco (m/3) 1997

1. d4 ♘f6 2. ♘f3 d5 3. c4 e6 4. g3 dc4 5. ♗g2 c5 6. 0—0 ♘c6 7. ♘e5 ♗d7 8. ♘a3 cd4 9. ♘ac4 ♗e7 N [9... ♖c8 — 69/444; RR 9... ♘e5 10. ♘e5 ♕b6 11. ♘c4 N (11. ♘d7 — 66/411) ♕a6 12. ♕d4 ♖c8 13. b3 ♗c5 14. ♕f4 0—0 15. ♗b2 ♗e7 16. ♖fd1 ♗c6 17. a4 ♗g2 18. ♔g2 ♖fd8 1/2 : 1/2 I. Cosma 2470 — Zontah 2550, Beograd 1996] **10. ♕b3 ♕c8 11. ♗f4** [11. ♗d2 △ ♖ac1, ♘a5] **0—0 12. ♖ac1 ♘d5 13. ♖fd1 ♘f4** [13... ♖d8 14. ♗d5 ed5 15. ♘a5 ♘a5 16. ♕d5 ♗e8 17. ♕a5±] **14. gf4 ♖b8 15. ♗e4 ♕c7 16. ♕f3 ♗f6 17. e3 g6** [17... ♖fd8 18. ♗h7] **18. ed4 ♖fd8 19. ♘e3** [19.

d5 ed5 20. $\pm$d5 $\pm$e8∓] $\pm$e8 20. ♘c6 [20. d5 $\pm$e5 21. de6 (21. fe5 ed5 22. ♘d5 ♕e5) $\pm$b2∓] bc6 21. $\pm$c6 ♕a5 [21... $\pm$c6 22. ♖c6 ♕b7 23. d5] 22. $\pm$e8 ♖e8 23. a3 ♖ed8 24. ♕e4 ♖b3 [△ 25... ♕a4 26. ♖c4 ♖e3; 24... ♔g7] 25. d5 ed5 26. ♘d5 [⌐ 26. ♖d5 ♖d5 27. ♘d5 $\pm$b2 28. ♖c7 ♔g7 29. f5 (△ ♕e8) ♕d2!] $\pm$b2 27. ♖c7? ♕c7 28. ♘c7 ♖d1 29. ♔g2 ♖b8 30. ♕a4 ♖bd8?⊕ [30... ♖dd8! 31. ♕a7 (31. ♘b5 ♖b7) $\pm$d4] 31. ♘b5 ♖1d7 32. ♘a7 $\pm$a3 33. ♘c6 $\pm$f8 34. ♘d8 ♖d8   1/2 : 1/2
Van Wely

451.* !N   E 04

P. HÁBA 2580 — ARBAKOV 2475
Chemnitz 1997

1. d4 ♘f6 2. c4 e6 3. g3 d5 4. $\pm$g2 dc4 5. ♘f3 a6 6. 0−0 ♘c6 7. ♘c3 [RR 7. e3 $\pm$d7 8. ♘c3 ♖b8 9. ♘e5 ♘a5 10. e4! N (10. ♕e2 — 61/524) b5 11. g4! b4 12. g5 bc3 13. bc3! a) 13... ♕g8? 14. ♕f3 f6 (14... ♕e7 15. $\pm$a3+−) 15. ♕h5 g6 16. ♘g6 hg6 17. ♕g6 ♔e7 18. gf6 ♘f6 (18... ♔d6 19. e5♯) 19. $\pm$g5+−; b) 13... $\pm$e7?! 14. gf6 $\pm$f6 15. ♘d7 ♕d7 16. e5 $\pm$e7 17. ♕g4± Sr. Cvetković; c) 13... ♖b5□ 14. gf6 gf6 15. ♘d7 ♕d7 16. ♕f3 ♖g8 17. ♔h1⯑ 1/2 : 1/2 Sosonko 2515 − Je. Piket 2640, Nederland (ch) 1997] ♖b8 8. e4 $\pm$e7 9. d5 ed5 10. ed5 ♘b4 11. ♘e5 $\pm$f5 12. a3 [12. $\pm$g5 — 53/(481)] ♘d3 13. ♘c4 ♘c1 14. ♖c1 0−0 15. b4 ♖e8 16. ♕d4 $\pm$d6 [16... ♘d7!? 17. d6 cd6 18. ♘d6 $\pm$d6 19. ♕d6 ♘e5=] 17. ♖fe1 ♕d7 18. ♖e8 N [18. ♘d6] ♖e8 [18... ♕e8 19. ♕a7 $\pm$d3=] 19. ♘e3 $\pm$g6?! [19... $\pm$h3 20. ♕a7 $\pm$g2 21. ♔g2 c6!=] 20. ♕a7 ♕c8 21. ♘a4 ♕b8 22. ♕b8 ♖b8 23. ♘c4 [23. ♘c5!? a5 24. ba5 ♘e8±] $\pm$f5 [23... b5 24. ♘d6 cd6 25. ♘b6 $\pm$f5 26. ♖c6±; 23... $\pm$f8 24. ♘c5 $\pm$c5 25. bc5 ♘d7 26. d6 c6 27. ♘a5±] 24. ♘d6 cd6 25. ♘b6 ♔f8 26. f3 h5 27. h3 ♔e7? [27... ♖e8 28. g4 $\pm$d3 29. ♖c3 ♖e1 30. ♔f2 ♖e2 31. ♔g3 $\pm$b1 32. $\pm$f1 ♖e1 33. ♔f2 ♖e5 34. $\pm$c4±] 28. g4 $\pm$d7 29. a4 ♔d8 [⌐ 29... g5 30. ♔f2 h4] 30. ♔f2 hg4 31. hg4 g5 32. ♔e3 $\pm$e8 [32... $\pm$a4 33. ♘a4 ♘d5 34. ♔e4 ♘b4 35. ♘b6 ♔e7 36. ♔f5+−] 33.

a5! ♘d7 34. f4! [34. ♘c4 ♔e7 35. f4 b5⇆] gf4? [34... ♘b6 35. ab6 f6 36. ♖c7! $\pm$d7 37. $\pm$e4 $\pm$g4 38. fg5 fg5 39. ♖h7 ♖c8 40. ♖b7 ♖c4 41. b5!? ab5 42. ♖g7 ♔c8 43. ♖g5 $\pm$d1 44. $\pm$d3 ♖b4 45. ♖g6±] 35. ♔f4 ♘e5 36. $\pm$e4 $\pm$d7 37. $\pm$f5 $\pm$f5 38. ♔f5 ♘d3 39. ♖c4 ♘e5 40. ♖c3 $\pm$d7 41. g5 $\pm$f8 42. ♖h3 ♘g6 43. ♔f6   1 : 0
P. Hába

452.*   E 05

PLASKETT 2450 — MI. ADAMS 2680
Great Britain (ch) 1997

1. d4 ♘f6 2. ♘f3 e6 3. g3 d5 4. $\pm$g2 $\pm$e7 5. 0−0 0−0 6. c4 dc4 7. ♕c2 a6 8. ♕c4 [RR 8. a4 $\pm$d7 9. ♕c4 $\pm$c6 10. $\pm$g5 $\pm$d5 11. ♕c2 $\pm$e4 12. ♕c1 N (12. ♕d1 — 33/(599)) ♘c6 13. e3 ♘b4 14. ♘c3 $\pm$c6 15. a5 ♖c8 16. ♖d1 $\pm$f3 17. $\pm$f3 ♘fd5 18. $\pm$e7 ♕e7 19. ♘a4 b6 20. ♕d2 ♖b8 21. ♖dc1 ♖fd8 22. ♘c3 ♘f6 23. ♘a2 ♘a2 24. ♖a2 e5 25. ♕c3 ed4 26. ed4 h6 27. ab6 ♖b6= Pigusov 2560 − Liang Jinrong 2425, Beijing 1997] b5 9. ♕c2 $\pm$b7 10. $\pm$d2 ♘c6 11. ♖d1 N [⌐ 11. e3 — 60/472] ♘d4! 12. ♘d4 $\pm$g2 13. $\pm$a5! [13. ♘e6 $\pm$e4 14. ♘d8 $\pm$c2 15. ♖c1 ♖fd8 16. ♖c2 c5∓] $\pm$e4 14. ♕c7 ♕c7 [14... ♕e8 15. ♘c3! $\pm$d8 16. ♕e5] 15. $\pm$c7 ♖ac8 16. $\pm$a5 [16. $\pm$f4] e5 17. ♘b3 [17. ♘f3 $\pm$f3 (17... ♖c2 18. ♘bd2) 18. ef3 ♖c2 19. ♘d2 ♖b2 20. $\pm$c3 ♖c2 21. $\pm$e5∓] $\pm$c2 18. ♖e1 ♖c6 [18... e4 19. ♘c3 e3!→ Plaskett] 19. ♘1d2∓ ♖fc8 20. $\pm$c3! ♘d7 21. ♖ec1 $\pm$g6 22. $\pm$a5 f6 [22... ♘c5] 23. ♖c6 ♖c6 24. ♖c1 ♖c1 25. ♘c1 ♔f7 [⌐ 25... ♘c5] 26. e4! [△ f3, ♔f2] f5!? [26... ♘e6 △ $\pm$f7] 27. ef5□ [27. f3 fe4 28. fe4 ♘c5−+] $\pm$f5 28. ♔f1 ♔e6 29. ♔e2 ♘b8 [⌐ 29... g5] 30. $\pm$b6 ♘c6 31. a3 g5 32. f3 h5 33. ♘a2 g4 34. ♘e4⊕ ♘d4 [⌐ 34... gf3 35. ♔f3 ♘d5 36. ♘d2 ♘d4] 35. $\pm$d4 ed4 36. ♘b4! $\pm$b4□ [36... a5 37. ♘c6] 37. ab4 ♔d5 38. ♘f6?? [38. ♘d2=] ♔c4−+ 39. ♘h5 ♔b3⊕ [40. fg4 ♔c2 41. ♘f4 $\pm$g4 42. ♔f2 d3−+; 40. ♘g7 $\pm$d7! 41. ♔d3 gf3−+]   0 : 1
Mi. Adams

453.*   E 06

SPEELMAN 2630
– PLASKETT 2450

Great Britain (ch) 1997

1. d4 ♞f6 2. ♞f3 e6 3. g3 c5 4. ♝g2 cd4 5. 0–0 d5 [5... h5!? Speelman] **6. ♞d4 ♝e7 7. c4 0–0 8. cd5 ♞d5 9. ♕b3** [9. ♞d2 — 56/566; RR 9. e4 ♞b4 10. a3 ♞4c6 11. ♞c6 N (11. ♞e2) ♞c6 12. ♞c3 ♝f6 13. ♝e3 ♝c3 14. bc3 e5 15. f4 ♝e6 16. f5 ♝c4 17. ♖f2 f6 18. ♝f1 ♞a5 19. ♝c5 ♕d1 20. ♖d1 ♖fc8 21. ♝b4 ♝f1 22. ♖ff1 ♞b3 23. ♖d7 a5 24. ♖b1 ab4 25. ♖b3 bc3 26. ♖bb7 1/2 : 1/2 Smyslov 2500 – R. Åkesson 2515, Malmö 1997] **♞a6!? 10. ♖d1** [10. ♝d5!? ♞c5 11. ♕f3!?] **♞c5 11. ♕c2 N** [11. ♕c4 ♞b6 12. ♕c2 ♝d7 13. ♞c3 ♕e8=; 11. ♕f3] **♞b4!? 12. ♕c4 e5! 13. ♕b4 ♞e6 14. ♕e1 ed4 15. ♞c3 ♝d7** [15... ♝b4!? 16. a3? ♕a5! 17. ♖b1 dc3 18. ab4 c2–+] **16. ♞d5 ♝c6 17. e4** [17. ♞e7 ♕e7 18. ♝c6 bc6∓] ♖e8 [×e4] **18. ♝d2 ♝f8 19. ♕f1◻ ♞c5 20. ♝f4◻** [20. ♖e1 ♞e4 21. ♝e4 ♖e4 22. ♖e4 ♕d5 23. f3 f5 24. ♖ee1 ♕f3 25. ♕f3 ♝f3∓; 20. ♝b4 ♞e4∓] ♞e4! **21. ♞c7◻** [21. ♖d4? ♝d5 22. ♖ad1 ♝c5! 23. ♖d5 ♞f2–+] **g5 22. ♞e8 gf4 23. ♕c4** [23. ♖e1 f3! 24. ♝h3 (24. ♝f3? ♞d2–+) ♕e8 25. ♝f5 △ ♕h3⇆; ⌐ 24... ♞g5∓] **♕e8 24. ♖d4 ♞d6?!** [24... ♞c5 25. ♝c6 ♕c6 26. ♖f4 ♞e6∓] **25. ♝c6 bc6 26. ♕d3 ♕e5 27. ♖f4 ♕b2 28. ♖e1∞ ♔h8! 29. ♖d4 ♖d8 30. ♖d1 c5 31. ♕f3 ♝e7! 32. ♖4d2 ♕e5?⊕** [32... ♕g7∓] **33. ♖e2? ** [33. ♖d5 △ ♖c5∞] **♕f6 34. ♕e3 ♝f8∓ 35. ♕c5?⊕ ♞e4–+ 36. ♕c2 ♖d1 37. ♕d1 ♞c3 38. ♕d2 ♞e2 39. ♕e2 ♝c5 40. ♔g2 ♝d4 41. f3 h6 42. h4 ♕e6 43. ♕c2 h5   0 : 1   *Plaskett***

454. !N   E 08

V. MIKHALEVSKI 2535
– BIGALIEV 2435

Berlin 1997

1. d4 ♞f6 2. c4 e6 3. g3 d5 4. ♞f3 ♝e7 5. ♝g2 0–0 6. 0–0 c6 7. ♕c2 ♞bd7 8. b3 b6

9. ♖d1 ♝b7 10. ♞c3 ♖c8 11. e4 c5 12. ed5 ed5 13. ♝b2 ♖e8 14. ♞g5! N ± [14. cd5 — 47/601] **h6◻** [14... cd4? 15. ♞d5+–] **15. ♞h3** [△ ♞f4, ×f2] **cd4◻ 16. ♖d4 ♞e5!?** [16... ♝c5 17. ♖dd1! ♞e5 18. ♞d5±] **17. ♕d1** [⌐ 17. ♖ad1±] **♝c5** [17... ♞c6 a)] 18. ♖d2 d4 19. ♞b5 ♝b4 20. ♝c6 (20. ♖d3? ♖e1) ♖c6⊠ ⫽a8-h1; b) 18. ♖d3! ♞e5 (18... d4 19. ♞b5 ♝b4 20. ♕f1!± ×d4) 19. ♖d2 ♝b4 — 17... ♝c5] **18. ♖d2 ♝b4**

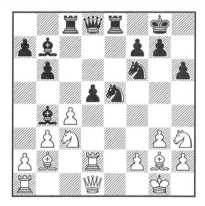

19. ♞f4?! [19. a3 ♝c3 20. ♝c3 ♕c7 21. ♝e5 ♖e5 22. cd5±; 19. ♖c1 △ ♞f4+] **♕e7?** [19... b5!! a) 20. ♞fd5 ♝d5! 21. ♝d5 ♕a5! 22. a3 (22. ♖c1 bc4 23. a3 ♝c3 24. ♝c3 ♕a3=) ♝c3 23. b4 ♕a6 24. ♝c3 ♞c4=; b) 20. a3! ♝c3 21. ♝c3 bc4 22. ♞d5! ♞d5 23. ♝d5 ♝d5 24. ♖d5 ♕c7 25. ♝e5 (25. bc4!?±) ♖e5 26. bc4±] **20. ♞cd5 ♞d5 21. ♞d5 ♝d5 22. ♖d5+– ♞c6 23. ♕g4 ♕f8 24. ♝e4   1 : 0**

V. Mikhalevski

455.*** !N   E 11

SHLIPERMAN 2395 –
YERMOLINSKY 2630

Philadelphia 1997

1. d4 ♞f6 [RR 1... e6 2. c4 ♝b4 3. ♝d2 ♝d2 4. ♕d2 ♞f6 5. ♞c3 0–0 6. ♞f3 d6 7. g3 ♞c6 8. d5! N (8. ♝g2 — 13/587) ♞e5 (8... ♞e7 9. de6±) 9. ♞e5 de5 10. ♝g2 ed5 11. cd5 a6 12. ♕c2! (12. 0–0 c6=) ♕d6? 13. 0–0 ♝d7 14. ♖fd1 g6 15. ♖ac1 ♖a7 16. ♞b1! b5 17. ♞d2 ♖b8 18. ♞b3 a5 19. ♞c5 ♖b6 20. ♕d2 ♕e7 21. h3 (×g4; 21. ♕e3 ♞g4) ♞e8 22. ♕e3 ♝c8

23. f4! f6 24. fe5 ♕e5 25. ♕e5 fe5 26. ♘d3 e4 27. ♘e5 ♔g7 28. ♘c6 ♖a8 29. g4 (Tunik 2450 — Tockij 2485, Pardubice 1997) h5 30. ♗e4 hg4 31. hg4 ♗g4 32. ♔f2±⊞; 12... ♘e8 △ ♘d6± Tunik] **2. c4 e6 3. ♘f3 ♗b4 4. ♘bd2 d6 5. a3** [5. g3 c5?! N (5... ♘bd7 — 66/(417)) 6. ♗g2 ♘c6 7. dc5 (7. a3 ♗d2 8. ♕d2 ♘e4) dc5 (7... ♗c5 8. 0—0 0—0 9. a3 a5 10. ♕c2±) 8. 0—0 e5□ (8... ♗d2 9. ♘d2! e5 10. ♘b3 ♕e7 11. ♗c6 bc6 12. ♗e3 ♘d7 13. ♕d2±; 8... 0—0 9. ♘b3 ♕e7 10. a3 ♖d8 11. ♕c2 ♗a5 12. ♘a5 ♘a5 13. ♘e5±) 9. ♘b3!? (9. ♕c2 ♘d4; 9. ♘g5 ♗d2 10. ♗d2 ♗f5∞ 11. ♗c6!?) ♕d1 (9... ♗e6 10. ♗e3) 10. ♖d1 ♗e6□ 11. ♗e3 ♗c4 12. ♘c5 ♗e2 13. ♖dc1 ♗c5 (13... 0—0 14. ♘b7 ♖ac8 15. a3 ♗e7 16. b4±) 14. ♗c5 ♗f3 (14... ♘d7? 15. ♗a3 f5? 16. ♘h4! g6 17. ♗c6! bc6 18. ♖c6± Yermolinsky 2650 — Savon 2465, Krynica 1997; 15... ♗f3□) 15. ♗f3 e4 16. ♖e1 0-0-0 17. ♗e4 ♘e4 18. ♖e4±] **♗d2 6. ♕d2 ♘bd7 7. b4?!** [7. b3 N 0—0 8. ♗b2 b6 9. e3 ♗b7 10. ♗e2 ♘e4 11. ♕d3 f5 12. 0—0 ♖f6∞ Browne 2510 — Yermolinsky 2610, Reno 1996] **a5! N** [7... e5? 8. de5 de5 9. ♗b2 ♕e7 10. ♕g5±; 7... b6 8. ♗b2±; RR 7... ♘b6 8. e3 (8. c5!? ♘c4 9. ♕c2) ♗d7 Browne] **8. ♗b2** [8. b5 e5 9. de5 de5 10. ♗b2 e4 11. ♘e5 0—0=] **ab4 9. ab4 ♖a1 10. ♗a1**

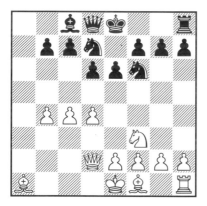

10... b5! 11. c5 [11. cb5 ♗b7 12. e3 ♕a8 13. ♕c3 (13. ♗b2 ♗f3 14. gf3 ♕f3 15. ♖g1 0—0∓) ♘d5 (13... ♗f3 14. gf3 ♕f3 15. ♖g1 0—0 16. ♕c7 ♖a8 17. ♗b2 ♖a2) 14. ♕b2 ♘b4 15. ♗e2 ♘c2 16. ♔d2 ♘a1

17. ♖a1 ♕b8=] **♗b7 12. e3 ♕a8 13. ♕b2??** [13. ♗b2 ♕a4 (13... ♗f3 14. gf3 ♕f3 15. ♖g1 0—0 16. ♗b5∞) 14. ♗d3 ♘e4 15. ♗e4 ♗e4 16. 0—0 ♕a8 17. ♖a1 ♕b7 18. ♘e1=] **♗f3 14. gf3 ♕f3 15. ♖g1 0—0 16. ♗b5 ♖a8! 17. ♗f1?** [17. ♗e2 ♕h3 18. ♖g3 ♕h2 19. ♗f3 d5 20. ♕b1∓] **♘e4—+ 18. ♖g2** [18. ♗g2 ♖a1] **♘df6 19. cd6 cd6 20. b5 ♘d5 21. b6 ♘b4!** **0 : 1**
Yermolinsky

456. E 11

BROWNE 2530 —
YERMOLINSKY 2650
USA (ch) 1997

1. d4 ♘f6 2. c4 e6 3. ♘f3 ♗b4 4. ♘bd2 d6 5. a3 ♗d2 6. ♕d2 ♘bd7 7. e3 e5 8. de5 [8. b4?! e4! 9. ♘g5 h6 10. ♘h3 ♘f8] **de5** [8... ♘e5 9. ♘e5 de5 10. ♕d8 ♔d8 11. b4±] **9. b4 e4 N** [9... 0—0 10. ♗b2 e4 (10... ♕e7 — 31/558) 11. ♘e5!? ♘e5 12. ♗e5±] **10. ♘d4 ♘e5 11. ♗b2 0—0** [11... ♕e7 12. ♕c3] **12. ♗e2** [12. ♘b5!? *a*) 12... ♘d3 13. ♗d3 ed3 14. ♖d1! (14. ♗f6? ♕f6 15. 0—0 c6 16. ♘d4 ♗f5=) ♗f5 15. f3±; *b*) 12... ♕e7 13. ♕d4! (13. ♗e5 ♕e5 14. ♕d4 ♕e7 15. ♕c5?! ♕c5 16. bc5 c6 17. ♘d6 b6∓) ♘c6 (13... ♘d3?! 14. ♗d3 ♖d8 15. ♕e5 ♕e5 16. ♗e5 ed3 17. ♘c7 ♖b8 18. ♘d5+—) 14. ♕c5 ♕c5 15. bc5 ♘e8 16. 0-0-0 ♗g4 17. ♖d2±; *c*) 12... ♕d2 13. ♔d2 ♖d8 14. ♔c2 ♘eg4 15. ♘c7 ♘f2∞] **♕e7 13. ♕c3** [13. h3 b6∞] **♖e8 14. ♖d1?!** [14. 0-0-0! ♗g4 (14... a5) 15. f3 ef3 16. gf3 ♗h5 (16... ♗h3!?) 17. ♖hg1 (17. ♘f5 ♕e6 18. e4 ♗g6 19. ♘e3±) ♗g6 18. f4!±] **♗g4 15. f3 ef3 16. gf3 ♗d7!** [16... ♗h3 17. ♖g1 ♘h5 18. f4 ♘g6 19. ♗h5 ♕h4 20. ♕h5 ♕h5 21. ♘e6 f6 22. ♘g7!+—] **17. ♘b5** [17. ♖g1 ♘h5 18. f4!? ♕h4 19. ♔d2 ♘g4 20. ♗g4 ♗g4 21. ♘f5!? ♗f5 22. ♖g7 ♔f8 23. ♖g8 ♔e7 24. ♕e5 ♗e6 25. ♕c5 ♔d8 26. ♔c1 ♗d7 27. ♖g5±] **♗c6!** [17... ♗b5 18. cb5 ♘h5? 19. ♖d4!±] **18. ♕e5** [18. ♔f2?? ♘eg4—+; 18. 0—0? ♘g6!] **♕e5 19. ♗e5 ♖e5 20. ♔f2 ♖e7** [20... ♗b5 21. cb5 ♖ae8 22. e4 ♘h5 23. ♖d7±] **21. ♘c3 ♖ae8 22. e4 ♔f8 23. h4** [23. ♘d5!? ♘d5 (23...

♗d5 24. cd5 ♖d8 25. ♖c1±) 24. cd5 ♗a4!
25. ♖d4 a6 26. ♖c1 f5=| ♗d7 24. ♖d4?!⊕
[24. c5 c6 25. ♖d6] **c6 25. ♖hd1 ♗c8 26.**
c5 ♘h5 27. ♗c4?! [27. ♗d3] **f5 28. ♖d8**
♘f6 29. ef5 ♗f5 30. ♘e2 ♗e6 31. ♗e6
♖e6∓ 32. ♘d4! ♖e5 33. ♖e8 ♔e8 [♖ 9/h]
34. ♘b3 ♖e6 35. ♘a5 b6 36. cb6 ab6 37.
♘c4 ♘d5 38. ♖d4?! [38. a4! ♘c3 39. ♖a1
♖e2 40. ♔f1 ♖h2 (40... b5? 41. a5!! bc4
42. a6 ♖h2 43. ♔g1+−] 41. ♖e1 ♔d8 42.
♘b6 ♖h4 43. ♖e3 ♘a2=] **b5 39. ♘a5**
♔d7 40. ♘b3 [40. a4! ba4 41. b5 ♔c7 42.
bc6 ♘b6=] **♔d6 41. ♖d2 ♖h6 42. ♔g3**
♖g6 43. ♔f2 ♖f6 44. ♔g3 ♖h6 45. ♖d1
♖e6 46. ♔f2 ♖f6 47. ♔g3 ♖g6 48. ♔f2
♖h6 49. ♔g3 ♖g6 50. ♔f2 ♖f6 51. ♔g3
1/2 : 1/2   *Browne*

457. E 11

TIMMAN 2630 − HELLSTEN 2485

Malmö 1997

1. d4 ♘f6 2. c4 e6 3. ♘f3 ♗b4 4. ♘bd2 b6
5. a3 ♗d2 6. ♗d2 ♗b7 7. ♗g5 d6 8. e3
♘bd7 9. ♕c2 c5 10. ♗d3 N [10. ♖d1 −
61/530; 10. ♗e2!?] **♖c8?!** [△ 10... 0−0]
11. d5!± ed5 12. cd5 h6 13. ♗h4 ♗d5
14. 0-0-0 g5 15. ♗g3 c4 [15... ♕e7 16.
♘d4!+−] **16. ♗f5 ♘c5 17. ♖d5! ♘d5 18.**
♖d1 ♘e7□ 19. ♗c8 [19. ♖d6 ♘d3 20. ♔b1
♘f5±] **♕c8 20. ♗d6 ♘d3 21. ♔b1 ♕e6**
22. ♕a4 ♔f8 23. ♗e7 ♕e7 24. ♕c4 ♘f2
25. ♕c3! ♖g8 26. ♖f1 ♘e4 27. ♕d4 g4!□
[△ 28. ♘e5 ♘d2] **28. ♘h4 ♕h4 29. ♕e4**
♕e7 [⌐ 29... ♕h2 30. ♕b4±] **30. ♕d4+−**
♖g7 31. ♖f6 ♖g6⊕ 32. ♖g6 fg6 33. ♕h8
♔f7 34. ♕h7 ♔f6 35. ♕e7 ♔e7 36. ♔c2
♔d6 37. ♔d3 ♔e5 38. e4 h5 39. g3
1 : 0   *Timman*

458. E 11

KRAMNIK 2770 −
J. POLGÁR 2670

Dortmund 1997

1. ♘f3 d5 2. d4 e6 3. c4 ♗b4 4. ♗d2 ♗d2
5. ♘bd2 ♘f6 6. g3 0−0 7. ♗g2 ♕e7 8.
0−0 b6 9. ♖c1 ♗b7 10. ♘e5 N [10. cd5 −

67/(572)] **♘bd7?!** [10... c5 11. dc5 bc5 12.
♘b3!↑ ♘a6 (12... ♕c7 13. ♘d3) 13. ♘a5;
10... ♘a6! 11. cd5 ed5 12. ♖e1 (12. e3 c5;
12. ♘c6 ♕e6! 13. ♕c2 ♕e2) c5 13. e4!
de4 (13... cd4 14. ed5±) 14. ♘e4 ♘e4 15.
♗e4 ♗e4 16. ♖e4 cd4 (16... f6? 17. ♕b3)
17. ♕d4 ♘c5 18. ♖e3±] **11. ♘d7 ♕d7 12.**
♕c2 [12. cd5 ed5 13. ♕c2±; 12. c5] **♖ac8**
13. c5! c6 [13... bc5 14. ♕c5 ♕a4 15.
♕c3± ♘d7 16. ♘b3 (16. b4) ♗a6 17. ♖fe1
♗c4 18. ♘a5] **14. ♕a4** [14. ♖fd1] **♗a8 15.**
e4± de4 [15... ♖fd8 16. e5] **16. ♘e4 ♘e4**
17. ♗e4 ♖fd8 18. ♖fd1 g6 19. b4 [19.
♕b3!?] **♕c7 20. ♕a3 ♕e7 21. ♕f3** [×c6]
b5 22. a4!? [22. ♕f4 ♖d7 (22... a5!?) 23.
♖d2 ♖cd8 24. ♖cd1±] **ba4** [22... a6 23.
♖a1] **23. ♖a1 ♗b7** [23... e5 24. de5 ♖d1
(24... ♕e5 25. ♖d8 ♖d8 26. ♖a4) 25. ♕d1
♕e5 26. ♗f3±] **24. ♖a4 a6 25. ♖a2** [25.
♕e3!? △ ♗f3-e2] **♔g7 26. ♖ad2 ♖c7 27.**
♕f4 ♖cd7 28. ♕e5 ♕f6 [28... f6 29. ♕f4
a) 29... ♖d4 30. ♖d4 ♖d4 31. ♖d4 e5 32.
♗c6! (32. ♕d2 ed4 33. ♕d4±) ef4 (32...
♗c6 33. ♕e3; 32... ed4 33. ♗b7 ♕b7 34.
♕d4) 33. ♖d7 ♕d7 34. ♗d7+−; *b)* 29... e5
30. de5 ♖d2 31. ♖d2 fe5 32. ♕e3; 28...
♔g8 29. h4] **29. f4** [29. ♕f6 ♔f6 30. f4]
h5?! [29... ♕e5 30. fe5 f6 31. ef6 ♔f6 32.
♔f2] **30. ♔f2 h4 31. ♔e3+−** [31. gh4]
hg3 32. hg3 ♗a8 [32... ♖h8 33. ♖h1!?
♖h1 34. ♗h1 ♕e5 35. de5+−] **33. ♖h2** [△
♖h7] **♕e5 34. fe5 ♔f8** [34... ♖h8 35. ♖h8
♔h8 36. ♖a1 ♖a7 37. ♗d3+−] **35. ♖f1**
[35. ♖h8 ♔e7 36. ♖d8 ♖d8 37. ♖a1 ♗b7
38. ♗d3+−] **♖d4** [35... ♔g7 36. ♖fh1] **36.**
♖h7 ♖8d7⊕ [36... ♖4d7 37. ♗g6] **37. ♖h8**
[37. ♖hf7 ♖f7 38. ♖f7 ♔f7 39. ♔d4+−]
♔e7 38. ♖a8 ♖b4 39. ♗c6 ♖b3 40. ♔f2
♖d2 [40... ♖b2 41. ♔g1] **41. ♔e1** **1 : 0**
                                              Kramnik

459.** !N E 11

MALANJUK 2615
− MACIEJA 2470

Koszalin 1997

1. d4 ♘f6 2. c4 e6 3. ♘f3 ♗b4 4. ♗d2
♕e7 5. g3 ♘c6 6. ♘c3 [RR 6. ♗g2 ♗d2
7. ♘bd2 d6 8. 0−0 a5 9. e4 e5 10. d5 ♘b8

279

11. ♘e1 h5 12. h3 h4 13. g4 ♘bd7 14. ♘d3 g5 15. b3 ♘f8 N (15... ♘c5 — 64/450) 16. a3 ♘g6 17. ♖e1 0—0 18. b4 ♗d7 19. f3 b6 20. ♕c2 c5= Je. Piket 2630 — Shaked 2500, Tilburg 1997] **0—0** [RR 6... ♗c3 7. ♗c3 ♘e4 8. ♖c1 0—0 9. ♗g2 d6 10. d5 ♘d8 11. ♗b4 a5 12. ♗a3 e5 13. ♘d2 N (13. ♕c2 — 66/419) ♘d2 (13... ♘c5 14. 0—0 f5 15. f4 ♘f7 16. ♖c3 ♗d7 17. b3± Ftáčnik 2585 — Hráček 2605, Ostrava (m/5) 1997) 14. ♕d2 b6= Ftáčnik] **7. ♗g2 d6 8. 0—0 ♗c3 9. ♗c3 ♘e4 10. ♗e1!** N [RR 10. ♖c1 ♘c3 11. ♖c3 e5 12. d5 ♘d8 (12... ♘b8 — 53/490) 13. e4 f5 14. ef5 ♗f5 15. ♘h4 ♗d7=; 10. ♕c2 ♘c3 11. ♕c3 e5 12. d5 ♘d8 13. c5 (13. ♘d2 — 63/(431)) f5 14. cd6 cd6 15. ♖ac1 ♘f7 16. ♕c7 ♕f6!∞ Macieja] **e5 11. d5 ♘d8 12. ♕c2 f5 13. ♘h4! ♘g5□ 14. f4 ef4 15. ♖f4! g6 16. ♗c3 ♘df7 17. ♖af1 ♗d7 18. e4!± ♘h6 19. ef5 ♕e3□** [19... ♘f5 20. ♖e1 ♕d8 21. ♕d2] **20. ♔h1 ♘f5 21. ♗d2** [21. ♖e1? ♘g3 22. hg3 ♕g3∓; 21. ♘f3 ♘f3 22. ♖4f3 ♕g5] **♕e7** [21... ♕c5!?] **22. ♖e1 ♕d8 23. ♘f5 ♖f5 24. ♗c3! ♕f8 25. ♕d2 h6?** [25... ♘f7□] **26. ♕d4 ♔h7 27. ♖f5 ♗f5 28. h4 c5** [28... ♘f7 29. ♖e7] **29. dc6 ♘e6 30. cb7⸴♖b8 31. ♕a7 g5 32. ♖f1 gh4 33. ♕e3 h3 34. ♗e4** **1 : 0**

Malanjuk

460.** E 11

JE. PIKET 2630 — I. SOKOLOV 2635

Antwerpen 1997

1. d4 ♘f6 2. c4 e6 3. ♘f3 ♗b4 4. ♗d2 c5 5. ♗b4 cb4 6. g3 0—0 [RR 6... b6 7. ♗g2 ♗b7 8. 0—0 0—0 9. a3 ba3 10. b4 N (10. ♖a3 — 57/(516)) ♘c6 11. ♘e5 ♕c7 12. ♘c6 ♗c6 13. ♘a3 ♗g2 14. ♔g2 a5= Van Wely 2655 — Je. Piket 2630, Monaco (m/6) 1997] **7. ♗g2 ♘c6** [RR 7... ♕c7 8. ♘bd2 b6 N (8... d6 — 46/674) 9. a3 ba3 10. ♖a3 ♗b7 11. 0—0 d6 12. b4 ♘c6 13. b5 ♘a5 14. ♕a1 ♖fc8 15. ♖c1 1/2 : 1/2 Sosonko 2515 — Timman 2630, Nederland (ch) 1997] **8. 0—0** [8. d5 ♘a5∞] **d6 9. ♘bd2 ♕b6** [9... e5 — 62/519; 9... ♖e8 — 62/(519)] **10. e3 ♗d7** [10... e5 11. c5]

461. !N E 12

GEL'FAND 2700 — G. KASPAROV 2795

Novgorod 1997

1. d4 ♘f6 2. c4 e6 3. ♘f3 b6 4. a3 c5 5. d5 ♗a6 6. ♕c2 ed5 7. cd5 g6 8. ♘c3 ♗g7 9. g3 0—0 10. ♗g2 d6 11. 0—0 ♖e8 12. ♖e1 ♘bd7 13. h3 b5 14. e4?! ♕c8! N [14... ♖c8 — 68/446] **15. ♗f4** [15. a4 b4 16. ♘b5 ♕b8 17. ♗f4 ♗f8 18. ♗f1 ♗b7∓] **b4 16. ♘a4** [16. ♘d1 b3 17. ♕b1 ♕c7∞] **b3** [16... ♗b5!? *a*) 17. ♗d6? ♗a4 (17... ♕a6? 18. e5 ♗a4 19. b3 ♘d5 20. ba4∞) 18. ♕a4 ♘e4∓; *b*) 17. ♘d2? ♘h5∓ 18. ♘c4? ♘f4 19. gf4 b3 20. ♕b3 ♕a6—+; *c*)

11. h3!? N [11. ♕e2 △ 12. a3, 12. ♖fc1; 11. ♕b1!? △ ♘g5 ✕b4; 11. ♖c1] ♖ac8 12. g4 h6 [12... a5 13. g5 ♘e8 14. ♘e4] 13. ♕e2 a5 [13... ♕a6; 13... ♖c7 △ ♖fc8] 14. ♖fc1 ♘e7 15. a3 ba3?! [15... ♘g6!? △ 16. ab4 ♕b4] 16. ba3 ♕a6 17. ♖ab1 ♘g6 [17... b5 18. ♗f1! bc4 19. ♖c4 ♖c4 (19... ♗b5? 20. ♖b5 ♕b5 21. ♖c8+—) 20. ♘c4 ♗b5 21. a4±] 18. ♖c2 ♗c6 [18... d5!?] 19. ♖cb2 d5 [19... ♘e4 20. ♖b6 ♘c3 21. ♕d3 ♘b1 22. ♖a6 ♘d2 23. ♕d2 ba6 24. ♕a5±] 20. g5! hg5 21. ♖b6 ♕a8 22. ♘g5 dc4 [22... ♘h4 23. cd5 (23. c5!? I. Sokolov) ed5 24. ♘df3 ♘g2 25. ♔g2 △ ♘e5±↑] 23. ♗c6 ♖c6 [23... bc6 24. ♕c4 △ ♖a6] 24. ♖c6 bc6 25. ♕c4 ♖c8 26. ♘df3 [△ 27. ♘f7 ♔f7 28. ♘g5] ♘d5 [26... c5!? 27. dc5 ♘d7⊼] 27. ♘e5!± ♘h4 [27... ♘e5 28. de5 *a*) 28... c5 29. ♕e4 ♔f8 30. ♕f3; *b*) 28... ♘e7 29. ♕h4 ♘f5 (29... ♘g6 30. ♕h7 ♔f8 31. ♘e6) 30. ♕h7 ♔f8 31. e4+—; *c*) 28... ♖b8 29. ♖b8 (29. ♖d1; 29. ♖c1) ♕b8 30. ♕c6±] 28. ♘gf7 c5 29. ♘d6 ♖d8 [29... ♘f4 30. ♖b7] 30. dc5 ♘e3 31. ♕e6 ♔h7 32. c6 ♖b8 33. ♖e1! [33. ♖b7 ♕a6 (33... ♖b7 34. cb7 ♕a6 35. fe3 ♕e2 36. ♕g8!?) 34. fe3 ♕e2 35. ♖g7∞] ♘c2 34. ♘df7! g6 [34... ♘e1 35. ♘g5 ♔h8 36. ♘ef7 ♔g8 37. ♘h6 ♔h8 38. ♕g8 ♖g8 39. ♘hf7#] 35. ♘g5 ♔g7 [35... ♔h6 36. ♘ef7 ♔g7 (36... ♔h5 37. ♕g4#) 37. ♕e5] 36. ♕e7 ♔h6 37. ♘g4 ♔h5 38. ♕h7 ♔g5 39. ♕h6 [39... ♔f5 40. ♖e5#] **1 : 0**

Je. Piket

17. ab4 cb4 18. ♕b1 (18. ♕c8 ♖ac8 19. ♘d4 ♗a4 20. ♖a4 ♘d5 21. ♘b5 ♘f4 22. gf4 ♘c5 23. ♖a7 ♘d3 24. ♖d1 ♘f4 25. ♘d6 ♖ed8∓) c1) 18... a5 19. ♗d6 ♕a6 20. e5 ♘d5 (20... ♗d3 21. ♕d1 ♘e4 22. ♗c7±) 21. ♘d4 ♗c4∞; c2) 18... ♕b8 19. ♘d4 ♘d5 20. ♗d6 ♕d6 21. ♘b5 ♕b8 22. ♕d3 (22. ed5 ♕b5 23. ♖e8 ♖e8 24. ♕c2∓) a6 23. ♘d4 (23. ♕d5 ab5 24. ♕d7 ba4∓) ♘5b6 24. ♘c6 ♘e5 25. ♘e5 ♗e5∓] 17. ♕b3 ♘e4 18. ♕c2 [18. ♘h4? ♘df6 19. f3 c4 20. ♕c2 ♘c5∓] ♘df6 19. g4!? [19. ♘d2 ♘d2 20. ♕d2 ♕d7 21. ♘c3=] ♕d7! 20. g5 ♘h5 21. ♗h2?! [21. ♖e4 ♖e4 22. ♘c5! (22. ♕e4? ♖e8 23. ♘c5 ♖e4 24. ♘d7 ♖f4∓) dc5 (22... ♖c4 23. ♕c4 ♗c4 24. ♘d7 ♘f4 25. ♘f6 ♗f6 26. gf6 ♗d5 27. ♖d1 ♖e8 28. ♔h2∞) 23. ♕e4 ♘f4 (23... ♖e8 24. ♗e5) 24. ♕f4 ♗b2? 25. ♖b1±; 24... ♖e8∞] f5 22. ♘c3 ♖ab8 23. ♖ab1? [23. ♘e4 ♖e4 (23... fe4 24. ♖e4 ♖b2 25. ♖e8 ♕e8 26. ♖e1∞) 24. ♖ab1 (24. ♖e4? ♖b2 25. ♕a4 ♗b5−+) ♖e1 25. ♘e1 f4∓] ♗c3? [23... ♖b2! 24. ♖b2 ♗c3 25. ♖e4 fe4 26. ♕c3 ef3 27. ♗f3 ♕h3 28. ♗d6 ♗e2 29. ♖e2 ♖e2 30. ♗c5 (30. ♗c7 ♖e4! 31. d6 ♘f4 32. ♗a5 ♕e6 33. ♕b2 ♘h3 34. ♔g2 ♖f4 35. ♕b7 ♖f7−+) ♖e4! a) 31. ♗d6 ♖g4 32. ♗g3 ♖g5 33. ♕c7 ♖g3 (33... ♕f5 34. ♗h5 ♖h5 35. ♕b8 ♕f8 36. ♕b3∓) 34. fg3 ♕g3 35. ♕g3 ♘g3−+; b) 31. ♗b4 ♖f4∓] 24. bc3 ♖b1 25. ♖b1 ♗c4 26. ♘d2! [26. ♖e1 ♗d5 (26... ♘g5 27. ♖e8 ♕e8 28. ♗d6 ♘e4 29. ♗e5 ♗d5 30. c4∓) 27. ♘d2 ♗c6 28. ♘e4 fe4 29. c4 ♘g7∓] ♘d2 27. ♕d2 f4! 28. ♖e1 [28. ♗f4?? ♕f5]

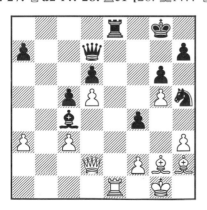

28... ♖e5! 29. ♖e4?? [29. ♖e5 de5 30. d6 a) 30... ♗e6 31. ♔h1! a1) 31... h6 32. gh6 (32. h4? hg5 33. hg5 ♘g7 34. ♗e4 ♘f5 35. ♗f5 ♕b7 36. ♔g1 ♗f5∓) ♘f6 (32... ♔h7 33. f3 ♗h3 34. ♕d5) 33. f3 ♔h7 34. ♗g1 ♕c6 35. ♕f2 ♘d7 36. ♕h4 ♕d6 37. ♕d8∞; a2) 31... ♘g7 32. f3 ♘f5 33. ♗g1 ♕c6 34. ♗c5 ♕c5 35. d7 ♗d7 36. ♕d7=; b) 30... ♔f8 b1) 31. ♔h1 ♘g7 32. f3 ♘e6 33. ♗g1 ♕c6 34. h4 ♔e8 35. ♕d1 (35. ♕b2 ♕b6 36. ♕c2 ♗d5∓) ♕d7 36. ♗h3 a6∓; b2) 31. ♗c6! ♕h3 32. ♕d1 ♕d3 33. ♕d3 ♗d3 34. f3 ♘g7 b21) 35. ♔f2? ♘e6! (35... ♘f5? 36. ♗g1 ♘d6 37. ♔e1∞) 36. ♗g1 ♘g5 37. ♔g2 ♘e6 38. ♗d5 ♗f5 39. ♗e6 ♗e6 40. ♗c5 ♔f7 41. ♗a7 ♗d7−+; b22) 35. ♔g2 ♘f5 36. ♗g1 ♘e3 37. ♔f2 ♔f7 38. ♔e1 ♕e6 39. d7 ♔e7 40. ♔d2 ♗f5 41. ♗e3 fe3 42. ♔e3 ♗d7 43. ♗d7 ♔d7 44. ♔e4 ♔d6 45. c4 ♔e6 46. f4 ef4 47. ♔f4=] ♖e4 30. ♗e4 ♕h3 31. ♗g2 ♕g4 32. ♕e1 ♘g7−+ 33. f3 [33. ♕b1 ♗d5 34. ♕b8 ♔f7 35. ♕c7 ♔e8 36. ♗g3 ♕d1 37. ♗f1 ♗c4 38. ♕c8 ♔e7 39. ♕b7 ♔f8 40. ♕c8 ♘e8] ♕g5 34. ♕b1 ♘f5 35. ♕b8 ♔g7 36. ♕a7 ♔h6 37. ♕f7 ♗f1 38. ♔f1 [38. ♗f4 ♕f4 39. ♗f1 ♕g3 40. ♔h1 ♕f2 41. ♗g2 ♕e1 42. ♔h2 ♕g3 43. ♔h1 ♘e3] ♘e3 39. ♔e1 ♕h4 40. ♔e2 ♕h2 41. ♔d3 ♘f5   0 : 1   *G. Kasparov*

462.   E 12

KOŽUL 2605 —
A. BELJAVSKIJ 2710

Portorož 1997

1. d4 ♘f6 2. c4 e6 3. ♘f3 b6 4. a3 ♗a6 5. e3 d5 6. ♘bd2 ♗e7 7. b4 0−0 8. ♗b2 ♘bd7 9. ♕c2 [9. ♕a4!? ♕c8 10. ♖c1±] c5 10. dc5 bc5 11. b5 ♗b7 12. ♗d3 N [12. ♗e2 − 30/591] a6 [12... h6 13. 0−0 ♘b6 14. ♖fd1±] 13. ba6?! [13. a4 ab5 14. ab5 ♖a1 15. ♗a1 dc4! 16. ♗c4 (16. ♘c4 ♗f3 17. gf3 ♕a8∞) ♘b6∞] ♗a6 14. 0−0 ♗b7 [14... ♕c7!? △ ♖fc8] 15. e4 [15. ♘e5!?] de4 [15... d4? 16. e5±] 16. ♘e4 ♕c7 17. ♖fe1 [17. ♘f6 ♘f6 18. ♗f6? ♗f6 19. ♗h7 ♔h8 20. ♖a2 ♗f3 21. gf3 g6∓] h6 18. ♘f6 ♗f6 19. ♗h7 ♔h8 20. ♗e4 ♗e4 21. ♖e4

♗b2 [21... ♖fb8!?] **22. ♕b2 ♖a4∓ 23.
♖ae1 ♖b8 24. ♕c1 ♖ba8 25. ♖4e3 ♕f4?**
[◻ 25... ♔g8 26. h3 ♘f8 27. ♕b2 (27.
♘e5 f6 28. ♘d3 e5 △ ♘e6∓) ♘g6 28.
♘e5 ♘e7! △ ♘f5+∓] **26. ♕d1! ♘f8 27.
♘e5! f6 28. ♖e4 ♕f5 29. g4 ♕h7 30. ♘d7
♘d7 31. ♕d7 e5 32. f4!= ♖a3 33. fe5 fe5
34. ♖e5 ♕g6 35. ♕f5** [35. ♖e8 ♔h7 36.
♖a8 ♖a8∓] **♕f5 36. ♖f5 ♖c3 37. ♖c5 ♖a2
38. ♖h5 ♔h7 39. c5** [39. g5? ♔g6] **♖a4
40. ♖he5** [40. h3 ♖a2 (40... ♖a5=) 41.
♖d1 ♖cc2] **♖g4 41. ♔h1 ♖a4 42. ♖e7 ♖c5
43. ♖g1   1/2 : 1/2**   *A. Beljavskij*

463.**   E 12

LPUTIAN 2585 – PODGAEC 2460
Biel (open) 1997

**1. d4 ♘f6 2. c4 e6 3. ♘f3 b6 4. a3 ♗b7 5.
♘c3 d5 6. ♗g5** [6. cd5 ♘d5 *a)* 7. e3 g6 8.
♗b5 c6 9. ♗a4 ♗g7 10. 0–0 0–0 11. e4
♘c3 12. bc3 c5 (12... ♘d7 13. ♗f4) 13.
♖e1 N (13. ♗g5 — 37/571) *a1)* 13... ♘c6?!
14. ♗g5 ♕d6 15. e5 ♕d5 16. ♗b3 ♕d7
(16... c4 17. ♗c2±) 17. d5 ed5 18. ♗d5
♘d8 19. c4± *a2)* 13... cd4! 14. cd4 ♘c6
15. ♗g5 ♕d6 16. e5 ♕d5 17. ♗b3 ♕d7
18. d5 ed5 19. ♗d5 ♘d8! 20. ♗a2! (20.
♗b7 ♕b7 21. ♘d4 ♘c6∓) ♕d1 (20... ♕f5
21. ♗e7 ♖e8 22. ♘d4 ♕d7 23. ♗d6) 21.
♖ad1 ♘e6 22. ♗h4 (22. ♗f6 ♗f3 23. gf3
♗f6 24. ef6 ♖ad8=) ♖ae8! *a21)* 23. ♖d7!?
♘c5 24. ♖c7 ♗f3 25. gf3 ♖e5! (25... ♗e5
26. ♖e7! △ ♗f7) 26. ♖e5 ♗e5 27. ♖a7
♗b8 28. ♖e7 ♗d6=; *a22)* 23. ♘g5! ♘g5
24. ♗g5 ♗c8! (24... ♗e5 25. ♗h6 ♗c3!◻
26. ♖e3 ♖e3 27. fe3 ♗g7 28. ♗g7 ♔g7
29. ♖d7=; 25. ♖d7!?) 25. f4 1/2 : 1/2 Cvi-
tan 2570 – Podgaec 2460, Biel (open)
1997; *b)* RR 7. ♕c2 ♘c3 8. ♕c3 ♘d7 9.
♗g5 ♗e7 10. ♗e7 ♔e7 11. g3!? (11. e3
♖c8! 12. ♗e2 c5 13. dc5 ♖c5 14. ♕g7
♖g8 15. ♕h7 ♖g2∓) ♘f6 12. ♗g2 ♕d6
13. 0–0 ♖hc8 14. b4 c5 15. dc5 bc5 16.
♖fd1 N (16. b5 — 45/636) cb4 17. ♕b4
♕b4 18. ab4 a6! (18... ♖c4 19. b5 ♖b4 20.
♖a5!±) 19. ♘e5 ♗g2 20. ♔g2 ♘d5 21.
♖d4 f6 22. ♘d3 ♖c6 23. b5!? (23. e4 ♘c7
24. ♘c5 ♖d8 25. ♖d8 ♔d8 26. ♖d1 ♔c8=

Co. Ionescu) ♖b6 24. ♖c1!± Co. Ionescu
2490 – Oral 2435, Pardubice 1997] ♗e7 7.
♕a4 ♗c6 8. ♕c2 dc4 9. e3 b5 10. a4 N
[10. ♘e5 — 66/430] **b4! 11. ♗f6 gf6 12.
♘b1** [12. ♘e4 b3 13. ♕b1 ♗e4 14. ♕e4
♕d5 15. ♘d2 ♗b4] **♗f3 13. gf3 c5 14. dc5
♘d7 15. ♗c4** [15. c6!?] **♘c5 16. ♘d2
♖c8! 17. ♖g1** [17. 0-0-0? ♘d3 18. ♔b1
♘f2–+] **♕c7** [17... f5!?] **18. ♔e2 f5 19.
♗b5 ♔f8 20. ♖ac1 ♖g8 21. ♖g8 ♔g8 22.
♕c4 ♕h2!** [22... a6? 23. ♗a6 ♘a6 24. ♖g1
♔f8 25. ♕a6] **23. ♘b3?** [23. ♕b4!? ♔g7!?
(23... ♖d8 24. ♕c3! a6 25. b4 ab5 26. bc5
ba4 27. c6 a3 28. f4!; 23... a6 24. ♗a6 ♖d8
25. ♕a5 ♖d2 26. ♕d2 ♘a6 27. ♖c8; 23...
♕e5 24. ♕d4) 24. ♖f1 ♗f6! (24... ♖c7 25.
♕a5 a6 26. f4!) 25. ♕a3 h5!? (25... a6 26.
b4! ab5 27. bc5 ba4 28. f4 ♕h5 29. ♘f3
♖b8 30. c6 ♖b2? 31. ♕b2 ♗b2 32. c7+–]
26. b4 ♘b7 27. ♘c4 h4 28. ♖d1 ♘d6! 29.
♖d6 (29. ♘d6 ♖c2∓) ♖c4 30. ♖d2 ♖c3∓]
♖c7!∓ 24. ♕f4 [24. ♕c2 h5 25. ♘d4
♗h4∓] **♕f4–+ 25. ef4 ♗d6 26. ♘c5 ♖c5
27. ♗c4 ♗f4 28. ♖g1 ♔f8 29. b3 ♖c7 30.
♖h1 h6 31. ♖h4 ♗g5 32. ♖d4 h5 33. f4
♗e7 34. ♔f3 h4 35. a5 ♗f6 36. ♖d1 ♔e7
37. a6 ♖c8 38. ♖a1??⊕**   **0 : 1**
                                     Podgaec

464.* !N   E 12

PELLETIER 2465 –
AN. KARPOV 2745
Biel 1997

**1. d4 ♘f6 2. c4 e6 3. ♘f3 b6 4. a3 ♗b7 5.
♘c3 d5 6. ♗g5 ♗e7 7. ♕a4 ♗c6 8. ♕b3
dc4 9. ♕c4 0–0 10. e3** [10. ♖d1 N ♘d5
11. ♗e7 ♕e7 12. g3 ♘c3 13. ♕c3 ♗d5
14. ♗g2 ♘d7 15. 0–0 c5= Gel'fand 2665
– V. Akopian 2630, Cap d'Agde 1996]
♗b7 11. ♗e2 a6! N [11... ♘d5 12. ♗e7
♕e7 13. 0–0 ♖c8 14. ♖ac1 c5 15. ♕a4
♘d7 16. ♗a6! ♘c3 17. ♖c3 ♗a6 18. ♕a6
♖d8 19. ♕b7 ♕d6 20. ♖d1 ♕b8 21.
♕c6±] **12. ♖c1?! ♘bd7 13. 0–0 b5! 14.
♕a2 c5 15. ♖fd1 ♘d5!∓ 16. ♗e7 ♕e7 17.
dc5 ♘c5 18. b4 ♘c3 19. ♖c3 ♘e4 20.
♖cd3** [20. ♖cc1 a5 21. ♕b2 ab4 22. ab4
(22. ♕b4 ♕b4 23. ab4 ♖a2∓) ♗d5 23.

♖a1 ♖a4 24. ♗b5 ♖b4 25. ♕a3 h6∓]
♗d5 21. ♕b2 ♖ac8 22. ♘d2 ♘d6! 23.
f3?! [23. ♗f3 ♘c4 24. ♕a1 ♗f3 25. ♘f3
♖fd8 26. h3 ♖d3 27. ♖d3 e5∓] ♗c4!∓ 24.
♘c4□ [24. ♖d6? ♗e2−+] ♘c4 25. ♕b3
♘b6! [25... ♖c7 26. ♖d4] 26. ♗f1 h6 27.
♖d6? [△ 27. e4] ♘d5! 28. ♖a6 ♖c3 29.
♕b2 ♖fc8! 30. e4 ♘e3! 31. ♖e1 [31. ♖d3
♖d3! 32. ♗d3 ♕d8 33. ♕b1 (33. ♕e2
♕d4−+) ♕d4−+] ♘f1! 32. ♖f1 [32.
♖a8!?□ ♘h2 33. ♕c3 ♘f3 34. ♕f3 ♖a8
35. ♖f1∓] ♖c2 33. ♕e5 ♖d8! 34. ♕b5
♖dd2 35. ♕b8 ♔h7 36. ♕g3 ♕d7 37. ♖a5
[37. ♖e1 ♕d4 38. ♔h1 ♖d1 39. h4 ♖cc1
40. ♖d1 ♕d1−+; 37. h3 ♕d4 38. ♔h2
♕d3−+] ♕d4 38. ♔h1 ♖d1   0 : 1

An. Karpov

465.   E 12

GEL'FAND 2695 −
AN. KARPOV 2745

Dortmund 1997

1. d4 ♘f6 2. c4 e6 3. ♘f3 b6 4. a3 ♗b7 5.
♘c3 d5 6. ♗g5 ♗e7 7. ♕a4 ♕d7 8.
♕c2!? N [8. ♕d7 − 66/431] dc4 9. e3
0−0 [9... c5!?; 9... ♕c8!?] 10. ♗c4 c5
[10... ♕c8 11. ♗d3 h6 12. ♗f6 ♗f6 13.
♘e4 ♗e7 14. ♖c1 c6 15. ♘e5±] 11. dc5
[11. 0-0-0?! cd4 12. ♖d4 ♕c8 13. ♖h4 h6]
♗c5?! [11... bc5±; 11... ♕c8!?] 12. ♗d3
h6 [12... ♔h8 13. ♖d1 ♕c8 14. ♗f6 gf6
15. ♕a4!] 13. ♗f6 gf6 14. ♗e4? [14. 0-0-0
♕c8 15. ♗e4 ♘c6; 14. ♖d1! ♕c8 (14...
♕e8 15. ♘e4) 15. ♕a4 ♖d8! 16. ♕h4
♔g7 *a)* 17. ♕g4 ♔f8 18. ♕h5 ♗a3!; *b)*
17. ♘e4 ♘d7 18. ♘g3 (18. 0−0 f5 19.
♘g3 ♘f6) ♗f3 19. gf3 ♘e5!; *c)* 17. ♘e2
♘d7 18. ♘f4± *c1)* 18... f5 19. ♘h5 ♔f8
(19... ♔h7 20. e4) 20. ♕f4; *c2)* 18... ♗f3
19. gf3 ♘e5 20. ♖g1 ♔f8 21. ♕f6 ♘f3 22.
♔e2 (22. ♔f1) ♘g1 23. ♖g1] ♘c6! [14...
♗e7 15. 0−0±; 14... f5 15. ♗b7 ♕b7 16.
e4±] 15. ♖d1 ♕c8 [15... ♕e8] 16. ♘a4
♗e7 17. ♖c1 [17. ♘d4 ♘a5=] ♘a5 [17...
♘d4? 18. ♗h7 (18. ♕c8 ♖ac8 19. ♖c8
♖c8 20. ♗b7 ♖c1 21. ♔d2 ♘b3∓) ♔g7
19. ♘d4; 17... ♘e5 18. ♗b7 ♕b7 19. ♘e5
fe5 20. 0−0±] 18. ♕d1 ♕b8 [18... ♕d8

19. ♗b7 ♘b7 20. ♕d8 ♖fd8 21. ♖c7 ♘c5
22. ♘c5 ♗c5 23. ♔e2±] 19. ♗b7 ♕b7 20.
0−0 [20... ♖ac8=; 20. b4 ♖fd8 (20... ♘c6
21. 0−0 a5 22. b5 ♘a7) 21. ♕e2 (21. ♘d4
♕g2 22. ♔e2 ♕g4 23. f3 ♕g2 24. ♔d3
♕a2!? 25. ba5 e5∞) ♘b3! 22. ♖c3 ♕d7]
1/2 : 1/2   *Gel'fand*

466.   E 12

GEL'FAND 2695
− LAUTIER 2660

Biel 1997

1. d4 ♘f6 2. c4 e6 3. ♘f3 b6 4. ♘c3 ♗b7
5. a3 d5 6. ♗g5 ♗e7 7. ♕a4 ♕d7 8. ♕c2
dc4 9. e3 ♗f3!? N 10. gf3 b5 11. ♗f6 ♗f6
12. a4 [12. ♕e4 0−0! 13. ♕a8 ♘c6 14.
♕f8 ♔f8 15. ♘b5 ♕d5∓; 15... e5!?] c6
13. ab5 [13. f4 a5; 13... a6!?] cb5 14. ♕e4
0−0!□ 15. f4! [15. ♖a5 b4 (15... ♘c6 16.
♖b5) 16. ♘a4 ♗d8! (16... ♘c6 17. ♖a6!)
17. ♘c5 ♕d5 18. ♖a4 ♘c6 19. ♗g2 ♗b6
20. f4 ♖fd8∓] ♘c6 [15... b4 16. ♗g2 bc3
17. bc3 ♕d5 18. ♕d5 ed5 19. ♗d5 ♘d7
20. ♗a8 ♖a8 21. ♔d2±; 16. ♘a4±; 15...
♖c8 *a)* 16. ♗g2 ♘c6 17. ♘b5 ♘b4 (17...
♖ab8 18. ♘a3 ♖b2 19. ♘c4 ♖b4∞) 18.
♕b7 ♕d8∓; *b)* 16. ♕a8 ♘c6 17. ♕c8 ♕c8
18. ♗g2 a6 19. 0−0 g6∓; *c)* 16. ♗h3! b4
(16... ♘c6 17. d5 ♘d8 18. 0−0) 17. ♘a4
♕c6 18. ♗g2±] 16. ♘b5

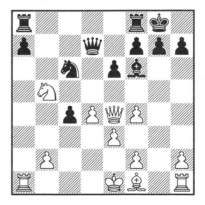

16... e5!? [16... ♕e7 17. ♕c6 ♕b4 18.
♔d1 ♕b2 19. ♖c1 ♖ac8; 17. ♘c3±; 16...
♕b7 17. ♗c4 a6 18. ♘a3 ♕b4 19. ♔f1
♕b2 20. ♔g2±; 16... ♖ac8 17. ♗e2±] 17.

fe5 ♘e5 18. ♘c3 [18. de5 ♕b5 19. ♗c4
♕b2 20. ♗f7! ♔f7 (20... ♔h8 21. ♖b1
♕c3 22. ♔e2 ♗e5 23. ♖hc1; 21... ♕e5=)
21. ♕c4 ♔g6 22. ♕g4 ♗g5 23. ♖a6; 22...
♔f7=] ♘c6 [18... ♘g6 19. ♕d5!? ♕e7 20.
♕c4 ♖ac8 21. ♕d3∞; 19. 0-0-0!?±; 18...
♘d3!? 19. ♗d3 cd3 20. ♘d5!? (20. ♕d3
♖fe8 21. ♘e2 ♕h3∞) ♗h4 (20... ♗d8 21.
♘f4) 21. ♘b6 ♕e8 22. ♕e8 ♖ae8 23. ♘c4
♖b8 (23... ♖c8 24. ♘e5!?) 24. ♔d2±] 19.
♕d5! ♕e8 [19... ♕b7 20. ♕b5±] 20.
♗g2? [20. ♗e2! a) 20... ♖b8 21. 0-0 ♖b2
22. ♗f3 ♘b4 (22... ♘e7 23. ♕c4 ♘f5 24.
♖a7 ♘e3 25. fe3 ♕e3 26. ♔h1 ♗d4? 27.
♕f7!; 26... ♕d4!±; 24. ♘d5±) 23. ♕c4
♘c2 24. ♘d1!; 22. ♕c4±; b) 20... ♘b4 21.
♕f5 ♘d3 22. ♗d3 cd3±] ♘d4 21. ♕a8
[21... ♕a8 22. ♗a8 ♘c2 23. ♔e2 (23. ♔d2
♘a1 24. ♖a1 ♖a8 25. ♖a4=) ♘a1 24.
♗d5=] 1/2 : 1/2 *Gel'fand*

467.** E 12

GEL'FAND 2700 — TOPALOV 2725

Novgorod 1997

1. d4 ♘f6 2. ♘f3 e6 3. c4 b6 4. ♘c3 ♗b7
5. a3 d5 6. ♗g5 ♗e7 7. ♕a4 c6 8. ♗f6
♗f6 9. cd5 ed5 10. g3 0–0 11. ♗g2 c5 12.
♖d1 ♕e7 13. 0–0 ♖d8 14. e3 ♘a6 15.
♖d2 [15. ♕b3 ♖ab8 N (15... ♗c6 —
47/627) 16. ♖d2 ♘c7 17. ♖fd1 g6 18. ♕a2
♗g7 19. ♘e5 b5 20. f4 b4 21. ab4 cb4
22. ♘a4 f6 23. ♘f3 ♕e3 24. ♔h1 ♕e6
25. ♘c5 ♕b6 26. f5⯐ Tyomkin 2390 –
Kortchnoi 2610, Beer-Sheva 1997; RR
15. ♖fe1 N ♘c7 16. h4 ♘e6 17. ♘h2 h5
18. ♕b3 ♕d7 19. dc5 ♘c5 20. ♕c2 ♕e6
21. ♘f3 ♘e4 22. ♘e2± Van Wely 2655 –
Al. Oniščuk 2625, Tilburg 1997] ♘c7 16.
♖fd1 ♘e6?! [16... g6] 17. h4 g6 18. ♕b3
N [18. ♘h2 — 67/584] h5?! [18... ♗g7 19.
♘h2 (19. ♕a2 a6 20. ♘h2 c4) c4!? 20.
♕c2 a6 21. ♘f3 f5∞; 19... ♘c7 △ 20. dc5
♗c3 21. bc3 ♕c5] 19. ♕a2 a6?! [19... c4
20. b3; 19... ♘c7!?] 20. dc5! ♗c3 21. bc3
♕c5 [21... ♘c5 22. ♘g5 ♘a4 (22... ♘e4??
23. ♗e4!) 23. ♗d5 (23. ♕b3 b5 24. ♗d5
♖d5 25. ♖d5 ♗d5 26. ♖d5 ♖c8 27. ♕b4±)
♖d5 (23... ♘c3 24. ♗f7 ♔f8 25. ♖d8 ♖d8

26. ♖d8 ♕d8 27. ♘e6+–) 24. ♖d5 ♗d5
(24... ♘c3 25. ♖d8) 25. ♕d5±; 21... bc5
22. ♘h2] 22. ♘d4 ♘d4 [22... ♕c3? 23.
♖c2 ♕a5 24. ♘e6 fe6 25. ♖c7] 23. cd4
[23. ♖d4 ♕c3 24. e4 ♕c5 25. ed5 ♕d6±]
♕d6 24. ♖c1 ♖ac8 25. ♖dc2 ♖c2 26.
♖c2± ♗c6! 27. ♖c3 [27. ♗f1 ♗d7!? △ 28.
♗a6 ♖a8] ♗b5 28. ♕b2?! [28. ♗f1 ♗f1
29. ♔f1± ♕e6 [28... ♗c4 29. e4 f6 30.
♕c1 ♔g7 a) 31. ♖e3 ♖e8 32. ♕c3 (32.
ed5 ♖e3 33. ♕e3 b5=) b5 33. e5↑; b) 31.
ed5 b5 (31... ♗d5 32. ♗c7 ♖d7 33. ♗d7
♕d7 34. ♗d5 ♕d5 35. ♕c7+–) 32. ♖e3
♗d5 33. ♗d5 ♕d5 34. ♖e7+–] 29. ♕c1
♗c4 [29... ♔g7 30. ♗f1 ♗f1 31. ♔f1±]
30. e4 b5 31. e5 ♖e8 [31... ♕b6 32. ♕g5
♖f8 33. ♖f3 ♕d4 34. e6 — 31... ♕g4; 32.
♕f4; 31... ♕g4 32. ♖f3 (32. f4 ♕e6 33.
♖e3 a5 34. ♔h2∞) ♕d4 33. e6 (33. ♕g5
♖f8) ♖f8 34. ♕g5 ♕g7 35. ♖f6 ♔h7 36.
♕f4 d4 37. ♗e4 ♔g8 (37... ♗e6 38. ♗g6)
38. e7 ♖e8 39. ♕d6+–; 34... ♕g4!=; 31...
♖f8!? 32. ♖e3 a5 33. ♔h2∞] 32. ♔h2 [△
♗h3; 32. ♖e3!?] ♕b6 [32... f5! 33. ef6
♕f6 34. ♕h6 (34. ♖f3 ♕d4 35. ♕g5 ♔g7)
♖f8 (34... a5 35. ♖f3 ♕g7 36. ♕g5 b4 37.
ab4 ab4 38. ♖f6 ♔h7 39. f4 ♖f8 40. ♖b6±)
35. ♖f3 (35. ♖e3 ♕g7) ♕g7=] 33. ♕f4
♖f8 34. ♖f3 [34. ♗h3 f5!?] a5 [34... ♔g7
35. ♕e3!; 34... ♗e2 35. ♖e3 ♗c4 36. ♗h3
♔g7 37. g4 hg4 38. ♗g4 ♕d8 (38... ♖h8
39. e6) 39. h5 a) 39... ♖h8 40. e6; b) 39...
f5 40. e6 ♕f6 (40... ♕h4 41. ♖h3 ♕g4 42.
♕e5+–) 41. ♗h3+–; c) 39... g5 40.
♕f5±] 35. ♗h3 [△ e6] ♗e2 36. ♖e3 ♗c4
[36... ♗g4 37. ♗g4 hg4 38. ♕g4+–] 37.
♖f3⊕ [37. ♕h6! ♕d4 38. e6 ♗g7 39. ♕g7
♔g7 40. e7 ♖e8 41. ♗d7+–] ♗e2 38. ♖e3
♗c4 39. ♕g5? [39. ♕h6 — 37. ♕h6] ♕d4
40. e6?! [40. ♖f3!? ♕e4 (40... ♕d1 41.
♖f6 d4 42. ♗f5+–) 41. ♖f4+–] ♕b2??
[40... fe6!! 41. ♕g6 ♕g7 42. ♗e6 ♔h8 43.
♕h5 ♕h7 44. ♕e5 ♕g7 45. ♗d5 ♖f2 46.
♔g1 ♕e5 47. ♖e5 ♖a2=] 41. ♖f3 d4 [41...
♕g7 42. e7 ♖e8 43. ♗d7 f6 44. ♗e6 (44.
♖f6 ♖e7 45. ♖g6 ♖d7 46. ♖g7 ♖g7 47.
♕h5+–) ♔h7 45. ♖f6 ♖e7 46. ♖g6 ♕g6
47. ♕e7+–] 42. ♖f7 [42... ♖f7 43. ♕g6
♖g7 44. ♕e8 ♔h7 45. ♗f5] **1 : 0**
Gel'fand

IL. BOTVINNIK 2350
– GOFSHTEIN 2545

Tel Aviv 1997

**1. d4 ♘f6 2. c4 e6 3. ♘f3 b6 4. ♘c3 ♗b7
5. a3 d5 6. ♗g5 ♗e7 7. ♗f6 ♗f6 8. cd5 ed5
9. ♕b3 0–0 10. ♖d1 ♘a6!? N** [10... ♖e8
– 64/459] **11. g3** [11. e3 c5 12. ♗a6 ♗a6
13. ♘d5 cd4 14. ♘f6 ♕f6 15. ♘d4 ♕g6∞]
c5 12. ♗g2 cd4 13. ♘d4 ♘c5 14. ♕a2 [14.
♕c2!? ♖c8 15. 0–0±] ♗d4! [14... ♘e6?!
15. ♘db5 a6 16. ♘d5 ab5 17. ♘f6 ♕f6
18. ♗b7±] **15. ♖d4 ♕f6 16. e3** [16. ♖f4?!
♕e5 17. 0–0 ♘e4∓] ♗a6! **17. ♘d5!** [17.
♗f1 ♖fe8→] ♕e5! [17... ♕e6?! 18. ♘b4
♕a2 19. ♘a2 ♘d3 20. ♖d3 ♗d3 21. ♗a8
♖a8 22. ♘c3 ♖d8 23. g4!±⊥] **18. ♘b4!**

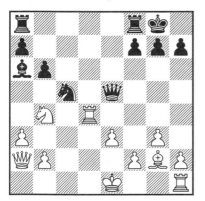

**18... ♖ad8! 19. ♘c6 ♕h5 20. g4□ ♕h4 21.
♘d8!** [21. ♖d8?! ♖d8 22. ♘d8 ♘d3 *a)* 23.
♔d2 ♕f2 24. ♔c3 ♘e5!! *a1)* 25. ♘f7?
♕e3 26. ♔c2 ♗d3–+; *a2)* 25. ♕d5 ♕e3
26. ♔b4 (26. ♔c2 ♗d3 27. ♔c3 ♗c4–+)
♘d3 27. ♔a4 ♘b2 28. ♔b4 ♗c4–+; *a3)*
25. ♕b3 ♕g2∓↑; *b)* 23. ♔d1!? ♕d8 24.
♕d5! ♘f2 25. ♔d2 ♕d5 26. ♗d5 ♘h1 27.
♗h1 g5! 28. ♔c3 ♔g7 29. ♔d4 ♔f6∓]
♘d3 22. ♖d3 [22. ♔d1 ♖d8∓; 22... ♕f2!?]
♗d3 23. ♘f7?!⊕ [23. ♘e6 fe6 24. ♕e6
♔h8 25. ♗f3 ♕h3 26. ♗d5 ♕h4; 23.
♘c6!? ♕g4 24. ♗f1 ♕e4 (24... ♗e4? 25.
♕c4) 25. ♘e7 (25. ♕d5 ♕d5 26. ♘e7
♔h8 27. ♘d5 ♗e4∓) ♔h8 26. ♗d3 ♕h1
27. ♔e2 ♕h2 28. ♕d5±] ♖f7 24. b4 [24.
♗f3?! ♕f6 25. ♕d5 ♕f3 26. ♕d3 ♕f2 27.

♔d1 ♕f3–+] ♗c4 [24... ♔f8!] **25. ♕c4**
[25. ♕d2 ♕f6∞] ♕f2 26. ♔d1 ♕g2 27.
♖e1 ♕h2 [27... ♕b2 28. ♖e2=] 28. ♖e2
♕c7 29. ♖c2! [29. ♕c7 ♖c7∓] ♕c4
1/2 : 1/2 *Gofshtein, Il. Botvinnik*

A. KOGAN 2515 –
TUKMAKOV 2585

Ljubljana 1997

**1. d4 ♘f6 2. c4 e6 3. ♘f3 b6 4. ♘c3 ♗b7
5. ♗g5 ♗e7 6. ♕c2 c5 7. e4!? cd4 8. ♘d4
♘c6!? N** [8... d6] **9. ♘c6 ♗c6 10. 0–0–0
0–0 11. f4** [11. ♗d3 e5] **h6!? 12. h4?** [12.
♗f6!? ♗f6 13. e5 ♗e7 14. ♗d3 f6∞; 12.
♗h4!? e5!? 13. f5 ♘g4 14. ♗e7 ♕e7 15.
♕e2 ♕g5∞] **♘g4!** [12... hg5 13. hg5→]
13. ♕e2 h5! [△ f6] **14. ♗e7 ♕e7 15. g3
♕c5!** [△ ♘f2] **16. ♖d2□ ♖ac8 17. ♗h3
d5! 18. cd5 ed5 19. ♗g4 hg4 20. ed5 ♗d5
21. ♖e1 ♗a2! 22. ♕g4 ♖fe8! 23. ♖e8 ♖e8
24. ♕g5 ♕c6!** [24... ♕c4 25. ♖d8] **25.
♖d8** [25. ♔c2!?] **f6! 26. ♖e8 ♕e8∓ 27.
♕g4** [27. ♕f5 (△ ♕e4) ♕e3 28. ♔c2
♗f7] ♕e3 28. ♔c2 ♗e6 29. ♕g6 ♗f7 30.
♕g4 ♔h7! 31. h5?!** [31. f5 ♔h6∓] **♔h6
32. ♕c8 ♕e8** [32... ♗h5? 33. ♕h8 ♔g6
34. f5 ♔g5 35. ♕g7 ♔f5 36. ♕f6!=] **33.
♕h3?** [33. ♕c7 ♗h5 34. ♕a7 ♕e3∓] **♗h5
34. f5** [34. g4 ♕g6] **♕e3 35. ♔b1⊕
0 : 1** *Tukmakov*

CAMPOS MORENO 2445
– M. MARIN 2545

Andorra 1997

**1. d4 ♘f6 2. c4 e6 3. ♘c3 ♗b4 4. ♘f3 b6
5. ♗g5 ♗b7 6. e3 h6 7. ♗h4 g5 8. ♗g3
♘e4 9. ♕c2 ♗c3 10. bc3 ♘g3 11. fg3 g4
12. ♘h4 ♘c6 13. ♗d3 ♕f6 14. ♕e2** [14.
♖f1 ♕g5 15. ♔f2 f5 16. ♕d2 0–0 17. ♔g1
♖f6⇆] **h5 15. a4 N** [15. ♖b1 – 37/577]
♖h6 16. ♖b1 d6 17. ♗e4 0–0–0 [17... ♘a5?!
18. ♗b7 ♘b7 19. c5! dc5 20. ♕b5→] **18.
♗c6 ♗c6 19. a5 ♖g8 20. ♖a1 ♖g5 21. ab6
ab6 22. ♔d2** [22. e4 △ ♕e3] **♕g7 23. ♖a7**

♖f6 24. c5 [24. ♖ha1 ♕h7 25. c5 dc5
(25... ♕e4!? 26. cd6 ♖b5→) 26. ♖a8 (26.
♕a6 ♔d8 27. ♖a8 ♗a8 28. ♕a8 ♔d7 29.
♕a4 ♔e7 30. ♕c6 ♔f8−+) ♔d7] dc5 25.
♕a6 ♔d8 26. ♖b1! [△ ♖b6; 26. ♖a1
♕h7∓] cd4□ [26... ♖f2 27. ♔e1 ♕f6 28.
♖b6! ♖f1 29. ♕f1 ♕f1 30. ♔f1 cb6 31.
♖f7±] 27. ♖b6⊕ [27. cd4 ♖a5] de3⊕
[27... dc3? 28. ♔e1→] 28. ♔e1□ [28. ♔e2
♖f2 29. ♔e3 ♕c3 30. ♔f2 ♕d4 31. ♔f1
cb6−+; 28. ♔e3 ♖e5→]

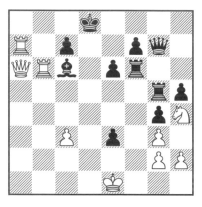

28... ♖f1!□ 29. ♔f1 [29. ♕f1 ♕c3] ♕f6
[29... e2 30. ♔e2 ♕e5 31. ♔f1+−] 30.
♘f3 e2 31. ♔g1 [31. ♔e2 gf3; 31. ♕e2 cb6;
31. ♔f2 e1♕ 32. ♔e1 ♕c3→] ♕f3! 32.
♖b8 [32. gf3 e1♕ 33. ♕f1 ♕f1 34. ♔f1
cb6] ♔e7 [32... ♔d7? 33. ♕c8 ♔d6 34.
♕c7 ♔c5 (34... ♔d5 35. ♕d8) 35. ♕a5+−]
33. ♖c7?! [33. gf3 e1♕ 34. ♕f1 ♕e3 (34...
♕f1 35. ♔f1 gf3 36. ♖c7 ♗d7±) 35. ♕f2
♕c1=] ♔d6! [33... ♔f6 34. ♖f7 ♔f7 35.
♕a7 ♔f6=] 34. ♖c6□ ♕c6 35. ♕e2 ♕c3∓
36. ♖b1 ♖d5 37. ♕a6 ♔e7 38. ♔h1 f5?!
[38... ♔f6] 39. ♕a8 ♖d7 40. ♕g8 ♕d2 41.
♖g1? [41. ♕h7 ♔d8 (41... ♔d6?! 42. ♕h5
♔c5 43. ♖g1 ♔d4 44. ♕e8 ♖d6 45. ♕a4
♔c3 46. ♖b1+−) 42. ♕g8=] ♕h6∓ 42.
♖b1 ♖c7 43. ♖d1 ♖d7 44. ♖b1 ♔f6 45.
♖e1 ♖e7 46. ♖b1 ♕g7 47. ♕a8 ♔f7 48.
♕d8 ♕f6 49. ♔g1 ♖a7 50. ♕d1 ♔g6 51.
♕c1 ♖d7 52. ♔h1 ♕d4 53. ♖a1?! ♖c7!
54. ♕e1 ♕e4 55. ♕a5 ♖b7 56. ♕a2 ♔f6
57. ♖g1 ♔f7 58. ♕a1 ♔g6 59. ♕h8 ♖b1
60. ♕g8 ♔f6 61. ♕f8 ♔g6   1/2 : 1/2
                                    M. Marin

D. KOMAROV 2595 −
MANTOVANI 2360

Reggio Emilia 1996/97

1. d4 ♘f6 2. c4 e6 3. ♘c3 ♗b4 4. ♘f3 b6
5. ♗g5 ♗b7 6. e3 h6 7. ♗h4 g5 8. ♗g3
♘e4 9. ♕c2 d6 10. ♗d3 ♗c3 11. bc3 f5
12. d5 ♘d7 13. ♘d4 ♘dc5 14. de6 ♕f6! N
[14... ♖f8 − 56/592] 15. f3 f4! 16. ef4 [16.
♗e4 ♗e4 17. fe4 fg3 18. hg3 0-0-0↑] ♘d3
17. ♕d3 ♘c5 18. ♕e2 [18. ♕f5 ♕f5 19.
♘f5 gf4 20. ♗h4 ♘e6∓] gf4∓ 19. ♗f2
♖g8 [19... 0-0-0 20. 0-0-0 ♖de8 21. ♖he1
♖e7 △ ♖he8] 20. g4 [20. g3 0-0-0] fg3?
[20... ♖g4 21. fg4 ♗h1 22. 0-0-0 ♗e4∓]
21. hg3 0-0-0 22. 0-0-0 ♖de8 23. ♖he1 h5
24. ♕e3 [△ f4; 24. f4 h4] ♗a6! [24...
♖gf8 25. f4 h4∞] 25. f4 ♗c4 26. ♕f3 d5
27. ♕h5 ♘e4 28. ♕f7 ♕e7!□ 29. ♕e7
♖e7 30. ♖e4□ de4 31. f5 c5??⊕ [31...
♗a2∓; 31... ♔b7!? △ c5] 32. ♘c6 ♖c7 33.
♘e5 ♗a2 34. c4!± b5 [○ 34... ♗b3] 35. f6
♗c4 36. ♘c4 bc4 37. f7 ♖f8 38. ♗c5!
♖ff7 39. ef7 ♖f7 40. ♖e1 ♖f3 41. ♖e3 a5
42. ♔b2 ♔d7 [42... a4!? 43. ♗d4□ ♔d7
44. ♔c3 a3 45. ♖f3 ef3 46. ♔c4 ♔e6 (46...
a2 47. ♔d3) 47. ♔d3 ♔f5 48. ♔e3 ♔g4
49. ♔f2+−] 43. ♔c3 ♖e3 44. ♗e3 ♔e6
45. g4 ♔d5 46. g5 a4 47. ♔b4   1 : 0
                                    D. Komarov

HELLSTEN 2495 −
SR. CVETKOVIĆ 2420

Korinthos 1997

1. d4 ♘f6 2. c4 e6 3. ♘f3 d5 4. ♘c3 ♘bd7
[RR 4... ♗e7 5. e3 0−0 6. b3 c5 7. ♗d3
♘c6 8. 0−0 cd4 9. ed4 b6 10. ♗b2 ♗b7
11. ♖c1 ♘b4 N (11... ♖c8 − 50/543) 12.
♗b1 ♖c8 13. ♘e5 ♘c6 14. ♘c6 ♖c6 15.
♕e2 ♖e8 16. ♘d1 ♗f8 17. ♘e3 1/2 : 1/2
Gel'fand 2700 − Kramnik 2740, Novgo-
rod 1997] 5. e3 ♗e7 6. b3 0−0 7. ♗d3 b6
8. 0−0 ♗b7 9. ♗b2 c5 10. ♖e1 [10. ♖c1
− 54/(503)] ♖c8 [10... cd4!? 11. ed4 ♖c8]
11. ♖c1 ♖e8 N [11... cd4!? 12. ed4 ♖e8;
11... ♕c7] 12. cd5 ed5 13. ♗f5 ♗d6!? 14.

♘b5 ♗b8 15. dc5 ♖c5! [15... bc5 16. ♗f6±] 16. ♘bd4 ♘e5 17. ♘e5 ♗e5 18. ♕e2 ♘e4 19. ♘f3 ♗a6! 20. ♕a6 ♗b2 21. ♖c5 ♘c5 22. ♕b5 [22. ♕a7?? ♗e7−+] g6 [22... d4 23. ♖d1±] 23. b4! ♘e6 [23... a6 24. ♕e2 ♗c3; 24. ♕c6±] 24. ♗e6 ♖e6 [24... fe6?! 25. ♖b1 ♗f6 26. ♖c1±] 25. ♖d1± ♖d6 26. h4 h5 27. g3 ♗f6 28. a3 [28. ♔g2 ♕e7] ♕c7 29. ♖d5 ♖d5 30. ♕d5 ♕c1 31. ♔g2 ♕a3 32. b5 ♔g7 33. e4 a6 34. e5 ♗e7 35. ba6 ♕a6 36. ♕d7 ♔f8 [36... ♕a3 37. ♘d4±] 37. e6 b5 38. ef7 ♔f7 39. ♘e5 ♔f6 40. f4? [40. ♘g6 ♕a8 41. ♔h2 ♔g6 42. ♕e7 ♕d5±; 40. ♘c6±] ♕a2 41. ♔h1 [41. ♔h3? ♕e6!∓] ♕b1 42. ♔g2 ♕a2 43. ♔f3 ♕b3   1/2 : 1/2
Sr. Cvetković

473.   E 15

TIMMAN 2630 —
VAN DER WIEL 2555

Nederland (ch) 1997

1. d4 ♘f6 2. c4 e6 3. ♘f3 b6 4. g3 ♗a6 5. ♘bd2 ♗b7 6. ♗g2 c5 7. e4 cd4 8. ♘d4 ♗c5 9. ♘4b3 ♗e7 10. 0−0 ♕c7 11. ♘d4 N [11. e5?! ♗g2 12. ef6 ♗f1 13. fe7 ♗h3∓; 11. ♖e1 − 48/(692)] ♘c6 12. ♘b5 ♕b8 13. b3 a6 14. ♘c3 0−0 15. ♗b2 d6 16. ♖e1 ♖a7 [△ 16... ♘e5] 17. ♘f1 ♗a8 [△ b5] 18. a4 ♘d7 [△ 18... ♘e5 △ 19. f4 ♘ed7] 19. ♘e3 ♗f6 20. ♖b1 ♖c8 21. ♖e2 ♘c5 22. ♖d2 ♖d7 [△ 22... ♖d8] 23. ♘g4 ♗e7 24. h4!± [△ h5] h5?! 25. ♘e3 ♗f6 26. ♗a1 [△ 27. b4, 27. ♕h5] ♘a7 27. ♕h5 ♗c3 28. ♗c3 ♘e4

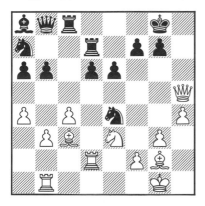

29. ♗g7!+− ♔g7 30. ♕g4 ♔h8 31. ♕h5 ♔g7 32. ♕g4 ♔h8 33. ♗e4 f5 34. ♘f5 ♖g8 35. ♕f4 ♗e4 36. ♕h6 ♖h7 37. ♕f6 ♖hg7 38. ♕h6 ♖h7 39. ♕f6 ♖hg7 40. ♘g7 ♖g7 41. ♖e1 ♗f5 42. ♖e6! ♗e6 43. ♕h6 ♔g8 44. ♕e6 ♔h7 45. ♖d6 [△ 45. ♖d5! △ ♕h5#] ♕c7 46. ♖b6 ♖g3 47. fg3 ♕g3 48. ♔f1 ♕f3 49. ♔e1 ♕c3 50. ♔e2 ♕c2 51. ♔f3 ♕d1 52. ♔f4 ♕f1 53. ♔e5 ♕e1 54. ♔d6   1 : 0
Timman

474.** !N   E 15

BROWNE 2530 —
ALEXA. IVANOV 2565

USA (ch) 1997

1. d4 ♘f6 2. c4 e6 3. ♘f3 b6 4. g3 ♗a6 5. ♘bd2 ♗b7 6. ♗g2 c5 7. e4 cd4 8. 0−0 d6 [8... ♗c5 9. e5 ♘e4 10. ♘g5! ♕g5 11. ♘e4 ♕e5 12. ♗f4+−; 8... ♘c6 9. e5 ♘g4 10. h3 ♘h6 11. ♘e4±; RR 8... ♘e4 9. ♘e5 ♗d6 (9... d5 10. cd5 ♘d2 11. ♗d2 ♘d7 12. ♘f7+−) 10. ♘f7 ♔f7 11. ♘e4 ♗e4 12. ♗e4 ♘c6 13. ♕f3 ♔g8 14. ♗c6 dc6 15. ♕c6 ♖c8 16. ♕e4 ♕f6± Yermolinsky] 9. ♘d4 ♕d7 [9... ♘bd7 10. ♖e1! a) 10... ♕c7?! 11. ♘b5! N (11. a4) ♕b8 12. c5!! dc5 (12... ♘c5 13. ♘c4±) 13. ♘c4 e5 14. f4! ♗c6 15. ♘c3! b5 16. fe5± Browne 2510 − Bradford 2455, Dallas 1996; b) RR 10... a6 11. a4!↑ Yermolinsky] 10. a4! N [10. ♖e1 − 60/489] ♘c6 11. ♘c6 ♗c6 12. b4! [12. ♖e1 ♗e7 13. b4 0−0 14. b5 ♗b7 15. a5 a6!± Browne 2530 − Alexa. Ivanov 2565, Reno 1997] ♗e7 [12... a5!? 13. b5 ♗b7 14. ♗b2 ♖c8 (14... ♗e7?! 15. e5 ♗g2 16. ef6 ♗f1 17. fe7 ♗h3 18. ♗g7 ♖g8 19. ♘e4+−) 15. e5±] 13. b5 ♗b7 14. a5 ba5?! [14... a6!? 15. ab6 ab5 16. ♖a8 ♗a8 17. ♕b3±] 15. ♖e1 [15. ♘b3!? ♗e4 (15... ♖c8 16. ♘a5 ♗a8 17. e5! ♗g2 18. ♔g2± ×c6) 16. ♗e4 ♘e4 17. ♕g4 ♘f6 18. ♕g7 ♖g8 19. ♕h6±] e5 [15... 0−0 16. ♘b3 a6? 17. e5 ♘e8 18. ♘c5+−] 16. ♘b3 ♕c7 [16... ♗d8 17. ♘a5 ♗a5 18. ♖a5±] 17. ♘a5 ♘d7 18. ♘b7 ♕b7 19. ♖a6 ♘b6 [19... ♘c5 20. ♖d6! ♗d6 21. ♕d6 ♘e6 22. ♕e5±] 20. ♕b3 0−0 21. ♗h3!± ♖fb8⊕ 22. ♕a2 ♕c7 23.

♗f1 ♖b7 24. ♗e3 h6 [△ ♗g5] 25. h4! ♗d8 26. ♖c1 ♕d7?! [26... ♘d7] 27. c5 dc5 28. ♖c5 ♗c7? [28... ♗f6 29. ♖c6±] 29. ♖c6 ♖d8 [29... ♘c8 30. ♕d5! ♕d5 31. ed5 ♗b6 32. d6 ♗e3 33. fe3 ♘b6 34. ♖c7 ♖c7 35. dc7 ♖c8 36. ♖a7 ♘d5 37. b6+−] 30. ♖a7 ♖db8 [30... ♕c8 31. ♗b6+−] 31. ♖b7 ♖b7 32. ♕a6   1 : 0   *Browne*

475.   E 15

YERMOLINSKY 2650 − ALEXA. IVANOV 2565
USA (ch) 1997

1. d4 ♘f6 2. c4 e6 3. ♘f3 b6 4. g3 ♗a6 5. ♘bd2 ♗b7 6. ♗g2 c5 7. e4 cd4 8. 0−0 d6 9. ♘d4 ♕d7 10. a4 ♗e7 N 11. a5 0−0 12. ♖e1 ♘a6□ 13. b3 ba5 [13... d5!? 14. cd5 (14. e5 ♘e8 15. ab6 ab6 16. cd5 ♗d5 17. ♘c4 ♗g2 18. ♔g2 ♗c5 19. ♗e3 ♘ec7=) *a)* 14... ed5 15. e5 (15. ♘f5 de4 16. ♗h3 ♕d8 17. ♗b2 ♗b4∓) ♘e4 16. ♘e4 de4 17. ♗e4 ♗e4 (17... ♗b4 18. ♗d2 ♗e4 19. ♖e4 ♗d2 20. ♕d2 ♘c5 21. ♖h4±) 18. ♖e4 ♘c5 19. ♖e1 ♖ad8 20. ♗e3±; *b)* 14... ♗b4!? 15. ♗b2 ed5 16. e5 ♘e4 17. ♘e4 de4 (17... ♖e1 18. ♘d6 ♗a5 19. ♘4f5+− △ ♕g4) 18. ♖e4! ♗e4 19. ♗e4 ♖ad8 20. ab6 ♘c5 21. ♗f5±; 13... ♘c5 14. ♕c2 △ b4] 14. ♖a5 ♘c5 15. ♕c2 [15. ♕e2!?] ♗d8 [15... d5 16. ed5 ed5 17. ♘f5 ♖fe8 18. ♖e7 ♖e7 19. ♖c5 ♖e1 20. ♘f1+−] 16. ♖a2? [16. ♖a1 ♗b6 17. ♗b2 a5 18. ♖ad1± e5 19. ♘f5 ♘fe4? 20. ♘e4 ♕f5 21. ♖d6+−] ♗b6 17. ♗b2 a5 18. ♖aa1 [18. h3 ♘a6∓] e5 19. ♘f5!? [19. ♘b5 ♘g4 20. ♖f1 f5 21. ef5 ♗g2 22. ♔g2 ♖f5→ △ ♖f2] ♘fe4 20. ♗h3□ ♘d2⊕ [20... ♘f2 21. ♔f2 (21. ♘h6 gh6 22. ♗d7 ♘d7∓) ♔h8 22. ♔e2 g6 23. ♖f1∞] 21. ♕d2 ♕d8 [21... ♔h8? 22. ♕d6] 22. ♕d1! [22. ♘d6 ♘b3; 22. ♖ad1 ♘e4 23. ♖e4 ♗e4 24. ♘d6 ♗f3−+] ♘e4 [22... ♗c8 23. b4 ♗f5 24. ♗f5 ab4 25. ♖a8 ♕a8 26. ♕d6±; 22... ♗c7 23. ♕g4 g6 24. ♖ad1 f6 (24... ♗c8 25. ♖e5 de5 26. ♖d8 ♖d8 27. ♘e7) 25. ♗a3⊠] 23. ♕g4 ♗f2? [23... g6 24. ♖e4 ♗e4 25. ♕e4 gf5 26. ♗f5 ♕f6 27. ♗h7 ♔g7 28. ♗f5 ♖h8 (△ 29... ♗f2, 29... ♖h5)

29. ♕g4 ♔f8 30. ♗c3⊠; 23... ♘g5 24. ♗g2 ♗g2 25. ♔g2 h5 26. ♕h5 g6 27. ♕h6! gf5 28. ♖ad1 f6 (28... ♗d4 29. ♖d4 ed4 30. ♗d4 f6 31. ♕g6 ♔h8 32. ♕g5±) 29. ♗e5 de5 (29... fe5 30. ♖d6) 30. ♖d8 ♖ad8 31. ♖e5 fe5 32. ♕g5 ♔h7=] 24. ♔f1 g6 25. ♖e4 ♗e4 26. ♕e4 gf5 27. ♗f5 ♗d4?⊕ [27... ♕f6 28. ♔f2 ♖ab8 29. ♕f3±] 28. ♕g4 ♔h8 29. ♕h5 ♔g7□ 30. ♗c1+− ♖g8 [31. ♕h6; 30... ♖h8 31. ♗h6]
1 : 0   *Yermolinsky*

476.   E 15

✓ JE. PIKET 2630 − LAUTIER 2660
Tilburg 1997

1. d4 ♘f6 2. ♘f3 e6 3. c4 b6 4. g3 ♗a6 5. ♘bd2 ♗b7 6. ♗g2 c5 7. e4 cd4 8. 0−0 d6 9. ♘d4 ♕d7 10. b3 N ♘c6 11. ♘b5!? ♗e7 12. ♗b2 0−0 13. ♖e1 ♖ad8 [13... a6 14. ♘c3 b5?! 15. cb5 ab5 16. ♘b5 ♘b4 17. ♗f1 ♖a2 18. ♖a2 ♘a2 19. ♗a3↑ ✕♘a2; 13... ♖ac8!? 14. ♘f1 a6 15. ♘c3 ♕c7∞] 14. ♘f1 ♕c8 15. ♘e3 ♕b8 16. ♘c3 [16. ♘g4 ♘e5!=] ♖fe8 17. ♕e2! [△ ♖ad1-d2, ♕d1] a6 18. ♖ad1 ♘a7 19. a4 ♕a8?! [19... ♗c6!= △ b5] 20. ♖d2 ♘c6 21. ♕d1 [21. ♗a3!? △ 21... ♘e5 22. f4 ✕d6] ♘e5 22. ♘c2!± [△ ♘d4, f4-f5] ♘ed7 23. ♘d4 ♘b8 [23... ♘c5 24. ♕c2± △ f4-f5, b4, ✕e6] 24. ♗a3 ♖d7 25. h4! [△ g4-g5; 25. f4 ♘c6!= 26. ♘c6 ♗c6 27. ♗d6? ♖ed8 28. e5 ♗g2 29. ♖g2 ♗d6 30. ed6 ♖d6∓] ♖ed8?! [25... h6!± △ 26. g4? ♘h7!∓] 26. g4 ♘c6 27. g5 ♘e8 28. ♕g4?! [28. ♘c6 ♗c6 29. ♕g4 b5 30. cb5 ab5 31. ab5 ♗e4 32. ♗e4 ♕a3 33. ♗c6↑] ♘d4 29. ♖d4 ♘c7 30. ♖d3 b5 31. h5 bc4 32. bc4 ♘e8 33. h6?⊕ [33. g6! ♘f6 34. gf7 ♔f7 35. ♖f3 ♕c8 36. ♗h3 ♕c4 37. ♘d5!→] g6 34. ♗h3? [34. ♗f1∓] ♕c8 35. ♖d4 ♖c7 36. ♖c1 e5−+ 37. ♕g3 ♕a8 38. ♖dd1 ♖c4 39. ♘d5 ♗d5 40. ed5 ♖a4 41. ♖b1 ♖a5! [41... ♗g5?! 42. ♗d6! ♖h4 43. ♕b3 (43. ♕e5? ♗f6!−+ △ ♘d6) ♗f2 44. ♔g2!→; 41... ♖b8?! 42. ♗d7⇄] 42. ♗g2 ♖b8 43. ♕c3 ♖ab5 44. ♖b5 ab5 45. ♖a1 b4 46. ♗b4 ♕b7 47. ♗a3 ♗g5   0 : 1
Lautier

477.   E 15

DAUTOV 2590 — GY. SAX 2545

Deutschland 1997

1. d4 ♘f6 2. c4 e6 3. ♘f3 b6 4. g3 ♗a6 5. ♕a4 ♗b7 6. ♗g2 c5 7. 0—0 cd4 8. ♘d4 ♗g2 9. ♔g2 ♕c7 10. f3 a6 11. ♖d1 ♗e7?! [11... ♕b7 12. ♘c3 ♗e7 13. e4 0—0=] 12. ♘b5 ♕c6 13. ♘d6 ♗d6 14. ♕c6 ♘c6 15. ♖d6 ♔e7 16. ♖d1 d5 N [16... ♖hc8 — 46/(709)] 17. ♘a3! [17. cd5 ♘d5 18. ♗d2 ♖hd8 19. ♘c3 ♘c3 20. ♗c3 f6=] ♖hd8 18. b3 ♖ab8 [18... dc4? 19. ♘c4 b5 20. ♗a3 b4 21. ♘a5!±; 18... b5? 19. cb5 ab5 20. ♘b5 ♖db8 21. ♘a3 (21. a4 ♖b5 22. ab5 ♖a1 23. bc6 e5∞) ♘b4 22. ♗b2±; 18... e5!?] 19. ♗b2 b5 20. cd5 ♘d5 21. ♘c2! [21. ♖dc1 ♘db4 22. ♗g7 ♖d2 23. ♔f2 ♖c8∞ ×♔f2] ♖bc8 22. ♔f2± g6? [22... f6 23. ♖ac1±] 23. ♖ac1 ♔e8 [23... ♘cb4 24. ♘b4 ♘b4 25. ♗a3 a5 26. ♖d8 ♖d8 (26... ♖c1?? 27. ♖a8+−) 27. ♔e3±] 24. ♘e1! [△ ♘d3-c5, ×a6] ♘b6 [24... ♘cb4 25. a3 ♘a2 (25... ♘c6 26. ♘d3 ♘a5 27. ♘c5±) 26. ♖c8 ♖c8 27. ♖a1 ♘dc3 28. b4±] 25. ♘d3 ♘d7 26. e4± a5 [26... ♘e7 27. ♔e3 ♖c1 28. ♖c1 ♖c8 29. ♖c8 ♘c8 30. ♘b4 a5 31. ♘c6 a4 32. ba4 ba4 33. ♔d4±] 27. ♔e3 ♘e7 28. ♗c3 ♖a8 [28... b4 29. ♗d4±] 29. ♗d4 ♖dc8 30. ♘e5 ♘e5 31. ♗e5 f5? [31... b4 32. g4 a4 33. ♖c8 ♘c8 (33... ♖c8 34. ba4 ♖a8 35. ♗c7±) 34. ♖d4±] 32. ♗f6 a4 33. b4 ♔f7 34. ♗g5 ♔e8 35. a3 ♖a7?? [35... ♖c1 36. ♖c1 ♖c8 37. ♖c8 ♘c8 38. ef5 ef5 39. ♔d4 ♔d7 40. ♔c5 ♘d6 41. ♗f4+−] 36. ♖c8   1 : 0

Dautov

478.*   E 15

G. KASPAROV 2795 — GEL'FAND 2700

Novgorod 1997

1. d4 ♘f6 2. c4 e6 3. ♘f3 b6 4. g3 ♗a6 5. b3 d5 6. ♗g2 dc4 7. ♘e5 ♗b4 8. ♔f1 ♗d6 9. ♘c4 ♘d5 10. e4 ♘e7 11. ♗b2 ♘bc6 12. ♘bd2 0—0 [12... e5 N 13. d5 ♘a5 14. ♔g1 ♘c4 15. ♘c4 ♗c4 16. bc4± G. Kasparov 2795 — V. Atlas 2460, USA 1997] 13. ♔g1 b5 14. ♘d6 N [14. ♘e3 e5!? 15. d5 ♘d4 16. ♘f3 c5 17. dc6 ♘dc6∞; 14... f5∞] cd6

[14... ♕d6? 15. e5 ♕d8 16. ♘e4±] 15. h4 ♕b6 [15... d5 16. e5 ♕b6 17. ♘f3 f6 a) 18. ♗h3?! fe5 19. ♗e6 ♔h8 20. de5 ♘e5 21. ♗e5 ♕e6∓; b) 18. ♕e1 b4 (18... ♘f5 19. ♖d1±) 19. ♗h3 (19. ♖d1 ♕a5∞) ♔h8 20. ♗e6 fe5 21. ♘g5 e4 22. ♘f7 ♖f7 23. ♗f7 ♖f8 24. ♗h5 ♘f5∞; c) 18. ♕d2· fe5 (18... b4 19. ♖e1 ♔h8 20. h5±) 19. de5 b4? 20. ♘g5 ♗c8 21. ♕c2 ♘f5 22. g4 ♘cd4 23. ♕d2 ♘g3 24. ♖e1+−; 19... h6±] 16. h5!? [16. ♘f3 d5 17. e5 — 15... d5] h6?! [16... ♘d4! 17. h6 g6 18. ♘f3 (18. ♘c4 ♘e2 19. ♕e2 bc4 20. ♗f6 ♘c6 21. bc4 ♘d4 22. ♕d2 e5∓; 21. ♕d2∞) ♘f3 19. ♕f3 f5! (19... f6 20. ♗f6 e5 21. g4±) 20. ef5 ♘f5 21. ♕c3 e5 22. ♗d5 ♔h8 23. ♗a8 ♖a8∞] 17. d5 ♘e5? [17... ♘d4 a) 18. ♘f1 e5 19. b4 f5∞; b) 18. b4 e5 (18... ♖ac8 19. ♘b3 ♘b3 20. ab3 e5 21. g4±) 19. g4 ♖ac8 20. ♘b3 ♘c2 21. ♖c1 ♘b4 22. ♕d2 ♖c4 23. ♗c3 ♘bd5 24. ♗a5 ♕b7 25. ed5 ♖g4∞; c) 18. ♘f3 ♘f3 19. ♗f3 e5 20. g4 b4 (20... f5? 21. gf5 ♘f5 22. ef5 ♖f5 23. ♗c1+−) 21. ♖h3±] 18. ♘f1! b4 19. ♗d4 ♕a5 20. ♘e3 ♖ac8 [20... ed5 21. ed5 f5 22. ♖h4±; 20... ♘d3 a) 21. ♘c4?! ♗c4 22. bc4 ♘c5 23. f4 (23. e5 ♖ad8∞) ed5 24. cd5 f5∞; b) 21. ♗f1 ♘e5 (21... ♘c5 22. ♕g4 e5 23. ♗c5±) 22. ♗a6 ♕a6 23. f4 ♘d3 24. de6 fe6 25. ♘c4 d5 26. ♕d3 dc4 27. ♕c4 ♕c4 28. bc4 ♖fd8 29. ♗e3 ♖ac8 30. ♖c1±] 21. ♖h4 [21. f4 ♘d3 (21... ♘d7 22. de6 fe6 23. ♗h3 ♘c5 24. ♗c5 ♕c5 25. ♗e6 ♔h8 26. ♔f2+−) 22. ♗f1 e5 (22... ♘c5 23. ♕g4 e5 24. fe5 de5 25. ♗e5 f6 26. ♘c4!+−) 23. ♗d3 ed4 24. ♗a6 ♕a6 25. ♕d4 ♖c3 26. ♔f2 f5 27. ♖he1±] ♖c7 22. ♕d2! [22. f4 ♘d3 23. ♗f1 e5 24. ♗d3 ed4 25. ♘c4 ♗c4 26. bc4±]

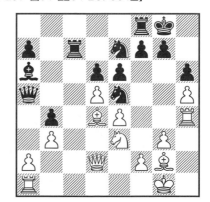

22... 🨂**c3** [22... ed5 23. ed5+− ✕b4; 22...
♔h7 23. ♗e5 de5 24. d6+−; 22... 🨂fc8 23.
♘g4 *a)* 23... ed5 24. ♘h6 ♔f8 (24... gh6
25. ♕h6 ♗e2 26. ♕d6+−) 25. ♘f5 (25.
ed5 🨂c2 26. ♕f4 ♘d5) 🨂c2 (25... de4 26.
♘d6 🨂d8 27. h6+−) 26. ♕f4 ♘f5 27.
ef5+−; *b)* 23... 🨂c2 24. ♕f4 ♘g4 25. 🨂g4
e5 26. ♗e5 (26. ♕h6 ♘g6 27. ♕g5 ♗e2
28. hg6 ♗g4 29. gf7 ♔f7 30. ♕g4 ed4 31.
♕e6 ♔f8 32. ♕d6 ♔g8 33. ♕e6+−) de5
27. ♕e5 g5! (27... g6 28. ♕e7 ♕b6 29.
🨂f4+−) 28. 🨂g5! (28. ♕e7? ♕b6−+)
♘g6 (28... hg5 29. h6 ♔f8 30. ♕h8 ♘g8
31. h7+−) 29. 🨂g6 fg6 30. ♕e6 ♔f8 31.
hg6 🨂8c7 32. ♕f6 ♔g8 33. ♗h3+−] **23.**
♗**c3 bc3 24.** ♕**d4 ed5** [24... ♕c7 25. 🨂c1
🨂c8 26. ♘d1 c2 27. ♘e3 ♗d3 28. f4 ♕a5
29. fe5 ♕d2 30. 🨂c2 ♕e1 31. ♔h2 ♕c2
32. ed6+−] **25. ed5** ♕**c7 26.** ♕**d1!+−** 🨂**c8**
[26... ♗d3 27. 🨂c1 🨂c8 28. 🨂d4 ♗h7 29.
f4 ♘d7 30. 🨂c4; 26... f5 27. 🨂d4] **27.** ♗**e4!**
♕**b6 28.** 🨂**f4** ♗**b7 29.** 🨂**c1** ♕**a5 30.** 🨂**c2**
♔**h8 31.** ♗**g2** ♗**a6 32.** 🨂**a4** ♕**b6 33.** ♘**c4**
♗**c4 34. bc4** ♘**f5** [34... ♘c4 35. 🨂c3 ♘b2
36. 🨂c8 ♘c8 37. ♕e2 ♘a4 38. ♕e8 ♔h7
39. ♗e4] **35.** 🨂**c3** ♘**d4 36. c5** 🨂**c5 37.**
♕**d4**   **1 : 0**   *G. Kasparov*

479.   E 15

ŠIPOV 2575 − KEŃGIS 2590
Ålborg 1997

1. d4 e6 2. c4 ♘**f6 3.** ♘**f3 b6 4. g3** ♗**a6 5.
b3** ♗**b4 6.** ♗**d2** ♗**e7 7.** ♗**g2 d5 8. cd5**
♘**d5 9. 0−0 0−0 10.** ♘**c3** ♘**d7** [10... ♗b7
11. ♕c2 ♘c3 12. ♗c3 f5!? ✕e4, d5] **11.**
♘**d5 ed5 12.** 🨂**c1** 🨂**e8 13.** ♗**f4 c5 14. dc5**
♗**c5** [14... ♘c5!?] **15.** ♘**d4 N** [15. ♕d5
♘f6 16. ♕d8 🨂ad8=; 15. 🨂c2 ♘f6 16.
♗e5 − 38/(703); 16. ♘d4!? − 15. ♘d4]
♘**f6** [15... ♗d4 16. ♕d4 ♗e2 17. 🨂fe1
♘f6 18. 🨂c7↑] **16.** 🨂**c2** [16. b4 ♗d4 (16...
♗b4?! 17. ♘c6 ♗e2 18. ♕b3↑) 17. ♕d4
♗e2 (17... 🨂e2 18. a4⊼) 18. 🨂fe1 ♗c4 19.
🨂e8 ♘e8=] ♕**d7** [16... ♘e4? 17. b4!±;
16... ♗d4 17. ♕d4 ♗e2 18. 🨂e2 ♗e2 19.
🨂e1⊼] **17.** ♕**a1** 🨂**ac8 18.** 🨂**fc1** [18. 🨂d1??
♗d4] ♗**d4** [18... ♘e4 19. b4! ♗b4 20.
🨂c7↑] **19.** ♕**d4** 🨂**c2 20.** 🨂**c2** 🨂**e2 21.** 🨂**e2**
♗**e2 22. h3!⊼** [✕a7, b6, d5; 22. ♗e5 ♕c6

23. h3 h6 24. ♗f6 ♕f6=] ♕**f5?** [22... h6?
23. ♗h6; 22... ♗a6 23. ♕e5! △ ♕b8 ✕a7;
22... ♗b5 23. ♕e5 ♕e8 24. ♕e8!? (24.
♕c7; 24. ♕b8) ♗e8 25. ♗b8 a6 26. ♗c7
b5 27. ♔f1↑⊥; 22... ♕e8!?] **23.** ♕**a4!±**
[✕a7] **g5** [23... ♕d7 24. ♕d7 ♘d7 25.
♗d5±; 23... a6 24. ♕c6 h6 (24... ♕e6 25.
♕a8) 25. ♕b6 ♕b1 26. ♔h2 ♕a2 27.
♗e5±] **24.** ♗**e3** ♗**f3 25.** ♕**a7** ♗**g2 26.**
♔**g2** ♕**e4** [26... d4 27. ♕a8] **27.** ♔**h2 d4
28.** ♗**g5** ♕**f3** [28... ♕e2 29. ♕b8 ♔g7
(29... ♘e8 30. ♗e3!+−) 30. ♗f6 ♔f6 31.
♕h8+−] **29.** ♕**b8** ♔**g7 30.** ♕**f4** ♕**f4 31.**
♗**f4+− d3 32.** ♔**g2** ♘**d5** [32... ♘e4 33.
♔f3 f5 34. ♔e3 d2 35. ♔e2 ♘f2 36. ♗d2
♘h3 37. ♗e3 b5 38. a4] **33.** ♗**d2** ♔**f6 34.
f4** ♔**e6 35.** ♔**f3 f5 36. g4 b5 37. a3 h6 38.
a4 ba4 39. ba4** ♘**b6 40. a5** ♘**c4 41.** ♗**c3
fg4 42. hg4** ♔**d5** [42... d2 43. ♔e2 ♘e3
44. ♔d2 ♘g4 45. a6] **43. a6** ♘**c6 44. f5**
[44... ♔b6 45. f6 ♘d6 46. ♔f4] **45.** ♗**d2!**
♘**d2 46.** ♔**f4** ♘**b3 47. f6** ♘**c5 48.** ♔**f5**
1 : 0   *Šipov*

480.***   E 15

KI. GEORGIEV 2670 −
D. KOMAROV 2600
Jugoslavija 1997

1. d4 ♘**f6 2. c4 e6 3.** ♘**f3 b6 4. g3** ♗**a6 5.
b3** ♗**b4 6.** ♗**d2** ♗**e7 7.** ♗**g2 c6 8.** ♗**c3 d5
9.** ♘**e5** ♘**fd7 10.** ♘**d7** ♘**d7 11.** ♘**d2** 🨂**c8
12. 0−0 0−0 13. e4 c5 14. ed5 ed5 15. dc5
dc4 16. c6 cb3 17.** 🨂**e1 b2 18.** ♗**b2** ♘**c5
19.** ♘**c4** [19. ♕g4 N ♗f6 20. ♗f6 ♕f6 21.
♕f3 (21. ♘e4? ♕c6) ♕f3 22. ♗f3 ♗b5
23. 🨂e7 a6 24. c7 🨂fe8 25. 🨂e8 ♗e8 26.
♘c4 🨂c7 27. ♘b6 ♘e6 28. ♘d5 1/2 : 1/2
G. Timošenko 2510 − Bagaturov 2485,
Enakievo 1997] ♗**c4 N** [19... ♗f6 − 69/472]
20. ♕**g4** ♗**g5! 21.** ♕**c4** ♘**d3 22.** ♗**e5!** [22.
♗c3 ♘e1 23. 🨂e1 🨂e8 24. 🨂b1 🨂e6 25. h4
♗f6 26. ♗b4 ♕d4 27. ♕c2 g6 28. ♗f3 ♗e7
29. a3 ♗b4 30. 🨂b4 ♕a1 31. ♔g2 ♕a3∓
Barus 2445 − A. Šnejder 2565, Jakarta 1997]
♘**e1** [22... ♘e5 23. 🨂e5 ♗f6 24. 🨂d5 ♗a1
25. 🨂d8 🨂fd8 26. ♗h3 🨂c7 27. ♗d7± △
♕d5-d6] **23.** 🨂**e1** ♗**f6!** [RR 23... 🨂e8?! 24.
♗h3 ♗f6 (24... ♕d2 25. 🨂e2 b5 26. ♕c2
♕c2 27. 🨂c2 ♔f8 28. c7± A. Šnejder 2565

– G. Timošenko 2510, Enakievo 1997) 25. ♗c8 ♖e5 (25... ♕c8 26. f4±) 26. ♖e5 ♗e5 27. ♗f5± G. Timošenko] **24. ♗f6** [24. c7? ♕d2; 24. ♗h3 ♕d2! (24... ♗e5 25. ♗c8 ♗g3 26. hg3 ♕c8 27. ♖e7±; 24... ♖e8 25. ♗c8 ♖e5 26. ♖e5 ♗e5±) 25. ♔f1 (25. ♖e2 ♕d1 26. ♔g2 ♖c6!) ♖ce8↑ 26. c7? ♗e5 27. ♖e5 ♖e5 28. c8♕ ♕e1 (28... ♖c5?? 29. ♕f7 ♔f7 30. ♕e6) 29. ♔g2 ♖c8 30. ♕c8 ♖e8–+; 24. ♗f4 ♖e8!? (24... g5) 25. ♖c1 g5⇆ 26. ♗e3 ♖c7 27. a4 ♖e3!? 28. fe3 ♕d2] **♕f6 25. c7 ♕d6** [25... b5? 26. ♕c5±] **26. ♖c1 b5 27. ♕c2 g6 28. ♗b7 b4= 29. h4** [29. ♕c4 a5?! 30. ♗c8 ♖c8 31. ♕b5; 29... ♔g7] **h5 30. ♔h2 a5 31. ♔g2 ♔g7 32. ♕b2 ♔h7** [32... ♕f6?! 33. ♕d2 ⇔d] **33. ♕c2** [33. ♖c6?? ♕d5 34. ♔h2 ♕b5–+] **♔g7 34. ♕c4 a4 35. ♗c8 ♖c8 36. ♖c2 b3 37. ab3 ab3 38. ♕b3 ♖c7 39. ♕b2 ♔h7 40. ♖c7**   **1/2 : 1/2**
                                                            D. Komarov

481.* !N   **E 15**

DAUTOV 2590 – PALAC 2595

Pula 1997

1. d4 ♘f6 2. c4 e6 3. ♘f3 b6 4. g3 ♗a6 5. b3 ♗b4 6. ♗d2 ♗e7 7. ♗g2 c6 8. ♗c3 d5 9. ♘e5 ♘fd7 10. ♘d7 ♘d7 11. ♘d2 0–0 12. 0–0 ♖c8 13. e4 b5 14. ♖e1 dc4 15. bc4 bc4 16. ♕c2 [RR 16. ♕a4 ♗b5 17. ♕c2 ♖e8 18. a4 ♗a6 19. ♖ad1 ♗f8 20. ♖e3! N (20. ♘f1 – 68/463) *a)* 20... ♕c7?! 21. ♗f1 c5 22. d5 ed5 23. ed5 ♖e3 24. fe3 ♘e5 25. ♕e4! ♗d6 26. ♗e5 ♗e5 27. ♗c4 ♗b7 28. ♘f3! (△ ♘g5) ♗f6 (Grabliauskas 2440 – Šarijazdanov 2465, Świdnica 1997) 29. ♕f4! △ e4-e5±; *b)* 20... c5 21. d5 ed5 22. ed5 ♖e3 (22... ♘f6 23. ♘e4! ♘e4 24. ♗e4 g6 25. ♗a1 ♗g7 26. ♗g7 ♔g7 27. d6+–) 23. fe3 ♕e7 24. ♘e4↑ Šarijazdanov, Lysenko] **♖e8 17. ♖ad1 ♘b6!? N** [△ ♗b5; 17... ♗f8 – 63/451] **18. a4□ c5 19. d5 ed5 20. ed5 ♕d7 21. a5 ♘a4 22. ♗a1 c3! 23. ♘e4** [23. ♗c3 ♘c3 24. ♕c3 ♗f6 25. ♖e8 ♕e8 26. ♕c2 ♗d4=] **♗b5** [23... ♗f8 24. ♘c3 ♘c3 25. ♗c3±; 25. ♕c3±] **24. ♘c3?** [24. ♖e3!?; 24. d6! ♗d8□ (24... ♗f8? 25. ♘g5 ♖e1 26. ♖e1 g6 27. ♗d5 ♕d6 28. ♗f7 ♔h8 29. ♗b3+–; 24... ♗d6? 25. ♖e3 ♖c6 26. ♘g5±) *a)* 25. ♘c3 ♖e1 (25...

♗a5? 26. ♖e7 ♖e7 27. de7 ♕e8 28. ♘b5 ♕b5 29. ♗h3+–) 26. ♖e1 *a1)* 26... ♗a5? 27. ♘b5 ♕b5 (27... ♗e1 28. ♕a4 ♖b8 29. ♗f1 ♕f5 30. ♕a2 a6 31. ♘a3±) 28. ♖e7↑; *a2)* 26... ♘c3! 27. ♕c3 ♗f6 28. ♕d2 ♗a1 29. ♖a1 ♖d8 30. ♖d1 ♗a4 31. ♖b1 h6=; *b)* 25. ♗c3! ♘c3 (25... f5? 26. ♗h3 ♘c3 27. ♘c3±) 26. ♕c3± c4 (26... h6? 27. ♖d5 c4 28. ♘c5 ♖e1 29. ♕e1+–) 27. ♕b4 (27. ♖d5? ♗c6 28. ♘c5? ♗f6) a6 28. ♘c3 ♗f6 (28... ♖e1 29. ♖e1 ♗c6? 30. ♗c6 ♕c6 31. ♕c4+–) 29. ♘d5±] **♘c3 25. ♕c3 ♗f6=** **26. ♕a3?!** [26. ♕d2 ♖e1 27. ♖e1 ♗a1 28. ♖a1 ♕d6 29. h4 h6=] **♗e2! 27. ♖d2** [27. ♖c1 ♗d4] **♗d3! 28. ♖e8 ♖e8 29. ♖d1 ♗a1 30. ♕d3** [30. ♕a1 c4 31. ♕d4 h6=] **♗d4 31. ♖b1 g6 32. ♗f3 ♕c7?!** [32... ♕a4 33. ♕d2=] **33. ♕b5 ♖d8 34. a6 c4 35. ♕c6⊕ ♖c8⊕ 36. ♕c7** [36. ♖b7? ♕d8] **♖c7 37. ♔f1?!** [37. ♖b7 ♗e5=; 37. ♖d1 c3?? 38. d6 ♖c4 39. d7+–; 37... ♗e5!] **c3 38. ♖c1 ♔f8 39. ♔e2 ♔e7** [39... ♖c4 40. ♔d3 ♖b4 41. ♖c2=] **40. ♔d3 ♗f2 41. ♖c3**   **1/2 : 1/2**   *Dautov*

482.* !N   **E 17**

HALIFMAN 2650 – KORTCHNOI 2635

Sankt-Peterburg 1997

1. d4 ♘f6 2. c4 e6 3. ♘f3 b6 4. g3 ♗b7 5. ♗g2 ♗e7 6. ♘c3 ♘e4 [RR 6... 0–0 7. d5 ♗b4 8. 0–0 ♘a6 9. ♘e5!? ♗c3 10. bc3 ♘c5 (10... d6?? 11. ♘f7!+–) 11. ♗a3 *a)* 11... d6? 12. ♗c5 bc5 13. ♘f7!+–; *b)* 11... ed5 12. ♗c5 (12. cd5?! ♖e8 13. ♗c5 ♖e5! 14. ♗d4 ♖d5! 15. ♗d5 ♘d5⊖) bc5 13. ♖b1 ♖b8 14. cd5 ♕e7! N (14... ♖e8 – 61/(563)) 15. ♘c4 (15. d6 ♕e5 16. dc7 ♕c7) ♗a6 16. ♕a4 (16. ♘e3 ♕e5) ♗c4 17. ♕c4 ♖b6 *b1)* 18. ♖b5?! d6 19. a4 (19. ♖a5 ♖a8) ♖fb8 20. ♖fb1 (1/2 : 1/2 Nikčević 2525 – M. Marin 2530, Sitges 1997) ♕e8! 21. e4 ♘d7 *b11)* 22. a5? ♖b5! (22... ♘e5? 23. ♖b6 ♖b6 24. ab6 ♘c4 25. bc7 ♘b6 26. ♗h3 ♕e4 27. ♖b6 ♕e1 28. ♗f1+–) 23. ♖b5 ♘e5 24. ♖b8 ♕b8∓; *b12)* 22. f4 a6 23. ♖b6 ♖b6 24. ♖b6 ♘b6 25. ♕a6 ♕a4 26. ♕a4 ♘a4 27. c4 ♘b6 28. ♗f1=; *b2)* △ 18. e4 d6 (18... ♘g4 19.

♕e2 f5 20. h3) 19. f4 ♖fb8 20. ♖b3 (20. ♖be1!?) ♕e8 21. ♖e1 ♖b3 22. ab3 ♕b5 23. ♕b5 ♖b5 24. e5 ♘e8±; c) 11... ♕e7!? 12. d6□ cd6 13. ♗c5 bc5 14. ♗b7 ♖ab8 15. ♘f7∞ M. Marin] **7. ♗d2 f5 8. d5 ♗f6 9. ♕c2 ♕e7 10. ♖d1** [10. 0−0 ♗c3 11. ♗c3 ed5 12. cd5 (12. ♘d4 0−0∞) ♗d5∞; 10. ♘e4 fe4 11. ♕e4 ed5 12. ♕f4 dc4∞] **ed5 11. cd5 c5?!** [11... ♕c5?! 12. 0−0 a) 12... ♗d5 13. ♗e3 ♕c6 14. ♖d5 ♗c3 15. ♖f5±; b) 12... 0−0 13. ♗e3 ♕c4 14. ♗d4 ♘c3 15. bc3 ♗d4 (15... ♗d5 16. ♗f6 ♗e4 17. ♘d2!+−) 16. ♖d4 ♕c5 17. ♘h4 g6 18. g4!±; c) 12... ♗c3 13. ♗c3 0−0 (13... ♗d5 14. ♖d5! ♕d5 15. ♘g5 ♘c6 16. ♗g7 ♖g8 17. ♘e4 fe4 18. ♗e4 ♕e6 19. ♗f5±) 14. ♘h4! ♘c3 15. bc3 g6 16. e4±; 11... 0−0 12. 0−0 a) 12... c5 13. dc6! dc6 a1) 14. ♘e4 fe4 15. ♘d4 c5 16. ♕b3 ♔h8! 17. ♘e6 (17. ♘f5 ♕e5∓) ♖e8∞; a2) 14. ♗f4! a21) 14... c5 15. ♘b5 ♘c6 16. ♘d6 g6 (16... ♘d6 17. ♗d6 ♕e4 18. ♕d2! ♖fd8 19. ♘h4±) 17. ♘b7 ♕b7 18. ♘d2! ♘d2 (18... ♘d4 19. ♘e4! fe4 20. ♗e4+−) 19. ♖d2±; a22) 14... ♘c3 15. bc3 c5 16. ♗d6 ♕e4 17. ♖d3 ♖f7 18. ♖e3! ♕c6 19. ♘h4±; a23) 14... ♗c3 15. bc3 c5 (15... ♘d7 16. ♘h4!±) 16. ♕b3 ♔h8 (16... ♕f7 17. ♕f7 ♖f7 18. ♖d8 ♖f8 19. ♖f8 ♔f8 20. ♘g5±) 17. ♘g5 ♘g5 18. ♗g5 ♕c7 19. ♗f4 ♕c8 20. ♗b7 ♕b7 21. ♕e6! (21. ♗d6 ♖e8 22. ♗c5 ♘c6 23. ♗e3 ♘e5±) ♘c6 (21... ♕e4 22. ♕e4 fe4 23. ♖d6±) 22. ♖d7 ♕c8 23. ♗h6! (23. ♖fd1 ♖f6 24. ♕d5±) gh6 24. ♖fd1 ♕e8 25. ♕c6±; b) 12... c6 b1) 13. ♘e4 b11) 13... fe4 14. d6 ♕d6 (14... ♕e6 15. ♘g5 ♗g5 16. ♗g5 c5 17. ♗e7 ♖e8 18. a3±) 15. ♘g5 ♕e5 (15... ♗g5 16. ♗g5±) 16. ♘e4 ♕b2 17. ♘f6 ♕f6 18. ♗b4±; b12) 13... ♕e4! 14. ♕e4 fe4 15. dc6 ♘c6∓; b2) 13. dc6!± − 12... c5; c) 12... ♘a6 13. ♗f4 c1) 13... ♗c3 14. bc3 ♖ae8 (14... ♕c5 15. ♘d2±) 15. c4 ♘ac5 16. ♘d4±; c2) 13... ♘c3 14. bc3 ♖ae8 (14... ♕e4 15. ♕e4 fe4 16. ♘d2 ♗c3 17. ♘e4 ♗b4 18. d6 c6±) 15. ♘d4 (15. d6 ♕e2 16. ♕e2 ♖e2 17. dc7 ♖c8=) ♕c5 (15... ♗d4 16. d6!+−) 16. ♕b3 (16. ♕f5 ♕c3; 16. e4 fe4 17. ♗e4 g6∞) ♔h8 17. ♗e3±] **12. dc6 N** [12. ♗f4 − 62/544; 12. 0−0 a) 12... ♘d2? 13. ♘d2± △ 14. d6, 14.

♕f5; b) 12... 0−0 13. ♗f4 ♘a6 (13... ♖e8 14. ♘d2! ♘c3 15. bc3 ♕e2 16. ♗f3 ♕b5 17. ♕f5±) 14. ♘e4 fe4 (14... ♕e4 15. ♕e4 fe4 16. ♘d2 ♘b4 17. ♘e4 ♗b2 18. ♖d2 ♗d4 19. e3 ♗f6 20. ♘f6 ♖f6 21. a3 ♘a6 22. e4±) 15. ♘d2 ♘b4 (15... g5? 16. ♘e4 gf4 17. d6 ♗e4 18. ♗e4 ♕e8 19. ♕c4+−) 16. ♕e4 ♘d5 (16... ♕e4 17. ♘e4± − 14... ♕e4; 16... ♗d5 17. ♕e7 ♗e7 18. ♘e4±) 17. ♕e7 ♗e7 18. ♗e5 ♗c6 19. ♘c4 ♘f6 20. ♗c6 dc6 21. f3±; c) 12... ♘a6 13. ♘e4 fe4 (13... ♕e4 14. ♕e4 fe4 15. ♘g5 e3 16. ♗e3 ♗b2 17. ♘e4±) c1) 14. d6 ♕e6! (14... ♕d6 15. ♘g5 ♗g5 16. ♗e4 ♕c7 17. ♗g5 ♘b4 18. ♕b1±) 15. ♘g5 ♗g5 16. ♗g5 ♘b4 17. ♕c3 0−0 18. a3 ♘d5 19. ♕c4 ♖ae8∞; c2) 14. ♘h4! ♗d5 (14... ♗h4 15. gh4 ♗d5 16. ♗g5±) 15. ♗c3! (15. ♘f5 ♕e6 16. ♗e4 ♗e4 17. ♕e4 0−0∞) ♗c3 16. bc3±] **dc6** [12... ♘c6 13. ♘d5 ♕d8 14. 0−0±; 12... ♗c6 13. 0−0 0−0 14. ♕d3±] **13. ♘e4!?** [13. 0−0 ♘a6 (13... 0−0 − 11... 0−0) 14. ♗h3 (14. ♘e4 fe4 15. ♘e1 c5 16. ♕a4 ♕d7 17. ♕d7 ♔d7=) ♗c3 15. ♗c3 0−0 16. ♗e5±] **fe4** [13... ♕e4 14. ♕e4 (14. ♕b3?! ♗a6 15. 0−0 ♗c4∞) fe4 15. ♘g5 a) 15... e3 16. ♗e3 ♗b2 17. ♘e6 ♘a6 (17... ♗c3 18. ♗d2 ♗e5 19. ♗f4 ♗c3 20. ♔f1 ♘a6 21. ♖c1±) 18. 0−0±; b) 15... ♗b2 16. ♗e4 g6 (16... h6 17. ♗b4!+−) 17. ♘e6 ♘a6 18. ♗g5 ♖c8 (18... ♗c3 19. ♔f1 ♖c8 20. ♖d3 ♗b2 21. ♔g2±) 19. 0−0± △ 19... ♘b4?! 20. ♖d8! ♖d8 21. ♘d8 ♗a8 22. ♖b1 ♗c3 23. ♖b3+−] **14. ♘h4! ♗h4** [14... c5 15. ♘f5 ♕e5 16. ♗e4 ♗e4 17. ♘d6 ♔e7 (17... ♔f8 18. ♘e4 ♕b2 19. ♕d3 ♘c6 20. ♕d5+−) 18. ♘e4 ♕b2 19. ♕d3 ♕d4 (19... ♖d8 20. ♕d8 ♔d8 21. ♗c3+−) 20. ♕f3±] **15. gh4 0−0!** [15... ♕h4 16. ♕e4 ♕e4 17. ♗e4 ♘d7 (17... 0−0 18. ♗c3 ♖e8 19. ♖g1 g6 20. f3+−) 18. ♗c3 ♘c5 (18... ♘f6 19. ♗f6 gf6 20. ♖g1+−) 19. ♗c2 0−0 (19... ♘e6 20. ♖g1 ♔e7 21. ♖g3+−) 20. b4 ♘e6 21. ♖d7+−] **16. ♕c4** [16. ♕e4!? ♕f7 (16... ♕e4 17. ♗e4+−) 17. 0−0 ♘d7 18. ♗b4! ♖fe8 19. ♕f3 ♘f6 20. ♗c3±] **♕f7** [16... ♔h8 17. ♗g5 ♕e5 (17... ♕c7 18. ♕e4+−) 18. ♕f7! ♕a5 19. ♔f1 ♕c5 20. ♗e7+−] **17. ♕f7 ♖f7 18. ♗e4± c5!?** [18... ♘d7 19. ♗c2! ♘f6 (19... c5 20. ♖g1±) 20. e4! ♖e8

(20... ♘e4 21. ♗b3 c5 22. ♖g1±) 21. f3
♗a6 22. ♖g1±] **19. ♗b7 ♖b7 20. ♗c3**
♘c6 **21.** ♖g1 [21. ♖d6!? ♘e7 (21... ♘b4
22. ♗b4 cb4 23. ♖g1+−; 21... ♖c8 22.
♖g1 ♘d4 23. ♗d4 cd4 24. ♔d2 ♖f7 25.
f3+−) 22. h5 (22. e4 ♖e8±) ♘f5 23. ♖d5
♖f8 (23... ♖f7 24. ♖g1±) 24. ♖g1 ♖e7 25.
♔d2±] **♖e8 22. ♖g5 ♖e4** [22... ♖be7 23.
e3±] **23. h5** [23. ♖d6 ♘d4 24. ♗d4 cd4 25.
h5 ♖be7 26. ♖d8 ♔f7 27. ♖f5 ♔e6 28.
♖f3 (28. ♖dd5 g6=) ♖h4±] **♖be7** [23...
♘d4 24. ♗d4 cd4 25. ♖d5±] **24. e3** [24.
♗f6!?] **♘d4** [24... ♖h4? 25. ♗f6 ♖f7 26.
♖g7 ♖g7 27. ♗h4+−; 24... h6!? 25. ♖gd5
(25. ♖g2 ♘d4 26. ♔f1 ♘b5±) ♖h4 26.
♖d7! ♔f7 (26... ♖h5 27. ♖e7 ♘e7 28. ♖d7
♘f5 29. ♖a7 ♖h2 30. ♖b7±) 27. ♖1d6
♖h2 28. ♖e7 ♘e7 29. ♖d7±] **25. ♔f1 h6**
[25... ♘e6 26. ♖e5! ♖e5 (26... ♖h4 27.
♖d8! ♘d8 28. ♖e7+−) 27. ♗e5+−] **26.
♖d5 ♘b5** [26... ♘f3 27. ♖f5! ♘h2 (27...
♘g5 28. ♖d8 ♖e8 29. ♖e8 ♖e8 30. ♖d5
♘e4 31. ♖e5 ♖e5 32. ♗e5+−) 28. ♔g2
♘g4 29. ♖d8 ♖e8 30. ♖e8 ♖e8 31. ♖f4
♘f6 32. ♗f6 gf6 33. ♖f6+−] **27. ♗e1**
♖f7?! [27... ♔f7 a) 28. ♖f5 ♔e6 29. ♖f8
♖e5∞; b) 28. h3 ♘c7 29. ♖d7 (29. ♖d8
♖h4) ♘e8∞; c) 28. ♖d7! ♖h4 (28... ♘c7
29. f3! ♖e3 30. ♗h4 ♖f3 31. ♔g2+−; 28...
♖e5 29. ♖1d5±; 28... ♔e6 29. ♖e7 ♔e7
30. ♔g2±) 29. ♔g2 ♖h5 30. f4±] **28. ♖d8**
♔h7 29. ♖1d7! [29. ♖b8 ♖f5∞] **♖f5** [29...
♖ee7 30. ♖e7 ♖e7 31. a4 ♘c7 32. a5! b5
33. ♖d6+−] **30. ♖d5 ♖f6** [30... ♖d5 31.
♖d5 ♖c4 (31... ♖h4 32. ♖d7!+−) 32. f3
♖c2 33. ♖d2 ♖c1 34. a4 ♘c7 35. ♖d7+−;
30... ♖f7 a) 31. ♖b8 ♖h4 32. f4 ♖h2 33.
♗g3 ♘c7∞; b) 31. ♖c8 ♖h4 (31... ♖c7 32.
♖b8+−) 32. f4 ♖h2 33. ♗g3 ♖b2 34.
♖dd8 g5 35. ♖h8 ♔g7 36. ♖cg8 ♔f6∞; c)
31. ♖8d7! ♖ee7 32. ♖e7 ♖e7 33. a4 ♘c7
34. ♖f5+−] **31. ♖b8! ♖d6** [31... ♖e3? 32.
♖dd8+−; 31... ♖h4 32. f4 ♖h2 33. ♗g3
♘c7 (33... ♖b2 34. ♖dd8+−) 34. ♖d7 ♘a6
35. ♖bb7+−; 31... ♘d6 32. ♗c3 ♖fe6 33.
♖a8 ♖a4 34. a3+−] **32. ♖f5 ♖f6** [32...
♖h4 33. f3 ♖h2 34. ♔g1 ♖e2 35. ♖ff8
♖e1 36. ♔f2+−] **33. ♖f6 gf6 34. ♖d8** [34.
♖b7!? ♔g8 35. ♖d7+−] **c4?⊕** [34... ♖c4
35. ♔e2 ♔g7 36. f3+−; 34... ♖e7 35. a4
♘c7 36. ♗c3 ♔g7 37. ♔g2+−] **35. a4 c3**

36. ab5 cb2 37. ♖d1 ♖c4 38. ♗d2!+− [38.
♖b1 ♖c2∞] **♖c5 39. ♖b1 ♖b5 40. ♗c3**
♖c5 **41. ♗b2 ♖b5 42. ♔e2 a5 43. ♔d3 a4**
44. ♔c2 ♖c5 45. ♗c3 b5 46. ♔d3 ♖h5 47.
♗f6   1 : 0   *Halifman*

483.   E 17

KRAMNIK 2770 —
VAN WELY 2655

Tilburg 1997

1. ♘f3 ♘f6 2. c4 b6 3. g3 ♗b7 4. ♗g2 e6
5. 0−0 ♗e7 6. d4 0−0 7. ♖e1 d5 8. cd5
ed5 9. ♘c3 ♘bd7 10. ♗f4 ♘e4 11. ♕c2 N
[11. ♕b3 − 29/(526)] **c5** [11... ♘c3!? 12.
bc3 c5] **12. dc5!** [12. ♖ad1 ♖c8∞] **♗c5**
[12... ♘c3 13. c6!±; 12... ♘dc5 13. ♖ad1
♖c8 14. ♘e4 ♘e4 15. ♕b3±] **13. ♘e4□**
de4 14. ♘g5 ♘f6 [14... ♖c8!? 15. ♕b1
♘f6 16. b4! ♗f2! (16... ♗d4 17. ♖d1) 17.
♔f2 h6! 18. ♖d1! (18. ♘h3 e3! 19. ♔g1
♗g2 20. ♔g2 ♕d5 21. ♔g1 ♕e6 22. ♔g2
♕d5= G. Kasparov) ♕e8 19. ♔g1 (19.
♘h3 e3 20. ♔g1 ♗g2 21. ♔g2 ♕c6 22.
♔g1 ♕e6 23. ♔g2 ♕c6) hg5 20. ♗d6
♕e6 21. ♗f8 ♖f8 22. ♕b3±] **15. ♘e4 ♗e4**
16. ♗e4 ♕d4 [△ 16... ♖c8 17. ♕d3 ♘e4
18. ♕e4 ♕d4 19. ♕d4 ♗d4 20. ♖ad1!
♗b2 21. ♖d7±] **17. ♗f3** [17. ♗a8?? ♕f2
18. ♔h1 ♘g4 19. ♗g2 ♕g1 20. ♖g1
♘f2#] **♕f2 18. ♔h1 ♖ac8** [18... ♖ad8!?
19. ♖f1 ♕d4 20. ♖ad1 ♕b4 21. a3 ♕b5
22. b4 ♗e7 (22... ♗d4 23. e3 ♗e5 24.
♗c6) 23. ♕c7±] **19. ♖f1 ♕d4 20. ♖ad1**
♕b4 21. a3 ♕b5 22. ♕f5! [△ b4] **♕a4?**
[22... ♕b2? 23. ♗e5 ♕a3 24. ♗f6 gf6 25.
♗e4+−; 22... a5 23. e4; 22... ♕b3! 23.
♖d3 (23. e4 ♕e6 24. ♕e6 fe6± △ 25. e5
♘d5!) ♕e6 24. ♕e6 fe6 25. b4 (25. ♖fd1)
♗e7 26. ♖e3± △ 26... ♔f7 27. g4!?] **23.**
e4! [23. ♗e5 ♗e7 24. ♗f6? ♗f6 25. ♗e4
g6] **♕c2 24. ♖d2** [24. ♗g5!? △ 24... ♗e7
25. ♕c1 ♕d3 26. ♕c8 ♕f1 (26... ♖c8 27.
♖c8 ♗f8 28. ♔g2) 27. ♖f1 ♖c8 28. e5
♘d5 29. ♗d5 ♗g5 30. ♖f7; 24. ♖c1 ♕d3
25. ♔g2!?±] **♕c4 25. ♖fd1 ♕e6** [25...
♗e7 26. e5 g6 27. ♕d3 (27. ♕h3? ♘e4)
♕d3 28. ♖d3 ♘h5 29. ♗h6 ♖fd8 30.
♖d7+−; 25... h5 26. c5 ♘g4 27. ♗d5
♕a6 28. e6+−] **26. ♕e6 fe6 27. e5 ♘e8?**

484. After 45 Lb1!

W. Kg2 Lb1, ps e3 f2 h2

B. Ke5 Le6, ps g7 g4.

[27... ♘d5□ 28. ♗d5 ed5 29. ♖d5 a5] **28.**
♗g4 ♘c7 29. b4 ♗e7 30. ♖d7 ♖f7 [30...
♗d8 31. ♖c1+−] **31. ♖c1 ♗f8** [31... ♗d8
32. ♖cc7!+−] **32. ♖f7 ♔f7 33. ♖c6!** [33...
♔e7 34. ♗e6 ♖a8 (34... ♘e6 35. ♖c8) 35.
♗g5; 33. ♗f3 ♔e7 34. ♗b7 ♔d7]
1 : 0 *Kramnik*

484.* E 17

HALIFMAN 2650 − STEFÁNSSON 2555

Århus 1997

**1. ♘f3 ♘f6 2. c4 b6 3. g3 ♗b7 4. ♗g2 e6
5. 0−0 ♗e7 6. ♘c3 0−0 7. ♖e1 d5 8. cd5
ed5 9. d4 ♘a6 10. ♗f4 ♖e8 11. ♖c1 c5 12.
dc5 bc5** [12... ♘c5 13. ♘d4±] **13. ♕b3 N**
[13. ♘e5 − 69/478] **♕b6 14. ♘e5! ♕b3
15. ab3± ♘e4** [15... h6 16. ♘d3 g5 17.
♗d2 ♖ab8= Keņgis 2560 − Z. Almási
2655, Bern 1996; 16. h4!± Keņgis; 15... ♗d6
16. ♘d3 ♗f4 17. ♘f4 ♖ad8 18. ♖ed1±]
**16. ♖ed1! ♖ad8 17. ♘e4 de4 18. ♘c4
♗d5!?** [18... ♖d1 19. ♖d1 ♖d8 20. ♖d8
♗d8 21. g4±] **19. ♗h3!** [19. ♖a1 ♘b4 20.
♖a7 ♘c6∞] **♗c6** [19... ♘b4 20. ♗c7 ♖a8
21. ♗a5±] **20. ♘d6 ♗d6?!** [20... ♖f8±]
**21. ♖d6 ♗b5 22. ♖d8 ♖d8 23. ♔f1± ♗d7
24. ♗g2** [24. ♗d7 ♖d7 25. ♖a1 ♘b4 26.
♖a5 ♖d5 27. ♖a7 g5! 28. ♗c7 ♖d1 29.
♔g2 ♖d2∞] **♗c6** [24... f5? 25. ♖d1+−]
25. ♔e1?! [25. g4!±] **f5 26. ♗e3 ♖b8!**
[26... ♗d5 27. ♖d1 ♔f7 28. g4 g6 29. f3±]
27. ♗c5 ♘c5 28. ♖c5 ♗d7 [♖ 9/k] **29. g4
fg4 30. ♗e4 ♗e6 31. ♖c3 ♔f7** [31... ♖b3
32. ♖b3 ♗b3 33. ♔d2±] **32. ♖c7 ♔f6 33.
♖a7 ♖b3 34. ♗h7** [34. ♖b7 ♖h3 35. b4
♖h2 36. b5 ♖h5∞] **♖b2± 35. ♖a6 ♔e5 36.
♗d3 ♖b8 37. ♖a5 ♔f6 38. ♔f1 ♖c8 39.
♗e4 ♖c1 40. ♔g2 ♖e1 41. e3 ♖c1 42. ♖b5
♖d1 43. ♖b6 ♔e5 44. ♖b1 ♖b1? [44...
♖d2 45. ♗b7±] 45. ♗b1** [♘♗ 7/f] **♔f6
46. ♔f1 ♔e5 47. ♔e2 ♗c8 48. ♗g6 ♔f6
49. ♗c2 ♔e5 50. ♔d3 ♗f5 51. ♔c3 ♗e6
52. ♔b4! ♔d6 53. ♗d3 ♗c8 54. ♗c4 ♔e5
55. ♗c2 ♗a6 56. ♔c5 ♗e2 57. ♔c6 ♔e6
58. ♔c7 ♔e7 59. ♗b3 ♗f3 60. ♗c4 ♗e4
61. ♗e2 ♗f5 62. ♔c6 ♔e6 63. ♗c4 ♔e5
64. ♔c7 ♔e4 65. ♗e2 ♔e5 66. ♔d8! ♔f6**

**67. ♗c4 ♗c2 68. ♔d7 ♔e5 69. ♗e2 ♔f5
70. ♔d6 1 : 0** *Halifman*

485. E 17

GEL'FAND 2695 − PELLETIER 2465

Biel 1997

**1. ♘f3 ♘f6 2. c4 c5 3. ♘c3 e6 4. g3 b6 5.
♗g2 ♗b7 6. 0−0 ♗e7 7. ♖e1 d5 8. cd5
ed5 9. d4 0−0 10. ♗f4 ♘a6 11. dc5 ♘c5
12. ♖c1 ♘ce4 N** [12... ♘fe4 − 67/(607);
12... a6 − 67/607] **13. ♗e5** [13. ♘b5 ♘g4
(13... ♗c5 14. e3 ♘g4 15. ♖c2) 14. ♖f1
♗c5 15. e3 (15. ♘bd4 g5! 16. ♗d2 ♘gf2!
17. ♖f2 ♘f2 18. ♔f2 g4 △ 19. b4 gf3 20.
bc5 fg2 21. c6 ♗a6 △ ♗c4∓; 15. ♘fd4 a6
16. ♘c3 g5!) ♕f6∞] **♗c5 14. ♗d4 ♕e7**
[14... ♕d7? 15. ♘e4 ♘e4 (15... de4 16.
♗c5) 16. ♘e5 ♕f5 17. ♗e4! ♕e4 18. ♗c5
bc5 19. ♘d7 d4 20. f3 ♕e3 21. ♔g2±] **15.
♗h3! ♖fd8** [15... ♘c3 16. ♖c3 ♘e4 (16...
♗b4?! 17. ♖e3 ♘e4 18. ♖f1) 17. ♖c2±]
16. a3 ♘c3 [16... a5?! 17. ♘a4!] **17. ♖c3
♘e4 18. ♖c2** [18. ♖e3 a5 19. ♕a4 ♕d6⇆]
a5 19. ♕d3 [19. ♕c1!? △ ♕f4±] **♕d6 20.
♕e3 ♖e8 21. ♕f4 ♖ad8!?** [21... ♕f4 22.
gf4±] **22. ♕d6 ♖d6 23. e3 f6 24. ♖d1?**
[24. ♘d2 ♗d4 25. ed4 ♖c6! 26. ♖c6 ♗c6
27. ♘e4 de4 28. ♖c1 ♗d5 29. ♖c7 ♖d8=;
24. ♗f1 ♘g5! 25. ♘g5 ♗d4 26. ♘f3 (26.
♖c7? fg5 △ ♗b2) ♗c5=; 24. ♖ec1 (△
♗f5±) ♗a6 25. ♗f1 (25. ♘d2 ♗d4 26.
ed4 ♗d3 27. ♖c8 ♖c8 28. ♖c8 ♔f7∞)
♗f1 26. ♔f1 ♔f7 △ 27. ♘d2 ♗d4 28. ed4
♘d2 29. ♖d2 ♖de6⇆; 24. ♖b1! ♗a6 (24...
a4 25. ♗f1! ♖c8 26. ♖bc1 △ ♗d3±) 25.
♗f1 (25. b4? ♗d3 26. bc5 bc5∓) ♗f1 26.
♔f1 a4 27. ♖d1!? (27. b4?! ab3 28. ♖b3
♖a8=; 27. ♖bc1) ♖a8!? (27... ♗d4?! 28.
♘d4 ♘c5 29. ♘b5 △ ♘c3±; 27... ♖c8?!
28. ♘d2 ♘g5 29. ♘b1 ♘e6 30. ♗c5 △
♘c3±) 28. ♘d2! (△ ♗c5, ♘b1-c3; 28.
♘e1 ♖a5 △ ♖b5⇆) ♗d4 29. ed4±] **♗c6
25. ♖cc1** [25. ♖b1 ♗a4 26. b3 ♗b5 27.
♖a1 (27. ♖a2 ♖a8!⇆) ♗d3 28. ♖cc1 (28.
♖b2 ♖a8!) ♗e2!?⇆] **♗a4 26. ♖e1** [26.
♖d3 ♗b5 (26... ♖e7) 27. ♖dd1 ♗a4=]
♖e7! 27. ♘h4? [27. ♗f1 ♖c6 △ ♖ec7∓;
27. ♗f5! g6 28. ♗e4 de4 29. ♖c5! bc5 30.

♗c5 ef3 31. ♗d6 ♖d7 32. ♗c5 ♖d2=;
27... ♖b7!?] ♖c6 28. ♘f3 ♖ec7 29. ♖a1
♗b3?! [29... ♗e7 30. ♗f1 g6∓] 30. ♗f1
♗e7?! [30... ♗c4! 31. ♗c5 (31. ♖ac1
♗e7∓; 31. ♗c4 dc4 32. ♗c5 ♖c5 33. ♘d4
♔f7∓) ♗f1! 32. ♔f1 (32. ♗b6 ♖b6 △
♖b2→; 32. ♗d4 ♗a6→) bc5 △ ♖b6!↑] 31.
♗b5 ♖c2 32. ♗d3 ♖2c6 [32... ♘d2?! 33.
♘d2 ♖d2 34. ♗f5! g6 35. ♗e6 ♔f8 36.
♗c3 ♖c2 37. ♗g4!] 33. ♗b5 ♖c2 34. ♗d3
♖2c6 35. ♔g2?⊕ [35. ♗b5=] ♗c4 36.
♗c2 b5 37. ♗d1 a4 [37... ♗d3 38. ♗b3]
38. h4!? [38. ♘g1?! ♗b3! 39. ♗b3 (39.
♗e2 ♖c2∓) ab3 40. ♖e2 ♖c2 41. ♖ae1
♘d2! 42. ♘f3 ♘c4∓] ♗d3?!⊕ [38... ♗b3?!
39. ♗b3! (39. ♖e2? ♖c2 40. ♘g1 b4!) ab3
40. ♖e2 ♖c2 41. ♖ae1 b4 (41... ♘d6 42.
♗c3!) 42. a4□∞; ○ 38... ♔f8∓ △ 39. ♘g1
♗b3!] 39. ♘g1 ♔f8 [39... ♖c1? 40. ♗b3!]
40. ♘h3 ♖c1 [40... g5?! 41. hg5 fg5 42. f3
♘d6 43. ♘f2 △ ♗e2] 41. ♖c1 ♖c1 42. f3
♘c5 [42... ♗c2? 43. fe4 ♗d1 44. ♔f1±;
42... ♘d2 43. ♔f2 (43. ♘f2 ♗b1 44. ♖e2
♘c4 45. g4⇆) g5 44. hg5 fg5 45. ♗e2=;
42... ♘d6 a) 43. ♔f2 g5! 44. hg5 fg5 45.
♗e2 ♖c2 46. g4 (46. ♔f1? ♖e2 47. ♖e2
♘f5∓) ♘c4 47. ♔f1 ♘d2 48. ♔f2 ♗c4↑;
b) 43. ♘f2 ♗c4 (43... ♗b1 44. ♔f1 ♗c4
45. ♔e2 △ ♘d3) 44. g4 △ ♖g1, f4, ♗f3=]
43. ♘f4 [43. ♔f2?! ♗f5 44. ♘f4 g5 45.
hg5 fg5 46. ♗c5 ♗c5!? 47. ♘d5 ♖b1 ✕b2,
a3; 43. ♘f2 ♗c4 △ 44... ♘e6 45. ♗c5
♗c5] ♗c2 44. ♗c5 ♗c5 45. ♘e6 ♔e7 46.
♘c5 ♗d1 47. ♔h3!□ [47. ♔f1? ♖c5 48.
♖d1 ♖c2 49. ♖d5 ♖b2-+] ♖c5?! [47...
♖b1 48. ♘d3 ♗c2 49. ♖b1 ♗b1 50. ♘c1
♔d6 51. ♔g2 d4 52. ♔f2 a) 52... d3 53.
♔e1 ♔d5 54. ♔d2 (54. b3 b4!) ♔c4 55.
♔d1; b) 52... ♔d5 53. ed4 (53. ♔e2!?)
♔d4 54. ♔e2 h5 (54... g5 55. hg5 fg5 56.
g4!?; 54... ♗f5 55. ♔d2 ♗e6 56. ♘e2 ♔c4
57. ♘c1) 55. ♔d2 g5 56. ♘e2 ♔c4 57.
♘c1 ♗f5 (57... ♗g6 58. ♘e2!? △ 58...
♔b3 59. ♔c1 ♗d3 60. ♘d4 ♔c4 61.
♘e6⇆) 58. ♘e2 g4 59. f4 ♗d7 60. f5!?
♗e8 61. ♔c2⇆] 48. ♖d1 ♗e6 [48... ♖c2
49. ♖d5 ♖b2 50. e4 ♖b3 51. ♔g4=] 49.
♖d2 ♔e5 50. g4 ♖c4 51. ♔g3 g6 [△ h5↑,
✕h4] 52. g5! f5 [52... fg5 53. hg5 b4 54.
ab4 ♖b4 55. ♖h2 ♖b7 56. ♖h4] 53. ♖h2
b4 54. ab4 ♖b4 55. h5 f4!? 56. ef4 ♖f4 57.

hg6 hg6 58. ♖h6⊕ [58. ♖h7?! ♖b4 59.
♖f7 d4! 60. ♖f6 ♖b2 61. f4 ♔d5 62. ♖g6
d3↑; 58. ♖e2 ♔f5 59. ♖d2 ♔g5 60. ♖d5
♖f5=] ♔f5 59. ♖g6 ♖b4⊕ [59... ♖f3? 60.
♔f3 ♔g6 61. ♔f4! d4 62. ♔e4 ♔g5 63.
♔d4 ♔f6 64. ♔c5 a3 65. ba3 ♔e7 66.
♔c6+-] 60. ♖d6 ♔g5 61. ♖d5 ♔f6 62.
♖d2 ♖b3 63. ♔g4 a3 64. ba3 ♖a3 65.
♖d6 ♔f7 66. f4 ♖a5   1/2 : 1/2
                                   Pelletier

486.*   E 17

JE. PIKET 2640 —
VAN DER WIEL 2555

Nederland (ch) 1997

1. d4 ♘f6 2. c4 e6 3. ♘f3 b6 4. g3 ♗b7 5.
♗g2 ♗e7 6. 0-0 0-0 7. d5 ed5 8. ♘h4 c6
9. cd5 ♘d5 10. ♘f5 ♘c7 11. e4 d5 [11...
♘e6!?] 12. ♖e1 de4 [RR 12... ♗f6 N 13.
e5 ♗e7 14. ♕g4 g6 15. ♘e7 ♕e7 16. ♗h6
♖e8 a) 17. ♘c3?! ♘ba6 a1) 18. ♖ad1 ♘e6
19. ♖d2 (19. f4 ♕b4 20. ♖d2 ♘d4 21.
♕d1 ♘f5 22. ♗g5 ♕c5 23. ♔h1 ♘e3∓)
♘ac7 20. h4 a5 21. ♔h2 ♗c8∓ I. Ivaniše-
vić 2530 — Zafirovski 2290, Jugoslavija
1997; a2) 18. ♗g5 ♕b4! 19. ♕f3 (19. ♕h3
h5 △ ♗c8) ♘e6 20. ♗f6 ♕b2∓; 20. ♗h6∞;
a3) 18. f4!? ♕b4 19. ♖e2 ♘e6 20. ♖f2□
Zafirovski; b) 17. ♘d2!? △ ♘f3-g5□
Barlov] 13. ♘c3!? N [13. ♕d8 ♗d8 14.
♘d6 ♗a6 15. ♗e4∞] ♗c8!? [13... ♘e6 14.
♕g4→; 13... ♗f6 14. ♘e4↑] 14. ♘e7 [14.
♗e4!?] ♕e7 15. ♗e4 [15. ♗f4?! ♖d8 16.
♕h5 ♘e6; 15. ♘e4!? ♘e6 16. ♗d2□] ♗e6
[15... ♘e6?! 16. ♕h5 g6 (16... h6 17. ♗h6!→
△ 17... gh6 18. ♕h6 f5 19. ♗f5 ♖f5 20.
♕g6) 17. ♕h6↑] 16. ♗f4 [16. ♕h5 h6 17.
♗h6? gh6 18. ♕h6 f5 △ ♖f6; 16. ♕c2 h6
17. a3 △ b4, ♗b2□; 17. b4!?] ♖d8 17.
♕h5 [17. ♕c2 h6 18. ♖ad1□] h6 18.
♖e3?! [18. ♗h6 gh6 19. ♕h6 f6 20. ♗f5
♘d7! (△ 21. ♖e4 ♘e5) 21. ♕g6 ♔f8 22.
♕h6=; 18. b4!? a6∞ △ ♘e8; 18. ♖ad1□;
18. g4! a) 18... ♘d5? 19. ♘d5 cd5 20.
♗d5!+-; b) 18... ♘e8 19. g5 ♕c5 20. ♗e3
♕a5 (20... ♕e5 21. ♗b6) 21. ♕h4 hg5
(21... h5!?) 22. ♗g5 f6 23. ♗f4±→; c) 18...
♘ba6 19. ♗c6 (19. g5 ♘d5! 20. ♗d5 cd5
21. gh6 f6!∞; 20. ♘d5!?) ♖ab8±; 18. ♗f5!
a) 18... ♘d5? 19. ♗h6 gh6 20. ♕h6 ♕f6

(20... ♘f6 21. ♖e4!+−→; 20... ♗f5 21.
♘d5! ♕e1 22. ♖e1 cd5 23. ♕g5+−) 21.
♗h7 ♔h8 22. ♗g6! ♔g8 23. ♘d5+−; b)
18... ♘ba6 19. ♗h6 ♕c5 (19... gh6 20.
♕h6 f6 21. ♖e4+−) 20. ♕g5 (20. ♕g4
♕d4) ♕f8 21. ♘e4! ♔h8 22. ♗g7 ♕g7
23. ♕h4 ♔g8 24. ♘f6 ♔f8 25. ♗e6 fe6
(25... ♘e6 26. ♖e4!+−) 26. ♖e4±→; c)
18... ♘e8 19. ♗e6 fe6 20. ♕g6 (20. ♕g4
♔f7!?) ♘f6! 21. ♗h6 ♕f7 22. ♕f7 ♔f7
23. ♗g5±⊥] ♘e8 19. ♗f5 ♘d7 [19... ♘f6?
20. ♕e2] 20. ♖ae1?! [20. ♗e6∓; 20. ♗h6!?
gh6 (20... ♘df6 21. ♕g5) 21. ♕h6 a) 21...
♘df6? 22. ♖e4! ♘g7 (22... ♕f8 23. ♖g4)
23. ♖g4+−; b) 21... ♕f6 22. ♗h7=; c)
21... ♘f8!? 22. ♖e4 ♘g7 23. ♖h4 (23. ♖g4
♘g6∞) f6∞; 23... ♕h4∞] ♘f8 [△ g6] 21.
♕f3 ♖ac8 22. h4?! [22. ♖e5!? ♘d6 (22...
♕f6 23. ♘e4; 22... ♕b4 23. ♗h6!? gh6 24.
♖1e4∞→) 23. ♗d3 ♕f6∓; 22. ♗d3!∓ ×a6,
c6] ♕f6 23. ♗c2 ♘g6!∓ 24. ♖e6? [⌐ 24.
♗g6] fe6 25. ♖e6 ♕e6 26. ♗b3 ♘f4! 27.
gf4 [27. ♕f4 ♖d5−+] ♖d5 28. ♘d5
♕g6−+ 29. ♔h2 cd5 30. ♕d5 ♔f8
0 : 1   *Van der Wiel*

487. !N   E 17

PIGUSOV 2560 − TIVJAKOV 2590
Beijing (open) 1997

1. ♘f3 ♘f6 2. c4 b6 3. g3 e6 4. ♗g2 ♗b7
5. 0−0 ♗e7 6. d4 0−0 7. d5 ed5 8. ♘h4 c6
9. cd5 ♘d5 10. ♘f5 ♘c7 11. e4 d5 12. ♖e1
de4 13. ♕g4 ♗f6 14. ♘c3 ♗c8 15. ♗e4
♗f5! N [15... ♘d5? − 61/564] 16. ♕f5
[16. ♗f5!? g6!? △ 17. ♗h6 ♗g7 18. ♗g7
gf5 19. ♕d4 ♕d4∓⊥] g6 17. ♕f3 ♘e6 18.
♗h6 ♘d4!? [18... ♖e8!? △ ♘d4] 19. ♕g2!
[19. ♕g4 ♖e8 20. ♖ad1 ♘d7 △ ♘e5; 19.
♕e3 ♖e8 20. ♖ad1 a5 △ ♖a7-d7; 19. ♕f4
♖e8 20. ♗d5 (20. ♖ad1 ♘d7) ♖e1 21.
♖e1 cd5?? 22. ♕f6+−; 21... ♘d7!□; 19.
♕d3 ♘d7 △ ♘c5] ♖e8 20. ♗e3 [20. ♖ad1
a6 21. ♗e3 − 20. ♗e3; 20. ♘e2!?⊼⊙⊡]
a6!□ [20... ♘d7 21. ♖ad1±] 21. ♘e2! [21.
♖ad1 ♖a7 22. ♗d4 (22. ♘e2 c5∓) ♗d4
23. ♗c6 (23. ♘e2 c5∓) ♖e1 24. ♖e1 ♘c6∓]
♖a7 22. ♘d4 [22. ♖ad1 c5∓] ♗d4 23.
♗d4 [23. ♖ad1 c5∓] ♕d4 24. ♗c6 ♖e1
[24... ♖d8 25. ♗b7!± △ 25... ♕b2 26.
♖ad1↑⌐ ×♖a7, ♘b8] 25. ♖e1 ♘c6 26.

♕c6 ♔g7 [⌐ 26... ♕b2 27. ♖e8 ♔g7 28.
♕d6 h5 (28... ♕a2? 29. ♕f8→ ×♔g7) 29.
a4= ×♖a7] 27. b3   1/2 : 1/2
                                    Tivjakov

488.   E 18

KALIČKIN 2345 − VUL' 2395
Rossija 1997

1. ♘f3 ♘f6 2. c4 e6 3. g3 b6 4. ♗g2 ♗b7
5. 0−0 ♗e7 6. ♘c3 0−0 7. ♕c2 d5 8. cd5
ed5 9. d4 ♘a6 10. ♖d1 c5 11. dc5 bc5 12.
e4 N [12. ♘g5 − 39/673] ♘b4 13. ♕b1 d4
14. e5 dc3 [14... ♘g4 a) 15. a3 dc3 16.
♖d8 c2 17. ♖a8 ♗a8 18. ab4 cb1♕ 19.
♖b1 cb4∓; b) 15. h3 dc3 16. ♖d8 c2 17.
♖a8 ♗a8 18. hg4 cb1♕ 19. ♖b1 ♗e4 20.
♖a1 ♘c2 21. ♖b1 ♘e1∓; c) 15. ♘d4 cd4
16. ♗b7 ♕b6∓; d) 15. ♘e4 d3∓; e) 15.
♘g5 ♗g5 16. ♗b7 ♗c1∓; f) 15. ♗f4□∞;
14... ♘fd5!?; 14... ♘d7!?] 15. ♖d8 c2 [15...
♖fd8!? 16. ♗g5 (16. bc3!? ♖d1 17. ♗f1
♗f3 18. ef6) c2 (16... ♗e4 17. ♕c1 c2 18.
♘d2) 17. ♕e1∞] 16. ♖f8 ♗f8 17. ef6
cb1♕ [17... ♗f6 18. ♗e3] 18. ♖b1 ♗f6
19. ♗e3 ♗e4 20. ♖d1 ♖c8 21. a3 ♘c2
[21... ♘d3 22. b3 ♖b8 23. ♘e1] 22. ♗c1
h6 [⌐ 22... ♖b8 △ 23. ♘e1 ♗g2 24. ♔g2
♘d4 ×b2] 23. ♘e1= ♗g2 24. ♔g2 ♘d4
25. ♗d2 ♘e6 26. ♗c3 ♗c3 27. bc3 ♖b8
28. ♖d7 a5 29. ♖a7 ♖b3 30. ♖a5 ♖c3 31.
♖a8 ♔h7 32. a4 ♖a3 33. ♘f3 c4 34. ♖c8
♖a4 35. ♘e5 f6 36. ♘c4 ♘g5   1/2 : 1/2
                                         Vul'

489.*   E 18

I. FARAGÓ 2445 −
NAUMKIN 2410
Marostica 1997

1. d4 ♘f6 2. ♘f3 e6 3. c4 b6 4. g3 ♗b7 5.
♗g2 ♗e7 6. ♘c3 [RR 6. 0−0 0−0 7. ♘c3
♘e4 8. ♗d2 d5 9. cd5 ed5 10. ♖c1 ♘d7
11. ♗f4 c5 12. ♘e5 N (12. ♕b3 − 31/(622))
♘c3 13. ♖c3 ♗f6 14. e3 ♗e5 15. de5 ♖e8
16. ♗d5 ♗d5 17. ♕d5 ♘e5 1/2 : 1/2 Van
Wely 2655 − Je. Piket 2630, Monaco
(m/8) 1997] ♘e4 7. ♗d2 ♗f6 8. 0−0 0−0
9. ♖c1 ♘d2 10. ♕d2 d6 11. d5 e5 12.
♘e1!? N [12. h4 − 52/535] g6 13. ♘d3

296

♘d7 14. ♘b4!? [14. e4 △ f4±] ♗g7!□
[14... a5? 15. ♘c6 ♗c6 16. dc6±] 15. ♘c6
♗c6 16. dc6 ♘f6 17. b4 a5 18. a3 ♕e7 19.
♖fd1 h5!? 20. ♗h3 h4 21. ♕g5 hg3 22.
hg3 ab4 23. ab4 ♕e8!□ [23... ♖a7 24.
♗d7±] 24. c5?! [24. b5±] dc5 25. ♗d7
♕b8 26. bc5 ♖a5 [26... b5!? 27. ♖b1∞]
27. cb6 [27. ♘d5!=] ♕b6 28. e4 ♕b4! 29.
♕e3 ♖a3∓ 30. ♕e1 ♗h6 31. ♖c2 ♖fa8 32.
♖b1 ♕c5 33. ♔g2 ♔g7 34. ♖b5 ♕c4⊕
35. ♕f1 ♕d4 36. ♕e1 ♕d3 37. ♖bb2!□
♖8a5 [△ ♖c5] 38. ♘b1□ ♕f3 39. ♔g1
♖d3 40. ♖c3!□ ♕d1 [40... ♖d1 41. ♖f3
♖e1 42. ♔g2 ♖a1 43. ♖fb3∓] 41. ♕f1
♖d4 42. ♕d1 ♖d1 43. ♔g2 ♘e4 44. ♖cb3
♖a1 45. ♖b7!□∓ ♘d6 46. ♗g4 ♖c1 47.
♖c7! ♖ab1 48. ♖b1 ♖b1 49. ♖d7= ♘f5
[49... ♘c4? 50. c7±; 49... ♘e8!? 50. ♗e6?!
♔f6!; 50. ♖e7!=; 49... ♘b5 50. ♖b7!=]
50. c7 ♖c1 51. ♗f3 [△ ♗b7] ♗g5 52.
♗b7 ♘d6 53. ♗d6 ♖c7 54. ♗d5 ♗e7
1/2 : 1/2   *I. Faragó*

490.   E 19

KRASENKOW 2615
– Š. ŠULSKIS 2525

Vilnius 1997

1. c4 ♘f6 2. d4 e6 3. ♘f3 b6 4. g3 ♗b7 5.
♗g2 ♗e7 6. 0–0 0–0 7. ♘c3 ♘e4 8. ♕c2
♘c3 9. ♕c3 c5 10. ♖d1 cd4 N [10... d6 –
57/523] 11. ♕d4 ♘c6?! 12. ♕d7 ♘a5 13.
♕a4 [13. b3? ♗f6 14. ♖b1 ♕d7 15. ♖d7
♗e4∓; 13. ♕d8 ♖fd8 14. ♖d8 ♖d8 15.
♘d2 ♗g2 16. ♔g2 ♗b4!=; 13. ♗f4!?;
13. ♘e5! ♗g2 14. ♔g2 ♕d7 (14... ♗f6?
15. ♕a4 △ ♘d7±) 15. ♖d7 (15. ♘d7
♖fd8 16. b3 f6 ✕♘d7) ♗f6 a) 16. ♗f4 g5
(16... ♗e5 17. ♗e5 ♘c4±) 17. ♘g4 ♗b2
18. ♖b1→; b) 16. ♘g4 ♘c4 17. ♘f6 gf6
18. ♗h6 ♖fd8 19. ♖ad1 ♖d7 20. ♖d7 ♘b2
21. ♖d4 f5∞ 22. ♗c1 e5 23. ♖b4 ♘d1; 22.
♖b4 ♘d1 △ ♘c3; 22. g4!→ Krasenkow
♕c8 14. ♘e5 [14. b3?? ♘c6–+; 14. ♗f4
♗f6 (14... ♕c4? 15. ♕c4 ♘c4 16. ♖d7±)
15. c5! ♗b2 16. ♖ab1 ♗f6 17. cb6 ab6± 18.
♕b4!?; 18. ♖bc1!?; 18. ♖dc1!?] ♗g2 15.
♔g2 f6□ [15... ♕c7 16. ♗f4 ♗d6 (16...
g5? 17. ♖d7+−) 17. ♘d7! (17. ♖d6?! ♕d6
18. ♘d7 e5 19. ♗e5 ♕e6 20. ♘f8 ♕e5∞)
♗f4 18. ♘f8 ♖f8 19. gf4 ♕f4 20. ♕a3± △

21. ♕f3, 21. ♕g3] 16. b4!? [16. ♘d7?!
♖d8 17. b3? ♘c6!–+; 16. ♘d3 ♕c4 (16...
♘c4 17. ♘f4± △ 18. ♖d7, 18. ♕d7) 17.
♕c4 ♘c4 18. ♘f4 ♔f7□ 19. b3±] fe5
[16... ♘c4? 17. ♘c6 △ b5±] 17. ba5 ♗c5
18. f3 e4!⇆ 19. f4 [19. ♕d7 ef3 20. ef3
♖f7! (Krasenkow) 21. ♕c8 ♖c8 22. ab6
ab6⊼ ✕a2, c4, c5] e5!→≫ 20. ♕d7□ [20.
♖d7? ♕e8! (△ ♕h5→) 21. ♕c6 ♖f7!! 22.
♖c7 ♖c7 23. ♕c7 ♕h5–+] ♗d4!□ 21.
♕d5 [21. ♖d4 ed4 22. ♕d4 ♕g4 23. ♕e3
♖ac8!?∓; 21. ♕c8 ♖ac8 22. ♖b1 ♖c4=]
♔h8 22. ♖b1 ♕f5→ 23. h3 [23. ab6?! ab6
△ ♖a2∓; 23. e3!? a) 23... ♕g4? 24. ♖f1
♕e2 25. ♖f2 ♕d3 26. ♖b3!+−; b) 23... ♗c5
24. ♕e5 ♕g4 (24... ♕e5? 25. fe5 ♖fd8 26.
♖d5!±) 25. ♖f1 ♕e2 26. ♖f2 ♕c4 27.
♗b2± ✕e3; c) 23... ♖ad8 24. ♕b7 ♖d7 25.
♕c6 ♖f6 26. ♕c8 (26. ♕a4? ♖h6→) ♖f8=]
♖ad8 24. g4?? [24. ♕b7 ♖f7 25. ♕c6 ♖c8
(25... ♖f6 26. ♕c7 ♖c8 27. ♕b7!?) 26.
g4!?∞] ♖d5?⊕ [24... ♕g6–+ 25. f5 (25.
♕b7 ef4 △ f3→) ♖d5 26. fg6 ♖a5] 25. gf5
♖a5 26. fe5 ♗e5 27. ♖b5!□ [27. ♖d5?
♖d5 28. cd5 ♗d6!∓] ♖b5 28. cb5 h6 29.
♖d5!= [29. ♖d7 ♖c8! 30. ♗e3 ♖c2 31.
♔f2 ♖a2∓] ♗f6 [29... ♖f5? 30. h4 (△
♗b2) g6 31. ♖e5!+−] 30. ♖d6 [30. ♗e3
♖c8 31. ♗d4 ♗d4 32. ♖d4 ♖c5=] ♗e5
[30... ♖c8? 31. ♖c6 ♖d8 32. ♗h6±] 31.
♖d5⊕ [31. ♖d7 ♖c8!] ♗f6 32. ♖d6 ♗e5
33. ♖d5   1/2 : 1/2   *Š. Šulskis*

491.*   E 21

GREENFELD 2540 –
SOLOŽENKIN 2485

Montecatini Terme 1997

1. d4 ♘f6 2. c4 e6 3. ♘f3 b6 4. ♘c3 ♗b4
5. ♕b3 c5 [RR 5... ♕e7 6. ♗f4 d5 N (6...
♘c6 – 50/561) 7. e3 0–0 8. a3 ♗c3 9.
♕c3 ♗a6 10. ♗g5 ♖c8 11. cd5 ♗f1 12.
♖f1 ed5 13. ♖c1 ♕e6 14. ♗f6 ♕f6 15.
♔e2 c6 16. b4 ♕d6 17. ♖fd1 ♘d7 18.
♔f1 g6 19. h3 a5 20. ♔g1 ab4 21. ab4 b5
22. ♘e5 ♖a6 1/2 : 1/2 B. Alterman 2615
– Hráček 2605, Bad Homburg 1997] 6.
♗g5 ♘c6 7. d5 ♘a5 8. ♕c2 d6 N [8... h6
– 68/471] 9. a3! [9. 0-0-0 ♗c3 10. ♕c3 e5
11. ♘d2? ♘d5 12. ♕g3 (12. ♗d8 ♘c3; 12.
♕a5 ♕g5 13. ♕a4 ♗d7) ♘f6 13. ♗f6 ♕f6

14. ♘e4 ♕h6] ♗c3 10. ♕c3 e5 11. ♘d2
h6 [11... ♘d5? 12. ♗d8 ♘c3 13. ♗h4 ♘a4
14. b3 ♘c3 15. ♖c1] 12. ♗h4 g5 [12...
♕e7 13. f3±⊡] 13. ♗g3 ♕e7?! [13... ♘h5
14. e3 (14. ♗e5?! de5 15. ♕e5 ♔d7 16.
g3?! ♕f6) f5 15. ♗e2 △ f4±] 14. h4 ♖g8
[14... g4 15. h5 △ ♗h4 ⫽h4-d8] 15. hg5
hg5 16. e4± [⊡, ⊞, ⇔h, ↑⟪, ✕♔e8, ♘a5]
♗d7 17. f3 [△ b4, ♘b3, △ ♗f2-e3] 0-0-0?
[17... ♔f8 18. ♗f2 ♔g7 19. ♗e3 ♘h7
(19... ♔g6? 20. ♗g5) 20. 0-0-0 f6±] 18. b4
♘b7 19. a4→ [19. ♘b3 ♗a4!?] ♖h8 20.
♖h8 ♖h8 21. a5!? [21. ♘b3] cb4 22. ♕b4
ba5 [22... ♘a5? 23. ♘b3 ♗b3 24. ♖a7+−]
23. ♖a5! [23. ♕c3 a4∞] ♗a5 24. ♕a5 [△
c5+−] ♕b8□ [24... ♕d8 25. ♕a7 ♕c7 26.
♕a8 ♕b8 27. ♕a6 △ c5+−; 24... ♗e8 25.
c5 ♕c7 (25... dc5 26. ♗a6 ♔b8 27. ♗e5
♔a8 28. d6) 26. ♕a6 ♔b8 27. c6! ♖h1
(27... ♕b6 28. ♕a3) 28. ♘c4 ♘h5 29. ♗f2
♘f4 30. ♘d6+−] 25. c5 ♖c8 [25... dc5 26.
♘c4; 25... ♕d8!? 26. ♕b4 ♔a8 27. c6!
♗c8 28. ♘c4 ♘e8 29. ♘e5! (29. ♗f2
♕c7! 30. ♘b6 ♔b8!) de5 30. ♗e5 ♘c7 31.
d6 ♘a6 32. ♗a6 ♗a6 33. c7 ♖h1 (33...
♕f8 34. ♗h8 ♕h8 35. d7 ♕h4 36. ♔d1
♕h1 37. ♕e1) 34. ♔d2 ♕f8 35. ♕b8+−]
26. c6! [26. cd6? ♕d8! 27. ♕b4 ♕b6; 26.
♕b4 ♔a8 27. cd6 ♖c1 28. ♔f2 ♕d8]
♗c6□ [26... ♗e8 27. ♗a6 ♖c7 (27... ♖d8
28. ♗f2 ♕c7 29. ♗a7) 28. ♗f2+− △
♘c4, ♗b7] 27. dc6 ♖c6 28. ♘c4!↑ ♕c7 29.
♕b5 [✕♖c6] ♔a8 [29... ♕b7? 30. ♕b7
♔b7 31. ♘a5] 30. ♗f2 g4 [30... a6 31.
♘b6? ♔b8; 31. ♕b4; 30... ♘d7 31. ♗e3]
31. ♗e3 gf3 32. gf3 ♘d7 33. ♘a5! ♖c3 34.
♗c4! ♘f6?! [34... ♖e3 35. ♔d2 ♕b6 36.
♕b6 ab6 37. ♗d5 △ ♘c6+−; 34... ♘b6
35. ♗b6 ab6 36. ♕d5 ♔b8 37. ♘c6 ♔c8
38. ♗a6 ♔d7 39. ♘e5 ♔d8+−] 35. ♔d2
♖a3 36. ♗d5 ♘d5 37. ♕e8   1 : 0
Greenfeld

492. !N   E 24

SAKAEV 2580 − YUDASIN 2600

Sankt-Peterburg 1997

1. d4 ♘f6 2. c4 e6 3. ♘c3 ♗b4 4. f3 d5
5. a3 ♗c3 6. bc3 c6 [6... c5 − 66/453] 7.
♕c2! N [7. a4; 7. e3] b6 [7... dc4!? 8. e4
b5 9. a4 0−0 10. ♘h3⯊] 8. cd5 [8. e4

♗a6] cd5 9. e4 ♗b7 10. ♗b5! [10. ♗d3?
de4 11. fe4 ♘e4 12. ♘f3 f5∓; 10. e5
♘fd7∞] ♗c6 11. a4 de4 [11... 0−0 12. e5
(12. ♗g5!?) ♗b5 13. ab5! (13. ef6 ♗c4
14. fg7 ♖e8∞) ♘fd7 14. ♗a3! (14. ♘h3 f6
15. ef6 ♘f6±) ♖e8 15. f4± Halifman; 11...
a6 12. ♗d3! de4 13. fe4 ♘e4 14. ♘f3±]
12. fe4 0−0 13. e5 ♘d5 14. ♘f3 h6 15.
0−0 ♕c7 [15... ♗b5 16. ab5 ♕c7 17. c4
♖c8 18. ♖a4 a5 19. ♗d2+−] 16. ♗e2!±
♗b7 17. c4 ♖c8 18. ♕d2 ♘e7 19. ♗a3
♕d7 20. a5 ♗a6 [20... ♘bc6 21. a6+−;
20... ♘a6±]

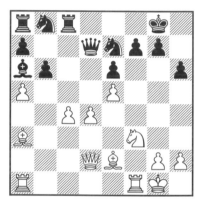

21. d5!! ed5 [21... ♗c4 22. ♗c4 ♖c4 23.
de6 ♕d2 24. ef7+−] 22. e6 ♕e6 [22... fe6
23. ♘e5 ♕c7 24. ♗g4 ♕e5 (24... ♘f5 25.
♖f5! ef5 26. ♕d5+−) 25. ♖ae1+−] 23.
♖ae1+− ♘g6 [23... dc4 24. ♗d1 c3 25.
♕f2 ♕d5 26. ♖e5] 24. ♗d3 ♕g4 25. ♗g6
♕g6 26. ♘e5 ♕g5 27. ♕d5 ♗c4 28. ♕a8
♗f1 29. ♔f1 ba5 30. ♕f3 f6 31. ♕b3 ♔h7
32. ♕d3 f5 33. ♘f3 ♕f6 34. ♗e7 ♕a6 35.
♕a6 ♘a6 36. ♖a1 ♘b4 37. ♗d6 ♖c6 38.
♗e5 ♖c5 39. ♗d4 ♖d5 40. ♖c1 ♖d7 41.
♖c5 f4 42. ♖a5 ♘c6 43. ♖a4 ♘d4 44.
♘d4 g5 45. ♘c6 ♖d1 46. ♔e2 ♖b1 47.
♖a7 ♔g6 48. ♘e5 ♔f5 49. ♘d3   1 : 0
Sakaev

493.   E 25

G. KASPAROV 2820
− J. POLGÁR 2670

Tilburg 1997

1. c4 e6 2. ♘c3 d5 3. d4 ♗b4 4. e3 c5 5.
a3 ♗c3 6. bc3 ♘f6 7. cd5 ed5 8. f3 c4 [8...

♕c7 — 49/635] **9. ♘e2 ♘c6 10. g4 h6? N**
[10... ♘a5 11. ♗g2 (11. ♘g3) ♘b3 12.
♖a2±] **11. ♗g2 ♘a5 12. 0–0 ♘b3 13. ♖a2
0–0** [13... ♕c7 14. ♕e1 ♗d7 15. e4 ♘c1
16. ♕c1 de4 17. fe4 ♘g4 18. e5±] **14. ♘g3
♗d7 15. ♕e1 ♖e8**

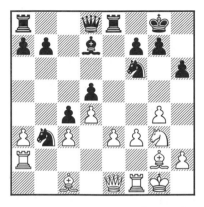

16. e4! de4 17. fe4 ♘g4 [17... ♘c1 18.
♕c1 ♘g4 (18... ♗g4 19. ♖af2 ♖e7 20.
♖f6 gf6 21. ♕h6 ♕f8 22. ♕h4 ♕g7 23.
h3+−) 19. ♕f4 ♕f6 (19... ♗e6 20. h3 ♘f6
21. d5) 20. ♕f6 ♘f6 21. e5 ♘g4 22. ♗b7
♖ab8 23. ♗e4± ×♘g4] **18. ♗f4 ♕h4 19.
h3 ♘f6 20. e5** [20. ♗e5?! ♖e5 21. de5
♘h5∞] ♖ad8 [20... ♗h3 21. ♗h3 ♕h3
22. ♖h2 ♕g4 (22... ♕e6 23. ♗h6 ♘g4 24.
♗g7 ♘h2 25. ♔h2 ♔g7 26. ♘f5 ♔g8 27.
♖g1 ♔f8 28. ♕h4 ♕f5 29. ♕h6 ♔e7 30.
♕d6#) a) 23. ♖g2 ♘d5 24. ♗h6 ♘d4 25.
♕f2 (25. cd4?! ♕d4 26. ♖ff2 ♖e5 27. ♘e2
g6∞; 25. ♗g7 ♘f3 26. ♖f3 ♕f3 27. ♘e4
♕g2 28. ♔g2 ♔g7 29. ♕g3 ♔f8 30. ♘f6
♖ad8±) ♘f3 26. ♕f3 ♕f3 27. ♖f3 gh6 28.
♘f5 ♔f8! (28... ♔h7 29. ♘h6 ♖e5 30.
♘f5+−) 29. ♘h6 ♔e7 30. ♖f7 ♔e6 31.
♖g6 ♔e5 32. ♖f5 ♔e4 33. ♖g4 ♔d3 34.
♖d5±; b) 23. ♗h6! b1) 23... ♘d5 24. ♗g7!
♔g7 (24... ♕g7 25. ♔h1+−) 25. ♔h1 ♖h8
(25... ♖g8 26. ♘f5 ♔f8 27. ♘h6 ♕g3 28.
♘g8+−) 26. ♘f5 ♔g6 27. ♘h4+−; b2)
23... ♘d4 24. cd4 ♕d4 25. ♗e3 ♕e5 26.
♘f5 ♘g4 27. ♖h3 g6 28. ♗d4! (28. ♕h4
gf5 29. ♕h7 ♔f8 30. ♖f5 ♕a1 31. ♖f1
♕f1 32. ♔f1 ♖e3 33. ♕h8 ♔e7 34. ♕h4
♔d6 35. ♕g4 ♖h3 36. ♕h3 ♖e8±) ♕d4
29. ♘d4 ♖e1 30. ♖e1+−; 20... ♗c6!? 21.
♕d1! ♘d5 22. ♘f5 ♘c3 23. ♕c2 ♘d4 24.
♘h4 ♘c2 25. ♖c2 ♗g2 26. ♘g2 ♘d5 27.

♖c4±] **21. ♕f2 ♘h5** [21... ♘h7 22. ♘e4
♕f2 23. ♖af2 b5 24. ♗g3 ♖e7 25. ♗h4 g5
26. ♗g3+−] **22. ♗h6! ♖e7** [22... ♕g3 23.
♕f7 ♔h8 24. ♕h5 gh6 25. ♕h6 ♔g8 26.
♖f6 ♖e7 27. ♔h1+−; 22... ♗e6 23. ♘h5
♕h5 24. ♗e3 ♗d5 (24... ♕g6 25. ♕h4
♗d5 26. ♗g5+−) 25. ♗d5 ♖d5 26. ♕g2
♖d7 27. ♖af2±] **23. ♘f5! ♕f2 24. ♖ff2
♖e6 25. ♗e3 ♗c6 26. ♗f1!+− f6** [26...
♗d5 27. ♗e2] **27. ♗c4 ♗d5 28. ♗e2 fe5
29. ♗h5 ed4 30. ♗g5 ♖d7 31. ♖ae2 ♗e4
32. ♘d4   1 : 0**   *G. Kasparov*

494. !N   E 31

P. HÁBA 2520 —
MOVSESIAN 2630
Česko (ch) 1997

**1. d4 ♘f6 2. c4 e6 3. ♘c3 ♗b4 4. ♗g5 c5
5. d5 h6 6. ♗h4 d6 7. ♖c1** [7. f3 —
67/610] **♗c3! N** [7... ed5; 7... ♘a6; 7... e5]
**8. ♖c3 g5 9. ♗g3 ♘e4 10. ♖a3 ♕b6 11.
♕b3□ ♕b3** [11... ♕b4 12. ♕b4 cb4 13.
♖e3 f5∞] **12. ♖b3 b5!** [12... ed5 13. cd5
♘a6 14. ♖e3 f5 15. ♗d6 ♘b4 16. ♗c5
♘c2 17. ♔d1 ♘e3 18. ♗e3 ♔f7 19. f3∞]
13. e3 ed5 14. cd5 a6 15. ♘f3?! [15. f3
♘g3 16. hg3 f5 17. f4 g4 18. ♖h5=] **c4?!**
[15... ♘d7 16. ♘d2 ♘g3 17. hg3 ♘b6 18.
e4 f5∓; 15... ♗b7!? 16. ♖d3 ♘d7∓] **16.
♖b4 ♘f6 17. ♗c4 bc4 18. ♗d6 ♘bd7 19.
♖c4 ♘b6 20. ♖d4?!** [20. ♖c6 ♘fd5 21.
♗e5 f6 22. ♗f6 ♘f6 23. ♖f6∞] **♘fd5 21.
♗c5!** [△ e4] **♖b8** [21... f5!? 22. 0–0 ♔f7
23. ♖fd1 ♗e6∓] **22. 0–0 ♗e6 23. ♖fd1
♘d7 24. ♗a3 ♖c8 25. h3 ♘7b6 26. ♘d2**
[26. e4!? ♘f4 27. ♖d6 ♘c4 28. ♖a6 ♘a3
29. ♖a3 0–0=] **f5 27. g4 fg4** [27... ♔f7
28. gf5 ♗f5 29. e4 ♘f4 30. ♖d6 ♘h3 31.
♔f1 ♗g4 32. f3 ♗f3 33. ♘f3 ♘c4 34. ♖d7
♔g6 35. ♔g2 ♘f4∓] **28. ♘e4 ♖c6** [28...
gh3!? 29. ♘d6 ♔d7 30. ♘c8 ♔c8 31. e4
♘f4 32. ♖d6 ♔b7∓] **29. ♘d6 ♔d7 30. e4
♖d6?** [30... ♘f4 31. ♘b5 ♗d5! 32. ed5
♖f6 33. ♘c3 ♘h3 34. ♔g2 ♘f2 35. ♔g3
h5∓] **31. ♗d6 ♔d6 32. ed5 ♘d5⊕** [32...
♗d5!? 33. hg4 h5 34. gh5 ♖h5 35. ♔f1
♔e5∓] **33. hg4⊕ ♖c8 34. ♖a4 ♖c6 35.
♖a5 ♔e5 36. ♔g2 ♖c2 37. ♔g3 ♖e2?!**
[37... ♖b2 38. ♖e1 ♔f6 39. ♖a6 ♘f4 40.

a4∓] **38. 罩a6 ②f4 39. b3 罩e4 40. 罩a5
奧d5 41. a4 ②e2 42. 含h3 ②d4 43. 罩d3 h5
44. 罩d5!** [44. 罩e3 hg4 45. 含h2 罩e3 46.
fe3 ②f5 47. 罩b5 g3 48. 含g1 ②e3 49. a5
②d1−+] **奧d5 45. gh5 罩h4 46. 含g2 g4 47.
罩d1 罩h5 48. 含g3 罩h3 49. 含g4 罩b3**
1/2 : 1/2   *P. Hába*

MONOGRAPH

E 32-39

I.Sokolov

495.   E 32
SHORT 2660 − AN. KARPOV 2745
Dortmund 1997

**1. d4 ②f6 2. c4 e6 3. ②c3 奧b4 4. 豐c2
0−0 5. e4 d6** [5... d5 − 37/(608)] **6. a3** [6.
奧d3 e5 7. d5 ②a6⹂; 6. ②e2 c5] **奧c3 7.
bc3 e5 8. 奧d3 ②c6 9. ②e2 b6** N [9...
②h5; 9... h6] **10. 0−0 奧a6 11. f4 ②d7! 12.
奧e3** [12. c5?! 奧d3 13. 豐d3 bc5 14. dc5
dc5 15. 豐b5 豐f6!] **②a5 13. c5** [13. 豐a2
c5 △ 14. d5 ef4 15. 奧f4 豐e7!? 16. ②g3
g6; 15... ②e5⹂] **奧c4** [⹂ 13... 奧d3 14.
豐d3 *a)* 14... ed4 15. cd4 bc5 16. dc5 ②c5
(16... dc5? 17. 罩ad1+−) 17. 奧c5 dc5 18.
豐c3 ②b7 19. 罩ad1 豐e8 20. ②g3→; *b)*
14... ef4 15. 罩f4 bc5 16. ②g3⹂] **14. cd6
cd6 15. ②g3± 豐c7 16. ②f5 含h8 17. 罩f3
罩ac8?** [17... f6!] **18. 罩af1?** [18. 罩h3 奧e6
(18... f6 19. ②e7+−; 18... 奧d3 19. 豐d3
豐c3 20. 豐d1!+− △ 20... ②c4 21. 罩h7)
19. fe5 de5 20. 豐f2! 奧f5 21. 豐f5 g6 22.
豐f1±] **f6! 19. 奧f2 b5 20. 奧g3 a6 21. h4
奧f7** [21... 奧e6!?] **22. 奧e1 ②b6?** [22...
ed4!?] **23. 豐f2 ②ac4 24. 罩g3** [24. fe5 de5
25. ②g7!? 含g7 26. 罩g3 奧g6 27. h5] **g6**
[24... 奧g6 25. ②g7→] **25. ②h6 奧e6 26. f5
gf5 27. ②f5 罩g8?⊕** [27... ②a3 28. 奧d2→]
28. ②d6! 罩cf8 [28... 罩g3 29. ②c8 罩d3 30.
豐f6+−] **29. 罩g8?** [29. ②e8!! 罩e8 (29...
豐e7 30. 罩g8 奧g8 31. ②f6) 30. 豐f6 罩g7
31. 豐e6!+−] **含g8 30. ②f5 豐d7** [30...

含h8] **31. 豐g3?⊕** [31. ②h6! 含h8 (31...
含g7 32. 豐g3 含h6 33. 罩f6 罩f6 34.
豐g5‡) 32. d5+−] **含h8 32. d5 奧f5 33.
罩f5 ②d6** [⹂ 33... ②a3 34. 奧d2±] **34. 罩f1
②bc4 35. h5 豐g7** [⹂ 35... ②a3] **36. 豐h4
罩g8? 37. 豐f6 ②e3 38. 豐g7** [38. 奧h4!
②f1 39. h6] **含g7 39. 罩f3 ②ec4 40. 奧h4
含h6 41. 奧e7 含h5 42. 罩f6** [42. 奧e2 含h6
43. 罩h3 含g7 44. 罩g3 含f7 45. 奧h5 含e7
46. 罩g8 ②e4±; 42. 奧c4 ②c4 43. d6 ②b6
44. 罩f5 含g6 45. 罩e5 罩c8+−] **罩g6 43.
罩f5 ②f5 44. ef5 罩g4** [45. 奧e2; 44... 罩g3
45. 奧e2 (45. f6 罩d3 46. f7 罩d1 47. 含f2
②d2 48. 含e2 罩f1 49. d6 罩f7 50. d7) 含h6
46. f6 含g6 47. 奧h5!; 44... 罩b6 45. f6 ②d6
46. 奧h7+−]   **1 : 0**   *Short*

496.*   E 32
ŠTOHL 2565 − ORAL 2435
Pardubice 1997

**1. c4 ②f6 2. ②c3 e6 3. d4 奧b4 4. 豐c2
0−0 5. a3 奧c3 6. 豐c3 ②e4 7. 豐c2 f5 8.
②h3 b6** [RR 8... d6 9. f3 ②f6 10. e3 e5
(10... ②c6 − 66/(455)) 11. de5 de5 12.
②f2 ②c6 13. 奧d2 f4 N (13... 豐e7) 14.
0-0-0 fe3 15. 奧e3 ②d4 16. 奧d4 ed4 17.
奧d3! (17. c5 含h8! 18. 豐c4 豐e7 19. 豐d4
奧f5⊠) c5 18. g4 豐c7 19. 含b1 (R. Vera
2530 − P. Williams 2260, North Bay 1997)
豐f4 20. ②e4 豐f3 (20... ②e4 21. 奧e4 h6
22. 罩de1 罩b8 23. 奧d5 含h8 24. 罩e7±)
21. ②g5 (21. 罩df1!? 豐g4 22. ②f6 罩f6 23.
罩f6 gf6 24. 豐f2⊠) 豐g4 22. 奧h7 含h8 23.
罩hg1⊠ R. Vera] **9. f3 ②f6 10. e3 c5 11.
dc5!?** N [11. b4 d6!? (11... 豐e7?! − 67/611)
12. 奧b2 ②c6⹂] **bc5 12. b4☐** [12. 奧e2?!
a5 13. 0−0 ②c6∞] **cb4?!** [12... d6 13. 奧e2
②bd7 (13... cb4?! 14. ab4 a5 15. 奧d2±)
14. 0−0 奧b7 15. b5!±⊕ ⇔d] **13. ab4☐
豐c7** [13... ②c6 14. b5 ②e7 15. 奧a3±] **14.
奧e2** [14. 奧d3?! ②c6 △ ②e5⹂; 14.
奧b2!?] **奧a6** [14... d5 15. 豐b3!± △ ②f4;
15. c5!?] **15. 豐b3** [15. 0−0?! 罩c8 16. c5
(16. b5 奧b5∓) 奧e2 17. 豐e2 d6 18. ②f4
e5⹂] **罩c8** [15... d5 16. b5 奧b7 17. ②f4±;
17. 奧a3 △ c5±] **16. b5 奧b7 17. 奧a3!±
豐b6!?** [17... d6 18. 罩d1 ②e8 19. ②f4→]
18. 0−0?! [18. c5 罩c5☐ (18... 豐c7 19.
0-0 ✕②b8) 19. 奧c5 豐c5 20. 0−0 ②d5

21. Rfc1 Qb6=; 20. Kf2!±; 18. Rb1!?↑]
Na6!⇄ 19. Qc3 [19. Rfd1 Nc5 20. Qc3 a6!?∞] Nc5 [19... Nd5?! 20. Qd4 (20. Qb2 Ne3 21. ba6 Ba6 22. Rfb1±) Ne3□ (20... Qd4 21. ed4 Nc3 22. Bd3 Nc7 23. Bb2+−) 21. Qb6 ab6 22. ba6 Ba6 23. Rfb1 Bc4 24. Bc4 Nc4 25. Bb4±] 20. Bb4 d5?! [20... d6?? 21. Ba5+−; 20... Qc7 21. Rfc1±⊡ ×a7] 21. Ba5 Qd6 22. Rfd1 Qe7 [22... Qf8 23. Bb4! (23. Qa3 dc4 24. Bc4 Bd5=) dc4 24. Bc4 (24. Qc4 Nd5=) Bd5 25. Rac1 Qe8 △ 26. Bd5 Nd5 27. Rd5? Na4∓; 25. Nf4!±] 23. Qa3!? [23. Bb4 dc4±] dc4 24. Bc4 Qe8 25. Rac1 Kh8 26. Be2! [26. Bb4 Ncd7⇄ △ Nb6, Bd5] Ncd7 [26... Nfd7? 27. Bb4+−] 27. Qd6 Nd5 28. Nf4± Nf4⊕ [28... Rc1 29. Rc1 Ne3 30. Rc7+−; △ 28... Ne3!? 29. Rc8 a) 29... Bc8 30. Rd3 Nd5 (30... Nc4 31. Qc6+−) 31. Qe6±; b) 29... Qc8!? 30. Qd7 (30. Rd3!?) Nd1 31. Qd1 Qc5 32. Kh1 e5±] 29. ef4 Nf6 [△ 29... Bd5!?±] 30. Rc7 Qd8 [30... Rc7 31. Qc7 Bd5 32. Bd2!+− △ Be3, Ra1 ×a7; 30... Bd5 31. Bc3 Rc7 32. Qc7 Rc8 33. Qa5±] 31. Qc5 Rd1 32. Bd1 Rd8 33. Be2 [33. Rb7 Rd1 34. Kf2 Rd5!?±] Rd5 [33... Rd7 34. Qa7+−] 34. Qe3 Ba6 35. Qc3+− [35. ba6 Ra5 36. Ra7+−] Rb5 [35... Bb5 36. Rc8 Be2 37. Re8 Ne8 38. Qc8 △ Qe6] 36. Bb5 Qb5 37. h3 h6 38. Ra7 Qf1 39. Kh2 Bc4 40. Bb4 Qh5 41. Rg7! [41... Ng7 42. Bf8] **1 : 0**

Štohl

497. !N   E 32

CANDELA 2345 − POGORELOV 2440

Albacete 1997

1. d4 Nf6 2. c4 e6 3. Nc3 Bb4 4. Qc2 0−0 5. a3 Bc3 6. Qc3 Ne4 7. Qc2 f5 8. e3 b6 9. Bd3 Bb7 10. Ne2 [10. f3? − 61/(571); 10. Nf3= − 50/(542)] Qh4! N ↑ [10... d6] 11. Ng3□ [11. 0−0? Rf6 12. f3 Rh6 13. h3 Ng5 14. Nf4 Qg3 15. Kh1 Bf3! 16. Rf3 Nf3 17. gf3 g5−+] Rf6 12. Qe2?! [12. b3 Rg6∓ △ 13... Ng3 14. fg3 Rg3; 12. d5!? ed5 13. cd5 Bd5 14. Bc4 Bc4 15. Qc4 Kh8 16. Qc7 (16. f3 b5 17.

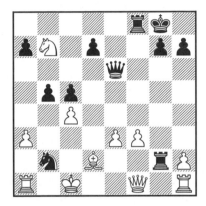

Qc7 Na6 18. Qf4 Qf4 19. ef4 Ng3 20. hg3 Rc8∓) Nc6∓C] Rg6 13. Qf1 [△ 13. Be4∓] c5! [△ 14... cd4 15. ed4 Ng3−+] 14. d5 b5! 15. Be4□ fe4 16. de6 Nc6!! [×d3] 17. Nf5 Qf6 18. Nd6 Ne5! 19. Nb7 Nd3 20. Ke2 Qe6 21. Bd2 [21. Na5 Qg4 22. f3 Qg2−+] Rf8 22. f3 ef3 23. gf3 Rg2! 24. Kd1□ Nb2 25. Kc1

25... Rd2! 26. Kd2 Nc4 27. Ke1 [27. Kc3 Qe5−+] Qe5!−+ [27... Qe3 28. Qe2∞] 28. Ra2 [28. Rc1 Qe3; 28. Rd1 Qc3 29. Kf2 Qe3 30. Kg2 Qg5 31. Kf2 Qh4 32. Kg1 (32. Ke2 Re8 33. Kd3 Qd4 34. Kc2 Qb2 35. Kd3 Re3#) Rf6 33. Qf2 Rg6 34. Kf1 Qh3 35. Ke2 Re6 36. Kd3 Qf5 37. Kc3 Re3] Qc3 29. Kf2 Qe3 30. Kg2 Qg5 31. Kf2 [31. Kh3 Rf6] Ne5 32. Qe2 Qf3 [32... Nf3] 33. Qf3 Nf3 34. Re2 [34. Kf3 Qd5] Qf4 35. Kg2 [35. Re8!? Kf7 36. Re4 Qe4?? 37. Nd6+−; 36... Qf6] Nh4 36. Kg1 Qg4 37. Kf1 Qf3 **0 : 1**

Pogorelov

498.*   E 32

M. GUREVICH 2620 − D. JOHANSEN 2500

Gent 1997

1. d4 Nf6 2. c4 e6 3. Nc3 Bb4 4. Qc2 0−0 5. a3 Bc3 6. Qc3 b6 7. Bg5 Ba6 [RR 7... h6 8. Bh4 c5 9. dc5 bc5 10. e3 d6 11. Bd3 Nbd7 12. Ne2 Rb8 13. Bg3 Qb6 14. 0−0 Nh5 15. Rab1 Ng3 16. Ng3 N (16. hg3 − 60/500) Qb3 17. Qb3 Rb3 18. Rfd1 f5 19. Bf1 Rb6 20. b4 Kf7 21. Ne2 Ke7 22. Nc3 cb4 1/2 : 1/2 Schan-

dorff 2510 − Mi. Adams 2665, Århus 1997] **8. e3 d6 9. ♗d3 ♘bd7 10. ♘e2 c5 11. ♕c2!? N** [11. b4 − 68/472, 473] **h6 12. ♗h4 cd4 13. ed4 d5** [13... ♖c8 14. ♕a4 ♗b7 15. 0−0±] **14. cd5** [14. b3 ♖c8⇆ 15. 0−0? dc4 16. bc4 ♗c4 17. ♗c4 b5∓] **♖c8 15. ♕b3 ♗d3 16. ♕d3 ed5 17. 0−0 ♕c7 18. ♖ac1 ♕b7 19. ♘c3± a6** [△ b5-b4] **20. a4! ♖fe8 21. ♖fe1 ♖e1** [21... ♘e4!? 22. f3!? (22. ♘e4 ♖e4⇆) ♘c3 23. ♖e8 ♖e8 24. ♕c3±] **22. ♖e1 ♖e8 23. ♖e8 ♘e8 24. ♕e2 ♘ef6 25. f3!?** [△ g4, ♗g3, h4↑≫; 25. ♕e7?! ♕c6= △ ♕e6] **♕c8 26. g4 ♕b7** [26... ♕c4 27. ♕c4 dc4 28. ♔f2 ♔f8 29. ♔e3± △ d5, ♔e4] **27. ♔g2 ♕c8 28. ♔f1** [28. ♗g3 ♘f8 29. ♗e5 ♘g6⇆] **♕b7 29. ♔g1 ♕c8 30. ♔g2 ♕b7 31. ♔f2 ♕c8 32. ♔e1!** [△ ♔d1, ♗g3, h4↑≫] **♕b7 33. ♔d1 ♕c8 34. ♗g3 ♕b7 35. h4 ♘f8 36. g5 hg5 37. hg5 ♘6d7** [37... ♘6h7 38. f4 ♘e6 39. ♕e5±] **38. f4 ♘e6 39. ♕e3!?** [△ f5; 39. ♕f3 ♘d4 40. ♕d5 ♕d5 41. ♘d5 b5± △ ♔h7-g6⇆≫] **g6 40. ♕f3 ♘d4 41. ♕d5 ♕d5 42. ♘d5±** [×a6, b6, ♔g8; ♘♗ 9/b] **♘e6 43. ♗f2 ♔f8** [43... f6! 44. ♗e3 (44. gf6 ♔f7= △ 45. ♗h4 ♘ec5⇆) fg5 45. fg5 ♔f7 46. b4 b5 47. a5 (47. ab5 ab5 48. ♘c3 ♘e5 49. ♘b5 ♘d3 50. ♘d6 ♔e7=) ♘e5 48. ♔e2 ♔e8=] **44. ♔e2 ♔e8 45. ♔f3** [△ ♘b6] **b5** [45... ♘ec5 46. ♘b6 ♘b6 47. ♗c5 ♘a4 48. ♗d4+−] **46. ab5 ab5 47. ♔e4± ♘dc5 48. ♗c5 ♘c5** [♘♗ 2/j] **49. ♔d4 ♘e6 50. ♔e5 ♔d7 51. ♘b4!?** [△ ♘d3, b4; 51. ♔f6 ♔e8 52. f5 gf5 53. g6 ♔f8 54. ♘b6 (54. gf7 ♘d8=) ♘c5=] **♘c5 52. ♔d5 ♘e6 53. ♘d3 ♔c7?** [53... ♔e7 54. b4? f6=; 54. ♔e5±] **54. b4+− ♔b6** [54... ♔d7 55. ♘c5 ♔e7 (55... ♘c5 56. ♔c5) 56. ♘e6 fe6 57. ♔e5] **55. ♔d6 ♘d4 56. ♔e7 1 : 0** *M. Gurevich*

499.** E 32

SCHANDORFF 2510 − ROZENTALIS 2650

Århus 1997

1. d4 ♘f6 2. c4 e6 3. ♘c3 ♗b4 4. ♕c2 0−0 5. a3 ♗c3 6. ♕c3 b6 7. ♗g5 ♗a6 8. ♘f3 d6 9. e3 ♘bd7 10. ♗d3 [10. ♘d2?! N *a)* 10... h6?! 11. ♗h4 c5 (11... ♖c8) 12.

dc5! dc5? 13. f3 ♗b7 14. g4!!±→≫ Hillarp Persson 2475 − Rozentalis 2645, Køge 1997; 12... bc5; *b)* 10... ♖c8! 11. b4 (11. f3 c5 12. dc5 ♖c5 ×c4, ♗g5) c5 12. dc5 bc5 13. b5 ♗b7∓ Antonsen 2400 − Rozentalis 2645, Køge 1997] **c5 11. 0−0 ♖c8** [11... h6 − 64/490] **12. d5?!** [12. ♕b3] **ed5 13. cd5 ♗d3 14. ♕d3 ♕e7 15. ♖fd1 N** [15. ♖ad1] **c4! 16. ♕c2 ♖c5 17. ♖d4 ♖fc8 18. ♖ad1 h6 19. ♗h4** [△ 19. ♗f6] **b5 20. b4** [20. e4] **cb3 21. ♕b3 g5! 22. ♗g3 ♘e4∓** [△ h5-h4 ×c3, ♗g3] **23. ♘d2 ♘df6 24. ♘e4** [24. ♘f1 ♘c3 25. ♖1d2 ♘fd5! 26. ♖d5 ♖d5 27. ♖d5 ♕e6 28. e4 ♘e2 29. ♔h1 ♖c1−+] **♘e4 25. ♕d3 ♖c4!** [25... f5? 26. f3 ♘g3 27. hg3 ×f5] **26. ♖c4** [△ 26. f3 ♘g3 27. hg3 ♖c3∓] **bc4 27. ♕c2 c3−+ 28. ♖d4** [28. ♖b1 h5] **♕b7! 29. h4** [29. ♖e4 ♕b2; 29. ♖b4 ♕d5] **♕b2 30. ♕e4 c2 31. ♗d6 c1♕ 0 : 1** *Rozentalis*

500. !N ✳ E 32

G. KASPAROV 2820 − PANNO 2450

Buenos Aires 1997

1. d4 ♘f6 2. c4 e6 3. ♘c3 ♗b4 4. ♕c2 0−0 5. a3 ♗c3 6. ♕c3 b6 7. ♗g5 c5 8. e3 d6 9. dc5 bc5 10. 0-0-0 ♘e4 11. ♕d3!! N [11. ♕c2 ♘g5 12. h4 f5 13. hg5 ♕g5 14. ♖d6 ♕e7∞] **♘f2** [11... ♘g5 12. h4 g6 13. hg5 ♕g5 14. ♕d6±] **12. ♗d8 ♘d3 13. ♗d3 ♖d8 14. ♗e4 d5 15. cd5 ♗b7** [15... f5 16. ♗f3 e5 17. e4 f4 18. ♗e2±] **16. ♘e2 ♘d7** [16... ed5 17. ♘c3±] **17. de6 ♗e4 18. e7! ♖e8** [18... ♖dc8!? 19. ♖d7 ♗c6] **19. ♖d7 f6** [19... ♗g2 20. ♖g1 ♗f3 (20... ♗c6 21. ♖c7 ♖ec8 22. ♖c8 ♖c8 23. ♖d1 ♖e8 24. ♖d6±) 21. ♘g3 ♗g4 22. ♖c7 f5 23. ♘e4 fe4 24. ♖g4±] **20. ♘g3! ♗g6** [20... ♗g2 21. ♖g1 ♗h3 22. ♖c7 ♔f7 23. ♘e4+−; 20... ♗c6 21. ♖c7 ♖ec8 22. ♖c8 ♖c8 23. ♖d1 ♖e8 24. ♖d6 ♗g2 25. ♘f5+−] **21. h4 h6** [21... h5 22. ♖hd1 ♔f7 23. ♖1d5] **22. h5 ♗h7 23. ♖h4 ♔f7 24. ♖c4 ♖e7 25. ♖e7 ♔e7 26. ♖c5 ♔d6 27. b4 ♖e8 28. ♔d2 ♖e5 29. ♖e5 ♔e5 30. a4 ♗g8 31. b5 ♗b3 32. a5 ♗c4 33. b6 ab6 34. ab6 ♗d5?** [34... ♗a6 35. ♔e1! (35. ♔c3? ♗b7 36. ♔c4 f5 37. ♔c5 ♗a8) ♗c8 (35... f5 36.

302

©e2 ♔d6 37. ©d4 ♗d3 38. ♔f2 ♗e4 39. ♔g3 ♔e5 40. ©f3 ♔d6 41. ♔f4 ♔c5 42. ©h4 ♔b6 43. g4+−] 36. ♔f2 ♔d6 37. ♔f3 ♔c6 (37... ♗e6 38. ♔f4 ♗f7 39. ©f5 ♔c6 40. g4+−) 38. ♔f4 ♔b6 39. ©f5+−] **35. e4+− ♗b7 36. ♔e3 ♗c6 37. ©f5 ♗e4 38. g4 1 : 0** *G. Kasparov*

501.*   E 32

SHIROV 2700 −
AL. ONIŠČUK 2625

Tilburg 1997

1. d4 ©f6 2. c4 e6 3. ©c3 ♗b4 4. ♕c2 0−0 5. a3 ♗c3 6. ♕c3 b6 7. ♗g5 ♗b7 8. e3 [RR 8. f3 h6 9. ♗h4 d5 10. e3 ©bd7 11. ©h3 c5 12. cd5 cd4 13. ♕d4 e5 14. ♕d1 (14. ♕d2 − 51/(554)) ♗d5 15. ♗b5 ♗e6 16. ©f2 ©c5 17. 0−0 N (17. b4) ©b3 18. ♕d8 ♖ad8 19. ♖ad1 ♖d1 20. ♖d1 ©d5 21. ©g4 f6 22. ♗c6 ©c7 23. ♗e1 1/2 : 1/2 Bareev 2665 − Kramnik 2740, Novgorod 1997] **d6 9. ©f3 ©bd7 10. ©d2 c5 11. f3 cd4 N** [11... ♖c8 − 66/459] **12. ♕d4 ♕c7 13. ♗e2 e5 14. ♕d3 d5 15. 0−0 ♖ac8?!** [15... e4!? 16. ♕d4 ef3 17. ♖f3!? dc4 18. ♖g3 (Al. Onišćuk) c3! (18... ♔h8 19. ©c4±) 19. bc3 (19. ♖c1 ♕e5! 20. ♕e5?! cd2!! 21. ♕c7 dc1♕ 22. ♕c1 ©e4∓; 20. ♖c3=; 19. ♖f1 cd2 20. ♗f6 ©f6 21. ♖g7 ♔g7 22. ♕f6 ♔g8=) ♔h8 20. ♖f1!? (20. ♗f4 ♕c5 21. ♗d6 ♕d4 22. ♗f8 ♕d2 23. ♗g7 ♔g8 24. ♗h6 ♔h8=) ♕c5 21. ♕c5! (21. ♕h4? ♕c3 22. ♖h3 ♕d2 23. ♖f6 ♕c2 24. ♖h6 gh6 25. ♗f6 ©f6 26. ♕f6 ♔g8 27. ♖g3 ♕g6∓) bc5 22. ♗b5±; 17. gf3!± △ 17... dc4 18. ©c4 ©d5? 19. e4; 15... ©c5 16. ♕c2!] **16. ♖ac1!** [16. b4 h6 17. ♗h4 dc4 18. ©c4 ♗d5= △ 19. ♖ac1 b5] **h6** [16... e4 17. fe4! (17. ♕d4 ef3 18. ♖f3 dc4 19. ♖g3 ♔h8 20. ©c4 ♕b8∞; 18. gf3!?) ©c5 (17... ©e5 18. ♕c3±) 18. cd5! dc3 19. ♖c7 ♖c7 20. ♗d3±] **17. ♗h4 dc4?!** [17... e4 18. fe4 ©c5 (18... ©e5 19. ♕c3±) 19. ♕d4 (19. cd5?! ©d3 20. ♖c7 ♖c7 21. ♗d3 ©g4) ©ce4 20. ©e4 ©e4 21. ♗g4±] **18. ©c4± ♗d5** [18... e4 19. ♕d6 ef3 20. gf3±] **19. e4 ♗c4 20. ♕c4!** [20. ♖c4? ♕c4 21. ♕c4 ♖c4 22. ♗c4 ♖c8±] **♕c4 21. ♗c4 ♖fd8 22. ♖fd1! ©f8** [22... ♔f8 23. b4±]

23. ♖d8 ♖d8 24. ♗g3! [24. ♗e1 g5!±; 24. ♗f2!?] **©g6 25. ♗e1 ©e8 26. g3! ©e7?!** **27. ♗b4! ♖d7?!** [27... ©c6 28. ♗f7 ♔f7 29. ♖c6+−; 27... ©c8 28. ♗a6 ©cd6 29. ♖d1 (29. ♗d6?! ©d6 30. ♖c7 f5⇆) ©b7 30. ♖d8 ♖d8±; 29. ♔f2!± △ 29... f5 30. ef5 ©f5 31. ♖e1+−] **28. ♗b5 ♖c7 29. ♖c7 ©c7 30. ♗d7! ©g6 31. ♗d6 ©e6 32. ♗b8+− ©c5** [32... a6 33. ♗c8 ©c5 34. ♗c7 ©e7 35. ♗h3] **33. ♗h3 a5 34. ♗a7 ©a4** [34... ©d3 35. ♗b6 a4 36. ♗f1 ©b2 37. ♔f2] **35. b3 ©c5 36. b4?? ** [36. ♗b6 ©b3 37. ♔f2 △ ♔e3-d3-c3] **ab4 37. ab4 ©a6 38. b5 ©c7 39. ♗d7 ♔f8!** [39... ©f8 40. ♗c6+−] **40. ♗b6 ♔e7 41. ♗c6 ♔d6 42. ♗c7!** [42. f4?! ef4 43. gf4 f6! 44. ♗e3 ©e7; 42. ♗a5 ©e7 43. ♗b4 ♔e6 44. ♗e7 ♔e7 45. b6 ©a6 46. b7±] **©c7 43. ♗e8!+− ©h8 44. ♔f2 ♔d8 45. b6 ♔c8 46. ♗c6 ©g6 47. ♔e3 ©e7** [47... ©f8 48. f4! ef4 (48... f6? 49. f5) 49. gf4] **48. ♗d5 ♔b8** [48... f5 49. f4! fe4 50. ♗e4 ef4 51. ♔f4] **49. ♔d3!** [49. ♗f7 ♔b7⇆] **©c8 50. ♗c4!** [50... ©b6 51. ♗c5 ©a4 (51... ♔c7 52. ♗f7 g5 53. ♗e6 h5 54. h4) 52. ♔d6 f6 53. ♔e6 ©c3 54. ♗c4! (54. ♔f7? f5⇆) ♔c7 55. ♔f7 g5 56. ♔f6 ♔d6 57. ♔g6 g4 (57... ♔e7 58. ♗h6 ♔f6 59. g4 ©b1 60. h4 gh4 61. g5 ♔e7 62. g6 h3 63. ♗f1 h2 64. ♗g2) 58. fg4 ©e4 59. ♔h6] **1 : 0** *Shirov*

502.   E 37

HILLARP PERSSON 2475
− TIMMAN 2625

Køge 1997

1. d4 ©f6 2. c4 e6 3. ©c3 ♗b4 4. ♕c2 d5 5. a3 ♗c3 6. ♕c3 ©e4 7. ♕c2 ©c6 8. e3 e5 9. cd5 ♕d5 10. ♗c4 ♕a5 11. b4 ©b4 12. ♕e4 ©c2 13. ♔e2 ♕e1 14. ♔f3 ©a1 15. ♗b2 0−0 16. ♔g3 ♔h8! 17. ©f3? **♕h1 18. ©g5 f5 19. ♕e5 ♗d7!** [19... f4? − 61/580] **20. ©f7** [20. ♗f7 f4! (20... h6?? 21. ♕g7!+−; 20... ♖ae8 21. ♗e8 ♖e8 22. ♕d5±; 20... ♕d1 21. h3 f4 22. ♔h2!→) 21. ef4 ♕d1 22. f3 ♖ae8!−+] **♖f7 21. ♗f7 f4!** [21... ♕d1? 22. h3 f4 23. ♔h2!→] **22. ef4 ♕d1 23. f3** [23. h3 ♕d3 △ ♕f5−+] **©c2 24. ♗c3 ♕d3□ 25. d5 ♖g8 26. ♔f2 N** [26. ♕c7 ♖c8−+]

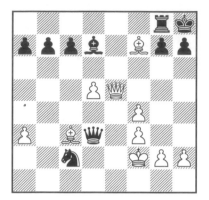

26... ♕a6! 27. ♗g8 [27. ♕g5 (△ ♗g7+−) h6 28. ♕h5 ♕b6 29. ♔g3 ♘d4−+; 29... ♘e3−+] ♕b6 28. ♔e2 ♕g6 29. ♔f2 [29. ♗e6 ♕g2 30. ♔d1 ♗a4−+] ♗g8 30. ♕c7 ♕b6 31. ♕b6 ab6 32. ♗b2 b5 33. ♔e2 b4 34. a4   0 : 1   *Timman*

503.   E 39

JAKOVIČ 2610 − A. HARITONOV 2540

Soči 1997

1. d4 ♘f6 2. c4 e6 3. ♘c3 ♗b4 4. ♕c2 c5 5. dc5 0−0 6. a3 ♗c5 7. ♘f3 ♕b6 8. e3 [8. e4? ♘g4 9. ♘a4 ♕a5!! (9... ♗f2? 10. ♔e2 ♕c6 11. h3+−) *a*) 10. b4 ♗f2 11. ♕f2 ♕a4 (11... ♘f2 12. ba5 ♘h1∓) 12. ♕g3 ♕c2!∓; *b*) 10. ♗d2 ♗f2 11. ♔e2 ♕h5! 12. h3 ♗g3!∓] ♗e7 9. ♗d3 [9. b3 − 56/629] d5 N [9... d6] 10. cd5 ed5 11. h3! [11. 0−0 ♗g4] ♘c6 12. 0−0 ♖d8 [12... d4 13. ♘a4; 12... ♗e6 13. ♘g5±] 13. b4! [△ 14. ♘a4 ♕c7 15. b5+−] ♗d6□ 14. ♗b2 ♘e5 15. ♘e5 ♗e5 16. ♖ac1 ♗e6 [16... ♗d7? 17. ♘d5+−] 17. ♘a4 ♕d6 18. ♘c5 ♗c8 [18... ♖ac8 19. ♘b7! ♖c2 20. ♖c2! ♕e7 21. ♘d8+−] 19. ♘b3 ♗d7 20. ♗e5 ♕e5 21. ♕c7 ♕g5 22. ♔h2! [22. f4 ♕h4∞] b6 23. ♘d4 ♘e8 24. ♕g3 ♕f6 [24... ♕g3±] 25. ♖c2 a5 26. ♖fc1 ab4 27. ab4 g6 28. ♗b5! ♗b5 29. ♘b5 ♕e7 30. ♘d4⊕ ♕d6□⊕ 31. ♘c6 ♕g3 32. ♔g3 ♖d7 33. ♘e5! ♖e7 34. ♘d3± ♖d6 35. ♘f4 ♖e4 36. ♔f3 ♖d7 37. ♖c8 [37. ♘d5?? ♘g5−+] ♖c8 38. ♖c8 ♔g7 39. ♖c6 b5 40. ♖b6 ♘c3 [40... ♘d2 41. ♔e2 ♘e4 42. f3+−] 41. ♘e2 ♘e2 42.

♔e2 ♖a7! 43. ♖b5 [♖ 6/f] ♖a2 44. ♔f3 ♖b2 [44... ♖d2!?] 45. g4! h6 46. h4 ♖d2 47. ♖c5! [47. ♖b6? d4 48. ♖d6 d3 △ ♖b2] d4 48. ♖c4!!+− [48. b5? d3 49. ♔e4 ♖c2 50. ♖d5 d2 △ ♖b2] de3 [48... d3 49. ♔e4! ♖d1 (49... ♖f2 50. ♔d3) 50. ♖d4! d2 51. ♔d3] 49. ♔e3 ♖b2 50. f4 [50. g5 hg5 51. hg5 f6!] ♖h2 51. b5 [51. ♔d4 ♖h4 52. b5 ♖g4 53. ♔c5 ♖g1] ♖b2□ [51... ♖h4 52. ♖b4] 52. ♖c5 ♖b4 53. h5! gh5□ 54. gh5! [54. ♖h5? ♔g6 55. ♖c5 f6∞] ♔f6 55. ♖c6??⊕ [55. ♔f3! (△ ♔g4) ♖b1 56. ♔e4 ♖b4 57. ♔d5 ♔f5 58. ♔c6 ♔f4 59. b6] ♔f5 56. b6 ♖b3? [56... f6!! 57. ♔d3 ♖b1 58. ♔c2 ♖b5 59. ♔c3 ♖b1 60. ♔c4 ♔f4=] 57. ♔d4 ♔f4 58. ♔c4! ♖b1 59. ♖h6 ♔g5 60. ♖c6 ♔h5 61. ♖c5 ♔g4 62. ♖b5 ♖c1 63. ♔d5 ♖c8 64. b7 ♖b8 65. ♖b4!!+− ♔f3 [65... ♔g5 66. ♔d6 f5 67. ♔e7 ♖b7 68. ♖b7 f4 69. ♔d6 ♔g4 70. ♔e5 f3 71. ♔e4] 66. ♔e5 ♔e3 67. ♔f6 ♔d3 68. ♔f7 ♔c3 69. ♖b1   1 : 0   *Jakovič*

504. !N   E 39

DAO THIEN HAI 2525 − MACIEJA 2470

Zagan 1997

1. d4 ♘f6 2. c4 e6 3. ♘c3 ♗b4 4. ♕c2 c5 5. dc5 0−0 6. a3 ♗c5 7. ♘f3 b6 8. ♗g5 ♗b7 9. e4 h6 10. ♗h4 ♗e7 11. ♖d1 ♘h5 12. ♗e7 ♕e7 13. ♕d2 f5! N [13... d5 14. e5! (14. cd5?!) dc4 15. ♗e2±; 15. ♕e3!?; 13... ♕f6 14. ♗e2 ♘f4 15. 0−0±] 14. ♗d3 ♘f6! 15. ef5 [15. e5 ♘e4∓; 15. ♕e2 fe4 16. ♘e4 ♘e4 17. ♗e4 ♗e4 18. ♕e4 ♘c6 19. 0−0=] ♗f3 16. gf3 ef5 17. ♕e3 ♕f7! 18. 0−0 ♘c6 19. ♕f4 [19. ♗f5 ♕c4 20. ♖d7! (Gdański; 20. ♗d7 ♘d7 21. ♖ae8∓) ♖ae8 21. ♘e4! (21. ♕d3 ♕f4!∓) ♘d7 22. ♗d7 ♖f3! 23. ♕f3 ♖e4 24. ♗f5=] ♘h5 20. ♕d6 ♕e6!∓ 21. ♗e2 ♘e5 22. ♕d4 ♖ae8 23. f4 ♘c6 24. ♕d2 ♘f6 25. ♖fe1 ♘e4! 26. ♘e4 fe4 27. ♗f1?! [27. ♕d7 ♖f4∓] ♖e7 28. ♗g2? [28. h3] ♕c4∓ 29. b4 ♔h8 30. ♕d6 ♖f6 31. ♕c7 d5 32. ♕c8 ♔h7 33. h3 ♕b3⊕ 34. ♔h1! a5! 35. ♖c1 [35. ba5 ba5] ♘d4 36. ♕a8 ♘f3 37. ♖f1 ♘h4−+ 38. ♖c8 ♘g2 39. ♖h8 ♔g6

40. ♕c8!? ♕f3?! [40... ♖f5] 41. ♖g1 e3
42. ♖g2 [42. fe3 ♔h5! 43. ♖g2 (43. ♕g4
♕g4 44. hg4 ♔g4 45. ♖g2 ♘f3−+) ♖e3
44. ♕g4 ♕g4 45. hg4 ♔h4] ♕g2! 43. ♔g2
e2 44. ♕g4 ♔f7 45. ♕h5 ♖g6 46. ♔h2
e1♕ 47. ♕f5 ♖f6 48. ♕d5 ♕e6 49. ♕h5
♖g6   0 : 1   *Macieja*

505.   E 39

G. KASPAROV 2820
– KRAMNIK 2770
Tilburg 1997

1. d4 ♘f6 2. c4 e6 3. ♘c3 ♗b4 4. ♕c2 c5
5. dc5 0–0 6. a3 ♗c5 7. ♘f3 ♘c6 8. ♗g5
♘d4 9. ♘d4 ♗d4 10. e3 ♕a5 11. ed4 ♕g5
12. ♕d2 ♕d2 13. ♔d2 b6 14. b4 d6 15.
♗d3 ♖d8 16. f3 [16. ♖he1!? △ f4] h5 N
[16... ♗b7 — 52/565] 17. h4 ♔f8 18. ♖he1
[18. ♖hb1!?] ♗d7 19. ♖ab1?! [19. f4±]
♖ac8 20. ♖ec1?! [20. f4!? ♖c7 21. a4 ♖dc8
22. a5 ♖c4 23. ♗c4 ♖c4 24. ab6 ab6 25.
♔d3 d5⩲; 20. a4 e5 21. d5 ♗e8∞; 20.
♖bc1!?] e5 21. ♘b5!? [21. d5 ♔e7 △ ♖g8,
g5] ♗b5 [21... ♗e8 22. ♘d6! ♖d6 23. de5
♖d3 24. ♔d3 ♘d7 25. f4±] 22. cb5 ed4?
[22... ♘d5 23. ♗f5 ♖c1 24. ♖c1 a) 24...
ed4?! 25. ♗e4 ♘f4 (25... ♘c3 26. ♗c6±)
26. g3! (26. ♖c7 d5 27. ♗d3 ♘g2∞ 28.
♖a7 ♘h4) ♘e6 27. ♗d5 ♔e7 28. ♔d3
♖d7 29. ♖c6 ♖c7 30. ♗e6 ♖c6 31. bc6 fe6
32. b5 e5 33. g4 g6 34. gh5 gh5 35. f4 ef4
36. ♔e4 d3=; 29. ♖c8±; b) 24... ♘e7 25.
♗h3; c) 24... g6! 25. ♗e4 ♘f4 26. ♖c7 d5
27. ♗d3 ♘g2 28. de5 ♘h4 29. f4∞] 23.
♖c6 ♘d5 24. ♖bc1 ♖c6 [24... ♘c3 25.
♖e1 g6 26. g4±] 25. bc6 ♘c7

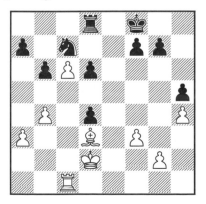

26. ♖e1? [26. b5!? a) 26... ♔e7?! 27. ♖c4
(27. ♖e1!?) d5 (27... ♘b5? 28. c7 ♖c8 29.
♖c6 a6 30. a4 ♘a7 31. ♖c1+−) 28. ♖a4
♖a8 29. ♖d4 ♔d6 30. ♗f4±; b) 26... d5!
27. ♖b1 ♔e7 28. ♖b4 ♔d6; 27. ♖e1!?
×e5; 26. g4! a) 26... d5 27. g5 ♔e7 28. f4
♔d6 29. f5 a1) 29... ♖e8 a11) 30. ♗e2
♖e4 31. ♗h5 ♖h4 (31... g6? 32. ♗g6! fg6
33. fg6 ♖e8 34. h5 ♖g8 35. h6+−; 31...
f6?! 32. gf6 gf6 33. ♖h1±) 32. ♗f7 ♖h2
33. ♔d3 ♖h3 34. ♗e2 ♖a3 35. ♔f2 (35. f6
gf6 36. g6 ♖g3 37. ♔f2 ♖g5∞) a111) 35...
♔e7? 36. ♗g6 ♖c3 37. ♖e1 ♔f8 38. ♖h1
♔g8 39. f6 gf6 40. gf6 ♖c6 41. f7 ♔g7 42.
♖h7 ♔g6 43. f8♕ ♔h7∞; 38. b5!+−;
a112) 35... ♖c3? a1121) 36. f6 gf6 37. g6
♖c1 38. g7 a11211) 38... d3? 39. g8♕ d2
40. ♗h5 d1♕ (40... ♔c6 41. ♕g6 d1♕ 42.
♗d1 ♖d1 43. ♕c2+−) 41. ♗d1 ♖d1 42.
♕g4+−; a11212) 38... ♖c2! 39. ♔f3 ♖c3
40. ♔g2 (40. ♔f4? ♖c1) ♖c2=; a1122) 36.
♖e1! ♖e3 37. f6 gf6 38. g6 ♔e7 39.
♖g1+−; a113) 35... ♖a2! 36. ♔f3 ♖a3 37.
♔f4 ♖c3 38. ♖a1 (38. ♖e1 ♖e3) ♖c6 39.
f6 gf6 40. g6 ♘e6! (40... ♔e7? 41. ♖g1
♖c2 42. ♔f3+−) 41. ♗e6 ♔e6 42. ♖e1
♔d6 43. g7 ♖c8 44. ♔f5 a5=; a12) 30.
b5! ♖e3 31. ♖f1 a121) 31... f6 32. gf6 gf6
33. ♖g1 ♖h3 34. ♖g7 ♖h2 35. ♔e1 ♖h1
(35... ♖h3 36. ♗d7 ♔c5 37. ♗f1 ♖e3 38.
♔d2 ♘e8 39. ♗d3+−) 36. ♔f2 ♖h2 37.
♔g1 ♖d2 38. ♗f1+−; a122) 31... ♖h3 32.
f6 gf6 (32... g6? 33. ♗g6 fg6 34. f7 ♘e6
35. ♖f6+−) 33. ♖f6 ♔e7 34. ♖h6 ♖h4
a1221) 35. g6 ♖h2 36. ♔e1 ♖h1 37. ♔f2
fg6 38. ♖h7 ♔d8 39. a4 (39. ♗g6 ♘b5 40.
♖d7 ♔c8 41. ♗f5 a6 42. a4 ♘c7 43. ♖d5
♔b8 44. ♖d8 ♔a7 45. ♖c8 ♘a8 46. ♖a8
♔a8 47. c7 ♖c1 48. c8♕ ♖c8 49. ♗c8 b5
50. a5 b4 51. ♗a6 b3=) ♖h2 40. ♔g3 ♖a2
41. ♗g6 ♖a4 42. ♖d7 ♔c8 43. ♗f5 a5 44.
♖d6 ♔b8 45. ♖d8 ♔a7 46. ♖d7 ♔b8=;
a1222) 35. ♖h7! ♖h2 36. ♔e1 ♖h3
a12221) 37. g6 ♖d3 38. ♗f7 ♔d6 39. ♖d7
♔c5 40. ♖c7 ♔b5 41. ♔f2! (41. ♖c8 ♖e3
42. ♔f2 ♖e7) ♖d2! (41... h4? 42. ♖c8 ♖g3
43. c7 ♔c6 44. ♖a8 ♔c7 45. g7+−; 41...
♖e3? 42. g7 ♖e8 43. ♖f7 d3 44. ♖f8 d2 45.
♖e8+−) 42. ♔f3 ♖d3 43. ♔f4? ♖d1 44.
♖c8 d3 45. g7 d2 46. g8♕ ♖f1 47. ♔e5
d1♕ 48. ♕d5 ♕d5 49. ♔d5 ♖d1 50. ♔e6

h4∓; 43. ♔f2=; a12222) 37. ♗g6! ♘b5
(37... ♖f3 38. ♗f7 ♖f7 39. g6+−) 38. ♗f7
♔d6 39. g6 ♖h1 40. ♔f2 d3 41. ♗d5!+−;
a2) 29... b5 30. ♗e2 ♖h8 31. ♔d3 ♔e5 32.
♖e1! ♔f5 33. ♗f1 (33. ♔d4 ♘e6) ♔g4 34.
♖e7 ♖c8 (34... ♘e6? 35. g6) 35. ♔d4 ♔h4
36. ♖f7±; b) 26... ♖e8 27. ♖c4 b1) 27...
♖e3? 28. ♖d4 ♖f3 29. ♖d6 hg4 30. ♖d8
♔e7 31. ♖d7 ♘f6 (31... ♔e6 32. ♗c4 ♔e5
33. ♖c7 g3 34. ♖e7 ♔d6 35. c7+−) 32. ♖c7
g3 33. ♖d7 g2 34. c7 g1♕ 35. c8♕+−; b2)
27... d5 28. ♖d4 b5 (28... ♔e7?! 29. gh5
♖h8 30. b5 ♖h5 31. ♖a4+−) 29. ♗f5 ♔e7
30. ♗d7± ♖h8 31. g5 ♔d6 32. ♖f4 ♖f8
33. ♔d3 ♘a6?! 34. ♖f5 ♘b8 35. ♔d4+−]
♖e8= 27. f4 ♖e1 28. ♔e1 ♔e7 29. ♗e2 g6
30. f5 ♔f6 31. fg6 fg6 32. ♔d2 [32. g3
♔f5 33. ♗d3 ♔f6 34. ♔f2 ♘a8=] ♔f5
33. g3 ♔e4 34. a4 ♘a8 35. ♗d3
1/2 : 1/2   G. Kasparov

506.   E 42

GAVRIKOV 2575 −
WIRTHENSOHN 2365

Schweiz (ch) 1997

1. d4 ♘f6 2. c4 e6 3. ♘c3 ♗b4 4. e3 c5 5.
♘e2 b6 6. a3 ♗a5 7. ♖b1 ♘a6 8. ♕a4
♗b7 9. ♗d2 [9. b4 ♗c6 10. b5 (10. ♘b5?
cb4 11. ab4 ♘b4 12. ♖b4 a6) ♗e4 △
♘c7∞; 9. f3 − 47/(683)] ♗c6 10. ♕d1
[10. ♕c2] d5!? N [10... ♗b7] 11. cd5 ed5
12. ♘g3 [12. dc5 bc5 △ 13. b4?! cb4 14.
ab4 ♘b4 15. ♘d4 ♗d7 16. ♘cb5 ♘c6 17.
♘d6 ♔f8] ♗c3 13. bc3!? [13. ♗c3 c4 14.
b3 b5 15. bc4 bc4∓] ♘c7 14. f3 [14. ♗d3
♘e4!?; 14. dc5 bc5 15. c4∞] 0−0 15. ♗d3
♕d7 16. 0−0 ♗b5 17. ♗f5 [17. ♗b5?!
♘b5∓ ×c4] ♘e6 18. ♖e1 ♗a4 [18...
♖fe8!?] 19. ♕e2 [19. ♕c1?! ♖ac8 ⇔c]
♖fe8 20. ♕f2∞ ♖ac8? [/h3-c8; 20... cd4
21. cd4 ♖ac8 △ 22. e4 ♔h8 23. e5 ♘g8∞;
20... ♖ad8] 21. e4! de4? [21... ♔h8? 22.
c4!; 21... cd4 22. e5 dc3±] 22. fe4 cd4 23.
cd4 ♕d4 24. ♕d4 ♘d4 25. ♗c8 ♖c8 26.
♖b4+− ♘b3 27. ♖a4 ♘d2 28. ♖a7 g5 29.
e5 ♘g4 30. h3 ♘h6 31. e6   1 : 0
                                      Gavrikov

507.   E 42

JAKOVIČ 2610 −
B. ALTERMAN 2615

Beijing (open) 1997

1. d4 ♘f6 2. c4 e6 3. ♘c3 ♗b4 4. e3 c5 5.
♘ge2 cd4 6. ed4 0−0 7. a3 ♗e7 8. d5 ed5
9. cd5 ♗c5 10. ♘a4 [10. b4 ♗b6 −
40/(706); 10... ♗d6!] b6 11. ♘ec3 N [11.
♘c5 bc5 12. ♘c3 ♖e8 13. ♗e2 ♗a6 14.
0−0 ♗e2 15. ♘e2 d6 16. ♘c3 ♘bd7=]
♖e8 12. ♗e2 ♗a6 13. 0−0 ♗e2 14. ♘e2
♘a6 15. ♘ac3 ♗d6 16. h3 ♘c5 17. ♗e3
[17. ♗g5 h6 18. ♗h4 ♘ce4=] ♗fe4 18.
♖c1 ♕f6 19. b4 ♘c3 20. ♘c3 ♘e4 21.
♘b5 ♕e5 22. ♘d6 ♕d6? [22... ♘d6 23.
♕d2 ♖ac8 24. ♗f4 ♕f6 25. ♗d6 ♕d6=]
23. ♕d3± ♘f6 24. ♖fd1 ♖ac8 25. ♖c4?!
[25. ♖c8 ♖c8 26. ♕a6 ♖e8! 27. ♕a7 ♘d5
28. b5!? (28. ♕b7 ♕c6=) ♕e6 29. ♖d5
♕d5 30. ♕b6 h6 31. ♕a6 (31. a4? ♕d1)
♕d3] ♖c4 26. ♕c4 h6 27. ♕a6 ♕c7 28.
♖c1 ♕d6 29. ♖d1 ♕c7 30. d6 ♕c2 31.
♖c1 ♕b2 [31... ♕b3 32. ♗d4] 32. ♕d3
♘e4 33. ♖c7 ♕a1 34. ♔h2 ♕e5 35. ♔g1
♕a1 36. ♔h2 ♕e5 37. g3 ♕d6! 38.
♕d6?!⊕ [38. ♖d7 ♕d3 39. ♖d3 ♘f6 40.
♔g2 ♖c8±] ♘d6= 39. ♖a7 [39. ♖d7 ♘c4
♘c4 40. ♗f4 g5 41. ♗e3   1/2 : 1/2
                                    B. Alterman

508.   E 44

SHAKED 2500 − MI. ADAMS 2680

Tilburg 1997

1. d4 ♘f6 2. c4 e6 3. ♘c3 ♗b4 4. e3 b6 5.
♘e2 ♘e4 6. ♗d2 ♘d2 7. ♕d2 0−0 8. a3
[8. d5!?] ♗e7 9. d5 [9. g3 − 58/(594)] e5
10. g3 N [10. ♘g3] d6 11. ♗g2 ♘d7 12.
0−0 h5!? [12... f5 13. f4∞] 13. f4 [13. h3
h4 14. g4 f5 15. gf5 ♘c5; 13. h4 ♘f6∞]
h4 14. ♖ae1 [14. g4? ♘c5; 14. f5 ♗g5 15.
♘e4 ♘c5 16. ♖ae1∞] a5 15. b3 [15. f5]
♗a6 [△ a4] 16. ♕c2 ♖e8 [△ 16... ♘f6 △
17. fe5 ♘g4] 17. ♗h3 [17. g4] ♗c8 [17...
ef4 18. ef4 (18. gf4 ♗f6 △ 19. ♘d4? ♖e3)
♗f6 19. ♘e4 ♘c5 20. ♘f6 ♕f6 21. b4 ab4
22. ab4 ♘e4 23. ♗g2±] 18. ♔g2 [18. ♗f5]
♘f6 [18... ♗b7 △ c6] 19. ♗c8 ♕c8 20. f5
[△ ♘e4] c6 21. ♖c1! [21. ♕d2 ♕b7; 21.

♕d3 e4] **b5 22. ♘e4 b4!** [✕c3; 22... cd5 23. ♘f6 ♗f6 24. cd5 ♕b7 25. ♕e4±] **23. a4** [23. ab4 ab4∞] **cd5**☐ [23... ♕b7 24. ♖fd1±] **24. ♘f6 ♗f6 25. cd5 ♕a6 26. ♕c4 ♕a7 27. ♕e4 ♗g5** [27... ♖ac8 28. ♖c6!?] **28. ♔f3** [28. ♖c6 ♗e3 29. ♖d6∞] **hg3 29. hg3 ♖ac8 30. ♖fd1** [30. ♖c6? ♖c6 31. dc6 d5] **g6 31. g4** [31. fg6 ♖c1 (31... f5? 32. ♕f5 ♕e3 33. ♔g4 ♕e2 34. ♔g5 ♕e3 35. ♔h5 ♕e2 36. ♔h4 ♕h2 37. ♔g4 ♕e2 38. ♔h3+−) 32. ♖c1 ♖f8] **♔g7 32. ♖c8 ♖c8 33. ♖c1** [33. ♖h1] **♖h8 34. ♘g3 ♖h3** [34... ♖h2 35. ♖c6 ♖b2 36. ♕d3!] **35. ♖h1?⊕** [35. ♔g2 ♖h4 (35... ♗e3 36. ♖c6 ♖h4 37. fg6 fg6 38. ♖d6) 36. ♔f3=] **♖h1 36. ♘h1** [♕ 8/f] **♕c5 37. fg6 fg6 38. ♘f2 ♕c1 39. ♕d3 ♔h6 40. ♘d1?** [40. ♕e2∓] **♗h4!∓ 41. ♔g2 ♔g7! 42. ♔f3** [42. ♔h3 ♗f6] **♔h7 43. ♔g2 ♔h6⊙ 44. ♔h3** [44. ♔f3 ♔g5; 44. e4 ♗g5] **♗f6 45. ♔g2** [45. ♘f2 ♕g1 46. ♕e2 (46. ♘e4 ♕h1 47. ♔g3 ♗h4#) ♗h4! 47. g5 (47. ♔h4 ♕h2 48. ♘h3 g5#) ♗g5−+] **e4!−+ 46. ♕e2 ♕b1 47. ♘f2 ♕b3 48. ♘e4 ♕d5 49. ♕f3 ♗e7 50. ♔g3 ♔g7 51. ♕g2** [51. ♘f2 ♗h4] **♕e5 52. ♔f3 b3 53. ♕e2 b2 54. ♕d3 d5 55. ♘c3 ♗b4 56. ♘b1 ♔h6** **0 : 1**

Mi. Adams

509.* E 48

V. MILOV 2635 − GEL'FAND 2695

Biel 1997

1. d4 ♘f6 2. c4 e6 3. ♘c3 ♗b4 4. e3 c5 5. ♗d3 ♘c6 6. ♘ge2 cd4 7. ed4 d5 8. cd5 ♘d5 9. a3 ♗d6 10. ♘e4 ♗e7 11. ♗c2 0−0 [11... ♕c7 12. ♕d3; 11... ♕a5 12. ♗d2 ♕b6; 12. ♘4c3!] **12. ♕d3 ♕c7** [12... e5 13. ♘4c3!] **13. 0−0** [13. ♗f4 ♕b6∞; 13. h4 f5 14. ♘4c3 (14. ♘g5? ♘cb4) ♘c3 15. bc3 e5? 16. ♕c4 ♔h8 17. d5; 15... ♗d6⇆] **♖d8 14. ♘g5 g6 15. ♗b3 ♗f8!?** N [15... ♘f6 16. ♖d1 ♗f8 (16... ♔g7 17. ♕h3! e5 18. ♕h6!! ♔h6 19. ♘e6 g5 20. ♘c7) 17. ♗f4 ♕e7 18. ♘f3!? (18. ♕e3?! − 67/634; 18. ♕f3 ♗g7 19. ♖ac1 ♘d5⇆) ♗g7 19. ♗g5!? (△ ♕e3-f4; 19. ♘e5 ♘e5 20. ♗e5 ♗d7 21. ♘c3 ♗c6⇆) e5 20. ♕e3 ed4 21. ♕e7 ♘e7 22. ♘e5!?↑] **16. ♖d1** [16. ♕h3 ♘f6 17. ♘f3 ♕b6 18. ♗a2 ♗g7 19. ♕h4 ♘d5 20. ♘c3 ♘ce7 21. ♘d5 ♘d5 22. ♗h6

f6 23. ♗g7 ♔g7= V. Milov 2635 − An. Karpov 2745, Biel 1997] **♗g7= 17. ♘f3** [17. h4 ♘f6] **b6** [17... ♘ce7!? 18. ♗g5 f6 19. ♖ac1 ♕b6 20. ♗h4 ♗d7] **18. ♗g5 f6 19. ♗h4 ♘ce7 20. ♗g3** [20. ♗a4 ♘f5 21. ♖ac1 ♕e7] **♕d7 21. ♖e1 ♗b7 22. ♘c3 ♘f5 23. ♖e2** [23. ♗c4!?=] **♖e8** [23... ♔h8 (V. Milov) 24. ♘d5 (24. ♖ae1 ♘c3 25. bc3 e5; 25... ♗d5!?; 24. ♘e4 e5!?) ♗d5 25. ♗d5 ♕d5 26. ♕e4=] **24. ♘e4** [24. ♖ae1 ♘c3 25. bc3 ♗d5; 24. ♗c4!=] **♗c6 25. ♗c4 a6 26. ♖c1** [26. ♗a6?? ♖a6 27. ♕a6 ♗b5; 26. b3 b5 27. ♗d5 ♗d5 28. ♘c5 ♕c6∓] **♗b5 27. ♖ec2** [27. b3 ♗c6 △ b5] **♗c4** [27... ♗h6? 28. ♗d5! ♗d3 29. ♘f6 ♔h8 30. ♘d7 ♗c2 31. ♗e5±] **28. ♖c4 ♖ec8 29. h3?!** [29. b3!=] **♖c4 30. ♕c4** [30. ♖c4 ♖c8∓] **♕b5 31. ♕c6** [31. b3 ♕c4 32. bc4 ♖c8!] **♕c6 32. ♖c6 ♔f7∓ 33. ♗h2** [33. ♔f1!? ♔e7 34. ♕e2 ♔d7 35. ♖c2] **♔e7 34. g4** [34. ♔f1!?] **♔d7 35. ♖c2 ♘fe7 36. ♘d6?** [36. g5! ♘c6 (36... f5 37. ♘f6 ♘f6 38. ♖c7 ♔d8 39. gf6 ♗f6 40. ♖b7⊗) 37. gf6 ♗f6 38. ♘f6 ♘f6 39. ♘e5 ♘e5 40. ♗e5 ♘d5 41. ♔g2∓] **g5∓ 37. h4?** [37. ♘e4 ♘g6∓] **gh4 38. ♗h4** [38. ♘e4 ♘g6 39. ♔g2−+] **♘c6 39. ♘f3 ♖g8! 40. ♔f1** [40. ♘e4 ♗h6 (40... ♗f8 41. g5 h6) 41. g5 ♗g5−+] **♗f8 41. ♘c4 ♖g4 42. ♘e3 ♖e4** [42... ♘d4 43. ♘d5 ed5 44. ♘d4 ♖d4 45. ♖c7 ♔e8 46. ♖c6; 42... ♘e3 43. fe3 ♗h6 44. ♖c3 ♘e7!?] **43. ♘d5 ed5 44. ♖c3 ♗e7 45. ♖d3 h5 46. ♗g3 ♗d8** [46... b5!?] **47. a4 b5 48. ab5 ab5 49. ♖d1 ♗b6 50. ♔g2 ♘d4** [51. ♘d4 ♖d4 52. ♖h1 ♖b4 53. ♖h5 ♔e6−+] **0 : 1**

Gel'fand

510. E 50

ŠTOHL 2565 − T. POLÁK 2470

Olomouc 1997

1. d4 ♘f6 2. c4 e6 3. ♘c3 ♗b4 4. e3 0−0 5. ♗d3 c5 6. ♘f3 ♘c6 7. d5 ed5 8. cd5 ♘d5 9. ♗h7 ♔h7 10. ♕d5 ♗c3 [10... ♔g8 11. ♗d2!? (11. 0−0 − 36/682) ♘e7 12. ♕d6 ♘f5 13. ♕d3±] **11. bc3 d6 12. e4** [12. 0−0 ♔g8 13. e4 (13. ♖d1 ♕f6!⇆ △ 14. ♕d6?? ♖d8−+) ♗g4 (13... ♗e6!? 14. ♕h5 f6∞) 14. ♗f4 ♗f3 15. gf3 ♕f6=] **♔g8 13. ♗g5!?** N [13. 0−0] **♘e7!** [13... ♗e6 14. ♗d8 ♗d5 15. ed5 ♘d8 16. ♔d2↑

✕♘d8; 13... ♛a5 14. 0–0 ♛c3 15. ♛d6 △ ♖ac1±; 14... ♖e8!⇆] **14. ♛d3** [14. ♗e7?! ♛e7 15. ♖d1 ♗e6∓] **f6 15. ♗f4 d5** [15... ♘g6? 16. ♛d5! ♖f7 17. ♗d6±] **16. 0–0 b6** [16... de4? 17. ♛e4↻; 16... ♗e6 17. ♖fe1 (17. ♖ad1!? ♖e8 18. e5) ♖e8 18. e5! (18. ♖ad1 ♛c8=; 18... ♛a5!?⇆) ♗f5 (18... ♘c6 19. ef6 ♛f6 20. ♘g5 ♛f5 21. ♛b5) 19. ♛d2 ♗e4 20. ef6 gf6 21. ♘h4±] **17. ♖ad1 ♗b7 18. e5!?** [18. ed5 ♛d5! 19. ♛e2 (19. ♛e3? ♘f5∓; 19. ♛c2 ♛f5↑ ✕a2, c3) ♛e4 20. ♛e4 ♗e4 21. ♖de1 (21. ♖fe1 ♘d5!? 22. ♖e4 ♘c3 23. ♖ee1 ♘d1 24. ♖d1 ♖fd8⨾) ♗f3 22. ♖e7 ♗d5=] **♛d7** [18... fe5 a) 19. ♘g5?! ♖f5 (19... ♘f5 20. ♛h3 ♘h6 21. ♘e6 ♛f6 22. ♗h6±) 20. ♛h3 ♛c8! (20... ef4? 21. ♛h7 ♔f8 22. ♘e6) 21. ♛h7 ♔f8 22. ♛h8 ♘g8 23. ♗c1 (23. ♘h7 ♔f7 24. ♘g5 ♔f6 25. ♗c1 ♘h6!∓) ♛c6∓; b) 19. ♗e5 ♛d7 (19... ♘f5 20. ♖fe1±) 20. ♖fe1!? (20. ♘g5 ♛f5 21. ♛g3 ♘g6 22. ♗d6 ♖f6∞) ♘c6 (20... ♖ae8 21. ♘g5 ♛f5 22. ♛g3 ♘g6 23. ♗d6 ♖e1 24. ♖e1 △ h4→) 21. ♗g3±] **19. ef6** [19. ♖fe1!? fe5 (19... ♖ae8!?) 20. ♗e5±] **gf6!?** [19... ♖f6 20. ♘g5 ♖e6□ (20... ♖ff8? 21. ♘e5 ♛e6 22. ♗e7 △ ♘g6+−) 21. ♖fe1 ♘g6 22. ♖e6 ♛e6 23. ♖e1 ♛f7=; 21. ♘h4!? △ f4-f5-f6→] **20. ♖fe1 ♖f7 21. ♘h4 ♛g4 22. ♗g3?!** [✕♘h4; 22. g3! ♖d8 (22... ♖h7 23. f3 ♛h3 24. ♗d6±) 23. ♖d2 (23. ♖e7? ♖e7 24. ♘f5 ♖h7 25. ♘h6 ♖h6 26. ♗h6 d4→) ♖d7 24. ♖de2±] **♖d8 23. h3 ♛h5⇆ 24. ♖e2 ♖d7 25. ♖de1 d4 26. cd4 cd4!** [26... ♖d4 27. ♛b3!? ♗d5 28. ♛c2±] **27. ♖e6** [27. ♗d6 ♛h4 (27... ♖d6 28. ♛g3 ♛g5 29. ♛d6 ♘g6 30. ♖e4! ♗e4 31. ♖e4 ♛c1 32. ♔h2±) 28. ♖e7 ♖de7 29. ♖e7 ♖e7 30. ♗e7 ♛g5=; 30... ♔f7=] ♗d5 28. ♖d6!= [28. ♖6e2 ♗c6 △ ♗b5↑] ♖d6 29. ♗d6 ♛h4 30. ♖e7 [30. ♗e7? ♖g7−+] ♖e7 31. ♗e7 ♔f7 [32. ♗a3 ♗a2 33. ♗b2=] **1/2 : 1/2** *Štohl*

511.   E 54

FLOREAN 2445 – NISIPEANU 2600

România (ch) 1997

1. e4 c6 2. d4 d5 3. ed5 cd5 4. c4 ♘f6 5. ♘c3 e6 6. ♘f3 ♗b4 7. ♗d3 dc4 8. ♗c4

♗c3 9. bc3 ♛c7 10. ♛d3 0–0 11. 0–0 ♘bd7 12. ♖e1 [12. ♗g5 – 59/602] b6 13. ♗a3 N [13. ♗b3] ♖d8 [13... ♖e8 14. d5! ♘c5 15. ♗c5 ♛c5 16. de6±] **14. ♗e7!?** ♖e8 15. ♗f6 ♘f6 16. ♘e5↑ ♗b7 17. ♖e3!? ♖ac8?! [17... ♘d7! 18. ♘d7 (18. ♖h3? ♘e5∓; 18. ♘g4?! ♛f4∓) ♛d7 19. ♖h3 g6 (19... h6 20. ♗b3↑) 20. ♗b3 (20. ♛d2?! ♗g2!∓) ♛c6 21. ♛g3 ♖ac8 22. ♖e1∞] **18. ♖ae1 ♛d6** [18... ♘d7?! 19. ♘f7! ♛c4 (19... ♔f7 20. ♖e6±) 20. ♛c4 ♖c4 21. ♘d6 ♖ec8 (21... ♗d5 22. ♘e8 ♖c6 23. c4! ♗c4 24. ♖c1 b5 25. d5! ed5 26. ♖e7+−) 22. ♘b7 ♖c3 23. ♖e6 ♖c2 24. ♖e7±] **19. ♖h3 ♖c7 20. ♗b3 ♖ec8** [20... h6 21. ♖g3 ♔f8 22. ♛d2! △ ♛f4→] **21. ♘f7?** [21. c4 ♛b4 △ ♗a6⇆; 21. ♘g4! ♛g4□ (21... ♛f4? 22. ♘f6 ♛f6 23. ♛h7 ♔f8 24. d5!+−; 21... ♘e4? 22. ♖e4! ♖c3 23. ♛c3 ♖c3 24. ♖c3 h5 25. ♘e5! ♗e4 26. ♖c8 ♔h7 27. ♖h8!+−; 21... ♖c3? 22. ♘f6 gf6 23. ♛h7 ♔f8 24. ♖c3 ♖c3 25. ♗e6!+−) 22. ♛h7 ♔f8 23. ♛h8 ♔e7 24. ♛g7 ♛f4□ 25. f3 a) 25... ♘e3?! 26. ♖h6! ♖c6 27. d5! (27. g3? ♖g8!∓) ed5 28. ♖c6 ♖c6 29. g3!±; b) 25... ♖c3! 26. ♛g4! (26. ♗e6? ♛e3!−+; 26. ♖e6? ♔d7−+) ♛g4 27. fg4 ♖h3 28. gh3 ♖d8 29. ♖d1±] ♔f7 22. ♗e6 ♛e6 23. ♖e6 ♔e6 24. ♖e3 ♔f7∓ 25. ♛c2 ♖c4 [♖d4] **26. ♛b3 ♗d5 27. ♛a3 ♖8c7 28. f3 b5 29. g4⊕** [△ 29. ♛a5] **b4!∓ 30. cb4 ♖d4 31. ♔f2 ♗c4 32. ♛a5** [32. ♛c3 ♖cd7∓] **♘d5 33. ♖e4?** [33. ♖a3? ♖d2 34. ♔g3 g5−+; 33. a3 ♖d2 34. ♔g3 ♖d7! (34... ♗f1?! 35. ♖e1 △ 35... ♖g2 36. ♔h3!=; 34... g5?! 35. ♖e5!) 35. ♖e5 ♗f1∓] ♖d2 **34. ♔g3 ♖a2 35. ♖f4 ♔e6**   **0 : 1** *Nisipeanu, V. Stoica*

512.   E 55

V. BABULA 2535 – VOTAVA 2530

Česko (ch) 1997

1. d4 ♘f6 2. c4 e6 3. ♘c3 ♗b4 4. e3 0–0 5. ♗d3 d5 6. ♘f3 b6 7. 0–0 dc4 8. ♗c4 c5 9. a3 ♗c3 10. bc3 ♘bd7 11. ♗d3 ♗b7 12. ♖e1 e5 13. e4 ♛c7 14. ♗g5 ed4 15. cd4 cd4 16. ♘d4 N [16. e5 ♗f3! (16... ♘d5?! – 59/603) 17. ♛f3 ♘e5 18. ♛g3 ♘h5! 19.

♕e5 ♕e5 20. ♖e5 f6∓] ♖fe8?! [16... ♕e5!∞
△ 17. ♘f5 g6, 17. ♘f3 ♕a5 18. ♗f6 (18.
♗d2 ♕h5 19. e5 ♘g4) ♘f6 19. e5 ♗f3!
20. ♕f3 ♖ae8!] 17. ♕c1± ♕e5 [17... ♕d6?
18. ♘b5 ♕e5 19. ♗f6+− △ ♘c7] 18. ♘f3
♕a5 [18... ♕d6? 19. ♗f6 (19. e5? ♕d5
20. ef6 ♖e1) ♕f6 (19... ♘f6 20. e5 ♗f3 21.
♕f3+−) 20. ♗b5+−] 19. ♖c7 ♖ac8? [19...
♗a6? 20. ♗a6 ♕a6 21. e5+−; 19... ♖ab8?
20. ♗c4!+− △ 20... ♖e4 21. ♗f6 ♘f6 22.
♗f7 ♔h8 23. ♖b7!, △ 20... ♗e4 21. ♗f6
(21. ♗f7 ♔f7 22. ♗f6) ♗f3 22. ♖e8 ♖e8
23. ♕d7, △ 20... b5 21. ♗f7! ♔f7 22. ♖d7
♘d7 23. ♕d7 ♔g8 24. ♗f4 ♕d8 25. ♕b5;
19... ♕a3? 20. ♗b5±; 19... ♘c5? 20. ♗f6
gf6 21. ♗c4±; 19... ♖ad8! 20. ♗f6 (20.
♕b3? ♘e5!; 20. ♖b7? ♘c5; 20. ♕a1!?±)
♘f6! 21. ♖b7 ♕a3 22. e5 (22. ♖e3? ♘g4)
♖d3 23. ♕c2 ♘d5 24. ♖a7±] 20. ♖b7 ♘c5

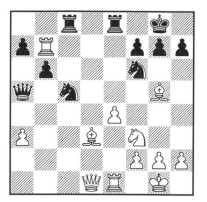

21. ♖f7!+− ♔f7 [21... ♘d3 22. ♕d3! ♔f7
(22... ♖c3 23. ♖g7 ♔g7 24. ♗f6 ♔f6 25.
e5) 23. ♕b3 ♔g6 (23... ♖e6 24. ♗d2 △
♘g5; 23... ♘d5 24. ♗d2; 23... ♔f8 24.
♗d2; 23... ♔e7 24. e5) 24. ♗d2 ♕h5 25.
e5] 22. ♗c4 ♔f8 [22... ♘e6 23. ♗d2 △
♘g5; 22... ♔g6 23. ♗d2 △ ♘h4] 23. ♕d6
♖e7 24. ♗f6 gf6 25. ♕f6 ♔e8 26. ♖c1!
♕a4 27. ♘d4 ♔d8 28. ♗b5 ♕a3 29. ♕d6
♖d7 30. ♘e6   1 : 0   *V. Babula*

513.   E 58

LAUTIER 2660 — KRAMNIK 2770

Tilburg 1997

1. d4 ♘f6 2. c4 e6 3. ♘c3 ♗b4 4. e3 0–0
5. ♗d3 c5 6. ♘f3 d5 7. 0–0 ♘c6 8. a3

♗c3 9. bc3 ♕c7 10. cd5 ed5 11. ♘h4 ♕a5
12. ♗b2 ♖e8 13. ♖e1!? N [13. ♕c1?! —
50/596] c4 [13... ♗d7 14. f3±] 14. ♗c2
♘e4 15. ♖c1 [15. ♕h5!?] ♕d8 16. g3 g5□
[16... f5 17. f3 ♘d6 18. a4±] 17. ♘g2 [17.
♘f3 ♗f5∓] g4!∓ 18. f3?! [18. ♗e4 ♖e4
19. f3 gf3 20. ♕f3∓; 18. h3!? gh3 19. ♘f4
♕g5 20. ♕f3 ♗g4 21. ♕h1 ♘d2 22. ♗d1]
♘g5! 19. fg4 ♘h3 20. ♔f1 ♕g5 21. ♘f4
♗g4 22. ♕d2 ♗f5!∓ [22... ♘f4 23. ef4
♕h5 24. ♖e8 ♖e8 25. ♖e1] 23. ♕g2?!
[23. ♗d1 ♘f4 24. ef4 ♕g6∓ 25. ♗f3
♗e4] ♘f4 24. gf4 [24. ef4 ♕g6∓] ♕g2 25.
♔g2 ♗c2 26. ♖c2 f5 27. ♔f3 ♔f7 28. a4
[28. ♖g1 ♖g8] ♖g8 29. ♗a3 ♗e6 30. ♖b1
b6 [30... ♘a5!? 31. ♗b4 (31. ♖b5 b6)
♘b3−+] 31. ♗b4 [31. ♖b5 ♖g1] ♖ab8
[31... ♖g6 32. a5!? b5 (32... ba5 33.
♗a3⇆) 33. a6!] 32. ♖cb2 ♖b7! 33. ♖g2
[33. a5 ♖gb8!−+; 33. ♗a3 ♘a5] ♖g2 34.
♔g2 ♖g7 35. ♔f3 ♖g8 36. ♖a1 h5 37.
♖b1 h4 [37... ♗d7!−+ 38. a5 (38. ♗a3
♘a5) b5 39. a6 ♘b4 40. ♖b4 ♔c6] 38. a5
ba5?! [38... ♔d7! 39. ab6 ab6 40. ♗a3
♖a8 41. ♗c1 ♔c7 42. ♖b5 ♘e7−+] 39.
♗c5 [39. ♗a3!?] ♖g7 40. ♗a3 h3 41.
♖b5⇆ a4! [41... ♖g2? 42. ♖c5 ♘b8 43.
♖c8 ♘d7 44. ♖c6 ♔f7 45. ♖c7 ♔e8 46.
♖c8 ♔f7 47. ♖c7 ♔e6 48. ♖c6=] 42. ♖c5
♘b8 43. ♖a5 [43. ♖c8!? ♘d7 (43... ♖b7
44. ♖e8 ♔f7 45. ♖e5⇆) 44. ♖c6 ♔f7 45.
♖c7 ♔g6 46. ♖a7 ♘f6 47. ♖a4 ♔h7−+ △
♘e4, ♖g2] a6 44. ♖a4 ♖g2 45. ♗b4□ [45.
♖b4 ♘d7 46. ♖a4 ♘f6 47. ♖a6 ♔f7 48.
♖a7 ♔e8 49. ♖a8 ♔d7 50. ♖a7 ♔c8 51.
♖a8 ♔b7 52. ♖f8 ♘e4−+] ♖h2 46. ♔g3
♖e2 47. ♔h3 ♖e3 48. ♔g2 ♘c6! 49. ♖a6
♔d7−+ 50. ♔f2 ♖d3 51. ♗c5 [51. ♖b6
♘b4 52. ♖b4 ♖c3 53. ♖b5 ♔c6 54. ♖c5
♔d6 55. ♖c8 ♖d3] ♖c3 52. ♖b6 [52. ♔e2
♖d3] ♖b3 53. ♖a6 ♖d3   0 : 1
Kramnik

514.*   E 60

A. HARITONOV 2540 — A. FEDOROV 2600

Soči 1997

1. ♘f3 g6 2. d4 ♗g7 3. c4 ♘f6 4. g3 0–0
[RR 4... c5 5. ♗g2 ♕a5 6. ♘c3 ♘e4 7.

♕d3 f5!? (7... cd4 — 69/499) 8. 0-0 ♘c3
9. bc3 ♘c6 10. ♗g5!? d6 (10... ♘d8?? 11.
e4± Baburin 2560 — R. Anderson 2330,
Las Vegas 1997; 10... h6?! 11. ♗d2 0-0 12.
d5 ♘d8 13. e4↑) 11. e4 fe4 12. ♕e4 ♗f5
13. ♕e3∞ Baburin] **5. ♗g2 c5 6. 0-0 ♘c6
7. d5 ♘a5 8. ♘fd2 d6 9. a3 ♘d7** [9... ♕c7
10. ♕c2 b6 11. b4 ♘b7 12. ♗b2±] **10.
♖a2 ♘e5 11. b3 N** [11. ♕c2 — 21/541]
♖b8 12. a4 a6 13. ♘a3 e6 [13... f5!? A.
Fedorov; 13... ♗d7 14. h3 △ f4] **14. ♗b2
ed5 15. cd5± f5** [15... b5 16. ab5 ab5 17.
♕a1!± △ 18. f4, 18. ♘c2 ×♘a5] **16. f4
♘g4 17. ♗g7 ♔g7 18. ♕a1 ♔g8** [18...
♕f6 19. ♘ac4! ♘c4 20. ♘c4 ♖d8 21. a5±
△ ♖b1, b4 ×d6] **19. ♗f3 ♘e3 20. ♖b1
♗d7 21. ♕c3 ♖e8 22. ♘c2!± ♘c2 23. ♖c2**
[△ e4 ×♘a5] **b5 24. ab5 ♖b5** [24... ab5
25. ♖a2 ♘b7 (25... b4 26. ♕a1 ♘b7 27.
e4±) 26. e4±] **25. e4 ♕b8** [25... ♕b6 26.
♔g2 △ e5] **26. ♖a2! c4** [26... ♕b6 27. ♔g2]
27. b4 ♘b3 28. ♘c4 [28. ♘b3? ♖b4] **fe4
29. ♗e2!+− ♘c5** [29... ♖b4 30. ♖a3 ♘d4
(30... ♗a4 31. ♖a4 ♖a4 32. ♖b3) 31. ♕b4
♘e2 32. ♔f2] **30. ♘d6! ♘d3** [30... ♕d6
31. ♗b5] **31. ♗d3 ♕d6 32. ♗b5 ♗b5 33.
♕c5 ♕d7 34. ♖e1 ♖c8 35. ♕d4 ♗d3** [35...
♖c4 36. ♕e5] **36. ♖d2 ♕b5 37. d6 ♖c4
38. ♖d3! ed3** [38... ♖d4 39. ♖d4 ♕b6 40.
♖ee4] **39. ♖e8 ♕e8** [39... ♔f7 40. ♖e7]
**40. ♕c4 ♔f8 41. ♕d3 ♕e1 42. ♔g2 ♕e8
43. ♕a6 ♕e4 44. ♔f2 ♕d4 45. ♔f3 ♕d5
46. ♔e3 ♕b3** [47. ♕d3] **1 : 0**

A. Haritonov

515. E 61

GULKO 2580 — J. ZAMORA 2370

USA (ch) 1997

**1. c4 ♘f6 2. ♘c3 g6 3. d4 ♗g7 4. ♗g5 h6
5. ♗h4 0-0 6. ♘f3 d6 7. e3 c5 8. d5 e6 9.
♘d2 a6 10. a4 ♕b6 N** [10... ed5 11. cd5 —
44/(78), A 61] **11. ♖a3 e5 12. ♗e2 ♘bd7
13. 0-0 ♘h7 14. f4!?** [14. e4!? f5 15. ef5
gf5 16. a5 ♕c7 17. f3±] **f5 15. ♕c2** [15.
a5!? ♕c7 16. ♕b1±] **♖e8** [15... e4 16. a5
♕c7 17. g4!?±; 15... g5!? 16. fg5 (16. ♗g3
gf4 17. ef4 e4 18. ♘d1∞) hg5 17. ♗g3∞]
16. ♗d1 ♘df6 17. a5 ♕d8! [17... ♕c7?!
18. fe5 ♖e5 19. ♗g3! ♖e8 (19... ♖e3 20.

♘b5) 20. ♘a4±] **18. ♕b1 ♕e7?** [18...
♗d7 19. b4∞; 18... g5∞] **19. ♘a4± g5 20.
fg5 hg5 21. ♗f2?!** [21. ♗e1! f4 22. ♘b6
♖b8 23. ♗a4 ♖f8 24. ♘c8 ♖bc8 25.
♗c2+−] **e4! 22. ♘b6 ♖b8 23. ♗g3 f4!□
24. ef4 gf4** [24... e3!? 25. ♘c8 ♖bc8 26.
fg5 ♘g5 27. ♘f3 ♘f3 28. ♗f3 ♘e4 29.
♗g4!+−] **25. ♘c8 ♖ec8 26. ♗f4 b5 27.
♖e1⊕** [27. ♖g3 ♔h8 28. ♖h3+−] **bc4 28.
♘c4 ♖d8 29. ♖g3 ♔h8 30. ♖h3 ♖b4 31.
b3 ♕f7 32. ♗d6?** [32. ♗c2+−] **♕d5?**
[32... ♖c4 33. bc4 ♖d6 34. ♗c2 ♔g8 (34...
♘g4 35. ♖e4+−) 35. ♖g3 ♘h5 36. ♕b8
♕f8 37. ♕f8 ♔f8 38. ♖h3±] **33. ♗e7 ♕d4
34. ♔h1 ♖e8 35. ♗f6 ♗f6 36. ♗h5 ♕e7
37. ♗g6 ♕f2 38. ♗e4 ♔g7 39. ♖h7
1 : 0**

Gulko

516. E 61

M. GUREVICH 2620
— A. FEDOROV 2600

Mariehamn/Österåker 1997

**1. d4 ♘f6 2. c4 g6 3. ♘c3 ♗g7 4. ♗g5 d6
5. e3 0-0 6. ♗e2 c5 7. ♘f3 h6 8. ♗h4 g5
9. ♗g3 ♘h5 10. dc5 ♘g3 11. hg3 dc5 12.
♕c2 e6 13. g4** [13. ♖d1 — 29/591] **♘c6
14. a3 a6!? N** [14... f5 15. gf5 ef5 16. ♘d5
♘e7 17. 0-0-0 ♘d5 18. ♖d5 ♕e7 19. ♗d3
♗e6 20. ♖f5!? ♗f5 21. ♗f5↑] **15. ♘d2!?**
[△ 0-0-0, g3, f4↑] **♖b8 16. g3 b5! 17.
♘ce4!?** [17. cb5?! ab5 18. ♘b5 ♕a5 19.
♕c5 ♗a6↑; 17. f4 b4 18. ab4 ♘b4 19.
♕b1 f5!⇆] **b4!** [17... bc4?! 18. ♘c4 ♘a5
19. ♖d1 ♕c7 20. ♘f6! ♗f6 21. ♖h6 ♖d8
22. ♕h7 ♔f8 23. ♖f6 ♖d1 24. ♗d1 ♘c4
25. ♕h8 ♔e7 26. ♖f7 ♔f7 27. ♕h7+−]
18. a4 b3! 19. ♘b3 ♘b4 20. ♕b1 ♗b7!
[20... ♘d3 21. ♕d3 ♕d3 22. ♗d3 ♖b3 23.
♘c5 ♖b2 24. 0-0±] **21. 0-0** [21. ♘bc5
♗a8!? 22. 0-0 ♕c8 23. ♘b3 f5→] **♗e4**
[21... ♗a8!? 22. ♘ec5 ♕c8↑ 23. ♖d1 ♕c6
24. f3 f5→] **22. ♕e4 ♕c7 23. ♖ad1 ♗b2=
24. ♗d3** [24. f4 ♖fd8∞] **♘d3 25. ♖d3
♖fd8 26. ♖fd1 ♖d3 27. ♖d3 ♔f8 28. ♘d2**
[△ ♖b3] **♗c1 29. ♘b3 ♗b2 30. ♘d2 ♗c1
31. ♘b3 1/2 : 1/2** *M. Gurevich*

517.***   E 62

NOGUEIRAS 2545 –
R. MARTÍN DEL CAMPO 2465

Santa Clara 1997

1. ♘f3 [RR 1. d4 ♘f6 2. ♘f3 g6 3. c4
♗g7 4. g3 0–0 5. ♗g2 d6 6. 0–0 ♗d7 7.
♘c3 ♘c6 8. d5 ♘a5 9. b3 *a)* 9... ♘d5 10.
♘d5 ♗a1 11. ♗d2 c6 12. ♘e7! (12. ♗a5?
♕a5 13. ♘e7 ♔g7 14. ♕a1 f6∞; 12. ♘e3
♗g7 13. b4 ♘c4 14. ♘c4±) ♕e7 13. ♕a1
b6 14. ♗h6±; *b)* 9... c5 N 10. ♗f4! a6 11.
♕d3 b5 *b1)* 12. ♖ac1 ♖b8 13. e4 (13. h3
bc4 14. bc4 ♖b4 15. ♘d2 ♘h5!? 16. ♗e3
f5∞) bc4 14. bc4 ♖b4! 15. ♘d1 ♕c7 16.
♖e1 ♖a4 (P. Tregubov 2525 – I. Zajcev
2450, Smolensk 1997) 17. ♖c2! ♖b8 18. h3
♖b1 19. ♗c1!∞ △ 19... ♖a1 20. a3; *b2)*
12. e4 ♖b8 13. h3! bc4 (13... b4 14. ♘e2
♘h5 15. ♖ae1±) 14. bc4 ♖b4 15. ♘d2± P.
Tregubov; *c)* 9... c6 – 67/643] ♘f6 **2. c4
g6 3. g3 ♗g7 4. ♗g2 0–0 5. 0–0 d6 6.
♘c3 c6 7. d4 ♕b6** [RR 7... ♘a6 8. h3 ♕b6
9. e4 e5 10. ♖e1!? N (10. ♖b1 – 65/544)
ed4 (10... ♖e8 11. b3 ed4 12. ♘d4 ♘e4??
13. ♘e4 ♗d4 14. ♘f6+–) 11. ♘d4 *a)* 11...
♘g4 12. hg4 ♕d4 (12... ♗d4 13. ♗e3 ♗e3
14. ♖e3± ♕b2? 15. ♖b1 ♕a3 16. ♘a4
♕a2 17. ♗f1 ♗g4 18. f3+–) 13. ♕e2!
(13. ♗f4?! ♕d1 14. ♖ad1 ♗g4∞) ♗e6 14.
♗f1 ♕b6 15. ♗f4 ♖ad8 16. ♖ad1± P. Tre-
gubov 2525 – Iskusnyh 2440, Novgorod
(open) 1997; *b)* 11... ♕b4!? P. Tregubov;
7... ♕a5 8. e4 ♗g4 9. h3 ♗f3 10. ♗f3
♘bd7 (10... e5 – 68/(494)) 11. ♕e2!? N
(11. ♖b1; 11. ♗e3) *a)* 11... ♘e8?! 12. ♖d1
c5 13. dc5 ♗c3 14. cd6! (14. bc3 ♕c5∞)
♘d6 15. bc3 ♘e5 16. ♗g2 ♘ec4 17. ♗f4!
e5 18. ♗h6 ♖fc8 (Baburin 2560 – L. Kauf-
man 2405, New York 1997) 19. ♕f3! ♕c7
20. h4±; *b)* 11... e5 12. d5 cd5 13. cd5±
Baburin] **8. ♕c2 ♖e8** [8... ♕a6 9. b3 b5 10.
cb5 cb5 11. ♕d3 b4 12. ♘e1±; 8... ♗f5 9.
e4 ♘e4 10. g4 ♘g3 (10... ♘c3 11. gf5+–)
11. gf5 ♘f1 12. ♗f1± △ 12... ♗d4? 13.
♘a4] **9. e4 e5 10. ♖d1 ed4 N** [10... ♘bd7
– 9/571, E 68] **11. ♘d4 ♕c5!? 12. ♘b3!**
♕c4 **13. ♖d6 ♕b4 14. ♗f4 ♗e6 15. ♖ad1**
[△ ♖d8, ♗d6] ♘h5 [⌐ 15... ♘a6] **16. ♖d8**
♘a6 **17. ♖a8 ♖a8 18. ♗d6 ♕b6 19. ♘a4**
♗b3 [19... ♕b5 20. ♘bc5 (△ ♗f1; 20.

♘d4!?±) *a)* 20... ♘b4 21. ♕d2! ♘a2 (21...
♗a2 22. b3! ♗b3 23. ♘b3 ♕a4 24.
♕b4+–) 22. ♗f1 ♕b4 (22... ♗c4 23. ♗c4
♕c4 24. b3+–) 23. ♘e6 ♕d2 24. ♖d2 fe6
25. ♗c4+–; *b)* 20... ♘c5 21. ♘c5 ♕b2
(21... ♕c4 22. ♕c4 ♗c4 23. b3) 22. ♕b2
♗b2 23. ♘e6 fe6 24. ♖b1 △ ♖b7, e5±] **20.
ab3 ♕a5** [20... ♕d8 21. e5±] **21. ♗f1!**
♖e8 **22. ♗c4** [△ 23. b4! ♘b4 24. ♕b3+–]
b5 23. ♗f1!⊕ ba4 24. ♕c6 ♖d8 25. ♗e7
♘b8? [25... ♖b8±] **26. ♔a4!**   **1 : 0**

Nogueiras

518.*   E 63

SOPPE 2440 – A. ZAPATA 2505

Paulínia 1997

**1. d4 ♘f6 2. c4 g6 3. ♘c3 ♗g7 4. g3 0–0
5. ♗g2 d6 6. ♘f3 ♘c6 7. 0–0 a6 8. ♖e1
♖b8** [RR 8... ♖e8!? N 9. h3 (9. e4 ♗g4
10. ♗e3 e5 11. d5 ♘d4!; 9. d5!?) ♖b8 10.
e4 e5 11. d5!? (11. de5 1/2 : 1/2 Podgaec
2460 – Glek 2505, Biel (open) 1997)
♘d4! 12. ♗e3 c5! (12... ♘f3 13. ♕f3±)
13. dc6 bc6! (13... ♘f3 14. ♕f3 bc6 15.
b3±) 14. ♘d4 (14. ♗d4 ed4 15. ♘d4 ♖b2)
ed4 15. ♗d4 c5! (15... ♖b2?!) 16. ♗f6
♗f6⚌ Glek] **9. ♖b1 ♗d7** [9... ♗f5!? 10.
e4 ♗g4 11. ♗e3 ♘d7 12. ♕d3±; 9... b5 –
69/504] **10. b4 N** [10. e4!?] **e5 11. d5 ♘e7**
[11... ♘d4 12. ♘d2 ♗f5 13. ♖b2!±] **12. e4**
♘e8 **13. c5±** ♔h8 [13... f5 14. ♘g5 h6 15.
c6!±] **14. ♗a3** [14. ♘d2 f5 15. ♘c4] **f5**
[14... ♗b5 15. ♗b2! f5 16. a4] **15. b5!** [15.
♘d2] **ab5** [15... fe4 16. ♘g5 ♘d5 17. ♕d5
♕g5 18. ♘e4 ♕f5 19. ba6 ♗c6 20. ♕c6!!
bc6 21. ♖b8 d5 22. a7 de4 23. ♖f1 e3 24.
fe3 ♕d3 25. ♗c1!+–] **16. ♘b5 fe4 17.
♘g5** [17. cd6? ♘d6 18. ♘d6 ef3 19. ♘b7
♖b7 20. ♖b7 fg2 21. ♔g2 ♘d5! 22. ♗f8
♗f8∓] ♘d5 **18. ♘e4 ♖a8!?** [18... ♗b5 19.
♖b5 c6 20. ♖b3 dc5 21. ♘c5±] **19. cd6 c6
20. ♖b3!** ♖a4 [20... cb5 21. ♕d5 ♗c6 22.
♕d2±] **21. ♘c5** [21. ♘c7?! ♖d4 22. ♕c1
b5∞] **cb5 22. ♕d5** ♖d4 [22... ♗c6!? 23.
♕d2! (23. ♕e6 ♕a5! 24. ♖ee3 ♕d2; 24.
♖e5!∞) ♖d4 24. ♖d3 ♕d6; 24. ♕e3∞]
**23. ♕b7 ♗c8 24. ♕b5 ♘d6 25. ♕e2 ♕a5!
26. ♖f1! ♕a7** [26... ♖d2? 27. ♕e1]

27. ♘b7‼ ♗b7 [27... ♗g4 28. ♕e1 ♖d1
29. ♕e3+−] **28. ♖b7?** [28. ♗d6! ♖d6
(28... ♗g2 29. ♗f8 ♗f1 30. ♗g7+−) 29.
♖b7 ♕a5 30. ♖b2 ♖fd8 31. ♖fb1±] **♕a3**
[28... ♘b7 29. ♗f8 ♗f8 30. ♕e5 ♔g8 31.
♗b7+−] **29. ♖g7 ♕c5! 30. ♖d7 ♘b5! 31.
♖b7 ♘d6** [31... ♘c3? 32. ♕e3+−] **32.
♖b3** [32. ♖b2] **♖c4 33. ♕e3 ♘f5! 34. ♕c5
♖c5 35. a4 ♖f6 36. ♖b2 ♘d4 37. ♖a2⊕
♖a5±** **1/2 : 1/2** *Soppe, de Toledo*

519. E 63

R. HÜBNER 2580
− J. POLGÁR 2670

Dortmund 1997

**1. d4 ♘f6 2. ♘f3 g6 3. g3 ♗g7 4. ♗g2
0−0 5. 0−0 d6 6. c4 ♘c6 7. ♘c3 ♖b8 8.
h3 a6 9. e4 ♘d7 10. ♗e3 ♘a5** [10... e5 11.
d5 ♘e7 12. ♕d2 ♔h8 13. ♘e1±; 11.
♘d5!?] **11. b3** [11. ♘d2 b5 12. cb5 ab5
13. b4? ♘c6 ×b4, d4] **b5** [11... c5 12.
♕d2±] **12. cb5 ab5 13. ♖c1?!** [13. ♕d2!?
b4 (13... c6 14. ♗h6 − 43/(724); 14.
♖fd1±) 14. ♘d5 (14. ♘a4 ♗a6 15. ♖fd1
c5 △ c4∞) c5 15. ♗h6 (15. dc5 ♗a1 16.
♖a1 ♘c5 17. ♗h6 ♖e8∞; 15. ♖ac1 e6 16.
dc5 ed5 17. c6 ♘c6 18. ♖c6 de4∞; 15.
♗g5 ♘c6∞) e6 16. ♗g7 ♔g7 17. ♘f4 (17.
♘e3 ♗b7) ♗b7 18. ♖ad1±] **b4** [13... c6
14. ♕d2 b4 15. ♘e2 ♗a6 16. ♖fd1±] **14.
♘d5 N** [14. ♘a4] **c6 15. ♘f4 ♗a6 16. ♖e1
♗b5?!** [16... e5 a) 17. ♘d3 ed4 18. ♗d4
(18. ♘d4 c5 △ ♘c6∓) ♗d4 19. ♘d4 c5 △
♘c6∓; b) 17. ♘e2 ed4 18. ♗d4 ♗h6∞; c)
17. de5 ♘e5 (17... de5 18. ♘d3±) 18. ♘e5

♗e5 (18... de5 19. ♘e2 ♕d1 20. ♖cd1
♘b7 21. ♘c1±) 19. h4 (19. ♘d3 ♗c3 20.
♗d2 ♗d2 21. ♕d2 c5 22. ♖cd1 ♘c6 23.
e5 ♘d4 24. ed6 ♗d3 25. ♕d3 ♕d6∓; 19.
♗d4 ♕f6∞) c5 20. ♘d5±] **17. ♘d3** [△
♘b4] **c5?** [17... ♘f6? 18. ♘h2±; 17...
♗d3? 18. ♕d3 e5 19. ♖ed1±; 17... ♗a6
18. ♕d2 ♕b6±] **18. dc5 ♗c3**□ [18... ♗d3
19. ♕d3 ♗c3 (19... ♘c5 20. ♗c5 dc5 21.
♕d8 ♖fd8 22. ♖c5 ♘b7 23. ♖c7+−) 20.
♖c3 bc3 21. ♕c3+−] **19. ♗d2** [19. ♖c3?!
bc3 20. ♗h6 ♖e8∓; 19. cd6!? ♗d3 (19...
♗e1 20. ♘de1±) 20. ♕d3 ♗e1 21. ♖e1
ed6 22. ♕d6±] **♗d2** [19... ♗d3 20. ♗c3
♘c5 21. ♗d4 ♗e4 22. ♗c5 ♗f3 23. ♕f3
dc5 24. ♖c5±] **20. ♕d2 ♗d3 21. ♕d3 ♘c5
22. ♕e3±** [×♘a5] **♘e6**□ [22... ♘c6 23.
e5+−; 22... f6 23. e5+−; 22... e5 23. ♘e5
♘cb3 24. ♘f7 ♖f7 25. ab3 ♕b6 26. e5+−]
23. ♕h6? [23. e5] **♘b7?** [23... ♘b5 (△
♖h5) 24. e5 de5 25. ♘e5 (25. ♖e4? f6)
♕d6 (25... ♕d4 26. ♖e4 ♕b2 27. ♖h4
♘g5 28. ♕g5 ♕e5 29. ♕e5 ♖e5 30.
♖b4+−) 26. ♕e3±] **24. h4?** [24. e5 (△ 25.
♖c4, 25. ♖e4) d5□ (24... de5 25. ♖e5 △
♖e6+−) a) 25. ♖c6 ♕e8□ 26. ♖e6 fe6 27.
♘g5 ♖f7 28. ♘f7 (28. ♘e6 ♕c6 29. ♘g5
♖g7 30. ♖d1 ♖d8 31. e6 ♕c2∞) ♕f7 29.
♖c1 △ 30. ♕e3, 30. ♕d2±; b) 25. ♖ed1
♕a5 26. ♖d5 (26. ♖d4 ♖fc8∞) ♕a2 27.
♖d4 △ 28. ♖h4, 28. ♖b4±] **♕a5 25. ♗h3
♘bd8** [25... ♕a2? 26. ♗e6 fe6 27. ♘g5
♕f2 28. ♔h1 ♖f7 29. ♖f1+−; 25... ♘bc5?
26. ♖c5? ♕c5 27. ♗e6 fe6 28. ♘g5
♕f2−+; 26. ♖e2 △ ♘c5+−; 25... ♕h5 26.
♕h5 gh5 27. ♗e6 fe6 28. ♘d4 ♘c5 29.
♖e2 △ ♖c4±] **26. ♗e2** [26. e5 d5 (26...
♕a2 27. ed6 ed6 28. ♗e6 ♘e6 29. ♖e6 fe6
30. ♖c7 ♖f7 31. ♖f7 ♔f7 32. ♕h7 ♔f6 33.
♘g5 ♕b3∞; 28... fe6∓) 27. ♗e6 ♘e6 28.
♖c6 ♕a2 29. ♖f1 ♕b3 30. ♔g2 ♕f3 31.
♔f3 ♘d4∓; 26. ♕d2!? △ ♖c4] **♖b5 27.
♖c4 ♖c5** [×b4] **28. ♖c5 ♕c5 29. ♔g2
♕c3 30. h5 ♕f6** [30... ♕g7 31. ♕d2 ♘c6
32. hg6 hg6 33. ♗e6 fe6 34. ♖e3±] **31. e5**
[31. ♕c1!? △ 31... ♘d4 32. ♘d4 ♕d4 33.
♕c7] **de5 32. ♖e5?!** [32. ♘e5 a) 32...
♕g5? 33. ♕g5 ♘g5 34. ♘d7 ♖e8 35.
♘f6+−; b) 32... ♕g7? 33. ♕g7 ♔g7 34.
♖e4+−; c) 32... ♘d4 33. ♖e4 (33. ♕f8
♔f8 34. ♘d7 ♔g7 35. ♘f6 ♘e2 36. ♘d5

♘c6 37. ♗d7 e6 38. ♗c6 ed5 39. ♗d5
♘c3 40. ♗c4 ♘a2=) ♛d6 (33... ♘8e6 34.
hg6 fg6 35. ♗e6 ♘e6 36. ♛e3±) 34. hg6
fg6 (34... hg6 35. ♖h4+−) 35. ♛e3±; *d)*
32... ♘c5 33. ♛e3±] **♘c6 33. hg6 hg6 34.
♖e4 ♘cd4** [34... ♘ed4? 35. ♖f4] **35. ♘g1**
[35. ♘d4 ♘d4 36. ♛e3 ♘c6 37. ♗d7
♖d8=; 35. ♘e1!?] **♖d8?!** [35... ♖a8 36.
♗e6 ♘e6 37. ♖b4 ♘d4 38. ♖c4 e5 39.
♛d2 ♛a6=] **36. ♗e6 ♘e6 37. ♘f3?!** [37.
♛e3=; 37. ♖b4 ♘g5 (37... ♘d4 38. ♖c4
♘f5 39. ♛c1±) 38. ♖f4 ♛c6 39. ♔h2 ♖d5
40. ♖c4±] **♖d3 38. ♘e5** [38. ♖e3 ♖c3 39.
♖c3 bc3↑; 38. ♘g1!?] **♛f5** [38... ♖d5? 39.
♘g4 ♛f5 40. ♛e3±; 38... ♘g5? *a)* 39.
♖e2? ♖d5 40. f4 ♖e5 41. ♖e5 ♛c6 42.
♔f2 ♛f3 43. ♔e1 ♘e4 44. ♛h2 (44. ♖e4
♛e4 45. ♔d2 ♛b1−+) ♛c3 45. ♔f1 ♘d2
46. ♔f2 ♘f3−+; *b)* 39. ♘d3 ♛f3 40. ♔h2
♘e4 41. ♛e3±; 38... ♖c3 39. ♛d2=; 39.
♛h4=] **39. ♖e1 ♖d5?!** [39... ♖c3∓] **40.**
♘c6 [40. ♘f3 ♖d3 41. ♖e3 ♖c3↑] **♖d7 41.**
♖e5 [41. ♘b4 ♘g5 (△ ♖d2) 42. ♘c6 ♛d5
43. ♔f1 ♛b5−+] **♛f6** [41... ♛c2 42. ♘b4
♛c3 43. ♖e6] **42. ♛e3** [42. ♖b5 ♘f4 43.
♔h2 ♘e6= ×f2] **♖d1** [42... ♘f4 43. ♛f4
♛c6 44. ♛e4=] **43. ♖e4 g5** [43... ♛a1 44.
♖e6 ♖g1 45. ♔h2 ♖h1 46. ♔g2 ♖g1 (46...
♖h5? 47. ♛e1) 47. ♔h2=; 43... ♘f4=] **44.**
♖b4 ♛h6□ [44... ♘f4? 45. gf4 ♛c6 46.
♛e4 (46. ♛f3? ♖g1) ♛h6 47. ♖b8 ♔g7
48. ♛e5+−] **45. ♖h4□** [45. ♘e7 ♔f8 46.
♖h4 ♛f6∓] **♛f6□** [45... ♘f4 46. ♛f4 ♛c6
47. ♛e4+−] **46. ♖b4** [46. ♖h3 g4□ (46...
♛a1 47. ♛f3+−; 46... ♖d6 47. ♖h6 ♛h6
48. ♘e7 △ ♘f5+−; 46... ♘f4 47. gf4 ♛c6
48. ♛f3+−; 46... ♔f8 47. ♘e5+−) 47.
♖h6 (47. ♖h4? ♘f4−+) ♛a1 48. ♛e4 ♘g5
49. ♘e7 ♔f8 50. ♛a8 ♔e7 51. ♛a7 ♔f8
52. ♛c5 ♔g7 53. ♛g5 ♔f8 54. ♛c5
♔g7=] **♛h6 47. ♖h4 ♛f6 48. ♖b4**
1/2 : 1/2   *R. Hübner*

520.* !N   E 66
ILLESCAS CÓRDOBA 2585
− TKACHIEV 2615
España 1997

1. d4 ♘f6 2. c4 g6 3. g3 ♗g7 4. ♗g2 0−0
5. ♘c3 d6 6. ♘f3 ♘c6 7. 0−0 a6 8. d5

♘a5 9. ♘d2 c5 10. ♖b1 ♖b8 11. b3 [RR
11. ♛c2 b5 12. cb5 ab5 13. b4 cb4 14. ♖b4
♗a6 N (14... ♗d7 − 40/(734)) 15. ♛b1
(15. ♘b3!? ♘b3 16. ♛b3 ♘d7 17. ♗d2)
♛c7! (15... ♛e8?! 16. ♘b3 ♘b3 17. ♖b3±
Vul' 2395 − Roger, Cappelle la Grande
1997) 16. ♘b5 (16. ♘b3 ♘d7 17. ♘a5
♛a5 18. ♗d2 ♖fc8; 16. ♘de4 ♘e4 17.
♘e4 ♘c4) ♛c5 17. a4 ♗b5 (17... ♘d5 18.
♗d5 ♛d5 19. ♘c7 ♛b4 20. ♛b4 ♛c6 21.
♛a5 ♗b7 22. ♘f3 ♛c3 23. ♛b5 ♛c7 24.
♗h6=) 18. ♖b5 ♖b5 19. ♛b5 ♛b5 20.
ab5 ♖b8= Vul'] **b5 12. ♛c2 e6 13. ♗b2**
♖e8 14. e3! N [14. de6 − 2/618; 14. e4 −
2/619] **h5?!** [14... e5] **15. de6! ♗e6 16.**
♘d5 ♗f5 [16... bc4 17. ♗f6 ♗f6 18.
bc4±] **17. e4 ♗e6 18. ♛c3 ♗d5 19. cd5 h4**
20. ♖fe1 hg3 21. hg3 ♘h5 22. ♛c2 ♗b2
23. ♛b2 ♛f6 24. ♛f6 [24. ♛a3 ♘b7 25.
♛a6 ♘g3] **♘f6 25. ♖bc1** [25. f4 ♘b7 26.
♗f3 ♖e7 27. ♔f2 ♖be8±; 25. f3± △ ♗f1,
♔f2] **♖b7 26. f3 ♖be7 27. ♔f2 ♘b7 28.**
♗f1 ♖b8 29. ♖b1 ♘a5 30. ♖ec1 [30. a4!?]
g5 [△ g4] **31. b4?!** [31. g4± △ ♗e2, ♘f1-
g3-f5 ×♘a5; 31. ♗d3 △ 31... g4 32. f4±]
♘b7 32. bc5?⊕ [32. a4 g4 (32... cb4 33.
♖b4 ♘c5 34. ab5 ab5 35. g4±) 33. ab5 ab5
34. ♗b5 gf3 35. ♗c6! (35. ♔f3 cb4 △
♘c5⇆) ♘d8 36. bc5 ♖b1 37. ♖b1 ♘c6 38.
dc6 ♘g4 39. ♔f3 ♘e5 40. ♔f4 dc5 41.
♖b6±; 32. g4! cb4 33. ♖c6↑ ♘c5⇆ [32...
dc5? 33. a4±] **33. ♘c4?!** [33. g4 ♘fd7 34.
♗e2 ♘e5 35. ♔e3±] **♘b7!** [33... ♖d8 34.
♘a5!? (34. ♘d6 ♖d6 35. ♖c5 ♘e4 36. ♖c6
♖ee6! 37. ♖a6 ♖a6 38. de6 ♖a2 39. ♔e1
fe6 40. ♖b5=) ♖c8 35. ♘c6 ♖ec7 36.
g4±] **34. ♘e3** [34. ♘d2 g4 35. ♖c6 gf3 36.
♔f3 ♘c5∓] **g4!⇆ 35. ♘f5 ♖e5! 36. ♖c7**
[36. ♗b5 ab5 37. ♖b5 gf3 38. ♘d6 ♘d6
39. ♖b8 ♔g7∓] **gf3??⊕** [36... ♘d5! *a)* 37.
♖c6 *a1)* 37... gf3 38. ♔f3 ♘f6 39. ♖a6
♘c5 (39... ♘e4 40. ♖b5 ♘d2 41. ♔g2 ♘f1
42. ♖e5 de5 43. ♔f1 ♘c5=) 40. ♖c6 ♘fe4
41. ♘d6! ♖e6 42. ♖b5 (42. ♖c1=) ♖b5
43. ♖c8 ♔g7 44. ♘b5 ♖f6 45. ♔g2 ♖f2
46. ♔g1 ♖a2 47. ♗g2=; *a2)* 37... ♘f6!?
a21) 38. ♘d6 ♖e6 (38... gf3!?) 39. e5! gf3
40. ♗h3! (40. ef6 ♘d6 41. ♔f3 ♖f6 42.
♔g2 ♘e4 43. ♖f6 ♘f6 44. a4 ♘d5 45. ab5
♘e3∓) ♘e4 41. ♔e3 ♖e5 42. ♘e4 ♖be8
43. ♔f3 ♖e4 44. ♖a6 ♖e3 45. ♔g2 ♘c5∓;

a22) 38. ♖b6! gf3 39. ♘d6 ♖e6 40. ♖b7
♖b7 41. ♘b7 ♘e4 42. ♔g1 ♖g6 43. ♔h2
♖h6 44. ♔g1 ♖g6=; *b)* 37. ♘h6 ♔g7 38.
ed5 ♔h6 39. a4 ♖d5 (39... ♘c5 40. ab5
ab5 41. ♖b5 ♖a8 42. ♖f7 ♖a2 43. ♔g1 gf3
44. ♖f3 ♖d5=) 40. ab5 ab5 41. ♖f7=] **37.
♘h6!± ♔g7□ 38. ♘f7** [38. ♖f7? ♔h6
(38... ♔g6 39. ♖f6 ♔f6 40. ♘g4 ♔g5 41.
♘e5 de5 42. ♖c1 ♘d6⇆) 39. ♖f6 ♔g5 40.
♖f4 ♖c8⯑] ♘e4 [38... ♘e8 39. ♖d7 ♔f6
(39... ♘c5 40. ♘e5 ♘d7 41. ♘d7 ♖b7 42.
♗h3) 40. ♘e5 ♔e5 41. ♗b5+−; ⟳ 38...
♘g4 *a)* 39. ♔g1 *a1)* 39... f2? 40. ♔g2 ♘e3
41. ♔f3 ♖f8 (41... ♘d5 42. ♖b7 ♖b7 43.
♘e5 ♘c3 44. ♖b3) 42. ♖b7 ♘f1 (42... ♘c4
43. ♗c4 bc4 44. ♖f1; 42... ♘c2 43. ♖c1
♘d4 44. ♔e3 ♘f5 45. ♔d2) 43. ♖f1 ♖f7
44. ♖f7 ♔f7 45. ♖f2 ♖e8 46. ♖c2 ♔f6 47.
♔f4+−; *a2)* 39... ♔f6! 40. ♘e5 ♘e5=; *b)*
39. ♔f3! ♖f8 40. ♖b7 ♘h6 41. ♗h3 ♖f7
42. ♖f7 ♘f7 43. ♔f4±] **39. ♔e3!+−** [39.
♔f3?? ♖f8; 39. ♔e1?? f2; 39. ♔g1? ♔f6
(39... f2? 40. ♔g2 ♔f6 41. ♘e5 ♔e5 42.
♖e7 ♔f5 43. ♗d3 ♘bc5 44. ♗e4 ♘e4 45.
g4 ♔f4 46. ♖b4+−) 40. ♘e5 de5⇆] **♖d5**
[39... ♔f6 40. ♘e5 ♔e5 41. ♖e7; 39... ♖c8
40. ♖b7 ♘c5 (40... ♖c3 41. ♔d4) 41. ♘e5
♘b7 42. ♘f3] **40. ♘d6 ♔f8 41. ♘e4 ♘d6
42. ♘d6 ♖d6 43. ♔f3**   **1 : 0**

Illescas Córdoba

521. !N   E 67

HALIFMAN 2655 −
SUTOVSKIJ 2590

Jerusalem 1997

**1. d4 ♘f6 2. ♘f3 g6 3. c4 ♗g7 4. g3 0−0
5. ♗g2 d6 6. 0−0 ♘bd7 7. ♘c3 e5 8. h3
ed4 9. ♘d4 ♘b6 10. b3 c5 11. ♘c2 ♗e6
12. e4! N** [12. ♗b2 − 56/(650); 12. a4 d5!
13. a5 dc4 14. ab6 cb3∞; 12. ♗g5 h6 13.
♗f6 ♕f6⯑] **♕d7** [12... ♘fd7 13. ♗d2 (13.
♗b2? ♗c4! 14. bc4 ♘c4∓) ♘e5 14. f4
♘c6 15. ♖c1±] **13. ♔h2** [13. h4 ♗h3 14.
♗d2 ♖fe8∞] **♘g4 14. hg4 ♗c3 15. ♗h6**
[15. g5 ♗a1 16. ♘a1 ♕e7∞] **♗g4** [15...
♗a1 16. ♕a1 f6 17. ♗f8 ♖f8 18. f3 f5
(18... ♕g7 19. ♖d1±) 19. gf5 gf5 20. ♘e3!
(20. ef5 ♖f5 21. ♘e3 ♖h5 22. ♔g1 d5∞)
fe4 21. f4⯑↑] **16. f3 ♗e6 17. ♗f8 ♗a1**

[17... ♖f8 18. ♖c1 ♗b2 (18... f5 19. ♘e3±)
19. ♖b1 ♗g7 20. ♘e3±] **18. ♗d6 ♖d8**
[18... ♗d4? 19. e5+−] **19. ♕a1 ♕d6 20.**
♘e3± [20. ♕f6? ♗c8∓; 20. f4?! ♕d2∞ 21.
f5? ♗c4! 22. bc4 ♕c2∓] **♕d4 21. ♕c1!** [21.
♘d5 ♕a1 22. ♖a1 f5∞] **♕d2** [21... ♘d7
22. ♖d1 ♕f6 23. f4±] **22. ♘d5 ♕c1 23.
♖c1 f5?!** [23... ♘c8 24. f4 ♔g7 25. ♔g1 f6
26. ♔f2±] **24. ef5!±** [24. f4 ♗d5! 25. cd5
(25. ed5 ♘c8=) fe4 26. ♗e4 ♘d7=]
♘d5?! [24... ♗f5 25. ♘e7 ♔f7 26. ♘f5
gf5 27. f4 (27. ♖c2 f4! 28. gf4 ♘d7±) ♖d2
28. ♖e1±; 24... ♗d5 25. cd5 gf5 (25... ♘d5
26. ♖d1 ♖d7 27. fg6 ♘f6 28. ♖d7 ♘d7 29.
gh7 ♔h7 30. f4+−; 25... ♖d5 26. fg6 hg6
27. f4±) 26. f4 ♘d7 27. ♗h3±; 24... gf5
25. f4 ♔f7 26. ♘b6 ab6 27. ♖c2 ♖d7 28.
♗f3±] **25. fe6!** [25. cd5 ♗f5 26. g4 ♗d3
27. ♖c5 b6 28. ♖c7 ♖d5 29. ♖a7 g5±]
♘e3 [25... ♘f6 26. ♖e1 ♖d2 27. f4 ♔f8
28. ♔h3 ♔e7 29. ♗b7+−; 25... ♘e7 26.
♖c2 ♔g7 27. f4 b6 28. ♖e2±] **26. ♖e1!**
[26. ♗h3 ♔f8 27. ♖e1 ♖d3±] **♘g2 27.
♔g2 ♖e8** [27... ♔g7 28. ♖e5 ♔f6 (28... b6
29. ♖d5+−) 29. ♖c5 ♖d2 30. ♔h3 ♔e6
31. ♖c7+−; 27... ♖d2 28. ♔h3 ♔f8 29. f4
h5 (29... ♖a2 30. g4+−) 30. ♔h4 ♔e7
(30... ♖a2 31. ♔g5+−; 30... ♖g2 31. e7
♔e8 32. ♖e3+−) 31. ♔g5 ♖g2 32. ♔g6
h4 33. f5 ♖g3 34. ♔h5 ♖f3 35. ♔g4 ♖f2
36. ♖e5+−] **28. ♖e5** [28. ♖d1 ♔f8! (28...
♖e6 29. ♖d7 ♖e2 30. ♔h3 ♖a2 31. ♖b7÷)
29. ♖d6 ♖e7 30. f4 ♖c7!=; 28. g4!?] **b6
29. g4!** [29. f4 ♔g7 30. g4 ♔f6 31. g5 ♔e7
32. ♔f3 ♔d6=] **♔g7** [29... ♔f8 30. f4+−]
30. g5 h6?! [30... ♔f8 31. ♔g3 ♔e7 *a)* 32.
♖e1!? *a1)* 32... a6 33. ♖d1 b5 (33... ♔e6
34. ♖e1 ♔d7 35. ♖e8 ♔e8 36. ♔f4+−]
34. ♖d7 ♔e6 35. ♖h7 bc4 36. bc4 ♔f5 37.
♖c7 (37. ♔h4 ♖f8) ♔g5 38. ♖c5 ♔h6 39.
♖c6+−; *a2)* 32... ♖d8 33. ♔f4 ♖d2 (33...
♖d4 34. ♔e5 ♖d2 35. ♖h1 ♖e2 36. ♔f4
♔e6 37. ♖h7 ♖a2 38. ♖g7+−) 34. ♖h1
♔e6 35. ♖h7 ♖d4 36. ♔g3 (36. ♔e3 ♔f5
37. ♖a7 ♔g5) ♔f5 37. ♖a7 ♔g5 38. ♖a6
♖d6 39. a4 ♖f6 40. a5 ba5 41. ♖a5 ♖f5 42.
♖a6 ♔h6±; *b)* 32. ♔f4 *b1)* 32... ♔d6 33.
e7! ♖e7 34. ♖e7 ♔e7 35. ♔e5+−; *b2)*
32... ♖d8 *b21)* 33. ♖d5 ♖f8 (33... ♖d6 34.
♖d6 ♔d6 35. e7 ♔e7 36. ♔e5+−) 34.
♔e5 ♖f5 35. ♔e4 ♔e6 36. ♖f5 gf5 37.

♔f4 a6 38. a3 b5 39. cb5 ab5 40. ♔e3 ♔d6 41. ♔d3 ♔c6=; *b22)* 33. ♖e2! a6 34. ♖h2 ♔e6 35. ♖h7 b5 36. ♔g4 bc4 37. bc4 ♖d4 38. f4 ♖d1 (38... ♖c4 39. ♖g7 ♖c1 40. ♖g6 ♔d5 41. ♖a6 c4 42. ♔f5 c3 43. ♖a8+−) 39. ♖g7 ♖g1 40. ♔f3 ♖f1 41. ♔g3 ♔f5 42. ♖f7 ♔e4 43. ♖e7 ♔d4 44. ♖e6+−; *b3)* 32... ♖f8 *b31)* 33. ♔e4 h5 34. gh6 ♖h8 35. ♔d5 ♖h6 36. ♖g5 (36. ♔c6 ♖h2 37. a4 ♖h3∞) ♔f6 37. ♖g4 ♔e7∞; *b32)* 33. ♔g4! ♖d8 (33... ♖e8 34. ♖e1+−) 34. ♖e1 (34. ♖d5? ♖d6!=) a6 35. f4 (35. ♖h1 ♖h8) ♖h8 36. a4! (36. f5 gf5 37. ♔f5 ♖f8 38. ♔g4 ♖f2∞) ♖d8 37. ♖h1 ♔e6 38. ♖h7 ♖d1 39. ♖g7+−] **31. gh6!** [31. f4 hg5 32. fg5 ♔f8 33. ♔f3 ♔e7 34. ♔e4 ♖h8♔h6 32. e7 ♔g7 [32... g5 33. ♔g3 ♔g6 34. ♔g4 ♔f6 35. ♖e4 ♔g6 36. ♖e6 ♔f7 37. ♔f5+−] **33. ♖g3 ♔f7 34. ♔f4 ♖h8** [34... ♖e7 35. ♖e7 ♔e7 36. ♔e5+−] **35. e8♕ ♖e8 36. ♖e8 ♔e8 37. ♔e5 ♔e7** [37... ♔f7 38. a4+−] **38. a3 ♔f7** [38... a6 39. a4 a5 40. ♔d5 ♔d7 41. f4 ♔e7 42. ♔c6 ♔f6 43. ♔b6 ♔f5 44. ♔c5 ♔f4 45. ♔d5 g5 46. c5 g4 47. c6 g3 48. c7 g2 49. c8♕ g1♕ 50. ♕f8+−] **39. a4 ♔e7 40. a5** [40... ♔f7 41. ♔d6 g5 42. ab6 ab6 43. ♔c6 ♔e6 44. ♔b6 ♔e5 45. ♔c5 ♔f4 46. ♔d5 ♔f3 47. c5 g4 48. c6 g3 49. c7 g2 50. c8♕ g1♕ 51. ♕f5 ♔e2 52. ♕e4 ♔d2 53. ♕d4+−] **1 : 0**

Halifman, Nesis

522. E 68

ITKIS 2495 − M. GOLUBEV 2520

Nojabrsk/Alušta 1997

1. d4 ♘f6 2. ♘f3 d6 3. c4 g6 4. g3 ♗g7 5. ♗g2 0−0 6. 0−0 ♘bd7 7. ♘c3 e5 8. e4 ed4 9. ♘d4 ♖e8 10. h3 a6 11. ♗e3 ♖b8 12. a4 ♘c5 13. ♕c2 a5 14. ♖fe1 [14. ♖ad1 − 68/(500)] **♘fd7** [14... c6!? △ 15. ♘b3 ♘fd7] **15. ♖ad1** [15. ♘db5 b6; 15... ♘e5!?] **c6** [15... ♘e5?! 16. b3 c6? 17. ♘c6!] **16. ♘b3 N** [16. ♘de2∞] **♕b6!** [16... ♘b3 17. ♕b3↑ ♕c7 18. ♕c2!? △ 18... ♘c5 19. f4; 18. f4! △ 18... f5? 19. c5+−; 16... ♕e7 17. ♘c5↑; 16... ♕c7 17. ♘c5↑] **17. ♘c5 ♘c5!** [17... dc5?! 18. f4±] **18. ♖d6 ♕b4⇆ 19. ♖ed1** [19. ♗f4?! ♘e6; 19. ♖d2!? *a)* 19... ♘b3? 20. ♘a2! ♕a4 21.

♘c1+−; *b)* 19... ♕c4? 20. ♗f1 ♕b4 21. ♘d5! ♕a4 (21... cd5 22. ♗c5) 22. ♘c7!?; *c)* 19... ♗c3? 20. bc3±; 20. ♗c5±; *d)* 19... ♗e6! 20. ♗c5! ♕c5 21. b3∞] **♗e6 20. ♘d5!?** [20. ♗d4 ♗f8; 20. ♗c5 ♕c5 21. b3 b5! △ 22. ab5 cb5 23. ♘d5 bc4!∓] **♕a4** [20... cd5?! 21. cd5 ♘e4? 22. ♖b6] **21. ♕a4** [21. b3?! ♕b3 22. ♕b3 ♘b3 23. ♘c7 ♖f8!?∓] **♘a4 22. ♘c7 ♘b2 23. ♘e8** [23. ♘e6? ♖e6∓] **♘d1** [23... ♖e8 24. ♖d8 ♖f8□ 25. ♖f8 ♔f8 26. ♖d8 ♔e7 27. ♖b8] **24. ♘g7 ♘e3 25. ♘e6 ♘g2=** [25... ♘c4 26. ♖d4 (26. ♖d8? ♖d8 27. ♘d8 a4−+) fe6 27. ♖c4 ♖a8 28. ♗f1! a4 29. ♖c1!?] **26. ♘g5?** [26. ♘d4! ♘e1 27. ♔f1 ♘d3 28. ♘c6∓; 28. ♘b3!=] **♘e1 27. ♖d7 a4−+ 28. ♘f7 a3 29. ♘h6 ♔f8 30. ♖f7 ♔e8 31. ♖h7 a2 32. ♖h8 ♔d7 33. ♖b8 a1♕ 34. ♖b7 ♔c8 35. ♖f7 ♕h8 36. ♘g4 ♕h3 37. ♘e3 g5! 0 : 1**

M. Golubev

523.* !N E 68

BURMAKIN 2530 − NADYRHANOV 2480

Smolensk 1997

1. d4 ♘f6 2. c4 g6 3. ♘f3 ♗g7 4. g3 0−0 5. ♗g2 d6 6. 0−0 ♘bd7 7. ♘c3 e5 8. e4 ed4 9. ♘d4 ♖e8 10. h3 ♘c5 11. ♖e1 h6 12. ♘b3 ♗e6 13. e5! N [13. ♘c5] **♘fd7 14. ed6 cd6 15. ♘b5** [15. ♕d6!?] **♘e5 16. ♘d6 ♘cd3 17. ♘e8 ♘e1 18. ♕e1 ♕e8 19. ♗h6! ♗h6 20. ♕e5 ♗c4 21. ♕c7!±** [21. ♕e8 ♖e8 22. ♘a5 b5 23. b3 ♗e6 24. ♘c6 a6 25. ♖e1 ♔f8 26. ♘d4 ♗d7 27. ♖e8 ♗e8 28. b4 ♗g7 29. ♘b3 ♗c3= Burmakin 2530 − Yurtaev 2495, Smolensk 1997] **♕c8□** [22. ♕b7 [22. ♕e7 ♗g7? 23. ♕e4!; 22... ♖b8!∞] **♕b7 23. ♗b7 ♖b8 24. ♗g2!** [24. ♗e4 ♗b3 25. ab3 ♖b3 26. ♖a7 ♖g3!=] **♗g7 25. ♖c1 ♗b3 26. ab3** [△ 9/j] **♖b3 27. ♗d5!** [27. ♖c7 ♗d4!; 27. ♖c8 ♔h7 28. ♖c7 f5=] **♖b2!** [27... ♖b5 28. ♖c8 ♗f8 29. ♖d8! ♖b6 30. ♖d7! ♖f6 31. f4?! g5!; 31. f3!±] **28. ♖c7 a5!** [28... ♗d4 29. ♖f7 ♔h8 30. ♖f4±] **29. ♗f7** [29. ♖f7 ♔h8 △ a4] **♔h7 30. ♖c4 ♗f6□ 31. h4 ♖b4□ 32. ♖c7 a4!± 33. ♗e8 ♔h6 34. ♖c6 ♔g7 35. ♖a6 ♗d4 36. ♖a4?** [36. ♖g6 ♔f8!; 36. ♔g2! ♖b2 37. ♖g6 ♔h7! (37...

315

♔f8?! 38. ♗a4 ♖f2 39. ♔h3 ♖a2 40. ♗b3
♖a3 41. ♖g8 ♔e7 42. ♖b8±] 38. ♖g4±]
♖a4 37. ♗a4 ♔h6 38. ♔g2 g5= 39. hg5
♔g5 [♗♗ 6/b] 40. f4 ♔f6 41. g4 ♗e3 42.
♔f3 ♗c1 43. g5 ♔g7 44. ♔g4 ♗a3 45.
♗e8 ♗b4 46. ♔f3 ♗d2 47. ♔g4 ♗b4 48.
f5 ♗e7   1/2 : 1/2   *Nadyrhanov*

524.*   E 68

D. PAUNOVIĆ 2495
– ILINČIĆ 2565

Jugoslavija 1997

1. ♘f3 ♘f6 2. c4 g6 3. g3 ♗g7 4. ♗g2
0–0 5. d4 d6 6. 0–0 ♘bd7 7. ♕c2 e5 8.
♖d1 ♕e7 9. ♘c3 c6 10. e4 ed4 11. ♘d4
♘e5 12. ♕e2 [12. b3 c5 13. ♘de2 (13.
♘f3 ♗g4 14. ♕e2 b5∓; 13. ♘db5 ♗g4
14. ♖d2 ♘f3 15. ♗f3 ♗f3∓) ♗g4 a) 14.
f4 ♘f3 15. ♔h1 (15. ♔f2 ♘h2 16. ♖h1
♗e2 △ ♘hg4–+) ♘d4 16. ♕d3 ♗e2 17.
♘e2 ♘g4–+; b) 14. h3 b1) 14... ♗f3 b11)
15. ♖e1 a6 16. a4 (16. ♘f4 b5 17. ♘fd5
♘d5 18. ♘d5 ♕d8∓) ♖fe8 17. ♘f4 ♗g2
18. ♔g2 ♘c6=; b12) 15. ♗g5! a6 16. ♘d5
♕d8 17. ♖d2 △ ♖ad1±; b2) 14... ♗e2 15.
♕e2 (15. ♘e2 ♘c6 16. ♗b2 ♘b4 17. ♕b1
♖fe8 18. f3 a6=) ♘c6 16. ♗e3 ♘d7 17.
♘d5 ♕d8 18. ♖ac1 ♘d4 19. ♕d2 a5=] a6
13. h3 [13. f4 ♗g4 14. ♘f3 ♗f3 15. ♗f3
♗f3 16. ♕f3 ♖fe8 17. ♖e1 ♕e6 △ b5∓]
♖b8 N [13... c5] 14. a4 [14. f4 ♘ed7 a) 15.
♔h2 ♖e8 16. b4 (16. a4 ♘c5 17. ♖e1
♘fe4!∓) c5 17. bc5 ♘c5 18. e5 de5 19. fe5
♘fd7∓; b) 15. b4 ♖e8 (15... c5 16. ♘c2!
cb4 17. ♘b4 ♘e4 18. ♘e4 ♗a1 19. ♘d5
♕d8 20. ♗a3±; 15... ♘h5 16. g4 c5 17.
bc5 dc5 18. ♘d5 ♕d8 19. ♘b3 ♗a1 20.
♘a1 ♘hf6 21. e5 ♘d5 22. cd5±) 16. ♗b2
♘h5 17. ♔h2 ♘b6 △ ♗e6∞] ♖e8 15. ♗e3
[RR 15. b3 h5 16. ♗g5 ♕f8 17. ♕c2 ♘h7
18. ♗e3 ♕e7 19. f4 ♘d7 20. ♗f2 ♘c5 21.
♖e1 a5 22. ♖ad1 ♕f8 23. ♔h2± D.
Paunović 2470 – Zakić 2360, Jugoslavija
1997] h5! 16. ♖e1 [16. ♖ac1 c5 17. ♘c2
♗e6 18. b3 ♘fd7 19. ♘d5 (19. ♕d2 ♗h3
20. ♕d6 ♗g4! △ ♘f3∓) ♗d5 20. cd5
♘f6∞] c5 17. ♘c2 ♗e6 18. ♘d5 [18. b3
♘c6 a) 19. ♘d5 ♗d5 20. cd5 (20. ed5 ♘a5
21. ♖ab1 ♘d7 22. b4 cb4 23. ♘b4 ♗d4=)

♘a5 21. b4 cb4 22. ♗b6 ♘b3 23. ♖ab1
♘d7 24. ♖b3 ♘b6 25. ♖b4 ♘d7=; b) 19.
♖ab1 ♘d7 (19... ♘g4 20. ♘d5! ♗d5 21.
ed5 ♘e3 22. dc6±) 20. ♘d5 (20. ♕d2
♘b4!∞) ♗d5 21. cd5 ♘b4!∞) ♘d5 [18...
♗d5 19. cd5 ♘ed7 (19... b5 20. ab5 ab5
21. b3±) 20. ♗g5 ♕e5 21. ♗f4 (21. ♕d2
♕b2! 22. ♗f4 ♘e5 23. ♖eb1 ♘c4 24. ♕d3
♘e5 25. ♕d2 ♘c4=) ♕e7 22. ♕d2 ♘e5
23. b3±] 19. cd5 ♗c8 20. f4?! [20. ♖ab1
b5 21. ab5 ab5 22. b3∞] ♘d7 21. ♕d2 [21.
♖ab1 ♘f6 22. e5 (22. ♗d2 ♘d5∓) de5 23.
fe5 ♘d7 (23... ♕e5 24. ♕f2 ♕f5 25. ♗f4
♖a8 26. ♖e8 ♘e8 27. ♕c5±) 24. e6 fe6 25.
de6 ♘f8∓] ♗b2 22. ♖ab1 ♗g7 23. ♘a3
[23. a5 b5 24. ab6 ♖b6 25. ♖b6 ♘b6∓]
♕f8 24. ♗f2 [24. ♘c4 b5 25. ab5 ab5 26.
♘a5 b4 27. ♘c6 ♖b6∓] b6 25. ♖b3 ♔h7
26. ♔h2 ♘f6 [26... f5 27. ef5 gf5 28. ♖e8
♕e8 29. ♘c4 ♕f8 30. ♕e2±] 27. ♘c4 [27.
e5 de5 28. fe5 ♘d7 29. e6 fe6 30. de6 (30.
♖f3 ♘f6 31. de6 ♗e6∓) ♘e5∓] b5 28. ab5
[28. ♘a5 c4 29. ♖be3 ♘d7! 30. ♘c6 ♖b7
31. e5 ♘c5∓; 28. e5 de5 29. ♘e5 (29. fe5
♘d7 30. e6 bc4 31. ed7 ♗d7∓) c4 30.
♖be3 ♗b7∓] ♖b5 29. ♖b5 [29. ♖be3 ♘d7
30. e5 de5 31. fe5 (31. ♘e5 ♘e5 32. fe5
♗h6–+) ♗h6 32. ♘d6 ♖e5 33. ♘b5
ab5∓] ab5 30. ♘d6 ♕d6 31. e5 ♕d8 [31...
♕b6 32. ef6 ♖e1 33. ♕e1 ♗f6 34. ♕e8
♗b7 35. ♕f7 ♗g7 36. ♕e7±] 32. ef6 ♖e1
33. ♕e1 ♗f8 [33... ♗f6 34. ♗c5=] 34.
♕e2 [34. ♕c3 b4 35. ♕c4 ♕d6∓] b4 [34...
c4 35. ♗d4∞] 35. ♗e4 [35. ♕b5 ♗d7 36.
♕b7 ♕c8 37. ♕a7 c4–+] ♕f6 36. ♕h5
♔g8 37. ♕e5 ♕d8 [37... ♕e5 38. fe5 c4
39. d6 ♗e6 (39... c3 40. ♗c2 ♗e6 41. ♗c5
b3 42. ♗b3 ♗b3 43. d7 c2 44. d8♕ c1♕
45. ♗f8=) 40. ♗c5 (40. ♗c6 c3 41. d7
♗e7 42. ♗c5 ♗d7 43. ♗d7 ♗c5 44. ♗a4
♗d4 45. e6 fe6 46. ♔g2 ♔f7–+) b3 41.
♗d4 ♗h6 42. ♗c6=] 38. ♕b8?! [38. ♗d3
♕d7 39. h4∓] ♕d7 39. f5 [39. ♗g2 c4–+]
gf5 40. ♗f3 ♗d6 41. ♕b6 c4 42. ♗c5 [42.
♕d4 c3 43. ♕f6 ♕e7–+] ♗c5 43. ♕c5 b3
44. ♕c4 [44. d6 b2 45. ♕b4 c3–+] b2 45.
♕b4 [45. ♕c2 ♕b7 46. ♕b1 ♕b4–+]
♕b7 46. ♕h4 [46. ♕a5 ♔g7 47. ♕d8 f6
48. d6 ♕a7–+] ♕b6   0 : 1   *Ilinčić*

525.****   E 69

MIHAL'ČIŠIN 2515
– KOTRONIAS 2585

Jugoslavija 1997

1. d4 ♘f6 2. c4 g6 3. ♘f3 ♗g7 4. g3 d6 5. ♗g2 0–0 6. 0–0 ♘bd7 7. ♘c3 e5 8. e4 [RR 8. h3 ♖e8 9. e4 ed4 10. ♘d4 c6 11. ♖e1 a5 12. ♖b1 *a)* 12... ♘c5 13. b3 ♗d7 14. ♗f4 ♕b6 15. ♗d6 ♘fe4 16. ♗e4 ♘e4 17. ♖e4 (17. ♘e4 ♕d4 18. ♕d4 ♗d4 19. ♖bd1 ♗g7 20. g4±) ♖e4 18. ♘e4 ♕d4 19. ♕d4 ♗d4 20. ♖d1 ♗g7 (20... f5 21. ♖d4 fe4 22. g4!±; 20... ♗b2 21. ♗e5! ♗e5 22. ♖d7±) 21. ♗b8 ♖b8 (21... ♗h3? 22. ♖d8 ♗f8 23. ♘f6 ♔g7 24. ♘e8 ♔g8 25. ♘c7+–) 22. ♖d7 *a1)* 22... b6 23. ♘d6+–; *a2)* 22... f5 23. ♘d6 b6 24. ♖c7 c5 25. ♖c8 ♖c8 26. ♘c8+–; *a3)* 22... ♖e8 23. ♘d6 ♖e2 (23... ♖e1 24. ♔g2 ♖e2 25. ♖d8 ♗f8 26. a4!±) 24. ♖d8 ♗f8 25. a4! ♖b2 (25... ♔g7 26. ♘b7 ♗b4 27. ♖d3±) 26. ♘b7 ♖b3 27. ♘a5 ♖b4 28. ♘c6 ♖a4 29. ♘e5 ♔g7 30. ♖d2±; *a4)* 22... b5 23. ♘d6 *a41)* 23... a4? N 24. cb5 cb5 25. ♘f7 ♖e8 (25... ♖c8 26. ♖d8 ♖d8 27. ♘d8+–) 26. ♔f1 ♗c3 27. ♘h6 ♔h8 28. g4!? ab3 29. ab3 ♖f8 30. g5+– Halifman 2650 – Van Wely 2645, Ter Apel 1997; *a42)* 23... f5 24. ♖c7 ♗e5 25. c5±; *a43)* 23... bc4 24. ♘c4 ♗c3 (24... ♖b5? – 56/654; 24... a4 25. ba4 ♖b4 26. ♖d8 ♗f8 27. ♘e5 ♔g7 28. ♘c6 ♖b2 29. ♖d5 ♖a2 30. a5±) 25. ♖d3! (25. ♖c7 ♖e8 26. ♖c6 ♖e2∞) ♗b4 26. a3 ♗c5 27. ♘a5 ♗a3 28. ♘c6±; *a44)* 23... ♗f8 *a441)* 24. c5 ♗d6 25. ♖d6 (25. cd6 c5 26. ♖c7 ♖d8 27. ♖c5 ♖d6 28. ♖b5 a4!±) ♖c8 26. ♔f1±; *a442)* 24. ♘f7! bc4 25. bc4 ♖b2 26. ♘g5 ♖a2 (26... ♖e2 27. ♔f1; 26... h6 27. ♘e6) 27. ♖d8 ♖e2 28. ♘h7 ♔h7 29. ♖f8± Halifman; *b)* 12... a4!? 13. ♘a4 ♘b6 14. ♘b6 ♕b6⁼⁼] **c6 9. h3 ♕b6** [RR 9... ♕a5 10. ♖e1 ed4 11. ♘d4 ♘e5 12. ♗f1 ♖e8 13. ♘b3 N (13. ♖b1 – 68/501) ♕c7 14. f4 ♘ed7 15. ♗g2 a5 16. ♗e3 a4 17. ♘d4 ♘c5 18. ♗f2 *a)* 18... ♕a5 19. ♕c2 h5 20. ♖ad1 ♕b4 21. a3 ♕a5 22. ♘f3 ♗e6 23. ♖d6 ♗c4 24. ♘d2 ♗e6 25. f5 gf5 26. ef5 ♗b3 27. ♘b3 ♖e1 28. ♗e1 ab3 29. ♕d1 ♖e8 30. ♘e4 ♕b6 31. ♘f6 ♗f6 32. ♗f2 ♗e5 (Wojtkiewicz 2575 – Fang 2330,

Philadelphia 1997) 33. ♖h6 (Wojtkiewicz) ♗g3 34. ♗d4 ♗e5 35. ♖h5+– Fang; *b)* 18... h5 19. ♕c2 ♗d7 20. ♘f3 a3 21. ♗c5 1/2 : 1/2 Wojtkiewicz 2575 – R. Forster 2365, Genève 1997; 9... ♖e8 10. ♖e1 a5 11. ♗e3 ed4 12. ♘d4 ♘c5 13. ♕c2 a4 14. ♖ad1 ♕a5 15. ♗f4 ♖d8 16. ♗f1 N (16. a3) ♘h5 17. ♗e3 ♖e8 18. g4 ♘f6 19. f3 h5 20. ♔g2 a3 21. b3 hg4 22. hg4 ♗g4!? 23. fg4 ♘ce4 24. ♘e4 (24. ♗d2 ♘d2 25. ♕d2 ♗g4⁼⁼↑) ♖e4 25. g5□ (25. ♔f3 ♖g4–+; 25. ♔g1 ♖ae8 26. ♗d2 ♕c5 27. ♖e4 ♖e4 28. ♗c3 ♖g4 29. ♔g2 ♘d5!–+) ♖g4 26. ♔f3□ (26. ♔h3 ♕e5–+; 26. ♔h1 ♖e8 27. b4 ♕e5 28. ♕h2 ♘e4⁼⁼→) ♕e5 27. ♘e2□ (27. gf6? ♕g3 28. ♔e2 ♖e8–+) ♖e4 28. ♘g3 *a)* 28... ♖e8?! 29. ♘e4 (29. gf6 ♖e3 30. ♖e3 ♕e3 31. ♔g2 ♗f6∞) ♕f5 (Rustemov 2550 – Lavretckij 2320, Minsk 1997) 30. ♔g2! ♘e4 31. ♔g1±; *b)* 28... ♖g4⁼ Lavretckij] **10. c5 dc5 11. de5 ♘e8 12. ♗e3!** [A. Beljavskij] **♘c7** [12... ♕b2 13. ♘a4 ♕b5 14. ♖b1 ♕a5 15. ♕c2 b6 16. ♘d2! ♘e5 17. f4 ♘d7 18. e5 ♗b7 19. ♘c4 ♕a6 20. ♖fd1↑ A. Beljavskij] **13. ♕c2!** [13. ♖c1 ♕b2 14. ♘a4 ♕a2 15. ♘c5 ♘e5∓; 13. ♘a4 ♕a5 14. ♕c2 b6 15. ♖fd1 ♕a6∞] **♘e6** [13... ♕a5 14. ♘d2! ♘e5 15. ♘b3±; 13... ♘e5 14. ♘e5 ♗e5 15. ♘a4 ♕a5 16. ♘c5 ♘e6 17. ♘b3 ♕a4 18. f4 ♗g7 19. e5⁼⁼] **14. ♘a4 ♕b5** [14... ♕c7 15. ♘c5 ♘e5 16. ♘e5 ♗e5 17. ♖ad1 △ f4⁼⁼] **15. ♖fd1 c4** [15... ♘e5 16. ♘e5 ♗e5 17. ♗f1! ♕a5 18. ♘c5±] **16. ♘d2!±** [16. ♗f1 – 51/(578)] **♕a6 N** [16... ♘e5 17. f4 ♘d3 18. ♘c4 ♘b4 19. ♕b3; 16... ♕e5 17. ♘c4 ♕c7 18. ♘d6 ♘b6 19. ♘b6 ab6 20. f4 △ e5, f5→] **17. f4** [17. ♘c4 b5 18. ♘d6 ♘e5 (18... ba4 19. ♗f1 ♕a5 20. ♘c8 ♖fc8 21. ♖d7 ♕e5 22. ♖b1∞) 19. ♘c5 ♘c5 20. ♗c5∞] **b5 18. ♘c3 ♗h6!** [18... ♘ec5 19. b3 b4 20. ♘e2 c3 21. ♘c4] **19. ♘f3** [△ 19. ♘f1] **♘dc5 20. b3** [20. ♗f1!? b4 21. ♘d5!? cd5 22. ed5 ♘d3 23. b3!?↑; 20. ♖d6!?] **♕a3!** [20... b4 21. ♘e2 c3 22. a3±] **21. ♖ab1** [21. bc4 b4 22. ♗c5 ♘c5 23. ♘e2 ♕e3 24. ♔h2 ♘e4∞] **♘d3 22. ♗f1!** [22. bc4 bc4 23. ♗f1 ♗a6 △ ♖fd8, ♘ec5↑] **♘ec5** [22... ♗a6!?] **23. ♘e1 b4?** [23... ♘e5? 24. ♗c1+–; 23... ♗a6 24. ♘d3 cd3 25. ♗d3! ♘d3 26. ♖d3 b4 27. ♖d4! c5 (27... bc3 28. ♖a4±) 28. ♖d5! ♗b7 (28...

317

bc3 29. ♗c5+−) 29. ♗c5 ♗d5 30. ♘d5±; △ 23... ♘e1 24. ♖e1±] **24. ♘d3! ♘d3** [24... cd3 25. ♕f2! ♘e6 26. ♘a4+−] **25. ♘a4!+− ♗a6 26. ♗d3 cd3 27. ♕c6** [27. ♕f2 △ ♗c1] **♕a2 28. ♕a6 ♖fd8 29. ♖b2 ♕a3 30. ♖d3 ♕a1 31. ♔g2 ♗g7 32. ♖bd2 1 : 0**

Mihal'čišin

526.* !N   E 70

SERPER 2540 − MURREY 2440

North Bay 1997

1. c4 g6 2. d4 ♗g7 3. e4 d6 4. ♘c3 ♘f6 5. ♘ge2 [RR 5. ♗g5 h6 6. ♗h4 0−0 7. f4 c5 8. d5 ♕a5 9. ♕d2 e6 *a)* 10. ♘f3 N ed5 (10... ♖e8? 11. de6 ♗e6 12. ♗d3 ♘c6 13. 0−0 ♗g4 14. ♖ae1± B. Alterman 2615 − Sutovskij 2590, Bad Homburg 1997) *a1)* 11. cd5 ♖e8 12. ♗e2 ♗g4 13. 0−0 (13. e5? ♗f3 14. ef6 ♗e2 15. ♘e2 ♕d8) ♗f3 14. ♗f3 ♘bd7∞; *a2)* 11. ♗f6 ♗f6 12. ♘d5 ♕d2 13. ♔d2 (13. ♘d2 ♗d8 14. 0-0-0 ♘c6=) ♗d8 14. ♗d3 ♘c6=; *b)* 10. ♗d3!? ed5 11. ♗f6 ♗f6 12. ♘d5 ♕d2 13. ♔d2 ♗d8 14. f5 ♘c6 15. ♘e2± B. Alterman; *c)* 10. 0-0-0] **0−0 6. ♘g3 a6 7. ♗e2 c6 8. 0−0 e5 9. d5 cd5 10. cd5 b5 11. b4!? ♘bd7 12. a4! N** [12. ♗e3] **ba4 13. ♕a4** [×a6] **♗b7 14. ♗e3 h5!?** [△ ⇆≫] **15. ♗g5! ♔h7!** [△ ♗h6] **16. ♕a5** [16. ♖fc1 ♗h6 17. ♗h6 ♔h6∞] **♗h6 17. ♗h6 ♔h6 18. ♕d8 ♖fd8 19. ♗d3!** [×e4, △ ♘ge2] **♘b6** [19... ♖dc8 20. ♘ge2 (20. ♘a4!? a5 21. b5 ♘c5 22. ♘c5 ♖c5 23. ♖a3 △ ♖fa1 ×a5) ♘b6 21. ♘a4! ♘a4 22. ♖a4±] **20. ♘a4! ♘a4** [20... ♘fd7?! 21. ♘b6 ♘b6 22. ♖fc1±] **21. ♖a4 ♖ab8** [21... ♖dc8 − 19... ♖dc8] **22. f3 ♗d5!? 23. ed5 ♘d5 24. ♗a6 ♘b4 25. ♗c4!** [25. ♗e2 d5⧲] **f5** [25... d5 26. ♖b1! ♘c6 27. ♖b8 ♘b8 28. ♗b5±] **26. h4! ♘c2 27. ♗e6 ♘d4** [27... d5 28. ♖a7!?; 28. ♖a6!?] **28. ♗d5 ♖b5 29. ♗c4 ♖c5 30. ♖b1!** [△ ♖b7, ♖aa7→] **d5 31. ♗d3 ♖dc8! 32. ♖b7 ♖5c7 33. ♖c7** [33. ♖b6 ♖c6] **♖c7 34. ♖a5! ♖d7 35. ♘e2 ♘e2** [35... ♘c6 36. ♗b5!? ♘a5 37. ♗d7±] **36. ♗e2** [♖ 8/g6] **e4!** [△ d4-d3⇆] **37. ♔f2?⊕** [37. ♗b5! ♖c7 (37... ♖d6 38. ♔f2±) 38. fe4 fe4 39. ♖a6!±] **♔g7?⊕** [37... d4! 38. ♗d1!? (38. fe4 fe4 39. ♖e5 e3 40. ♔f3 d3 41. ♗d1 e2=) ♖b7 39. ♔e1 ♖b2 40. ♖a4±] **38.**

♗b5! ♖c7 39. ♔e3 ♖c2 40. ♖a7 [40. ♗f1?! d4! 41. ♔d4 ef3 42. gf3 (42. g3? ♖c1) ♖f2±] **♔h6** [40... ♔f6 41. ♖a6 ♔g7 42. f4! ♖g2 43. ♔d4 ♖g4 44. ♔e5 ♖h4 45. ♖a7 ♔h6 46. ♔f6!+− − 40... ♔h6] **41. ♗f1?** [41. f4! ♖g2 42. ♔d4! ♖g4 43. ♔e5 ♖h4 44. ♔f6 *a)* 44... ♖f4? 45. ♖a8 ♔h7 46. ♗e8 ♖g4 47. ♗f7! h4 48. ♖a7! ♔h6 (48... ♔h8 49. ♗g6) 49. ♗g8+−; *b)* 44... ♖g4 45. ♖a8 ♔h7 46. ♗e8! ♖g2 (46... e3 47. ♗f7! e2 48. ♖a7!+−) 47. ♖a7 ♔h6 48. ♖g7 ♖a2 49. ♖g6 ♔h7 50. ♔f5+−] **♖c1 42. ♗e2 ♖g1! 43. ♔f2 ♖h1 44. fe4** [44. g3? d4!] **fe4 45. ♖d7 ♖h4 46. ♖d5 ♖f4 47. ♔g3 ♖f6 48. ♖e5 ♖c6 49. ♖e4± ♖c3 50. ♔f4 ♖c2 51. ♖e6 ♖c5 52. ♗d3 ♖g5 53. ♗e4 ♖g4 54. ♔e5 ♔g7 55. ♗f3 ♖g5 56. ♔e4 ♖f5 57. ♖e5 ♖f6 58. ♔d5 ♔h6 59. ♗e4 ♖f4 60. ♔e6 ♖g4 61. ♔f7?! ♖f4 62. ♔e7 ♔g7 63. ♗f3 ♖f7 64. ♔d6 ♖f6 65. ♔d5 ♔h6 66. ♔e4 ♔g7 67. ♔e3 ♔h6 68. ♗e4 ♖b6 69. ♗c5 ♖d6?⊕** [69... ♖b8!□ 70. ♖c6 ♖g8± Wojtkiewicz] **70. ♖c6+− ♖c6 71. ♗c6 ♔g5 72. ♔f3 ♔f5 73. ♗e4 ♔g5 74. ♔g3 ♔h6 74... ♔f6 75. ♔h4] 75. ♔f4** [75... g5 76. ♔f5 g4 77. ♔f4] **1 : 0**

Serper

527.*   E 70

EHLVEST 2610 − CVITAN 2570

Biel (open) 1997

1. d4 ♘f6 2. c4 g6 3. ♘c3 ♗g7 4. e4 d6 [RR 4... 0−0 5. ♘f3 c6 6. ♗e2 d5 7. e5 ♘e4 8. 0−0 f6!? N (8... ♗g4 − 41/(659)) 9. cd5 cd5 10. ef6 ef6 11. ♕b3 ♔h8! *a)* 12. ♘d5 ♗e6 (12... ♘c6 13. ♘c3 ♘d4 14. ♘d4 ♕d4 15. ♘e4 ♕e4 16. ♗f3 ♕e5 17. ♗d2±) 13. ♗c4 b5 14. ♘e3□ bc4 (14... ♗c4 15. ♘c4 bc4 16. ♕b7 f5 17. ♕a8 ♕d7 18. d5□ ♖c8 19. ♗e3 f4 20. ♕a7 fe3 21. ♕e3 ♕d5 22. ♖fe1±) 15. ♕b7 f5 16. ♕a8 ♕c7 17. d5 ♗d7 18. d6 ♘d6 19. ♕d5 ♗c6 20. ♕d1 ♘e4∞; *b)* 12. ♗d3! ♘c3 13. bc3 ♘c6 14. ♗a3 (Prudnikova 2385 − Lakos 2280, Yerevan (ol) 1996) ♖f7 15. ♖fe1 ♗g4 16. ♘d2 ♕d7± Prudnikova] **5. ♗d3 0−0 6. ♘ge2 e5 7. d5 c6 8. 0−0 a5 9. a3 ♘h5 N** [9... ♗d7; 9... ♘a6 10. ♖b1 ♗d7 11. b4 ab4 12. ab4 c5=] **10. ♗e3 f5 11. ef5 gf5 12. f3 c5** [12... cd5 13. ♘d5

♘d7 14. ♖c1±; 12... ♘a6!?] **13. ♔h1 ♘a6 14. ♖b1** [14. ♕c2!±] **b6! 15. ♕c2 ♖a7?** [15... ♔h8! △ ♖a7∞] **16. g4! fg4 17. ♗h7 ♔h8 18. fg4 ♗g4**

19. ♗f5! ♖af7 20. ♗g4 ♖f1 21. ♖f1 ♖f1 22. ♔g2 ♘f6 23. ♔f1 ♘g4 24. ♗g1± ♕f6 25. ♔g2 ♘c7 26. ♘g3⊕ ♕g5 27. ♘ce4 ♕g6 28. ♕e2 [28. ♕d3! △ ♘c5] **b5 29. b3 bc4 30. bc4 ♘e8 31. ♕f3 ♗h6 32. ♕f5 ♔h7 33. ♕d7 ♔g8 34. ♕f5 ♔h7 35. ♕d7 ♔g8 36. a4! ♗f4 37. ♕f5 ♔h7 38. ♕d7 ♔g8 39. ♕f5 ♔h7 40. ♔f3 ♘gf6 41. ♘f6 ♘f6 42. ♕g6 ♔g6 43. ♘e4!+−⊥ ♘d7** [43... ♘e8 44. ♗f2 △ ♗e1] **44. ♘d6 ♘b6 45. ♗c5 ♘a4 46. ♗g1 ♘c3 47. ♘e4 ♘e4 48. ♔e4 ♘f6 49. ♗c5 ♗c1 50. ♗d6 ♗b2 51. c5   1 : 0**   *Ehlvest*

528.****   **E 71**

A. BELJAVSKIJ 2710 − KOŽUL 2605

Portorož 1997

1. d4 ♘f6 2. c4 g6 3. ♘c3 ♗g7 4. e4 d6 5. h3 0−0 6. ♗g5 [6. ♗e3 e5 7. d5 *a)* 7... a5 8. ♗d3 ♘a6 9. ♘ge2 c6 10. a3 ♗d7 11. ♗c2! cd5 12. cd5 b5 N (12... ♘c5 − 62/582) 13. 0−0 ♕c7 14. ♕d2 ♖fc8 15. ♖fc1± A. Chernin 2640 − A. Beljavskij 2710, Portorož 1997; *b)* RR 7... ♘a6 8. ♗d3 ♘h5 9. g3 ♕e8 (9... c5!? 10. ♗e2 ♘c7 11. ♗h5 gh5 12. ♕h5 f5⇆) 10. ♗e2 ♘f6 11. ♘f3 ♗d7 12. ♘d2 c6 N (12... ♕e7) 13. ♔f1 ♕e7 (13... cd5 14. cd5 b5?! 15. a4!±) 14. g4 (14. ♔g2) ♘c7 15. ♔g2 c5! 16. ♖b1 ♘fe8 17. b4 b6 18. bc5 *b1)* 18... dc5 19. a4 ♘d6 20. a5 ♖fb8 21. g5

(21. ♖b2 ♘a6 22. ab6 ab6 23. ♘a2 f5 24. f3 ♗f6 25. ♕b1 ♗g5 26. ♗f2 ♗d2 27. ♖d2 b5!⇆) ♘ce8! 22. h4 f5 23. gf6 ♗f6 24. ♗g4 (24. h5 ♗g5 25. ♘f1 ♗f4! △ ♕g5, ♘f6) ♘g7 25. ♗d7 ♕d7 26. ♘b5! ♘f7!? (26... ♘b5 27. cb5! ba5 28. ♕e2 ♘h5 29. ♘c4! ♖b5?! 30. ♘e5 ♗e5 31. ♖b5 ♖f8∞) 27. ♕f3 ♘h5 28. ♕h3 ♕d8! (Vilela 2425 − Ale. Moreno 2390, La Habana (m/4) 1997) 29. ab6 ab6 30. ♖a1! ♖a1 31. ♖a1 ♗h4 32. ♖a7 ♘g7 (32... ♕f6? 33. ♖f7! ♔f7 34. ♘f3 g5 35. ♗g5! ♗g5 36. ♕h5+−) 33. ♘c7 ♗f6∞; *b2)* 18... bc5!? 19. ♘b3 (△ ♘a5-c6) f5 (19... a5) 20. f3 h5∞ Vilela, Ale. Moreno] ♘a6 **7. ♗d3 e5 8. d5 ♕e8 9. g4 c6** [9... ♘d7 *a)* 10. ♘ge2?! N ♘dc5 11. ♗c2 f5 12. f3 ♘b4 13. ♗b1 fg4 14. fg4 ♖f3! 15. ♘c1 ♕f7∓↑ Šoln 2325 − Bukić 2405, Ljubljana 1997; *b)* 10. a3 f5 11. b4 ♕f7 N (11... fe4 − 61/(624)) 12. ♖a2! c6 13. ef5 gf5 14. ♗f5 ♘b6 15. ♗e4 h6 16. ♗h4 ♘c4 17. ♕d3± V. Mikhalevski 2535 − Antonsen 2400, Århus (open) 1997; ○ 12... ♘f6 13. f3 c6] **10. ♘ge2** [10. ♕d2!?] **cd5 11. cd5** [11. ed5!?] **♘c5 12. ♗c2 N** [12. ♗b5] **a5 13. a3 a4 14. ♘g3?!** [14. ♕d2!±] **b5 15. ♕f3 ♕d8 16. ♘ge2 ♗d7 17. ♘a2 ♖c8 18. ♘ec3 h6 19. ♗h4 g5 20. ♗g3 ♘b3 21. ♗b3 ab3 22. ♘b4 h5!⇆ 23. gh5 ♖c4 24. ♖g1 ♘e8** [24... ♗h3? 25. h6! ♗h6 26. ♗e5±] **25. ♕e2** [25. ♕d1!?] **♕a8 26. ♖d1 ♔h7 27. f3 ♗h6 28. h4 ♖g8 29. hg5 ♖g5 30. ♗f2 ♕d8** [30... ♖h5? 31. ♗e3 △ ♔d2, ♖h1±] **31. ♕f1 ♕f6 32. ♖g5 ♕g5 33. ♕g1 ♕h5 34. ♔e2 ♘f6 35. ♕h1 ♗h3 36. ♔d3! ♖c8 37. ♖g1 ♗f4 38. ♘b5?** [38. ♘e2! ♗h2 39. ♕h2 ♕f3 40. ♔d2+−]

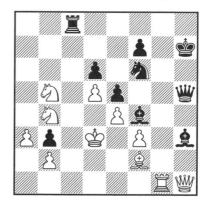

38... ♗h2!!∓ 39. ♖a1 [39. ♕h2 ♕f3 40.
♔d2 ♘e4−+] ♖g8 40. ♕d1 ♗g2 41. ♘d6
♗f3 42. ♕e1 ♖g4! 43. ♔c3 ♘e4 44. ♘e4
♖e4 45. ♕b1 ♕f5 46. ♔b3 ♗e2! 47. a4
♕f3 48. ♔a2 f5 49. ♗c5 ♗c4 50. b3 ♖e2
51. ♔a3 ♖e1!−+ 52. ♕f5 ♕f5 53. ♖e1
♗f1 54. a5 ♗g3 55. ♖a1 ♕f3 56. ♔a4
♕e2 57. ♖f1 ♕f1 58. d6 ♗e1 59. d7 ♗h4
60. ♘c6 ♕d1 61. ♘b8 ♕d5 62. b4 ♕a8
63. ♗d6 e4 64. ♗g3 ♗e7   0 : 1
A. Beljavskij

529.   E 71

BAREEV 2665 − SVIDLER 2640

Rossija (ch) 1997

1. d4 ♘f6 2. c4 g6 3. ♘c3 ♗g7 4. e4 d6 5.
h3 0−0 6. ♗g5 ♘bd7 7. ♗d3 c5 8. d5
♘e5 9. ♘f3 ♘d3 10. ♕d3 a6 11. a4 e6 12.
de6 N ± [12. 0−0] ♗e6 13. 0−0 h6 [13...
♕c7 14. ♖fd1 (14. ♖ad1 ♕b6) ♖ad8] 14.
♗f4 ♕b6?! [14... g5 15. ♗h2 g4 16. hg4
♘g4 17. ♗d6 ♗c4 18. ♕c4 ♕d6±; 14...
♘h5 15. ♗h2 (15. ♗d6 ♗c4) g5] 15. a5
♕c6 16. ♘d5 ♗d5?! [16... ♔h7 17. ♖fe1
(17. ♗h6 ♔h6 18. ♘g5 ♗h8) ♖fe8±] 17.
cd5 ♕d7 18. ♘d2 [18. ♗h2! ♘h5 19. g4]
♖ae8 [18... ♘h5!? 19. ♗h2 ♗b2 20. ♖ab1
♗e5 21. ♗e5 de5 22. ♘c4 ♖ae8 23.
♖b6⩲] 19. ♗h2 ♕e7 [19... ♕c7 20. ♔h1
♘d7 21. ♘c4 ♗e5 22. f4 ♗d4 23. ♖fe1±]
20. ♖ae1 ♘d7 21. ♘c4 ♘e5 [21... ♗e5 22.
f4 ♗d4 23. ♔h1 ♘f6 24. f5 ♘e4 25. ♗d6
♘f2 26. ♖f2 ♕e1 27. ♖f1 ♕e4 28. ♕e4
♖e4 29. ♗f8 ♔f8 30. fg6+−] 22. ♗e5
♗e5 23. f4 ♗d4 24. ♔h1 ♕d7 25. b4!+−
f5 26. bc5 dc5 27. ♘b6! [27. d6] ♕b5
[27... fe4 28. ♕d4] 28. ♕b5 ab5 29. e5
♔f7 30. g3? [30. ♖b1 b4 31. ♖fd1 ♗e3
32. g3 g5 33. ♔g2! gf4 34. e6 ♔e7 35.
♔f3+−] ♖a8? [30... b4 31. ♖f3 ♔e7 32.
♖d3 ♖a8 33. d6! ♔e6 34. ♘a8 ♖a8 35.
♖b1 ♗c3 (35... ♔d5 36. ♖d4+−; 35...
♖a5 36. ♖b4 ♖a1 37. ♔g2 ♖a2 38. ♔f1
♖a1 39. ♔e2 ♖a2 40. ♔d1 ♖a1 41. ♔d2
♖a2 42. ♔c1) 36. ♖c1 (36. d7 ♔e7 37.
♖bd1 ♖d8 38. ♖d5 ♗d4 39. ♖1d4 cd4 40.
♖d4 ♖d7±) ♗d4 37. ♖c4+−] 31. e6 ♔e7
32. d6 ♔d6 33. e7 ♖fe8 34. ♘a8 ♖e7 35.
♖e7 ♔e7 36. ♖b1! b4 37. ♔g2 ♔d6 38.

♔f3 ♔c6 39. ♔e2 [39... ♔b5 40. ♘c7
♔a5 41. ♘e6]   1 : 0   *Bareev*

530.*   E 71

V. MIKHALEVSKI 2535
− RAŠKOVSKIJ 2510

Berlin 1997

1. d4 ♘f6 2. c4 d6 3. ♘c3 g6 4. e4 ♗g7 5.
h3 0−0 6. ♗g5 c5 7. d5 b5 [RR 7... e6 8.
♗d3 ed5 9. ed5 a6 10. a4 ♘bd7 11. ♘f3
♖e8 12. ♔f1 ♘e5 13. ♘e5 ♖e5 14. ♕d2
♗f5 N (14... ♗d7 − 28/704) 15. ♗f5 gf5
(×e4; 15... ♖f5 16. f4) 16. ♕c2 (16. f3 b5↑;
16... ♕b6!) ♕d7 (16... b5!? 17. f4∞) 17. g3
a) 17... ♖ae8?! 18. ♔g2 ♘e4 19. ♗f4 ♖5e7
(Kustanovich 2210 − Mittelman 2380,
Beer-Sheva 1997) 20. ♖he1!±; *b)* 17... ♘e4
18. ♗f4 ♖e7 19. ♔g2 ♗e5= Mittelman] 8.
cb5 a6 9. a4 ♕a5 10. ♗d2 ab5 11. ♗b5
♗a6 12. ♘ge2!? [12. ♖a3 − 23/651] ♕b4
N [12... ♘bd7] 13. f3 [13. ♕c2? ♗b5; 13.
♘g3] c4□ 14. ♘d4! [△ ♘c2; 14. ♕c2!?]
♕b2?! 15. ♖a2! [15. ♘c2?! ♗b5! 16. ♖b1
♕b1 17. ♕b1 ♗a4 18. ♘a4 ♖a4 19. ♕b5
♖a8! 20. ♕c4 ♘bd7∓↑; 15. ♖b1 ♕a3 16.
♘c2 (16. ♗a6?! ♘a6 17. ♖b5? ♘e4!) ♕c5
17. ♗e3±] ♕b4

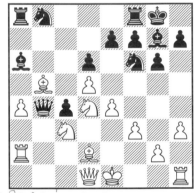

△17,♗e4 wins queen

16. e5! ♘d5?! [16... ♕c5!? 17. ef6 ♗f6 18.
♗e3 ♗b5 19. ab5 ♖a2 20. ♘a2 ♕d5±;
20... ♗h4!?; 16... de5 17. ♘e4 *a)* 17... ♕d2
18. ♖d2 ed4 (18... ♘e4 19. fe4 ed4 20.
0−0!?; 20. ♖d4+−) 19. ♖d4! ♗b5 20. ab5
♘d5 21. ♖d5 ♖a1±; *b)* 17... ♘d5 18. ♗b4
♘b4 19. ♘e6!! fe6 (19... ♘d3 20. ♔f1 fe6
21. ♖c2) 20. ♖d2± ×♗g7] 17. ♘d5 ♕c5

320

18. ♘c6?! [18. ♘f5!! gf5 (18... ♗b5 19. ♘fe7 ♔h8 20. ♗e3) 19. ♗e3 ♕e3 20. ♘e3 ♗b5 21. ♘f5 (21. ♕d5!?) ♗e5 22. ♕d5!+−] ♘c6□ [18... ♗b5? 19. ♘ce7 ♔h8 20. ♗e3 ♖a4 21. ♖a4! ♗a4 22. ♕a4+−] **19. ♗c6!** [19. ♗e3? ♘d4!! 20. ♘e7 (20. ♕d4? ♕d4 21. ♗d4 ♗b5) ♔h8 21. ♗d4 ♕b4 22. ♖d2□ (22. ♔f2? ♗b5) c3! 23. ♖c2 ♗b5! 24. ab5 de5 25. ♘c6 ♕b5 26. ♗c3 ♕c6 27. ♗b4 ♕b6 28. ♗f8 ♗f8∓] ♖ae8!!□ [19... ♗e5 20. ♗e3 ♗g3 (20... ♕a5 21. ♔f2+−) 21. ♔f1 c3 22. ♔g1 ♕c4 23. ♘e7 ♔g7 24. ♗d5!+−] **20. ♗e8** [20. ♗b5? ♕d5 (20... ♗b5?? 21. ♗e3) 21. ♗a6 c3−+; 20. ♗g5?! ♕c6 21. ♘e7 ♖e7 22. ♗e7 ♗e5! (22... ♖e8!?) 23. ♗f8 c3!!→] **♕d5!** [△ c3] **21. ♗f7⊕** [21. ♗c3!? ♕c5! (21... ♕d1 22. ♔d1 ♖e8 23. ♖e1±) 22. ♗f7 ♖f7 23. ♖e2 ♗e5 24. ♗e5 de5∞] ♕f7 [21... ♖f7 22. ♗c3 ♕c5!] **22. ♗c3! ♗e5?!⊕** [22... ♕f4!?] **23. ♗e5 c3?** [23... ♕e6 24. ♕d4 (24. ♖e2 de5) de5∞; 24... ♖f5!?] **24. ♖c2** [24. ♖a3!? ♕e6 25. ♕b3! ♗c4 26. ♕c3 ♖f5 27. ♔f2 ♖e5 28. ♖d1±] ♕e6 **25. ♕d4 ♖f5 26. ♔f2 ♖e5 27. ♕c3+−** ♖c5 [27... ♖e2 28. ♖e2 ♕e2 29. ♔g3] **28. ♕d2 ♖d5 29. ♕b4 ♗d3 30. ♖d2 ♕e5 31. ♖e1 ♕g5 32. h4! ♕f6 33. ♖d3!**
1 : 0 *V. Mikhalevski*

531.***   E 73

B. ALTERMAN 2615 − KINDERMANN 2570

Bad Homburg 1997

1. d4 ♘f6 2. c4 g6 3. ♘c3 ♗g7 4. e4 d6 5. ♗e2 0−0 6. ♗g5 ♘a6 7. h4 [RR 7. f4 c6 8. ♘f3 ♘c7 9. d5 ♘h5 10. ♕d2!? N (10. f5?! − 50/610) f6! (10... h6 11. ♗h4 f5 12. e5 de5 13. fe5 g5 14. ♘g5 hg5 15. ♕g5 cd5 16. ♗h5 d4 17. ♗g6→) 11. ♗h4 ♗h6 12. g3 e5 13. dc6!? (13. de6?! ♘e6 14. ♘d4 ♘d4 15. ♕d4 ♔g7 16. f5 gf5 17. 0−0?! ♕b6∓ Čumačenko 2220 − Nadyrhanov 2480, Novorossijsk 1997; 17. ♖d1!?; 17. ♖f1!?) bc6 (13... ef4? 14. cb7 ♗b7 15. g4 ♘g7 16. 0-0-0±) 14. c5± Čumačenko] **c5** [RR 7... e5 8. d5 h6 9. ♗e3 ♘c5 10. ♕c2 c6 11. h5 cd5 12. cd5 *a)* 12... g5 13. f3 g4 N (13... a5 − 68/(505)) 14. b4 ♘a6

15. a3 ♗d7 16. ♗d3 ♖c8 17. ♘ge2 ♘h7 18. ♕d2± Jakovič 2610 − Čigvincev 2405, Rossija 1997; *b)* 12... ♗d7 13. hg6 (13. b4 ♘a6 14. a3 gh5!⇆) fg6 14. b4 ♘a6 15. a3 h5 16. f3 ♘c7 17. ♕d2 ♘h7 18. 0-0-0 (18. ♘h3 ♕h4!? 19. ♘f2 ♕e7 △ ♗f6-g5) ♗f6 (18... ♕e7 19. ♘h3; 18... ♕e8 19. ♔b2 ♘b5 20. ♘b5 ♗b5 21. ♗b5 ♕b5 22. ♘e2±) 19. ♘h3 ♗h3 (19... ♖c8 − 63/510; 19... ♕e8!? 20. ♔b2 a5) 20. ♖h3 ♗g5 21. ♗g5 N (21. ♖g3 ♗e3 22. ♕e3 ♔g7∞) ♕g5 22. ♖hh1 (22. ♖g3?! ♕f4 △ h4) ♕f6 (22... h4? 23. ♖h4 ♘f3 24. ♖h8!+−) 23. ♖df1! (23. ♕e3 ♕f4 24. ♔d2 h4⇆; 23. ♔b2 h4!? 24. ♕e1 h3 25. gh3 ♘f3∞) a5 (23... h4?! 24. ♕e1 ♕f4 25. ♔c2 h3 26. gh3 ♕e3 27. ♕d2±; 23... ♔g7?! 24. g3 ♖h8 25. f4 ♘f7 26. f5 ♕g5□ 27. fg6 ♔g6 28. ♖f5 ♕d2 29. ♔d2± Se. Ivanov 2530 − A. Kuz'min 2525, Balaguer 1997; 24... a5!?; 23... ♕f4 24. g3! ♕d2 25. ♔d2 △ f4↑) *b1)* 24. b5 ♖ac8 25. ♕e3 (25. ♔b2 ♘a8 26. ♘a4!?) ♕f4 26. ♔d2 (26. ♕f4 ef4 27. ♔d2 ♘f7∞) ♘a8 (26... ♘ce6!?; 26... ♕e3 27. ♔e3 ♘ce6!?) 27. ♕f4 ef4 28. ♖h4 ♘b6∞; *b2)* 24. ♔b2 ♕f4 25. ♕f4 ef4 (25... ♖f4 26. g3 △ f4) 26. ♖h4!±; *b43)* 24. g3 ab4 25. ab4 ♖a3 (25... ♖a1 26. ♔b2 ♖f1 27. ♖f1±) 26. ♔b2 ♖fa8 27. ♕e3± Se. Ivanov] **8. d5 ♘c7 9. h5 e6 10. ♕d2 b5 11. cb5 ed5 12. ed5 ♗b7 13. 0-0-0 N** [13. ♗f3!] ♕d7? [13... ♖e8! 14. ♗h6 ♗h8] **14. ♗h6 ♖fe8 15. ♗g7 ♔g7 16. ♘f3± ♕e7** [16... ♘h5 17. g4 ♕g4 18. ♖dg1 ♕f5 19. ♖g5 ♕f4 20. ♖hh5 ♕d2 21. ♔d2+−] **17. hg6 fg6 18. ♘g5! h6?** [18... h5 19. ♗f3±] **19. ♘e6 ♘e6 20. ♕h6 ♔f7 21. de6 ♕e6 22. ♕f4!+−** ♕f5 **23. ♗c4 d5 24. ♘d5 ♗d5 25. ♗d5 ♘d5 26. ♕f5 gf5 27. ♖d5**
1 : 0 *B. Alterman*

532.   E 73

SERPER 2540 − RAJLICH 2245

North Bay 1997

1. c4 ♘f6 2. ♘c3 g6 3. e4 d6 4. d4 ♗g7 5. ♗e2 0−0 6. ♗g5 ♘a6 7. f3 e5 8. d5 c6 9. g4 cd5 10. cd5 ♗d7 11. ♘h3 ♕a5 12. ♕d2 ♖fc8 13. ♘f2 ♖ab8!? N [△ b5-b4↑≪; 13... ♘c5 − 54/576] **14. ♘b5! ♘b4** [14...

♕d2?! 15. ♔d2 ♗b5 16. ♗b5±] **15. ♘a3!** [×♕a5, ♘b4] ♖c2!? **16. ♘c2** ♘c2 **17. ♔d1 ♕d2 18. ♔d2** ♘a1 **19. ♖a1±** ♖c8 **20. ♗e3!** [×≪] a6 **21. a4** ♘e8 [△ f5] **22. ♗d3!** ♗f6 [△ ♗d8-a5] **23. g5!** ♗d8 **24. ♗f1!** ♗a5 **25. ♔d3** ♗b4 [25... f5 26. gf6 ♘f6 27. ♗h3 ♗h3 28. ♘h3± △ ♘g5-e6] **26. ♗h3** [26. ♘g4!? ♔g7] ♗h3 **27. ♘h3** ♗c5? [27... ♔f8 28. f4±] **28. ♖c1** ♖c7□ **29. ♗c5 dc5 30. f4!** ef4 **31. e5!+−** b5 [31... ♖e7 32. ♔e4 ♘d6 33. ♔f4] **32. d6** ♖c8 **33. ab5 ab5 34. ♘f4 ♔f8 35. ♘d5 ♘g7 36. ♘c7!** ♘e6 **37. ♘e6 fe6 38. ♖a1!** ♔e8 **39. ♖a7** c4 **40. ♔d4 ♖c6 41. ♖c7 ♖a6** [41... ♖c7 42. dc7 ♔d7 43. ♔c5] **42. ♖e7 ♔d8 43. ♖e6 ♖a2 44. ♖f6 ♖b2 45. e6 ♖d2 46. ♔c5 ♔e8 47. e7 ♔d7 48. ♖f8**
1 : 0 *Serper*

27... g1♕!!−+ **28. ♕g1** ♖f3! **29. ♔f3** ♖f8 **30. ♔g3 ♕e2 31. ♘c3** [31. ♕g2 ♕e3] ♖f3 [32. ♔h4 ♖f4 33. ♔h3 ♕f3 34. ♕g3 ♖h4! 35. ♔h4 ♕h5#]
0 : 1 *Nadyrhanov*

533.* E 73

JAKOVIČ 2575 − NADYRHANOV 2480

Smolensk 1997

1. d4 ♘f6 2. c4 g6 3. ♘c3 ♗g7 4. e4 d6 5. ♗e2 0−0 6. ♗g5 ♘a6 7. ♕d2 e5 8. d5 ♕e8 [RR 8... c6 9. f3 cd5 10. cd5 ♗d7 11. ♗b5 ♗b5 12. ♘b5 ♕b6 13. ♘c3 ♘c5 14. ♖b1 N (14. ♖d1 − 64/(523)) ♘h5 15. ♗e3 ♘f4 16. g3 ♘fd3 17. ♔f1 ♕b4 18. ♔g2 ♖ac8 19. ♘h3∞ Yusupov 2640 − Gel'fand 2695, Dortmund 1997] **9. f3 ♘h5 10. ♗d1 f5 11. ♘ge2 ♗d7!?** N [11... fe4 − 54/(576)] **12. a3 ♗f6! 13. ♗e3 f4 14. ♗f2 ♕e7 15. ♗c2 ♗h4 16. g3 ♗g5!** [16... fg3 17. hg3 ♗g5 18. ♗e3 ♗e3 19. ♕e3 ♕f6 20. ♖f1±] **17. g4** [17. ♕d3 fg3 18. hg3 ♘c5∓] ♘g3! **18. hg3?!** [18. ♖g1 ♘e2 19. ♕e2 ♗h4 20. ♗h4 ♕h4 21. ♕f2 ♕e7=] **fg3 19. ♗e3 g2 20. ♖h3** [20. ♖g1 ♗h4 21. ♔d1 ♖f3 22. ♗d3 ♗g4 23. ♖g2 ♖f1 24. ♔c2 ♖a1 25. ♖g4 ♗e1 26. ♗g5 ♕d7−+] ♗h4 **21. ♗f2** [21. ♔d1 ♗g4−+] ♗f2 **22. ♔f2 ♗g4 23. ♕h6!** [23. ♖g3 ♗f3 24. ♖f3 ♕h4 25. ♘g3 ♕h2!−+] ♗h3 **24. ♕h3 ♕g5!∓ 25. ♕g3** [25. ♕g2 ♖f3 26. ♕f3 ♖f8 27. ♕f8 ♔f8 28. b4 ♘b8∓; 25. ♔g1 ♕d2! 26. ♖c1 ♖f7 △ ♖af8∓] ♕d2 **26. ♖c1 ♖f7!∓ 27. ♘b1?** [27. ♕g2 ♖af8 28. b4 ♖f3 29. ♕f3 ♖f3 30. ♔f3 ♘b8∓]

534.* E 81

ARBAKOV 2490 − HAIT 2370

Moskva 1997

1. c4 g6 2. d4 ♘f6 3. ♘c3 ♗g7 4. e4 d6 5. f3 0−0 6. ♗g5 ♘a6 7. ♘ge2 [RR 7. ♕d2 c5 8. ♘ge2 ♘c6 9. d5 ♘e5 10. ♘g3 b5 11. cb5 ♕b6 N (11... ♕a5 − 67/(653)) 12. a4 ab5 13. ♗b5 ♗a6 14. 0−0 ♕a5 15. ♗a6 ♖a6 16. ♘b5 ♕d2 17. ♗d2 ♘c4 18. ♗c3 ♘d7 19. ♗g7 ♔g7 20. ♖fb1 ♘d2 21. ♖d1 ♘b3 22. ♖a3 c4 23. ♘f1 ♘dc5 1/2 : 1/2 I. Novikov 2590 − Topalov 2745, Antwerpen 1997] ♘bd7 **8. ♘g3 c5 9. d5 b5 10. cb5 ♕a5 11. a4 ♕b4** N [11... ab5] **12. ♗d2 c4 13. ♕c1 ♕c5 14. ♗e2 ab5 15. ♗e3 ♕b4 16. ab5 ♗b7 17. 0−0 ♖a1 18. ♕a1 ♖a8 19. ♕b1 e6 20. de6 fe6 21. ♖d1 d5∞ 22. ♕c2 ♘c5 23. ♔h1 ♘b3 24. e5 ♘d7 25. f4 ♗h6 26. ♗g4 ♕e7 27. ♕e2 ♗g7** [27... ♘dc5!? 28. f5 ♗e3 29. f6 ♕c7 30. ♕e3 d4 31. ♖d4 ♘d4 32. ♕d4 ♖a1 33. ♘d1 ♗d5∞] **28. ♗h3 ♘dc5 29. ♕g4 ♗c8 30. ♘ge2 ♘d3 31. ♖b1 ♘d2 32. ♖d1 ♘b3 33. ♖b1 ♘d2 34. ♖g1 ♘b3 35. b6 ♕b4** [35... ♘b2!? 36. ♘b5 ♘d3 37. ♘d6 ♗d7 38. b7 ♖b8 39. ♗a7 ♘bc5 40. ♖f1 ♖b7 41. ♗c5 ♘c5 42. ♘b7 ♘b7 43. ♖a1 ♘c5 44. ♖a8 ♗f8 45. ♘d4 ♘d3 46. ♕f3 ♕b4 47. g3 ♕b6 48. ♕e3 ♕b1 49. ♔g2

♘e1 50. ♔f2 ♘d3 51. ♔g2=] **36. ♕h4 ♗f8 37. ♕f6 ♗bc5 38. ♘d5!?** [38. ♘d4 ♕b6 39. ♘d5 ♘e4 *a)* 40. ♖f1? ♘df2 41. ♔g1 (41. ♗f2 ♘f2−+) ♘h3 42. gh3 ♕b7−+; *b)* 40. g3 ♘ef2 41. ♔g2 ed5 42. ♕b6 ♗h3 43. ♔f3 ♗g4=; 38. ♘c1 ♕b6 39. ♘d5 ♕c6 40. ♘e7 ♗e7 41. ♕e7 ♕d7 42. ♕d7 (42. ♗c5?? ♕e7−+) ♗d7 43. ♗g4 ♘c1 44. ♖c1 ♘d3 45. ♖d1 ♖b8 46. ♗e2 ♖b2 47. ♗d3 cd3 48. ♖d3 ♗c6=] **ed5 39. e6 ♘e6??** [39... ♘b3◻ 40. ♕f7 ♔h8 41. ♕f6=] **40. ♗e6 ♗e6 41. ♕e6 ♔h8 42. ♕d5+− ♖e8 43. ♗d4 ♗g7 44. ♕f7 ♖g8 45. h3! ♗d4 46. ♘d4 ♕b6 47. ♘e6! ♕b2 48. ♘g5 ♕g7 49. ♕c4 ♘f2 50. ♔h2 h6 51. ♘f7 ♔h7 52. ♘e5 ♕a7 53. ♖e1 ♖g7 54. ♕c2 ♕d4 55. g3** 1 : 0 *Hait*

535.**   E 81

ISTRĂŢESCU 2545 −
A. ARDELEANU 2420
Eforie-Nord 1997

1. d4 ♘f6 2. c4 g6 3. ♘c3 ♗g7 4. e4 d6 5. f3 0−0 6. ♗e3 a6 [RR 6... ♘bd7 7. ♘h3 c6 8. ♕d2 e5 9. d5 cd5 10. cd5 a6 11. ♘f2 ♘h5 12. ♘d3 f5 13. 0-0-0 fe4 N (13... ♘df6; 13... ♘b6) *a)* 14. fe4 ♘df6 15. ♗e2 ♗g4!? (15... ♘g4∓) 16. ♔b1 (16. ♘f2 ♗e2 17. ♘e2 ♘g4!) ♗e2! (16... ♖c8 17. ♘f2! ♗e2 18. ♘e2= I. Ibragimov 2585 − Mittelman 2415, Biel (open) 1997) 17. ♕e2 ♕d7 18. ♘f2 ♖ac8∓; *b)* 14. ♘e4 ♘df6 15. ♘df2 ♘e4 16. ♘e4 ♘f6 △ 17. ♘g5? ♗f5 18. ♗d3 ♕c8! Mittelman] **7. ♕d2 ♘bd7** [RR 7... c6 8. a4 a5 9. ♖d1 ♘a6 10. ♗d3 e5 11. d5 ♘b4 12. ♗b1 cd5 13. cd5 ♘d7 N (13... ♘h5) 14. ♘ge2 b6 15. ♘b5 ♘c5 16. ♘ec3 ♗a6∞ Rogozenko 2490 − Istrăţescu 2550, Cairo 1997] **8. ♘h3 c5 9. ♘f2 cd4 10. ♗d4 ♕a5 11. ♗e2 ♘e5 12. ♖c1 N** [12. 0−0 − 61/(635)] **♗e6 13. b3 ♖fc8 14. ♗e3!** [Atalik] **♘c6** [14... b5? 15. ♘d5 ♕d2 16. ♔d2 ♗d5 (16... ♘d5?? 17. cd5 ♗d7 18. f4+−) 17. cd5±] **15. ♘d3!?± b5 16. ♘f4 ♘e5◻** [16... bc4? 17. ♘e6 fe6 18. ♗c4±] **17. ♘cd5 ♕d2 18. ♔d2 ♘d5 19. ♘d5 ♗d5 20. cd5 ♘d7! 21. ♖c6!** [21. ♖c8 ♖c8 22. ♖c1 ♖c1 23. ♔c1 ♘c5 24. ♔c2 (24. b4 ♘a4⇆) b4!=] **b4◻** [21... ♖c6? 22. dc6

♘f8 23. ♖c1 ♘e6 24. a4 b4 25. ♖c4! ♗c3 26. ♔c2+−; 21... ♗b2?! 22. a4! ba4 23. ba4 a5 24. ♖b1 ♗a3 25. ♖b7 ♘e5 26. ♖c8 ♖c8 27. ♖e7 ♗b4 28. ♔d1+−] **22. ♖hc1 ♗c3 23. ♔d1 ♘c5 24. ♗c5! dc5** [24... ♖c6? 25. ♗b4+−] **25. ♖c8 ♖c8** [♖ 9/j] **26. a4! a5 27. ♗c4± g5⊕ 28. ♔e2 ♔g7 29. g3 ♖d8 30. f4 f6 31. ♔f3 ♗d4 32. h4 h5◻** [32... h6? 33. ♔g4+−] **33. hg5?** [33. ♖e1! ♖f8 34. ♖e2 ♔g6 (34... g4 35. ♔g2+−) 35. ♗b5 ♔g7 36. ♗d7 ♔g6 37. ♗f5 ♔h6 38. ♖h2 g4 39. ♔e2+−] **fg5 34. ♖h1 ♖h8 35. e5 h4!= 36. gh4 ♖h4 37. ♖h4 gh4 38. ♗f1 ♔f7 39. ♗h3 ♗g1 40. ♔e4 ♗h2 41. ♗e6 ♔e8 42. d6 ed6 43. ed6 ♗g1 44. ♗h3 c4!?** [44... ♗h2=] **45. bc4 b3 46. ♔d3 b2 47. ♔c2 ♗h2??** [47... ♗d4=] **48. c5!** 1 : 0 *Istrăţescu*

536.   E 81

VYŽMANAVIN 2585
− BOLOGAN 2575
Sevastopol' 1997

1. d4 ♘f6 2. c4 g6 3. ♘c3 ♗g7 4. e4 d6 5. f3 0−0 6. ♗e3 a6 7. ♕d2 ♘bd7 8. ♘h3 c5 9. ♘f2 cd4 10. ♗d4 ♘e5 11. ♗e2 ♕a5 12. f4!? N ♘c6 13. ♗e3 ♖b8 14. ♖c1 [14. 0−0 b5 15. cb5 ab5 16. b4!? ♘b4 17. ♘b5 ♘c6∞] **b5** [14... ♗d7 15. 0−0 ♖fc8±] **15. b3!?** [15. cb5 ab5 16. ♘d5 (16. ♘b5 ♖b5 17. ♖c6 ♕d2 18. ♗d2 ♖b2) ♕d2 17. ♗d2 ♘d5 18. ♖c6 ♘f6 19. 0−0=] **bc4 16. ♗c4 ♗e6! 17. ♗e2** [17. ♗e6 fe6 18. 0−0 ♖fc8=] **♖fd8 18. ♗f3** [18. 0−0 d5 19. ed5 (19. e5 d4 20. ef6 de3 21. ♕e3 ♗f6∓) ♘d5 20. ♘d5 ♕d2 21. ♗d2 ♗d5 22. ♗a6? ♖a8 23. ♗b7 ♖a2 24. ♗c3 (24. ♗c6 ♗c6 25. ♖c6 ♖dd2 26. ♖c8 ♗f8−+) ♘d4−+] **d5!** [18... ♘b4!? 19. ♘a4 (19. 0−0?! d5 20. e5 ♘e4 21. ♗e4 de4 22. ♕b2 ♘d3 23. ♘d3 ed3∓) ♗d7 20. a3 ♘c6 21. ♘b6 ♕d2 22. ♔d2 ♘a5 23. ♖b1∞] **19. e5** [19. ed5 ♘b4∓; 19. ♘d5 *a)* 19... ♘d5 20. ♕a5 (20. ♖c6 ♗c3) ♘a5 21. ed5 ♗d5 22. ♗d5 ♖d5 23. ♔e2 ♘b7 24. ♖c6! ♖d6 25. ♖hc1±; *b)* 19... ♘b4! 20. ♖c5 (20. 0−0 ♗d5 21. ed5 ♘fd5∓) ♕a3 (20... ♕a2 21. ♕a2 ♘a2 22. ♘e7 ♔f8 23. ♘c6) 21. 0−0 ♗d5 22. ed5 ♕a2 23. ♕a2 ♘a2∓] **d4!**

20. ♗c6 ♕b6! [20... de3 21. ♕e3 ♘d5 22. ♗d5 ♗d5 23. 0–0 ♗a8⩲] **21. ♗d4** [21. ♘cd1 de3 22. ♕e3 ♖dc8–+] **♗d4 22. ♘a4□** [22. ♕e3 ♖e4] **♕a7 23. ♕e2 ♘d5⩲ 24. g3 ♘b4 25. ♘c5?** [25. 0–0 ♘c6 26. ♖c6 a5!⩲] **♗f5 26. ♗e4 ♖c8–+ 27. ♗f5** [27. ♘cd3 ♘d3] **gf5 28. 0–0** [28. ♘cd3 ♘d3 29. ♘d3 ♖c1 30. ♘c1 ♖e4] **♖c5 29. a3 ♘d3 30. ♕e3   0 : 1**   *Bologan*

537.   **E 81**

V. PIZA 2310 –
ISTRĂŢESCU 2550

Pardubice 1997

1. d4 ♘f6 2. c4 g6 3. ♘c3 ♗g7 4. e4 0–0 5. ♗e3 d6 6. f3 a6 7. ♗d3 ♘bd7 8. ♘ge2 c6 9. 0–0 b5 10. cb5 ab5 11. b4 ♘b6 12. a4 ba4 13. ♘a4 ♗d7!= [13... ♗a6 — 60/552] **14. ♘b6 ♕b6 15. ♕d2 ♖a1!** [15... ♖fb8? 16. ♖a5!±] **16. ♖a1 ♖b8 N** [16... ♕b7] **17. ♖b1** [17. d5? ♗h6! 18. ♗b6 (18. f4 ♕b4 19. ♕b4 ♖b4 20. ♖a8 ♔g7–+) ♗d2 19. dc6 ♗c6∓] **♗e8!? 18. d5?!** [18. ♕a2 ♘c7 19. ♕a5=] **♗h6!∓ 19. f4** [19. ♗b6 ♗d2 20. dc6 ♗c6 21. ♗a5 d5! 22. ed5 ♗d5 23. ♔f2 ♘d6 24. ♖b2 ♗h6 25. ♗c7 ♖b7 26. ♗d6 ed6∓] **♕b7 20. ♘c3 ♗g7! 21. ♗c4□** [21. dc6? ♗c6 22. b5 ♗c3 23. ♕c3 ♗e4–+] **♗c3! 22. ♕c3 ♘f6 23. dc6** [23. ♕d3? ♘e4!–+; 23. e5 de5 24. ♕e5 ♘g4 25. ♕e7 cd5!–+] **♕c6 24. ♕b3 ♕e4 25. ♗f7 ♔g7 26. ♗c4□ ♗c6 27. ♗f1 ♖b4!–+ 28. ♕b4 ♕e3 29. ♔h1 ♘g4 30. ♖b2 ♘f2** [30... ♕h3?? 31. ♕d4 e5 32. ♕g1∞] **31. ♖f2 ♕f2 32. ♕c4 ♗e4! 33. ♕c1 h5 34. h3 h4 35. ♔h2 ♔f6 0 : 1**   *Istrăţescu*

538. ** **!N**   **E 86**

NENASHEV 2585 –
KOTRONIAS 2585

Kavala 1997

1. d4 ♘f6 2. c4 g6 3. ♘c3 ♗g7 4. e4 d6 5. f3 0–0 6. ♗e3 e5 7. ♘ge2 c6 8. ♕d2 [RR 8. ♕b3 ♘bd7 9. 0-0-0 ♕a5 10. ♔b1 ♖e8 (10... a6 — 56/(675)) 11. d5 ♘c5! N (11... cd5) 12. ♕c2 cd5 13. ♘d5 ♘d5 14.

♖d5 ♗e6 15. ♖d6 ♗f8 (15... ♘a4? 16. ♗d2 ♕c5 17. ♖e6 ♖e6 18. ♕a4 ♖d8 19. ♗c1 ♕f2 20. ♘c3 ♕e1 21. g3 ♕f2 22. ♕c2 ♕f3 23. ♗g2+– Kragelj 2250 – Sutovskij 2560, Portorož (open) 1997) 16. ♖d1 b5?! 17. ♘c3 ♗c4 18. ♗c5 ♗c5 19. ♗c4 bc4 20. ♖d5±; 16... ♘a4!⩲ Kragelj] **♘bd7 9. 0-0-0 a6 10. ♔b1 b5 11. c5 ♕e7!** [11... b4 — 66/508] **12. de5** [12. cd6!? ♕d6 *a)* 13. f4?! b4 14. fe5□ (14. de5?! ♕d2 15. ♗d2 ♘g4∓) bc3 15. ♘c3 ♘e5 16. de5 ♕d2 17. ♖d2 ♘g4⇆; *b)* 13. ♕c2 ♕e7 14. de5 ♘e5 15. ♘c1 ♗e6⇆; *c)* 13. de5!? ♕d2 14. ♖d2 ♘e5 15. ♘c1] **de5 13. ♕d6 ♕d6 14. ♖d6 ♘e8! N** [14... ♗b7] **15. ♖d2** [15. ♖c6?! ♗b7 16. ♘d5 ♗c6 17. ♘e7 ♔h8 18. ♘c6 ♖c8 19. ♘e7 ♖c5! 20. ♗c5 ♘c5 21. ♘c3 (21. h4?! ♘c7 22. h5 ♖e8) ♘c7 22. ♗e2 ♘7e6 23. ♗d1 ♗d4∓; 15. ♖d1!?] **♘c7** [RR 15... a5 16. ♘c1 f5 17. ♗e2 ♘df6 18. ♘d3 ♗h5 19. ♖e1 ♘c7 20. ♗d1 b4 21. ♘a4 fe4 22. fe4 ♗e6 23. ♗b3 ♖ae8 24. ♘b6 ♘f6 25. ♗g1 ♖d8 26. ♖dd1 ♗b3 27. ab3 ♗e6 28. ♘c4 ♖a8 29. ♘de5 ♘g5 30. ♘c6 ♘ge4 31. ♘6a5+– Nenashev 2585 – Chiong 2390, Calcutta 1997] **16. ♘c1** [16. b4 a5 17. a3 ♘b8!? 18. ♘c1 ♗e6 19. ♔b2 ab4 20. ab4 ♘ba6 21. ♘1a2 ♖a7! 22. ♗e2 ♖fa8 23. ♖hd1 ♗f6!↑] **♘e6 17. ♘b3** [17. b4 a5 18. a3 ♖d8! 19. ♗d3 (19. ♗e2 ♘d4 20. ♖hd1 ♘f8 21. ♗f1 ♘fe6↑; 19. ♘b3 ab4 20. ab4 ♘d4 21. ♘a5 ♖a5! 22. ba5 ♘c5↑) ♘df8 20. ♘b3?! ab4 21. ab4 ♘d4!] **a5! 18. ♖d6** [18. a4 ♘d4! 19. ♘d4 ed4 20. ♗d4 ♗d4 21. ♖d4 b4 22. ♘a2 ♘c5 23. ♖c4 ♘a4 24. ♖c6 ♖b8!∓] **a4** [18... ♘b8!? Nenashev] **19. ♘c1 ♘d4 20. ♘d3 ♖e8 21. ♘e2!□ ♗f8 22. ♘d4 ed4** [22... ♗d6 23. ♘c6±] **23. ♖d4** [23. ♗d4 ♗d6 24. cd6 f5!?] **♘c5 24. ♘c5 ♗c5 25. ♖d3=   1/2 : 1/2**   *Kotronias*

539. *   **E 90**

IVKOV 2445 – VOJINOVIĆ 2415

Jugoslavija 1997

1. ♘f3 [RR 1. d4 ♘f6 2. c4 g6 3. ♘c3 ♗g7 4. e4 0–0 5. ♘f3 c6 6. h3 d6 7. ♗d3 e5 8. d5 ♘a6 (8... a5!? 9. a3) 9. ♗g5 ♘c5 10. ♗c2 a5 11. b3 N (11. a3; 11. 0–0; 11.

♕d2) cd5 (11... h6?! 12. ♗f6! ♕f6 13. a3± Daly 2310 − P. Cramling 2545, Pula 1997) 12. ♘d5! ♗e6 13. 0−0 ♗d5 14. ♗f6! ♕f6 15. ♕d5 ♕e7 16. ♖fd1 ♖fd8 17. a3 ♘e6 18. b4 ♘f4 19. ♕d2± Daly]
♘f6 2. c4 g6 3. ♘c3 ♗g7 4. e4 d6 5. d4 0−0 6. h3 c5 7. d5 a6 8. a4 e6 9. ♗d3 b6 10. 0−0 N [10. ♗g5 − 65/558] ♖a7 11. ♗e3 ♖e8 12. ♕d2 ed5 13. ed5 ♖ae7 [13... ♕e7!? △ ♕f8] 14. ♗g5 [14. ♖ab1 (△ b4) ♖e3! 15. fe3 ♗h6⯑] ♘bd7 15. ♕f4 [15. ♖ab1!? △ b4±] ♘e5!∞ 16. ♗f6 [16. ♘e5 ♖e5 17. ♘e4 (17. ♕h4 h6! 18. ♗f6 ♗f6∓) ♗f5 18. ♘f6 ♗f6 19. ♗f6 ♕f6 20. g4 ♕h4!∓ ♗f6 17. ♕f6 ♘d3 18. ♘g5!? [18. b3 ♖d7 19. ♕d8 ♖dd8=] ♘b2! [18... h6? 19. ♘f7! ♖f7 20. ♕g6 ♖g7 21. ♕d3+−] 19. ♘ce4 ♘c4 20. ♖ac1 [20. ♕f4 ♘e5 21. ♘f6 ♔g7 22. ♘gh7 (22. ♘e8 ♖e8∓; 22. ♘fh7 ♖b7!∓) ♖h8 23. ♘g5 (23. ♕h4 ♘d7! 24. ♘d7 ♖d7 25. ♕d8 ♖hd8−+) ♗f5∓ b5 21. ab5 ab5 22. ♖c4!⊕ bc4 23. ♘d6 ♖f8!!∓ 24. ♘ge4!□ [24. ♘c8 ♖e1!! 25. ♕d8 ♖f1 26. ♔f1 ♖d8 27. ♘b6 c3 28. ♔e2 c2 29. ♔d2 ♖d6 30. ♘c4 ♖d5−+] ♖d7 25. ♘c8 ♕c8 26. ♕e5 f5 27. ♘f6 ♖f6 28. ♕f6 ♖d5 29. ♖a1 ♕d8 30. ♕e6 ♔h8 31. ♖a7?? [31. g3 ♖d1 32. ♖d1 ♕d1∓] ♖d1 32. ♔h2 ♕b8 33. g3 ♕a7 34. ♕e8 ♔g7 35. ♕e5 ♔f7 36. ♕h8 ♔e6   0 : 1
Vojinović

540.* !N   E 91

ZVJAGINCEV 2635 − KOŽUL 2605

Portorož 1997

1. ♘f3 ♘f6 2. c4 g6 3. ♘c3 ♗g7 4. e4 d6 5. d4 0−0 6. ♗e2 ♘a6 [RR 6... ♗g4 7. ♗e3 ♘fd7 8. ♕b3 ♗f3 9. ♗f3 ♘c6 10. ♖d1 e5 11. de5 de5 12. ♘e2 ♕e7 13. 0−0 ♖fb8!? N (13... ♘c5 − 69/517) 14. g3! ♘f8 15. ♗g2 ♘e6 16. f4 ♘ed4 17. ♘d4 ♘d4 18. ♗d4 ed4 19. e5 ♕c5 20. ♕d3 ♖d8 21. ♖de1 c6 22. h4! ♖e8 23. h5 ♖ad8 24. ♗e4 a5 25. ♖e2 ♖e7 26. g4 a4 27. a3 ♖a8 28. ♖h2!? (G. Grigore 2485 − A. Ardeleanu 2400, România (ch) 1997) ♖ae8 29. hg6 hg6 30. g5! (30. ♗g6 fg6 31. ♕g6 ♕c4 32. f5 ♕d3! 33. ♕h7 ♘f8 34. f6 ♕h7 35. ♖h7 ♗f6=) ♖d8 (30... ♗e5 31.

fe5 ♖e5 32. ♖h4! ♖g5 33. ♗g2±) 31. ♖d1± Nisipeanu, V. Stoica] 7. ♗f4!? ♗g4! N [7... ♕e8 8. e5 ♘h5 9. ♗e3± ×a6; 7... ♘h5 8. ♗g5 h6 9. ♗e3 e5 10. g3! (10. ♕d2? ♘f4 11. ♗f4 ef4 12. ♕f4 g5↑) ♘f6 11. d5±] 8. h3!? [8. 0−0 ♘h5 9. ♗g5 h6 10. ♗e3 e5 11. h3 ♗f3 12. ♗f3 ed4 13. ♗d4 ♗d4 14. ♕d4±] ♗f3 9. ♗f3 ♘d7?! [9... e5! 10. de5 (10. ♗e3 ed4 11. ♗d4 ♘b4 12. 0−0 ♘c6 13. ♗e3 ♘d7∞) de5 11. ♗e5 ♖e8 12. ♗f6 (12. ♗h2? ♘e4 13. ♘e4 f5) ♕f6⯑] 10. ♗g5! c5 [10... h6 11. ♗e3 e5?! 12. d5 f5 13. ♕b1!±] 11. d5 ♕b6 12. ♕d2 [△ 12. ♕c2 △ 12... ♘e5 13. ♗e2 ♘b4 14. ♕d2 ♘bd3 15. ♗d3 ♕b2 16. ♔e2!! ♘d3 17. ♔d3] ♖fe8 13. 0−0 ♘c7 14. ♖ab1 [△ 14. ♕c2] ♕a5 [14... ♘e5!? 15. ♗e2 ♕b4 16. a3 ♕b3 17. ♕d1 ♕d1 18. ♖fd1±] 15. ♗e2 a6 16. a4! [△ ♕c2, ♗d2] e6 [16... ♘b6? 17. ♕c2 ♗c3? 18. ♕c3 ♕c3 19. bc3 ♘a4 20. ♖b7 ♘c3 21. ♗d3+−] 17. ♕c2 ed5 18. ed5! [18. ♗d2? dc4!∞] ♕b6 19. ♘e4 ♗f8? [19... f5!? 20. a5 ♕a5 21. ♘d6 ♖e5 22. b4 (22. ♗f4?! ♕b6∞) cb4 23. ♘b7 ♕b6 24. c5 ♕b7 25. c6 ♕c8 26. cd7 ♕d7 27. ♗f4 ♖e2 28. ♕e2 ♘d5 29. ♕f3 ♖e8 30. ♖fd1 ♖e4 31. ♕b3±; 19... a5! 20. g4 ♘a6 21. ♘g3±] 20. ♗f4 [20. b4 cb4 21. ♗e3 ♕a5 22. ♗d2 ♖e4 23. ♕e4 ♖e8±] a5 21. ♖fe1 f5 22. ♘g5 ♘e5

23. g4!→ fg4 24. ♗g4 ♗g7 25. ♖e4! ♘g4 26. hg4 ♖e4 27. ♘e4 ♘e8 28. ♕e2 h6? [28... ♕d8□] 29. g5! [29. ♘d6?! ♘d6 30. ♕e6 ♔h7 31. ♕d6 ♕b3±] h5 30. ♘f6+− ♘f6 31. ♕e6 ♔h8 32. gf6 ♗f8 33. ♕f7 ♕b3 34. ♕g6 ♕f3 35. ♗d6 ♕g4 36. ♕g4 hg4 37. ♗e7   1 : 0   *Zvjagincev*

VESCOVI 2490 – LEITÃO 2495

Brasil (ch-play off) 1997

1. d4 ♘f6 2. c4 g6 3. ♘c3 ♗g7 4. e4 d6 5. ♗e2 0–0 6. ♘f3 e5 7. d5 [RR 7. de5 de5 8. ♕d8 ♖d8 9. ♗g5 c6 10. ♘e5 ♖e8 11. 0-0-0 ♘a6 12. f4 h6 13. ♗h4 ♘c5 14. ♗f3 g5 15. ♗f2 ♘e6 16. ♘f7 ♔f7 17. e5 ♘f4 18. ef6 ♗f6 19. ♘e4 ♗e5! N (19... ♗f5 – 69/518) *a)* 20. g3?! g4! 21. gf4 (21. ♘d6? ♗d6 22. ♖d6 ♗h3! 23. ♗g2 ♘f2 24. ♖f1 ♔e7–+ Ferragut – Camacho Peñate, Cuba 1997) ♗f4 △ gf3∓; *b)* 20. ♘d6 ♗d6 21. ♖d6 g4 (21... ♗f5!?) 22. ♖d4 ♘e2 23. ♗e2 ♖e2 24. ♖d2 1/2 : 1/2 Camacho Martínez 2300 – Cruz-Lima 2305, Cuba 1997; ⌒ 24. ♖f1± ╳♔f7 Camacho Martínez] **a5** [RR 7... ♘a6 8. ♗g5 h6 9. ♗h4 g5 10. ♗g3 ♘h5 11. h4 ♘g3 12. fg3 gh4 13. ♘h4 ♕g5 14. 0–0?! (14. g4 – 56/(685)) f5! (14... ♕g3? 15. ♘f5↑) 15. ♘f5 ♗f5 16. ef5 *a)* 16... ♖f5?! 17. ♖f5 ♕f5 18. ♗d3! (18. ♗g4) ♕g5 19. ♕e2 △ ♘e4±↑; *b)* 16... ♘c5! N 17. ♔h2 (17. g4?! e4! △ ♗e5, ♕h4→) ♖f5 18. ♖f5 ♕f5 19. b4 e4! 20. ♕c2 ♗e5!! 21. bc5□ (21. ♖f1? ♕g5–+ V. Umanskij) ♕g6 22. ♘e4 ♗a1 23. cd6 cd6 24. c5 ♗e5∓ Arakeljan 2415 – V. Umanskij 2375, Alušta 1997] **8. ♗g5 h6 9. ♗h4 ♘a6 10. ♘d2 ♕e8** [10... ♗d7!? 11. a3 ♕b8 12. 0–0 ♘h7 13. ♖b1 h5 14. f3 ♘c5 15. b3 N (15. b4 – 62/598) ♗h6 16. ♕c2 f5 17. b4 (17. ef5!?∞) ab4 18. ab4 ♘a4 19. ef5 ♗e3 20. ♗f2 ♗f2 21. ♖f2 ♘c3 22. ♕c3 ♗f5 23. ♗d3 ♕a7 24. c5?! ♘f6?! 25. ♗f5 gf5 26. ♕d3± dc5? 27. ♕f5 cb4 28. ♘e4!± Vescovi 2490 – A. Zapata 2505, Americana 1997; 24... ♕a3! △ 25. ♘b3 ♖a4→; 24. ♗f5 gf5 25. c5] **11. 0–0 ♗d7** [RR 11... ♘h7 12. a3 h5 13. f3 ♗d7 14. ♖b1 a4 15. ♘b5 ♗h6 16. ♗f2 b6!? N (16... ♕e7 – 29/622) 17. b4 ab3 18. ♘b3 ♗b5 19. cb5 ♘c5 20. ♘c5 dc5 21. a4 ♕e7 22. ♕c2 ♘f6 23. ♖a1! ♘d7 (23... ♘e8? 24. a5±) 24. ♗d3 ♖a7 25. ♖a2 ♖fa8 26. ♖fa1 (26. h4!?± △ ♖fa1, g3) h4! 27. ♔h1 ♔g7 *a)* 28. ♗e1!? ♗e3 (28... ♖a5) 29. a5 ♗d4 30. a6 ♗a1 31. ♖a1⫝̸ Vigorito; *b)* 28. ♕e2 ♖a5□ 29. ♗e1 ♗f4 30. ♗a5 ♖a5 31. ♗c4 ♘f6 32. d6! ♕d6 33. ♖d1 ♕e7 34. ♕d3

♖a8 35. ♖a3± Vigorito 2330 – Sherzer 2495, Philadelphia 1997] **12. ♔h1 ♘h7 13. a3 h5 14. f3 ♗h6 15. b3 ♕b8 16. ♖b1 N** [16. ♗f2 – 63/(534)] **♕a7?!** [16... ♗e3 17. b4 ab4 18. ab4±] **17. ♘b5! ♕e3** [17... ♕b6 18. b4! ab4 19. ab4 ♕e3 20. ♖b2 ♗b5 (20... ♘b4? 21. ♗f2 ♕f4 22. g3 ♕g5 23. h4+–) 21. cb5 ♘b4? 22. ♘c4 ♕c3 (22... ♕c5 23. ♗f2+–) 23. ♗e1+–; 17... ♕b8 18. b4±; 17... ♕c5 18. b4! ab4 19. ab4 ♘b4 20. ♗f2 ♗e3 21. ♘b3 (21. ♗e3? ♕e3 22. ♘b4 ♖a2!∓) *a)* 21... ♕b6 22. c5 ♗c5 (22... dc5 23. ♗e3 ♗b5 24. ♗c5+–) 23. ♘c5 dc5 (23... ♗b5 24. ♘d3!+–) 24. ♖b4+–; *b)* 21... ♗f2 22. ♘c5 ♗c5 23. ♘c7±; 17... ♗b5 18. cb5 ♘c5 19. b6! cb6 (19... ♕b6 20. ♗f2!+–) 20. ♘c4±] **18. ♖b2 f5?!** [18... ♕f4 19. ♕e1 ♗g5 20. ♗f2 h4] **19. b4!** [19. f4? fe4; 19. ef5 ♗f5⇆] **ab4 20. ab4 fe4** [20... ♘f6? 21. ♗f2 ♕f4 22. g3 ♕g5 23. h4+–; 20... ♘b4? 21. ♗f2 ♕f4 22. g3 ♕g5 23. h4 ♕e7 24. ♖b4+–; 20... ♗b5?! 21. cb5 ♘b4 22. ♘c4 ♕c5 23. ♗f2 ♕b5 24. ♘b6+–; 20... b6 21. f4 ♗b5 (21... fe4? 22. ♖b3) 22. cb5 *a)* 22... ♘b8 23. ♖b3 ♕d4 24. ♗f2+–; *b)* 22... ♘b4 *b1)* 23. ♖b4 ♖a2; *b2)* 23. ♗f2 ♕a3! (23... ♕f4 24. g3 ♕g5 25. ♘f3 ♕f6 26. ♖b4) 24. ♘c4 ♕a4 25. ♕a4 ♖a4 26. ♗d1 ♖a1!?∞; 26... ♘d3!?; *b3)* 23. ♖b3! ♕c5 24. ♗f2 ♕c2 25. ♖b4; *c)* 22... ♕d4 23. ♕b3±] **21. ♘e4 ♘g5 22. ♗g5! ♗g5 23. c5!± ♗b5** [23... dc5?! 24. ♖b3 ♕f4 25. bc5] **24. ♗b5 ♗e7 25. ♖b3** [25. ♖e1!?; 25. ♕c1!?] **♕f4 26. c6?!** [26. ♕d3! (╳♘a6) dc5 (26... ♘b8 27. cd6 cd6 28. ♘d6! ♗d6 29. ♕g6+–) 27. ♗a6 (27. bc5 ♘c5 28. ♘c5 ♗c5 29. ♕g6→) ba6 28. bc5±] **bc6 27. dc6 ♕f7! 28. ♘c3 ♖fb8 29. ♕d3! ♖b5□ 30. ♘b5 ♖b8 31. ♖a1** [31. ♖bb1 d5 32. ♘d6 ♗d6 33. ♕a6 ♖b4 34. ♖b4 ♗b4 35. ♕c8 ♔g7 36. ♖b1 ♗d6 37. ♖b8 ♕f4!⇆; 31. ♖fb1 d5 32. ♘d6 ♗d6 33. ♕a6 e4⇆] **♖b6 32. ♖bb1 d5 33. ♖a6 ♖a6 34. ♘c7 ♖c6 35. ♘d5 ♖d6 36. ♘e7?!** [36. ♖d1 ♔g7 37. ♕e4 ♕e6 38. h3 △ ♖d3, b5, ♘e3-c4] **♕e7 37. ♕c4?** [37. ♕b3 ♔g7 38. b5 ♖b6 39. ♕e3 (39. ♕d5!? ♕c7 40. ♖e1) ♕c7 40. h3] **♔h7 38. b5 ♕d8! 39. ♕e2?!** [39. h3 ♖d1 40. ♖d1 ♕d1 41. ♔h2] **♖d2 40. ♕f1** [40. ♕e1! ♕d3 41. h3! (41. b6?! ♕c2⇆ 42. ♕c1 ♕c1 43. ♖c1 ♖b2=)

♕c2 42. ♕c1 ♕a2 43. ♖a1 ♖c2 44. ♖a2 ♖c1 45. ♔h2 ♖b1 46. ♖a7 ♔h6 47. ♖b7+− ×e5] ♕b6 41. ♕g1 ♖d4 42. h3 ♔g7 43. ♔h2 ♕d6 44. ♔h1 [44. b6 e4 45. f4 ♕f4 46. ♔h1 e3 47. b7 ♖b4? 48. ♖b4 ♕b4 49. ♕a1 ♔h7 50. ♕a7+−; 47... ♖d8; 44. ♕f2 e4 45. ♕g3 ♕g3 46. ♔g3 e3=; 44. ♕e3 e4 45. f4 g5 46. b6 gf4 47. ♕c3 f3 48. ♔g1 ♔h7∞] ♕b6 45. f4? [45. ♕e1 ♖d5 46. ♕b4 ♖c5 (46... ♕f2 47. ♕e7 ♔h6 48. ♕f8 ♔g5 49. b6 ♖d2 50. f4!) 47. ♕b3] ef4 46. ♖b4 ♖d6 47. ♕b6 ♖b6 48. h4! g5 49. hg5 ♔g6 50. ♔g1 ♔g5 51. ♔f2 ♔g4 52. ♖b2 [52. g3 ♔g5 53. gf4 ♔g4=] ♔h4 53. ♔f3 ♔g5 [53... ♖b5?? 54. g3] 54. ♖b4 h4 55. ♖b1 ♔f5 56. ♖b4 [56. ♖b3 ♖g6 57. ♖b4 ♖g3 58. ♔f2 h3=; 56. ♖b2 a) 56... h3 57. gh3 ♖h6 58. ♔g2 f3 a1) 59. ♔h2 ♔e4 60. b6 f2 61. ♔g2 ♖h3 62. b7 ♖h1!! (62− ♖h2? 63. ♔h2 f1♕ 64. b8♕+−) 63. ♖b4 ♔e3 64. ♖b3 ♔e2 65. ♖b2 ♔e3=; a2) 59. ♔g3! ♔e4 60. ♖b3!! (60. b6 ♖g6 61. ♔h2 f2=; 60. ♖b4 ♔e3 61. ♖b3 ♔e2=) ♖g6 61. ♔f2+−; b) 56... ♔e5! 57. ♔g4 ♖g6 b1) 58. ♔h3 f3 59. b6 fg2 60. b7 ♖g8=; b2) 58. ♔h4 ♔f5 59. ♔h5 ♖g8 60. ♔h6 ♔f6 61. ♔h7 ♖g7 62. ♔h8 ♖g5 63. ♖b4 (63. b6?? ♔f7−+) ♖g2 64. b6 ♖d2 65. b7 ♖d8=; b3) 58. ♔h5 ♖b6 59. ♔g5 (59. ♔h4 ♔f5; 59. ♔g4 ♖g6) h3 60. gh3 f3=] ♔g5 57. ♖b3 ♔f5 58. ♖b1 h3?? [58... ♔e5! 59. ♖b4 h3 60. gh3 ♖h6 61. ♔g2 f3 62. ♔g3 f2 63. ♖b1 ♔d5! 64. ♔g2 ♔c5 65. ♖b3 (65. b6 f1♕! 66. ♔f1 ♖h3=) ♖f6 66. ♔f1 ♔b6=] 59. gh3 ♖h6 60. ♔g2 ♖b6 [60... f3 61. ♔g3 f2 62. ♔g2 ♔e5 63. b6 f1♕ 64. ♔f1 ♖h3 65. ♖b5 ♔d6 66. b7+−] 61. ♖b4! ♔g5 62. ♔f2! ♔f5 63. ♔f3 ♔g5 64. h4   1 : 0   *Vescovi*

542.*√   E 94

GOFSHTEIN 2530 − RELANGE 2480

Paris 1997

1. d4 ♘f6 2. c4 g6 3. ♘c3 ♗g7 4. ♘f3 0−0 5. e4 d6 6. ♗e2 e5 7. ♗e3 c6 8. 0−0 ed4 9. ♗d4 ♖e8 10. ♕c2 ♕e7 11. ♖fe1 ♘bd7 12. h3 N [12. ♖ad1 c5 (12... ♘e5 − 30/732) 13. ♗e3 (13. ♘d5 ♘d5 14. ♗g7

♔b4) ♘e4 14. ♘e4 ♕e4 15. ♕e4 ♖e4 16. ♖d6 ♗b2 17. ♖ed1∞] c5!? [12... a6?! 13. ♖ad1 b5 14. b4± Ju. Šul'man 2555 − Relange 2480, Paris 1997] 13. ♘d5 ♕d8 [13... ♘d5 14. ♗g7 ♔g7 15. cd5±] 14. ♗c3 ♘e4 15. ♗g7 ♔g7 16. ♗d3 ♘ef6 17. ♕c3 ♔g8 [17... ♖e1 18. ♖e1 ♘b6 19. ♘f4 d5 (19... ♘a4 20. ♕c2 ♗d7 21. ♘g5→) 20. cd5 ♘bd5 21. ♘d5 ♕d5 22. ♗c4±] 18. ♖e8 ♘e8 19. ♖e1 ♘df6? [19... ♘ef6□ 20. g4] 20. ♘e7 ♔g7 21. ♘g5! ♗d7 [21... h6 22. ♘f7 ♔f7 23. ♗g6 ♔g7 24. ♗c8 ♕e8 25. ♘d5+−] 22. h4! h6 23. ♘f7 ♔f7 24. ♗g6 ♔g7 25. ♗e8 ♗e8 [25... ♕e8 26. ♘d5+−] 26. ♖e6   1 : 0
Gofshtein, Il. Botvinnik

543.*   E 94

GEL'FAND 2695 − TOPALOV 2745

Dortmund 1997

1. d4 ♘f6 2. ♘f3 g6 3. c4 ♗g7 4. ♘c3 0−0 5. e4 d6 6. ♗e2 e5 7. ♗e3 c6 8. d5 ♘a6 9. 0−0 ♘g4 10. ♗g5 f6 11. ♗h4 c5 12. ♘e1 h5!? N [12... ♘h6 − 68/536] 13. a3 [13. h3 ♘h6 14. f3 g5 15. ♗f2 f5 16. ef5 ♘f5 17. ♘e4 ♗h6∞] ♕e7 [13... ♗d7 14. ♘d3 g5 15. ♗f3 f5; 14. ♖b1] 14. ♖b1 b6 [14... ♘h6!? 15. f3 g5 16. ♗f2 f5 17. b4 b6⇆ Huzman] 15. b4 ♗d7 16. ♘d3 [16. h3 ♘h6 17. f3 g5 18. ♗f2 f5 19. ef5 ♘f5⇆; RR 16. ♘c2 ♘h6 17. f3 ♘f7 18. a4 ♖fc8 19. ♘b5 ♘d8 20. ♗f2 ♗h6 21. a5 ba5 22. ba5 ♘f7 23. ♗h4 ♔g7 24. ♖b3 ♕d8 25. ♕e1 ♖cb8 26. ♕c3 ♖b7 27. ♖fb1 ♖ab8∞ Lautier 2660 − Svidler 2660, Tilburg 1997] g5 17. ♗g3 [17. h3 ♘h6 18. ♗g3 g4 19. hg4 hg4∞] f5 18. h3 ♘f6 19. bc5 [19. ♗h5 a) 19... fe4 20. ♘e1 e3 21. fe3 g4 22. ♗h4; b) 19... f4 20. ♗h2 cb4 21. ab4 (21. ♘b4 ♘h5 22. ♕h5 ♘c5∞) ♘h5 22. ♕h5 ♖ac8∞ Huzman; c) 19... ♘h5 20. ♕h5 f4 21. ♗h2 ♖ac8∞] ♘c5 [19... bc5 (×♘a6) 20. ♗h5 fe4 21. ♘e1; 19... f4!? a) 20. cd6 ♕d6 21. ♗h2 g4 22. hg4 (22. ♗f4 ef4 23. e5 ♕e7 24. d6∞) hg4 23. ♗f4 ef4 24. e5; 22... ♘g4!?⇆; b) 20. c6 ♗c8 21. ♗h2 (21. ♗h5 fg3 22. fg3 g4! 23. hg4 ♘h5 24. ♖f8 ♗f8 25. gh5 ♕g5) g4 22. ♔h1 ♗h6 23. a4±] 20. ♘c5 bc5 21. ♗h5 [21. ef5 h4 22. ♗h2 ♗f5 23.

327

♗d3 e4 24. ♖e1 g4 25. hg4 ♘g4 26. ♘e4 ♘h2 27. ♔h2 ♗e5⊡] ♔)h5 [21... g4 22. ♗h4] **22. ♕h5 ♗e8 23.** ♕f3 [23. ♕d1 f4 24. ♗h2 f3 25. g4 ♕f6 26. ♔h1 ♕h6 27. ♖g1 ♕h3 28. ♖g3 ♕h4 29. ♖b7 (29. ♖f3 ♗d7 30. ♖g3 ♖f6→) ♖f4] **f4** [23... g4 24. hg4 f4 25. ♗h2 ♗d7 26. ♖b7!] **24. ♗h2 ♗f6** [24... ♔h7 25. ♖b3 ♔h6 26. ♖fb1 ♗h5 27. ♕d3 g4 28. hg4 ♗g4 29. f3 ♗c8 30. ♔f1±] **25. g4?!** [25. ♕d3!? ♕g7 26. f3 ♗d8±] ♕h7 **26. ♘b5 ♖d8 27.** ♔g2 ♖d7 **28. ♕e2 ♗d8** [28... a6 29. ♘c3 ♕h4!?] **29. f3 ♗a5 30. ♖b3 ♖f6?** [30... a6 31. ♘c3 ♗c3 32. ♖c3 ♖b7⊡] **31. ♕b2!** [△ ♘d6] ♖b7 **32. ♖h1** [32. ♘d4 ♖b3 33. ♘b3 ♗b6 34. ♖h1±; 32. ♘d6! ♖b3 33. ♕e5± Huzman] **♖b6! 33. ♘c3** [33. ♗g1 ♕b7 34. ♗c5 dc5 35. ♕e5 ♗b5 36. ♕g5 ♕g7 37. ♕g7 ♔g7 38. ♖b5 ♖b5 39. cb5] **♗g6** [33... ♕b7 34. ♖b6 ♕b6 35. ♕c2 (35. ♕b6 ab6 36. ♘b5 ♗b5 37. cb5 c4⇆) ♗c3 36. ♕c3 ♖f7±] **34. ♖f1 ♕h4 35. ♖b6 ab6 36. ♘b5** [△ ♘d6] **♗f7 37. ♕f2 ♕h7 38. ♖h1** [38. h4!?] **♗e8 39. ♕b2** [39. h4 gh4 (39... ♗b5 40. hg5) 40. ♔h3 (40. ♗g1 ♖h6 41. ♔h3 ♗b5 42. cb5 ♗c3∞) ♗b5 41. cb5 c4 42. ♖c1 c3 43. ♕e2 ♕c7 44. ♗g1 ♖f8⇆; 39. a4! ♗b5 40. ab5±] **♗b5! 40. ♕b5 ♕h4= 41. ♕e8 ♔g7 42. ♕e7 ♔g6 43. ♕e8 ♔g7 1/2 : 1/2** *Gel'fand*

∨**544.*** E 94**

KRAMNIK 2740 − TOPALOV 2725
Novgorod 1997

1. ♘f3 ♘f6 2. c4 g6 3. ♘c3 ♗g7 4. e4 d6 5. d4 0−0 6. ♗e2 e5 7. 0−0 ♘a6 [RR 7... ♘h5 8. g3 ♗h3 9. ♖e1 ed4 10. ♘d4 ♘f6 11. ♗g5 N (11. ♗e3 − 69/525) a) 11... h6 12. ♗e3 ♖e8 13. ♕d2 ♔h7 14. f3 ♘bd7 15. ♖ad1 c6 16. ♘c2 ♗f8 17. ♗f2 a5 18. ♘e3± I. Sokolov 2615 − Van den Doel 2430, Nederland (ch) 1997; b) 11... ♘c6 12. ♘c6 bc6 13. ♕d2 ♖e8 14. ♕f4± Kožul 2605 − G. Mohr 2495, Portorož 1997] **8. ♗e3 ♘g4 9. ♗g5 f6 10. ♗c1** [RR 10. ♗h4 ♘h6 11. d5 a) 11... g5 12. ♗g3 f5 13. ef5 ♗f5 (13... ♘f5 14. ♘d2±) 14. h4!?; 14. ♘d2±; b) 11... ♘f7 12. ♘d2 c5 N (12... c6 − 60/561) 13. a3 (13. dc6 bc6∞) h5!?

(13... ♗h6 14. ♖b1±) 14. h3 ♗d7 15. ♖b1 ♗h6 16. b4 b6 17. ♗d3! ♗f4 18. ♘e2 g5 19. ♗g3 h4?! 20. ♗h2 ♘h8 21. ♖e1! ♘g6 22. ♘f1 ♖f7 23. ♘c3 ♗h2 24. ♔h2 ♘f4 25. ♘e3 ♖c8 26. ♗f1 ♖h7 27. ♘f5! ♗f5 28. ef5 ♕d7 29. ♘e4 ♔f7 30. ♕g4± Glek 2620 − Visser 2395, Nederland 1997; 19... ♔g7 △ ♖h8± Glek] **♔h8 11. h3 ♘h6 12. de5 de5 N** [12... fe5 − 50/648] **13. ♕d8** [13. ♗e3?! ♘f7 14. ♕d8 ♘d8] **♖d8 14. ♗e3 ♗e6 15. a3 ♘f7 16. b4 c6** [16... ♗h6 17. ♘d5!? (17. c5 ♗e3 18. fe3 c6; 17. b5 ♗e3 18. ba6 ♗b6 19. ab7 ♖ab8 20. ♖ab1 ♘d6) ♗e3 18. fe3↑] **17. ♖fd1 ♖d1 18. ♖d1 ♘c7 19. ♘d2 ♗f8** [19... ♗h6? 20. ♗h6 ♘h6 21. ♘b3 b6 22. ♖d6] **20. ♖b1!** [20. ♘b3 b6!] **b6** [20... f5 21. ef5 gf5 22. f4!? ♗h6 23. g3±; 20... ♗h6!? 21. ♗h6 ♘h6 22. ♘b3±; 22. c5!?] **21. c5! b5 22. a4 ba4?!** [22... a6 23. ♘b3 ♗b3 24. ♖b3 ♗h6 25. ♗h6 ♘h6 26. ♖a3± ♔g7 (26... ♘f7 27. ♗g4) 27. g3 (27. ab5 ab5 28. ♖a8 ♘a8 29. ♘b5!? cb5 30. ♗b5) ♔f8 28. f4 ♘f7 29. ♔f2] **23. ♘a4** [23. ♘c4? ♘b5 24. ♘a4 ♗c4 25. ♗c4 ♘a3 26. ♖c1 ♘c4 27. ♖c8 ♖b8=; 23. ♗c4!?] **f5 24. ef5 gf5 25. ♘c4 ♘d5 26. ♗d2±** [×c6] **e4 27. ♘a5 ♖c8** [27... ♘e5 28. ♗a6!?] **28. ♗a6 ♖c7 29. ♘c3! ♘c3** [29... ♗g7 30. ♘e2!] **30. ♗c3 ♗g7 31. ♗d2!** [31. ♗g7 ♔g7±] **♗a2 32. ♖c1** [32. ♖d1!? ♖d7!?] **♗e5 33. ♘c4** [33. ♗c4? ♗c4 34. ♘c4 ♔g8 35. ♘e5 ♘e5 36. ♗f4 ♘d3] **♗c4 34. ♗c4 ♔g7 35. b5! cb5 36. ♗b5 ♗d4** [36... ♖e7!?± △ 37. c6 ♗c7] **37. c6 ♔f6 38. ♖d1!? ♗e5?** [38... ♔e5? 39. g3; 38... ♖c8⬜] **39. ♗a5+− ♖e7 40. ♗c4! f4⊕** [40... ♘d6 41. ♗d8 ♘c4 42. ♖d7] **41. ♖d7 1 : 0** *Kramnik*

545.*** E 94

JE. PIKET 2630 − KRAMNIK 2770
Tilburg 1997

1. d4 ♘f6 2. c4 g6 3. ♘c3 ♗g7 4. e4 d6 5. ♘f3 [RR 5. ♗e2 0−0 6. ♗g5 ♘a6 7. ♘f3 h6 8. ♗e3 ♘g4 9. ♗c1 e5 10. 0−0 c6 11. h3!? N (11. d5 − 50/614) ed4 12. ♘d4 ♘f6 13. ♖e1 ♘c5 14. ♗f3 ♖e8 15. ♗f4! (15. ♘b3 ♘e6 16. ♗e3 ♘g5!) g5 16. ♗c1! (16. ♗h2?! h5!) a) 16... d5!? 17. cd5 cd5

18. ed5 ♖e1 19. ♕e1 g4! (19... ♘d5 20. ♘d5 ♗d4 21. ♗e3!) 20. hg4 ♘g4 21. ♗e3 ♘d3 22. ♕d2 ♘e3 23. ♕d3 (23. fe3 ♘e5) ♗d4

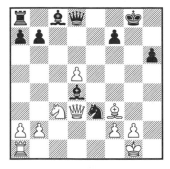

24. ♕d4! (24. fe3 ♗e5=) ♘c2 25. ♕e5 ♘a1 26. ♘e4 a5! 27. d6!! (27. ♘f6 ♔f8 28. ♘h7 ♔g8 29. ♘f6 ♔f8 1/2 : 1/2 Hort 2510 − Arakhamia-Grant 2430, København 1997) ♖a6 (27... ♗e6 28. ♘f6 ♔f8 29. ♘h5! ♕g5 30. ♕h8 ♕g8 31. ♕h6 ♔e8 32. ♘f6+−) 28. ♘f6 ♔f8 29. ♘d5 ♕g5 (29... f6 30. ♕e7 ♕e7 31. de7 ♔f7 32. ♗h5+−) 30. ♕h8 ♕g8 31. ♕g8!! ♔g8 32. ♘e7 ♔f8 33. ♘c8 ♔e8 34. ♗b7+−; b) 16... a5 Hort] 0−0 6. ♗e2 e5 7. 0−0 ♘a6 8. ♗e3 ♘g4 9. ♗g5 ♕e8 10. de5 de5 11. h3 h6 [RR 11... ♘f6 12. ♗e3 b6 13. a3 ♗b7 14. ♕c2 ♘c5 15. ♗c5 bc5 16. ♘d2 N (16. ♘d5 − 69/532) a5 17. ♘d5 ♕b8 18. ♖fd1 ♖d8 19. ♖ac1± Van Wely 2655 − Je. Piket 2630, Antwerpen 1997] 12. ♗d2 ♘f6 13. ♗e3 ♕e7 14. ♘d5 N [14. a3 − 61/660] ♕d8 15. ♘f6 ♕f6 16. c5 ♘b8 [16... b6?! 17. ♖c1± Kramnik 2740 − Shirov 2690, Monaco (rapid) 1997] 17. ♕b3?! [17. b4±] ♘c6 18. ♖ad1 a6 [18... ♕e7!?] 19. ♖d2 ♕e7 20. ♖fd1 ♔h7 [△ f5; 20... ♔h8!?] 21. ♘e1 a5!? [21... ♘d4 22. ♗d4 ed4 23. ♘d3!? ♕e4 24. ♗f3 ♕f5 25. ♗b7 ♖b8 26. c6 ×♗g7; 21... f5 22. ef5 gf5 23. f4∞] 22. ♗c4 f5 [22... a4!? 23. ♕a3 (23. ♕c2 ♘d4 24. ♗d4 ed4 ×c5) f5 24. ef5 gf5 25. f4 ♗e6!? 26. ♗e6 ♕e6∞] 23. ef5 gf5 24. f4 ef4 25. ♗f2 [25. ♗f4?! ♕c5 26. ♗e3 ♕e7 △ a4] a4 26. ♕a3 [26. ♕c2!?] ♘e5 27. ♖e2 ♗e6! 28. ♗e6 ♕e6 29. ♘f3 [29. ♗d4? ♖ad8∓] ♖ad8 30. ♖de1 [30. ♖d8!? ♖d8 31. ♘e5 a) 31... ♗e5 32. ♕a4 (32. ♕f3 ♕d5) ♖g8 33. ♕f4 ♖g2 34. ♔g2

♕g6; 34. ♔f1; b) 31... ♖d1 32. ♔h2 ♗e5 33. ♕f3 ♕d5? 34. ♖e5; 33... ♖d5∞] ♘f3 31. ♕f3 ♕a2 32. ♖e7 [32. ♕b7?! ♖f7 33. ♖e7 ♖d7! 34. ♖d7 ♖d7∓] ♖f7 33. ♕f4 ♖e7!? [33... c6∞] 34. ♖e7 ♕b2 35. ♗g3! [35. ♕f5? ♔h8 36. ♗g3 ♕f6!−+; 35. ♕a4∓] ♕f6 [35... a3? 36. ♕f5 ♔h8 37. ♖g7+−; 35... ♖d1? 36. ♔h2 ♕b1 37. ♗f2!± ♖h1 38. ♔g3 ♕d3 39. ♗e3 △ ♕h6; 35... ♖d5!? 36. ♕c7 a3 37. ♗e5 ♕e5 38. ♖e5 ♖e5 39. ♕a5] 36. ♕c7 ♖d1 37. ♔h2 ♕a1 [37... ♕d4 38. ♗f2!] 38. ♗f4 ♖h1 39. ♔g3 ♕c3!? [39... a3 40. ♕e5□ ♕e1! 41. ♕e1 ♖e1 42. ♖e1 a2=] 40. ♖e3 ♕f6 41. ♕b7 h5!⇆ 42. ♕e7?! [42. ♗e5! f4! (42... ♕g6 43. ♔f2 f4 44. ♖c3!±) a) 43. ♗f4 ♕g6 (43... h4 44. ♔g4) 44. ♔f2 ♕c2 45. ♔g3 (45. ♖e2 ♕c5) ♕g6=; b) 43. ♔f3 ♕g6 (43... ♖f1 44. ♔e2 ♖f2! 45. ♔e1 ♕g6∞) 44. ♔f4□ ♖f1 45. ♖f3 ♕g2!? (45... ♕h6 46. ♔f5 ♕g6 47. ♔f4 ♕h6=) 46. ♕g7 (46. ♕e4!? ♔h8 47. ♗g7 ♔g7) ♕g7 47. ♗g7 ♖f3 48. ♔f3 ♔g7 49. c6 a3=] h4 43. ♔f2 ♖c1!∓ 44. ♕e8 [44. ♕f6 ♘f6∓ 45. ♖a3 ♖c4] ♖c2 [44... ♖c5? 45. ♕h5 ♔g8 46. ♖e8 ♗f8 47. ♔g1!] 45. ♔f1? [45. ♖e2? ♖e2! 46. ♔e2 a3∓ 47. ♕h5 ♔g8 48. ♕e8 ♗f8; 45. ♔g1? ♕g6; 45. ♔f3! ♕g6 46. ♕g6 ♔g6 47. ♖a3 ♖c4 (47... ♗d4 48. ♗e3 ♗e3 49. ♔e3) 48. c6 ♗b2 49. ♖a2 a3 50. c7= ♔f7 51. ♗d6] ♕a6! [45... ♕g6 46. ♕g6 ♔g6 47. ♖e6 ♔f7 48. ♖a6] 46. ♔g1 [46. ♔e1 ♕a5 47. ♔f1 ♖c1 48. ♖e1 (48. ♔f2 ♕d2−+) ♖e1 49. ♕e1 ♕e1 50. ♔e1 a3−+; 46. ♖e2 a3! 47. c6 (47. ♕h5 ♔g8 48. ♕e8 ♗f8 49. c6 ♖e2 50. ♕e2 ♕c6) ♖e2 48. ♕e2 ♕c6−+] ♕g6 47. ♕g6 ♔g6∓ [♖ 9/k] 48. ♖e6 ♔f7 49. ♖a6 ♖c4! [49... ♗d4 50. ♔h2 ♖f2 51. ♗d6 (51. c6? ♖f4 52. c7 ♗e5−+ 53. c8♕ ♖c4) ♖f1 (51... f4 52. ♖a4) 52. g4=] 50. ♗d6 [50. ♗e3 f4 51. ♗f2 ♖c1 52. ♔h2 ♗e5−+ 53. ♖a4 (53. ♗h4 f3 54. ♗g3 f2) f3 54. g3 hg3 55. ♗g3 f2; 50. ♖a7 ♔e6! 51. ♖g7 ♖f4∓ 52. c6 ♔d6 53. c7 ♖c4] ♗d4 51. ♔f1 ♗e6! 52. g3? [52. ♗g3 ♔d5 53. ♗h4 ♗c5∓; 52. ♔e2 ♔d5] ♔d5 53. gh4 ♔e4−+ 54. ♔e2 ♖c2 55. ♔d1 ♖a2 [56. c6 ♔d3]   **0 : 1**
Kramnik

546.   E 94

S. SAVČENKO 2565 — GLEK 2505

Berlin 1997

1. ♘f3 ♘f6 2. c4 g6 3. ♘c3 ♗g7 4. e4 d6 5. d4 0–0 6. ♗e2 ♘a6 7. 0–0 e5 8. ♖e1 c6 9. ♗f1 ed4 10. ♘d4 ♘g4 11. h3 ♕b6 12. hg4 ♕d4 13. g5 ♘c5 14. ♗f4 ♕d1 15. ♖ad1 ♗e5 16. g3 ♖e8 17. ♖d6 ♗d6 18. ♗d6 b6 19. e5 N [19. f4 — 56/692] ♗f5 20. ♗g2 ♖ac8?! [20... ♘b7! 21. ♗c6 (21. ♗a3 ♖ac8∞) ♘d6 22. ♗a8 ♘c4=] 21. b4!± ♘e6 [21... ♘b7 22. c5] 22. f4 ♔g7 23. ♘e4 [23. c5] ♗e4 24. ♗e4 h6 25. gh6 ♔h6 26. ♔g2 ♔g7 27. ♖f1 [27. c5!±] c5! 28. b5 ♘d4∞ 29. g4 ♖cd8 30. ♗d5 ♘c2! 31. ♖f2 ♘e3 32. ♔f3 ♘d5 33. cd5 ♖h8 [33... ♖d6?! 34. ed6 ♖d8 35. ♔e4±] 34. f5?! [34. ♔g3 ♖h7∞; 34. ♔e4 ♖h1∞] gf5 35. gf5 ♖h3 36. ♔g4?! [36. ♔e4∞] ♖d6!?⊕ [36... ♖d3!? 37. ♖g2!□ ♖d6 (37... ♖d5 38. ♔f4=) 38. ed6 ♖d5 39. f6] 37. f6 [37. ed6 ♖d3∓] ♔f8?! [37... ♔g6! 38. ♔h3 ♖d5 39. e6 ♖e5! 40. e7 c4=] 38. ed6 ♖d3 39. ♖f5 ♔e8 40. ♖e5 ♔d7 41. ♖e7 ♔d6 42. ♖f7 ♔e5!= 43. ♖f8 [43. d6 c4] c4 44. d6 c3 45. ♔g5 ♖g3! 46. ♔h4 ♖d3
1/2 : 1/2   *Glek*

547.**   E 94

SKEMBRIS 2470 — A. KOFIDIS 2395

Aegina 1997

1. d4 ♘f6 2. c4 g6 3. ♘c3 ♗g7 4. e4 d6 5. ♘f3 ♘bd7 6. ♗e2 e5 7. 0–0 0–0 8. ♖b1 [8. ♕c2 ed4 9. ♘d4 ♖e8 10. ♖d1 ♘c5 11. f3 c6!? N (11... a5 — 59/(650)) 12. ♗g5 a5 13. b3 ♕b6!? 14. ♗e3 ♘fd7 (△ f5↑) 15. ♗f2 ♕d8 16. ♗f1 ♕e7 17. a3 ♘f8∞ Van de Plassche 2335 — A. Kofidis 2395, Aegina 1997; RR 8. ♗e3 c6 9. d5 c5 10. ♘e1 ♘e8 11. g4 f5 12. ef5 gf5 13. gf5 ♘b6 14. ♔h1 ♗f5 15. ♖g1 ♔h8!? N (15... ♘f6 — 53/626) 16. ♘f3 e4! 17. ♘g5 ♗c3! 18. bc3 ♕e7 19. ♖g3 ♘f6 *a)* 20. ♕f1?! ♘bd7 21. ♕g2 ♘e5 22. ♖g1 ♘g6! (22... ♖g8? 23. ♗f4! ×f7) 23. ♘h3?! ♘h4 24. ♕f1 (1/2 : 1/2 R. Ščerbakov 2580 — Poluljahov 2510, Kahovka 1997) ♖g8!∓; *b)*

20. ♕b3!? Poluljahov] ed4 [8... ♖e8 9. d5 ♘c5 10. ♘d2 ♘h6 11. ♕c2 a5 12. ♘b3!?] 9. ♘d4 ♖e8 10. f3 c6 11. ♘c2!? N [11. ♗g5 ♕e7; 11... h6!?; 11. ♔h1 — 54/600] ♘b6 [△ d5] 12. ♗g5 h6 [12... ♕e7 13. ♕d2±↑] 13. ♗h4 ♗e6 [13... g5 14. ♗f2 ♘h5 15. ♗d4 ♗e5 16. g3± △ f4; 13... d5 14. ed5 cd5 15. c5↑; 14... ♗f5!?; 14. c5!?±] 14. b3!± [14. c5? dc5 15. ♕d8 ♖ad8 16. e5 g5!?; 16... ♘fd5 △ ♗f5−+; 14. ♘e3 g5 △ d5⩲] g5 [14... d5? 15. cd5 cd5 16. e5+−] 15. ♗f2 d5?! [15... ♘h5 16. ♗d4±] 16. ed5 [16. c5 ♘bd7 17. ed5 ♘d5⩲] cd5 [△ 16... ♗f5±] 17. c5 ♘bd7 [17... ♘c8±] 18. ♘b5↑ b6 19. b4!? [19. c6 ♘e5∞] bc5 20. bc5 [20. ♘d6 c4!?∞] ♕a5?! [20... ♗f8 21. c6↑] 21. ♘cd4! [△ ♘c6; 21. ♘d6 ♖eb8] ♖ec8 [21... ♕a2? 22. c6 △ ♘c7+−; 21... ♘c5? 22. ♘c6 ♕b6 23. ♘ba7+−] 22. ♘d6!± ♖c7 [22... ♖cb8] 23. ♘4b5 ♘c5□ [23... ♖c5? 24. ♘b7+−; 23... ♖c6? 24. ♘b7 ♕a2 (24... ♕a6 25. ♘d4+−) 25. ♘c3 ♕a3 26. ♖b3+−] 24. ♘c7 ♕c7 25. ♘b5 ♕e7 26. ♖c1↑ ♖c8 27. ♖e1 ♘fd7!? 28. ♘d4! [28. ♘a7 ♖a8↑] ♕d6 29. ♗b5 [△ ♘e6, ♗d7] ♘f8 30. ♗c6! [×♘c5] ♘a6 [30... ♗d4 31. ♕d4↑] 31. ♕a4 ♘b8 [31... ♘b4] 32. ♗b5!? ♖c1 33. ♖c1 ♕f4⊕ [33... a6] 34. ♖d1 ♕f6? [34... ♕c7□±] 35. ♕a7+− ♘bd7 36. ♘e6 ♕e6□ 37. ♗d7 ♘d7 38. ♕a8   **1 : 0**   *Skembris*

E 97
M. Gurevich

548.*   E 97

R. VERA 2530 — HÉBERT 2445

Montreal 1997

1. d4 ♘f6 2. ♘f3 g6 3. c4 ♗g7 4. ♘c3 0–0 5. e4 d6 6. ♗e2 e5 7. 0–0 ♘c6 8. ♗e3 ♘g4 9. ♗g5 f6 10. ♗c1 f5 [RR 10... ♘h6 11. de5 de5 12. ♕d5 ♘f7 13. ♗e3

♗g4 N (13... ♖e8) 14. h3 ♗f3 15. ♗f3 ♘d4 16. ♗d4 ed4 17. ♘e2 c6 18. ♕d4 ♕e7 19. ♕e3 ♘e5 20. ♘d4 ♘c4 21. ♕b3 ♕f7 22. ♖ad1 ♖fe8 23. ♕c2 ♖ad8 24. ♘b3 ♘d6 25. ♖d2 f5 26. ef5 1/2 : 1/2 L. Portisch 2610 − Xie Jun 2495, København 1997] 11. ♗g5 ♕e8 12. de5 ♘ge5 13. ef5 ♗f5 14. ♕d2 ♕f7 15. b3 N [15. ♘d5 − 69/542] ♖ae8 16. ♖ae1 ♘f3 17. ♗f3 ♘d4 18. ♗d5 [18. ♗b7!? c6 19. ♗a6 ♕c7 (19... ♗h3 20. f4; 19... ♖e1 20. ♖e1 ♘c2? 21. ♖e7+−) 20. ♖e8 ♖e8 21. ♖e1 ♘e6 22. ♘a4±] ♗e6 19. h3 [19. ♗b7! c6 20. ♗a6 ♕c7 (20... ♗h3 21. ♖e3 ♖e3 22. ♕e3) 21. ♘a4±] c6 20. ♗e6 ♖e6 21. ♖e6 ♘e6 22. ♗e3 ♕f5!? [22... a6 23. ♘e4±] 23. ♘e2 [23. ♗a7!? ♕a5 (23... ♖a8 24. ♗e3 ♗c3 25. ♕c3 ♖a2 26. ♕b4±; 23... ♘f4 24. ♘e2±; 23... c5 24. ♘d5±) 24. ♕e3□ (24. ♕d6 ♘g5−+) ♘f4! 25. ♘a4 (25. ♘e4 c5∓) ♕g5∞] d5 24. cd5 [24. ♗a7 d4∞; 24. ♘g3 ♕e5 25. cd5 (25. f4 ♕e3 26. ♕e3 ♗d4 27. ♕d4 ♘d4∓) ♕d5=] ♕d5 25. ♕c2 [25. ♖d1] c5 26. ♖d1 ♘d4 27. ♗d4 cd4 [△ 27... ♗d4 28. ♘d4 cd4 29. ♕c4 ♕c4 30. bc4 ♖d8 31. ♔f1 d3 32. ♔e1 ♖d4 33. ♔d2 ♖c4 34. ♔d3 ♖a4 35. ♖d2=] 28. ♘c1! b5 29. ♘d3± ♕f5 30. ♕e2 [30. ♕c7 ♕e4] ♖c8 31. ♖c1?! [31. f4] ♖c3! [31... ♖c1 32. ♘c1 ♕b1 33. ♕e6 ♔f8 34. ♕d6 ♔f7 35. ♕d5 ♔f6 36. ♕c6 ♔e7 37. ♔h2 ♗e5 38. g3±] 32. ♖d1 [32. ♖c3? dc3∓; 32. g4!? ♕d5 (32... ♕d3? 33. ♕e6 ♔f8 34. ♖e1 ♗h6 35. ♕f6) 33. ♖e1 ♕c6=] ♖c8 33. ♖c1 ♖c3 34. ♖d1 1/2 : 1/2
R. Vera

549.*

E 97

KRASENKOW 2645 − I. ZAJCEV 2475

Koszalin 1997

1. ♘f3 ♘f6 2. d4 g6 3. c4 ♗g7 4. ♘c3 d6 5. e4 0−0 6. ♗e2 e5 7. 0−0 ♘c6 8. d5 ♘e7 9. b4 [RR 9. ♗g5 ♘h5 10. ♘e1 ♘f4 11. ♘d3 ♘e2 12. ♕e2 h6 13. ♗e3 f5 14. f3 (14. f4 ef4 15. ♘f4 g5 16. ♘h5 ♗e5) a) 14... c6? N (Černjahovskij 2245 − Kruppa 2535, Har'kov 1997) 15. dc6±; 15. ♖fd1±; b) 14... ♔h7 15. c5 ♘g8 16. cd6 cd6 17.

♖ac1 ♘f6= Kruppa; c) 14... f4 − 57/(608)] a5 10. ♗a3 b6 11. ba5 ♘h5!? N [11... ♖a5 − 69/543] 12. ♘b5 [12. ab6? ♖a3 13. ♘b5 ♖a6 14. bc7 ♕d7∓; 12. ♗b4 ba5 13. ♗a3 ♘f4∞; 12. ♖e1∞] ♖a5 13. ♗b4 ♖a8 14. ♕b3?! [14. a4 ♘f4 15. a5 f5⇆; 14. ♖e1!?; 14. g3!?] ♘f4 15. ♗d1 f5 16. ♗c2 g5! [16... fe4 17. ♗e4±] 17. ♘d2 [17. ♘g5 ♘ed5!] ♘e2 18. ♔h1 f4 19. ♖fe1!? ♘d4 20. ♘d4 ed4

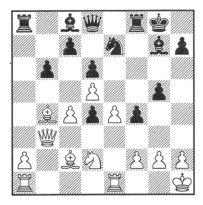

21. e5!? ♗e5 22. ♖e5!? de5 23. ♖e1? [23. ♘f3 ♗f5 24. ♘e5 ♖e8 △ 25. ♖e1 ♗c2 26. ♕c2 c5! 27. dc6 ♘c6! 28. ♘c6 ♖e1 29. ♗e1 ♕e8−+; 24. ♘g5!∞; 23. ♗e4!? ♖a7 (23... ♗f5 24. d6∞) 24. ♘f3∞] ♖e8! [23... ♗f5?! a) 24. ♖e5? ♗c2 25. ♕c2 c5!! 26. ♖g5 (26. dc6 ♘c6−+) ♔h8 27. ♖h5 ♖f7−+; b) 24. ♘f3! ♘g6 25. ♗f8 ♕f8 26. ♘g5∞] 24. ♗e4 [24. ♘f3 ♘g6 25. ♗g6 hg6 26. ♘e5 ♕f6−+; 24. ♖e5 ♘g6 (24... ♘d5? 25. ♕d3! ♘f6□ 26. ♘e4!→; 24... ♘f5!?∓) 25. ♖e8 ♕e8 26. ♘f3 ♕e2∓] ♘g6 [24... ♘f5!?] 25. d6 ♖b8?! [25... ♖a7! a) 26. c5 ♔h8! (26... ♗e6 27. ♗d5 ♗d5 28. ♕d5 ♔g7 29. d7∞) 27. ♗g6 hg6 28. ♕f7 bc5 29. ♗c5 ♖b7 30. ♘e4 (30. ♕g6 ♖e6 31. ♕h5 ♔g7−+) cd6! 31. ♘d6 ♖f7 32. ♘f7 ♔g7 33. ♘d8 ♖d8 34. ♖e5 d3−+; b) 26. ♗d5 ♔g7 27. dc7 ♖c7 28. ♘e4 ♖a7∓] 26. ♗d5 ♔g7 27. dc7 ♕c7 28. ♘e4 ♕d8 [28... ♖d8 29. ♘g5⇆] 29. ♗d6 ♗f5! [29... ♖b7 30. c5 ♖d7 31. ♗c6 bc5 32. ♗c5 h6∞] 30. ♗b8 ♗e4 31. ♗e4 [31. ♗e5 ♖e5 32. ♗e4 d3↑] ♕b8 32. ♖b1 ♕c7 33. ♕d3 ♖e6? [33... ♖c8! 34. ♖b4 b5! 35. h4 (35. ♕b1 ♕e7! 36. ♖b5 ♖c4) bc4 36. ♕h3 ♕d6 37. ♕c8 ♕b4 38. ♗g6 hg6 39. hg5

♕e7∓] 34. ♖b5∞ ♕d8 35. a4 ♕f6 36. h3
♘f8 37. ♗f5 ♖d6? [37... ♖c6=] 38. a5
ba5 39. c5 [39. ♖b7?! ♔h8 40. ♗h7 ♖d7]
♖c6 40. ♗e4 ♖c7 41. ♖a5± [△ c6, ♖b5-
b7] ♘e6 42. c6 ♘d8 43. ♖b5! ♘f7 [43...
♘c6? 44. ♖c5 g4 45. ♕b3 △ 46. ♖c6, 46.
♕b6; 43... ♕d6!? 44. ♕f3↑] 44. ♖b7 ♖c6
45. ♗c6 ♕c6 46. ♕b3 ♕f6 47. f3 ♕f5 48.
♕d5 h5 49. ♔g1 ♕f6 [49... d3 50. ♔f2
(50. ♖b3 g4) d2 51. ♔e2 g4 52. h4] 50.
♕d7 ♕g6 51. ♕e8 ♕f5 52. ♖b8 ♔f6 53.
♕g8 ♕e6 54. ♖f8 ♕d5? [54... d3? 55.
♕h8 ♔e7 56. ♖e8 ♔d7 57. ♖e6 ♘h8 58.
♖e5 ♔d6 59. ♖b5 ♘f7 60. ♔f2 ♘e5 61.
h4! gh4 62. ♖b4+−; 54... ♕e7! 55. ♕h8
♔e6 56. ♕g7 ♕f6 57. ♕h7±] 55. ♕h8
♔e7 56. ♖e8 ♔d7 57. ♕f8 ♘d6 58. ♖e7
[58... ♔c6 59. ♕a8 ♔c5 60. ♖c7]   1 : 0
Krasenkow

550.**   E 97

VAN WELY 2655
− JE. PIKET 2630

Monaco (m/4) 1997

1. d4 ♘f6 2. c4 g6 3. ♘c3 ♗g7 4. e4 d6 5.
♘f3 0−0 6. ♗e2 e5 7. 0−0 ♘c6 8. d5 ♘e7
9. b4 a5 10. ♗a3 ab4 11. ♗b4 ♘d7 12. a4
♗h6 13. a5 [RR 13. ♘d2 f5 14. ♗f3 b6
15. ♖a2 N (15. a5 − 68/(543)) ♘c5 16. a5
♗a6 17. ♗e2 ♗d2 18. ♕d2 ♘b3 (18...
♘e4?! 19. ♘e4 fe4 20. ab6 cb6 21. ♖fa1
♗b7 22. ♖a8 ♗a8 23. ♗g4± Epišin 2570
− Fang 2330, Philadelphia 1997) 19. ♕b2
ba5! 20. ♗d6 (20. ♗a5? ♗c4 21. ♗c4
♘a5; 20. ♕b3 ab4 21. ♕b4 c5) cd6 21.
♕b3 ♖b8 22. ♕a3 ♖b4= Fang] f5 14.
♗d3 N [RR 14. ♘d2 ♔h8 15. ♗d3 ♖f6
16. ♘a4 ♖f7 17. c5 dc5 18. ♗c3 fe4 19.
♗e4 ♘f5 20. ♘c4 ♘d6 N (20... ♗g7 −
68/542) 21. ♘e5 ♘e5 22. ♗e5 ♗g7 23.
♗g7 ♖g7 24. ♘c5 b6 25. ♘e6 ♗e6 26.
de6 ♘e4 27. ab6 cb6 28. ♖e1 ♘c3! 29. e7
♘d1 30. ed8♕ ♗d8 31. ♖ed1 ♖d1 32. ♖d1
♖b7 33. ♔f1 b5 34. ♖b1 ♔g7 35. ♔e2
♔f6 36. ♔d3 1/2 : 1/2 Kramnik 2770 −
Topalov 2745, Dortmund 1997] ♖f7 15.
♕b3!? g5 16. ♖fd1 [16. ef5 g4] g4 17.
♘d2 b6 [17... f4 18. c5 dc5 19. d6 cd6 20.
♗c4 (20. ♘c4 d5 21. ♘d6 cb4 22. ♘d5

♘c5 23. ♘f7 ♔f7 24. ♕c4 ♘e6∞) cb4 21.
♗f7 ♔g7 22. ♘c4 (22. ♘a4 ♘c6 23. ♘c4
♘a5; 22. ♘b5 ♘c5 23. ♕b4 ♘c6∞) bc3
23. ♘d6↑] 18. ♘b5 [18. ab6!? ♖a1 19. ♖a1
♗d2 20. ♘b5 (20. bc7 ♕c7 21. ♘b5 ♕b6
22. ♗d2 fe4 23. ♗e3 ♘c5) ♗b4 21. bc7
♕f8 22. ♕b4 ♘c5 23. ♘d6 (23. ♗c2) ♘d3
24. ♕d2; 24. ♕b6] ba5 19. ♕c2 [19. ♗a5
♖a5 20. ♖a5 c6; 19. ♖a5 ♖a5 20. ♗a5
♘c5 21. ♕c2 ♘g6] ♘c5 20. ♗c5 dc5 21.
♘b3 [21. ef5 ♘f5 22. ♗f5 ♗f5 23. ♘e4=]
f4 22. ♘c5 ♘g6 23. ♘e6 ♗e6 24. de6 ♖g7
25. g3? [25. ♗e2! ♕g5 26. ♖d7 f3 27. ♗f1
fg2 28. ♗g2±] ♕f6 26. c5 ♔h8 27. ♗c4
♘f8 28. ♕b3 ♗g5 29. c6 h5 30. ♖d7 ♘d7
31. cd7 ♖f8 32. ♖f1 fg3? [32... h4! △ ♕h6,
f3∓] 33. hg3 [33. fg3 ♕e7 34. ♖f8 ♕f8→]
h4 34. ♘c7 ♖h7 35. ♕c3 ♕h6 36. ♔g2?
[36. ♕e5 ♗f6 37. ♕f4 ♗g5 38. ♕e5=] hg3
37. ♕e5 ♗f6 38. ♕g3 ♕g5?? [38... ♗d4!!
(△ ♖f2) 39. d8♕ ♖d8 40. ♘b5 ♗b2∓] 39.
♘e8 ♖h3 40. ♕d6 ♗e7 41. d8♕ g3 42.
♕d4 ♔h7 43. ♕e7 ♕e7 44. ♕d7 ♖h2 45.
♔g3   1 : 0
Van Wely

551.   E 97

KRASENKOW 2615 −
A. FEDOROV 2580

Vilnius 1997

1. ♘f3 ♘f6 2. d4 g6 3. c4 ♗g7 4. ♘c3
0−0 5. e4 d6 6. ♗e2 e5 7. 0−0 ♘c6 8. d5
♘e7 9. b4 ♘h5 10. ♖e1 ♘f4 11. ♗f1 a5 12.
ba5 ♖a5 13. a4 c5 14. ♘b5 ♖a6 15. ♖a3 h6
[15... f5?! 16. ♗f4 ef4 17. e5; RR 15... ♔h8
△ ♘g8 Kramnik] 16. ♘d2 g5 N [16... f5?
17. g3 ♘h5 18. ef5 ♖f5 (18... ♘f5? 19.
g4) 19. g4 ♖g5 20. f3+−; 16... ♔h8?! −
69/548] 17. g3 ♘fg6 18. ♗e2 [△ ♗g4] f5
19. ef5 ♘f5 20. ♗h5 [20. ♗g4 e4!? 21.
♖e4 ♘e5⇆] ♘ge7 21. ♗g4 e4? [21... ♘d4
22. ♘e4!? (22. ♗c8 ♕c8 23. ♘e4 ♕f5±)
a) 22... ♗g4? 23. ♕g4 ♘c2 24. ♕e6 ♔h8
25. ♗g5! hg5 (25... ♕a5 26. ♖c1 ♘a3 27.
♗e7+−) 26. ♕h3 ♔g8 27. ♘g5 ♖f6 28.
♕h7 ♔f8 29. ♕c2+−; *b)* 22... ♘ef5±] 22.
♖e4 ♘g6 23. ♘f3! ♘e5 24. ♘e5 ♗e5 25.
f4+− ♗g7 [25... gf4 26. ♗f4 ♗g7 27. ♖f3]
26. fg5 hg5 27. ♖f3 ♘d4 28. ♖f8 ♕f8 29.
♗c8 ♕c8 30. ♕h5 ♕f5 31. ♖e8 ♗f8 32.

♘d4 cd4 33. g4 ♕f7 34. ♕g5 ♔h7?! [34...
♕g7] 35. ♕d8   1 : 0   *Krasenkow*

552.   E 97

KRAMNIK 2740 –
G. KASPAROV 2795

Novgorod 1997

1. ♘f3 ♘f6 2. c4 g6 3. ♘c3 ♗g7 4. e4 d6
5. d4 0–0 6. ♗e2 e5 7. 0–0 ♘c6 8. d5
♘e7 9. b4 ♘h5 10. ♖e1 ♘f4 11. ♗f1 a5
12. ba5 ♖a5 13. ♘d2 c5 14. a4 ♖a6 15.
♖a3 g5!? N 16. g3 ♘h3 [16... ♘fg6? 17.
♕h5± f5 (17... h6 18. ♗d3!?) 18. ef5 (18.
♕g5) ♘f5 19. ♘de4] 17. ♗h3 ♗h3 18.
♕h5 [18. ♘f3 h6 19. ♗g5!; 18... f6!] ♕d7
[18... g4? 19. ♘f3! f6 (19... gf3 20. ♕h3 f5
21. ♕h5±) 20. ♘h4± (20. ♔h1!? ♕e8 21.
♕e8 ♖e8 22. ♘g1) ♕e8 21. ♕e8 ♖e8 22.
♖b3 b6 23. ♘f5!? (23. ♗e3) ♘f5 24. ef5]
19. ♕g5 [19. f3 g4□ 20. ♘d1 f5! (20... gf3
21. ♘f2 ♗g2 22. ♘f3 ♗f3 23. ♖f3→) a)
21. ♘e3 gf3! 22. ♕h3 (22. ♘f3 fe4 23.
♘g5 ♗f5) f2! 23. ♔f2 fe4 24. ♔g2 ♖f2!;
b) 21. ♘f2 ♖a4∞] h6 [19... f5!?] 20. ♕e3
f5⁼⁼ 21. ♕e2 [21. f3 f4⁼⁼; 21... fe4!?] f4!
[21... fe4 22. ♘de4 ♘f5 23. ♘b5 (23.
♗e3!? ♘d4 24. ♗d4 ed4 25. ♘b5) ♘d4
24. ♘d4 ed4 25. ♕h5 ♗g4 26. ♕h4↑] 22.
♘b5 ♔h7 [△ 22... ♘g6 23. ♔h1 (23. ♕h5
♗g4 24. ♕g6 ♖f6) ♔h7 24. ♖g1∞] 23.
gf4!? [23. ♔h1 ♘g6 24. ♖g1] ef4 [23...
♖f4?! 24. ♔h1; 24. ♖g3!?] 24. ♔h1 ♗g4!
[24... ♘g6 25. ♖g1→] 25. ♘f3! [25. f3
♗h5⁼⁼ △ ♘g6→] ♘g6 26. ♖g1 ♗f3? [26...
♘h4? 27. ♘g5 hg5 28. ♕g4 ♕g4 29.
♖g4± ♔g6 30. ♘c7 ♖b6 (30... ♔h5 31.
h3) 31. ♘e6 ♖b1 32. ♖g5 ♔h6 33.
♖g1+–; 26... ♖e8 27. ♕c2!?; 26... ♔h8!
a) 27. ♘c7 ♖b6! 28. ♘e6 ♗e6 29. ♖g6
♗g4⇆; b) 27. ♗b2 b1) 27... ♗b2 28. ♕b2
♔h7 29. ♘d2 (29. ♘d6 ♖d6 30. e5 ♗f3
31. ♖f3 ♕g7) ♘e5∞; b2) 27... ♖g8∞ 28.
♘c7 ♖b6!; b3) 27... ♘h4!? 28. ♘h4 ♗e2
29. ♖g7 ♕g7 30. ♗g7 (30. ♘g6 ♔h7 31.
♗g7 ♖f7) ♔g7 31. ♘c7 ♗c4∞; c) 27.
♕c2!? ♖g8 28. ♘e1 (28. ♘d2) ♘h5 29.
♘c7!? ♕c7 30. ♖h3 ♗g4 31. ♖g4 ♕d7 32.
♖g6 ♕h3 33. ♗f4 ♖f8∞] 27. ♕f3 ♘e5 28.
♕h5 ♕f7 [28... ♘c4 29. ♕g6 ♔h8 (29...

♔g8 30. ♖h3) 30. ♖h3+–] 29. ♕h3! [△
♗b2; 29. ♖h3!? ♘c4 30. ♘c7] ♘c4 30.
♖f3 ♗e5 [30... ♕e7 31. ♕e6! ♕e6 32. de6
♖a4 33. ♘c7 (33. ♖f4±) ♗f6 34. ♖f4+–]

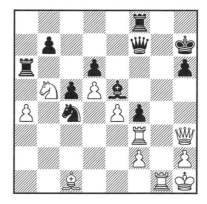

31. ♘c7! ♖a4 [31... ♕c7 32. ♕h6 ♔h6 33.
♖h3#] 32. ♗f4! [32... ♗f4 33. ♘e6 ♖g8
(33... ♖a3 34. ♘f8 ♕f8 35. ♕d7 ♔h8 36.
♖f4) 34. ♖g8 ♕g8 35. ♕f5 ♔h8 (35...
♕g6 36. ♘f8) 36. ♕f6 ♔h7 37. ♘f8; 32.
♘e6 ♖g8 33. ♘g5 (33. ♕h6 ♔h6 34. ♖h3
♕h5 35. ♗f4 ♗f4 36. ♖h5 ♔h5 37. ♘f4
♔h4 38. ♖g8 ♘e5) ♖g5 34. ♖g5 ♖a1 35.
♖g1±]   1 : 0   *Kramnik*

553.* !N   E 97

KRASENKOW 2615 –
JU. ŠUL'MAN 2555

Vilnius 1997

1. c4 g6 2. d4 ♘f6 3. ♘c3 ♗g7 4. e4 d6 5.
♘f3 0–0 6. ♗e2 e5 7. 0–0 ♘c6 8. d5 ♘e7
9. b4 ♘h5 10. ♖e1 f5 11. ♘g5 ♘f6 12.
♗f3 c6 13. ♗e3 f4! N [RR 13... h6 N 14.
♘e6 ♗e6 15. de6 g5! 16. h3 (16. ef5 J e.
Piket) f4 17. ♗c1 ♘g6 18. c5 dc5 19. bc5
♕e7 20. ♖b1 ♖fe8 21. ♕b3 ♖ab8⁼ Kram-
nik 2740 – J e. Piket 2640, Monaco (blind-
fold) 1997; 13... cd5 – 69/545] 14. ♗c1 h6
15. ♘e6 ♗e6 16. de6 ♘c8! 17. ♕b3 ♕e7
18. c5 ♖e8 19. ♗e2 ♔h7 20. ♗a3 ♕e6
[20... b5?! 21. cb6 ♘b6 22. b5!↑] 21. ♗c4
♕e7 22. ♖ad1 [22. b5?! dc5 23. bc6 bc6
24. ♘a4 ♘d7∓] b5 [22... dc5 23. bc5 ♕c7
24. ♗f7 ♖f8 25. ♗e6 ♘e7 26. ♖d6⧅] 23.
cb6 ♘b6 24. b5 ♘c4 [24... c5 25. ♗e2!?⧅
△ ♗b2, a4-a5] 25. ♕c4 c5 26. ♘d5?! [26.

333

♗b2⯊] ♘d5 27. ♖d5 ♗f8 [27... a6?! 28. b6!; 27... ♖eb8! 28. ♖b1 (28. ♖ed1?! ♖b6 29. ♕d3 a6! △ 30. ♖d6?! ♖d6 31. ♕d6 ♕d6 32. ♖d6 ab5 33. ♗c5 ♖c8 34. ♗a3 b4!−+] ♖b6 29. ♗b2 (29. ♗c1 a6 30. a4 ab5 31. ab5 ♕a7∓) a6 30. a4 ab5 31. ab5 ♕a7∓] 28. ♗b2 ♖eb8 29. a4 a6 30. ♗c3 ab5 31. ab5 [31... ♖b7 32. ♖b1 ♖ab8 33. ♖d2 ♕f7 34. ♕e2 (34. ♕a4 f3!?; 34. ♕f7 ♖f7 35. ♔f1 ♖a7∓) ♗e7 35. f3 h5↑]

1/2 : 1/2   *Ju. Šul'man, Kapengut*

554. !N   E 97

VAN DER STERREN 2515 − JE. PIKET 2640

Nederland (ch) 1997

1. ♘f3 ♘f6 2. c4 g6 3. ♘c3 ♗g7 4. e4 d6 5. d4 0−0 6. ♗e2 e5 7. 0−0 ♘c6 8. d5 ♘e7 9. b4 ♘h5 10. ♖e1 f5 11. ♘g5 ♘f6 12. ♗f3 c6 13. ♗b2 cd5?! [13... h6 − 69/(545); 13... a5!?] 14. ed5! N [14. cd5 fe4=] ♘e8 [14... h6 15. ♘e6 ♗e6 16. de6 e4 17. ♗e2 d5 18. cd5 (18. ♘d5 ♘fd5 19. ♗g7 ♔g7 20. cd5 ♕d5∞) ♘fd5 19. ♕b3!?; 14... a5!?] 15. ♕b3 a5 [15... e4 16. ♗e2 ♘d5? 17. c5! ♕g5 18. ♕d5 △ ♘e4+−; 15... ♘c7 16. c5 e4 17. cd6 ♕d6 18. ♗e4] 16. a3?! [16. b5 e4 17. ♗e2 ♗f6 18. ♘e6 ♗e6 19. de6 ♘g7 20. ♘d5 ♘d5 21. cd5 a4 22. ♕a3; 16. ba5!?] ab4 17. ab4 ♖a1 18. ♖a1 [18. ♗a1 ♗f6 19. ♘e6 ♗e6 20. de6 e4 21. ♗e2 ♘c7 22. ♘d5!? ♘cd5 23. cd5 ♗a1 24. ♖a1 ♕b6 25. ♗c4 ♕d4 26. ♖d1 ♕e5∞] ♘c7! 19. c5 e4! [19... h6? 20. ♘e6 ♗e6 21. de6 d5 22. ♗d5! ♘cd5 23. ♖d1+−] 20. cd6 [20. ♗e2? h6 21. ♘e6 ♗e6 22. de6 (22. cd6 ♘ed5 23. dc7 ♘c7) d5!∓] ♕d6 21. ♘ge4!□ [21. ♗e2 h6 22. ♘h3 (22. ♘e6 ♗e6 23. de6 ♗e6∓) g5!∓] fe4 22. ♘e4 ♕d5 [22... ♖f3? 23. ♕f3 ♕d5 24. ♘f6 ♗f6 25. ♕f6+−] 23. ♘f6 ♗f6 24. ♗d5 ♘ed5 [24... ♘cd5 25. ♗f6 △ 26. ♖a8, 26. ♖c1] 25. ♖e1 ♗b2 [25... b5!? 26. ♗f6 ♖f6 27. ♖e7? ♗e6; 27. h4!?] 26. ♕b2 ♗e6 27. ♕d4 ♗f7∓ [27... ♖f4 28. ♖e4 ♘c3!? 29. ♕d8 ♖f8 30. ♕c7 ♘e4 31. ♕b7 ♘f2 32. b5∞; 27... ♖d8!?] 28. h4 h5 29. ♕a7! [29. f3 ♖a8∓] b6 [29... b5 30. ♕c5 ♘a6 31.

♕b5 ♘ab4∓; 30. ♕b7!?] 30. ♕b7 ♘b5?! [30... ♖d8!?∓] 31. ♖e5 ♖d8 32. ♔h2 [32. ♖d5 △ ♕b6] ♘d4⊕ [32... ♖d6 △ ♔g7] 33. ♖d5! ♖d5 34. ♕b6∞ ♔g7 [34... ♔f8!? 35. ♕b8 ♔e7 36. ♕c7 ♗e6 (36... ♖d7 37. ♕e5 ♘e6 38. b5) 37. ♕c8 ♖d7 38. f3∞] 35. ♕c7 ♘b5 36. ♕e7 ♘d6 37. f3 ♘f5 38. ♕e2!? ♗f8 [38... ♘h4 39. b5 △ ♕b2, b6] 39. g4 [39. b5? ♘d4] ♘d6 [39... hg4 40. fg4 ♘h4 41. ♔g3 (41. b5?? ♖d2−+) g5 42. b5∞] 40. ♕e3 ♘c4 41. ♕a7= ♘e5 42. ♔g3 ♗e8 43. ♕c7 ♘c6 44. ♕f4 ♗f7 45. ♕c7 ♘d4 46. ♕c8 ♗e8 47. ♕c4 ♗f7 48. ♕c8 ♔g7 49. ♕c3! ♔h7 50. ♕c7 ♔g8 51. ♕c8 ♔h7 52. ♕c7 ♔g7 53. ♕c3 ♔f8 54. ♕c8 ♗e8 55. ♕c4 ♖d6 56. ♕c5 ♘b5 57. ♔f4 hg4 [58. fg4 ♔e7 59. ♔e5 ♔f7]

1/2 : 1/2   *Je. Piket*

555.* !N   E 97

BROWNE 2530 − FEDOROWICZ 2510

USA (ch) 1997

1. d4 ♘f6 2. c4 g6 3. ♘c3 ♗g7 4. e4 d6 5. ♘f3 0−0 6. ♗e2 e5 7. 0−0 ♘c6 8. d5 ♘e7 9. b4 ♘h5 10. ♖e1 f5 11. ♘g5 ♘f4 12. ♗f4 ef4 13. ♖c1 ♗f6! N [13... c6?! 14. cd5 dc5 15. bc5 ♗c3 16. ♖c3 fe4∓; 14. ♗f3±; 13... ♗h6?! 14. h4!; RR 13... fe4?! 14. ♘ce4 ♘f5 15. ♗g4 ♘d4 16. ♗c8 (16. ♘e6!? ♗e6 17. de6 f3 18. gf3⯊; 18. g3! △ 18... ♘e2 19. ♖e2 fe2 20. ♕e2±) ♕c8 17. c5 N (17. ♘f3 − 69/546) ♕d7!? (17... ♕f5? 18. cd6 cd6 19. ♖c7!+− ♕d5? 20. ♖g7!! ♔g7 21. ♕d4 1 : 0 C. López 2400 − Or. Pérez 2280, Cuba (rapid) 1997) 18. cd6 (18. ♘f3 ♘f3 19. ♕f3±) cd6 19. ♘e6 ♘e6 20. de6 ♕e6 21. ♘d6 ♕a2 22. ♖e2 ♕a3 23. ♕d5 ♔h8 24. ♖ce1 h6 25. h4↑ △ 25... ♕b4 26. h5 g5 27. ♘f7+− C. López, L. Domínguez; 13... h6 14. ♘e6 ♗e6 15. de6 ♗c3?! 16. ♖c3 fe4 17. ♗f1 ×g6 Kramnik] 14. ♘e6□ ♗e6 15. de6 ♗c3! 16. ♖c3= fe4 17. ♗f1! [17. ♗g4?! d5! 18. cd5 ♘d5 19. ♖c5 ♘f6! (19... ♘b4? 20. ♕b3+−) 20. ♕d8 (20. ♕b3 ♕e7∓) ♕fd8 21. e7 ♖e8? 22. ♗e6±; 21... ♖d6!−+] e3! [17... d5?! 18. cd5 ♘d5 19. ♖c5 c6 20. ♖e4±] 18. fe3 a5 [18... c6 19. ♔h1; 19. a3!?] 19. b5 c6

[19... fe3] **20. bc6 bc6 21. ♔h1 ♕c7** [21... ♖b8 22. ♖d3 fe3 23. ♖d6 ♕b6∞; 21... fe3 22. ♖ce3 ♖b8 23. ♖f3 ♖f3 24. ♕f3 ♕f8 25. ♕c3! a4 26. ♕a3 ♕f2 27. ♖d1 ♘f5!] **22. ♖d3** [22. ♕g4? d5! 23. cd5 ♘d5 24. ♗c4 ♕e5!∓] **♖ad8** [22... d5? 23. e4! dc4 24. ♖d7+−] **23. ef4 ♖f4 24. ♖d4?!** [24. g3! ♖c4?! 25. ♖f3! ♖c5 26. ♖f7 *a)* 26... ♖f5?! 27. ♗h3! ♖f7 28. ef7 ♔f7 29. ♕f3 ♔g7 (29... ♔e8? 30. ♗e6+−) 30. ♕c3 ♔h6 (30... ♔f8 31. ♕f6+−) 31. ♕e3+−; *b)* 26... ♖f8! 27. ♖f8 ♔f8 28. ♕d4 ♔g8 29. ♗h3] **d5 25. cd5 ♖d5 26. ♖d5 cd5 27. ♕d2 ♖h4** [27... ♖e4? 28. ♖e4 de4 29. ♕d7! ♕d7 30. ed7 ♘c6 31. ♗b5±] **28. h3 a4 29. ♗b5 ♖f4 30. ♗d3 ♕d6= 31. ♕e3 ♖f6 32. ♕d4 ♖e6 33. ♖e6 ♕e6 34. ♕a4 ♕e1 35. ♔h2 ♕e5 36. ♔h1 ♕e1**
1/2 : 1/2   *Browne*

556.   E 97
KRAMNIK 2770 − SHIROV 2700
Tilburg 1997

1. ♘f3 ♘f6 2. c4 g6 3. ♘c3 ♗g7 4. e4 d6 5. d4 0−0 6. ♗e2 e5 7. 0−0 ♘c6 8. d5 ♘e7 9. b4 ♘h5 10. ♖e1 f5 11. ♘g5 ♘f4 12. ♗f4 ef4 13. ♖c1 ♗f6 14. ♘e6 ♗e6 15. de6 ♗c3 16. ♖c3 fe4 17. ♗f1 e3! 18. fe3 fe3 N 19. ♖ce3 [19. ♖ee3!? ♖f6!?] **c6** [△ a5; 19... ♖f6±; 19... a5!? 20. b5 c6 21. bc6 bc6] **20. ♕d2!** [20. c5 d5∞] **d5** [20... a5 21. ♖h3! ♕c7 (21... ♕b6 22. c5 ♕b4 23. ♕h6) 22. g4!? △ ♕h6; 20... ♖f6 21. ♖h3!? ♕f8 (21... h5±) 22. ♕d6 ♖d8 23. ♕c5 ♖d2 24. ♕a7] **21. cd5** [21. ♖h3 dc4∞ 22. ♕h6 ♕d4 23. ♔h1 ♕g7] **cd5 22. ♕d4!!±** [22. ♖h3 ♕b6 23. ♔h1 (23. ♕e3 ♕b4!? 24. ♕h6 ♕d4 25. ♔h1 ♕g7) ♕e6! 24. ♖he3 ♕f7; 22. ♔h1 ♕b6⇆; 22. a4 ♕d6⇆ 23. ♗d3 ♖f4] **♕d6** [22... ♘f5?! 23. ♕e5 *a)* 23... ♘e3 24. e7 ♖f1 25. ♖f1+− ♕b6 26. ♖f8 (26. e8♕) ♖f8 27. ♕h8! ♔h8 28. ef8♕#; *b)* 23... ♕b6 24. e7 ♖fe8 25. ♕d5 ♔g7 26. ♕e5+−; *c)* 23... ♕e7!±; 22... ♕b6 23. ♕c5! ♕c5 24. bc5 − 22... ♕d6; 22... b6 23. ♗d3 ♕d6 24. g3; 23. ♖h3!? △ ♕h4] **23. ♕c5 ♖f4?** [23... ♖ad8 24. ♕d6 ♖d6 25. ♖c1↑ (25. b5 ♖f6 26. ♖a3 ♖fe6 27. ♖e6 ♖e6 28. ♖a7 b6 29. a4±) ♖c6 26.

♖c6 bc6 27. ♖a3; 23... ♕c5 24. bc5 ♖fc8 (24... b6!? 25. cb6 ab6 26. a3 ♖f4 27. ♖b3± ♖fa4 28. ♖ee3) 25. ♖b1 ♖ab8 26. ♖eb3 (26. ♖a3!?) ♖c7±] **24. ♖f3 ♕g5** [24... ♕h4 25. g3]

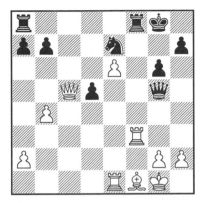

25. ♖f7!± [25. ♖f8 ♖f8 26. ♕a7 ♕d2 27. ♕e3 ♕b4=] **♖f7 26. ef7 ♔f7 27. ♕c7!** [27. g3] **♕h4 28. ♖e3 ♕b4?!** [28... ♖f8!? 29. g3 ♕g5 (29... ♕f6 30. ♗e2! ♔g8 31. ♕e7 ♕f2 32. ♔h1 ♕e1 33. ♔g2 ♕f2 34. ♔h3) 30. ♖e2!±] **29. a3** [29. ♕d7 ♔f8! 30. ♖f3 ♘f5 31. ♕h7 ♕d4 32. ♔h1 ♕g7] **♕h4 30. ♕b7 ♖e8** [30... ♖f8 31. ♕a7 ♔g8? 32. ♖e7 d4 33. ♗c4 ♔h8 34. g3+−] **31. ♕a7 d4⊕ 32. ♗c4** [32. ♖f3 ♔g7 33. ♕d7 ♖f8 34. g3 ♕e4] **♔f8 33. g3!+−** [33. ♖f3 ♔g7 34. ♖f7 ♔h6] **♕g4** [33... ♕f6 34. ♖e6 ♕g7 35. ♕b6!?] **34. ♗e2 ♕c8 35. ♕d4 ♕c1 36. ♔g2** [36. ♕c6 37. ♗f3 ♕c2 38. ♖e2]   **1 : 0**   *Kramnik*

557. !N   E 97
PSAKHIS 2565 − EHLVEST 2610
Polanica Zdrój 1997

1. c4 g6 2. e4 ♗g7 3. d4 d6 4. ♘c3 ♘f6 5. ♗e2 0−0 6. ♘f3 e5 7. 0−0 ♘c6 8. d5 ♘e7 9. b4 ♘h5 10. ♖e1 c6! N 11. ♗b2 [11. ♘d2 ♘f4 12. ♗f1 h5!? △ ♗g4∞] **♘f4 12. ♗f1 b6!□ 13. dc6?!** [13. h3!? △ ♔h2, g3] **♘c6=** [×d4] **14. a3 ♖e8** [14... ♘e6? 15. ♘b5!] **15. ♘d5** [15. g3 ♘e6!? (15... ♘h3 16. ♔g2 ♗g4 17. ♗e2∞) 16. ♗h3 ♗b7 △ ♖c8 ×c4∓] **♘e6 16. ♗d3 ♗b7 17. ♕d2?!** [17. ♘d2 △ ♘b3, a4=] **♖c8 18. ♖ad1 ♖f8 19. ♕c2 ♔h8 20. ♕b1 h5!? 21. ♗c1 ♔h7**

335

22. a4 ♖b8 23. ♗f1 h4 24. h3 ♔h8 [△ f5;
○ 24... ♗c8 △ ♖g8, g5, ♘f4→»] 25. ♗d3
♗c8!∓ 26. ♗e3 ♗d7 27. ♗c2?!⊕ [27.
♕c2∓] ♖c8∓ 28. ♘c3? ♘cd4—+ 29. ♗d4
♘d4 30. ♘d4 ed4 31. ♘e2 ♖c4 32. ♕b3
♗e6 33. ♗d3 [33. ♘f4 ♖c3 34. ♘e6 fe6
35. ♕b1 ♕g5] ♖c7 34. ♕b2 ♕g5⊕ 35. f4
♕f6 36. ♖f1 ♗c4 37. ♔h1 ♗d3 38. ♖d3
♕e7 39. f5 ♖fc8! 40. ♕b3 ♕e4 41. ♕d1
♖c2 42. ♘f4 ♖c1 43. ♕f3 ♗e5!   0 : 1
Ehlvest

558.   E 97

ANAND 2765 — GEL'FAND 2695

Dortmund 1997

1. ♘f3 ♘f6 2. d4 g6 3. c4 ♗g7 4. ♘c3
0—0 5. e4 d6 6. ♗e2 e5 7. 0—0 ♘c6 8. d5
♘e7 9. b4 ♘h5 10. ♘d2 ♘f4 11. ♗f3
♘d3!? [11... f5 — 62/207] 12. ♗a3 a5 13.
ba5 ♖a5 14. ♘b5 ♗d7!? N [14... ♘c5 15.
♘b3 ♘b3 16. ♕b3 ♗d7 17. ♗b4 ♖a8 18.
♘c3 b6 19. a4 ♕b8 20. ♖fb1 f5 21. a5±]
15. ♘b3 ♖a4 16. ♗d6 [16. ♕d3 ♗b5 *a)*
17. cb5 ♖a3 18. ♕c4 (18. ♖fc1!?) c5
(Anand) 19. bc6 bc6 20. dc6 ♕b6=; *b)* 17.
♘d2 *b1)* 17... ♕a8 18. ♗d6 cd6 19. cb5
♖a2 20. ♖a2 ♕a2 21. ♘c4 ♘c8 22. ♗g4
f5 23. ef5 gf5 24. ♗f5 ♖f5 25. ♕f5 ♕c4
26. ♕e6 ♔f8 27. g3±; 19... ♖c8!?; *b2)*
17... ♗d7 18. ♗d1 ♖a6 19. c5 ♕a8 20.
♗b4 ♘c8∞] cd6 17. ♕d3 ♗b5 18. cb5
♗h6 [18... ♕b6!? 19. ♘d2 ♖fa8∞] 19.
♗d1 ♔g7 [19... ♕a8 20. ♕h3 ♗g7 21.
♘c5 (21. ♕d7 ♘c8 22. ♘c5 dc5 23. ♗a4
♘b6 24. ♕c7 ♘a4 25. ♕e5 ♔g8) dc5 22.
♗a4 ♕a4 23. ♕d7] 20. ♕c2! ♕c8!□ 21.
♕c8 ♘c8 22. ♘c5 ♖b4 23. a3 [23. ♘d3
♖e4 24. a4 *a)* 24... ♖d4 25. ♘b2 ♘b6∓; *b)*
24... b6!? Anand] ♖b5 24. ♘a4 [24. ♘d3
f5 25. ♗f3 ♖f7 26. ♖ab1 ♖b1 27. ♖b1
♖c7∓; 24. ♘d7 ♖d8 25. ♗g4 ♘e7 26.
♖fb1 ♖b1 27. ♖b1 f5 28. ♗b7 fg4 29.
♘e5∓] f5 25. ef5 gf5 26. ♗e2 ♖d5?! [26...
♖a5! 27. ♘c3 (27. ♘b2 ♖d5) ♖c5 28. ♘a4
(28. ♘b5 ♖d8 29. ♖fd1 ♘e7 30. a4 ♔f6
31. a5 ♖d5∓) ♖c2 29. ♗d3 ♖d2 30. ♖fd1
♖d1 31. ♖d1∓] 27. ♖fb1 ♖a5 28. ♘b6!
♘b6 29. ♖b6 d5 30. ♖b7 ♖f7 31. ♖b5

♖fa7 32. ♖ab1 ♗g5 [32... e4 33. ♖d1] 33.
♖a5 ♖a5 34. ♖b5 ♖b5 35. ♗b5 ♔f6 36.
♗d7 e4 37. g4 fg4 [37... f4 38. f3 ♗h4 39.
a4 ♔e5 40. a5 ♗d8 41. a6 ♗b6 42. ♔f1
ef3 43. g5=] 38. ♗g4 d4 39. a4 ♗d2 40.
♔f1 d3 41. ♗c8 ♔e5 42. h3 ♗a5 43. ♗d7
♔f4 44. ♗g4 h6 45. ♗d7 h5 46. ♗e8
1/2 : 1/2   *Gel'fand*

559. !N   E 97

GLEJZEROV 2560
— NURKIĆ 2430

Montecatini Terme 1997

1. d4 ♘f6 2. c4 g6 3. ♘c3 ♗g7 4. e4 d6 5.
♘f3 0—0 6. ♗e2 e5 7. 0—0 ♘c6 8. d5 ♘e7
9. ♘d2 ♘e8 10. b4 f5 11. c5 ♔h8 12. a4
♘g8 13. ♘c4 fe4?! 14. ♘e4 [14. cd6!? cd6
15. ♘e4 ♘gf6 16. ♘c3!] ♘gf6 15. ♘c3! N ±
[×♘e8; 15. ♘f6?!] ♘g8?! [△ ♘h6-f5-d4;
15... ♗f5 △ ♘e4±] 16. ♗a3 ♘h6 17. b5±
b6!? 18. cd6 cd6 19. ♗b4 [△ a5; 19. ♘e4!?
♘f7□ (19... ♘f5?! 20. ♗g4) 20. ♗b4±
×♖f8] ♖f4!? 20. a5 ♖b8 [20... ba5?! 21.
♖a5 △ b6] 21. ab6 ab6 22. ♖a7!? ♗b7!?
[×d5] 23. ♕b1! [×e4, ♗b4] ♘f5 24. ♗d3!
♕h4?! 25. ♗e4!? [25. g3! △ 25... ♕h3 26.
♗e4] ♘f6 26. f3+— [×b6, d6, ♗b7, ♖f4]
♗h6 27. ♕e1!?⊞ [27. ♘d6+—] ♕h5 [27...
♘e4 28. ♕h4! ♖h4 (28... ♘h4 29. ♘e4+—]
29. fe4 ♘e3 30. ♗d6!+—; 27... ♕e1 28.
♖e1+—] 28. ♘d6 [28. g3? ♘e4!] ♘e4
[28... ♖h4 29. ♗f5! gf5 30. ♕e5+—] 29.
♘ce4 [29... ♖e4 30. ♘e4 ♗e3 31. ♔h1+—;
29... ♗d5 30. ♘f6+—]   1 : 0
Glejzerov

560.* !N   E 97

L. PORTISCH 2610 —
IORDACHESCU 2500

Berlin 1997

1. d4 ♘f6 2. c4 g6 3. ♘c3 ♗g7 4. e4 d6 5.
♘f3 0—0 6. ♗e2 e5 7. 0—0 ♘c6 8. d5 ♘e7
9. ♘d2 a5 10. a3 ♗d7 11. b3 c6 12. ♖a2!
N [12. ♗b2 c5 13. ♘b5 ♘e8 14. b4 ♘c8?!
N (14... ab4 — 68/549) 15. ♘b3 (15. bc5
dc5 △ 16... ♘cd6, 16... ♗b5; 15. ♘d6!?

336

♘cd6 16. bc5 ♘c8 17. a4!±) a4 (15... b6
16. ba5 ba5 17. a4! △ ♗c3, ♕d2, ×a5;
15... ab4 16. ab4 ♖a1 17. ♕a1 b6) 16.
♘a5! ♕e7□ 17. ♘c3 ♖a7 18. ♘b5 ♖a8
19. ♘c3 ♖a7 20. ♘b5 1/2 : 1/2 R. Ščer-
bakov 2580 − Iordachescu 2485, Kahovka
1997; ◯ 17. ♗d3± △ ♗c2] ♕b8 [12... b5?
13. dc6 b4 14. cd7 bc3 15. ♘b1 ♘e4 16.
♗f3±; 12... ♘e8!?] 13. ♖c2 ♖c8 14. ♗d3!
♗e8 [14... cd5 15. cd5 (15. ed5 ♘f5) b5 a)
16. a4 ba4 (16... b4 17. ♘b5±) 17. ba4 (17.
♘a4!?) ♕b4⇆; b) 16. b4± △ ♕e2, ×b5]
15. ♘db1 [△ ♗e3≪] b5 [15... ♘d7 16. b4
ab4 17. ab4 a) 17... b5 18. cb5 (18. dc6
♘c6⇆) cd5 19. ♘d5 ♘d5 20. ♖c8 ♕c8 21.
ed5 ♘b6 (21... ♘f6 22. ♕b3 ♕b7 23.
♘c3±) 22. ♕b3 ♘a4±; b) 17... cd5!? 18.
cd5 ♘b6∞ △ 19... ♘c4, 19... ♘a4] 16. cb5
cb5 [16... cd5 17. ed5 (17. ♘d5 ♘fd5! 18.
♖c8 ♘c8 19. ed5 ♗b5=) ♕b7 (17... ♘ed5
18. ♘d5 ♘d5 19. ♖c8 ♕c8 20. ♗e4+−)
18. ♗c4 (18. a4!?) a4⊠] 17. b4 [17. a4!?
ba4 (17... b4 18. ♘b5 ♘d7 19. ♗e3±) 18.
ba4 ♕b3!? △ 19. ♘d2 ♕b4⇆] ♘h5 18. g3
f5 19. ba5!? [×b5] ♘f6 20. ♖b2 fe4? [20...
♖a5 21. f3!± △ 21... ♕a7 22. ♔g2 (22.
♔h1) ♕c5 23. ♕e2 △ ♗e3] 21. ♗b5 ♗b5
22. ♖b5 ♕c7 23. ♗g5! [23. ♗e3 ♘f5 (23...
♖a5 24. ♗b6) 24. ♗b6 ♕d7⊠ △ 25. ♖e1
♘d4! 26. ♗d4 ed4 27. ♕d4 ♕h3→] ♘f5
[23... ♖a5 24. ♗f6 ♗f6 25. ♘e4 ♗g7 26.
♖a5 ♕a5 27. ♘d6 ♖a8±] 24. ♗f6 ♗f6 25.
♘e4 ♗g7?! [25... ♗e7] 26. ♘g5! [26.
♘bc3 ♘d4 27. ♖b6 ♖a5 28. ♖d6 ♖a3 29.
♘e2± △ 29... ♘f3 30. ♔g2 ♕c4 31.
♘2c3] ♕d7 27. ♖b6 ♖a5 28. ♘e6 ♘d4 29.
♘d4 ed4 30. ♕b3+− ♗e5 31. ♘d2 ♖ac5
32. ♘e4 ♖c1 33. ♖b8 ♔g7 34. ♖c8 ♕c8
35. ♖c1 ♕c1 36. ♔g2 g5 37. h3 h5 38.
♕b5 ♕c2 39. ♕d7 ♔f8 40. ♘g5 ♕g6 41.
♘e6 [41... ♔g8 42. ♕d8 ♔h7 43. ♘f8]
1 : 0

561. !N   E 97

SAKAEV 2580 − TSEITLIN 2505
Sankt-Peterburg 1997

1. ♘f3 ♘f6 2. c4 g6 3. ♘c3 ♗g7 4. e4 d6
5. d4 0−0 6. ♗e2 e5 7. 0−0 ♘c6 8. d5

♘e7 9. ♘d2 a5 10. ♖b1 ♘e8 11. a3 f5 12.
b4 ab4 13. ab4 ♘f6 14. c5 ♔h8 15. f3 f4
16. ♘c4 ♘e8 17. ♘a4! N ± [17. ♗a3] ♖b8
18. b5 b6 [18... dc5 19. ♘c5 ♘d6 20. ♗a3±]
19. cb6 cb6 20. ♗d2 ♗d7 21. ♘cb6! ♘f6
[21... ♖b6 22. ♗a5 ♘c8 23. ♕e1+−] 22.
♗a5+− ♘c8 23. ♘d7 ♕d7 24. b6 ♕b7
25. ♗b5 ♘a7 26. ♗d3 ♘d7 27. ♗e1 ♘c8
28. ♗f2 ♗f6 29. ♕e2 ♖a8 30. ♗b5 ♘e7
31. ♖fc1 ♖fc8 32. ♖c8 ♘c8 33. ♗d7 ♕d7
34. b7 ♕a4 35. ♕b5   1 : 0   *Sakaev*

562.** !N   E 98

KORTCHNOI 2610
− VAN WELY 2655
Antwerpen 1997

1. c4 ♘f6 2. d4 g6 3. ♘c3 ♗g7 4. e4 d6 5.
♗e2 0−0 6. ♘f3 e5 7. 0−0 ♘c6 8. d5 ♘e7
9. ♘e1 ♘e8 10. ♗e3 [RR 10. ♘d3 f5 11. f3
f4 12. g4 h5 13. h3 ♗f6 14. ♗d2 ♗h4!? N
(14... ♔g7 − 60/588) 15. ♗e1 ♗e1 16.
♕e1 g5 17. b4 ♖f7 18. a4 ♖h7 19. ♖a2
♘f6 20. ♖f2 ♕f8 21. ♗d1 ♘g6∞ Miladi-
nović 2510 − Ch. Gabriel 2570, Pula 1997]
f5 11. f3 f4 12. ♗f2 g5 13. c5 [13. g4!? G.
Kasparov] ♘g6 14. a4 [14. cd6 ♘d6 N
(14... cd6) 15. ♘d3± Ivančuk 2725 − Van
Wely 2655, Monaco (rapid) 1997] ♖f7 15.
♘d3 ♗f8 16. a5 ♗g7 17. a6! N [17. b4;
17. cd6] ba6 [17... b6 a) 18. cb6 cb6 19.
♘b4 ♘f6 20. ♘c6 ♕e8 (20... ♕d7) 21.
♘b5 g4 22. ♘ca7 g3 (22... gf3 23. ♗f3
♖aa7 24. ♘a7 ♖a7 25. ♕d3 ♘d7 26. ♕b5
♕d8 27. b4 △ ♖fc1±) 23. hg3 fg3 24. ♗g3
♘f4 (24... ♘h5 25. ♗h2 ♘gf4 26. g4±) 25.
♗f4 ef4 26. ♗d3 (26. ♘c8 ♖g2 27. ♔g2
♕g6=; 26. ♖f2 ♘h5 27. ♘c8 ♘g3⊠)
♖aa7 27. ♘a7 ♖a7∞; b) 18. ♘b4! dc5 19.
♘c6 ♕f6 20. ♘b5 ♘d6 21. ♘ba7±] 18.
♘b4 ♘f6 19. ♘c6 ♕d7 [19... ♕e8 20.
♗a6 dc5 (20... g4?! 21. ♗c8 ♕c8 22. fg4
♘g4 23. ♘a7±) 21. ♗c8 ♕c8 22. ♘a7
♕b7 23. ♘c6 ♖a1 24. ♕a1 g4 25. ♔h1±]
20. ♘a7 dc5 21. ♘c8 [21. ♗a6! ♖a7 (21...
♗a6 22. ♖a6 c6 23. ♖c6 ♘d5 24. ♕d5
♕d5 25. ♘d5 ♖ga7 26. ♗c5±) 22. ♗c8
♖a1 23. ♗d7 ♖d1 24. ♗e6±] ♕c8 22. ♖c1
h5?! [22... ♖b8 23. b3 ♔h8±] 23. ♘a4 g4

24. ♘c5± g3 25. ♗e1 gh2 26. ♔h2 ♗c5 27. ♖c5 ♘e8 28. ♖h1 ♛d8 29. ♔g1 ♛g5 30. ♖h2 ♖b8? [30... ♘d6 31. ♖a5 ♖b8 32. b4 ♘b5 33. ♖a6 ♘d4] 31. b4 ♖b6 32. ♖a5 h4 33. ♗a6 ♘d6 34. ♗f1+− ♖b8 35. ♛c2 ♛e7 36. ♛c6 ♖h7 37. ♖a7 ♛d8 38. b5 ♖b6 39. ♖a8 ♖b8 40. ♖b8 ♛b8 41. ♗f2 ♔f8 42. ♖h1 ♔e7 43. ♗c5 ♘f8 44. ♗d3 ♖h6 45. ♗f2 ♘g6 46. ♔h2 ♘d8 47. b6 [47. ♖a1 ♘e7 48. ♛c3 ♘g6 (48... ♘f7 49. ♖a6) 49. b6 cb6 50. ♛c6] ♘e7 48. ♛c3 [48... ♘f7 49. bc7 ♛c7 50. ♛a3 △ ♖c1] 1 : 0 *Kortchnoi*

563. E 98

SR. CVETKOVIĆ 2420 − I. NIKOLAIDIS 2520

Korinthos 1997

1. c4 g6 2. e4 ♗g7 3. d4 d6 4. ♘c3 ♘f6 5. ♘f3 0−0 6. ♗e2 e5 7. 0−0 ♘c6 8. d5 ♘e7 9. ♗g5 ♘d7 10. ♘e1 f5 N [10... h6 − 50/665] 11. ef5 gf5 12. f4 ♘f6 [12... h6 13. ♗h4 ef4 14. ♘d3±] 13. fe5 de5 14. ♘d3 h6 [14... ♘g6!?] 15. ♗e3± f4?! [15... ♘g6] 16. ♗f2 ♘g6 17. ♘c5!± [×e4] e4!? 18. ♘5e4 ♘e4 19. ♘e4 ♗b2

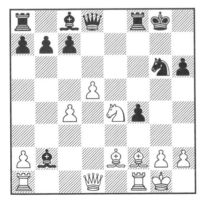

20. ♗d4! ♗d4 [20... ♗a1?! 21. ♗a1 △ ♛d4±→ ∥a1-h8] 21. ♛d4 ♗f5 22. ♗h5 [22. ♗d3!?] b6! 23. ♗g6 [23. g3? c5 ×♘e4; 23. ♖ae1!?] ♗g6 24. ♖ae1 ♛e7!□ 25. ♘d2 ♛f6 26. ♛f6 ♖f6 27. ♖e7 ♖c8 28. g3 ♔f8 29. ♖e5 c6 30. ♖f4 [30. gf4!?±] ♖f4 31. gf4 cd5 32. ♖d5 ♗f7 33. ♖d4 [33.

♖d7!?] ♖c5 34. a3 ♖a5 35. ♖d3 ♖f5 36. ♖d4 ♖a5 37. ♖d3 ♖f5 38. ♖d4 1/2 : 1/2 *Sr. Cvetković*

564.* E 99

KORTCHNOI 2635 − LANKA 2575

Linz 1997

1. c4 ♘f6 2. ♘c3 g6 3. e4 d6 4. d4 ♗g7 5. ♗e2 0−0 6. ♘f3 e5 7. 0−0 ♘c6 8. d5 ♘e7 9. ♘e1 ♘d7 10. ♗e3 f5 11. f3 f4 12. ♗f2 g5 13. ♘d3 ♘f6 14. c5 ♘g6 15. a4 ♔h8 16. a5 [16. ♖c1!? Kortchnoi] ♖g8 17. cd6 [17. a6!? N ♗f8 18. ♔h1 h5 19. ab7 ♗b7 20. cd6 ♗d6 21. ♘b5± O. Borik 2405 − Kachiani-Gersinska 2415, Deutschland 1997] cd6 18. ♘b5 g4 19. fg4 ♘e4 20. ♗a7 ♗d7 21. ♗b6 ♛e7 22. ♘c7 ♖af8 23. ♖a3 N [23. ♘e6 − 68/551] ♘g5 [23... ♘g3? 24. hg3 fg3 25. ♖f8 ♖f8 26. ♘e1 ♛h4 27. ♘f3+−] 24. b4 e4 25. ♘e1 f3?! [25... ♘e5! △ f3→≫] 26. gf3 ef3 27. ♘f3 ♗g4 28. ♖e3

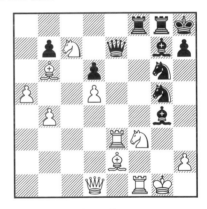

28... ♗f3! 29. ♗f3 [29. ♖e7?? ♘h3#] ♘f3 30. ♖ff3 ♗e5 31. ♔h1 ♖f3 32. ♖f3 ♛h4 [32... ♗h2? 33. ♔h2 ♘e5 34. ♖h3□ (34. ♗d4? ♛g7!−+) ♘g4 35. ♔h1 ♛e4 36. ♛f3 ♛e1 37. ♗g1+−] 33. ♛e2 ♛b4 [33... ♘f4!? 34. ♛f2 ♛h5!→≫] 34. ♘e6? [×d5; 34. ♖f1∞] ♛b1? [34... ♘h4 35. ♖f1 ♛b3! 36. ♘c7 ♛h3! (△ ♗h2) 37. ♖g1 ♖g1 38. ♗g1 ♘f5−+] 35. ♖f1 ♛b3 36. ♛f3 ♛c2 37. ♖f2□ [37. ♛f2? ♛c4! 38. ♛f3 ♘h4−+; 37. ♗f2? ♘h4!] ♛c1 38.

Rf1 **Qh6?** [38... Qd2 39. Rf2 Nh4?! 40. Qf6! Bf6 41. Rd2±; 39... Qc1=] **39. Qf2!±** [△ Nd8-f7, △ Bd8-f6] **Qh5 40. Bd8!** [40. Nd8? Rf8] **h6 41. Bf6 Kh7 42. Be5 Qe5 43. Qf7** [43. Qf3! Ne7 44. Qf7 Kh8 45. Qf6 Qf6 46. Rf6±] **Kh8 44. Qf6 Kh7 45. Qe5? Ne5= 46. Rb1 Ra8 47. Rb7 Kg6 48. Rb5** [48. Rb6 Ra5 49. Rd6 Kf5] **Kf5 49. Nd4 Ke4 50. Nc6 Nc6** [50... Nc4!?⧺] **51. dc6 Rc8 52. a6 Rc6 53. Ra5 Kf3 54. Ra1 Rc8 55. Kg1 Ra8 56. Kf1** [56. a7 Ke2] **Ra7 57. Ra3 Ke4 58. Ke2 Kd4 59. h4 Kc5 60. Kf3** 1/2 : 1/2

Lanka

565. E 99

G. ORLOV 2480 – JA. YOOS

Vancouver 1997

1. d4 Nf6 2. c4 g6 3. Nc3 Bg7 4. e4 d6 5. Nf3 0-0 6. Be2 e5 7. 0-0 Nc6 8. d5 Ne7 9. Ne1 Nd7 10. Be3 f5 11. f3 f4 12. Bf2 g5 13. a4 Ng6 14. a5 Kh8 15. Nb5 N **Nf6!?** [15... a6 16. Na7!? h5 17. Nc8 Qc8 (17... Rc8? 18. Qb3!±) 18. Rc1 Nf6 19. c5↑] **16. Na7 g4** [16... Bd7 17. Nb5 g4 18. g3!?± gf3 19. Bf3 Bh3 20. Ng2 fg3 21. hg3] **17. g3** [17. Nc8?! g3! 18. hg3 Nh5! 19. gf4 (19. g4 Ng3) ef4 20. Nd6 cd6→] **gf3 18. Bf3 Bh3 19. Ng2 Bh6 20. a6** [20. Nb5!?] **ba6 21. Ra6 Qd7 22. c5 fg3 23. hg3 Rg8 24. Qa4** [24. Qe2!? Qg7 (24... Ng4? 25. c6!+−) 25. cd6 cd6 26. Rd6! Ra7 27. Rf6] **Qg7 25. cd6 cd6 26. Nb5!?** [26. Rd6? Nh4!! 27. Nh4 Be3!−+] **Ra6 27. Qa6**

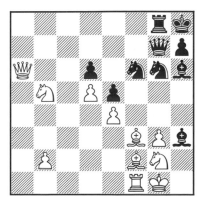

27... **Nh4!! 28. Nh4□ Be3! 29. Qd6?** [29. Nd6! Qg3 30. Bg2! Qh4 (30... Bg2? 31. Nf7 Kg7 32. Nf5 Kf7 33. Ng3+−) 31. Nf7 Kg7 32. Be3 Kf7 (32... Bg2 33. Bh6 Kf7 34. Qe6 Kg6 35. Rf6 Qf6 36. Qg8 Kh6 37. Kg2±) 33. Qb7 Kg6 34. Rf2±] **Qg3 30. Kh1 Nh5?** [30... Qf4!! 31. Ng6 (31. Be3 Qh4−+; 31. Rg1 Bf2 32. Rg8 Ng8−+) Rg6 32. Qf8 Rg8 33. Be3 Qh4−+] **31. Ng6!□ Rg6 32. Bg3 Ng3 33. Kh2 Nf1 34. Kh3 Rd6 35. Nd6±** [N B 9/c] **Nd2 36. Bh5?!** [36. Bg2] **Bc5 37. Nf7 Kg7 38. d6 Ne4 39. d7 Be7 40. Ne5??** [40. d8Q Bd8 41. Nd8±] **Ng5 41. Kg4 Kf6 42. Nc6 Ne6± 43. Kf3 Nd8 44. Na5 Ke6 45. Bg4 Kd5 46. Ke3 Bb4 47. Nb3 Kc4 48. Nc1 Kd5 49. Kd3 Be7 50. Ne2 Nc6 51. Nc3 Kd6 52. Ke4 Nb8! 53. Nb5 Kc6 54. Nd4 Kc7 55. Nf5** [55. Ne6 Kd7=] **Bf6** 1/2 : 1/2

G. Orlov

566. !N E 99

VESCOVI 2490 – SHAKED 2445

Bermuda 1997

1. d4 Nf6 2. Nf3 g6 3. c4 Bg7 4. Nc3 0-0 5. e4 d6 6. Be2 e5 7. 0-0 Nc6 8. d5 Ne7 9. Ne1 Nd7 10. Be3 f5 11. f3 f4 12. Bf2 g5 13. a4 Ng6 14. a5 h5 15. Nb5 Nf6 16. Na7 g4 17. Nc8 g3 18. hg3 fg3 19. Bg3 h4 20. Bh2 **Nf4!** [20... Qc8 — 58/(682)] **21. Bf4 ef4 22. e5 Nh5 23. g4! N** [23. Qd3 *a)* 23... Qg5 24. Qg6 (24. Ne7 Qe7 25. e6 Qg5→) Qg6 25. Ne7 Kf7 26. Ng6 Kg6 27. Bd3 Kh6 *a1)* 28. ed6 Bb2 (28... cd6 29. Nc2 Bb2 30. Rab1±) 29. Rb1 Bd4 30. Kh2 cd6 31. Nc2 Be5 32. Rb7 Ra5±; *a2)* 28. e6 Bb2 29. Nc2 Ba1 30. Ra1; *b)* 23... Ng3 24. Rf2 Qg5!? (24... Rc8 25. Qg6 de5 26. Bd3 Rf6 27. Qg4 Ra8 28. b4?! Qe8 29. Raa2 h3!⧺) 25. Qg6! (25. Ne7 Qe7 26. e6 Qg5→; 25. e6 h3 26. Rf1? h2 27. Kh2 Qh4 28. Kg1 Bd4−+; 26. gh3□) Qg6 26. Ne7 Kf7 27. Ng6 Kg6 28. Bd3 Kh6 *b1)* 29. ed6 cd6 30. Nc2 (30. Ra2 Bd4 31. Nc2 Be3 32. Ne3 fe3 33. Rf1 Nf1 34. Kf1 Kg5 35. b4 Kf4∓) Bb2 31. Rb1 Bc3 32. Rb7 Ra5 (✗Rf2) 33. Rb3∞; 32...

♗a5!; *b2)* 29. ♘c2 ♗e5 30. ♖a2 ♖a7! 31. ♖d2 ♖fa8 32. b4 b6∓; *b3)* 29. e6 ♗d4 30. ♘c2 ♗b2 (30... ♗f2 31. ♔f2±) 31. ♖b1 ♗c3 32. ♖b7 ♗a5 33. c5 dc5; 23. ed6!?] **hg3** [23... fg3 24. f4 ♘f4 25. ♗g4 (△ ♘d3, △ ♖f4, ♗e6, ♕h5) ♗e5 26. ♘g2; 23... ♘g3 △ 24. e6 ♖c8 25. ♖f2 ♗b2 26. ♗d3 ♗d4 27. ♘c2 ♗c5 (27... ♗f2 28. ♔f2 h3 29. ♔g1 ♕h4 30. ♔h2 ♘e4 31. ♕e1 ♘f2) 28. ♕e1 ♕f6 29. ♔g2 h3] **24. ♔g2 ♗e5 25. ♕d3?** [25. ♖h1! *a)* 25... ♘f6 26. ♕c2 ♔g7 (26... ♖f7 27. ♗d3± △ ♗f5-e6) 27. ♕f5 ♕c8 28. ♕g5 ♔f7 29. ♘d3 ♕e8 30. ♖ae1!?± △ 30... ♖g8 31. ♕f5; *b)* 25... ♕g5 26. a6! ♖ac8 (26... b6? 27. ♘e7 ♕e7 28. ♖h5) 27. ab7 ♖b8 28. ♖a7±; *c)* 25... ♘g7 26. ♗d3 ♖c8 27. ♗h7 ♔f7 28. ♘d3 ♕f6 29. ♘e5 ♕e5 30. ♕c2 ♕f6 31. ♖h4!] **♕g5! 26. ♘e7 ♕e7 27. ♕g6 ♘g7 28. ♖h1 ♖f6?** [28... ♗b2?? 29. ♗d3 ♖f5 30. ♖a2 ♕e5 31. ♗f5; 28... ♕f6!∓ 29. ♕h7 (29. ♕f6 ♖f6 30. ♘d3 ♘f5 31. ♘e5 ♘e3 32. ♔g1 de5 33. ♗d3 ♖fa6 34. b4 c5! 35. dc6 ♖c6−+; 29. ♕d3 ♘f5) ♔f7 30. ♖h6 ♕g5 △ ♖h8] **29. ♕h7 ♔f7 30. ♗d3 ♗b2 31. ♖a2 ♕e5 32. ♗e4!± ♗d4** [32... ♕c3? 33. ♘d3 ♕d2 34. ♔h3+−; 32... ♕d4 33. ♘d3 ♗c3 *a)* 34. ♖h4 ♕e3! (34... ♕c4? 35. ♗g6! ♖g6 36. ♖f4 ♕f4 37. ♘f4) 35. ♖g4 ♖g8 36. ♕h4 ♗d4 37. ♘f4 ♕g1 38. ♔h3 ♕h1 39. ♔g3 ♕h4 40. ♔h4 ♖h8 41. ♔g3 ♗e5−+; *b)* 34. ♖e2! ♖e8 (34... ♕c4 35. ♖h4 ♕b5 36. ♘f4; 34... ♖a5 35. ♘f4! ♖f4 36. ♗g6 ♔f6 37. ♖e6!! ♘e6 38. ♕f7 ♔g5 39. ♖h5) *b1)* 35. ♘f4? ♖e4! (35... ♖f4? 36. ♗g6 ♔f6 37. ♗e8+−) 36. ♕e4 (36. ♖e4 ♕f2 37. ♔h3 ♕f3−+) ♖f4 37. ♕e7 ♔g6−+; *b2)* 35. ♗g6? ♖g6 36. ♖e8 ♕d3 37. ♕g8 ♔f6 38. ♖e6 ♔g5−+; *b3)* 35. ♖h4 ♕c4 *b31)* 36. ♖g4 ♖g8 37. ♗g6 ♔f8 38. ♕h6 ♕d3?? 39. ♖e8; 38... ♗e5!∞; *b32)* 36. ♗g6!? ♖g6 37. ♖f4 ♕f4 (37... ♖f6 38. ♖c4 ♖e2 39. ♔g3±) 38. ♘f4 ♖e2 39. ♘e2±; *b33)* 36. ♘f4!→ ×♘g7, g6] **33. ♖h4** [33. ♘d3! ♕g5 34. ♖h4 ♗e3 35. a6!! (35. ♖a1 ♗d4 36. ♖a2 ♗e3=) *a)* 35... ♖a6? 36. ♖a6 ba6 37. ♕h8⊙ a5 38. ♖h7 a4 39. ♕d8 ♖g6 40. ♕d7 ♔g8 41. ♖g7 ♖g7 42. ♕e8; *b)* 35... ♖a7 36. ♖a3!; *c)* 35... ba6 36. ♖b2 a5 (36... ♗b6 37. c5 dc5

38. d6) 37. ♖b7 ♖c8 *c1)* 38. ♖g4 ♕h6 39. ♖g7 ♕g7 40. ♕h3 ♕e8 (40... ♕f8 41. ♕d7 ♔g8 42. ♕h7) 41. ♖c7 ♖e7 42. ♘e5!? *c11)* 42... de5? 43. d6 ♖d6 44. ♕h5 ♔g8 45. ♖c8 ♕f8 46. ♗d5 ♖d5 (46... ♔g7 47. ♖f8 ♔f8 48. ♕h8) 47. ♕g6 ♖g7 48. ♕e6 ♔h7 (48... ♖f7 49. cd5+−) 49. cd5 ♕e7 50. ♕h3 ♔g6 51. ♖c6 ♔f7 52. ♕f5 ♔g8 53. ♖c8; *c12)* 42... ♔g8! 43. ♖c8 ♖f8 *c121)* 44. ♘g6? *c1211)* 44... ♖ef7 45. ♘f8 ♖f8 46. ♗h7 ♔h7 (46... ♔f7 47. ♕e6; 46... ♔h8 47. ♗f5 ♔g8 48. ♗e6) 47. ♖f8 ♔g7 48. ♖f7+−; *c1212)* 44... ♖fe8 45. ♘e7 ♕e7 46. ♖e8 ♕e8 47. ♕h7 ♔f8 48. ♗g6!+−; *c1213)* 44... ♖c8 45. ♕c8 ♔f7 46. ♘h8 ♔f6 47. ♕f5; *c1214)* 44... ♖ee8! 45. ♘f8 ♕b2−+; *c122)* 44. ♖f8! ♕f8 (44... ♔f8 45. ♘g6 ♔f7 46. ♕f5 ♕f6 47. ♘h8 ♔g7 48. ♕h7 ♔f8 49. ♘g6 ♔e8 50. ♕g8 ♔d7 51. ♘e7=) 45. ♘g6 ♖h7!! (45... ♕e8? 46. ♕h8 ♔f7 47. ♕h7 ♔f6 48. ♕h4 ♔f7 49. ♘e7 ♕e7 50. ♗g6 ♔f8 51. ♕h8; 45... ♕f6 46. ♕c8 ♔g7 47. ♕h8 ♔f7 48. ♕f8; 45... ♔g7 46. ♕c8 ♔f7 47. ♘h8 ♔f6 48. ♕f5) 46. ♕h7 ♔h7 47. ♘f8 ♔g8=; *c2)* 38. c5! ♗c5 39. ♘c5 dc5 40. ♖g4 ♕h6 41. ♖g7 ♕g7 42. ♕h3 ♖e8 (42... ♖b6 43. ♕d7) 43. ♖c7 ♖e7 44. d6 ♖d6 (44... ♖c7 45. dc7 ♖b6 46. ♕f5 ♔e7 47. c8♕ ♖b2 48. ♗c2) 45. ♕h5 ♔g8 46. ♖c8 ♕f8 47. ♕g5 ♖g7 48. ♖f8 ♔f8 49. ♕f4 ♔e7 50. ♕e5+−; *d)* 35... ♗d4!? 36. ♖a3! (36. ♖e2?! ♖a6 37. ♘f4 ♖a1!⇆ 38. ♗g6 ♖g6 39. ♕g6 ♕g6 40. ♘g6 ♖g1 41. ♔h3 ♘f5!∞) ♖a7!? (36... ♗e3 37. ab7 ♖a3 38. b8♕ ♖a2 39. ♘b2) *d1)* 37. ab7? ♖a3 38. ♕g8 ♔g8 (38... ♘e7!? 39. ♕d8 ♔d8 40. b8♕ ♔d7 41. ♕b5 ♔e7−+) 39. b8♕ ♘e8!? 40. ♕e8 ♖f8 41. ♖h8 ♗h8−+; *d2)* 37. ♕h8?! ♖a8!; *d3)* 37. c5!? dc5 38. d6 ♖d6 39. ♖g4 ♕h6 40. ♖f4 ♔e7 41. ♕h6 ♖h6 42. ab7 ♖a3 43. b8♕ ♖a2 44. ♔g3 ♘h5 *d31)* 45. ♔g4? ♖g2 46. ♔f5 ♖f6; *d32)* 45. ♔h3? ♘f4 46. ♔g4 ♖g2 (46... ♘e6!?∓) 47. ♔f4 ♖h4 48. ♔f5 ♖h5=; *d33)* 45. ♔h4! ♘f6 (45... ♗f6 46. ♖f6 ♘f6 47. ♔g5 ♖h5 48. ♔f4+−; 45... ♘f4 46. ♔g5 ♘e6 47. ♔h6 ♖h2 48. ♔g6 ♖g2 49. ♔h5+−) 46. ♔g5! (46. ♔g3=) ♖h5 47. ♔g6 ♖g2 48. ♖g4+−; *d4)* 37. ♘b4! ♕e5

(37... ba6 38. ♘c6 ♖b7 39. ♘d8+−) 38.
ab7!? (38. ♖g4+−) ♗c5 39. b8♕ ♕b2 40.
♗c2+−] ♗e3 [33... ♗c5 34. ♘d3 ♕d4 35.
♗g6! ♖g6 36. ♖f4 ♕f4 37. ♘f4+−; 33...
♕g5 34. ♘d3! − 33. ♘d3] **34. ♖g4 ♖g8
35. a6! ba6** [35... ♕c3 36. ♗g6 ♔f8 (36...
♔e7 37. ♕g8+−) 37. ab7+−] **36. ♘d3
♕c3 37. ♖b2 ♗b6** [37... ♗a7 38. c5!] **38.
c5!+−** ♗c5 [38... dc5 39. ♖e2 △ ♘e5,
♗g6] **39. ♗g6 ♔f8 40. ♖b8! ♔e7 41. ♕g8
♕d2 42. ♔f1** [42... ♕d1 43. ♘e1] **1 : 0**
Vescovi

567.   E 99

SOSONKO 2515 − GADJILU 2290

Pula 1997

**1. d4 ♘f6 2. c4 g6 3. ♘c3 ♗g7 4. e4 d6 5.
♘f3 0−0 6. ♗e2 e5 7. 0−0 ♘c6 8. d5 ♘e7
9. ♘e1 ♘d7 10. ♘d3 f5 11. ♗d2 ♘f6 12.
f3 f4 13. c5 h5 14. cd6 cd6 15. ♘f2 g5 16.
h3 ♖f7 17. ♕c2 a6!?** N [17... ♘g6 −
46/834] **18. a4 ♗f8** [18... ♗h6!?] **19. a5**
[◻ 19. ♖fc1 △ ♕d1] **♖g7 20. ♘a4 g4 21.**

♘b6?? [21. fg4◻ hg4 22. hg4 (22. ♘b6?
f3!−+) *a)* 22... ♘g4? 23. ♘b6 ♖b8 24.
♘c8 ♖c8 25. ♕d1 ♘f2 (25... ♘h6 26. ♘g4)
26. ♖f2±; *b)* 22... ♗g4!? 23. ♘g4 ♘g4 24.
♖a3 (24. ♘b6 ♖b8 25. ♖a3 ♘c8) ♕e8∞]

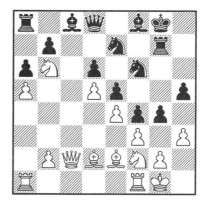

21... gh3!! 22. ♘a8 ♖g2 23. ♔h1 ♕e8!!−+
[△ ♕g6] **24. ♖g1 ♕g6 25. ♘c8** [25. ♘g4
hg4 26. ♖g2 hg2 27. ♔g1 ♕h5] **♘c8 26.
♘h3 ♖g3 27. ♔h2** [27. ♘f4 ef4 28. ♗f4
h4] **♗h6** [△ ♘g4] **0 : 1**
Gadjilu, Bajarany

A

ABRAMOVIĆ [2] − Petronić **380**; Spasov, V. 229

ADAMS, MI. [16/(11)] − Emms **(324)**; Halifman **175**; Hellers (322); Ivančuk **(334)**; Kasparov, G. **(160)**; Keŋgis **181**; Kosten 332; Kramnik 37; Lautier **132**; Lékó (333); Molvig **212**; Mortensen, E. 322; McShane 95; Nielsen, Pe. **310**; Oniščuk, Al. **312**; Piket, Je. **(331)**; Plaskett 452; Polgár, J. (333); Razuvaev 169; Schandorff (498); Shaked 508; Sheldon **213**; Shirov **293**; Summerscale 33; Svidler (298); Van Wely **(35)**; Ward, Ch. **(187)**

ADAMSON [(1)] − Gufeld **(102)**

AFIFI, AS. [(1)] − Istrăţescu (151)

AGAMALIEV [(1)] − Malanjuk **(98)**

AGNOS [1] − Veličković, Sa. 185

ÅKESSON, R. [1/(3)] − Hansen, Cu. **(407)**; Hellsten (175); Smyslov (453); Timman **431**

AKOPIAN, V. [(2)] − Gel'fand (464); Kortchnoi **(39)**

ALEKSANDROV, A. [1/(3)] − Almási, Z. (315); Bareev (392); Haritonov, A. **379**; Rublevskij (299)

ALEKSIEVA [(1)] − Epišin **(63)**

ALEXANDRIA [(1)] − Peng Zhaoqin (188)

AL-KHATEEB [1] − Varavin 173

ALMÁSI, I. [(1)] − Hardicsay (25)

ALMÁSI, Z. [9/(7)] − Aleksandrov, A. **(315)**; Beljavskij, A. **(99)**, **101**, 300; Bologan **(194)**; Ceškovskij 333; Degraeve 320; Horváth, Cs. **296**; Istrăţescu **(244)**; Ivanović, B. **144**; Keŋgis (484); Kortchnoi 327; Lanka **198**; Lékó (300); Lputian **283**; Rublevskij **(157)**

AL-MODIAHKI [2/(2)] − Barua **(282)**; Becerra Rivero (161); Hernández, Gi. 165; Ivanov, Se. **282**

ALTERMAN, B. [9/(6)] − Atalik 429; Bareev (38); Dautov 434; Gabriel, Ch. **416**; Hráček **(491)**; Jakovič 507; Karaklajić 126; Kindermann **531**; Liang Jinrong **(389)**, **420**; Lutz, Ch. (177); Oll (203); Sutovskij **(526)**; Tivjakov 209; Zhang Zhong **81**

ALVAREZ, JOSÉ [(3)] − Becerra Rivero (278); Chacón, Joel (155), (278)

ANAND [16/(3)] − Gel'fand 243, 364, **558**; Hübner, R. **359**; Illescas Córdoba **78**, 368, (368), 370; Ivančuk **287**; Karpov, An. 358, (410); Kramnik **(145)**; Lautier **89**, 236; Milov, V. **32**; Pelletier **192**; Short **329**; Yusupov 373

ANDERSON, R. [(1)] − Baburin (514)

ANDERSSON, U. [1/(1)] − Keŋgis **(5)**; Rublevskij 140

ANNAKOV [(1)] − Seferjan **(271)**

ANTIĆ [(2)] − Marković, Iv. **(109)**; Miljanić (265)

ANTONSEN [(2)] − Mikhalevski, V. **(528)**; Rozentalis **(499)**

ANTOŠÍK [(1)] − Četverik (374)

ANTUNES [1] − Rogozenko 405

APPEL, R. [(1)] − Macieja (117)

ARAKELJAN [(1)] − Umanskij, V. **(541)**

ARAKHAMIA-GRANT [1/(1)] − Hort (545); Portisch, L. **163**

ARBAKOV [2] − Hába, P. 451; Hait **534**

ARDELEANU, A. [1/(2)] − Grigore, G. (540); Grunberg, M. **(91)**; Istrăţescu 535

ARENCIBIA, W. [3] − Becerra Rivero 114; Illescas Córdoba **354**; Nogueiras 277

ARLANDI [(1)] − Korneev, O. (118)

ARSOVIĆ, Z. [1] − Kovačević, A. **150**

ASEEV [2] − Halifman 201; Keŋgis **157**

ASHLEY [(3)] − Ivanov, Alexa. (208); Shabalov (198), (198)

ATALIK [1/(2)] − Alterman, B. **429**; Tivjakov (194); Tzermiadianos, And. (312)

ATLAS, V. [(1)] − Kasparov, G. (478)

AVERKIN [1] − Ulybin 226

AVRUKH [1/(1)] − Gershon **(59)**; Gurevich, M. **409**

AZMAIPARASHVILI [1/(3)] − Beljavskij, A. 96; Chernin, A. (437); Magem Badals (96); Zvjagincev **(184)**

B

BABULA, V. [3] − Freisler 56; Mokrý **43**; Votava **512**

BABURIN [4/(5)] − Anderson, R. **(514)**; Baquero (356); Blatný, P. **377**; Daly **(65)**; Ivanov, Alexa. 90; Kaufman, L. **(517)**; Ólafsson, H. 385; Saidy **386**; Vaganian, R. **(379)**

BACROT [1/(2)] − Degraeve (177); Kortchnoi 15, (15)

BAGATUROV [(1)] − Timošenko, G. (480)

BAGIROV, R. [(1)] − Suétin (91)

BAGIROV, V. [1/(2)] − Hjartarson 123; Plüg (378); Rantanen **(406)**

BAJARANY [(1)] − Ibragimov, B. **(136)**

BAKLAN, V. [1/(2)] − Glek 346; Gurevič, Vl. (190); Macieja **(303)**

BALAŠOV, JU. [(1)] − Galkin, A. **(116)**

BALINOV [1] − Štohl **232**

BANDZA [1/(2)] — Rastenis (45); Rużelé 417; Zukauskas (91)
BANIKAS, H. [1] — Veličković, Sa. 72
BAQUERO [(1)] — Baburin (356)
BARANY [(1)] — Ohotnik (262)
BAREEV [9/(5)] — Aleksandrov, A. (392); Alterman, B. (38); Ehlvest (59); Gel'fand 390, 415; Kasparov, G. 372; Kramnik (501); Krasenkow 443; Lastin 82; Morozevič 342; Short (266), 345; Svidler 529; Topalov 266
BARUA [(1)] — Al-Modiahki (282)
BARUS [(1)] — Šnejder, A. (480)
BAŠAGIĆ [(1)] — Tukmakov (440)
BATSANIN [1] — Röder, M. 124
BECERRA RIVERO [6/(4)] — Al-Modiahki (161); Alvarez, José (278); Arencibia, W. 114; Jurković, A. (189); Marin, M. 100; Moróvic Fernández (244); Rodríguez, Am. 230; Spraggett, K. 41; Westerinen 268; Zapata, A. 172
BEDNAR [(1)] — Cimmerman (110)
BEGOVAC [1] — Hübner, R. 162
BELIKOV [1/(1)] — Bologan (145); Iordachescu 54
BELJAVSKIJ, A. [12/(6)] — Almási, Z. (99), 101, 300; Azmaiparashvili 96; Chernin, A. (101), (528); Ivanović, B. 105; Kožul 462, 528; Mohr, G. 53, 306; Pavasović 304, (304), 402, (402), 403; Sakaev (395); Zvjagincev 391
BENJAMIN, JOEL [6] — Browne 130; Christiansen, L. 103, 267, 353; Gulko 25; Kaidanov 318
BEREBORA [1] — Štohl 430
BERELOVIČ [1/(1)] — Nadyrhanov 210; Šarijazdanov (145)
BEREZIN, O. [(1)] — Malisauskas (252)
BERZINSH, R. [(1)] — Sakovich (314)
BEŠUKOV [(1)] — Korneev, O. (169)
BETANELI [1] — Deshpande 151
BEZGODOV [(1)] — Potapov (325)
BEZOLD [2/(1)] — Fehér, Gy. 158; Glek (154); Vescovi 80
BIGALIEV [1/(1)] — Mikhalevski, V. 454; Nadyrhanov (186)
BLAGOJEVIĆ, D. [1] — Ilinčić 355
BLANCO FERNÁNDEZ [(1)] — Moreno, Ale. (299)
BLATNÝ, P. [1] — Baburin 377
BLEES [1] — Gurevich, M. 265
BOERSMA, P. [1] — Douven 412
BOLOGAN [2/(2)] — Almási, Z. (194); Belikov (145); Izmukhambetov 94; Vyžmanavin 536
BORGE [(1)] — Schandorff (361)
BORGES MATEOS [(1)] — Pérez, Ro. (173)
BORIK, O. [(1)] — Kachiani-Gersinska (564)
BORRAS [(1)] — Rodríguez, Am. (296)
BOSQUE ORTEGA [(1)] — Rodríguez, Am. (93)
BOTVINNIK, IL. [1] — Gofshtein 468
BRADFORD [(1)] — Browne (474)
BRAGIN [1] — Cranbourne 218
BRAUN, CH. [(1)] — Cejtlin (176)
BROWNE [6/(4)] — Benjamin, Joel 130; Bradford (474); Fedorowicz 555; Ivanov, Alexa. 474, (474); Wojtkiewicz 44; Yermolinsky 31, (31), (455), 456
BRUZON [(1)] — Pérez, Ro. (278)
BRYZGALIN [(1)] — Danil'uk (301)
BUKIĆ [(1)] — Šoln (528)

BURMAKIN [1/(1)] — Nadyrhanov 523; Yurtaev (523)
BUTURIN [(1)] — Levin, F. (378)

C

ČABRILO [1] — Ivkov 330
CAMACHO, R. [(1)] — Martín Guevara (139)
CAMACHO MARTÍNEZ [(2)] — Cruz-Lima (275), (541)
CAMACHO PEÑATE [(1)] — Ferragut (541)
CAMPOS MORENO [1] — Marin, M. 470
CANDELA [1] — Pogorelov 497
CARRASCO MARTÍNEZ [1] — Llanes Hurtado 110
CASAGRANDE, H. [1] — Glek 86
ČAŠČEV [1] — Nadyrhanov 108
CEBALO [1] — Dautov 67
CEJTLIN [(1)] — Braun, Ch. (176)
ČERNIŠOV [1] — Istrățescu 136
ČERNJAEV [(1)] — Rodríguez, Am. (147)
ČERNJAHOVSKIJ [(1)] — Kruppa (549)
ĆERTIĆ [1/(2)] — Horváth, József (261); Kotronias (142); Skembris 142
CEŠKOVSKIJ [3/(1)] — Almási, Z. 333; Gel'fand 433; Mihal'čišin (39); Sakaev 437
ČETVERIK [(1)] — Antošik (374)
CHACÓN, JOEL [(2)] — Alvarez, José (155), (278)
CHAVEZ, H. [(1)] — Martín Guevara (139)
CHERNIN, A. [1/(4)] — Azmaiparashvili (437); Beljavskij, A. (101), (528); Plaskett (96); Zvjagincev 21
CHILOV [(1)] — Suétin (227)
CHIONG [(1)] — Nenashev (538)
CHRISTIANSEN, L. [5/(1)] — Benjamin, Joel 103, 267, 353; Moróvic Fernández (319); Summermatter 70; Yermolinsky 190
CHUCHELOV [1] — Kuprejčik 352
CIFUENTES PARADA [(3)] — Izeta Txabarri (36); Piket, Je. (420); Sosonko (380)
ČIGVINCEV [(1)] — Jakovič (531)
CIMMERMAN [1/(2)] — Bednar (110); Krivošeja (44); Sherzer 97
CONQUEST [2/(1)] — Lékó 99; Rodríguez, Am. 117; Zapata, A. (154)
COSMA, I. [(2)] — Nisipeanu (51); Zontah (450)
CRAMLING, P. [2/(2)] — Daly (539); Hellers 439; Ponomarjov, R. 381; Spassky (154)
CRANBOURNE [1] — Bragin 218
CRUZ-LIMA [(2)] — Camacho Martínez (275), (541)
ČUMAČENKO [(2)] — Nadyrhanov (531); Petrušin (144)
CVETKOVIĆ, SR. [3/(1)] — Hellsten 472; Kočovski (384); Miladinović 384; Nikolaidis, I. 563
CVITAN [1/(1)] — Ehlvest 527; Podgaec (463)

D

DA COSTA JÚNIOR [(1)] — Limp (240)
DALY [1/(2)] — Baburin (65); Cramling, P. (539); Sermek 376
DAMLJANOVIĆ [(2)] — Matulović (310); Simonović, A. (161)
DANIL'UK [(4)] — Bryzgalin (301); Petrušin (126); Savenko (301); Ulybin (327)

GIUSTI [(1)] — Melão jr. (228)
GLEJZEROV [4/(2)] — Fedorov, A. (261); Gurevich, M. **447**; Hector 280; Krupkova (269); Nurkić **559**; Rytshagov **427**
GLEK [9/(10)] — Baklan, V. **346**; Bezold **(154)**; Casagrande, H. **86**; Dautov **(112)**; Epišin **120**; Gurevich, M. **107**; Horváth, S. (138); Khenkin 71; Korneev, O. **(305)**; Malahov 27; Masserey **(263)**; Naumkin **(317)**; Nunn **(138)**; Peptan **231**; Podgaec (518); Savčenko, S. 546; Smirin **(203)**; Visser **(544)**; Wilhelmi **233**
GLIGORIĆ [(1)] — Kotronias (337)
GODENA [1] — Komarov, D. 361
GOFSHTEIN [3] — Botvinnik, Il. 468; Relange **542**; Summerscale **202**
GOL'DIN, A. [1/(1)] — Smirin 191; Yermolinsky **(423)**
GOLOŠČAPOV [1] — Seferjan **271**
GOLUBEV, M. [2/(1)] — Itkis 522; Pavlović, G. **171**; Sizyh (204)
GOLUBOVIĆ, B. [1] — Lalić, B. 88
GORBATOV [1] — Petronić 135
GORSHKOVA [(1)] — Lakos (296)
GRABARCZYK, B. [1] — Macieja 207
GRABLIAUSKAS [(1)] — Šarijazdanov **(481)**
GRANDA ZUÑIGA [1/(2)] — Illescas Córdoba **411**; Sión Castro **(427)**; Yermolinsky **(427)**
GRASSO [1] — May **102**
GRATKA [(1)] — Macieja (157)
GREENFELD [5] — Halifman 63; Rotštejn, A. 1; Složenkin **491**; Sosonko **392**; Yudasin **40**
GRIGORE, G. [2/(1)] — Ardeleanu, A. **(540)**; Nisipeanu 143; Văsieşiu, D. **65**
GROSAR, A. [(2)] — Peptan (199); Vukić, M. (28)
GRUNBERG, M. [(1)] — Ardeleanu, A. (91)
GUFELD [(2)] — Adamson (102); Miles **(112)**
GULKO [3/(1)] — Benjamin, Joel 25; Fedorowicz 48, (319); Zamora, J. **515**
GUREVIČ, VL. [2/(1)] — Baklan, V. **(190)**; Kuz'min, G. 252; Timošenko, G. **148**
GUREVICH, D. [6/(1)] — Komljenović, D. 66; Kudrin (185); Onišćuk, Al. **79**; Psakhis **68**; Schwartzman **362**; Thórhallsson, Th. 189; Tukmakov **408**
GUREVICH, M. [13/(1)] — Avrukh 409; Blees 265; Fedorov, A. **516**; Glejzerov 447; Glek 107; Hector 93; Johansen, D. **498**; Jonkman (265); Nijboer **7**; Nikolić, P. **18**; Ólafsson, H. **357**; Stefanova 51; Svešnikov **407**; Vaganian, R. 24
GUSEINOV, A. [(1)] — Van Wely (74)
GYIMESI [1/(3)] — Maksimenko, A. 395; Morozevič (310); Movsesian (310); Nevednichy, V. (310)

H

HÁBA, P. [2/(1)] — Arbakov **451**; Movsesian **494**; Renet, O. (316)
HAIT [2/(5)] — Arbakov 534; Dubinskij 291; Istrăţescu **(254)**; Rasskazov **(86)**; Romcovici **(86)**; Slovineanu (97); Ulko **(86)**
HALIFMAN [7/(3)] — Adams, Mi. 175; Aseev **201**; Greenfeld 63; Kortchnoi **482**; Lukin (160); Sosonko **(194)**; Stefánsson **484**; Sutovskij **521**; Van Wely **(525)**; Yudasin **228**

HAMDOUCHI [(1)] — Lёgkij (76)
HANSEN, CU. [2/(4)] — Åkesson, R. (407); Hector **(333)**; Hellers (162), 288; Keŋgis (38); Timman 401
HANSEN, SU. B. [(1)] — Mortensen, E. **(161)**
HARDICSAY [(1)] — Almási, I. **(25)**
HARITONOV, A. [3/(2)] — Aleksandrov, A. 379; Dubinskij (291); Fedorov, A. **514**; Filippov **(376)**; Jakovič 503
HARTMAN [1] — Volžin 369
HASANGATIN [1/(1)] — Štohl **(187)**; Vaulin **187**
HAUCHARD [1] — Prié **349**
HÉBERT [1] — Vera, R. 548
HECTOR [4/(2)] — Glejzerov 280; Gurevich, M. **93**; Hansen, Cu. (333); Hellers (331); Sokolov, I. **305**; Timman 331
HEIM, S. [1] — Lalić, B. 152
HEINEMANN, TH. [1] — Ftáčnik **106**
HELLERS [5/(6)] — Adams, Mi. **(322)**; Cramling, P. 439; Ernst, Th. 244; Hansen, Cu. **(162)**, 288; Hector **(331)**; Hellsten **(160)**; Keŋgis **(160)**; Rozentalis **(296)**; Schandorff **149**; Timman 438
HELLSTEN [2/(2)] — Åkesson, R. **(175)**; Cvetković, Sr. **472**; Hellers (160); Timman 457
HERNÁNDEZ, AN. [(1)] — Díaz, Joa. (145)
HERNÁNDEZ, GI. [1/(2)] — Al-Modiahki **165**; Ivanov, Se. **(287)**; Zapata, A. (191)
HERNÁNDEZ, ROM. [(1)] — López, C. (111)
HERRERA, I. [3] — Pérez, Ro. **278**; Rodríguez, Am. 250; Vázquez, R. **337**
HILLARP PERSSON [1/(1)] — Rozentalis **(499)**; Timman **502**
HJARTARSON [2/(1)] — Bagirov, V. **123**; Ivanov, Alexa. **336**; Stefánsson **(325)**
HODGSON, JU. [1/(1)] — Plaskett (209); Vera, R. 16
HOFFMANN, M. [(1)] — Pedersen, St. (444)
HOLMOV [(1)] — Lomineshvili **(322)**
HORT [(1)] — Arakhamia-Grant **(545)**
HORVÁTH, CS. [1] — Almási, Z. 296
HORVÁTH, JÓZSEF [1/(1)] — Ćertić (261); Sokolov, An. 295
HORVÁTH, S. [(1)] — Glek **(138)**
HRÁČEK [2/(3)] — Alterman, B. (491); Dautov **13**; Ftáčnik (459); Lutz, Ch. **(246)**; Svidler 220
HÜBNER, R. [8/(1)] — Anand 359; Begovac **162**; Gel'fand 363; Ivančuk **47**; Karpov, An. **115**; Kortchnoi 19; Polgár, J. **519**; Short 309; Tischbierek **(239)**
HUDEČEK [(1)] — Verdihanov **(448)**
HUZMAN [(1)] — Reefat **(378)**

I

IBRAGIMOV, B. [(1)] — Bajarany (136)
IBRAGIMOV, I. [1/(1)] — Mittelman **(535)**; Volkov, S. 61
ILINČIĆ [6] — Blagojević, D. **355**; Filipović, B. **85**; Marjanović, Slavo. 208; Paunović, D. 524; Petronić **69**; Todorović, G. M. **374**
ILLESCAS CÓRDOBA [10/(1)] — Anand 78, **368**, **(368)**, 370; Arencibia, W. 354; Franco, Z. 442;

Granda Zuñiga 411; Karpov, An. **22**; Nogueiras 387; San Segundo 194; Tkachiev 520

INFANTE [(1)] — Leyva, H. **(234)**

IONESCU, CO. [1/(2)] — Malanjuk **(80)**; Oral **(463)**; Sakaev 30

IONOV, S. [1] — Marin, M. 5

IORDACHESCU [2/(1)] — Belikov **54**; Portisch, L. 560; Ščerbakov, R. (560)

IOSELIANI [(2)] — Smyslov (175); Spassky (154)

IPPOLITO, D. [1] — Yermolinsky **423**

ISKUSNYH [(1)] — Tregubov, P. (517)

ISTRĂŢESCU [4/(4)] — Afifi, As. **(151)**; Almási, Z. (244); Ardeleanu, A. **535**; Černišov **136**; Hait (254); Lugovoj, A. 254; Piza, V. 537; Rogozenko (535)

ITKIS [1] — Golubev, M. **522**

IVANČUK [7/(5)] — Adams, Mi. (334); Anand 287; Gel'fand **418**; Hübner, R. 47; Karpov, An. **118**; Kramnik (4), 406; Polgár, J. 313; Short **156**; Topalov **(132)**; Van Wely (403), **(562)**

IVANIŠEVIĆ, I. [(1)] — Zafirovski **(486)**

IVANOV, ALEXA. [6/(2)] — Ashley **(208)**; Baburin **90**; Browne 474, (474); Hjartarson 336; Khan, A. **193**; Kreiman **200**; Yermolinsky 475

IVANOV, SE. [3/(2)] — Al-Modiahki 282; Galego 180; Hernández, Gi. (287); Kuz'min, A. **(531)**; Rublevskij 272

IVANOV, VI. [(5)] — Lastin **(79)**; Lopatskaja (124); Mitenkov **(417)**; Olenin (298); Zajcev, I. (353)

IVANOVIĆ, B. [2/(1)] — Almási, Z. 144; Beljavskij, A. **105**; Komarov, D. **(138)**

IVKOV [2] — Čabrilo 330; Vojinović **539**

IWANOW [(1)] — Oskulski (147)

IZETA TXABARRI [(2)] — Cifuentes Parada (36); Giorgadze, G. **(391)**

IZMUKHAMBETOV [1] — Bologan **94**

J

JAKOVIČ [4/(1)] — Alterman, B. **507**; Čigvincev **(531)**; Haritonov, A. **503**; Nadyrhanov **533**; Timman 141

JANDEMIROV [(1)] — Dubinskij **(187)**

JANSSEN, R. [(1)] — David, Al. (187)

JELEN, IG. [1] — Peptan 145

JOHANSEN, D. [1] — Gurevich, M. 498

JONKMAN [(1)] — Gurevich, M. **(265)**

JOVANOVIĆ, SANJA [(1)] — Marić, M. (291)

JUNUSOV [(1)] — Vul' **(378)**

JURKOVIĆ, A. [(1)] — Becerra Rivero **(189)**

K

KACHIANI-GERSINSKA [(1)] — Borik, O. (564)

KAIDANOV [1/(1)] — Benjamin, Joel 318; Seirawan (378)

KALIČKIN [1] — Vul' **488**

KÁLLAI [1] — Magem Badals 113

KAMIŃSKI, M. [(2)] — Ehlvest **(94)**; Malanjuk **(322)**

KANTSLER [1] — Gershon **59**

KARAKLAJIĆ [2] — Alterman, B. **126**; Lin Weiguo **316**

KARPOV, AN. [13/(4)] — Anand **358**, **(410)**; Gel'fand **410**, 465; Hübner, R. 115; Illescas Córdoba 22; Ivančuk 118; Kramnik 4, (4); Lautier 119, **396**; Milov, V. **356**, (509); Pelletier 464; Short 495; Topalov **(424)**; Yusupov 421

KASIMDZHANOV [1] — Vajda, L. 270

KASPAROV, G. [17/(5)] — Adams, Mi. (160); Atlas, V. **(478)**; Bareev 372; Gel'fand 461, **478**; Kramnik **195**, **505**, 552; Lautier (39); Lékó **297**; Panno **500**; Piket, Je. 367; Polgár, J. **493**; Shaked 432; Shirov 246; Short (236), **284**; Sorín, A. 440; Svidler 177; Topalov 258, **(325)**; Van Wely 17

KASPAROV, S. [(1)] — Fejgin (97)

KAUFMAN, L. [(1)] — Baburin (517)

KAZHGALEYEV [(1)] — Mirumian (95)

KELLY, B. [1] — Macieja 224

KEŃGIS [4/(5)] — Adams, Mi. 181; Almási, Z. **(484)**; Andersson, U. (5); Aseev 157; Fedorov, A. 154; Hansen, Cu. **(38)**; Hellers (160); Larsen, B. **(296)**; Šipov 479

KERN [1] — Ohotnik 262

KHAN, A. [1] — Ivanov, Alexa. 193

KHENKIN [3] — Glek **71**; McNab 98; Rotštejn, A. **83**

KINDERMANN [2/(1)] — Alterman, B. 531; Dautov **112**; Smejkal **(315)**

KIRKOV [1/(1)] — Kostakiev 315; Minčev (315)

KISS, PÁL [(1)] — Szuhanek **(412)**

KLOVANS [1/(1)] — Rustemov **289**; Velčeva **(167)**

KLUNDT [(1)] — Skembris **(334)**

KNAAK [1] — Rogozenko **348**

KOBALIJA [2] — Gallagher 168; Zelčić 167

KOBYLKIN [(1)] — Gipslis (262)

KOČOVSKI [(1)] — Cvetković, Sr. **(384)**

KOFIDIS, A. [1/(1)] — Skembris 547; Van de Plassche (547)

KOGAN, A. [1] — Tukmakov **469**

KOMAROV, D. [4/(2)] — Georgiev, Ki. 480; Godena 361; Ivanović, B. (138); Lékó **76**; Mantovani **471**; Tseitlin **(26)**

KOMLJENOVIĆ, D. [1] — Gurevich, D. 66

KONIKOWSKI [1] — Döttling, F. **73**

KORNEEV, O. [4/(5)] — Arlandi **(118)**; Bešukov **(169)**; Galkin, A. **214**; Giorgadze, G. **(332)**; Glek (305); Mrđa **215**; Rausis (412); Tivjakov **205**; Zaharevič **111**

KORTCHNOI [8/(4)] — Akopian, V. (39); Almási, Z. 327; Bacrot **15**, **(15)**; Halifman 482; Hübner, R. **19**; Lanka **564**; Lékó (327); Piket, Je. 360; Sokolov, I. 366; Tyomkin (467); Van Wely **562**

KOSIĆ [2] — Draško 382; Kovačević, A. **45**

KOSTAKIEV [1] — Kirkov 315

KOSTEN [1] — Adams, Mi. 332

KOSTIN, S. [1] — Nadyrhanov 186

KOTEK [(1)] — Vokarev (269)

KOTRONIAS [2/(3)] — Ćertić (142); Gligorić **(337)**; Mihal'čišin 525; Nenashev 538; Tzermiadianos, And. **(86)**

KOTSUR [(1)] — Rublevskij (180)

KOVAČEVIĆ, A. [2] — Arsović, Z. 150; Kosić 45

KOŽUL [3/(3)] — Beljavskij, A. **462**, 528; Lalić, B. (199); Mohr, G. **(544)**; Palac (199); Zvjagincev 540

KRAGELJ [(1)] — Sutovskij **(538)**

MARJANOVIĆ, SLAVO. [3] — Ilinčić **208**; Petronić **324**; Todorović, G. M. 276
MARKOVIĆ, IV. [(1)] — Antić (109)
MARTÍN DEL CAMPO, R. [1] — Nogueiras 517
MARTÍN GUEVARA [(2)] — Camacho, R. **(139)**; Chavez, H. **(139)**
MASSEREY [(1)] — Glek (263)
MATAMOROS [(2)] — de la Paz (271); Sermek **(353)**
MATULOVIĆ [(4)] — Damljanović (310); Rajković, Du. (351); Striković **(94)**; Velimirović **(141)**
MATVEEVA [(1)] — Umanskaja (390)
MAY [1] — Grasso 102
McDONALD, N. [1] — Lalić, B. **323**
McNAB [1/(1)] — Khenkin 98; Shaw, J. (98)
MEIJERS [1] — Mikhalevski, V. **317**
MELÃO jr. [(2)] — de Faria, P. **(281)**; Giusti **(228)**
MELLADO [(1)] — Giorgadze, G. (64)
MIHAL'ČIŠIN [1/(1)] — Ceškovskij **(39)**; Kotronias **525**
MIKHALEVSKI, V. [6/(2)] — Antonsen **(528)**; Bigaliev **454**; Meijers 317; Murrey **448**; Raškovskij **530**; Savčenko, S. 10; Šer (10); Volžin 426
MILADINOVIĆ [1/(2)] — Cvetković, Sr. **384**; Gabriel, Ch. **(562)**; Velimirović (174)
MILANOVIĆ, V. [(2)] — Misailović (313); Savićević (313)
MILES [3/(5)] — García, Gi. (297), (315); Gufeld (112); Lékó **436**; Nogueiras **263**; Rodríguez, Am. **23**; Sadler (275); Suétin (112)
MILJANIĆ [(1)] — Antić **(265)**
MILOS [5] — de Toledo **274**; German, P. 139; Lékó 241; Rodríguez, Am. 161; Sutovskij **176**
MILOV, V. [7/(1)] — Anand 32; Gel'fand 394, **509**; Gheorghiu, F. **57**; Karpov, An. 356, **(509)**; Lautier 350; Pelletier **375**
MINASIAN, ART. [1] — Nadanian 302
MINČEV [(1)] — Kirkov **(315)**
MIRKOVIĆ, S. [1/(4)] — Đukić, Ž. **62**; Leskur (116); Nevednichy, V. (117); Simonović, A. **(40)**; Soloženkin (117)
MIRUMIAN [(1)] — Kazhgaleyev **(95)**
MISAILOVIĆ [(1)] — Milanović, V. **(313)**
MITENKOV [(1)] — Ivanov, Vi. (417)
MITKOV, N. [(1)] — Marin, M. **(203)**
MITTELMAN [(2)] — Ibragimov, I. (535); Kustanovich (530)
MOČALOV [(1)] — Tustanowski **(30)**
MOHR, G. [2/(1)] — Beljavskij, A. 53, **306**; Kožul **(544)**
MOHRLOK [(1)] — Gipslis (262)
MOIZHESS [(1)] — Odeev (138)
MOJSEENKO [(1)] — Fejgin (143)
MOKRÝ [1] — Babula, V. 43
MOLVIG [1] — Adams, Mi. 212
MORAWIETZ [1] — Kuprejčik 240
MORENO, ALE. [(2)] — Blanco Fernández (299); Vilela (528)
MORÓVIC FERNÁNDEZ [2/(2)] — Becerra Rivero (244); Christiansen, L. **(319)**; Rodríguez, Am. **237**, 248
MOROZ, A. [2] — Perun 84; Timošenko, G. **301**
MOROZEVIČ [1/(3)] — Bareev 342; Gyimesi **(310)**; Zaharevič **(275)**, **(275)**

MORTENSEN, E. [1/(1)] — Adams, Mi. **322**; Hansen, Su. B. (161)
MOVSESIAN [1/(2)] — Gyimesi **(310)**; Hába, P. 494; Yudasin (157)
MRĐA [1] — Korneev, O. 215
McSHANE [1] — Adams, Mi. 95
MÜLLNER [(1)] — Gefenas **(161)**
MURREY [2] — Mikhalevski, V. 448; Serper 526
MURUGAN [(1)] — Zvjagincev **(391)**
MYĆ [(1)] — Macieja (89)

N

NADANIAN [1/(2)] — Kviriashvili (315); Lputian (342); Minasian, Art. 302
NADYRHANOV [7/(5)] — Berelovič 210; Bigaliev **(186)**; Burmakin 523; Čaščev **108**; Čumačenko (531); Filippov **134**; Jakovič 533; Kostin, S. **186**; Lobzhanidze **179**; Majorov, O. **(271)**; Malanjuk **(305)**; Supatashvili **(275)**
NANU [(1)] — Nisipeanu **(112)**
NAUMKIN [1/(1)] — Faragó, I. 489; Glek (317)
NENASHEV [2/(1)] — Chiong **(538)**; Kotronias 538; Skembris 343
NEPOMNJAŠČIJ [(1)] — Degraeve (177)
NESTOROVIĆ, D. [(1)] — Zakić (291)
NEVEDNICHY, V. [2/(3)] — Gyimesi **(310)**; Mirković, S. **(117)**; Simonović, A. 104; Sokolov, An. (94), **211**
NGUYEN ANH DUNG [1] — Tivjakov 122
NIELSEN, PE. [2/(1)] — Adams, Mi. 310; Kuprejčik 121; Rozentalis (296)
NIJBOER [1] — Gurevich, M. 7
NIKČEVIĆ [(1)] — Marin, M. **(482)**
NIKOLAIDIS, I. [1] — Cvetković, Sr. 563
NIKOLAIDIS, K. [(1)] — Tzermiadianos, And. (129)
NIKOLIĆ, P. [1/(3)] — Gurevich, M. 18; Sokolov, I. **(424)**; Timman (268); Van der Wiel **(16)**
NINOV, N. [(1)] — Volodin, V. **(149)**
NISIPEANU [3/(5)] — Cosma, I. (51); Dumitrache, D. **125**; Florean 511; Ghindă, M.-V. **(9)**; Grigore, G. **143**; Lau, R. (229); Maksimenko, A. **(228)**; Nanu (112)
NOGUEIRAS [4/(1)] — Arencibia, W. 277; Illescas Córdoba 387; Martín del Campo, R. **517**; Miles 263; Spraggett, K. (279)
NOTKIN [1] — Šul'man, Ju. 294
NOVIKOV, I. [2/(2)] — Lalić, B. **365**; Piket, Je. **(391)**; Sokolov, I. 398; Topalov **(534)**
NUNN [(1)] — Glek (138)
NURKIĆ [1] — Glejzerov 559

O

OCYTKO [(1)] — Umanskij, V. (73)
ODEEV [(1)] — Moizhess **(138)**
OHOTNIK [1/(2)] — Barany **(262)**; Demeter, P. **(95)**; Kern 262
ÓLAFSSON, H. [2] — Baburin **385**; Gurevich, M. 357
OLENIN [(1)] — Ivanov, Vi. **(298)**

ROTŠTEJN, A. [2] — Greenfeld 1; Khenkin 83
ROWSON [(1)] — Dumitrescu (50)
ROZENTALIS [3/(6)] — Antonsen (499); Hellers (296); Hillarp Persson (499); Macieja (263); Nielsen, Pe. (296); Schandorff 499; Sokolov, I. 129; Wedberg (316); Yermolinsky 11
RUBLEVSKIJ [3/(6)] — Aleksandrov, A. (299); Almási, Z. (157); Andersson, U. 140; Ehlvest 184; Gel'fand (363); Ivanov, Se. 272; Kotsur (180); Psakhis (157); Tregubov, P. (40)
RUÍZ DÍEZ [(1)] — Fluvia Poyatos (146)
RUSTEMOV [2/(3)] — Estrada Nieto (272); Fedorov, A. 261; Klovans 289; Lavretckij (525); Oll (266)
RUŽELÉ [1] — Bandza 417
RYTSHAGOV [4] — Dautov 435; Ehlvest 36; Galkin, A. 290; Glejzerov 427

S

SADLER [1/(2)] — Lutz, Ch. (379); Miles (275); Oll 260
SAIDY [1] — Baburin 386
SAKAEV [5/(4)] — Beljavskij, A. (395); Ceškovskij 437; Ionescu, Co. 30; Loginov, Va. (2); Rogozenko (402); Salov, Va. (423); Sokolov, An. 221; Tseitlin 561; Yudasin 492
SAKOVICH [(1)] — Berzinsh, R. (314)
SALMENSUU [(1)] — Šipov (64)
SALOV, VA. [(2)] — Sakaev (423); Topalov (96)
SAN SEGUNDO [1] — Illescas Córdoba 194
ŠARIJAZDANOV [1/(2)] — Berelovič (145); Grabliauskas (481); Sax, Gy. 146
SAVANOVIĆ [1/(1)] — Rajković, Du. (404); Ristić, Nen. 404
SAVČENKO, S. [2/(1)] — Glek 546; Mikhalevski, V. 10; Tivjakov (244)
SAVENKO [(1)] — Danil'uk (301)
SAVIĆ, M. R. [(1)] — Vujošević, V. (322)
SAVIĆEVIĆ [(1)] — Milanović, V. (313)
SAVON [1/(1)] — Ėmelin 234; Yermolinsky (455)
SAX, GY. [2] — Dautov 477; Šarijazdanov 146
ŠČERBAKOV, R. [2/(2)] — Galkin, A. 399; Iordachescu (560); Poluljahov (547); Šul'man, Ju. 371
SCHANDORFF [2/(2)] — Adams, Mi. (498); Borge (361); Hellers 149; Rozentalis 499
SCHMIDT, WŁ. [1] — Ribli 52
SCHWARTZMAN [2/(1)] — de Firmian (295); Gurevich, D. 362; Serper 6
SEFERJAN [1/(1)] — Annakov (271); Gološčapov 271
SEIRAWAN [2/(1)] — Kaidanov (378); Kudrin 35; Shabalov 264
SEITAJ [(1)] — Vyžmanavin (380)
SĘK, Z. [(1)] — Vinje (18)
ŠER [(1)] — Mikhalevski, V. (10)
SERMEK [1/(1)] — Daly 376; Matamoros (353)
SERPER [4] — de Firmian 238; Murrey 526; Rajlich 532; Schwartzman 6
SHABALOV [2/(2)] — Ashley (198), (198); Seirawan 264; Smirin 188
SHAFIEI [1] — Gadjilu 206

SHAKED [4/(2)] — Adams, Mi. 508; Kasparov, G. 432; Lékó 307; Oniščuk, Al. (261); Piket, Je. (459); Vescovi 566
SHAW, J. [(1)] — McNab (98)
SHELDON [1] — Adams, Mi. 213
SHERZER [1/(1)] — Cimmerman 97; Vigorito (541)
SHEVELEV, A. [1] — Delčev, A. 116
SHIROV [8/(2)] — Adams, Mi. 293; Kasparov, G. 246; Kramnik (545), 556; Lékó 326; Oniščuk, Al. 501; Polgár, J. 325; Svidler 225; Topalov (332); Van Wely 247
SHLIPERMAN [1] — Yermolinsky 455
SHORT [11/(5)] — Anand 329; Bareev (266), 345; Gel'fand 42; Hübner, R. 309; Ivančuk 156; Karpov, An. 495; Kasparov, G. (236), 284; Kramnik 203, 339; Piket, Je. (313); Polgár, J. 159; Topalov 155, (244), (329)
SIEGEL, G. [(1)] — Lukács, P. (417)
SIMONOVIĆ, A. [2/(2)] — Damljanović (161); Mirković, S. (40); Nevednichy, V. 104; Soloženkin 46
SIÓN CASTRO [1/(1)] — Granda Zuñiga (427); Marin, M. 58
ŠIPOV [4/(1)] — Keŋgis 479; Kuprejčik 235; Kveinys 127, 397; Salmensuu (64)
SIZYH [(1)] — Golubev, M. (204)
SKEMBRIS [4/(1)] — Ćertić 142; Klundt (334); Kofidis, A. 547; Nenashev 343; Rossi, C. 49
SKOMOROHIN, R. [(1)] — Zontah (287)
SKYTTE [1] — Volžin 64
SLOVINEANU [(1)] — Hait (97)
SMEJKAL [(1)] — Kindermann (315)
SMIRIN [3/(2)] — Glek (203); Gol'din, A. 191; Shabalov 188; Vera, R. 219; Vigorito (37)
SMYSLOV [1/(2)] — Åkesson, R. (453); Ioseliani (175); Xie Jun 308
ŠNEJDER, A. [(2)] — Barus (480); Timošenko, G. (480)
SOKOLOV, AN. [4/(2)] — Galego 178; Horváth, József 295; Nevednichy, V. (94), 211; Poluljahov (167); Sakaev 221
SOKOLOV, I. [11/(5)] — Hector 305; Kortchnoi 366; Nikolić, P. (424); Novikov, I. 398; Piket, Je. 441, 460; Rozentalis 129; Sosonko 393; Svidler (327); Timman 400, (428); Topalov 328; Van den Doel (544); Van der Sterren (388); Van der Wiel 298; Van Wely (395)
ŠOLN [(1)] — Bukić (528)
SOLOŽENKIN [2/(2)] — Greenfeld 491; Maksimenko, A. (61); Mirković, S. (117); Simonović, A. 46
SOPPE [1] — Zapata, A. 518
SORÍN, A. [1] — Kasparov, G. 440
SOROKIN, M. [(1)] — Ehlvest (351)
SOŚNICKI [(1)] — Filipek (313)
SOSONKO [3/(5)] — Cifuentes Parada (380); Gadjilu 567; Greenfeld 392; Halifman (194); Piket, Je. (451); Sokolov, I. 393; Timman (460); Yudasin (194)
SPASOV, V. [1] — Abramović 229
SPASSKY [(3)] — Cramling, P. (154); Ioseliani (154); Xie Jun (308)
SPEELMAN [4/(2)] — Oll (279); Pein 275; Plaskett 453; Tivjakov 279; Vaïsser (376); Wang Yaoyao 50

KOMBINACIJE • КОМБИНАЦИИ • COMBINATIONS • KOMBINATIONEN • COMBINAISONS • COMBINACIONES • COMBINAZIONI • KOMBINATIONER • 手筋 • التضحيات

♙	♙ **A**	1, 2, 3 ‖ ♙
♘	♘ **A**	♘
	♘ **B**	♘ + 1, 2, 3 ‖ ♙
	♘ **C**	♘♘
	♘ **D**	♘♘ + 1, 2, 3 ‖ ♙
	♘ **E**	‖ ♘
♗	♗ **A**	♗
	♗ **B**	♗ + 1, 2, 3 ‖ ♙
	♗ **C**	♗♘
	♗ **D**	♗♗
	♗ **E**	♗♘ + 1, 2, 3 ‖ ♙
	♗ **F**	♗♗ + 1, 2, 3 ‖ ♙
	♗ **G**	‖ ♗
♖	♖ **A**	♖
	♖ **B**	♖ + 1, 2, 3 ‖ ♙
	♖ **C**	♖♘
	♖ **D**	♖♗
	♖ **E**	♖♘ + 1, 2, 3 ‖ ♙
	♖ **F**	♖♗ + 1, 2, 3 ‖ ♙
	♖ **G**	♖♘♘ / ♖♗♘ / ♖♗♗
	♖ **H**	♖♘♘ / ♖♗♘ / ♖♗♗ + 1, 2, 3 ‖ ♙
	♖ **I**	‖ ♖
♕	♕ **A**	♕
	♕ **B**	♕ + 1, 2, 3 ‖ ♙
	♕ **C**	♕♘
	♕ **D**	♕♗
	♕ **E**	♕♘ + 1, 2, 3 ‖ ♙
	♕ **F**	♕♗ + 1, 2, 3 ‖ ♙
	♕ **G**	♕♖
	♕ **H**	♕♖ + 1, 2, 3 ‖ ♙
	♕ **I**	♕♘♘ / ♕♗♘ / ♗♗♗
	♕ **J**	♕♘♘ / ♕♗♘ / ♗♗♗ + 1, 2, 3 ‖ ♙
	♕ **K**	♕♖♘ / ♕♖♗
	♕ **L**	♕♖♘ / ♕♖♗ + 1, 2, 3 ‖ ♙
	♕ **M**	‖ ♕

1. MALAHATKO 2445 – A. JANOVSKIJ 2285

Kiev 1997

♙ **A**

1. ?   +−

2. CUEVAS 2230 – M. MARIN 2545

Andorra 1997

♘ **A**

1... ?   −+

3. TIMMAN 2630 – ROZENTALIS 2650

Malmö 1997

♘ **A**

1. ?   +−

4. D. MOLDOVAN 2445 – G. SZABO 2210

România (ch) 1997

♘ **A**

1. ?   +−

5. FRÍAS 2515 – BABURIN 2570

San Francisco 1997

♘ **B**

1... ?   −+

6. GLEK 2505 – SAFIN 2510

Vlissingen 1997

♘ **B**

1. ?   +−

7. FERRAN – PARRA CABRERA

Cuba 1996

♗ **A**

1... ?   −+

8. H. GRÉTARSSON 2470 – O. JAKOBSEN 2385

Tórshavn 1997

♗ **B**

1. ?   +−

9. I. ROGERS 2570 – MULJADI

Noosa 1997

♗ **C**

1. ?   +−

10. C. LÓPEZ 2400 – GUEDES 2285

Cuba 1997

1. ?   +−

11. GULKO 2580 – ROM. HERNÁNDEZ 2430

Mondariz Balneario 1997

1. ?   =

12. SERPER 2550 – E. PÉREZ 2275

Los Angeles 1997

1. ?   +−

13. HASANGATIN 2470 – DRAGAN SIMIĆ 2275

Pardubice 1997

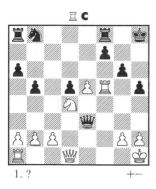

1. ?   +−

14. MERCANTETE 2140 – BORGES MATEOS 2495

Cuba 1997

1. ?   +−

15. GIPSLIS 2465 – MALISAUSKAS 2515

Świdnica 1997

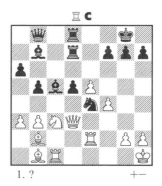

1. ?   +−

16. ED. MENDEZ 2255 – A. K. FERNÁNDEZ

corr. 1997

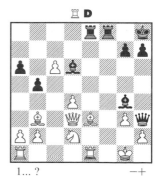

1. ?   +−

17. AL. RAMOS 2145 – PRADO

Cuba 1997

1. ?   +−

18. O. SAEZ – N. RODRÍGUEZ

corr. 1997

1... ?   −+

19. PIHAJLIĆ 2155 — N. GAPRINDASHVILI 2355

Jugoslavija 1997

♖ D

1... ?   −+

20. BEZANILLA 2260 — P. MORALES 2235

Cuba 1997

♖ D

1... ?   −+

21. KRASENKOW 2645 — ROZENTALIS 2645

Krynica 1997

♖ E

1. ?   +−

22. DONLAN — ROBBINS

corr. 1996

♖ F

1. ?   +−

23. VARAVIN 2505 — M. BRODSKIJ 2520

Rossija 1997

♖ F

1. ?   +−

24. Y. PÉREZ 2240 — AN. HERNÁNDEZ 2290

Cuba 1997

♖ G

1. ?   +−

25. PULIDO 2170 — C. PUJOLS 2270

Cuba 1997

♖ G

1. ?   +−

26. EMMS 2530 — SUMMERSCALE 2420

London 1997

♖ I

1. ?   +−

27. H. LEYVA 2410 — PINEDA 2230

San Salvador 1997

♖ I

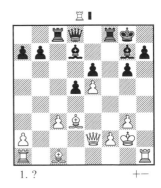

1. ?   +−

28. RYTSHAGOV 2525 — MEDVEDKOV 2255

Jyväskylä 1997

♖ I

1. ?   +−

29. PERUN 2365 — KAGANSKIJ 2320

Kiev 1997

♕ A

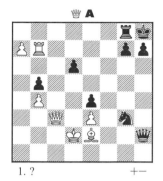

1. ?   +−

30. KOTEK 2305 — BLAŽKOVÁ 2180

Pardubice 1997

♕ A

1. ?   ±

31. DENA 2320 — G. M. TODOROVIĆ 2510

Bela Crkva 1997

♕ C

1... ?   −+

32. HAIT 2370 — GORELOV 2480

Moskva (rapid) 1997

♕ C

1. ?   +−

33. LËGKIJ 2440 — AL. DAVID 2460

France 1997

♕ C

1... ?   −+

34. N. RODRÍGUEZ — R. ESTÉVEZ

corr. 1997

♕ G

1. ?   +−

35. A. KOVAČEVIĆ 2485 — GLIGORIĆ 2465

Jugoslavija (ch) 1997

♕ K

1. ?   +−

36. G. KUZ'MIN 2555 — ÈJNGORN 2590

Berlin 1997

♕ K

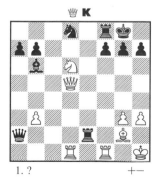

1. ?   +−

1. MALAHATKO – A. JANOVSKIJ

1. g3! Bg5 [1... Nf3 2. Be2 a) 2... Ke4 3. Bd3 Kd5 (3... Nf3 4. Bf5 △ Rf2#) 4. Bc2 Kc4 5. Ne3+–; b) 2... Kg2 3. Ne3 Kh2 (3... Kh3 4. Bf1#; 3... Nf2 4. Nf5+–; 3... Kg1 4. Bf3 △ Rg2+–) 4. Bd1 Kg3 5. Nf5 Kf4 6. Rf2 Ke4 7. Bb3+–] 2. h4 Kh5 [2... Kg6 3. Rd6 Kg7 4. Nh6+–] 3. Rd6!! fg4 4. Be2! Rg7□ 5. fg4 Rg4 6. Rf6!! [△ Rf5+–] 1 : 0
Malahatko

2. CUEVAS – M. MARIN

1... Nfg4! 2. hg4 [2. Kg1 Bd4–+; 2. Kg2 b4 △ Qb5–+→] fg4 3. Bg2 [3. Ne3 gf3 4. Rf3 Ng4–+→ ×Bc1] Re2 4. Qb1 [4. Qd3 c4–+; 4. Bd2 Bd4 △ Qf7-h5#] Bd4! [4... Qf7?! 5. Re3 Qh5 6. Kg1 Bd4 7. Qd3] 5. Rd3 [5. f5 Qf7 6. Bg5 Rg2 7. Kg2 Qd5 8. Kh2 Re2 9. Nf2 Bf2 10. Rd3 Bg1–+] Qf5 6. Ne3 Be3 7. Be3 c4 [8. Rc3 Qb1 9. Rb1 R8e3 10. Re3 Re3–+ ×g3, b2] 0 : 1
M. Marin

3. TIMMAN – ROZENTALIS

1. Ng4! [1. Qd3 Re4 2. Re4 Ne6! △ Nf8] f5! [1... Re4 2. Re4 Qc8 3. Qf7+–] 2. Nh6? [2. Ne5 de5 3. Rf4!! (3. R4e3 e4) e4 (3... Qf3 4. Rf3 e4 5. Rff1 Bd2 6. Re2 Bc3 7. ba5 ba5 8. g4+–) 4. Ree4!!+–] fe4 [2... Re4? 3. Re4 fe4 4. Nf7 Kg8 5. Nd8 Qc8 6. Qg4 Qd8 7. Qe4+–] 3. Nf7 Kg8 4. Nh6 [4. Nd8? ef3] Kh8 5. Nf7 1/2 : 1/2
Rozentalis

4. D. MOLDOVAN – G. SZABO

1. Nf5! [1. Ne6? Qd7–+] gf5 [1... Bf8 2. Nd5 Qf7 3. Qh4! gf5 (3... Bf5 4. ef5 Rec8 5. Bb6 Nc6 6. Bc7! Rc7 7. fg6+–; 3... Kh8 4. Nh6 Bh6 5. Rf1!+–) 4. g6! Qg6 (4... hg6 5. Nf6+–) 5. Rg1+–; 1... Bf5 2. ef5 Qc4 (2... gf5 3. Nh5! Qd7 4. g6 Bf8 5. Nd5+–) 3. Qc4 Nc4 4. f6 Bf8 5. Ne4+–] 2. Qh5! [2. ef5? Qc4!] Be6 [2... Bd7 3. g6+–; 2... Rf8 3. Nd5 Qd7 4. g6 Bd8 5. Rg1 h6 6. g7+–] 3. g6 Bf6 [3... h6 4. ef5 Bc4 5. Qh6 Bf8 (5... Bd8 6. Rd6!+–) 6. Qh5 △ f6+–; 3... Bf8 4. ef5 hg6 5. Rg1 Qh7 6. Rg6 Kh8 7. Qh7 Kh7 8. Re6+–]

4. ef5 hg6 [4... Bc4 5. Rd6!+–] 5. Rg1! [5. Qg6 Qg7 6. Rg1 Qg6 7. Rg6 Kf7 8. Ne4!+–] Bf7 6. Nd5 [6. fg6 Ba2 (6... Be6 7. Ne4+–) 7. Rdf1+–] Bd5 7. Rg6 Bg7 8. f6 Re7 9. fg7! Rg7 10. Rdg1
1 : 0
Nisipeanu, V. Stoica

5. FRÍAS – BABURIN

1... Nfd4! 2. cd4 Nd4 3. Qa2 [3. Qc3 Nf3 4. Kf1 Nh2 5. Kg1 Nf3 6. Kf1 e4–+; 3. Qa3 Nf3 4. Kf1 Nh2 5. Kg1 Nf3 6. Kf1 Qh3 7. Nce3 Bf8–+] Nf3 4. Kf1 Nh2 5. Kg1 [5. Ke2 e4!–+] Nf3 6. Kf1 Qh3 7. Nce3 Nd4! 8. Kg1 Re6!? 9. b3 Red6 10. Bb2 Nf3 11. Kf1 e4 12. de4⊕ [12. d4 Bd4 13. Bd4 Rd4–+; 12. Ke2 Qh5 (12... ed3!? 13. Kf3 Bb2 14. Qb2 Rd4 15. Rd3 Rd3–+) 13. g4 Qh3–+] Rd2 13. Rd2 Rd2
0 : 1
Baburin

6. GLEK – SAFIN

1. Bg5! Qd4 2. Nge4!! f6 [2... de4 3. Re4 Qc5 (3... Qb6 4. Na4+–) 4. Na4 Qd5 5. c4+–; 2... Be5 3. Be3 Qb4 4. Bc5 Qb2 5. Rab1+–; 2... Bb4 3. a3 Ba5 (3... Bc3 4. bc3 Qb6 5. Rab1 Qa5 6. Be7 Ke7 7. Qg5 Kd7 8. Qf5 Kd8 9. Nd6! Bf5 10. Nb7+–) 4. Be7 Ke7 5. Qg5 Kd7 (5... Kf8 6. Qd8 Ne8 7. Nd6!+–) 6. Nc5! Qc5 7. Bf5 Ne6 8. Be6 Bc7 (8... fe6 9. Qg7+–) 9. Bf7+–→] 3. Nd6 [3. Ne2 Qb2 (3... Qb4 4. c3) 4. Rab1 Qa3 5. Rb3 Qa4 6. Nd6 fg5 7. Qg5±→; 3. Bf6!? Bh2 (3... gf6 4. Nd6+–) 4. Kh2 gf6 5. Nd6+–→ ×Kf8, f6] fg5 [Glek – Safin] 4. Nf7! Rg8□ 5. Ng5+–→
Glek

7. FERRAN – PARRA CABRERA

1... Ba3! 2. c3□ Na4!! 3. Ba4 [3. ba3 Nc3!!–+] Qa4 4. Bg5 Rd1 5. Qd1 Bb2 6. Kd2 Bc3 7. Ke2 Re8 8. Be3 Qc4
0 : 1
Ferreiro

8. H. GRÉTARSSON – O. JAKOBSEN

1. Bg6! hg6 [1... fe5 2. Bh7 Kh8 3. de5+–] 2. Ng6 Qe8 [2... Qe3 3. Rhe1 Qg3 4. Ne7 Kh8 5. Qg6 Qh4 (5... Qf4 6. h4! Nb6 7. Rf1+–) 6. Nc8! Rac8 7. Re7+–] 3. f5!

♖f7 [3... ♕e3 4. ♖he1 ♕h3 (4... ♕h6 5. ♕h2! ♖f7 6. ♗c7 ♘f8 7. ♖e7 ♘g6 8. ♖f7 ♘f8 9. ♖e1+−) 5. ♘e4!! ♘e8 (5... de4 6. ♕c4 ♖f7 7. ♖h1+−; 5... ♕g4 6. ♘e7 ♔h7□ 7. ♖h1 ♕h5 8. ♖dg1 ♕f3 9. ♕g2! ♕g2 10. ♖g2!+−) 6. ♘f2 ♕g3 7. ♕d2! △ ♕h6+−] 4. e4! ♘b6?! [○ 4... ♘f8+−] 5. ♖he1 ♕d8 6. ♕d2! ♗h7 7. ♕f2 ♖f8 8. ed5 ♖e8 9. ♕h4 ♔g8 10. ♖e8 ♘e8 11. ♕h8 ♔f7 12. ♕f8#   1 : 0

H. Grétarsson

9. I. ROGERS — MULJADI

1. ♘f6! gf6 [1... ♘f6 2. ef6 ♕c7 (2... ♗f3 3. fe7+−) 3. ♗h7! ♔h7 4. ♕h5 ♔g8 5. ♕g5+−; 1... ♔h8 2. ♘h7+−] 2. ♗h7! ♔h7 [2... ♔h8 3. ♕h5 ♔g7 (3... ♘f4 4. ♕h6+−) 4. ♕g4 ♔h8 5. ♖d3+−] 3. ♕h5 ♔g7 4. ♕g4 ♔h7 5. ♖d3 ♘f4 6. ♕f4 ♗g2 7. ♕h4   1 : 0   *I. Rogers*

10. C. LÓPEZ — GUEDES

1. ♖f7!! ♔f7 2. ♕h7! ♖h8 [2... ♖g8 3. ♗h5 ♔e7 4. ♖f1+−] 3. ♗h5 ♔f8 4. ♖f1 ♘f6 [4... ♕f6 5. ♕g6] 5. ♕g6   1 : 0   *C. López, L. Domínguez*

11. GULKO — ROM. HERNÁNDEZ

1. ♖b6! [1. ♖a1 ♖g6! △ h6∓] ab6 2. ♕b2? [2. ♖b6! ♔a7 3. ♖d6 a) 3... ♖g6 4. ♖g6 hg6 5. ♕e3 ♖c7 (5... ♔b6 6. ♗d8+−; 5... ♔a6 6. ♕c5 ♕d7 7. ♗e3+−; 5... ♗a6 6. ♕c5 ♔a8 7. ♕c6 ♗b7 8. ♕e8+−) 6. ♕e5 ♕d7 7. ♗f4 ♔b6 8. ♕f6+−; b) 3... ♗a6 4. ♕b2 ♖b7 5. ♖a6 ♔a6 6. ♕a2 ♔b6 7. ♗d8 ♖bc7 8. d6 ♖g3 9. fg3 ♕g3 10. ♕g2 ♕e3 11. ♕f2+−; c) 3... ♕g4! 4. ♕b2 ♕d1 5. ♔g2! (5. ♔h2? ♕f1! 6. ♕b6 ♔a8 7. ♕c6 ♔b8 8. ♕b6 ♖b7! 9. ab7 ♖b7 10. ♕c5 ♕h3−+) ♕f3 6. ♔g1 ♔a8 (6... ♖c7 7. ♕b6 ♔a8 8. ♖c6±) 7. ♕b6 ♔a7 8. ♖c6 (8. ♖b8 ♕d1=) ♗h3 9. ♕b6 ♔a8 10. ♕d8=] ♗a6? [2... b5!! 3. ♕b5 (3. ♕a2 ♗f5! 4. ♖b5 ♔a8 5. ♕a5 ♖g8 6. ♕b6 ♖c8−+) ♖b7 4. ab7 ♖b7−+] 3. ♕b6 ♖b7 [3... ♗b7 4. ♕d6 ♖c7 5. ♕e5 ♕d7 6. ♗f4±] 4. ♕d6 ♖c7 5. ♖a1! ♗c4 6. ♗d8 ♗b5?⊕ [6... ♕d7 7. ♗c7 ♖c7 (7... ♕c7 8. ♕f8 ♖c8 9. ♖a8+−) 8. ♖b1 ♔a8 9. ♕e5 ♗a6! (9... ♔d5 10. ♖d1+−; 9... ♖b7 10. ♖a1 ♖a7 11. ♕h8 ♔b7 12. ♖b1

♔a6 13. ♕f6+−) 10. ♖b6±→] 7. ♗c7 ♖c7 8. ♕b6 [8... ♖b7 9. ♕d8 ♕c8 10. ♖a8+−] 1 : 0   *Gulko*

12. SERPER — E. PÉREZ

1. ♖d7! ♗b2 [1... ♗d7 2. ♘e5 ♕e5 3. ♘f6 gf6 4. ♕g6 ♔h8 5. ♗f6+−] 2. ♗b2 ♕b4 3. ♗b3 ♘d7 4. ♖d1! [△ ♖d7!, ♘f6!+−; 4... ♔h8 5. ♖d7! ♗d7 6. ♘f6!+−]   1 : 0   *Serper*

13. HASANGATIN — DRAGAN SIMIĆ

1. ♖e1!! ♗e6 [1... ♗e1 2. ♕f6 ♗c3 3. ♕c3 f6 4. ♕f6 ♕f7 5. ♕d8 ♕f8 6. ♕f8#] 2. cb7 ♖d8 [2... ♖b8 3. ♖e3 b4 (3... ♔h8 4. ♕c7 △ ♗f4+−) 4. ♖c3 bc3 5. ♕e5 f6 6. ♕c7 ♗f7 7. ♗f4+−] 3. ♕d8!! ♕d8 4. ♗f4 ♗e1 5. ♘e1! [5... ♗a2 6. b8♕ ♕b8 7. ♗b8+−]   1 : 0   *Hasangatin*

14. MERCANTETE — BORGES MATEOS

1. ♘h5!! ♘h5 [1... gh5 2. ♗h7 ♘h7 3. ♕h7 ♔f8 4. ♖e6! fe6 5. ♘e6#] 2. ♕h7 ♔f8 3. ♖e6!! ♕c1 [3... fe6 4. ♘e6#; 3... ♘hf6 4. ♕h8 ♘g8 5. ♘h7#; 3... ♘df6 4. ♕h8 ♘g8 5. ♘h7#] 4. ♗f1 ♕g5 5. ♕h8#   1 : 0   *Mercantete*

15. GIPSLIS — MALISAUSKAS

1. ♘b5! ab5 [1... ♗a7 2. ♘d4] 2. ♖c5!! ♘c5 3. ♕h7 ♔f8 4. f5! [△ f6+−] ♔e7 5. ♕h4! [5... f6 6. ef6 ♔f7 7. ♕h7+−; 5... ♔e8 6. f6 ♘e6 7. ♕h8 ♘f8 8. fg7+−; 5. f6 gf6 6. ef6 ♔d6 7. ♗e5 ♔c6 8. ♗b8 ♖b8 9. ♗f5+−]   1 : 0   *Gipslis*

16. ED. MENDEZ — A. K. FERNÁNDEZ

1. ♖h5! ♔g7 [1... gh5 2. ♕h5 ♔g8 3. ♘f5 ♕f4□ 4. g3! ♕e4 5. ♔g1 ♖c8 6. ♕g5 ♔f8 7. ♕h6 ♔e8 8. ♘d6+−; 1... ♔g8 2. ♘f5 ♕f4 (2... gf5 3. ♖h3! △ ♖g3+−) 3. ♘e7 ♔g7 4. ♘d5 ♕f2 (4... ♕e4 5. ♖h7! △ ♘f6+−) 5. ♕c1+−] 2. ♘f5! gf5□ 3. ♖f5 ♖g8 [3... ♖e8 4. ♕g4 ♔f8 5. ♖af1 ♖e7 6. ♕g6+−] 4. ♕g4 ♔f8□ 5. ♖f7!! ♔f7 6. ♖f1

♗e7 7. ♕g8 ♕e5 8. ♖f7 ♔d6 9. ♕f8! ♔c6
10. ♖f6 ♔c7 11. ♖c5 ♔d8 12. ♖f8 ♔d7 13.
♕c8 ♔d6 14. ♖d8 ♔e7 15. ♖e8 ♔f6 16.
♖e5 ♔e5 17. ♕b7   1 : 0
Rom. Hernández, Ibarra Padrón

17. AL. RAMOS — PRADO

1. ♖d8!! ♔g7 [1... ♗g3 2. ♖f8 ♔g7 3.
♖g8#; 1... ♖d8 2. ♗f6!+—; 1... ♕d8 2.
♕e5+—; 1... ♘d7 2. ♖f8 ♘f8 3. ♗f6!+—]
2. ♗f6!! ♔f6 [2... ♖f6 3. ♖g8+—; 2... ♔f6
3. ♕c7+—; 2... ♔h6 3. ♕h4#] 3. ♖f8
1 : 0   *Camacho Martínez*

18. O. SAEZ — N. RODRÍGUEZ

1... ♗g3!! 2. hg3 [2. ♖e2 ♗e2 3. ♕e2 ♖e3
4. ♕g2 ♕g2 5. ♔g2 ♖f2—+] ♕g3 3. ♔h1
♕h4! 4. ♔g1 [4. ♔g2 ♗h3—+] ♖f3! [5.
♘f3 ♕g3 6. ♔f1 ♕f3 7. ♔g1 (7. ♗f2
♗h3—+) ♕g3 8. ♔f1 ♖f8—+; 5. ♗d5 ♕g3
6. ♔h1 ♖fe3 7. ♘f1 ♗f3 8. ♗f3 ♕f3 9.
♔g1 (9. ♔h2 ♕h5—+) ♕g4 10. ♔f2 ♕f4
11. ♔g1 ♕g5 12. ♔h1 ♕h5 △ ♖d3—+]
0 : 1   *N. Rodríguez*

19. PIHAJLIĆ — N. GAPRINDASHVILI

1... ♗g4! [1... ♖h2 2. ♔g3] 2. ♔g2 ♕d2 3.
♔g3 [3. ♔f1 ♗h3—+; 3. ♔g1 ♕e1 4. ♔g2
(4. ♔h2 ♕f2—+) ♗f3—+] ♕d3! 4. ♔g2 [4.
♔g4 ♕f3#; 4... h5#; 4. ♔f2 ♕f3—+; 4.
♔h2 ♕h3—+] ♕f3 [5. ♔g1 ♕g3 6. ♔f1
♗h3 7. ♔e2 ♕d3 8. ♔f2 ♕f3 9. ♔g1
♕g2#]   0 : 1   *S. Mirković*

20. BEZANILLA — P. MORALES

1... ♗h3! 2. gh3 ♕g3 3. ♔h1 ♕h3 4. ♔g1
♘g3 5. ♕d5 ♖e4!! 6. ♔f2 [6. ♘e4? ♕h1 7.
♔f2 ♘e4—+] ♗c3 7. bc3 ♘h1 8. ♖h1 ♕e3
9. ♔g2 ♕e2 10. ♔g3 ♖e3 11. ♔h4 ♕f2
0 : 1   *Rom. Hernández, Ibarra Padrón*

21. KRASENKOW — ROZENTALIS

1. ♖e6! fe6 2. ♘g5 [△ ♘h7] ♕a5 [2... ♗f8
3. ♘h7 ♔h7 (3... ♗h6 4. ♕g6 ♗g7 5.
♘f6+—) 4. ♕g6 ♔h8 5. ♗g5 ♘bd7 6.
♘e4+—] 3. b4! [3. ♘h7 ♕f5] ♕f5 [3...

♕a6 4. b5+—; 3... ♗b4 4. ♘h7! ♕f5 5.
♕f5 gf5 6. ♘f6 ♗f7 7. ♘e8 ♗c3 8.
♘c7+—] 4. ♕e3! [4... ♕c2 5. ♕e6 ♔h8 6.
♕f7 ♖g8 7. ♕h7! ♔h7 8. ♘f7#; 4... ♘d5
5. ♗f5 ♘e3 6. ♗e6 ♔h8 7. ♘f7 ♔g8 8.
♘d6 ♔h8 9. ♘e8+—; 4... ♕g4 5. h3 ♕h4
6. ♕e6 ♔h8 7. ♘f7 ♔g8 8. ♘d6 ♔h8 9.
♘e8+—; 4. ♕c4!+—]   1 : 0
Krasenkow

22. DONLAN — ROBBINS

1. ♖b7!! ♘b8! [1... ♔b7 2. ♕a6 ♔c7 3.
♗a5! ♘a5 4. ♕a5 ♔c6 5. ♗b5+—] 2. ♕b3
♗b5 3. ♗b5 ♔b7 4. ♗a6! ♔a6 5. ♕a4
♔b7 6. ♖b3 ♔c8 7. ♕a7! [7... ♕g1 8. ♗e1
♕g4 9. ♔c1 ♕f4 10. ♔b2 ♕e5 11. ♕b7#]
1 : 0   *Donlan*

23. VARAVIN — M. BRODSKIJ

1. e5! de5 [1... ♘h7 2. e6 fe6 3. ♘e6 ♗e6 4.
♖e6! ♔f8 (4... ♔h8 5. ♖e7 ♖ec8 6. ♕d6
♖c3 7. ♖g7!+—) 5. ♖e7! ♖e7 6. ♗e7 ♔e7
7. ♕d6+—] 2. ♗f7!! ♔f7 3. ♘b3 ♕c7 4.
♘c5 ♕c5 5. ♗f6 ♗f6 [5... ♘f6 6. fe5 ♗g4
(6... ♗f5 7. ef6 ♗f6 8. ♘e4+—) 7. ef6 ♗d1
8. fg7 ♗g4 9. ♘e4! ♕c6 10. ♕h6 ♖g8
(10... ♖c8 11. ♖f1 ♗f5 12. ♖f5!+—) 11.
♘g5 ♔e8 12. ♕h7+—] 6. ♕d7 ♘e3 [6...
ef4 7. ♘e4 △ ♘d6+—] 7. fe5! ♘d1 [7...
♕e5 8. ♖d3+—; 7... ♗e5 8. ♖e3 ♕e3 9.
♖f1 ♗f6 10. ♖f6! ♔f6 11. ♘d5+—] 8.
♘e4! ♘c3□ 9. ♘c3 ♕f2 [9... ♗h4 10.
♖f1+—] 10. ♕d5 e6 11. ♕d1! ♖d8 12. ♕c1
[△ ♖f1]   1 : 0   *Varavin*

24. Y. PÉREZ — AN. HERNÁNDEZ

1. ♗d5! [1. ♘c6? bc6 2. ♕b8 ♗a6—+] cd5
[1... ♔h8 2. ♗c6!+—] 2. ♘d5 ♕e6 3. ♖c8!!
[3... ♖c8 4. ♘f6 gf6 5. ♕e6+—; 3... ♕c8 4.
♘e7+—]   1 : 0   *Y. Pérez*

25. PULIDO — C. PUJOLS

1. ♘h7! ♔h7 2. ♕h4 ♔g8 3. ♖d6!! ♗f5
[3... ♕d6 4. ♘e4 ♕d4 5. ♗e3+—] 4. ♖b6!
♕b6 5. ♘d5 ♕d4 6. ♘f6 ♔g7 7. ♕h6 [7...
♔f6 8. ♗g5#]   1 : 0
Rom. Hernández, Ibarra Padrón

26. EMMS – SUMMERSCALE

1. ♖h7!! ♔h7 [1... ♘d3 2. ♕d3 ♔h7 3. fg6
fg6 4. ♖h1 ♔g8 5. ♕d5+−] 2. ♖h1 ♔g8
[2... ♔g7 3. ♗e5 ♖e5 4. f6! ♔f6 5. ♕d6
♖e6 6. ♕f4 ♔g7 7. ♕h6+−] 3. ♖h8! [3...
♔h8 4. ♗e5 ♖e5 (4... f6 5. ♕h6 ♔g8 6.
♕g6 ♔f8 7. ♕f6+−; 4... de5 5. ♕h6+−) 5.
♕h6 ♔g8 6. f6+−; 3... ♔g7 4. f6! ♔f6 (4...
♔h8 5. ♕h2 ♔g8 6. ♕h6+−) 5. ♕d6 ♔g7
(5... ♖e6 6. ♗e5 ♔g5 7. ♕d2‡) 6. ♗h6!
♔h8 7. ♕f6+−]   **1 : 0**   *Wall*

27. H. LEYVA – PINEDA

1. ♖h7! d4 [1... ♔h7 2. ♕h5 ♔g8 3. ♗g6
♖e8 4. ♕h7 ♔f8 5. ♗h6+−] 2. ♖g7!! ♔g7
3. ♗h6 ♔h6 [3... ♔g8 4. ♗f8 ♕f8 5. cd4+−]
4. ♖h1 ♔g7 5. ♖h7! ♔g8 [5... ♔h7 6. ♕h5
♔g7 7. ♕g6+−] 6. ♕g4 ♗c6 7. ♔g1 ♖f6
8. ♕h4   **1 : 0**   *H. Leyva*

28. RYTSHAGOV – MEDVEDKOV

1. ♘f7! [1. ♕e4 f6 2. ♘d7 ♗d7⧢] ♔f7 [1...
♕c7 2. ♘3e5 △ 3. ♕c4, 3. ♕e4+−] 2. ♕c4
♔f8□ [2... ♔f6 3. ♘g5+−; 2... ♔g6 3.
f5!+−] 3. ♘e5! ♘e5 4. fe5 ♗f6 5. ♖f6! [5.
ef6 ♕d5 6. fg7 ♔g7±] gf6 6. ♗h6 ♔e7 7.
ef6 ♔f6 [7... ♔d7 8. ♕f7 ♖e7 9. fe7 ♕e7
10. ♖f1+−] 8. ♖f1 ♗f5 [8... ♔g6 9. ♕f7
♔h6 10. ♖f6 ♕f6 11. ♕f6 ♕h5 12. ♕f7 △
♕e8+−] 9. ♖f5! ♔f5 10. ♕f7 ♔g4 [10...
♕f6 11. g4+−] 11. h3 ♔h4 12. ♗e3! [△
13. ♕f4 ♔h5 14. ♕h6‡, △ 13. ♕h7 ♔g3
14. ♕g6+−; 12... ♕g5 13. ♕h7 ♕h5 14.
g3+−]   **1 : 0**   *Rytshagov*

29. PERUN – KAGANSKIJ

1. ♕g7!! ♖g7 2. a8♕ ♖g8 3. ♕a1   **1 : 0**
Perun

30. KOTEK – BLAŽKOVÁ

1. ♖c3! ♕e4 2. ♖c8 ♔e7 3. ♘a5!! [3. ♖dd8
♕e5−+] f6?! [3... ♕e5 4. ♘c6+−; 3... f5 4.
♖c7 ♔e8 5. ♘c6 ♕e3 6. ♔b1 ♕g5 7. g3!!
♗e7 8. h4 ♗d8 9. ♖b7+−; 3... ♕d5 4. ♖d5
ed5 5. ♖a8±] 4. ♖c7 ♔e8 5. ♘c6 ♗d6 [5...
♕d5 6. ♖d5 ed5 7. e6+−] 6. ed6 ♕e3 7.
♔b1 ♕e2 8. d7   **1 : 0**
Kotek, Dufek

31. DENA – G. M. TODOROVIĆ

1... ♖g5!! 2. ♘h2 [2. ♕f4 ♕h3! 3. ♕h2 (3.
gh3 ♖g1‡) ♖g2! 4. ♖f3 ♖h2 5. ♘h2 ef3 △
♕g2‡; 2. ♘g3 hg3 3. fg3 (3. ♕f4 ♕h3 4.
gh3 g2‡) ♖g3 4. ♖c7 (4. ♕f4 ♕h3 5. gh3
♖g1‡) ♕h3 5. gh3 ♖h3‡] ♖g2   **0 : 1**
G. M. Todorović

32. HAIT – GORELOV

1. ♘e6! ♔e6 2. ♕d5!! ♘d5 3. ed5 ♔e5 4.
♗f4 ♔f6 [4... ♔d4 5. ♖fd1 ♔c4 (5... ♔c5
6. ♘a2 ♖h5 7. ♗e3 ♔c4 8. b3 ♯) 6. ♗e2
♕b4 7. ♖d4 ♕c4 8. ♖c4 ♘a5 9. b4‡] 5.
♗h6 ♔e5 6. ♖ae1 ♔d4 7. ♗f4 [7... ♔c5 8.
b4‡]   **1 : 0**   *Hait*

33. LËGKIJ – AL. DAVID

1... ♕b4! 2. ♘b5 ♕c4!! [2... ♕a4? 3. ♕a4
♘a4 4. ♘d6] 3. ♕c4 ♗b5 4. ♕c3 [4. ♕c2
♘d3 5. ♔d1 ♗a4! 6. ♕a4 ♘b2−+] ♘fe4!
5. ♕e3 ♘d3 6. ♔d1 ♗a4 7. ♔e2 ♘f4
0 : 1   *Lëgkij, Pičugin*

34. N. RODRÍGUEZ – R. ESTÉVEZ

1. ♕h6!! gh6 2. ♖h6 ♔g7 3. ♖h7 ♔g6 4.
♗d3 ♔g5 5. ♖h5 ♔f4 6. ♖f1 ♔e3 7. ♖f3
♔d4 8. ♔d2! [△ ♖f4‡; 8... ♔f6 9. ef6 e5
10. ♖f4! ef4 11. ♖d5‡]   **1 : 0**
N. Rodríguez

35. A. KOVAČEVIĆ – GLIGORIĆ

1. ♘gf6! ♘f6 2. ♘f6 gf6 3. ♗f6 ♗h6 [3...
h4 4. ♕g5 ♔h7 5. ♖ed1 ♖d6 6. ♕f5! ♔g8
7. ♖d5! ♖d5 8. ♕h5 ♖d1 9. ♔h2 ♗g7 10.
♕g5+−] 4. ♖e5! ♗e4 [4... ♖e5 5. ♖g3 ♔f8
6. ♕h7+−] 5. ♖e6! ♗f5 [5... fe6 6. ♖g3
♔f7 7. ♕h7 ♔f6 8. ♕h6 ♔f5 9. ♕h5+−]
6. ♖e8 ♔h7 7. ♖g3 ♗g4 8. hg4 ♗f4? [□
8... ♔g6+−; 8... h4+−] 9. gh5!   **1 : 0**
M. Jovičić

36. G. KUZ'MIN – ÈJNGORN

1. ♘f7! ♘f7 [1... ♖f7 2. ♕d8!+−] 2. ♖f7!
[2... ♖f7 3. ♕d8 ♗d8 4. ♖d8 ♖f8 5.
♗d5+−]   **1 : 0**   *Gipslis*

363

KLASIFIKACIJA • КЛАССИФИКАЦИЯ • CLASSIFICATION • KLASSIFIZIERUNG • CLASSIFICATION • CLASIFICACIÓN • CLASSIFICAZIONE • KLASSIFIKATION • 大分類 • التصنيف •

♙		♘ ♗	
♙ 0	1, 2, 3 ‖ ♙ : ♔ 1 ♙ : 1 ♙ 2 ∞ ♙ : 2 ♙	♘♗ 0	♘ : ♔ ♘ : ♙
♙ 1	‖ 2 ♙ : 2 ♙	♘♗ 1	♙ : ♔ ♙ : ♙
♙ 2	3 ♙ : 3 ♙	♘♗ 2	♘ : ♘
♙ 3	4 ♙ : 4 ♙ 5 ♙ : 5 ♙ 6 ♙ : 6 ♙ 7 ♙ : 7 ♙ 8 ♙ : 8 ♙	♘♗ 3	♗ (∟♙) : ♘ (⌐♙) ♗ (⌐♙) : ♘ (∟♙)
♙ 4	2 ♙ : 1 ♙	♘♗ 4	♗ (∟♙) : ♘ (∟♙) ∟ >
♙ 5	3 ♙ : 2 ♙	♘♗ 5	♗ (∟♙) : ♘ (∟♙) ⌐ >
♙ 6	4 ♙ : 3 ♙	♘♗ 6	♗ : ♗ ▢
♙ 7	5 ♙ : 4 ♙	♘♗ 7	♗ : ♗ ▰
♙ 8	6 ♙ : 5 ♙ 7 ♙ : 6 ♙ 8 ♙ : 7 ♙	♘♗ 8	♘♘/♘♗/♗♗ : ♔ ♘♘/♘♗/♗♗ : ♙ ♘♘/♘♗/♗♗ : ♘/♗
♙ 9	‖ ♙	♘♗ 9	‖ ♘♗

♖

♖ **0**	♖ : ♔ ♖ : ♙
♖ **1**	♖ : ♘
♖ **2**	♖ : ♗
♖ **3**	♖ (⌟ ♙) : ♖ (⌟ ♙) ♖ + 1 ♙ : ♖ (⌟ ♙)
♖ **4**	♖ + 2, 3, 4 ‖ ♙ : ♖ (⌟ ♙)
♖ **5**	♖ + 2 ♙ : ♖ + 1 ♙
♖ **6**	‖ ♖ : ♖ ∟ >
♖ **7**	♖ (∟ ♙) : ♖ (∟ ♙) ⌟ >
♖ **8**	♖ : ♘♘/♘♗/♗♗ ♖ : ♘♘♘/♘♘♗/♘♗♗/♗♗♗ ♖♘/♖♗ : ♙ ♖♘/♖♗ : ♘/♗ ♖♘/♖♗ : ♖
♖ **9**	‖ ♖

♕

♕ **0**	♕ : ♔ ♕ : ♙
♕ **1**	♕ : ♘ ♕ : ♗
♕ **2**	♕ : ♖
♕ **3**	♕ (⌟ ♙) : ♕ (⌟ ♙) ♕ (∟ ♙) : ♕ (⌟ ♙)
♕ **4**	♕ (∟ ♙) : ♕ (∟ ♙)
♕ **5**	♕ : ♘♘/♘♗/♗♗ ♕ : ♖♘/♖♗
♕ **6**	♕ : ♖♖ ♕ : ♘♘♘/♘♘♗/♘♗♗/♗♗♗ ♕ : ♖♘♘/♖♘♗/♖♗♗ ♕ : ♖♖♘/♖♖♗ ♕ : ♖♖♖
♕ **7**	♕♘/♕♗ : ♙ ♕♘/♕♗ : ♘/♗ ♕♘/♕♗ : ♖ ♕♘/♕♗ : ♕
♕ **8**	♕♘/♕♗ : ♘♘/♘♗/♗♗ ♕♘/♕♗ : ♖♘/♖♗ ♕♘/♕♗ : ♖♖ ♕♘/♕♗ : ♕♘/♕♗
♕ **9**	‖ ♕

1. JU. ŠUL'MAN 2555 – NISIPEANU 2545
Kahovka 1997

♘♗ **2/d**

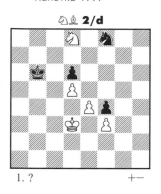

1. ?   +−

2. PEPTAN 2460 – E. DANIELIAN 2380
Pula 1997

♘♗ **6/f**

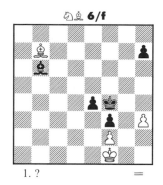

1. ?   =

3. SKAČKOV 2370 – R. ŠČERBAKOV 2580
Ekaterinburg 1997

♘♗ **6/g**

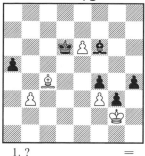

1. ?   =

4. HERTAN 2410 – KELLEHER 2350
USA 1997

♘♗ **7/h**

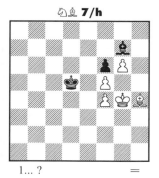

1... ?   =

5. D. IBÁÑEZ 2330 – BECERRA RIVERO 2495
La Habana 1997

♘♗ **8/f**

1... ?   =

6. COSTA CALDEIRA – BARNABÉ
corr. 1996/97

♖ **1/h**

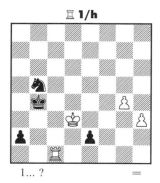

1... ?   =

7. TUITEBAEVA – HASANGATIN 2470
Rossija 1997

♖ **1/k**

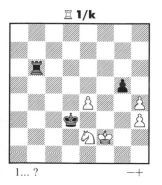

1... ?   −+

8. SERPER 2550 – SHABALOV 2555
Philadelphia 1997

♖ **5/h**

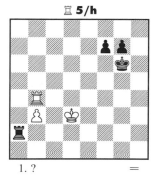

1. ?   =

9. HECTOR 2500 – ROZENTALIS 2650
Malmö 1997

♖ **6/i**

1. ?   =

10. IORDACHESCU 2485 — I. COSMA 2495

Bucureşti 1997

♖ **6/j**

1. ?   =

11. N. DELGADO 2305 — C. LÓPEZ 2400

La Habana 1997

♖ **7/h**

1... ?   =

12. ROZENTALIS 2645 — M. KAMIŃSKI 2540

Krynica 1997

♖ **8/b5**

1... ?   =

13. R. ŠČERBAKOV 2580 — FEJGIN 2505

Kahovka 1997

♖ **9/d**

1... ?   −+

14. DE LA PAZ 2325 — RO. PÉREZ 2395

Santa Clara 1997

♖ **9/i**

1. ?   +−

15. JU. ŠUL'MAN 2555 — ULYBIN 2555

Vilnius 1997

♖ **9/i**

1. ?   +−

16. AFEK 2380 — ASHLEY 2445

Budapest 1997

♕ **4/f**

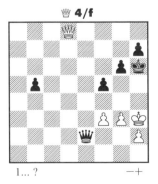

1... ?   −+

17. PRIÉ 2470 — G. GIORGADZE 2595

Andorra 1997

♕ **4/h**

1... ?   −+

18. N. PÉREZ — ORDOÑES

Venezuela 1997

♕ **9/e**

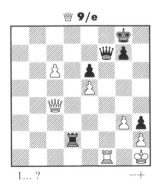

1... ?   −+

1. JU. ŠUL'MAN – NISIPEANU

1. ♘e6?! [1. e5! ♘c7 (1... de5 2. ♔e4 ♘d7
3. ♘f7 ♘c5 4. d6+−⊙) 2. ♘f7 (2. ♘e6?!
♘e6 3. de6 de5 4. ♔e4 ♔d6 5. ♔f5 e4!=)
de5 3. ♔e4 ♘d7 (3... ♘g6 4. d6) 4. d6!
♔c8 5. ♘e5+−] **♘g6**=

Ju. Šul'man, Kapengut

2. PEPTAN – E. DANIELIAN

1. ♗c6 [1. h4! (△ h5=) h5 (1... ♗f2 2. ♔f2
e3 3. ♔f1=) 2. ♗c6 ♗d8 3. ♗e8 ♗h4 (3...
♔g4 4. ♗c6=) 4. ♗h5 ♗f2 5. ♔f2 (5.
♗f3=) e3 6. ♔e1 (6. ♔f1? ♔g3−+⊙) ♔g3
7. ♗f3=] **h6** [1... ♗d8!? 2. ♗d5 ♗h4 3.
♗c6 h5 *a)* 4. ♗e8? ♗f2! 5. ♔f2 (5. ♗h5 e3
6. ♗e8 ♗h4 7. ♗b5 ♔e4 △ ♗d4-c3-d2−+)
e3 (5... h4? 6. ♗a4! e3 7. ♔f1 ♔g3 8.
♗d1=) 6. ♔f1 (6. ♔g1 ♔g3 7. ♔f1 e2 8.
♔e1 f2 9. ♔e2 ♔g2−+) ♔g3! 7. ♗c6 (7.
♗h5 e2 8. ♔e1 f2 9. ♔e2 ♔g2−+) h4 8.
♗d5 f2! 9. ♗c6 (9. ♗e6 e2−+) ♔h3−+; *b)*
4. ♗a4? ♗f2! 5. ♔f2 e3 6. ♔f1 (6. ♔e1
♔g3 7. ♗c6 h4 8. ♔f1 f2−+; 6. ♔g1 ♔g3
7. ♔f1 e2 8. ♔e1 f2−+) ♔g3 7. ♗d1
h4−+; *c)* 4. ♗b7? ♗f2! 5. ♔f2 e3 6. ♔e1
(6. ♔f1 h4! △ ♔g3−+) h4! 7. ♗a6 ♔g3 8.
♗f1 ♔h2! 9. ♗d1 f2 10. ♔e2 ♔g1−+; *d)*
4. ♗d5!□ ♗f2 5. ♔f2 e3 6. ♔f1! (6. ♔e1?
h4!−+; 6. ♔g1? ♔g3 7. ♔f1 h4−+) h4 (6...
♔g3 7. h4!=) 7. ♗b3!□ ♔g3 8. ♗d1=] **2.
♗d5** [2. h4!=] **♗f2** [2... h5 3. ♗f7 (3. h4=)
h4 4. ♗b3!□ ♗f2 5. ♔f2 e3 6. ♔f1 ♔g3 7.
♗d1=; 2... ♗d8!?] **3. ♔f2 e3 4. ♔f1 ♔g3
5. h4!= h5 6. ♗c6 f2** [6... e2 7. ♔e1 ♔g2 8.
♗d5=] **7. ♗b5 ♔h4 8. ♔g2 ♔g4 9. ♗e2
♔h4 10. ♗f1 ♔g4 11. ♗e2 ♔g5 12. ♔f3
♔h4 13. ♔g2** [13. ♔e3 ♔g3 14. ♗f1=]
1/2 : 1/2 *Peptan, V. Stoica*

3. SKAČKOV – R. ŠČERBAKOV

1. ♔h3??⊕ [1. e7! ♗e7 2. ♗g8 ♗e5 3. ♗f7
♗d4 4. ♗g8 ♔e3 5. ♗e6=] **♗e7! 2. ♗d3**
[2. ♔g2 ♔c5 (△ a4) 3. ♗e2 ♔b4 4. ♗d1
♔c3−+] **♔c5 3. ♗e4 ♔b5** [3... ♔b4 4.
♗d5 ♔c3 5. ♔g2 ♔d3 6. ♗e4 ♔d4⊙ △
♔e3] **4. ♔g2** [4. ♗a8! ♔b4 5. ♗d5−+ —
3... ♔b4] **♔b4 5. ♗d5 ♔c3 6. ♔h3 ♔d4 7.
♗c6 ♔e3 8. ♔g2 h3 9. ♔g1 h2 10. ♔g2
h1♕ 11. ♔h1 ♔f2** **0 : 1**

R. Ščerbakov

4. HERTAN – KELLEHER

1... ♔e4?? [1... ♔d4?? 2. ♗g5 ♔e4 3. ♔h5
♔f5 4. ♗h6 ♔h8 5. ♗f8 ♔f4 6. ♔h6! f5 7.
♗g7 ♗g7 8. ♔g7 ♔e3 9. ♔h7 f4 10. g7 f3
11. g8♕ f2 12. ♕c4+−; 1... ♔d6!□ 2. ♔h5
♔e7 3. ♗g5 fg5 4. fg5 ♔f8!!□ 5. f6 ♔g8!
6. ♔g4 ♗f8 7. ♔f5 ♗g7 8. ♔e6 ♗f8 9.
♔d7 ♗g7 10. ♔e7 ♗f8 11. ♔e8 ♗g7 (11...
♗a3 12. g7 ♗b4=) 12. f7 ♔h8 13. ♔e7
♗f8=] **2. ♗g5 ♔d5** [2... fg5 3. ♔g5+−] **3.
♔h5 ♔e4 4. ♗h6** **1 : 0** *Hertan*

5. D. IBÁÑEZ – BECERRA RIVERO

1... c4! 2. ♗c3 ♘c5! [2... ♘d4?! 3. ♘d2
♘b5 (3... ♔e2? 4. ♘b1 ♔c3 5. ♘c3 ♔c2 6.
♘a4+−) 4. ♗b4! (4. ♘b1? ♔c2 5. ♗g7
♔b1 6. g4 c3! 7. bc3 ♔c2 8. c4 ♘c3−+) c3
5. ♗c3 (5. ♘b3 cb2 6. ♘d2 ♔c3 7. ♗a3
b1♕ 8. ♘b1 ♔b1 9. ♗b4 ♘d2±) ♘c3 6.
♘b3!±] **3. ♘d2** [3. ♗g7 ♔a4 4. g4 ♘b2!!
5. g5 (5. ♗b2 c3 6. ♗c3 ♔c3 7. ♘e3 ♔d3
8. ♘d1 ♔c2=) ♘a4 6. g6 ♘c5! (6... c3 7.
♗c3 ♘c3 8. g7 b2 9. g8♕ b1♕ 10. ♕h7
♔e4 11. ♔g1±) 7. ♗e5 ♘e6 8. g7 ♘g7 9.
♗g7 c3 10. ♗c3 ♔c3 11. ♘e3 ♔d3 12.
♘d1 ♔c2=] **♘a4 4. ♘b1** [4. ♘b3 ♘c3 5.
♘c5 ♔d4 6. ♘e6 ♔e5 7. ♗g7 (7. bc3 ♔e6
8. ♔g1 ♔f5 9. ♔f2 ♔g4 10. ♔e3 ♔g3 11.
♔d4 ♔g2 12. ♔c4 g5=) ♘d1 8. ♔g1 ♘b2
9. ♔f2 ♘d3 10. ♔e2 ♘c5=] **♘b2!! 5. ♗b2
♔c2 6. ♘a3** [6. ♗g7?? ♔b1 7. g4 ♔c2 8.
g5 c3−+] **♔b2 7. ♘c4 ♔c3=** **1/2 : 1/2**

Becerra Rivero, Ale. Moreno

6. COSTA CALDEIRA – BARNABÉ

**1... ♔b3 2. g5 ♘d4! 3. g6 ♔b2 4. ♖h1
♘b3!** [5. g7 ♘c1 6. ♖c1 ♔c1 7. ♔e2 (7.
g8♕ e1♕ 8. ♕a2 ♔g3 9. ♔e4 ♕h3=)
a1♕ 8. g8♕ ♕a2! 9. ♕a2=] **1/2 : 1/2**

da Costa Júnior

7. TUITEBAEVA – HASANGATIN

1... gh4!! [1... ♖f6? 2. ♔g3 gh4 3. ♔h4
♔e2 4. ♔g5=; 1... ♖b2? 2. hg5 ♖e2 3. ♔f3
♖e4 4. g6 ♖e6 5. g7 ♖g6 6. h4 ♖g7 7. ♔f4!
(7. h5? ♖g5−+) *a)* 7... ♔d4 8. h5 ♖g1 9.
♔f5 ♖h1 10. ♔g6 ♔e5 11. h6 ♔e6 12.
♔g7! (12. h7? ♖g1 13. ♔h6 ♔f7−+) ♖g1
13. ♔f8!=; *b)* 7... ♔e2 8. h5 ♔f2 9. ♔f5

♔g3 10. h6 ♖a7 11. ♔g6 ♔g4 12. h7=; *c)*
7... ♖f7 8. ♔g5 ♔e4 9. h5 ♖a7 10. h6 ♖a5
11. ♔g6 ♖a6 12. ♔g7 ♔f5 13. h7 ♖a7 14.
♔g8? ♔g6–+; 14. ♔h6!=] **2. ♔f3 ♖f6 3.
♘f4** [3. ♔g4 ♔e2 4. ♔h4 ♔f3 5. ♔g5 ♖e6
6. h4 ♖e4 7. h5 ♖e5 8. ♔g6 ♔g4–+] **♔d4
4. ♔g4 ♔e4 5. ♘e2** [5. ♘h5 ♖g6! 6. ♔h4
♔f3!!–+] **♔e3 6. ♘c3** [6. ♔h4 ♔e2 7.
♔g5 ♖a6 8. h4 ♔f3 9. h5 ♖a5 10. ♔g6
♔g4–+; 6. ♔g5 ♖c6! 7. ♘f4 ♔f3 8. ♘g6
♖g6 9. ♔g6 ♔g3 10. ♔f5 ♔h3 11. ♔f4
♔g2–+] **♖f4 7. ♔g5 ♖d4! 8. ♔h5 ♔f3! 9.
♘b5 ♖b4!** [9... ♖d5? 10. ♔h4! ♖b5=] **10.
♘d6 ♔g3**   **0 : 1**   *Hasangatin*

8. SERPER – SHABALOV

1. ♖g4! [△ ♖g1-b1] **♔h6 2. ♖g1 g5** [2...
♖b2 3. ♔c3] **3. b4 ♖a6 4. b5 ♖b6 5. ♖b1
g4 6. ♔e3 ♔g5 7. ♔f2 f5 8. ♔g3** [8. ♔g2!?
f4 9. ♖b3!? ♔h4! (9... ♔f5 10. ♔f2; 9...
f3?! 10. ♔g3! ♖h6 11. b6 ♖h3 12. ♔f2
♖h2 13. ♔f1!=) 10. ♖b1 f3 11. ♔f2
♖e6!= – 8. ♔g3] **f4 9. ♔f2 f3! 10. ♖b3!□**
[10. ♔g3? ♖h6! 11. b6 ♖h3 12. ♔f2 ♖h2
13. ♔e3 ♖e2 14. ♔d3 g3 15. b7 ♖e8 16.
b8♕ ♖b8 17. ♖b8 g2 18. ♖g8 ♔f4–+]
♔h4! [10... ♖h6? 11. b6 ♖h2 12. ♔f1!=]
11. ♖b1 ♖e6! 12. ♖h1 [12. b6? ♖e2 13.
♔g1 g3 14. b7 ♖g2 15. ♔f1 ♖h2–+] **♔g5
13. ♔g3! ♖e2 14. ♖h2 ♖e1 15. b6 ♖g1 16.
♔f2 ♖b1 17. ♔g3 ♖b6 18. ♖b2!= ♖f6 19.
♖b1??⊕** [19. ♖b5 ♖f5 20. ♖b1=] **♔f5!–+
20. ♖a1** [△ 20. ♖b5 ♔e4 21. ♖b4 ♔d3 22.
♖b3 ♔c2 23. ♖a3! ♔b2 24. ♖d3! ♔c1!–+]
**♖e6! 21. ♖a4 ♖e4 22. ♖a5 ♔f6 23. ♖a1
♔e5 24. ♖a5 ♔d4 25. ♖a4 ♔d3 26. ♖a3
♔e2 27. ♖a2 ♔f1 28. ♖a1 ♖e1 29. ♖a2
♔g1 30. ♖f2 ♖e2**   **0 : 1**   *Serper*

9. HECTOR – ROZENTALIS

1. ♖d6? [1. c7 ♖c3 2. ♔e5 g2 (2... ♔h5 3.
♖d3!=) 3. ♖d1 ♖c7 4. ♖g1=] **♔h5** [1...
♔g5?? 2. c7 ♖c3 3. ♖c6 ♖c6 4. ♔c6 g2 5.
c8♕ g1♕ 6. ♕g8] **2. ♖d7** [2. c7 ♖c3 3.
♖c6 ♖c6 4. ♔c6 g2 5. c8♕ g1♕ 6. ♕f5
♔h6! 7. ♕e5 (7. ♕h3 ♔g5–+) ♕g6 8.
♔d5 (8. ♔b7 ♕g7) ♕g5–+] **h6 3. c7 ♖c3
4. ♖g7 ♔h4 5. ♔e5** [♖ 5/h] **♖c4!** [5...
♔h3? 6. ♔f4 g2 7. ♖g3!=] **6. ♔d5** [6. ♔d6
h5 (6... ♔h3? 7. ♖h7=) 7. ♖g8 ♔h3 8.

---

c8♕ ♖c8 9. ♖c8 g2 10. ♖g8 ♔h2 11. ♔e5
h4 12. ♔f4 h3 13. ♔f3 g1♕–+] **♖c2 7.
♔e4 h5 8. ♔f3 ♖f2 9. ♔e4 ♖f8 10. ♖d7
♖c8** [11. ♖g7 ♔h3 12. ♔f3 ♖f8–+]
0 : 1   *Rozentalis*

10. IORDACHESCU – I. COSMA

1. ♖a6 ♔f7 2. ♖a7 ♔e6 3. ♔g5 ♖a3 [3...
♖g1 4. ♖a6 ♔d5 5. ♖a5 ♔e4 6. ♖a4 ♔f3
7. ♔g6 ♖g3 8. ♔f5=; 3... a3 4. ♔g6 a2 5.
♔h5=] **4. ♖a6! ♔e5** [4... ♔e7 5. ♔f4=] **5.
♔g6 ♖g3 6. ♔h5 a3** [6... ♖a3 7. ♔g5 f4 8.
h5 f3 (8... ♖g3 9. ♔h4=; 8... ♖a1 9. ♖a5
♔e4 10. h6 ♖g1 11. ♔h5 f3 12. ♖a4 ♔e3
13. ♖a3=) 9. ♖f6!=] **7. ♖a5 ♔e6** [7... ♔e4
8. ♖a4=] **8. ♖a6 ♔d7 9. ♖a4!□ ♔c6 10.
♔h6 ♖b3** [10... ♔b5 11. ♖f4=; 10... ♖f3
11. ♔g5 ♔b5 12. ♖a7!□ ♔b4 13. h5 f4 14.
h6 ♖h3 15. ♖b7 ♔c3 16. ♖c7 ♔b2 17.
♖b7 ♔a1 18. ♖f7 f3 19. h7 a2 20. ♔g4
♔b1 (20... ♖h7 21. ♖h7 f2 22. ♖h1 ♔b2
23. ♔f3=) 21. ♖b7 ♔c1 22. ♖c7 ♔d2 23.
♖a7=] **11. ♔g5 ♔b5 12. ♖a8** [12. ♖a7]
♖f3 13. h5 ♔b4 14. h6 ♖h3 15. ♖b8 ♔c3
[15... ♔c4 16. ♖c8 ♔b5 17. ♖b8 (17. ♖a8=)
♔c6 18. ♖a8=] **16. ♖c8 ♔b3 17. ♖b8 ♔c2
18. ♖c8 ♔b2 19. ♖b8** [19... ♔a1 20. ♖f8=]
1/2 : 1/2   *Iordachescu*

11. N. DELGADO – C. LÓPEZ

1... ♔e6!□ 2. ♖g7 ♖f8! [×♔g1] **3. ♖g6** [3.
g4 ♖f4! 4. ♔g2 e4=; 4... ♖f6!?=] **♔d5 4.
♖a6** [4. ♖h6 e4 5. ♖h7□ (5. ♖a6? e3 6.
♖a3 e2 7. ♖e3 ♖f1–+) ♔d6!=] **e4 5. ♖a7
e3 6. ♖e7 ♔d4 7. b4** [7. g4? ♔d3 8. ♖d7
(8. g5 hg5 9. hg5 e2 10. g6 ♖f1 11. ♔g2
e1♕ 12. ♖e1 ♖e1 13. g7 ♖e8–+) ♔c2 9.
♖e7 ♔d2 10. ♖d7 ♔e1 11. ♖e7 e2 12. ♔g2
♖f1 13. g5 hg5 14. hg5 ♔d2 15. ♔g3 e1♕
16. ♖e1 ♖e1–+] **♔d3 8. ♖d7 ♔c2 9. ♖e7
♔d2 10. ♖d7 ♔e1 11. b5 ♖f1 12. ♔h2 e2**
[12... ♖f6 13. a4 e2 14. a5 ♔f2 15. ♖e7 ♖f5
(15... e1♕? 16. ♖e1 ♔e1 17. b6+–) 16. b6
♖a5 17. b7 ♖b5=] **13. b6 ♔f2 14. ♖f7** [14.
b7? ♖h1–+] **♔e3 15. ♖e7**   **1/2 : 1/2**
C. López, L. Domínguez

12. ROZENTALIS – M. KAMIŃSKI

1... ♖b1□ [1... b6 2. ♘c8 ♖b1 3. ♘b6 a3 4.
♘d5+–; 1... a3 2. ♘b7 a2 3. ♔b3+–] **2.**

♔d5 [2. ♘b7 a3=] ♖d1! [2... ♖b2? 3. ♘c4!
♖b1 4. ♔d6 ♔f5 5. ♔c7+−] **3. ♔c5 ♖b1 4.
♘c4** [△ ♔b6] ♔e6 **5. ♔b6 ♔d5 6. ♘a3
♖b3!**□ [6... ♖a1? 7. c4 ♔d4 8. ♔b5 (8.
c5?! ♖c1!=) ♖c1 9. ♗f8!☉ ♔d3 10. ♗c5!!
♖a1 11. ♗b4 ♖a2 12. c5 ♔d4 13. ♔b6+−]
7. ♔b5 [7. c4 ♔e6 8. ♔b5 ♔d7=] ♖b2 **8.
♘c4 ♖a2!!** [8... ♖b1 9. ♘b6 ♔e6 10. ♘a4
♔d7 11. ♔b6 ♔c8 12. ♘c5+−] **9. ♗a3** [9.
♘a5 a3 10. c4 ♔d4 11. ♔a4 b6=; 9. ♘b6
♔e6 10. ♘a4 ♔d7 11. ♘c5 ♔c7=] ♖a1 **10.
♗b4 ♖a2 11. ♗c5 ♖a1 12. ♗a3!☉ ♖b1!**□
[12... ♖a2 13. ♗b4 ♖a1 14. ♘b6 ♔e6 15.
♘a4+−] **13. ♗b4 ♔e6!** [13... ♖c1 14. ♘b6]
14. ♘a3 ♖h1!! [14... ♖b3 15. ♔a4 ♖b2 16.
♔b5 ♔d7 17. ♔b6 ♔c8 18. ♘c4 △
♘d6+−; 14... ♖a1 15. ♔b6 ♔d5 16. c4+−
− 6... ♖a1] **15. ♔b6 ♖h7 16. ♘c4 ♔d5 17.
♔b5** [17. ♘a5 ♖h3!=] ♖h6□ **18. ♘a5 ♖h3
19. ♘c4 ♖h6 20. ♘b2 ♔e6 21. ♔b6 ♔d5
22. ♔b7 ♖h2!?⊕** [22... ♖h4!! 23. ♘a4 ♖b4
24. cb4 ♔c4=] **23. ♘a4 ♔c4= 24. ♘b6
♔b5 25. ♗e7 ♖h7 26. c4 ♔a5 27. ♘d5
♖e7!=**   **1/2 : 1/2**   *M. Kamiński*

13. R. ŠČERBAKOV – FEJGIN

1... ♗b4!! [1... h4 2. e6 ♔g8 3. ♘d6! ♔f8
4. ♘g6 ♔g7 5. e7 ♖e2 6. ♔f3 ♖e6 7. ♘h4
♗h4 8. e8♕=] **2. ab4 a3 3. e6 ♖b4 4. ♘d4
a2 5. e7 ♖b8 6. ♘c2 ♖e8?⊕** [6... ♔g7! △
♔f7, ♖b2−+] **7. ♔f5= ♔g8** [△7... ♔g7 8.
♔e6 h4 9. ♘h3□ (△ ♔d7; 9. ♘h5? ♔g6
10. ♘f6 ♖e7 11. ♔e7 ♔f5−+) ♔g6 10.
♔d7 ♖h8 11. e8♕ ♖e8 12. ♔e8 ♔f5 13.
♔e7 ♔e4 14. ♔e6 a5 15. ♘a1=] **8. ♔e6 h4
9. ♘h5 ♖b8 10. ♘f6 ♔g7 11. e8♕ ♖e8 12.
♘e8 ♔g6 13. ♘f6 h3 14. ♘e4 h2**
1/2 : 1/2   *Fejgin*

14. DE LA PAZ – RO. PÉREZ

1. ♔f6!□ **♖e6 2. ♔e6 a1♕ 3. ♔f6 ♔g8** [3...
♔e8 4. g7+−] **4. ♗g4!** [△ ♗e6] **♕f1 5.
♗f5** [△ ♖c7] **♕f4** [5... ♕f2 6. ♖h2! ♕f4 7.
g7+−] **6. ♖h3! ♗c4** [6... e3 7. g7 ♕f5□ 8.
♔f5+−] **7. g7 ♕f5□ 8. ♔f5 ♔g7 9. ♖g3
♔f7 10. ♖g6 ♗b5** [10... e3 11. ♖f6 ♔g7 12.
♖c6 △ ♖e6+−] **11. ♖e6 ♗a4 12. ♔e5 ♗b5
13. ♔d6 ♗a4 14. ♖e5 ♗b5 15. c4!**   **1 : 0**
Nogueiras

15. JU. ŠUL'MAN – ULYBIN

1. e5! fe5 2. ♗e5 ♖c6 [2... ♖e7 3. ♔d5 ♔c7
4. ♖a6 ♖c5 5. ♔c5 ba6 6. ♔b6 ♔e6 7.
♗c3 ♔d5 8. ♗d2+−] **3. ♖d7** [3. ♖d8!?
(Ulybin) ♘e7 4. ♗d6+−] **♔e6 4. ♖g7 ♔e5**
[4... ♘h6 5. ♗d6 ♘f7 6. ♖g6 ♔d7 7.
♔d5+−] **5. ♖g5 ♔f4 6. ♖g8 ♔g3** [6... ♖c7
7. ♖d8+−] **7. ♖g7 ♔h3 8. ♔d5 ♖h6 9.
♖b7 ♔g4 10. c6 ♖h5 11. ♔d4!** [11... ♖h6
12. c7 ♖c6 13. ♔d5 ♖c1 14. ♖b4+−]
1 : 0   *Ju. Šul'man, Kapengut*

16. AFEK – ASHLEY

1... b4!! [1... ♕f3 2. ♕g5! ♔g7 3. ♕e7=] **2.
♕h4 ♔g7 3. ♕d4 ♔f7 4. ♕b4 g5! 5. ♕b1
♔g6** [△ ♔h5] **6. ♕g1 ♔h6!!**□ [6... h6?] **7.
♕h1 ♔h5 8. g4 fg4 9. ♔g3 ♕f3 10. ♔f3
gf3 11. ♔f3 ♔h4 12. ♔g2 ♔g4 13. h3?!**
[13. ♔g1 ♔h3 14. ♔h1 g4 15. ♔g1 h6! 16.
♔h1 h5 17. ♔g1 h4 18. ♔h1 g3−+] ♔f4
**14. ♔f2 h6 15. ♔g2 h5 16. h4 g4 17. ♔h2
♔f3!**   **0 : 1**   *Afek*

17. PRIÉ – G. GIORGADZE

1... ♕d5? [1... ♕c1 2. ♕e4 ♔c3 (2... c4 3.
♕e7 ♔a5 4. ♕e5 b5 5. ♕c7 ♔b4 6. ♕d6
♔c3 7. ♕e5=) 3. ♕e5 ♔d3 (3... ♔c2 4.
♕f5 ♔d1 5. ♔g4 ♔e1 6. ♕g1 ♔d2 7.
♕g5=) 4. ♕d5 ♔e2 5. ♕g2=; 1... ♕h4!!
2. ♕d2 ♔b5 3. ♕d7 ♔a5 4. ♕d2 ♔b4 5.
♕g5 ♕d4 6. ♕e7 c4!! (6... ♕d2 7. ♔a3
♕c3 8. ♔a2 ♕c2 9. ♔a3 ♕b1 10. ♕e5) 7.
♕a3 ♔b5 8. ♕a4 ♔c5 9. ♕a3 (9. b4 ♔d6
10. ♕a6 ♕d2 11. ♔a3 ♕c3 12. ♔a2
♕b4−+) ♔c6! 10. ♕a4 (10. ♕a6 ♕d2 11.
♔a3 ♕c1 12. ♔b4 ♕e1−+) ♔b7 11. bc4
b5−+] **2. ♕e1= ♔b5 3. ♕e8 ♔b4 4. ♕e1
♔b5 5. ♕e8 ♔c6 6. ♕e2 c4 7. ♕e5 ♔b4**
[7... ♔c5 8. ♕e8 ♔b4 9. ♕e1= △ 9... c3??
10. ♕e4 ♔b5 11. ♕a4#] **8. ♕e7 ♔a5??**
[8... ♕c5=] **9. ♔a3!!** [9... b5 10. ♕d8 ♕b6
11. b4#; 9... ♕c5 10. b4+−]   **1 : 0**
Prié

18. N. PÉREZ – ORDOÑES

1... ♖d1! 2. ♔g1□ **♕a7!** [2... ♕f3? 3. ♕e6=]
3. ♔h1 ♕a2!!   **0 : 1**
Camacho Peñate

REGISTAR • ИНДЕКС • INDEX • REGISTER • REGISTRE • REGISTRO • REGISTRO • REGISTER • 棋譜索引 • الفهرس

KOMENTATORI • КОММЕНТАТОРЫ • COMMENTATORS • KOMMENTATOREN • COMMENTATEURS • COMENTARISTAS • COMMENTATORI • KOMMENTATORER • 棋譜解説 • المعلقون

TURNIRI • ТУРНИРЫ • TOURNAMENTS • TURNIERE • TOURNOIS • TORNEOS • TORNEI • TURNERINGAR • 競技会 • دورة مباريات

SANTA CLARA, V—VI 1997 cat. IX (2462) g=9½, m=6½

1. Bellón López 9, 2—4. Borges Mateos, I. Herrera, Nogueiras 7½, 5. Ro. Pérez 7, 6—9. A. Rivera, Rom. Hernández, Matamoros, Becerra Rivero 6½, 10—12. Pecorelli García, R. Martín del Campo, Frías 6, 13. José Alvarez 4½, 14. J. Rohl 4

SMOLENSK, VI 1997
(68 players, 9 rounds)

1—4. Kotsur, Malanjuk, Vaulin, Vojcehovskij 6½, 5—9. Filippov, I. Ibragimov, A. Haritonov, Landa, S. Volkov 6, 10—18. A. Aleksandrov, Asrian, Harlov, O. Korneev, Kuporosov, V. Popov, Ščekačëv, Zagrebelny, I. Zajcev 5½, etc.

BUDAPEST, VI 1997 cat. VII (2416) g=10, m=7½

1. Shaked 9½, 2. Dao Thien Hai 9, 3. Ács 8½, 4. Waitzkin 8, 5. I. Csom 7½, 6. Bunzmann 6½, 7—9. Vadász, Krizsany, Videki 6, 10—11. Böröcs, Lorscheid 5½, 12. Hoang Th. Trang 5, 13—14. Kolbus, Keitlinghaus 4

LEÓN, VI 1997 cat. X (2489) g=6, m=4½

1. Granda Zuñiga 6½, 2. Nunn 5½, 3—4. Izeta Txabarri, Sión Castro 5, 5. G. del Río 4½, 6—8. Cámpora, Estremera Panos, Mellado 4, 9. Da. Lima 3½, 10. de la Villa García 3

LEÓN, VI 1997

			1	2	3	4	5	6	
ANAND	g	2765	½	1	1	½	½	1	4½
ILLESCAS CÓRDOBA	g	2635	½	0	0	½	½	0	1½

LJUBLJANA, VI 1997
(140 players, 9 rounds)

1. Tukmakov 7½, 2—4. Romanišin, Svešnikov, Bukić 7, 5—13. Mazi, I. Novikov, Burmakin, A. Kogan, Pavasović, Mikac, Šer, D. Rogić, Dražić 6½, 14—21. Palac, Podlesnik, Ig. Jelen, Vukanović, Ciglič, Kavčič, Tratar, Kaspret 6, etc.

MALMÖ, VI 1997 cat. XIII (2563) g=5½, m=3½

				1	2	3	4	5	6	7	8	9	10		
1	HELLERS	g	2585	■	½	½	1	1	1	1	½	½	½	6½	1
2	P. CRAMLING	g	2545	½	■	½	1	½	½	0	½	½	1	5	2—6
3	SMYSLOV	g	2500	½	½	■	½	½	½	½	½	½	1	5	2—6
4	I. SOKOLOV	g	2615	0	0	½	■	½	½	1	1	½	1	5	2—6
5	CU. HANSEN	g	2605	0	½	½	½	■	½	1	½	½	1	5	2—6
6	TIMMAN	g	2630	0	½	½	0	½	■	½	1	1	1	5	2—6
7	ROZENTALIS	g	2650	0	1	½	0	0	½	■	1	½	1	4½	7
8	R. ÅKESSON	g	2515	½	½	½	½	½	0	0	■	½	1	4	8
9	HELLSTEN	m	2485	½	½	½	½	½	0	½	½	■	0	3½	9
10	HECTOR	g	2500	½	0	0	0	0	0	0	0	1	■	1½	10

ČESKO (ch), VI 1997 cat. X (2480) g=7½, m=5½

1. P. Blatný 8, 2. Movsesian 7½, 3—4. Jansa, V. Babula 6½, 5. Kalod 6, 6—7. Velička, P. Hába 5½, 8—9. Votava, Meduna 5, 10. Cvek 4, 11. M. Jirovský 3½, 12. Freisler 3

NOVGOROD, VI 1997 cat. XIX (2719) g=5

				1	2	3	4	5	6		
1	G. KASPAROV	g	2795	■ ■	0 ½	1 ½	1 ½	½ ½	1 1	6½	1
2	KRAMNIK	g	2740	1 ½	■ ■	1 0	½ ½	1 ½	½ ½	6	2
3	SHORT	g	2690	0 ½	0 1	■ ■	0 ½	0 1	1 1	5	3
4	BAREEV	g	2665	0 ½	½ ½	1 ½	■ ■	0 ½	½ ½	4½	4
5	TOPALOV	g	2725	½ ½	0 ½	1 0	1 ½	■ ■	0 0	4	5—6
6	GEL'FAND	g	2700	0 0	½ ½	0 0	½ ½	1 1	■ ■	4	5—6

LONDON, VI 1997 cat. X (2485) g=6, m=4½

1. Emms 7, 2—3. Kumaran, B. Lalić 6, 4—5. J. Parker, Aagaard 5, 6. N. McDonald 4½, 7. Summerscale 4, 8. M. Hoffman 3½, 9—10. Dunnington, St. Pedersen 2

ÅRHUS, VI 1997 cat. XIV (2585) g=5, m=3

				1	2	3	4	5	6	7	8	9	10		
1	HALIFMAN	g	2650	■	1	½	½	1	½	½	½	1	½	6	1
2	MI. ADAMS	g	2665	0	■	½	1	1	½	1	½	½	½	5½	2—3
3	ROZENTALIS	g	2650	½	½	■	½	½	½	1	1	0	1	5½	2—3
4	HELLERS	g	2585	½	0	½	■	½	½	1	1	½	½	5	4
5	KEŅGIS	g	2585	0	0	½	½	■	½	½	½	1	1	4½	5—6
6	CU. HANSEN	g	2605	½	½	½	½	½	■	0	½	½	1	4½	5—6
7	PE. NIELSEN	g	2525	½	0	0	0	½	1	■	½	1	½	4	7
8	SCHANDORFF	g	2510	½	½	0	0	½	½	½	■	½	½	3½	8—9
9	STEFÁNSSON	g	2555	0	½	1	½	0	½	0	½	■	½	3½	8—9
10	B. LARSEN	g	2520	½	½	0	½	0	0	½	½	½	■	3	10

YOPAL, VI 1997 cat. XII (2541) g=5½, m=4

1. Lékó 6½, 2. Milos 5½, 3. Moróvic Fernández 5, 4—5. Miles, Conquest 4½, 6—9. W. Arencibia, A. Zapata, Gi. García, Am. Rodríguez 4, 10. N. Gamboa 3

BALATONBERÉNY, VI 1997 cat. X (2482) g=7, m=5

1—4. Wells, Gyimesi, Soffer, Tolnai 6½, 5. Gy. Sax 6, 6. Siegel 5, 7—8. Seres, Schebler 4½, 9. Glienke 3½, 10. M. Wach 3, 11. D. Dumitrache 2½

VILLA MARTELLI, VI 1997 cat. XIII (2551) g=6½, m=4

1—2. Ehlvest, Tkachiev 8, 3. Sutovskij 7, 4. And. Rodríguez 6½, 5. G. German 6, 6. Milos 5½, 7. M. Sorokin 5, 8—9. Ricardi, A. Hoffman 4½, 10. Slipak 4, 11—12. Spangenberg, M. Ginzburg 3½

NEDERLAND (ch), VI—VII 1997 cat. XII (2545) g=6½, m=4½

1—2. P. Nikolić, Timman 7½, 3—4. I. Sokolov, Van der Wiel 7, 5. Sosonko 6½, 6. Nijboer 6, 7. Je. Piket 5½, 8. Van der Sterren 5, 9. Van den Doel 4½, 10. Riemersma 4, 11. Cifuentes Parada 3½, 12. Van der Weide 2

ANDORRA, VI—VII 1997
(132 players, 9 rounds)

1—4. Campos Moreno, M. Marin, Nataf, Fressinet 7, 5—12. Vl. Georgiev, Ubilava, O. de la Riva, Prié, D. Komljenović, A. Delčev, O. Renet, Barua 6½, 13—26. Gamundi, Van den Werf, Estremera Panos, Pogorelov, J. Ivanov, Sión Castro, Magem Badals, Berebora, Oıns, Psakhis, Sl. Kovačević, G. Giorgadze, S. Đurić, Vehí Bach 6, etc.

PHILADELPHIA, VI—VII 1997
(150 players, 9 rounds)

1. Shabalov 8, 2. Kudrin 7½, 3—8. Kaidanov, Wojtkiewicz, Yermolinsky, A. Gol'din, Epišin, Alexa. Ivanov 7, 9—16. Smirin, Gulko, Serper, de Firmian, P. Blatný, Hjartarson, Sevillano, Ziatdinov 6½, etc.

PIATKA, VI—VII 1997
(177 players, 10 rounds)

1. Malanjuk 8, 2—8. Sturua, Ėjngorn, Gološčapov, Rustemov, K. Lerner, V. Neverov, Agamaliev 7½, 9—10. G. Kuz'min, K. Urban 7, etc.

DORTMUND, VII 1997
cat. XVIII (2700) g=4½

			1	2	3	4	5	6	7	8	9	10		
1	KRAMNIK	g 2770	■	½	½	1	1	½	1	½	½	1	6½	1
2	ANAND	g 2765	½	■	0	1	½	½	½	1	½	1	5½	2
3	TOPALOV	g 2745	½	1	■	½	0	½	½	½	½	1	5	3—4
4	IVANČUK	g 2725	0	0	½	■	½	1	½	1	1	½	5	3—4
5	J. POLGÁR	g 2670	0	½	1	½	■	½	½	1	½	0	4½	5
6	GEL'FAND	g 2695	½	½	½	0	½	■	½	½	½	½	4	6—8
7	AN. KARPOV	g 2745	0	½	½	½	½	½	■	0	½	1	4	6—8
8	SHORT	g 2660	½	0	½	0	0	½	1	■	1	½	4	6—8
9	R. HÜBNER	g 2580	½	½	½	0	½	½	½	0	■	½	3½	9
10	YUSUPOV	g 2640	0	0	0	½	1	½	0	½	½	■	3	10

VLISSINGEN, VII 1997
(100 players, 7 rounds)

1—3. Glek, M. Gurevich, V. Ikonnikov 6, 4—9. Van der Wiel, A. Kogan, Van Wely, Safin, Gy. Horváth, Kuijpers 5½, 10—19. de Vreugt, Rausis, Miezis, Jonkman, Xie Jun, Bosboom, Pliester, Hoogendoom, T. Horváth, Van der Zalm 5, etc.

OBERWART, VII 1997
(196 players, 9 rounds)

1—9. Vaulin, Cvitan, I. Balinov, Kobalija, Zelčić, Beim, Agnos, Votava, R. Ruck 7, 10—16. Baumegger, Stanec, Schwab, Burmakin, Va. Loginov, W. Wittmann, Laschet 6½, 17—25. Karpačev, Danner, Rogulj, Sziebert, Lendwai, I. Faragó, Kummer, Z. Medvegy, Zsinka 6, etc.

KØBENHAVN (open), VII 1997
(112 players, 11 rounds)

1—5. H. Grétarsson, Høi, E. Mortensen, Borge, Schandorff 8½, 6—7. Bezold, L. Bo. Hansen 8, 8—10. Hillarp Persson, Th. Thórhallsson, J. Adamski 7½, etc.

PORTOROŽ, VII 1997
cat. XV (2619) g=5½, m=3½

			1	2	3	4	5	6		
1	ZVJAGINCEV	g 2635	■ ■	½ 1	½ ½	1 ½	½ ½	1 ½	6½	1
2	KOŽUL	g 2605	½ 0	■ ■	½ ½	½ ½	1 ½	½ 1	5½	2—3
3	AZMAIPARASHVILI	g 2645	½ ½	½ ½	■ ■	½ ½	1 0	1 ½	5½	2—3
4	A. CHERNIN	g 2640	0 ½	½ ½	½ ½	■ ■	½ ½	1 ½	5	4—5
5	A. BELJAVSKIJ	g 2710	½ ½	0 ½	0 1	½ ½	■ ■	1 ½	5	4—5
6	G. MOHR	m 2480	0 ½	½ 0	0 ½	0 ½	0 ½	■ ■	2½	6

BENASQUE, VII 1997
(360 players, 9 rounds)

1—6. A. Delčev, A. Kuz'min, B. Kurajica, M. Marin, Miles, Al-Modiahki 7½, 7—14. G. Giorgadze, Vaïsser, Barua, Stefanova, Perdomo, Movsesian, Van Mil, Westerinen 7, etc.

MONTPELLIER, VII 1997
(100 players, 9 rounds)

1—3. Ščekačëv, Al. David, Palac 7, 4—12. Lukov, S. Đurić, Flear, Finkel, Bricard, O. Foişor, Giffard, Fressinet, Bernald 6½, 13—20. Prié, Elbilia, Gachon, Weill, Collas, A. Kogan, Tirard, Tyomkin 6, etc.

WINNIPEG, VII 1997
(188 players, 10 rounds)

1. Ju. Hodgson 8½, 2. K. Spraggett 8, 3—8. Hjartarson, Stefánsson, Shabalov, Psakhis, Murrey, R. Vera 7½, 9—17. Smirin, Gofshtein, Sashikiran, Nickoloff, Nogueiras, D. Hergott, Teodoro IV, Sasata, Baragar 7, etc.

SAN FRANCISCO, VII 1997
cat. VII (2408) g=7, m=5½

1. Baburin 7, 2—3. Frías, Wojtkiewicz 6, 4. Fedorowicz 5½, 5—7. J. Donaldson, Wolski, G. Rey 4½, 8—9. Lobo, A. Stein 2½, 10. Bhat 2

SÃO PAULO, VII 1997
cat. IX (2467) g=7, m=5

1. Urday 6, 2—3. de Toledo, A. Sorín 5½, 4. Leitão 5, 5. Vescovi 4½, 6. A. Zapata 3½

TOMSK, VII 1997
(68 players, 9 rounds)

1—4. Peregudov, Jakovič, Filippov, Yurtaev 6½, 5—10. Vojcehovskij, A. Galkin, Irzhanov, Ulybin, Šinkevič, Jandemirov 6, 11—16. Ju. Balašov, Belozerov, Kotsur, Kron, Loskutov, Al. Nikitin 5½, etc.

JAKARTA, VII 1997
(41 players, 9 rounds)

1. Tivjakov 7½, 2—3. Nenashev, S. Savčenko 7, 4—6. A. Šnejder, Saltaev, Chiong 6½, 7—14. Yuswanto, Iuldachev, Bancod, S. Mahmud, Simanjuntak, Nguyen Anh Dung, Tu Hoang Thong, G. Timošenko 6, etc.

LOS ANGELES, VII 1997
(75 players, 7 rounds)

1. Shabalov 6½, 2. Smirin 6, 3—4. de Firmian, Schwartzman 5½, 5—9. Yermolinsky, P. Blatný, Kreiman, I. Ivanov, Saidy 5, etc.

ZAGAN, VII 1997
World Junior's (Under 20) Championship
(78 players, 13 rounds)

1—2. Shaked (USA), Mirumian (ARM) 9½, 3—5. H. Banikas (GRE), Movsesian (CZE), Zhang Zhong (CHN) 9, 6—10. Najer (RUS), Macieja (POL), Iordachescu (ROM), Kasimdzhanov (UZB), R. Kempiński (POL) 8½, 11—16. Dao Thien Hai (VIE), Morozevič (RUS), Gyimesi (HUN), Li Shilong (CHN), Mih. Stojanović (YUG), M. R. Savić (YUG) 8, 17—24. V. Baklan (UKR), I. Ivaniševič (YUG), Ch. Bauer (FRA), Van den Doel (NED), L. Vajda (ROM), Avrukh (ISR), Kunte (IND), Krakops (LAT) 7½, etc.

KØBENHAVN, VII 1997

Seniors — Women 27 : 23 [2½ : 2½, 1½ : 3½, 2½ : 2½, 3½ : 1½, 3 : 2, 1½ : 3½, 3 : 2, 3 : 2, 3 : 2, 3½ : 1½]

Seniors 27 [Smyslov 6½ points/10 games, L. Portish 6/10, Hort 5½/10, Spassky 4½/10, Tajmanov 4½/10]

Women 23 [Arakhamia-Grant 5½/10, P. Cramling 5/10, Xie Jun 5/10, Zhu Chen 4/10, Ioseliani 3½/10]

JYVÄSKYLÄ, VII 1997
(182 players, 9 rounds)

1—4. Ehlvest, Rytshagov, Veingold, Soloženkin 7, 5—18. Rausis, Yrjölä, V. Bagirov, Seemen, Kiik, Nouro, Tella, Potkin, Holmsten, Kallio, Molander, Kekki, Sepp, Kauko 6½,

19—29. I. Zajcev, Pihlajasalo, Zapolskis, Manninen, M. Mäki, Tikkanen, Kokkila, Maidla, Puranen, Sorsa, Kilpelä 6, etc.

DRESDEN, VII 1997
(152 players, 9 rounds)

1. W. Uhlmann 7½, 2—5. Čehov, Teske, Pähtz, Weisshaupt 7, 6—13. I. Faragó, R. Lau, Blauert, Seger, Maiwald, Troyke, Pape, Vökler 6½, etc.

PARDUBICE, VII 1997
(252 players, 9 rounds)

1. Sakaev 7½, 2—11. Istrăţescu, Co. Ionescu, Belkert, Vokáč, Kuporosov, A. Lugovoj, Tunik, Hasangatin, Černišov, Khenkin 7, 12—19. A. Delčev, V. Babula, Burmakin, Ftáčnik, Tockij, Malanjuk, Turov, Gutman 6½, 20—37. Rogozenko, Vaulin, R. Åkesson, Kalod, Agnos, Meduna, Konopka, Prokopčuk, Ėmelin, Kubala, Šalimov, Onoprienko, Sa. Nikolov, Gy. Sax, Biolek, Šoln, Vl. Sergeev, Donk 6, etc.

KØGE, VII 1997
(54 players, 9 rounds)

1—2. Oll, Timman 6½, 3—4. L. Bo Hansen, E. Mortensen 6, 5—7. Sadler, Keņgis, Rozentalis 5½, 8—17. Mi. Adams, Hillarp Persson, H. Danielsen, A. Aleksandrov, Antonsen, Jakovič, Volžin, I. Sokolov, Hector, Brinck-Claussen 5, etc.

LIPPSTADT, VII 1997   cat. IX (2460) g=7/10, m=5/10

1. Chiburdanidze 8½, 2. Slobodjan 7½, 3. Stangl 7, 4. Luther 6½, 5—6. Liang Jinrong, Su. B. Hansen 6, 7. Wehmeier 5½, 8. McShane 5, 9. Ph. Schlosser 4½, 10. Matthias 4, 11. *Zugzwang* 3½, 12. Homann 2

KRŠKO, VII 1997

			1	2	3	4	5	6	
A. BELJAVSKIJ	g	2710	1	½	1	½	1	1	5
PAVASOVIĆ	m	2495	0	½	0	½	0	0	1

BIEL, VII—VIII 1997   cat. XVII (2661) g=5

				1	2	3	4	5	6		
1	ANAND	g	2765	■ ■	½ ½	1 ½	1 1	½ 0	1 1	7	1
2	AN. KARPOV	g	2745	½ ½	■ ■	½ ½	1 0	½ 1	1 1	6½	2
3	GEL'FAND	g	2695	0 ½	½ ½	■ ■	½ ½	1 ½	1 ½	5½	3
4	LAUTIER	g	2660	0 0	0 1	½ ½	■ ■	1 ½	½ ½	4½	4
5	V. MILOV	g	2635	½ 1	½ 0	0 ½	0 ½	■ ■	1 0	4	5
6	PELLETIER	m	2465	0 0	0 0	0 ½	½ ½	0 1	■ ■	2½	6

BIEL II, VII—VIII 1997   cat. X (2482) g=7, m=5

1. Al. Oniščuk 8½, 2—4. Gallagher, Kobalija, Hertneck 5, 5. Jenni 3½, 6. R. Forster 3

BIEL (open), VII—VIII 1997
(157 players, 11 rounds)

1. I. Ibragimov 8½, 2—8. Adianto, Harlov, Tukmakov, A. Chernin, Ehlvest, Tseitlin, Zoler 8, 9—17. Sturua, Tischbierek, Podgaec, Glek, Mi. Pavlović, Cebalo, Lputian, V. Lazarev, Nemet 7½, 18—30. E. Agrest, Siegel, A. Kovačević, Cvitan, Jaracz, Romanišin, Palac, R. Skomorohin, Petkevich, R. Berzinsh, Genba, Kelečević, Gutman 7, etc.

QUÉBEC, VII—VIII 1997
(60 players, 9 rounds)

1. Lesiège 8, 2. Gofshtein 7, 3—4. R. Vera, Schleifer 6½, 5—6. Nogueiras, Hébert 6, 7—11. Murrey, Linskiy, Mikanović, Leveille, Doung Thanh Nha 5½, 12—23. Hergott, Castaneda,

Levtchouk, D. Goldenberg, Girard, Prahov, Reeve, Wenaas, Gagnon, Leriche, Clement, Pnevmonidis 5, etc.

MONDARIZ BALNEARIO, VII—VIII 1997
(83 players, 9 rounds)

1. O. Korneev 7½, 2—3. Psakhis, G. Giorgadze 7, 4—8. Damljanović, Gulko, Izeta Txabarri, Campos Moreno, Lanka 6½, 9—17. de la Villa García, D. Paunović, San Segundo, Mellado, Pogorelov, Galego, O. de la Riva, Striković, Ibáñez 6, etc.

BAD HOMBURG, VII—VIII 1997

cat. XIV (2589) g=5, m=3

				1	2	3	4	5	6	7	8	9	10		
1	DAUTOV	g	2595	■	½	½	½	1	½	1	½	1	½	6	1
2	SVIDLER	g	2660	½	■	½	½	1	½	0	1	½	1	5½	2—3
3	B. ALTERMAN	g	2615	½	½	■	½	½	1	½	0	1	1	5½	2—3
4	XU JUN	g	2505	½	½	½	■	½	0	0	1	1	1	5	4—5
5	HRÁČEK	g	2605	0	0	½	½	■	½	1	1	½	1	5	4—5
6	KINDERMANN	g	2570	½	½	0	1	½	■	½	½	½	½	4½	6—8
7	CH. LUTZ	g	2590	0	1	½	1	0	½	■	½	½	½	4½	6—8
8	HICKL	g	2565	½	0	1	0	0	½	½	■	1	1	4½	6—8
9	SUTOVSKIJ	g	2605	0	½	0	0	½	½	½	0	■	1	3	9
10	CH. GABRIEL	g	2575	½	0	0	0	0	½	½	0	0	■	1½	10

MONTECATINI TERME, VIII 1997
(134 players, 9 rounds)

1—5. Greenfeld, Nataf, I. Efimov, Cs. Horváth, Zelčić 7, 6—13. Soloženkin, József Horváth, I. Faragó, Badea, Godena, Gy. Sax, Nurkić, Belotti 6½, 14—28. Ulybin, Draško, Glejzerov, A. Rotštejn, Malahov, B. Lalić, L. Ortega, Mantovani, Abramović, Lostuzzi, Sarno, Bellini, Agnos, Contin, Drei 6, etc.

GAUSDAL, VIII 1997
(50 players, 9 rounds)

1—2. Gausel, Davies 7, 3—11. Th. Thórhallsson, Rausis, Tisdall, M. M. Ivanov, B. Kristensen, Kozakov, Bergström, Bjerke, Behrhorst 6, 12—15. Østenstad, Fyllingen, Elsness, Grønn 5½, etc.

ANTWERPEN, VIII 1997

cat. XV (2615) g=3½

				1	2	3	4	5	6	7	8		
1	TOPALOV	g	2745	■	1	½	1	½	1	½	1	5½	1
2	KORTCHNOI	g	2610	0	■	1	½	½	1	1	1	5	2
3	YE RONGGUANG	g	2500	½	0	■	½	½	1	½	½	3½	3
4	JE. PIKET	g	2630	0	½	½	■	1	0	½	½	3	4—6
5	I. SOKOLOV	g	2635	½	½	½	0	■	½	1	0	3	4—6
6	VAN WELY	g	2655	0	0	0	1	½	■	½	1	3	4—6
7	I. NOVIKOV	g	2590	½	0	½	½	0	½	■	½	2½	7—8
8	VAN DER STERREN	g	2555	0	0	½	½	1	0	½	■	2½	7—8

ANTWERPEN (open), VIII 1997
(104 players, 9 rounds)

1. M. Gurevich 7½, 2—5. P. Nikolić, Van den Doel, R. Vaganian, Avrukh 7, 6—9. Ščekačëv, Lobron, Ki. Georgiev, Gershon 6½, 10—15. Stefanova, Ljubojević, Ree, Van de Mortel, Barsov, Vedder 6, 16—29. Nijboer, W. Hendriks, Sack, Barua, M. Röder, Delemarre, Van Mil, Wells, Eliet, Shirazi, Jonkman, Dutreeuw, Van Beek, Grooten 5½, etc.

BUDAPEST, VIII 1997

cat. VII (2414) g=7, m=5½

1. A. Mikhalevski 7, 2. Turov 6, 3—5. I. Almási, P. Lukács, I. Csom 5½, 6. Ács 4, 7—8. Vadász, Mádl 3½, 9. Arnold 2½, 10. Karatorossian 2

MARTIGNY, VIII 1997
(103 players, 7 rounds)

1—4. V. Mikhalevski, Pikula, Glek, V. Golod 6, 5—8. F. Gheorghiu, O. Foişor, Černjaev, Tseitlin 5½, 9—17. Bezold, Allegro, Ch. Foişor, Kalbermatter, Masserey, Golay, D. Bucher, Philippoz, Erdelyi 5, etc.

KORINTHOS, VIII 1997
(133 players, 9 rounds)

1. Kotronias 7½, 2. Gelashvili 7, 3—12. Kr. Georgiev, I. Nikolaidis, Miladinović, Hellsten, Grivas, T. Nedev, Papaioannou, Sr. Cvetković, Botsari, And. Tzermiadianos 6½, 13—16. Sa. Veličković, H. Banikas, A. Marić, T. Paunović 6, etc.

KOSZALIN, VIII 1997
(103 players, 10 rounds)

1—2. Khenkin, Gdański 7½, 3—10. McNab, Cichocki, Romanišin, Malanjuk, R. Kempiński, R. Ščerbakov, Krasenkow, M. Brodskij 7, 11—16. Tajmanov, Agamaliev, Galjamova, Ribli, Vaulin, M. Grabarczyk 6½, etc.

GREAT BRITAIN (ch), VIII 1997
(83 players, 11 rounds)

1—4. Mi. Adams, Emms, Miles, Sadler 8, 5—9. Hebden, A. Ledger, Sashikiran, Speelman, Summerscale 7½, 10—15. Arkell, M. Fergusson, Kosten, McShane, J. Parker, Ch. Ward 7, 16—24. Ansell, Buckley, Dunnington, Gallagher, Kinsmann, Andrew Martin, Pein, I. Thompson, M. Turner 6½, etc.
Play off: 1—2. Mi. Adams, Sadler 2, 3—4. Emms, Miles 1

NORTH BAY, VIII 1997
(59 players, 9 rounds)

1—2. Serper, Kudrin 7, 3—5. R. Vera, Nogueiras, Murrey 6½, 6—7, Linskiy, Ksassanov 6, 8—17. Wojtkiewicz, Gofshtein, L. Day, Teodoro IV, Burnett, Schleifer, Đerković, Žugić, Lindsay, Rajlich 5½, etc.

OLOMOUC, VIII 1997
cat. X (2491) =7½, m=5½

1. T. Polák 7½, 2. V. Babula 7, 3—5. Movsesian, Votava, Štohl 6½, 6. Oral 6, 7—8. Mokrý, Kalod 5½, 9—10. Manik, Biolek 5, 11—12. I. Balinov, R. Berzinsh 2½

BEIJING, VIII 1997
cat. XII (2540) g=6½, m=4½

1. Tivjakov 8½, 2. Oll 7½, 3—5. Xie Jun, Pigusov, Ye Jiangchuan 6, 6—7. Liang Jinrong, Zhang Zhong 5½, 8. Atalik 5, 9—10. Zhu Chen, B. Alterman 4½, 11. Sermek 4, 12. Lin Weiguo 3

ORLANDO, VIII 1997
(200 players, 12 rounds)

1. Yermolinsky 10½, 2—4. Alexa. Ivanov, Gi. García, Schwartzman 10, 5. Mulyar 9½, 6—17. A. Gol'din, Shabalov, P. Blatný, Reprincev, Shliperman, Mikhailuk, Ardaman, Wojtkiewicz, D. Ippolito, Perelshteyn, Karklins, Shapiro 9, etc.

BERLIN, VIII 1997
(542 players, 9 rounds)

1—4. Kruppa, Savčenko, K. Lerner, Chuchelov 7½, 5—22. Aseev, G. Kuz'min, Glek, L. Portisch, Epišin, Hertneck, Ėjngorn, Al. David, O. de la Riva, A. Baklan, A. Haritonov, Nisipeanu, Şubă, Smirin, Va. Loginov, Siegel, G. Timošenko, Genba 7, 23—40. V. Mikhalevski, Hickl, Krogius, P. Tregubov, V. Golod, Grabliauskas, Iordachescu, Wilhelmi, Lautier, Harlov, de la Villa García, Glienke, Ejsmont, Bigaliev, Rabiega, U. von Hermann, A. Krays, S. Berndt 6½, 41—70. Muhametov, Shaked, Zoler, Beim, V. Bagirov, Raškovskij, Sturua, I. Ibragimov, Tseitlin, R. Lau, St. Pedersen, Burmakin, Lejlic, Tischbierek, Slobodjan, M. Muse, Vl. Gurevič, V. Ikonnikov, Peptan, Seul, Pitam, Dvojris, Bogdanovič, Van der Weide, Urday, Gipslis, Vasilevič, Dydyško, Černikov, Ovseevič 6, etc.

RECKLINGHAUSEN, VIII 1997 cat. VIII (2442) g=7, m=5

1. K. Bischoff 7, 2. Maiwald 6½, 3. Keitlinghaus 6, 4—5. V. Lazarev, Kišněv 5½, 6. Halász 4, 7—8. Galdunts, R. Mainka 3½, 9. Kummerow 2½, 10. Höfker 1

FARO, VIII 1997

(85 players, 8 rounds)

1—2. K. Spraggett, Campos Moreno 6½, 3—7. Lanka, D. Paunović, Galego, Rom. Hernández, D. Komljenović 6, 8—13. D. Rivera, Damaso, Vitor, D. del Rey, Dantas, L. Santos 5½, etc.

KAVALA, VIII 1997

(134 players, 9 rounds)

1—3. Nenashev, Miladinović, Kotronias 7½, 4—5. Skembris, Vouldis 7, 6—13. Bagaturov, Z. Arsović, D. Milanović, Stanojoski, G. Arsović, Tsorbatzoglou, Stefanopoulos, Gelashvili 6½, 14—23. Cela, Aftosoglou, H. Banikas, Sr. Cvetković, Hellsten, Agnos, Simeonidis, Darmarakis, Markidis, Kiriazis 6, etc.

SEVASTOPOL', VIII 1997 cat. XI (2502) g=6½, m=4½

1. Bologan 7½, 2. Jagupov 6, 3—4. A. Haritonov, S. Kiselëv 5½, 5—6. Belikov, Lëgkij 5, 7—9. Vyžmanavin, Komliakov, O. Nikolenko 4½, 10. Tockij 4, 11. Izmukhambetov 3

STOCKHOLM, VIII 1997 cat. VIII (2437) g=8, m=6

1—2. Rytshagov, Seeman 8, 3—4. L. Karlsson, R. Åkesson 7½, 5—6. H. Ólafsson, E. Agrest 7, 7—8. Laveryd, Engqvist 4½, 9. Lyrberg 4, 10. Sjöberg 3½, 11. J. Wallace 2½, 12. Hultin 2

FRANCE (ch), VIII 1997 cat. IX (2464) g=10½, m=7½

1. Vaïsser 11, 2. Anic 10½, 3. Ch. Bauer 10, 4. Marciano 9½, 5. Degraeve 8½, 6—9. Chabanon, J.-R. Koch, Hauchard, Relange 8, 10. Prié 6½, 11—13. Bricard, Leski, Lepelletier 6, 14. Santo Roman 5, 15—16. Neiman, Fontaine 4½

POLANICA ZDRÓJ, VIII 1997 cat. XVI (2629) g=4½

				1	2	3	4	5	6	7	8	9	10		
1	RUBLEVSKIJ	g	2650	■	½	½	1	½	½	1	1	1	1	7	1
2	GEL'FAND	g	2695	½	■	½	½	½	½	½	1	1	1	6	2
3	BAREEV	g	2670	½	½	■	½	½	1	½	½	½	½	5	3
4	A. ALEKSANDROV	g	2660	0	½	½	■	½	½	½	½	1	½	4½	4
5	PSAKHIS	g	2565	½	½	½	½	■	½	½	½	½	0	4	5—8
6	MALANJUK	g	2615	½	½	0	½	½	■	1	0	½	½	4	5—8
7	KRASENKOW	g	2645	0	½	½	½	½	0	■	½	½	1	4	5—8
8	U. ANDERSSON	g	2640	0	0	½	½	½	1	½	■	½	½	4	5—8
9	M. KAMIŃSKI	g	2540	0	0	½	0	½	½	½	½	■	1	3½	9
10	EHLVEST	g	2610	0	0	½	½	1	½	0	½	0	■	3	10

POLANICA ZDRÓJ (open), VIII 1997

(76 players, 9 rounds)

1. Rustemov 8, 2. Purtov 7, 3—8. R. Ščerbakov, Ju. Zezjul'kin, S. Kiselëv, M. Grabarczyk, R. Bernard, Titov 6½, 9—12. Gdański, K. Urban, Gricak, Sośnicki 6, etc.

PORTO SAN GIORGIO, VIII 1997

(100 players, 9 rounds)

1. Malahov 7½, 2. Glek 7, 3. O. Korneev 6½, 4—17. Khenkin, Palac, Badea, V. Lazarev, Naumkin, A. Rotštejn, B. Golubović, Cebalo, Cvitan, Zločevskij, Dautov, Arlandi, Passoni, Borgo 6, 18—23. Mrda, Nataf, Ciolac, Iotti, Sebastianelli, Ventura 5½, etc.

MARIEHAMN/ÖSTERÅKER, VIII 1997
(99 players, 9 rounds)

1—3. Stefánsson, M. Gurevich, Ulybin 7, 4—8. Gy. Sax, H. Ólafsson, Greenfeld, A. Fedorov, Hjartarson 6½, 9—17. Svešnikov, Razuvaev, Rytshagov, Kengis, Sosonko, R. Åkesson, Glejzerov, Hector, Westerinen 6, 18—27. Pe. Nielsen, Halifman, An. Byhovskij, Kveinys, Tajmanov, Schandorff, Baumegger, Tella, Plachetka, E. Berg 5½, etc.

BEIJING (open), VIII 1997
(42 players, 11 rounds)

1—2. Tivjakov, B. Alterman 8, 3. Pigusov 7½, 4—7. Atalik, Van Wely, Liang Jinrong, Jakovič 7, 8—11. Speelman, Karaklajić, Wu Wenjin, Zhang Pengxiang 6½, 12—19. Oll, Tong Yuannming, Peng Xiamin, Wang Zili, Zhang Zhong, Ye Jiangchuan, Li Shilong, Xu Jun 6, etc.

USA (ch), VIII—IX 1997

Group I   cat. XII (2542)

			1	2	3	4	5	6	7	8		
1	L. CHRISTIANSEN	g 2550	■	½	½	½	1	1	1	½	5	1—2
2	JOEL BENJAMIN	g 2580	½	■	½	1	½	1	½	1	5	1—2
3	FEDOROWICZ	g 2510	½	½	■	½	½	½	1	1	4½	3
4	GULKO	g 2580	½	0	½	■	½	½	1	½	3½	4—5
5	YERMOLINSKY	g 2650	0	½	½	½	■	½	½	1	3½	4—5
6	BROWNE	g 2530	0	0	½	½	½	■	½	1	3	6
7	J. ZAMORA	2370	0	½	0	0	½	½	■	1	2½	7
8	ALEXA. IVANOV	g 2565	½	0	0	½	0	0	0	■	1	8

Group II   cat. XIII (2569)

			1	2	3	4	5	6	7	8		
1	KAIDANOV	g 2600	■	½	½	1	½	½	½	1	4½	1—2
2	SEIRAWAN	g 2630	½	■	½	0	½	1	1	1	4½	1—2
3	DE FIRMIAN	g 2570	½	½	■	0	½	1	½	1	4	3
4	SCHWARTZMAN	g 2515	0	1	1	■	½	0	½	½	3½	4—6
5	DZINDZICHASHVILI	g 2540	½	½	½	½	■	½	½	½	3½	4—6
6	SHABALOV	g 2585	½	0	0	1	½	■	1	½	3½	4—6
7	KUDRIN	g 2535	½	0	½	½	½	0	■	½	2½	7
8	D. GUREVICH	g 2575	0	0	0	½	½	½	½	■	2	8

1/2 Final:

			1	2	3		
KAIDANOV	g	2600	0	½	0	½	
JOEL BENJAMIN	g	2580	1	½	1	2½	

			1	2	3	4	25'	25'	15'	15'	5'	5'	5'	5'	5'	5'	
L. CHRISTIANSEN	g	2550	0	½	1	½	0	1	0	1	1	0	0	1	1	1	8
SEIRAWAN	g	2630	1	½	0	½	1	0	1	0	0	1	1	0	0	0	6

Final:

			1	2	3	4	5	6		
JOEL BENJAMIN	g	2580	1	0	½	1	½	½	3½	
L. CHRISTIANSEN	g	2550	0	1	½	0	½	½	2½	

CHEMNITZ, VIII—IX 1997

(88 players, 9 rounds)

1—2. Rogozenko, Van der Weide 7, 3—7. P. Hába, Womacka, Külaots, Enders, Timoshchenko 6½, 8—15. Lorenz, L. Espig, Teske, Pähtz, Sandner, Böhnisch, Mirschinka, Michna 6, etc.

AMPURIABRAVA, IX 1997   cat. X (2500) g=6, m=4

1. Ubilava 6½, 2—3. G. Giorgadze, Cifuentes Parada 6, 4. K. Spraggett 5, 5. Vehí Bach 4½, 6—7. Mellado, García Ilundáin 4, 8. Izeta Txabarri 3½, 9. Pomés 3, 10. Sión Castro 2½

GRAZ, IX 1997

(85 players, 9 rounds)

1—3. Burmakin, Ėjngorn, K. Lerner 7, 4—9. E. Agrest, Rabiega, Zifroni, V. Baklan, G. Timošenko, Wojtkiewicz 6½, 10—15. Van den Doel, Kreiman, Epišin, Zoler, I. Balinov, M. Röder 6, 16—23. Baumegger, J. Rigó, W. Wittmann, Stanec, Riedner, Freitag, Bawart, Kelchner 5½, etc.

ALBERT, IX 1997

			1	2	3	4	5	6	
BACROT	g	2545	0	½	1	0	½	0	2
KORTCHNOI	g	2610	1	½	0	1	½	1	4

ALBACETE, IX 1997   cat. VII (2414) g=7, m=5½

1. Pogorelov 7, 2. Spassov 6½, 3. A. G. Pančenko 6, 4. Am. Rodríguez 5, 5—7. Becerra Rivero, I. Herrera, Candela 4½, 8. F. J. García 3, 9—10. Saldaño, Rojo Huerta 2

MONACO, IX 1997

			1	2	3	4	5	6	7	8	
JE. PIKET	g	2630	½	0	½	0	1	½	1	½	4
VAN WELY	g	2655	½	1	½	1	0	½	0	½	4

TALLINN, IX 1997
European Junior's (Under 20) Championship

(36 players, 11 rounds)

1. Tyomkin (ISR) 8½, 2. J. Rowson (SCO) 8, 3—4. H. Banikas (GRE), Beličev (UKR) 7½, 5. Belozerov (RUS) 7, 6—12. Al. Rabinovich (ISR), Papasov (BUL), Shishkov (EST), H. Hunt (ENG), Marzolo (FRA), Dumitrescu (ROM), B. Kelly (IRL) 6½, 13—16. Malahov (RUS), Štoček (CZE), Bakhtadze (GEO), Karatekin (TUR) 6, etc.

OSTRAVA, IX 1997

			1	2	3	4	5	6	
FTÁČNIK	g	2585	½	½	0	½	½	½	2½
HRÁČEK	g	2605	½	½	1	½	½	½	3½

SEEFELD, IX 1997

(88 players, 9 rounds)

1. Dautov 7½, 2—8. Schmittdiel, Dittmar, L. Milov, Raeckij, Timoshchenko, Barbero, Thiede 6½, 9—11. Lawitsch, R. Schulz, Schelle 6, etc.

MANRESA, IX 1997

(116 players, 9 rounds)

1. González Rodríguez 7½, 2–7. Co. Ionescu, Černjaev, Am. Rodríguez, A. Kogan, Vehí Bach, Pablo Marin 7, 8–11. Movsesian, M. Marin, Vidarte Morales, Baches García 6½, etc.

SOČI, IX 1997

cat. XIII (2565) g=6½, m=4½

				1	2	3	4	5	6	7	8	9	10	11	12		
1	MALANJUK	g	2615	■	½	1	½	½	1	½	1	1	½	½	½	7½	1
2	A. HARITONOV	g	2540	½	■	½	½	1	0	½	1	1	0	½	1	6½	2–3
3	FILIPPOV	g	2535	0	½	■	0	½	0	1	1	1	½	1	1	6½	2–3
4	JANDEMIROV	g	2500	½	½	1	■	½	1	½	0	0	1	½	½	6	4
5	A. ALEKSANDROV	g	2660	½	0	½	½	■	1	½	0	½	1	½	½	5½	5–6
6	JAKOVIČ	g	2610	0	1	1	0	0	■	½	½	½	1	½	½	5½	5–6
7	A. GALKIN	g	2540	½	½	0	½	½	½	■	½	1	0	½	½	5	7–9
8	VOJCEHOVSKIJ	m	2480	0	0	0	1	1	½	½	■	0	½	1	½	5	7–9
9	A. FEDOROV	g	2540	0	0	0	1	½	½	0	1	■	1	½	½	5	7–9
10	I. IBRAGIMOV	g	2585	½	1	½	0	0	0	1	½	0	■	½	½	4½	10–12
11	VAULIN	g	2530	½	½	0	½	½	½	½	0	½	½	■	½	4½	10–12
12	R. ŠČERBAKOV	g	2580	½	0	0	½	½	½	½	½	½	½	½	■	4½	10–12

TILBURG, IX–X 1997

cat. XVII (2667) g=5½

				1	2	3	4	5	6	7	8	9	10	11	12		
1	SVIDLER	g	2660	■	1	½	½	½	½	1	½	½	1	1	1	8	1–3
2	G. KASPAROV	g	2820	0	■	½	½	1	1	1	½	1	½	1	1	8	1–3
3	KRAMNIK	g	2770	½	½	■	½	½	½	1	1	1	½	1	1	8	1–3
4	MI. ADAMS	g	2680	½	½	½	■	½	½	½	1	½	1	½	1	7	4–5
5	LÉKÓ	g	2635	½	0	½	½	■	½	½	1	1	½	1	1	7	4–5
6	J. POLGÁR	g	2670	½	0	½	½	½	■	1	½	½	1	½	½	6	6
7	SHIROV	g	2700	0	0	0	½	½	0	■	½	1	1	½	1	5	7
8	LAUTIER	g	2660	½	½	0	0	0	½	½	■	½	0	1	1	4½	8–9
9	VAN WELY	g	2655	½	0	0	½	0	½	0	½	■	½	1	1	4½	8–9
10	AL. ONIŠČUK	g	2625	0	½	½	0	½	0	0	1	½	■	½	½	4	10
11	JE. PIKET	g	2630	0	0	0	½	0	½	½	0	0	½	■	½	2½	11
12	SHAKED	g	2500	0	0	0	0	0	½	0	0	0	½	½	■	1½	12

Korice • Переплёт • Cover • Pärm • Couverture • Cubiertas •
Copertina • Pärmar • 表紙 • الغلاف

Đorđe Simić

Dizajn • Дизайн • Design • Design • Design • Diseño • Grafica • Design • デザイン • رسم

Miloš Majstorović

Tehnički urednik • Технический редактор • Technical editor •
Technischer Redakteur • Rédacteur technique • Redactor técnico •
Redattore tecnico • Teknisk redaktör • 割付 • المحرر الفني

Svetlana Ignjatović

Štampa:
Publikum, Beograd, Slavka Rodića 6

Printed in Yugoslavia 1997

Sosonko's workshop
the expert Catalan course

By a large margin, Genna Sosonko is the world's leading authority on the Catalan Opening. He has enriched the theory of this popular opening with numerous new ideas and discoveries.

2345

ŠAHOVSKI PROBLEMI
ШАХМАТНЫЕ ЗАДАЧИ
CHESS PROBLEMS
SCHACHPROBLEME
PROBLEMES D'ECHECS
PROBLEMAS DE AJEDREZ

≠2　　　　　　≠3

ANTOLOGIJA ANTOLOGIЯ ANTHOLOGY ANTHOLOGIE ANTOLOGIA

≠5　　　　　　≠4

Chess Informant

≠2　1. ♖d7!　(664)
≠3　1. e8♘!　(1215)
≠4　1. e4!　(2026)
≠5　1. ♘e1!　(2193)

ENCYCLOPAEDIA
OF CHESS
OPENINGS

VOLUME B

3

BRINGS

70%

NEW

MATERIAL

15500

THE MOST
INSTRUCTIVE
GAMES

3

B | 1.e4 R⌐1...c5, 1...e6, 1...e5
1.e4 c5

enciklopedija šahovskih otvaranja
энциклопедия шахматных дебютов
encyclopaedia of chess openings
enzyklopädie der schach-eröffnungen
encyclopedie des ouvertures d'echecs
enciclopedia de aperturas de ajedrez
enciclopedia delle aperture negli scacchi
encyklopedi över spelöppningar i schack
チェスの序盤戦事典
موسوعة افتتاحيات الشطرنج

šahovski informator beograd

Chess Informant